Mil ochenta recetas de cocina

Simone Ortega:
Mil ochenta recetas de cocina

Con un epílogo
de Jacinto Sanfeliu

El Libro de Bolsillo
Alianza Editorial
Madrid

®

Primera edición en «El libro de Bolsillo»: 1972
Vigésima reimpresión en «El libro de Bolsillo»: 1988

Nota introductoria

Este libro de cocina no pretende, naturalmente, hacer época dentro de la espléndida y numerosa bibliografía del tema. Sí quiere ser, en cambio, un libro de nuestra época, es decir, un libro práctico, con recetas explicadas lo más claramente posible para cuantas mujeres —y muchas veces hombres— han de tomar cada vez con mayor frecuencia la sartén por el mango.

Las recetas van con numeración correlativa, agrupadas en los capítulos clásicos: sopas, pescados, carnes, etc., y un índice alfabético con referencia al número facilita su búsqueda. Me ha parecido útil no darles nombres rimbombantes sino simplemente bautizarlas por sus ingredientes, con alguna que otra excepción.

Doy también una lista de menús por semanas, que tiene en cuenta la estación del año y los productos más habituales del mes, para ayudar al ama de casa a resolver esa pregunta que se hace diariamente: «¿Qué pongo hoy de comer?»

Pero una comida sin vinos no lo es en plenitud, y un libro de cocina que no hable de ellos resultaría incompleto. Por eso he rogado al director y propietario de un famoso restorán, Jacinto Sanfeliu, en quien se unen una gran cultura y una gran experiencia, que me escribiera un epílogo sobre el vino en la mesa. Quiero expresarle mi agradecimiento por este broche de oro con que me permite cerrar mi libro.

Que estas páginas resulten útiles para quien quiera saber guisar, será la mejor compensación a los desvelos que ha puesto en ellas

Simone Ortega.

CALENDARIO DE PRODUCTOS ALIMENTICIOS

Esta relación por meses de productos alimenticios es una ayuda para las amas de casa, que así podrán disponer sus menús con los productos mejores y a precio más normal en el mercado.

Pero no se puede descartar la posibilidad actual de comprar a destiempo productos congelados o conservados en cámaras frigoríficas, que resultan muy buenos si se preparan y condimentan debidamente.

ENERO

Carnes	Pescado-Mariscos	Verduras	Frutas
Pollo.	Merluza.	Champiñón de París.	Piña.
Gallina.	Pescadilla.	Acelgas.	Manzanas.
Conejo.	Rape.	Zanahorias.	Limones.
Vaca.	Lubina.	Puerros.	Naranjas.
Ternera.	Lenguado.	Lechuga.	Mandarinas.
Cerdo.	Breca.	Escarola.	Pomelos.
Cordero.	Rodaballo.	Remolacha.	Peras (amarillas).
Capones.	Congrio.	Cebollas.	Peras de agua.
Pavo.	Gallo.	Cebollitas francesas.	Chirimoyas.
Cochinillo.	Besugo.	Coliflor.	Plátanos.
Mollejas de ternera.	Palometa.	Cardo.	Uvas.
Criadillas de cordero.	Salmonetes.	Endivias.	Castañas.
Hígado.	Pez espada.	Espinacas.	
Riñones.	Calamares.	Coles de Bruselas.	
Sesos.	Cigalas.	Lombarda.	
	Gambas.	Repollo.	
Perdices.	Chirlas.	Apio.	
Conejo de monte.	Langostinos.	Nabos.	
Liebre.	Langosta.	Alcachofas.	
Faisán.	Bogavante.	Calabaza.	
Becada.	Carabineros.	Berros.	
Codornices.	Quisquillas.		
Aves acuáticas.	Almejas.		
Jabalí.	Mejillones.		
Venado	Angulas.		
	Ostras.		

Carnes	Pescado-Mariscos	Verduras	Frutas
Pollo.	Merluza.	Champiñón de París.	Piña.
Gallina.	Pescadilla.	Acelgas.	Manzanas.
Conejo casero.	Rape.	Zanahorias.	Peras amarillas.
Vaca.	Lubina.	Puerros.	Peras de agua.
Ternera.	Lenguado.	Lechuga.	Chirimoyas.
Cerdo.	Breca.	Escarola.	Naranjas.
Cordero.	Rodaballo.	Cebollas.	Limones.
Mollejas de ternera.	Congrio.	Cebollitas francesas.	Pomelos.
Cochinillo.	Gallo.	Cebolletas.	Plátanos.
	Besugo.	Remolacha.	Almendras.
	Palometa.	Coliflor.	Nueces.
Hasta mediados de febrero:	Salmonetes.	Cardo.	
	Salmón.	Endivias.	
Perdices.	Pez espada.	Espinacas.	
Liebre.		Coles de Bruselas.	
Conejo de monte.	Calamares.	Lombarda.	
Aves acuáticas	Cigalas.	Repollo.	
Codornices.	Gambas.	Cardillos.	
Becada.	Chirlas.	Guisantes.	
Faisán.	Langostinos.	Habas.	
Jabalí.	Langosta.	Apio.	
Venado.	Bogavante.	Nabos.	
	Carabineros.	Grelos.	
	Quisquillas.	Alcachofas.	
	Almejas.	Judías verdes. » francesas.	
	Mejillones.		
	Angulas.	Calabaza.	
	Ostras.		

MARZO

Carnes	Pescado-Mariscos	Verduras	Frutas
Pollo.	Merluza.	Criadillas de tierra.	Piña.
Gallina.	Pescadilla.	Acelgas.	Manzanas.
Conejo.	Rape.	Zanahorias.	Peras de agua.
Vaca.	Lubina.	Puerros.	» amarillas.
Ternera.	Lenguado.	Lechuga.	Limones.
Cerdo.	Breca.	Cebollas.	Naranjas.
Cordero.	Rodaballo.	Cebolletas.	Pomelos.
Mollejas de ternera.	Congrio.	Cebollitas francesas.	Plátanos.
Criadillas de cordero.	Gallo.	Remolacha.	Fresas.
Cochinillo.	Palometa.	Coliflor.	Fresones.
	Besugo.	Endivias.	
	Salmonetes.	Coles de Bruselas (¹/₂ mes)	
	Salmón.	Lombarda.	
	Calamares.	Calabaza.	
	Cigalas.	Repollo.	
	Gambas.	Cardillos.	
	Chirlas.	Guisantes.	
	Langostinos.	Habas.	
	Langosta.	Apio.	
	Bogavante.	Tomates.	
	Carabineros.	Pimientos verdes.	
	Quisquillas.	Nabos.	
	Almejas.	Alcachofas.	
	Mejillones.	Espárragos trigueros.	
	Angulas.	Judías verdes.	
	Ostras.	» » francesas.	

Carnes	Pescado-Mariscos	Verduras	Frutas
Pollo.	Merluza.	Criadillas de tierra.	Piña.
Gallina.	Pescadilla.	Champiñón de París.	Manzanas.
Conejo.	Rape.	Acelgas.	Peras de agua.
Vaca.	Lubina.	Zanahorias.	» amarillas.
Ternera.	Lenguado.	Puerros.	Limones.
Cerdo.	Breca.	Lechuga.	Naranjas.
Cordero.	Rodaballo.	Remolacha.	Pomelos.
Mollejas de ternera.	Congrio.	Cebollas.	Plátanos.
Criadillas de cordero.	Gallo.	Cebollitas francesas.	Fresas.
Cochinillo.	Mero.	Cebolletas.	Fresones.
	Palometa.	Espinacas.	
	Besugo.	Repollo.	
	Salmonetes.	Cardillos.	
	Salmón.	Calabaza.	
		Guisantes.	
	Calamares.	Habas.	
	Cigalas.	Apio.	
	Gambas.	Tomates.	
	Chirlas.	Pimientos verdes.	
	Langostinos.	Nabos.	
	Langosta.	Alcachofas.	
	Bogavante.	Espárragos trigueros.	
	Carabineros.	Judías verdes. » francesas.	
	Quisquillas.		
	Almejas.	Primeros espárragos.	
	Mejillones.	Tirabeques.	
	Angulas.		
	Percebes.		
	Ostras.		

MAYO

Carnes	Pescado-Mariscos	Verduras	Frutas
Pollo.	Merluza.	Criadillas de tierra.	Piña.
Gallina.	Pescadilla.	Setas.	Manzanas.
Conejo.	Rape.	Champiñón de París.	Peras de agua.
Vaca.	Lubina.	Acelgas.	» amarillas.
Ternera.	Lenguado.	Zanahorias.	Limones.
Cordero.	Breca.	Puerros.	Naranjas.
Mollejas de ternera.	Rodaballo.	Lechuga.	Pomelos.
Criadillas de cordero.	Congrio.	Remolacha.	Plátanos.
	Gallo.	Cebollas.	Sandía.
	Mero.	Cebolletas.	Albaricoques.
	Sardinas.	Cebollitas francesas.	Cerezas.
	Boquerones.	Espinacas.	Melocotones.
	Palometa.	Calabaza.	Ciruelas.
	Besugo.	Guisantes.	Nísperos.
	Salmonetes.	Habas.	Fresas.
	Truchas.	Apio.	Fresones.
	Salmón.	Tomates.	Grosellas.
		Pimientos verdes.	Frambuesas.
	Calamares.	Nabos.	Brevas.
	Cigalas.	Alcachofas.	
	Gambas.	Calabacines.	
	Chirlas.	Berenjenas.	
	Langostinos.	Espárragos.	
	Langosta.	Judías verdes.	
	Bogavante.	» » francesas.	
	Carabineros.	Tirabeques.	
	Quisquillas.		
	Mejillones.		
	Percebes.		

JUNIO

Carnes	Pescado-Mariscos	Verduras	Frutas
Pollo.	Merluza.	Champiñones de París.	Piña.
Gallina.	Pescadilla.	Acelgas.	Manzanas.
Conejo.	Rape.	Zanahorias.	Peras amarillas.
Vaca.	Lubina.	Puerros.	Sandía.
Ternera.	Lenguado.	Lechuga.	Melón.
Cordero.	Gallo.	Remolacha.	Albaricoques.
Mollejas de ternera.	Breca.	Calabaza.	Cerezas.
Criadillas de cordero.	Rodaballo.	Repollo.	Paraguayas.
	Congrio.	Cebollas.	Melocotones.
	Bonito.	Cebollitas francesas.	Ciruelas.
	Mero.	Tomates.	Nísperos.
	Sardinas.	Calabacines.	Fresas.
	Boquerones.	Berenjenas.	Fresones.
	Truchas.	Espárragos.	Grosellas.
	Salmón.	Judías verdes.	Frambuesas.
		Pepinos.	Anon cubano.
	Calamares.		Brevas.
	Cigalas.		Plátanos.
	Gambas.		
	Chirlas.		
	Langostinos.		
	Langosta.		
	Bogavante.		
	Carabineros.		
	Mejillones.		
	Percebes.		

JULIO

Carnes	Pescado-Mariscos	Verduras	Frutas
Pollo.	Merluza.	Zanahorias.	Piña.
Gallina.	Pescadilla.	Acelgas.	Manzanas.
Conejo.	Rape.	Puerros.	Limones.
Vaca.	Lubina.	Lechuga.	Naranjas.
Ternera.	Lenguado.	Remolacha.	Pomelos.
	Gallo.	Cebollas.	Peras amarillas.
	Breca.	Tomates.	» de S. Juan.
	Rodaballo.	Pimientos verdes.	» Duquesa.
	Congrio.	Calabacines.	Sandía.
	Bonito.	Berenjenas.	Melón.
	Mero.	Judías verdes.	Uvas.
	Sardinas.	Pepinos.	Paraguayas.
	Boquerones.		Melocotones.
	Truchas.		Ciruelas.
	Salmón.		Higos.
			Plátanos.
	Calamares.		
	Cigalas.		
	Gambas.		
	Chirlas.		
	Langostinos.		
	Langosta.		
	Bogavante.		
	Carabineros.		
	Cangrejos de río.		

AGOSTO

Carnes	Pescado-Mariscos	Verduras	Frutas
Pollo.	Merluza.	Acelgas.	Piña.
Gallina.	Pescadilla.	Zanahorias.	Manzanas.
Conejo.	Rape.	Puerros.	Limones.
Vaca.	Lubina.	Lechuga.	Naranjas.
Ternera.	Lenguado.	Remolacha.	Pomelos.
Codornices.	Gallo.	Cebollas.	Peras amarillas.
	Breca.	Tomates.	» de agua.
	Rodaballo.	Pimientos verdes.	» Duquesa.
	Congrio.	Calabacines.	Sandía.
	Bonito.	Berenjenas.	Melón.
	Sardinas.	Judías verdes.	Uvas.
	Boquerones.	Pepinos.	Melocotones.
	Truchas.		Ciruelas.
			Higos.
	Calamares.		Plátanos.
	Cigalas.		
	Gambas.		
	Chirlas.		
	Langostinos.		
	Langosta.		
	Bogavante.		
	Carabineros.		
	Cangrejos de río.		

SEPTIEMBRE

Carnes	Pescado-Mariscos	Verduras	Frutas
Pollo.	Merluza.	Acelgas.	Piña.
Gallina.	Pescadilla.	Zanahorias.	Manzanas.
Conejo.	Rape.	Puerros.	Peras amarillas.
Vaca.	Lubina.	Lechuga.	» de agua.
Ternera.	Lenguado.	Remolacha.	» Duquesa.
	Gallo.	Cebollas.	Limones.
Conejo de monte.	Breca.	Tomates.	Naranjas.
Liebre.	Rodaballo.	Pimientos verdes.	Pomelos.
Perdices.	Congrio.	» rojos.	Melón.
Codornices.	Bonito.	Calabacines.	Uvas.
Becada.	Sardinas.	Berenjenas.	Melocotones.
Faisán.	Boquerones.	Judías verdes.	Ciruelas.
Aves acuáticas.	Pez espada (fin de mes).	Pepinos.	Higos.
			Plátanos.
	Calamares.		
	Cigalas.		
	Gambas.		
	Chirlas.		
	Langosta.		
	Langostinos.		
	Bogavante.		
	Carabineros.		
	Almejas.		
	Cangrejos de río.		

18

OCTUBRE

Carnes	Pescado-Mariscos	Verduras	Frutas
Pollo.	Merluza.	Champiñón de París	Piña.
Gallina.	Pescadilla.	(desde ½ mes).	Manzanas.
Conejo.	Rape.	Acelgas.	Peras amarillas.
Vaca.	Lubina.	Zanahorias.	» de agua.
Ternera.	Lenguado.	Puerros.	Limones.
Cerdo.	Gallo.	Lechuga.	Naranjas.
Cordero.	Breca.	Cebollas.	Pomelos.
Mollejas de ternera.	Rodaballo.	Cebollitas francesas.	Melón.
Cochinillo.	Congrio.	Remolacha.	Uvas.
	Sardinas.	Coliflor.	Ciruelas.
Perdices.	Boquerones.	Espinacas.	Chirimoyas.
Conejo.	Besugo.	Lombarda.	Plátanos.
Liebre.	Pez espada.	Repollo.	Membrillos (desde ½ mes).
Codornices.		Apio.	
Becada.	Calamares.	Tomates.	
Faisán.	Cigalas.	Pimientos verdes.	
Aves acuáticas.	Gambas.	rojos.	
Venado.	Chirlas.	Alcachofas.	
Jabalí.	Langosta.	Calabacines.	
	Langostinos.	Berenjenas.	
	Bogavante.	Judías verdes.	
	Carabineros.	Calabaza.	
	Almejas.		
	Mejillones.		
	Ostras.		

Carnes	Pescado-Mariscos	Verduras	Frutas
Pollo.	Merluza.	Champiñón de París.	Piña.
Gallina.	Pescadilla.	Setas-Niscalos.	Manzanas.
Conejo.	Rape.	Acelgas.	Peras amarillas.
Vaca.	Lubina.	Zanahorias.	» de agua.
Ternera.	Lenguado.	Puerros.	Limones.
Cerdo.	Gallo.	Cebollas.	Naranjas.
Cordero.	Breca.	Cebollitas francesas.	Pomelos.
Mollejas de ternera.	Rodaballo.	Lechuga.	Mandarinas.
Cochinillo.	Congrio.	Remolacha.	Melón.
	Besugo.	Coliflor.	Uvas.
	Pez espada.	Cardo.	Chirimoyas.
Perdices.		Endivias.	Plátanos.
Conejo.	Calamares.	Espinacas.	Membrillos.
Liebre.	Cigalas.	Coles de Bruselas.	Castañas.
Aves acuáticas.	Gambas.	Lombarda.	
Faisán.	Chirlas.	Repollo.	
Becada.	Langostinos.	Calabaza.	
Codornices.	Langosta.	Escarola.	
Jabalí.	Bogavante.	Apio.	
Venado.	Carabineros.	Tomates.	
	Almejas.	Pimientos verdes.	
	Mejillones.	» rojos.	
	Ostras.		
	Angulas.	Nabos.	
		Grelos.	
		Alcachofas.	
		Berenjenas.	

DICIEMBRE

Carnes	Pescado-Mariscos	Verduras	Frutas
Pollo.	Merluza.	Champiñón de París.	Piña.
Gallina.	Pescadilla.	Acelgas.	Manzanas.
Conejo.	Rape.	Zanahorias.	Peras amarillas.
Vaca.	Lubina.	Puerros.	» de agua.
Ternera.	Lenguado.	Cebollas.	Plátanos.
Cerdo.	Gallo.	Cebollitas francesas.	Limones.
Cordero.	Breca.	Lechuga.	Naranjas.
Cochinillo.	Rodaballo.	Remolacha.	Pomelos.
Mollejas de ternera.	Congrio.	Coliflor.	Limas.
	Besugo.	Cardo.	Mandarinas.
Perdices.	Palometa.	Endivias.	Uvas.
Conejo.	Salmonetes.	Espinacas.	Chirimoyas.
Liebre.	Pez espada.	Coles de Bruselas.	Castañas.
Aves acuáticas.		Lombarda.	Almendras.
Faisán.	Calamares.	Repollo.	Nueces.
Becada.	Cigalas.	Escarola.	
Codornices.	Gambas.	Apio.	
Jabalí.	Chirlas.	Pimientos rojos.	
Venado.	Langostinos.	Nabos.	
	Langosta.	Grelos.	
	Bogavante.	Alcachofas.	
	Carabineros.	Calabaza.	
	Quisquillas.		
	Almejas.		
	Mejillones.		
	Angulas.		
	Ostras.		

TABLA DE CALORIAS DE LOS PRINCIPALES ALIMENTOS

Para 100 gr. de alimentos crudos

Carnes		Pescados-Mariscos		Verduras	
Cerdo (magro o graso)	172 a 332	Anguila	207	Aceitunas	224
Conejo	150	Atún en escabeche	275	Acelgas	37
Cordero	164	Bacalao salado	150	Alcachofas (1 pieza)	40
Chorizo, salchichón	480	Bonito	207	Cardo	30
Hígado de ternera	145	Boquerones en vinagre (ración de 6)	60	Coliflor	34
Jamón de York	440	Besugo	81	Champiñones	40
Lengua	207	Calamares	85	Espárragos	25
Perdices	160	Gambas	90	Espinacas	43
Pollo	140	Langosta	90	Guisantes	65
Sesos	129	Lubina	81	Judías verdes	37
Ternera	164	Mejillones	65	Lechuga	29
Vaca	164	Merluza	81	Patata (cocida o asada)	90
		Ostras (12 piezas)	120	Pimientos	20
		Rape	81	Puerros	40
		Sardinas frescas	135	Remolacha	37
		» en aceite (una)	40	Repollo	39
				Tomates	22
				Zanahorias	43

Frutas		Varios		Grasas	
Albaricoques	65	Arroz	340	Aceites	890
Cerezas	65	Azúcar	400	Bacon	515
Ciruelas	65	Bollos	360	Manteca de cerdo	850
Chirimoya	65	Cacao en polvo	492	Mantequilla	761
Fresones	48	Crema	325	Margarina	800
Higos frescos	89	Chocolate	500	Nata	300
Manzana	61	Harina de trigo	349	Tocino	550
Melocotón	62	Helado	400		
Melón	34	Huevo (1 pieza)	76		
Mermeladas	285	Leche natural	67		
Naranja y limón	45	» concentrada	157		
Pera	61	» con azúcar	346		
Plátano	89	Legumbres	338		
Piña	40	Macarrones	354		
Sandía	70	Miel	304		
Uvas	81	Pan	250		
		Pan tostado	299		
Almendras	640	Pastel (éclair)	300		
Castañas	199	Colines o tostadas	262		
Ciruelas pasas	285	Quesos (gruyère, marchego, holanda)	380		
Dátiles	300	Quesos (camembert, brie)	286		
Higos secos	275	Yogur	60		
Nueces	640	Whisky	125		
Pasas	280				

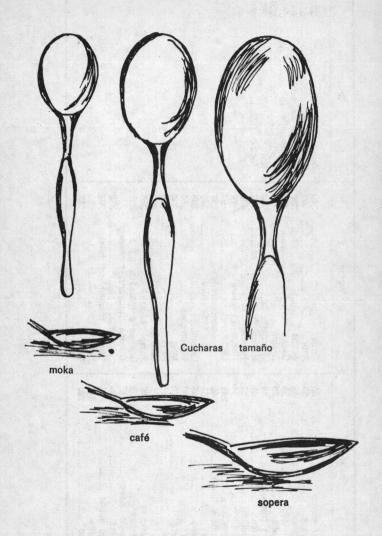

moka

café

Cucharas tamaño

sopera

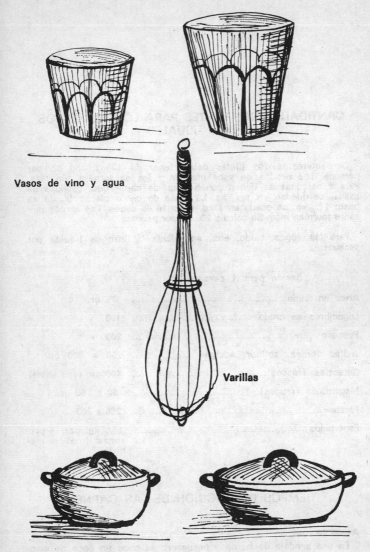

Vasos de vino y agua

Varillas

Modelos de «cocotte»

CANTIDADES CORRIENTES PARA LOS ALIMENTOS MAS USUALES

Corrientemente, los filetes deben tener de 125 a 150 gr. por persona. Los asados de vaca merman y los de ternera aún más. Para 8 personas se deben poner 2 kg. de carne que, después de asada, se quedan en 1 $^1/_2$ kg. La carne de cerdo pierde $^1/_3$ de su peso; 1 $^1/_2$ kg. se queda en 1 kg. después de asado. Las carnes guisadas merman más. Se calcula 200 gr. por persona.

Para las sopas, caldo, etc., se calcula $^1/_4$ litro de líquido por persona.

Ración para 1 persona

Arroz en crudo .... 75 gr.

Legumbres en crudo .... 100 »

Pescado .... 200 »

Judías verdes, coliflor, acelgas .... 250 a 300 gr.

Guisantes frescos .... 400 gr. (con vaina)

Macarrones (crudos) .... 50 a 60 gr.

Patatas .... 250 a 300 »

Espárragos .... 1 $^1/_2$ kg. para 4 personas (más o menos)

TIEMPOS DE COCCION DE LAS CARNES

Asado de vaca

En una bandeja de horno o besuguera se pone un poco de manteca (unos 30 gr.) o aceite fino (3 ó 4 cucharadas soperas) para un asado de 2 kg., más o menos, si éste no viene preparado con algo de tocino; se calienta bien y se dan unas vueltas en la lumbre para que se dore. Acto seguido se sala y se mete en el horno fuerte. Este se encenderá como $1/4$ de hora antes de meter la carne. El tiempo de cocción para que quede en su punto, es decir, muy rosado el interior, se calcula en 15 a 20 minutos por cada $1/2$ kg. de carne.

Bistec o filete

Se untan las dos caras con un poco de aceite fino y en una sartén bien caliente se ponen de un lado 4 minutos, se salan, se vuelven y se dejan por el otro lado 3 minutos, y se salan.

Asado de ternera

Se pone en una bandeja de horno y se sala el pedazo de carne. Se mete al horno directamente unos 25 minutos por cada $1/2$ kg. en las piezas grandes (de 3 kg. en adelante). A media cocción se pone primero unas cucharadas soperas de agua caliente y después de 1 a 2 cucharadas soperas de vino blanco seco. Se le dará varias veces la vuelta, rociando el asado con la salsa que tiene.

Pierna de cordero

Preparado como la ternera y, si se quiere, frotado con un diente de ajo; se deja unos 25 a 30 minutos por cada kg. a horno fuerte.

Pollo asado

Igual preparación que para la ternera. Un pollo de 1 kg. se deja unos 35 a 40 minutos a horno más bien fuerte.

Cerdo

Igual preparación que para la ternera y 30 minutos por cada $1/2$ kg. de carne.

Las chuletas se fríen durante unos 7 minutos de cada lado y después se tapa la sartén con una tapadera y se dejan unos 10 minutos más a fuego lento (dándole una vuelta a la mitad del tiempo).

Todos los asados se deben meter en el horno previamente calentado. Después de cumplido el tiempo necesario se apaga el horno totalmente y se deja la carne de 5 a 10 minutos más para que se esponje, antes de sacarla para trinchar.

MENUS SEMANALES

1.ª y 3.ª semanas

Almuerzos	Cenas

Lunes

Cocido Manzanas asadas con mermelada	Sopa de caldo con arroz, huevo duro y perejil Croquetas de gallina Fruta

Martes

Soufflé de queso Entrecot (lomo alto) con patatas fritas Fruta	Alcachofitas en salsa Huevos revueltos con costrones de pan

Miércoles

Arroz blanco con champiñones Chuletas de cerdo con puré de espinacas Naranjas y manzanas en rodajas (con azúcar y kirsch)	Sopa de pescado Jamón de York con patatas salteadas Compota de peras con vino

Jueves

Patatas guisadas con chirlas Asado de vaca con coles de Bruselas Budín de fruta, caliente	Consomé en taza Rollo de carne picada en salsa con coditos (macarrones) Fruta

Viernes

Lentejas guisadas Huevos encapotados con salsa de tomate Fruta	Zanahorias en salsa Besugo al horno Queso

Sábado

Buñuelos de puré de patatas Resto de carne asada, fría, con ensalada de escarola y zanahorias crudas Melocotones en almíbar	Puré de espinacas con rodajas de huevo duro y costrones de pan frito Sesos con salsa de tomate gratinados Yogur

Domingo

Gambas al ajillo Pollos asados con puré de patatas Bavaroise de chocolate	Coliflor con salsa de mantequilla tostada y pan rallado Huevos al plato con jamón Fruta

2.ª y 4.ª semanas

Almuerzos	Cenas

Lunes

Almuerzos	Cenas
Judías blancas con costra Filetes de carne picada con en- salada Fruta	Sopa fina de tapioca Tortillas de atún escabechado Fruta

Martes

Almuerzos	Cenas
Repollo con patatas y mayonesa Redondo guisado Macedonia de frutas	Coles de Bruselas con bechamel Fiambres variados Compota de manzanas

Miércoles

Almuerzos	Cenas
Arroz con tomate, salchichas, pimientos y guisantes Resto de redondo con bechamel y alcaparras Natillas	Acelgas con tomate Filetes de castañola al horno Fruta

Jueves

Almuerzos	Cenas
Tortilla de patatas Hígado de ternera con cebolla Fruta	Sopa de apio y patatas Croquetas de jamón Queso

Viernes

Almuerzos	Cenas
Patatas al horno con leche y huevos Bacalao con pimientos y salsa de tomate Torrijas	Coliflor con bechamel Huevos pasados por agua con picatostes Fruta

Sábado

Almuerzos	Cenas
Cintas con queso y salsa de to- mate Cinta de cerdo asada con mos- taza Fruta	Cardo con salsa de pimentón Criadillas empanadas con mol- des de arroz blanco Requesón con azúcar

Domingo

Almuerzos	Cenas
Empanadas Perdices estofadas con coles de Bruselas Tocino de cielo	Endivias al graten Merluza en salsa verde Zumo de naranja

1.ª y 3.ª semanas

Almuerzos	Cenas

Lunes

Fabada	Coliflor en vinagreta
Crêpes con salsa Suzette	Fiambre variado con torta de patata
	Fruta

Martes

Huevos al plato con higaditos de pollo	Sopa de mejillones
Filetes de ternera empanados con coles de Bruselas salteadas	Roscón de queso
	Flan
Fruta	

Miércoles

Sardinas y calamares fritos	Alcachofitas en salsa
Canelones de carne	Medias noches rellenas
Flan-tarta de manzana	Fruta

Jueves

Patatas guisadas con chirlas	Sopa fina de tapioca
Aleta de ternera rellena, con ensalada	Salmonetes al horno
Fruta	Queso

Viernes

Potaje con acelgas	Menestra de verduras
Albóndigas de pescado	Huevos en cazuelita con jamón, crema y queso rallado
Buñuelos de manzana	Fruta

Sábado

Hojas de repollo rellenas	Sopa de cebolla gratinada
Filetes de solomillo con mantequilla y anchoas	Croquetas de merluza
Fruta	Manzanas asadas

Domingo

Coditos con bacon y guisantes	Cardos en salsa con ajo y vinagre
Chuletas de cerdo con aros de cebolla frita	Tortillas a la francesa
Leche frita	Fruta

2.ª y 4.ª semanas

Almuerzos	Cenas

Lunes

Sopa de fideos	Zanahorias en salsa
Cocido	Croquetas de gallina
Mousse de manzana	Fruta

Martes

Macarrones con chorizo y tomate	Sopa huertana
Ossobucco en salsa	Empanadillas de atún
Macedonia	Membrillo

Miércoles

Patatas quisadas con chirlas	Alcachofas con vinagreta
Filetes de lomo con ensalada	Salchichas con puré de patatas
Jalea de naranja	Fruta

Jueves

Coliflor rebozada con salsa de tomate	Habas con leche y yemas
Carne picada con puré de patatas y huevos duros al horno	Merluza rápida
Fruta	Arroz con leche

Viernes

Judías blancas con costra	Acelgas con tomate
Filetes de lenguado fritos	Huevos revueltos con espárragos trigueros
Flan	Chirimoyas

Sábado

Tortilla de patatas	Sopa de patatas y puerros con leche
Escalopines de hígado de ternera con cebolla y vino blanco	Riñones con vino blanco y arroz
Leche frita	Fruta

Domingo

Pan de molde con champiñones, bechamel y queso rallado	Apio en su jugo
Asado de ternera con puré de patatas	Tortillas a la francesa
Merengues	Queso

1.ª y 3.ª semanas

Almuerzos	Cenas

Lunes

Almuerzos	Cenas
Macarrones con bechamel	Endivias al horno
Redondo con aceitunas	Huevos al plato con puré de patatas
Fruta	Yogur

Martes

Almuerzos	Cenas
Lentejas guisadas	Sopa de berros
Resto de redondo en ropa vieja	Budín de pescado
Peras con nata y chocolate	Fruta

Miércoles

Almuerzos	Cenas
Croquetas de patata y bacalao	Coles de Bruselas con bechamel
Filetes guisados con cerveza	Tortillas a la francesa
Compota de manzanas	Queso

Jueves

Almuerzos	Cenas
Arroz al curry	Alcachofas con vinagreta
Pierna de cordero asada, con ensalada	Criadillas empanadas, con arroz blanco
Fruta	Zumo de naranja

Viernes

Almuerzos	Cenas
Potaje de garbanzos con espinacas y bacalao	Sopa fina de tapioca
Tortilla de patatas	Conchas de gambas
Bizcocho borracho	Fruta

Sábado

Almuerzos	Cenas
Budín de coliflor	Caldo en taza
Carne en ragoût	Canelones
Buñuelos de manzana	Rodajas de manzanas y naranjas

Domingo

Almuerzos	Cenas
Flan de huevos con salsa de tomate	Menestra de verduras
Pollo guisado con vino moscatel y pasas	Fiambre variado con patatas salteadas
Natillas quemadas	Fruta

2.ª y 4.ª semanas

Almuerzos	Cenas

Lunes

Patatas guisadas viudas	Criadillas de tierra
Filetes de vaca con ensalada	Huevos fritos con patatas fritas
Manzanas asadas	Fruta

Martes

Sopa de fideos y cocido	Sopa de ajo
Flan-budín con suizos	Croquetas de gallina
	Yogur

Miércoles

Almejas a la marinera	Guisantes con jamón
Lomo de vaca asado con puré de patata	Salmonetes fritos
Macedonia de frutas	Fruta

Jueves

Spaghettis a la italiana	Alcachofas rebozadas y en salsa
Lomo de vaca frío con ensalada	Jamón de York con torta de patatas
Soufflé de vainilla	Fruta

Viernes

Judías pintas con arroz	Sopa gratinada de cebolla
Filetes de castañola al horno	Tortilla de espárragos trigueros
Flan	Fruta

Sábado

Huevos revueltos con patatas y guisantes	Budín de coliflor
Carne guisada con vino tinto	Empanadillas de jamón
Membrillo	Compota de peras en vino tinto

Domingo

Entremeses variados	Sopa de verduras
Paella con pollo	Croquetas de huevo duro
Bavaroise de piña	Queso

1.ª y 3.ª semanas

Almuerzos	Cenas
Lunes	
Judías blancas guisadas Chuletas de cordero fritas, con ensalada Fruta	Cebollitas francesas con bechamel Fiambres con arroz blanco Flan
Martes	
Patatas con mayonesa, tomates, anchoas y aceitunas Ternera estofada Crêpes con salsa de naranja (Suzette)	Habas salteadas con jamón Huevos al plato a la flamenca Yogur
Miércoles	
Arroz con tomate y salchichas Asado de vaca con ensalada Macedonia de frutas	Crema de champiñones Mero con vino blanco al horno Bavaroise de melocotón (de lata)
Jueves	
Macarrones con bechamel al horno Filetes de carne con ensalada Plátanos al ron	Sopa de gambas y tapioca Mollejas con espinacas Fruta
Viernes	
Buñuelos de queso con salsa de tomate Rape con leche Crema de chocolate	Zanahorias con nabos Empanadillas de atún Fruta
Sábado	
Rollitos de repollo con jamón y bechamel Pollitos fritos Mousse de naranja en copas	Lechugas guisadas Pescadilla al horno Queso
Domingo	
Huevos escalfados con bechamel y espárragos verdes Calamares rellenos Soletillas rellenas de crema	Sopa de tomate con judías verdes Pastel-terrina de pollo, jamón y ternera Fruta

2.ª y 4.ª semanas

Almuerzos	Cenas

Lunes

Caldo gallego	Sopa de calabaza
Filetes de vaca con tallos de acelga rebozados	Albóndigas de pescado
Flan	Crema cuajada de limón

Martes

Arroz con champiñones	Acelgas en escabeche
Filetes de hígado de ternera macerados con vino de Málaga	Huevos revueltos con queso
Fruta	Fruta

Miércoles

Repollo al jugo	Guisantes con jamón
Pierna de cordero asada, con judías blancas	Truchas a la molinera
Natillas	Fruta

Jueves

Calamares y boquerones fritos	Sopa de cebolla clara
Canelones de carne	Medias noches rellenas
Fruta	Compota de peras

Viernes

Puré de patatas al graten	Alcachofas en salsa
Bacalao con pimientos y tomates	Huevos escalfados con cebolla
Arroz con leche	Fruta

Sábado

Croquetas de huevo y queso rallado	Puré de zanahorias
Pollo en salsa	Criadillas empanadas con arroz blanco
Fresón	Fruta

Domingo

Huevos duros con bechamel y mejillones	Espárragos con mayonesa
Filetes de ternera empanados con patatas paja	Jamón de York con torta de patata
Bavaroise praliné	Fruta

MAYO

1.ª y 3.ª semanas

Almuerzos	Cenas
Lunes	
Lentejas guisadas Filete de vaca con berenjenas fritas Macedonia de fruta con fresones	Sopa de patatas y puerros con leche Soufflé de queso Flan
Martes	
Macarrones con espinacas Albóndigas con costrones de pan Peras en compota al vino tinto	Menestra de verduras verdes Huevos en cazuelitas con queso en porciones y jamón Queso
Miércoles	
Tomates al horno con perejil y ajo picado Chuletas de cerdo con puré de patatas Flan-budín de suizos	Porrusalda Croquetas de merluza Fruta
Jueves	
Paella sencilla Pinchos simples de riñones de cerdo Fruta	Habas con jamón Sesos al graten con bechamel y champiñones Yogur
Viernes	
Patatas guisadas Huevos fritos encapotados Mousse de café	Espárragos con mayonesa Besugo al horno con tomates, cebollas y champiñones Macedonia de frutas
Sábado	
Arroz blanco con salsa de tomate, judías verdes y tortilla Pollo asado con limón Fresas	Consomé en taza con huevo duro picado Rollo de carne picada asada Arroz con leche
Domingo	
Huevos mollets en gelatina Filetes de solomillo con salsa bearnesa Bartolillos	Guisantes Jamón con patatas cocidas y rehogadas Fruta

2.ª y 4.ª semanas

Almuerzos	Cenas

Lunes

Patatas con chorizo y bacon	Acelgas rehogadas con currusco de pan y vinagre
Asado de vaca con tomates empanados	Tortilla de patatas
Fruta	Flan

Martes

Judías verdes con salsa de vinagre y yema	Sopa de pescado desmenuzado
Salchichas con puré de patatas	Fiambres variados con ensalada
Fresón	Plátanos flameados con ron

Miércoles

Arroz blanco frío con verduras y vinagreta	Espárragos con mayonesa
Escalopines de hígado con cebolla y vino blanco	Croquetas de pescado
Macedonia de frutas	Zumo de naranja

Jueves

Cintas con tomate y queso	Sopa de higaditos
Carne en ragoût con cebollitas, guisantes y zanahorias	Ñoquis
Fruta	Compota de manzanas

Viernes

Garbanzos aliñados	Lechugas al jugo
Sardinas y calamares fritos	Tortillas soufflé con queso rallado
Natillas con canela	Fruta

Sábado

Revuelto de huevos, patatas y guisantes	Guisantes sencillos
Albóndigas de carne	Salmonetes al horno con pan rallado y vino rancio
Fruta	Membrillo

Domingo

Paella con pollo	Judías verdes salteadas
Ensalada fantasía	Jamón de York con patatas
Bavaroise de fresa	Rodajas de manzanas y naranjas

JUNIO

1.ª y 3.ª semanas

Almuerzos	Cenas

Lunes

Gazpachuelo	Caldo de fideos
Pollo en salsa con champiñones	Empanadillas rellenas de jamón
Flan	Fruta

Martes

Spaguettis con guisantes y almejas	Acelgas en escabeche
Chuletitas de cordero fritas con lechuga	Salmonetes al horno
Fresón	Melocotones en almíbar flameados

Miércoles

Tomates rellenos de sardinas, pimientos verdes y aceitunas	Puré de zanahorias
Filetes de ternera empanados con patatas fritas	Croquetas de queso rallado y huevo
Gelatina de naranja	Fruta

Jueves

Tortilla de patatas	Guisantes sencillos
Rabillo de cadera guisado con zanahorias y cebollitas	Salchichas con puré de patatas
Fruta	Queso de Burgos

Viernes

Alioli: patatas, zanahorias, alcachofas y bacalao cocido	Zanahorias en salsa
Leche frita	Huevos en cazuelitas con salsa de tomate y queso en porciones
	Fruta

Sábado

Arroz —con tomate, salchichas, guisantes y pimientos	Espárragos con mayonesa
Resto de rabillo en frío	Pescado frito
Tocino de cielo	Fruta

Domingo

Quiche de queso	Judías verdes salteadas con mantequilla, perejil y limón
Cordero asado con salsa de yemas y tomate	Fiambres con ensalada de tomate
Bavaroise de fresa	Batido de yogur

2.ª y 4.ª semanas

Almuerzos	Cenas

Lunes

Lentejas guisadas	Sopa fina de tapioca
Filetes de carne picada reboza-dos, con ensalada	Jamón de York con patatas
Flan de peras	Fruta

Martes

Verduras con vinagreta	Lechugas al jugo
Asado de vaca con puré de pa-tatas	Huevos al plato a la flamenca
Fresón	Fruta

Miércoles

Macarrones con tomate	Sopa de tomate con judías verdes
Filetes de solomillo a la pimien-ta y flameados con coñac - en-salada	Croquetas de pescado
Fruta	Arroz con leche

Jueves

Huevos fritos en muffins	Espárragos con mayonesa
Arroz blanco con riñones de ter-nera	Calamares fritos
Fruta	Piña fresca

Viernes

Bouillabaisse	Sopa-crema de espárragos
Tarta de manzanas borracha	Huevos revueltos con picatostes
	Fruta

Sábado

Arroz blanco con mayonesa y atún	Menestra de verduras
Ragoût de vaca	Pan de molde con queso rallado
Fresones con naranja	Fruta

Domingo

Ñoquis	Vichyssoise
Pollo guisado con cerveza y ce-bolla	Bonito con cebolla y tomate
Tarta de yema y azúcar	Fruta

JULIO

1.ª y 3.ª semanas

Almuerzos	Cenas
Lunes	

Lunes

Judías blancas en ensalada	Puré de judías blancas
Filetes en cerveza con picatostes	Tortilla con jamón
Sandía	Fruta

Martes

Gazpacho	Judías verdes en vinagreta
Albóndigas de carne con coditos	Pescadilla al horno
Fruta	Postre de soletillas rellenas de crema

Miércoles

Arroz blanco con salsa de tomate, judías verdes y tortilla	Acelgas rehogadas con corruscos de pan y vinagre
Redondo guisado	Huevos duros con bechamel y mejillones
Helado	Peritas en vino tinto

Jueves

Ñoquis	Ajo blanco con uvas
Redondo frío con mayonesa de tomate, sin huevo, con ensalada	Pollo asado con puré de patatas
Arroz con leche	Fruta

Viernes

Tomates rellenos de sardinas en aceite y aceitunas	Pisto de calabacín
Huevos al plato con puré de patatas	Pescado frito
Fruta	Fruta

Sábado

Pimientos rellenos de carne picada y arroz crudo.	Sopa de tomate con judías verdes
Mousse fría de gambas	Empanadillas de atún
Melón	Flan

Domingo

Huevos duros «mimosa»	Calabacines gratinados con queso
Filetes empanados con patatas fritas	Jamón de York con patatas fritas
Bavaroise de fresa	Fruta

2.ª y 4.ª semanas

Almuerzos	Cenas

Lunes

Gazpacho en trozos	Berenjenas gratinadas con tomate
Filetes de vaca a la plancha con berenjenas fritas	Huevos revueltos con queso rallado
Macedonia de frutas	

Martes

Macarrones con mayonesa	Gazpachuelo
Asado de ternera con ensalada de lechuga	Medias noches rellenas
Helado con barquillos	Peras en compota al vino tinto

Miércoles

Barcas de pepino con ensaladilla	Judías verdes con salsa de tomate
Blanqueta de gallina con arroz blanco	Croquetas de merluza
Sandía	Queso

Jueves

Tortilla de patatas guisada	Ajo blanco con uvas
Ternera fría con ensalada de remolacha	Rellenos variados
Fruta	Flan

Viernes

Buñuelos de puré de patatas	Zanahorias en salsa
Bonito con tomate	Huevos mollets en gelatina
Arroz con leche	Fruta

Sábado

Cocktail de gambas	Vichyssoise
Lomo alto con patatas fritas	Pescadillas fritas
Mousse de limón	Fruta

Domingo

Paella con pollo	Pisto estilo francés
Ensalada de lechuga y tomate	Tortillas a la francesa
Helado de vainilla con salsa de chocolate	Melocotones en almíbar

AGOSTO

1.ª y 3.ª semanas

Almuerzos	Cenas
Lunes	
Arroz blanco con verduras y vinagreta	Judías verdes con salsa de vinagre y yemas
Aleta de ternera clásica, con ensalada de tomate	Huevos al plato con salsa de tomate
Sandía	Fruta
Martes	
Tomates rellenos de sardinas en aceite, pimientos verdes y aceitunas	Sopa de tapioca
Jamón de York con salsa de Oporto y espinacas	Budín de bonito con mayonesa
Flan	Fruta
Miércoles	
Sardinas fritas	Acelgas rehogadas con curruscos y vinagre
Brazo de gitano de puré de patata, atún y mayonesa	Fiambres con ensalada de tomate
Fruta	Natillas
Jueves	
Ensalada fría de arroz	Ajo blanco con uvas
Filetes de vaca a la plancha con pimientos verdes	Sesos huecos
Helado	Melocotones
Viernes	
Gazpacho	Calabacines fritos con bacon
Huevos revueltos con arroz y gambas	Rape estilo langosta
Melón	Fruta
Sábado	
Patatas paja con huevo y bacalao	Tomates rellenos de carne
Asado de vaca	Croquetas de huevo duro
Galletas María fritas	Fruta
Domingo	
Pan de molde con queso rallado	Berenjenas cocidas con tomate
Carne asada fría con ensalada	Pollo asado frío con ensalada
Bavaroise de melocotones	Fruta

AGOSTO

2.ª y 4.ª semanas

Almuerzos	Cenas
Lunes	
Grupitos de varias verduras con vinagreta Redondo en salsa con coditos Melón	Sopa de cebolla clara Tortilla de patatas Flan
Martes	
Arroz milanesa Redondo frío con ensalada de tomate Pestiños	Pisto de calabacines con patatas Filetes de gallo fritos Fruta
Miércoles	
Berenjenas estilo setas Chuletas de cordero con patatas cocidas y rehogadas Sandía	Sopa de tomate con judías verdes Huevos en cazuelitas con higaditos. Yogur
Jueves	
Gazpacho Albóndigas de carne con arroz Fruta	Berenjenas al ajo Jamón con patatas fritas en cuadraditos Fruta
Viernes	
Garbanzos aliñados Pastel de bonito frío Helado	Puré de zanahorias Huevos al plato con guisantes Macedonia de frutas
Sábado	
Huevos encapotados con salsa de tomate Guiso de pollo con piñones, pimientos verdes y tomates Fruta	Acelgas escabechadas Roscón de queso Fruta
Domingo	
Gambas cocidas, con salsa pipirrana Filetes con salsa de Oporto, mostaza y perejil Crema de chocolate	Judías verdes con mayonesa Merluza a la catalana Fruta

1.ª y 3.ª semanas

Almuerzos	Cenas

Lunes

Almuerzos	Cenas
Buñuelos de puré de patata empanados con nuez moscada	Berenjenas cocidas con salsa de tomate
Aleta de ternera rellena, clásica	Huevos al plato con salchichas
Melón	Fruta

Martes

Almuerzos	Cenas
Pimientos rojos con huevos duros	Sopa de higaditos
Filetes a la plancha con patatas paja	Aspic de bonito con mayonesa
Helado	Fruta

Miércoles

Almuerzos	Cenas
Patatas con chorizo y bacon	Tallos de acelgas al horno con salsa española
Resto de la aleta de ternera con ensalada de tomate	Huevos revueltos
Fruta	Flan

Jueves

Almuerzos	Cenas
Gazpacho	Budín de verduras
Filetes picados con patatas fritas	Pechuga de gallina rellena con ensalada
Melón	Fruta

Viernes

Almuerzos	Cenas
Pisto de calabacín con arroz	Sopa de pescado barata con fideos gordos
Tortilla de patatas	Judías verdes con vinagreta
Flan de coco	Flan con peras

Sábado

Almuerzos	Cenas
Huevos fritos en muffins	Zanahorias en salsa
Cordero al ajillo con tomate	Croquetas de merluza
Melón	Fruta

Domingo

Almuerzos	Cenas
Almejas a la marinera	Consomé
Pechugas de pollo rellenas	Huevos duros «mimosa»
Mousse de chocolate	Melocotones en almíbar

2.ª y 4.ª semanas

Almuerzos	Cenas

Lunes

Arroz blanco con huevos fritos	Consomé en taza
Albóndigas de carne con pica-tostes	Revuelto de espinacas, huevos y gambas
Melón	Flan

Martes

Calabacines gratinados	Sopa de puerros con leche
Jamón de York con salsa de Oporto y puré de patatas	Pescadilla cocida y con vinagreta historiada
Helado con salsa de chocolate	Fruta

Miércoles

Buñuelos de bacalao portugueses	Judías verdes en salsa
Pollo al ajillo	Empanadillas
Fruta	Melocotones en almíbar

Jueves

Gazpacho	Sopa de verduras
Asado de vaca con coditos	Flan con salsa de tomate
Arroz con leche	Fruta

Viernes

Judías blancas en ensalada	Calamares en su tinta con arroz blanco
Tortillas de atún escabechado	Crema catalana
Melón	

Sábado

Macarrones a la americana	Sopa de higaditos
Resto del asado frío con salsa tipo mayonesa con tomate	Croquetas de huevo duro
Macedonia de frutas	Fruta

Domingo

Cangrejos de río con salsa americana	Pisto de calabacín
Filetes de ternera empanados	Huevos mollets en gelatina
Crema catalana	Fruta

1.ª y 3.ª semanas

Almuerzos	Cenas

Lunes

Pimientos rojos con huevos duros	Sopa de tomate y judías verdes
Guiso de conejo con aceitunas y almendras	Jamón de York con patatas rehogadas
Melón	Fruta

Martes

Brandada de bacalao	Acelgas rehogadas
Filetes picados con tallos de acelgas rebozados	Huevos al plato con higaditos de pollo
Fruta	Melocotones en almíbar

Miércoles

Arroz blanco con champiñones	Puré de guisantes con jamón
Carne en ropa vieja con pimientos	Croquetas de pescado
Crema de chocolate	Fruta

Jueves

Repollo con mayonesa	Judías con salsa de tomate
Filetes de vaca con patatas fritas	Empanadillas
Fruta	Fruta

Viernes

Berenjenas al ajo	Sopa de pescado desmenuzado
Albóndigas de pescado con moldes de arroz blanco	Tortilla de patatas
Mousse de café	Fruta

Sábado

Pimientos verdes rellenos de carne y arroz	Consomé en taza
Pinchos de mejillones, bacon y champiñones	Merluza en salsa verde
Fruta	Queso

Domingo

Gallina en pepitoria con picatostes	Calabacines al horno
Flan-budín de sémola con salsa de grosella	Huevos revueltos
	Fruta

2.ª y 4.ª semanas

Almuerzos	Cenas

Lunes

Lentejas simples con tocino y salchichas	Sopa de pescado
Ensalada de lechuga, tomates y huevo duro	Huevos escalfados con espárragos
Natillas	Fruta

Martes

Spaguettis a la italiana	Berenjenas gratinadas con tomate
Rabillo de cadera con zanahorias y cebollas	Fiambre con torta de patata
Fruta	Manzanas asadas

Miércoles

Arroz milanesa	Tallos de acelgas al horno con salsa española
Carne asada con berenjenas fritas	Sesos empanados
Macedonia de frutas	Fruta

Jueves

Croquetas de puré con bacalao	Budín de verduras
Pollo asado con patatas paja	Calamares fritos
Compota de manzanas	Quesos

Viernes

Patatas con leche y huevos	Judías verdes con salsa de vinagre y yemas
Besugo al horno con pan rallado y vino blanco	Huevos pasados por agua
Dulce de leche condensada, estilo argentino	Queso

Sábado

Espinacas con bechamel	Sopa de puerros y patatas
Albóndigas de carne con moldes de arroz	Croquetas de gallina
Melón	Yogur

Domingo

Tarta de queso (Quiche)	Puré de guisantes con jamón
Codornices en salsa	Rape a la americana
Soletillas rellenas de crema	Fruta

1.ª y 3.ª semanas

Almuerzos	Cenas

Lunes

Cocido, sopa de fideos, verdura, carne, tocino, etc.	Puerros con bechamel
Macedonia de frutas	Croquetas de gallina
	Yogur

Martes

Patatas con leche y huevos	Sopa de calabaza
Perdices estofadas	Tortilla de jamón
Fruta	Queso

Miércoles

Calamares y sardinas fritas	Coliflor al horno con limón
Crema de espinacas con salchichas	Jamón de York con patatas rehogadas
Buñuelos de viento	Fruta

Jueves

Coditos con guisantes y bacon	Sopa de pollo a la belga
Filetes con aceitunas y vino blanco	Queso
Fruta	Membrillo

Viernes

Lentejas guisadas	Zanahorias en salsa
Tortillas de berenjenas	Lubina al horno
Manzanas asadas	Natillas

Sábado

Brandada con costrones	Sopa de verduras
Rollo de carne picada asada con berenjenas fritas	Huevos duros con bechamel y mejillones
Tocinos de cielo	Fruta

Domingo

Corona de arroz con champiñones	Endivias al jugo
Chuletas de cerdo con ciruelas pasas	Pastelillos de hojaldre con carne
Membrillos flameados	Fruta

2.ª y 4.ª semanas

Almuerzos	Cenas
Lunes	
Macarrones con chorizo y tomate	Sopa de repollo
Filetes picados en salsa con cebolla	Huevos mollets con salsa de vino
Fruta	Queso
Martes	
Potaje con arroz y patatas	Sopa fina de tapioca
Cinta de cerdo con leche y escarola	Salchichas con puré de guisantes
Flan de coco	Fruta
Miércoles	
Judías blancas con costra	Menestra de verduras
Filetes a la plancha con tomates empanados	Pollo asado con patatas paja
Fruta	Membrillo
Jueves	
Coliflor rebozada y salsa de tomate	Espinacas salteadas
Canelones de carne	Conchas de pescado
Macedonia de fruta	Compota de manzanas
Viernes	
Mejillones en salsa bechamel clarita	Sopa de cebolla clara
Huevos revueltos	Pez espada a la parrilla
Mousse de chocolate	Fruta
Sábado	
Ñoquis	Coles de Bruselas con bechamel
Carne de cordero estofada	Empanadillas de jamón
Fruta	Compota de peras con vino
Domingo	
Huevos fritos con bacon	Sopa de fideos
Codornices en cacerola	Merluza en salsa verde
Buñuelos de viento	Rodajas de naranja y manzanas con azúcar y Cointreau

DICIEMBRE

1.ª y 3.ª semanas

Almuerzos	Cenas

Lunes

Patatas guisadas con chirlas	Puré de guisantes secos
Redondo guisado con escarola	Croquetas de huevo duro
Fruta	Queso

Martes

Macarrones con atún de lata	Cardos en salsa de pimentón
Resto de redondo con bechamel y alcaparras	Filetes de lenguado fritos
Postre de compota de manzanas con soletilla y nata	Flan

Miércoles

Sopa gratinada de cebolla	Endivias con jamón de York y bechamel
Filetes de vaca fritos con bolas de patata	Huevos al plato
Macedonia de frutas	Fruta

Jueves

Paella con pollo	Sopa de puerros con leche
Ensalada de escarola y zanahorias	Empanadillas de atún
Buñuelos de viento	Fruta

Viernes

Soufflé de queso	Coliflor cocida con salsa de mantequilla tostada y pan rallado
Bacalao con pimientos rojos	Tortillas con champiñones
Mousse de naranja	Membrillo con galletas

Sábado

Repollo al jugo	Consomé en taza
Albóndigas con moldes de arroz	Arroz blanco con pechuga de gallina, champiñones y trufa
Fruta	Ciruelas pasas en vino

Domingo

Huevos revueltos con patatas y espárragos	Sopa huertana
Cinta de cerdo con leche y cebollas rebozadas y fritas	Cerdo frío con ensalada de patatas
Flan	Fruta

2.ª y 4.ª semanas

Almuerzos	Cenas

Lunes

Lentejas guisadas	Crema de espinacas
Filetes de ternera empanados con escarola	Flan con salsa de tomate
Manzanas asadas	Yogur

Martes

Crema de carabineros	Cardo en salsa de pimentón
Pollitos fritos con puré de patatas	Merluza rápida
Tarta de yema	Fruta

Miércoles

Tortilla de patatas	Sopa de harina tostada
Riñones al jerez con arroz blanco	Croquetas de jamón
Fruta	Compota de peras cocidas en vino

Jueves

Cintas con queso y salsa de tomate	Coles de Bruselas gratinadas
Chuletas de cerdo con patatas rehogadas	Huevos en cazuelita con salsa de tomate y bacon
Natillas	Fruta

Viernes

Potaje con espinacas	Puré de zanahorias
Huevos revueltos con queso rallado	Budín fino de pescado
Fruta	Membrillos en almíbar

Sábado

Buñuelos de puré de patatas	Sopa de ajos con almejas
Perdices con chocolate	Soufflé de queso
Crema de castañas con nata	Fruta

Domingo

Ñoquis	Coliflor con bechamel
Asado de vaca con patatas fritas	Jamón de York con patatas fritas
Capuchina	Ciruelas pasas en vino

SUGERENCIAS DE MENUS PARA INVITACIONES

ALMUERZOS

Flan de huevos con salsa de tomate.
Cinta de cerdo con leche, con adorno de bolas de puré de patatas.
Flan-tarta de manzana.

* * *

Huevos en muffins.
Asado de ternera presentado con mayonesa y huevo duro, adornado con verduras del tiempo.
Brazo de gitano.

Huevos duros con mejillones y bechamel.
Filetes de solomillo con salsa de mantequilla y anchoas.
Arroz con leche con nata y almendras.

* * *

Soufflé de queso.
Carne en ragoût con zanahorias, cebollitas y guisantes.
Soletillas rellenas de crema.

CENAS

Budín fino de merluza.
Escalopines de ternera rebozados con picadito de champiñones.
Compota de manzanas, soletillas y nata.

* * *

Merluza con mayonesa al horno.
Pechugas rellenas.
Crêpes con salsa de naranja.

Cangrejos con arroz blanco a la americana.
Pollo con salsa de champiñones.
Postre de soletillas, crema y naranjas.

* * *

Rollitos de filetes de lenguado rellenos de jamón, con salsa.
Solomillo asado con adorno de verduras o bolas de puré de patatas.
Tocino de cielo.

ALGUNOS CONSEJOS Y TRUCOS DE COCINA

Ajo (modo de machacarlos cómodamente en el mortero). Siempre se añadirá un poco de sal al diente de ajo; así no se escurrirá fuera del mortero.

Aluminio. Para impedir que las cacerolas y cazos de aluminio se pongan negros al cocer algo en ellos, se pone en el agua un trocito de limón ($^1/_2$ rajita o 1 corteza); es muy eficaz.

Arroz suelto. Para que el arroz blanco salga suelto, se agrega al agua de cocerlo unas gotas de zumo de limón por cada litro de agua.

Calentar jamón de York. Se corta el jamón y se vuelve a componer atándolo muy bien con una cuerda fina. Se mete en una bolsa de plástico un poco fuerte y que no tenga ni un solo agujero. Se ata muy bien la bolsa, y se mete en una cacerola con agua templada; se pone a fuego mediano hasta que el agua empieza a hervir; entonces se pone a fuego más lento, sin que deje de hervir durante media hora.

Se saca entonces, se calienta la salsa si se ha de servir con ella y se sirve con el adorno que se haya previsto.

Caramelo. Para preparar caramelo para bañar una flanera hay que poner unos 60 gr. de azúcar, una cucharada sopera de agua caliente y un chorrito de zumo de limón. Se cuece esto a fuego fuerte y cuando adquiere un bonito color tostado, se inclina el molde, ya fuera del fuego, para que se bañe bien el fondo y las paredes de la flanera.

Carnes duras. Cuando se guisan carnes con salsa (ragoût, redondo, etc.), si se cree que la carne va a ser dura se mete en la salsa, durante la cocción, un corcho de botella grande y limpio (que no sirva más que para esto). Así la carne se ablanda mucho.

Claras de huevo (conservación). Se conservan varios días en un frasco de plástico herméticamente cerrado o simplemente en una botella bien cerrada con un corcho limpio y en la nevera.

Claras de huevo a punto de nieve. Al batir las claras, para que se pongan más firmes, se añade desde el principio un pellizquito de sal o tres gotas de zumo de limón.

Cocción de huevos en agua. Para que la cáscara no se agriete, en los huevos duros o moles se añade al agua hirviendo una cucharada sopera de sal.

Coliflor. Para que no huela tanto, al cocer la coliflor se pone encima de la tapadera de la cacerola donde cuece un par de cascos de cebolla cruda.

Descuido con la sal. Si un plato está demasiado salado, se echan un par de rodajas de patata, crudas, peladas y de 2 cm. de grosor. Se dejan por espacio de media hora a fuego lento. Luego se retiran, observando que han absorbido el sobrante de sal.

Desmoldado de bizcochos. No se debe sacar del molde un bizcocho antes de que esté templado o casi frío. Entonces se desmolda sobre una rejilla o un tostador de pan, para que termine de enfriarse, sin que se condense la humedad que tenía en caliente.

Endulzar arroz con leche o compota. Se debe añadir el azúcar después de cocido el arroz. En las compotas en forma de puré, después de cocer y pasar por el pasapurés la fruta.

Espárragos. Para conservar los espárragos bien tiernos durante dos o tres días en casa, se procede como sigue: se ponen los manojos boca abajo con las yemas en un cacharro de agua muy fría (con hielo si hace falta); se tienen un rato así (de 15 a 30 minutos); después se escurren bien y se meten en la nevera.
Para que no huela la casa al cocerlos, se procede como para la coliflor.

Garbanzos. Para que los garbanzos salgan tiernos hay que ponerlos a cocer en agua templada. Si en mitad del guiso hay que añadirles agua, ésta siempre será caliente.

Guisos agarrados. Cuando un guiso se agarra, es decir, se pega al fondo de la cacerola, para quitarle el mal gusto se pone el cazo en un recipiente con vinagre y se deja un rato. Después se cambia el guiso de cacerola sin raspar el fondo, para que lo agarrado quede pegado y no dé mal sabor.

Huevos (conservación). Está muy recomendado meter los huevos en la nevera, pues al batirlos enteros o al montar las claras a punto de nieve se quedan más firmes.

Huevos (manera de comprobar su grado de frescor). Se sumergen en un cacharro hondo, lleno de agua fría: si se quedan tumbados en el fondo son muy frescos (hasta 4 días, y sirven para pasados por agua).
Si se quedan en el fondo, pero de punta, son comestibles pero tienen hasta unos 10 días.
Si flotan en la superficie no se deben utilizar por viejos.

Leche. Para que la leche no adquiera mal sabor al hervir, conviene enjuagar previamente el cazo con agua fría.

Legumbres. Todas las legumbres (menos los garbanzos) se ponen a cocer en agua fría. Si se les tiene que añadir agua durante su cocimiento, tiene que ser siempre fría.

A las judías se les tiene que cortar el cocimiento tres veces (espantar), con un chorrito de agua fría, necesiten o no más líquido. Así quedan más suaves.

Mayonesa cortada. Cuando la mayonesa que se está haciendo se corta (es decir, se separa el aceite del huevo), se puede arreglar de tres maneras:

1.ª Se pone otra yema en un plato o tazón y, poco a poco, se va añadiendo la mayonesa cortada a cucharaditas. Al terminar se rectifica de sal, vinagre o limón, etc...

2.ª Se machaca con un tenedor un trozo de patata cocido en agua, del grosor de medio huevo, y se le va añadiendo la mayonesa cortada, poco a poco, con una cucharita y sin dejar de batir.

3.ª Se vuelve a batir la mayonesa poniendo en un tazón una miga de pan (como una nuez) mojada con vinagre o con zumo de limón.

Merluza o cualquier pescado congelado. Se pone la merluza, o cualquier pescado que se tiene que descongelar, en agua fría abundante para que lo cubra, con unas 3 cucharadas soperas de sal, durante 1 hora más o menos (hasta que esté blando).

Se saca y se lava al grifo, secándolo después. Así ya queda listo para prepararlo como si fuese fresco.

Nevera. Conservación del perejil y la lechuga. Se meten en bolsas de plástico bien cerradas con un elástico y así se conservan mucho mejor y más verdes.

Limpieza de las neveras. El esmalte interior se limpia muy bien con un trapo húmedo y polvos de bicarbonato. Después se enjuaga con otro trapo húmedo pero muy estrujado, quedando así perfectamente limpia.

Olor a cebolla o a ajo. Para quitar el olor a cebolla o a ajo de los cuchillos y los dedos, se mojan en agua, lo más caliente posible, y se frotan con posos de café. Después se enjuagan y se lavan con agua y jabón normalmente.

Para el olor de las manos hay varios trucos fáciles:

1.º Para el olor a ajo se frotan las manos con unas ramitas de perejil y luego se lavan.

2.º También pueden frotarse las manos, después de lavadas con agua y jabón y enjuagadas, con un puñado de sal de mesa.

3.º Para quitar el olor de la cebolla o puerros de las manos, se frotan éstas con un chorrito de agua de azahar; después se lavan normalmente con agua y jabón.

Pasta de tartaletas. Si se añade un chorrito de aceite de cacahuete en la masa, las hace más «curruscantes».

Patatas fritas. Una vez peladas y cortadas, se deben poner a remojo en agua fría abundante por espacio de ½ hora, para que suelten el almidón.

Pollos o gallinas. Para que un pollo o una gallina sean jóvenes, es decir, tiernos, no deben tener pelos sedosos una vez quitadas las plumas. Estos indican que el ave es vieja.
Las patas deben ser gordas y las rodillas abultadas.
La ternilla debe estar tierna y moverse con facilidad al tocarla.

Rehogar las verduras. Si se quiere rehogar la verdura con mante-quilla (guisantes, judías, zanahorias en trocitos, etc.), se debe poner en una sartén primero la verdura y por encima la mantequilla. Se saltean un poco en la sartén y se sirve.
Para rehogar con aceite fino, primero se pone el aceite, se calienta un poco y encima se echa la verdura.

Remolacha. Cocidas con sus tallos quedan mucho más rojas.

Tartas de fruta. Se unta con una brocha plana el fondo de la tarta, cuando ya la pasta está colocada en el molde, con la clara un poco batida (sólo para que no escurran hebras) y se deja secar. Cuando está bien seca (15 ó 20 minutos), se coloca la fruta y se cuece normalmente.

Tomates (manera de pelarlos):
1.º Se toma el tomate en una mano y con el lado del cuchillo que no corta, se pasa por todo el tomate haciendo un poco de presión. Después de esta preparación, con la punta del cuchillo se hace un tajo y desde éste se tira de la piel a tiras. Esta sale muy fácil-mente.
2.º Se meten los tomates por espacio de unos segundos en agua hirviendo y luego en agua fría. Con la punta de un cuchillo se hace un corte y se pelan así muy fácilmente.

Untar mantequilla en los moldes. Se pone un pedazo de mantequilla en un molde y se acerca al calor, para derretirlo sin que se fría, y con un pincel se unta así todo el molde. Se deja enfriar.

Yemas de los huevos duros. Si una yema de huevo duro tira a color verdoso es porque está demasiado cocida. Para remediar este feo color se rocía con unas gotas de limón.

PRESENTACION Y RECETAS DE MASAS

Los aperitivos se pueden presentar de varias formas.

Canapés:

Se hacen con pan de molde o pan especial de canapés que se encuentra en las pastelerías buenas, y es redondo y largo como un salchichón.

El pan de molde debe ser de la víspera para que se pueda untar mejor después de preparado. Se le quitan las cortezas. Se pueden cortar las rebanadas en triángulos, en cuadraditos o en rectángulos, según el adorno que lleven encima.

El pan de canapés, como es redondo, se presenta en rebanaditas finas sin quitarles la corteza.

Emparedados:

Son dos triángulos o dos rectángulos superpuestos con su relleno en medio. Esta presentación es más a propósito para rellenos a base de mayonesa o salsas que pueden manchar.

Medias noches:

Son unos bollitos pequeños y alargados que se rellenan. Tienen muy bonita presentación y se comen muy cómodamente.

Tartaletas:

Estas se pueden hacer en casa o comprarlas en cualquier pastelería buena. Se presentan redondas o alargadas según con lo que se vayan a rellenar.

Si se hacen en casa, se pueden tener preparadas con un par de días de anticipación, pero guardadas en cajas de metal muy bien cerradas.

Croquetas:

(véase receta 56)

1.—MASA QUEBRADA PARA TARTALETAS

Cantidades para unas 20 tartaletas de 4 cm. de diámetro.

250 gr. de harina fina,
125 gr. de mantequilla, o margarina o manteca de cerdo, o dos de ellas mezcladas por mitad,
1 cucharada sopera (no llena) de aceite de cacahuete,

½ cucharadita (de las de café) de sal,
1 huevo,
1 vaso (de los de vino) de agua (más o menos según la clase de harina).

Poner la harina mezclada con la sal en una ensaladera, procurando echarla con una cuchara sopera en forma de lluvia para que se airee. Añadirle la manteca que se haya elegido, el aceite y el huevo, mezclando estos ingredientes con la punta de los dedos, hasta que se forme una especie de serrín gordo. Esta mezcla debe hacerse rápidamente para que la grasa no se derrita. Añadir entonces el agua fría poco a poco hasta que se desprenda de las paredes toda la masa. Amasarla con las manos un poco (lo menos posible) y formar una bola que se dejará una media hora en una ensaladera, tapada con un paño y en sitio fresco. Se espolvorea de harina un mármol y entonces se estira la masa con un rollo pastelero hasta dejarla bastante fina. Se moldea en unos moldes pequeños redondos o alargados, untados con un poco de mantequilla o aceite fino. Se pincha con un tenedor el fondo y se ponen unos garbanzos o unas judías (secos) para que no se infle el fondo de la masa, y se meten en el horno medianamente caliente hasta que estén doradas las tartaletas.

Al sacar del horno se vuelcan en seguida quitando los moldes y cuando las tartaletas están frías se guardan en una caja de metal —si se quieren dejar hechas con un poco de anticipación.

2.—MASA FRANCESA PARA TARTALETAS

Cantidades para unas 25 tartaletas de 4 cm. de diámetro.

100 gr. de mantequilla,
250 gr. de harina,
  2 yemas de huevo,
 20 gr. de levadura de panadero,

3 cucharadas soperas de leche
caliente (no hirviendo),
sal.

En una taza de té se pone la leche caliente o templada y la levadura, durante unos 10 minutos.
En una ensaladera se vierte esta mezcla y se añaden las yemas y la mantequilla, y, por último, la harina y la sal. Se amasa al final con la mano y se extiende la masa con el rollo pastelero o con la mano. Se moldean las tartaletas y se cubren con un paño durante media hora para que suba la masa. Después se pincha el fondo con un tenedor, se ponen garbanzos o judías (crudos) para que no se infle la masa y se meten al horno más bien caliente.
Al sacarlas del horno, cuando tienen un bonito color dorado, se vuelcan las tartaletas en caliente y se quitan los moldes. Cuando están bien secas y frías se pueden utilizar.

3.—MASA DE EMPANADILLAS (véanse recetas 45 y 46)

APERITIVOS DE FIAMBRE

Canapés, medias noches: se untan con un poco de mantequilla y se rellenan o se cubren con jamón de York, jamón serrano, salchichón, etc... Se adornan con una alcaparra o media aceituna deshuesada.
Esto tiene muchas variantes, según la inventiva del ama de casa.

4.—MUFFINS CON JAMON PICADO

Se cortan los muffins en tres partes iguales. Se untan con mantequilla —que no esté muy fría para extenderla bien— y se cubren con jamón de York muy picado, apretándolo un poco con el dorso de una cucharita para que al cogerlo no se despegue.

5.—MUFFINS CON FOIE-GRAS Y GELATINA

Se cortan los muffins en tres partes iguales y se untan con una buena capa de foie-gras. Se cubren después con gelatina muy picadita, apretando un poco con el dorso de una cucharita para que no se despegue al ir a comerlo.

6.—EMPANADILLAS DE JAMON

Se rellenan las empanadillas (receta 45) con un picadillo de jamón de York, se fríen y se sirven calientes.

7.—CANAPES DE JAMON Y PIÑA

Se tuestan un poco las rebanaditas redondas de canapé, se untan después con un poco de mantequilla, se coloca una lonchita de jamón de York, encima un trozo de piña de lata bien escurrida y se espolvorea queso rallado. Se meten en el horno con calor mediano unos 5 minutos y se sirven calientes.

8.—CANAPES DE FOIE-GRAS

Mezclar 100 gr. de foie-gras con 1 cucharada sopera de leche evaporada o de crema (ligeramente batida para que espese, sin hacerse mantequilla), 1 cucharada sopera de buen cognac y ½ cucharadita (de las de moka) de paprika. Se mezcla bien todo y se pone con la manga sobre el pan. Se adorna con una alcaparra.

9.—ROLLITOS DE JAMON Y QUESO BLANCO

Se unta una loncha de jamón de York más bien gruesa, con un queso demi-sel (tipo Danone o Gervais). Se enrolla. Se envuelve con papel de plata y se pone en el congelador y al servirlo se corta en rodajas.

APERITIVOS DE PESCADO Y MARISCOS

10.—BARQUITAS DE GAMBAS

Se eligen tartaletas con forma alargada. En el fondo se pone mayonesa y una o varias gambas enteras, según el tamaño. Se cubre con gelatina muy picada y se sirven bien frías.

11.—CANAPES DE ATUN

Se mezcla 1 latita de atún natural, bien escurrido de su jugo y picado, con mayonesa espesa, y se cubre el pan con ello.

12.—CANAPES DE CAVIAR

Se untan los trozos de pan con mantequilla y se reparte el caviar encima. Se echan 2 gotas de limón sobre cada canapé. También se cubren con huevo duro en rodajas o picado.

13.—CANAPES DE SALMON AHUMADO

Se unta el pan con mantequilla y se pone el salmón ahumado. Hay a quien le gusta con unas gotas de limón, y también es muy clásico servirlo con un poco de cebollita francesa muy picada puesta entre la mantequilla y el salmón.

14.—CANAPES DE TRUCHA O ANGUILA AHUMADA

Se unta el pan con mantequilla y se pone el pescado en trozos muy finos encima. Se rocía con 2 gotas de limón.

15.—CROQUETAS DE PESCADO (véase receta 56)

Háganse a la mitad del tamaño normal. Hay que servirlas recién fritas y bien calientes.

16.—GAMBAS CON GABARDINA

Se quitan en crudo las cabezas y patas de las gambas y dos tercios del caparazón que las recubre el cuerpo, dejando el último trozo y la cola. Se hace una masa con harina, sal y sifón o cerveza. Para ¼ kg. de gambas se hace la masa con 100 gr. de harina y se deslíe con sifón (no frío) hasta tener una masa del espesor de una bechamel. Se añade un pellizco de sal, otro de azafrán en polvo. Se secan bien las gambas con un paño limpio y de una en una, cogiéndolas por la cola, se meten en la masa sin que cubra esta última. En una sartén se tiene aceite caliente (se prueba el punto con una rebanadita de pan) y se echan varias a la vez.
Se sacan y se dejan escurrir en un colador grande y se sirven recién fritas.

17.—MEJILLONES FRITOS

Para 1 kg. de mejillones. Se les quitan las barbas a los mejillones y se lavan bien en agua fría abundante. Se ponen en una cacerola: 1 vaso (de los de vino) de agua fría y otro de vino blanco, un poco de sal y los mejillones. Se tapa la cacerola y se pone a fuego vivo unos 5 minutos. Cuando se les abre el caparazón negro ya están en su punto.
Se quita el bicho con mucho cuidado para no estropearlo y se reservan en un plato con un paño húmedo encima para que no se sequen.
Se prepara la masa de freír. En una ensaladera se pone 125 gr. de harina fina en círculo; en medio se añade 1 decilitro de leche fría (²/₃ de vaso de vino), 1½ cucharada sopera de aceite fino y 1½ cucharada sopera de vino blanco. Se mezcla todo esto sin moverlo demasiado, con un pellizco de sal. Cuando se vayan a freír los mejillones se añade a esta masa 1 cucharadita (de las de moka) de levadura Royal. Se mezcla bien y se meten los mejillones dentro, sacándolos para echarlos en una sartén con aceite bien caliente (el punto del aceite se verá friendo antes una rebanadita de pan). Se sirven en seguida.

18.—MEJILLONES REBOZADOS Y FRITOS (véase receta 688)

19.—MEJILLONES CON VINAGRETA (véase receta 687)

VERDURAS Y ENSALADILLAS

20.—ENSALADILLA RUSA

La base de estas ensaladillas es una mayonesa más bien espesa mezclada con varias verduras.

Por ejemplo: patatas cocidas en cuadraditos (éstas se pelan y cortan en cuadraditos y se ponen a cocer en agua fría y sal).

Zanahorias.

Guisantes cocidos o judías verdes cortadas en trozos pequeños.

Esto es lo más clásico. También resulta muy sabroso añadir a estas verduras trocitos de manzana (tipo reineta), nueces en trozos, apio blanco cortado en trocitos, etc... Y también colas de gambas cocidas y peladas. Estas dan un gusto exquisito a una ensaladilla rusa sencilla.

21.—ENSALADILLA DE BERROS

Se cuece ½ kg. de patatas a cuadraditos (en agua fría y sal, para que no se deshagan). Una vez cocidas y frías, se mezclan con ½ kg. de manzanas reinetas peladas y cortadas a trocitos, ¼ kg. de apio crudo lavado, pelado y cortado a trocitos, y 2 manojos de berros (lavados y quitados los rabos grandes y picados grande). Todo se mezcla con mayonesa más bien dura y se pone a enfriar en la nevera.

Se sirve en tartaletas redondas.

APERITIVOS DE QUESO

22.—BOLAS DE CLARA DE HUEVO Y QUESO RALLADO

4 claras de huevo montadas muy firmes,

300 gr. de queso gruyère rallado, sal y pimienta negra.

Cuando las claras están montadas muy firmes se les va añadiendo el queso rallado y moviendo con una cuchara. Una vez formada esta pasta, se añade un poco de pimienta. Se forman unas bolitas con la mano y se pasan por pan rallado (puesto en un plato sopero). A medida que se van formando, se echan en aceite abundante y caliente, sirviéndose en seguida.

23.—CANAPES FRITOS

Para 10 triángulos de pan de molde:

1 cucharada sopera de harina
(25 gr.),
25 gr. de mantequilla,
50 gr. de gruyère rallado,

1 decilitro de leche ($^2/_3$ de
vaso de vino),
1 huevo, sal y pimienta.

En un cazo se pone la leche, la sal y la mantequilla a cocer. Cuando hierve se le echa de golpe la harina. Se remueve sin cesar para que la masa se quede sin grumos. Se deja enfriar un poco y se añade el queso rallado. Cuando la masa está templada se le añade el huevo entero trabajando bien para que quede bien incorporado.
Se untan las rebanadas de pan de molde ligeramente con mantequilla, poniendo después una capa más bien espesa de la masa. Se cortan las cortezas del borde y se dividen en dos triángulos. Cuando se vayan a servir se fríen en aceite caliente, poniendo la cara del pan untado en contacto con el aceite. Se sirven ca lientes.

24.—CANAPES DE MAYONESA Y QUESO, CALIENTES

Se cortan unos canapés redondos (del tamaño de una moneda de 50 pesetas) y se tuestan ligeramente en el horno sin nada. Aparte se hace una mayonesa espesa (véase receta 94) y se mezcla con queso rallado [1 tazón de mayonesa y 125 gr. de queso rallado]. Se unta esta pasta abundantemente sobre el pan. Se cortan los centros de unas cebollas en rodajas finísimas y se ponen sobre el pan y la pasta. Sobre la cebolla se vuelve a poner el grosor de una avellana de mayonesa con queso.
Se mete al horno medianamente caliente hasta que se dore (pero cuidado, que se quema muy fácilmente) y se sirve caliente.

25.—CANAPES DE QUESO, TOMATE Y BACON

Se pueden hacer con pan redondo, especial de canapés, o con pan de molde cortado a cuadraditos de unos 4 cm. de costado.
Se unta el pan con muy poca mantequilla (ésta no debe estar muy fría, para poderla untar por igual y ligeramente). Se cortan los triángulos de queso tipo «Vaca que ríe», «M. G.» o cualquier otro que sea de porciones y bien mantecoso. Se coloca sobre el pan. Encima se pone una rebanadita de tomate fresco y bien maduro —muy fina, para lo cual se corta con un cuchillo de sierra—. Sobre esto se coloca una loncha de bacon (o media si ésta es muy larga), doblada en dos. Se mete al horno previamente caliente hasta que el queso esté muy blando y el bacon bien tostado, y se sirven calientes.

26.—CANAPES DE QUESO GERVAIS Y PIMENTON

Untar pan de canapés (redondo, o pan de molde, cortado en cuatro) con una capa espesa de queso gervais salado. Espolvorearlo con un poco de pimentón y meter al horno un ratito.

27.—EMPAREDADOS DE QUESO BLANCO

Se prepara una crema con 2 quesitos blancos (tipo «demi sel Gervais» u otra marca). Se mezclan con 2 cucharadas soperas de crema líquida (o leche evaporada sin azúcar). Se pica muy fina una cebolleta (la parte verde), o una «chalota» o una cebollita francesa pequeña. Se mezcla 1 cucharadita de este picado con el queso.

Esta pasta se unta sobre una rebanada de pan de molde y se cubre con una rebanada de pan de centeno oscuro. Se cortan los bordes y se parten en dos triángulos. Se puede meter un ratito en la nevera.

28.—PALITOS DE QUESO FRITOS

100 gr. de harina,
25 gr. de mantequilla,
50 gr. de queso rallado (par-
    mesano),

1 huevo,
sal.

Con esto se hace una masa que se trabaja con la mano. Se espolvorea de harina un mármol y se extiende con un rollo pastelero. Se cortan tiras de un dedo de ancho y 5 cm. de largo.

Se pone aceite abundante en una sartén y cuando está caliente en su punto (probar con una rebanadita de pan), se echan los palitos dentro. Se retiran cuando están bien dorados y se dejan escurrir. Se sirven fríos.

29.—PALITOS DE QUESO AL HORNO (salen unos 20)

100 gr. de mantequilla,
80 gr. de harina (3 cucharadas
    soperas un poco colmadas),

100 gr. de queso rallado,
sal.

Se pone la mantequilla en un cazo y se derrite a fuego lento (sin que cueza) y se retira. Se le añade entonces la harina y después el queso rallado (se rectifica de sal, si hiciese falta). Se forman unos palitos del grosor y del largo de un dedo meñique. Se pasan por pan rallado (puesto éste en un plato) y se colocan en una chapa de horno. Se meten al horno medianamente caliente hasta que los palitos estén bien dorados. Se sacan con un cuchillo, con cuidado, pues son frágiles, y se dejan enfriar para servir.

30.—FRITOS DE QUESO GRUYÈRE

Se cortan unos trozos de gruyère de 1 cm. de grueso, 1 ½ de ancho y 3 cm. de largo. Se ponen en remojo en leche fría durante 2 horas. Se sacan y se escurren bien, incluso secándolos con un paño limpio; se pasan ligeramente por harina, después por huevo batido como para tortilla y por último por pan rallado. Se fríen en aceite fuerte y se sirven calientes.

31.—FRITOS DE QUESO GRUYÈRE Y BACON

Se cortan tiras de gruyère de un dedo de gruesas y un poco más largas que la parte corta de las lonchitas de bacon. Las lonchitas de bacon deben ser finas. Con unas tijeras se corta la corteza que se pone dura al freír, y se parten por la mitad. En cada mitad se pone el trozo de queso, se enrolla el bacon y se pincha con un palillo para que no se desenrolle al freír. Se fríen en aceite abundante y bien caliente.

Se sacan y se sirven en seguida sin quitar el palillo.

32.—PETITS CHOUX AL ROQUEFORT O AL FOIE-GRAS

Masa (para unos 65):

1 vaso (de los de agua) de leche,
1 vaso (de los de agua) de harina,
50 gr. de mantequilla,
50 gr. de manteca de cerdo,
3 huevos enteros,
2 claras de huevo,
un poco de sal.

En un cazo se pone la leche, la mantequilla, la manteca y la sal. Se pone al fuego y cuando está todo derretido se dan unas vueltas con una cuchara de madera. Cuando rompe a hervir se echa de golpe el vaso de harina y se mueve bien durante unos 3 minutos. Se retira del fuego y cuando la masa así formada está casi fría se añaden uno por uno los huevos, esperando de uno a otro que haya quedado bien incorporado el anterior y al final las claras montadas.

Se engrasa ligeramente con aceite fino una chapa de horno y con una cucharita de café se coge un poco de masa y se pone en la chapa en montoncitos separados, pues los choux aumentan bastante.

El horno tiene que estar flojo. Cuando están los choux doraditos, se retiran y, ya una vez fríos, se les hace una raja con unas tijeras en el costado. Se presiona con los dedos y con la punta de un cuchillo se va introduciendo el relleno.

Una vez hechos y abiertos se mezcla foie-gras con un poco de crema batida para que espese pero no se vuelva mantequilla; se rellenan con esta pasta (100 gr. de foie-gras con 2 cucharadas soperas de crema batida).

Pasta de roquefort:

Se mezcla por partes iguales queso roquefort y mantequilla.

33.—TARTALETAS DE BECHAMEL

Se rellenan las tartaletas de la siguiente crema caliente:

En un cazo se ponen 50 gr. de maizena y dos yemas de huevo; se disuelve poco a poco con un vaso (de los de agua) de leche fría. Se pone entonces al fuego y con una cuchara de madera se va dando vueltas hasta que la crema cueza un par de minutos. Se añaden entonces 75 gr. de queso gruyère rallado y, ya fuera del fuego, el zumo de una naranja. Se rectifica de sal y se rellenan en seguida las tartaletas de esta crema; se sirven templadas o pasándolas un par de minutos por el horno a calor medio.

34.—PINCHOS DE DATILES Y BACON FRITOS

Se raja cada dátil por la parte más alargada y se retira con cuidado el hueso. Se envuelve en un trozo de bacon cortado a máquina fino, al cual se le habrá quitado la piel dura del borde, y se fríe en aceite caliente. Se sirve en seguida.

35.—APIO CON ROQUEFORT

Se cortan los tallos largos de apio. Se lavan y pelan bien, dejándolos enteros a lo ancho. Se forman unos trozos de 3 cm. de largo que se rellenan con una pasta de roquefort y mantequilla bien mezclados a partes iguales. Se unta por la parte hueca del tallo hasta dejarla bien rellena. Se pone en la nevera y se sirve bien frío.

36.—TARTALETAS DE CHAMPIÑON (véase receta 1)

Se lavan y cortan en rebanaditas los champiñones (los más frescos son los de piel más blanca). Se echan en un cazo con un trozo de mantequilla (25 gr.) y el zumo de medio limón. Se cubre el cazo con una tapadera y se pone a fuego lento hasta que se hagan (de 10 a 15 minutos).
En una sartén pequeña se ponen 25 gr. de mantequilla y 1 cucharada sopera de aceite fino. Se añade 1 cucharada sopera colmada de harina, se mueve un poco y se echa poco a poco un vaso (de los de agua) lleno de leche fría (¼ litro). Se deja cocer unos 8 minutos dando vueltas, se sala y se añade un pellizquito de curry. Se mezcla con los champiñones ya hechos y su salsa.
Se rellenan las tartaletas y se sirven calientes.

37.—ECLAIRS DE ESPARRAGOS

Los éclairs se hacen con la misma masa de los petits choux (receta 32), pero en vez de formarlos en redondo, se pone la masa alargada. Una vez hechos se abren con las tijeras, haciendo una raja muy grande (casi todo el éclair menos un costado). Se rellenan de mayonesa más bien dura y sobre la mayonesa se colocan dos puntas de espárragos de lata, volviendo a cerrar el éclair.

38.—CHAMPIÑONES RELLENOS DE QUESO RALLADO

Se escogen unos champiñones grandecitos. Se les quitan los podúnculos o rabos. Se lavan muy bien en agua fría y zumo de limón, cepillándolos con un cepillo suave, y se secan seguidamente para que no pierdan el sabor. Se ponen en una besuguera untada con aceite en el fondo y se rellenan de queso rallado. Se pone un poco de mantequilla encima de cada champiñón y se asan a horno mediano durante unos 15 minutos. Se sirven en una fuente en seguida y bien calientes.

39.—CHAMPIÑONES RELLENOS DE UN PICADITO CON CHALOTA

Se preparan igual que los anteriores y en la parte hueca se rellenan como sigue:
Se pican los rabos de los champiñones y una chalota (mediana,
para unos 4 champiñones). En una sartén pequeña se pone un
poco de aceite, se rehoga el picadito mezclado; se añade sal y
unas gotas de zumo de limón. Se deja rehogar de 5 a 8 minutos
y se rellenan los champiñones, metiéndolos al horno, igual que
en la receta anterior.

Sugerencias de platos fríos
(para el verano)

SOPAS

Ajo blanco con uvas (receta 162).
Gazpacho (receta 159).
Gazpacho en trozos (receta 160).
Gazpachuelo (receta 161).
Sopa de jugo de tomate (receta 128).
Vichyssoise (receta 164).

PESCADOS Y MARISCOS

Brazo de gitano de puré de patatas (receta 215).
Budín de bonito frío (receta 539).
Pastel de bonito frío (receta 538).
Centollo frío a la pescadera (receta 663).

Aspic de bonito con mayonesa (receta 540).

Cocktail de gambas (receta 669).

Copas de pescado y mariscos con salsa de hortalizas, pipirrana (receta 701).

POLLO

Suprema de pollo (receta 845).

HUEVOS

Huevos duros mimosas (receta 438).

Huevos duros con ensaladilla rusa (receta 441).

Huevos moles en gelatina (receta 446).

VERDURAS

Pimientos rojos con huevos duros (receta 392).

Tomates rellenos de sardinas en aceite, pimientos verdes y aceitunas (receta 413).

40.—ENSALADA DE ESPARRAGOS, JAMON DE YORK, ETC... Y MAYONESA (6 personas)

1 manojo de espárragos gordos (o una lata grande de los mismos),
200 gr. de jamón de York (en 1 o 2 lonchas),
3 tomates duros pero colorados,
3 huevos duros,
1 pepino (mediano),
1 cucharada sopera de cebolla picada,
1 cucharada sopera de perejil picado,
1 tazón de mayonesa espesa,
1 huevo,
1 vaso (de los de agua) de aceite,
1 cucharada sopera de vinagre o zumo de limón,
sal.

Se pelan y cuecen los espárragos según la receta 349. Se dejan escurrir muy bien y se colocan encima de un paño limpio doblado para que no tengan agua alguna (si son de lata, se escurren de la misma manera).

Se hace la mayonesa en la batidora (receta 94). Se cortan los espárragos en trozos como de 3 cm. de largo (sólo la parte tierna). Se corta el jamón a cuadraditos. Los tomates se lavan, se secan y parten en trozos; se salan y se dejan un buen rato para que suelten su agua. El pepino también se pela y se deja en cuadraditos con un poco de sal, para que suelte también su agua.

Se revuelve todo junto con 1 huevo y medio duro picado, la mitad del perejil y la cebolla. Se mezcla con la mayonesa y se mete en la nevera durante una hora. Al ir a servir se adorna la fuente con el huevo y medio reservado y cortado en rodajas. Se espolvorea con el resto del perejil, y se sirve.

Berros: ensalada fantasía (receta 297).

Calabacines en ensalada (receta 311).

Barcas de pepinos con ensaladilla (receta 390).

CARNE Y JAMON

Pasteles de carnes o terrinas (véase el capítulo correspondiente, recetas 899 y siguientes).

41.—CANUTILLOS DE JAMON DE YORK Y ENSALADA RUSA Y GELATINA (6 personas)

½ litro de gelatina comprada o hecha con Maggi o Aspic Royal,
6 lonchas de jamón de York,

½ kg. de ensaladilla rusa,
1 lata pequeña de guisantes, de 100 gr.,
2 zanahorias medianas cocidas.

Quien quiera hacer la ensaladilla deberá cocer para ello 1 kg. de guisantes, ¼ kg. de patatas, ½ kg. de zanahorias en agua y sal, por separado. Cuanta más variación de verduras haya, mejor; pero esto depende de la época del año.

Se hará también un tazón de mayonesa dura. Esta se hará con la batidora (receta 94).

Una vez cortadas las verduras y las patatas en cuadraditos, se mezclan con la mayonesa y se reserva en sitio fresco.

Aparte se cuecen dos zanahorias y se cortan en rodajas finas, después de cocidas.

Se prepara la gelatina según vaya explicado en cada caso.

Se coge una tartera de unos 24 cm. de diámetro y de 4 cm. de alto. Se le pone en el fondo una fina capa de gelatina y se mete en la nevera (en el congelador) para que cuaje de prisa. Una vez formada la gelatina se adorna el fondo con guisantes y las rodajas de zanahoria. En una tabla o mármol se extiende una loncha de jamón; se pone en el centro de ésta 1½ cucharada sopera de ensaladilla rusa y se dobla el jamón como si fuese un canutillo. Se pincha con un palillo para que no se abra el jamón (de forma que cuando la gelatina esté cuajada se pueda retirar bien). Se colocan los canutillos en la tartera con la punta fina en el centro y se cubre con la gelatina ya casi fría, aunque líquida. Se mete en la nevera por lo menos 3 ó 4 horas antes de servir el plato.

Al ir a servir se pasa un cuchillo alrededor de la tartera y se vuelca ésta en una fuente redonda. Se adorna con hojas de lechuga, tomates y rodajas de huevo duro.

42.—ROLLOS DE JAMON DE YORK CON ESPARRAGOS Y MAYONESA (6 personas)

6 lonchas de jamón de York,
6 espárragos de lata muy gruesos y tiernos (ó 18 menos gruesos),
1 cucharada sopera de alcaparras,
1 tazón de mayonesa,
6 dátiles,
3 zanahorias medianas tiernas cortadas en juliana (a tiritas por la moulinette),

1 huevo duro,
1 cucharada sopera de perejil picado,
1 cucharada sopera de vinagre o zumo de limón,
3 cucharadas soperas de aceite fino,
sal.

Se tiene preparado de antemano 1 tazón de mayonesa bastante espesa (receta 94). Se pican las alcaparras con una tijera y se mezclan con la mayonesa ya aliñada.

Se extiende cada loncha de jamón de York y se pone en el centro bastante mayonesa para que cubra bien el espárrago al envolverlo con el jamón; encima de la mayonesa se pone un espárrago (o 3 más pequeños). Se enrolla con cuidado toda la loncha de jamón, quedando el espárrago en el centro del rollo y asomando la punta. Se colocan en la fuente donde se vayan a servir. Se espolvorean con la mezcla del huevo duro picado (no se pone toda la clara, pues sería demasiado) y el perejil. Sobre cada loncha, en el centro y a modo de atado, se coloca un dátil, que se habrá partido de un lado para quitarle el hueso. Se aliñan en un plato sopero las zanahorias en tiritas, con aceite, vinagre o limón y un poco de sal, y se adorna la fuente con cuatro montones de zanahorias.

Si se prepara con anticipación, la fuente se cubre con papel de aluminio y se mete un rato en la nevera.

LEGUMBRES Y PATATAS

Arroz blanco con verduras y vinagreta (receta 173).

Arroz blanco con mayonesa y atún (receta 169).

Lentejas en ensalada (receta 204).

Patatas con mayonesa, tomates, anchoas, aceitunas, etc. (receta 239).

Patatas en ensaladilla con atún y huevo duro (receta 238).

ASPIC-MOUSSES

Aspic de atún con mayonesa (receta 540)

43.—ASPIC-MOUSSE DE FOIE-GRAS (4 personas)

Para que sea bueno este aspic, se debe hacer con foie-gras de oca o de pato, para lo cual se utiliza un resto de foie grande o unas latas especiales donde el foie está en trozos pequeños, pero sin mezclar con cerdo, etc.

50 gr. de foie de oca o pato,
¼ litro de gelatina (Maggi, Royal u otra comprada),
1 vaso (de los de vino) de

crema líquida montada (nata, no dulce),
1 trufa (facultativo),

Se prepara la gelatina (según venga explicado para cada marca), o disuelta al baño maría si se compra hecha.
Una vez templada, casi fría, pero aún líquida, se pone una capa fina de gelatina en el fondo del molde o flanera donde se va a hacer el aspic. Se adorna con unas rodajitas de trufa bien negras y se mete en la nevera para que se cuaje bien.
En una ensaladera se pone el foie, se aplasta bien con un tenedor y se le agrega en dos o tres veces la crema montada (crema líquida batida). Por último, se le añade poco a poco, y dando unas vueltas con unas varillas, la gelatina líquida pero casi fría. Una vez bien mezclado, se vierte en el molde y se mete en la nevera (unas 3 horas por lo menos, o más si se quiere preparar con tiempo).
Para servir se pasa un cuchillo de punta redonda, calentado en agua caliente, todo alrededor del molde. Se vuelca en una fuente redonda y se adorna con hojas blancas de lechuga o con unos berros.

44.—MOUSSE FRIA DE GAMBAS (6 a 8 personas)

60 gr. de mantequilla,
4 cucharadas soperas de aceite,
½ kg. de gambas,
2 cucharadas soperas colmadas de harina,

1½ vaso (de los de agua) de leche fría,
2 hojas de buena cola de pescado,
1 yema de huevo,
2 claras,
agua y sal.

Se pelan las gambas. Las colas se reservan crudas en un plato. En un cazo se pone la mitad de la mantequilla con las cabezas y los caparazones. Se pone a fuego lento y se revuelve bien durante unos 5 minutos, a partir del momento en que la mantequilla está derretida. Se pone por tandas en un colador fino y se machaca muy bien, apretando mucho con la seta del pasapurés. Sale un juguito color de rosa que se reserva.

En una sartén se pone a calentar el resto de la mantequilla y 2 cucharadas de aceite. Cuando está derretido se añade la harina. Se dan unas vueltas y, poco a poco, se vierte la leche dando vueltas. Se ponen entonces las gambas reservadas y todo el jugo recogido de las cabezas; se deja cocer unos minutos (5 minutos más o menos). Se añade sal, se separa del fuego y se incorpora a esta bechamel la yema de huevo.

En un cazo pequeño se pone un poco de agua (3 ó 4 cucharadas soperas); se corta la cola de pescado en trocitos con las tijeras, se mueve bien y se pone a fuego muy lento para que se derrita (sin que cueza, pues le da mal sabor). Se agrega poco a poco a la bechamel de gambas, colándola previamente por un colador de tela metálica.

Se montan las 2 claras a punto de nieve firme, con un pellizco de sal. Se juntan con la bechamel, cuidando de incorporarlas bien sin moverlas demasiado.

Se toma una flanera no muy alta, se unta con las 2 cucharadas de aceite fino, se escurre bien y se vierte la mousse. Se mete en la nevera unas 3 horas más o menos. Para servir, se desmolda pasando un cuchillo todo alrededor y se adorna la fuente con hojitas de lechuga y rodajas de tomate, o montoncitos de berros.

Fritos, tartas saladas, empanadillas y tostadas

45.—MASA DE EMPANADILLAS (salen unas 30)

1.ª receta

300 gr. de harina,
 4 cucharadas soperas (aproximadamente) de harina para espolvorear la mesa,
 25 gr. de mantequilla,

25 gr. de manteca de cerdo,
 1 vaso de los de agua (no lleno) con mitad de agua y mitad de vino blanco seco, sal.

En un cazo se pone el agua, el vino, la mantequilla y la manteca a derretir. Cuando está caliente, pero sin que llegue a hervir, se retira del fuego y se añade la harina, mezclada previamente con la sal. Se trabaja primero con una cuchara de madera y luego en la mesa de mármol espolvoreada con 2 cucharadas de harina. Se amasa bien un rato y luego se pone en forma de bola en un plato tapado con un paño limpio. Se deja reposar unas 2 horas. Al ir a formar las empanadillas, se espolvorea otra vez la mesa con harina y se extiende la masa con un rollo pastelero hasta que queda muy fina.

Se pone el relleno que se haya previsto para ello y se dobla la masa para cubrirlo; se corta en forma de media luna, dejando un par de centímetros alrededor del relleno. Se pueden cortar las empanadillas con una media luna de hojalata, o con una rueda de metal que se vende para esto, o con un vaso de filo fino.

Hay que apretar bien los bordes al cortar para que no se salga el relleno al freír las empanadillas.

El aceite debe ser muy abundante para freír (aunque luego se gaste poco).

46.—MASA DE EMPANADILLAS (salen unas 30)

2.ª receta

300 gr. de harina,
  4 cucharadas soperas (aproximadamente) más de harina para espolvorear la mesa,
 25 gr. de mantequilla,

3 cucharadas soperas de aceite fino,
1 huevo,
1 vaso (de los de agua), no lleno de agua.
sal.

En un cazo se pone el agua, la sal, la mantequilla y el aceite a calentar. Cuando empieza a cocer se aparta y se echa la harina, fuera del fuego, y después el huevo. Se amasa en el cazo y luego se espolvorea un mármol con harina; allí se amasa un ratito (si hiciese falta se podría añadir algo más de harina a la masa). Se deja tapada con un paño limpio la masa una vez hecha, por lo menos durante ½ hora. Pasado este tiempo se procede como en la receta anterior.

47.—RELLENOS PARA LAS EMPANADILLAS

El principio es más o menos siempre lo mismo:

1 cebolla mediana (100 gr.) refrita durante unos 6 minutos (hasta que se ponga transparente),
3 cucharadas soperas de salsa de tomate espesa,
1 resto de carne picada, o jamón (de York o serrano) o de pollo, gallina, o de pescado cocido o atún de lata,

1 miga de pan (del grosor de 1 huevo) mojada con leche caliente y un poco escurrida, o 1 huevo duro picado,
1 anchoa (facultativo), pimienta, perejil picado o nuez moscada, según se prefiera.

Todo esto se mezcla muy bien y con ello se rellenan las empanadillas.
Como puede verse, cada cual puede hacer según sus medios y su fantasía.
También hay quien prefiere, en vez de mezclar la carne o el pescado con cebolla y tomate frito, mezclarlo con un poco de salsa bechamel espesa. Es también muy fino, pero más soso.

48.—EMPANADAS DE HOJALDRE (6 personas)

Se hace el hojaldre según va explicado en la receta 100, pero se suprime el azúcar.
Se rellena de varias maneras:

Bonito en escabeche
Con 1 kg. de tomates, una cebolla grande (200 gr.), aceite, azúcar y sal, se hace una salsa de tomate espesa, que no se pasa por el pasapurés (receta 63).
Se extiende la salsa de tomate por el hojaldre, dejando un borde de 2 cm. de ancho todo alrededor (para que se pueda pegar bien

la masa al poner la tapa de hojaldre). Se desmenuzan (no demasiado) 200 gr. de atún en escabeche, se ponen 2 pimientos (de lata) y se cubre con la tapa de hojaldre, procediendo igual que para el dulce.

Magro de cerdo y morcilla
Se hace una salsa de tomate igual que en la receta anterior.
Se fríe un trozo de magro de cerdo cortado en taquitos pequeños (unos 400 gr.). Se cortan en rodajas de 2 cm. de gruesas un par de morcillas y se procede en todo igual que para la empanada de bonito.

Pollo
Se asan 2 pechugas de pollo, o se aprovecha algún resto y se procede igual que para la empanada de bonito.
Se puede variar cuanto se quiera el relleno, que en principio se mezclará con salsa de tomate espesa y tiritas de pimientos rojos frescos y asados o de lata. Esto es lo más clásico.

49.—PAN DE MOLDE CON GAMBAS Y BECHAMEL (6 personas)

12 rebanadas de pan de molde (Fridox o Bimbo, etc.),
½ kg. de gambas,
30 gr. de mantequilla,
3 cucharadas soperas de aceite,
1 cucharada sopera colmada de harina,
½ litro de leche fría (2 vasos de los de agua bien llenos),
1 pizca de curry (facultativo),
50 gr. de queso gruyère rallado,
sal.

Se separan las colas de las gambas y si son grandes se parten en dos. Se reservan.
En una sartén se hace la bechamel: se pone a derretir la mantequilla con el aceite. Una vez calientes, se ponen las colas de las gambas y se rehogan unos 3 ó 4 minutos; se sacan y se reservan en un plato. Se añade entonces la harina en la sartén. Se da un par de vueltas y, poco a poco, se vierte la leche fría, sin dejar de dar vueltas con unas varillas o una cuchara de madera. Se deja cocer la bechamel unos 10 minutos, se añaden el curry y la sal. Una vez espesada la bechamel, se agregan las gambas, se revuelve bien y se reparte por encima de las rebanadas de pan. Se espolvorean éstas con queso rallado y se meten al horno a gratinar.
Cuando están bien doradas se sirven en una fuente.

50.—PAN DE MOLDE CON CHAMPIÑONES, BECHAMEL Y QUESO RALLADO (6 personas)

12 rebanadas de pan de molde,
400 gr. de champiñones frescos,
50 gr. de queso gruyère o parmesano rallado,
50 gr. de mantequilla,
2 cucharadas soperas de aceite fino,
1 cucharada sopera colmada de harina,
½ litro de leche fría (2 vasos de agua bien llenos),
1 limón (el zumo),
sal, pimienta.

Se preparan los champiñones como se explica en la receta 424, cortándolos en láminas no demasiado finas. Se ponen con algo menos de la mitad de la mantequilla preparada para esta receta. Los otros 30 gr. de mantequilla se ponen en una sartén con el aceite. Se calientan y cuando está la mantequilla derretida se añade la harina. Se dan unas vueltas con las varillas y se añade la leche poco a poco, sin dejar de dar vueltas. Se añade la sal y un poco de pimienta molida. Se cuece la bechamel durante unos 10 minutos; pasado este tiempo, se agregan a la bechamel los champiñones con su jugo. Se revuelve todo bien y se deja templar un poco. Se reparte por encima de las rebanadas de pan. Se espolvorean éstas con el queso rallado y se meten al horno, previamente calentado durante unos 5 minutos, a gratinar. Cuando la bechamel está dorada se ponen las tostadas en una fuente y se sirven en seguida.

51.—PAN DE MOLDE CON QUESO RALLADO (6 personas)

12 rebanadas de pan de molde (Fridox, Bimbo, etc.),
70 gr. de harina (3 cucharadas soperas),
75 gr. de mantequilla,

150 gr. de queso gruyère rallado,
3 huevos,
1½ vaso (de los de vino) de leche
1 litro de aceite (sobrará), sal, pimienta.

En un cazo poner la leche, la mantequilla, la sal y la pimienta a cocer. Cuando está cociendo a borbotones se añade la harina de golpe y se mueve con una cuchara de madera hasta que se desprenda de las paredes del cazo. Se separa del fuego y una vez templada la masa se añade 1 huevo (sin batir); cuando está bien incorporado se añade otro y así hasta completar los 3 huevos. Se agrega el queso. Se untan con esta masa las rebanadas de pan por una sola cara y quedando bien cubiertas todas. Se prepara como media hora antes de ir a freír. Se calienta bien el aceite y se fríen las rebanadas, poniendo el lado untado en el aceite de freír. Cuando están bien doradas se retiran y se escurren, conservándolas al calor hasta ir a servirlas en una fuente.

Nota.—Se pueden también meter en el horno para gratinar las tostadas si no se quieren fritas. Salen también muy buenas, aunque no tan bonitas de vista. Se añade entonces un poco de queso rallado, espolvoreado por encima de cada rebanada para que gratine mejor.

52.—TARTA DE BACON Y QUESO (6 a 8 personas) QUICHE

Masa quebrada,
  1 yema de huevo,
200 gr. de harina,
 90 gr. de mantequilla,
  1 cucharada sopera no llena de aceite de cacahuete,

1 vaso (de los de vino) de agua fría (quizá un poco más),
mantequilla para untar el molde.
sal.

Relleno:

2 lonchas de bacon o una de jamón de York,
40 gr. de queso gruyère en lonchitas muy finas,
50 gr. de queso gruyère rallado,
¼ litro de crema líquida,
4 huevos,
1 vaso (de los de agua) de leche fría,
sal.

Se prepara la masa quebrada la noche anterior o, por lo menos, unas 4 horas antes de hacer la tarta.

Se pone la harina en una ensaladera, se espolvorea con un poco de sal y se pone la mantequilla en trocitos pequeños para que se ablande. Con las manos se tritura esto lo menos posible, añadiendo la yema y formándose una especie de serrín grueso. Se va echando entonces y, poco a poco (en tres veces, por ejemplo), el vaso de agua. Se espolvorea una mesa con harina y se termina de amasar en ella. Una vez hecha la masa se forma una bola grande, se mete en un tazón, y éste en sitio fresco a reposar.

Cuando llega el momento de hacer la tarta se espolvorea harina en una mesa de mármol y con el rollo pastelero se extiende, dándole forma redonda. Se unta un molde de unos 26 cm. de diámetro y con bordes altos (unos 4 cm.) con bastante mantequilla. Se dobla la masa y se traslada a la tartera, colocándola bien con los dedos y teniendo cuidado de que quede de grosor igual por todos lados. Se recorta lo que sobra de los bordes con un cuchillo. Se pincha con un tenedor todo el fondo de la masa (sin que el pinchazo la traspase); se coloca el bacon cortado en trocitos y las lonchitas de queso. Se mete al horno mediano, previamente calentado, unos 20 minutos para que cueza la masa sin tomar nada de color. Mientras tanto se baten mucho los huevos, se salan y se les añade la crema líquida y la leche, mezclando todo muy bien. Se saca unos instantes la tartera y se vierte la crema en ella. Se espolvorea con queso rallado y se vuelve a meter en el horno, dando primero unos 15 minutos de calor fuerte y luego bajando un poco el calor, se deja otros 25 minutos más. Este tiempo depende del horno. La tarta debe tener un bonito color tostado y gratinado. Se vuelca, una vez reposada durante unos minutos, en un plato, y rápidamente se vuelve a la fuente donde se vaya a servir, dejándola al calor suave hasta pasarla a la mesa.

53.—MASA PARA BUÑUELOS

1.ª receta

300 gr. de harina,
3 decilitros de leche fría (1½ vaso de los de agua),
3 cucharadas soperas de aceite fino,
3 cucharadas soperas de vino blanco,
1 cucharadita (de las de moka) de levadura Royal,
1 litro de aceite para freír,
sal.

En una ensaladera se ponen la harina y la sal mezcladas; en el centro se hace un hoyo y se pone el vino y el aceite. Se revuelve todo con una cuchara de madera y se va agregando la leche fría. Se deja reposar la masa por lo menos ½ hora (sin ponerle la levadura). Solamente al ir a hacer los buñuelos se añade ésta. Se pone el relleno de uno en uno y se fríen los buñuelos en aceite muy abundante.

2.ª receta

150 gr. de harina,
1 huevo,
1 cucharada sopera de aceite fino,

1 botellín de cerveza,
sal.

En una ensaladera se pone la harina, mezclada con la sal. En el centro se echa la yema de huevo y el aceite. Se revuelve todo y se va añadiendo la cerveza poco a poco hasta formar una pasta de la consistencia de unas natillas espesas. En el momento de ir a freír los buñuelos, se añade la clara de huevo montada a punto de nieve fuerte (con un pellizco de sal). Se revuelve con la masa, lo justo para incorporarla. Se tiene así la masa en su punto para freír lo que se quiera (pescado, calabacines, manzanas, etc.)

3.ª receta (para sesos huecos, calamares, cebolla, etc.)

Harina y sifón,
la punta de un cuchillo de levadura Royal,

1 pellizco de sal y otro de azafrán en polvo.

54.—MEDIAS NOCHES RELLENAS (6 personas)

12 medias noches,
200 gr. de jamón serrano picado (o de York, o una pechuga de gallina cocida, o un resto de pollo, etc.),
1 litro de leche,
25 gr. de mantequilla,

2 cucharadas soperas de aceite fino,
2 cucharadas soperas de harina,
2 ó 3 huevos,
pan rallado,
1 litro de aceite (sobrará).
sal.

En la parte de arriba de las medias noches se corta un redondel como de 2 ó 3 cm. de diámetro. Se quita con la punta del cuchillo lo que se pueda de la miga (sin estropear la media noche). Se prepara una bechamel. En una sartén se derrite la mantequilla junto con el aceite, se añade la harina y luego, poco a poco y dando vueltas con las varillas, la leche fría (½ litro o un poco más si hace falta). Se agrega sal y se deja cocer unos 10 minutos. Se añade el picadito (jamón o pechuga). Con una cucharita de café se rellenan las medias noches, dejando que sobresalga un poco por el hueco de la miga de la media noche. Se deja enfriar así la bechamel en las medias noches. Conviene, pues, prepararlas al menos ½ hora antes de ir a freírlas. Se pasan éstas rápidamente por el resto de la leche (templada, no caliente), luego por huevo batido como para tortilla y, finalmente, en pan rallado.
Se fríen en aceite bien caliente y se sirven en seguida, solas o con salsa de tomate servida aparte, en salsera.

55.—BUÑUELOS DE QUESO CON SALSA DE TOMATE
(6 personas; salen unos 25 buñuelos)

125 gr. de harina,
25 gr. de mantequilla,
1 pellizco de sal,
1¼ vaso (de los de agua) de agua,
4 huevos,
150 gr. de queso gruyère rallado,
1 pellizco de sal,
1 litro de aceite (sobrará),

Salsa de tomate (véase receta 63):
1 kg. de tomates bien maduros,
3 cucharadas soperas de aceite frito,
1 cucharadita (de las de café) de azúcar,
1 cebolla grande (100 gr.), facultativo,
sal.

Se prepara la salsa de tomate con anticipación y se calienta bien al ir a servirla en salsera aparte.

En un cazo se pone el agua, la mantequilla y la sal a cocer. Cuando rompe a hervir se añade de golpe la harina, dando vueltas rápidamente con una cuchara de madera hasta que la masa se desprenda de las paredes del cazo. Se retira del fuego y se deja enfriar un poco (5 minutos), dando vueltas a la masa. Se añade 1 huevo entero (sin batir); cuando está bien incorporado a la masa, se añade otro, y así hasta completar los 4. Se agrega entonces el queso recién rallado, hasta que esté también incorporado. Se deja la masa en reposo durante unas 2 horas. En una sartén honda y amplia se pone el aceite a calentar; cuando aún está poco caliente, se coge un poco de masa con una cuchara de las de café y se echa (empujándola con el dedo). La masa debe bajar al fondo del aceite. No se deben poner muchos buñuelos a la vez, pues aumentan bastante y conviene freírlos holgadamente. Se va calentando el aceite poco a poco y cuando los buñuelos suben a la superficie es cuando deben estar bien inflados. Se dejan dorar y se retiran con una espumadera, colocándolos en un colador grande, a la boca del horno, que estará templado, en espera de tener todos los buñuelos fritos.

Para cada tanda de buñuelos hay que retirar el aceite del fuego y dejar que se enfríe hasta estar sólo templado, antes de echar otros.

Se servirán en una fuente con una servilleta y con la salsa de tomate aparte.

56.—CROQUETAS (6 personas; salen unas 34 croquetas medianas)

2 cucharadas soperas de aceite fino,
40 gr. de mantequilla,
3 ó 4 cucharadas soperas de harina (según estén de llenas),

¾ litro de leche fría,
2 huevos,
1 litro de aceite,
pan rallado,
sal.

Relleno que se quiera:

½ kg. de gambas,

ó 350 gr. de merluza o pescado blanco,

ó 2 huevos duros picados,

ó 200 gr. de jamón serrano picado,

ó 1 pechuga de gallina cocida,

ó 1 resto de pollo asado, etc.

En una sartén se ponen el aceite y la mantequilla a derretir. Cuando está todo caliente se echa la harina y con una cuchara de mádera se dan un par de vueltas. Seguidamente se va echando la leche poco a poco para ir añadiendo a medida que hierva la bechamel hasta que quede más bien espesa. Se añade entonces el relleno que se vaya a poner, se mueve bien y se extiende en una besuguera para que se enfríe. Tiene que estar así por lo menos 2 horas. Con 2 cucharas soperas se coge un poco de masa y se forman las croquetas al tamaño que se desee.
Se acaban de moldear con bonita forma con las manos.
En un plato sopero se ponen los 2 huevos batidos como para tortilla y se pasa cada croqueta, primero ligeramente por pan rallado, después por el huevo y luego por el pan rallado otra vez, procurando que éste quede igual por todos lados.
Si hubiese que preparar las croquetas con un poco de anticipación, se cubre con un paño limpio húmedo, para que no se sequen.
Se prepara una sartén amplia con 1 litro de aceite y cuando esté caliente (se prueba con una rebanadita de pan), se van echando las croquetas por tandas (unas 6 cada vez). Cuando están bien doradas se echan en un colador grande hasta que estén todas fritas y se sirven en seguida en una fuente adornada con unos ramitos de perejil, fresco o frito.

57.—CROQUETAS DE QUESO RALLADO Y HUEVO

Se preparan como las anteriores. Cuando está hecha la bechamel se retira para que no esté demasiado caliente y se añade 1 huevo entero (sin batir). Cuando está bien incorporado a la bechamel se añade otro. Seguidamente se agregan de 150 a 200 gr. (según guste el sabor a queso) de gruyère recién rallado. Se extiende la masa en una besuguera y se procede como en la receta anterior.

58.—CROQUETAS DE PATATA Y BACALAO (6 personas)

1½ kg. de patatas,
¼ kg. de bacalao,
1 diente de ajo,
2 huevos,

1 plato con harina,
1 litro de aceite (sobrará mucho),
agua y sal (un pellizco).

Si el bacalao es seco, se pondrá en remojo unas 2 horas antes sin cambiarle el agua, pero si es de bolsas de plástico no hará falta remojarlo.
Se lavan bien las patatas, sin pelarlas, y se ponen en un cazo con el bacalao, todo ello bien cubierto con agua fría abundante. Se deja cocer durante unos 30 minutos (según la clase de patata).
Una vez cocidas las patatas, se pelan y se pasan por el pasapurés.
Se limpia bien el bacalao de pellejos y espinas, se desmenuza

muy bien con los dedos y se mezcla con el puré. Se fríe un poco de ajo en una sartén pequeña, con una cucharada sopera o 2 de aceite; cuando está dorado se machaca con un pellizco de sal en el mortero y se incorpora al puré. Se añade una yema, y cuando tengamos ésta bien incorporada, la otra. Después las 2 claras a punto de nieve firme, con un pellizco de sal. Se forman croquetas que pasaremos ligeramente por harina. Se fríen en aceite caliente (se probará el aceite friendo una rebanadita de pan).
Se pueden servir con salsa de tomate aparte.

59.—BUÑUELOS DE BACALAO PORTUGUESES (6 personas)

1½ kg. de patatas,
700 gr. de bacalao,
   3 huevos,
   1 diente de ajo muy picado,

1 cucharada (de las de café) de perejil muy picado,
1 litro de aceite (sobrará mucho),
   agua.

Se pone el bacalao en agua fría a remojo unas horas antes, no cambiándole el agua más que una vez. Se lavan muy bien las patatas sin pelarlas y se ponen a cocer con el bacalao en agua fría, que las cubra sobradamente. Cuando rompe el hervor se baja el fuego para que cuezan medianamente (sin borbotones grandes), durante unos 30 minutos (depende este tiempo de la clase de la patata). Se saca el bacalao, se limpia de pellejos y espinas con mucho esmero. Se desmenuza muy fino. Cuando está deshecho se pelan las patatas y se pasan por el pasapurés. Se mezcla bien y se añade el ajo y el perejil, espolvoreándolos y moviendo bien la masa. Se agregan de una en una las 3 yemas de huevo, incorporándolas con cuidado.
Con una cuchara sopera se coge un poco de masa y se echa en el aceite caliente (se verá si está en su punto friendo primero una rebanadita de pan).
Se sirven los buñuelos bien calientes, acompañados si se quiere de salsa de tomate servida aparte.

Buñuelos de puré de patatas (receta 212).

Buñuelos de puré de patatas y queso rallado (receta 213).

Fritos de bacalao (receta 515).

Buñuelos de bacalao con salsa de tomate (receta 516).

Bechamel de mejillones en sus conchas (recetas 692 y 651).

60.—TARTA DE CHAMPIÑONES (6 personas)

Masa quebrada igual que la quiche (receta 52).
½ kg. de champiñones de París bien frescos,
1 huevo,
unas gotas de zumo de limón (½ limón),
35 gr. de mantequilla,

1 cucharada sopera de aceite fino,
1 cucharada sopera de harina (más bien colmada),
1 vaso de leche fría (de los de agua),
sal.

Una vez puesta la tarta en el molde, se unta con una clara de huevo ligeramente batida con un tenedor.
Mientras tenemos la tarta en el horno (bien pinchado el fondo para que no salgan pompas a la masa) se prepara el relleno.
Se lavan y cepillan bien los champiñones, quitándoles las partes malas, y se van echando en agua fría con unas gotas de zumo de limón.
Una vez lavados, se sacan de uno en uno y se cortan en láminas gruesas la cabeza y el tronco. Se van echando en un cazo. Se añade un trocito de la mantequilla (menos de la mitad), unas gotas de limón y un poco de sal. Se cubre con una tapadera el cazo y se dejan a fuego lento unos 10 minutos.
Aparte, en una sartén, se pone el resto de la mantequilla a derretir con el aceite. Se añade la harina y con unas varillas se mueve agregando poco a poco la leche fría. Se pone sal y se deja unos 6 minutos para que no sepa a harina cruda.
En un tazón se pone la yema de huevo y muy poco a poco se le añade bechamel, con el fin de que no se corte. Se vierte esta mezcla en la sartén, moviendo bien, y, a continuación, se añaden los champiñones que ya estarán en su punto.
Una vez bien dorada la masa de la tarta, se pone en la fuente donde se vaya a servir (quitándola de su molde). Se vierte la bechamel con los champiñones y se sirve en seguida bien caliente.

61.—TARTA DE BECHAMEL Y ESPARRAGOS VERDES (6 personas)

Masa:
1 molde de 27 cm. de diámetro).
200 gr. de harina,
90 gr. de mantequilla,
1 cucharada sopera de aceite de cacahuete,
1 yema de huevo,
3 ó 4 cucharadas soperas de agua fría.
sal.

Relleno:
½ manojo de espárragos verdes cocidos y cortados en trozos de 4 cm. de largo,
½ litro de leche fría,
3 huevos,
100 gr. de queso gruyère rallado,
1 cucharada sopera colmada de maizena,
sal.

Se procede como se ha explicado anteriormente (receta 60) para hacer el fondo.

Mientras se va cociendo el fondo en el horno, se hace la crema de rellenar.

Se calienta la leche, y cuando está a punto de hervir se echa la harina, moviendo continuamente con una cuchara de madera para que no se formen grumos. Cuando ha cocido durante unos 3 minutos, se retira del fuego. Se añade entonces la casi totalidad del queso rallado (reservando un poco para espolvorear). Después se baten los 3 huevos como para tortilla. Con un pincel se pasa un poco de huevo batido por los bordes de la tarta, para que tenga más bonito color. Se añaden poco a poco los huevos a la crema, moviendo muy bien para que quede muy fina. Se rectifica de sal y se vierte en el molde. Se colocan los espárragos ligeramente ahondados en la crema (para que no se sequen). Se espolvorea con el queso rallado y se vuelve a meter en el horno durante unos 15 minutos.

Se saca para servir, volcando primero la tarta sobre una tapadera o un plato y luego sobre la fuente donde se va a servir. Lo mejor sería hacer la tarta con un molde a propósito, que consiste en un fondo y un aro que se quita cuando está la tarta.

Se sirve seguidamente, bien caliente.

62.—ROSCON DE QUESO (8 personas)

1½ vaso (de los de agua) de agua,
120 gr. de mantequilla,
180 gr. de harina.

125 gr. de gruyère rallado,
4 huevos,
sal.

En un cazo se pone el agua y casi toda la mantequilla (reservando un poco para untar la chapa del horno) con un poco de sal. Se pone a cocer. Cuando hierve se echa de golpe la harina y se dan unas vueltas muy rápidas hasta que la masa se desprende de las paredes y forma una bola. Se retira del fuego y se agrega casi todo el queso (se reserva un poco para espolvorear). Se remueve bien y uno por uno se van añadiendo los huevos (no se echa otro huevo hasta que se incorpore bien el anterior a la masa).

Se unta la chapa del horno con la mantequilla que se había reservado y con la cacerola se echa la masa sobre la chapa, formando un agujero en el centro. Se da bonita forma de roscón con la mano. Se espolvorea con el queso rallado reservado a este fin, y se mete en el horno, previamente calentado (unos 5 minutos). Se pone a fuego mediano unos 30 minutos y luego un poco más fuerte unos 15 minutos más, hasta que el roscón esté bien levantado y dorado.

Se sirve caliente.

CALIENTES

63.—SALSA DE TOMATE CLASICA (6 personas)

1 kg. de tomates bien maduros,
3 cucharadas soperas de aceite frito,
1 cucharada (de las de café) de azúcar,

1 cebolla mediana (80 gr.), facultativo,
sal.

En una sartén se ponen las cucharadas de aceite frito previamente (o que haya quedado de freír patatas o alimentos que no den gusto al mismo). Se añaden los tomates cortados en pedazos y quitada la simiente. Con el canto de una espumadera se machacan muy bien para que se deshagan lo más posible. Se tiene así unos 15 minutos en el fuego y después se pasan por el pasapurés. Se añade entonces el azúcar y la sal, moviendo muy bien el puré obtenido. Se sirve en salsera o cubriendo lo que se quiera.

Hay a quien le gusta con cebolla. Cuando el aceite está caliente, se echa primero una cebolla de unos 80 gr., picada; se deja freír unos 5 minutos, sin dejar que se dore. Cuando la cebolla está transparente se agrega el tomate y se sigue como en la receta anterior.

Nota.—Al hacer la salsa de tomate en una sartén ésta se queda del color del metal (casi plateada), pues el tomate limpia mucho. Para volver a utilizarla para otros platos (tortillas, fritos, etc...) hay que poner la sartén al fuego sin nada dentro hasta que se vuelva a poner el fondo negro. Sólo entonces se puede poner aceite y usarla sin que se agarre lo que se ponga dentro.

64.—SALSA DE TOMATE EN CONSERVA (6 personas)

1 lata de tomate al natural de ½ kg.,
3 cucharadas soperas de aceite,
1 cebolla mediana (80 gr.),

1 cucharada (de las de café) de azúcar,
sal.

Se procede igual que para hacer la salsa de tomate clásica.

65.—SALSA DE TOMATE CONCENTRADO

3 cucharadas soperas de aceite,
1 cucharada sopera rasada de harina,
1 bote de concentrado de tomate (150 gr.),

1 vaso (de los de agua) de agua,
1 cucharada (de las de café) de azúcar,
sal.

Se pone el aceite en una sartén; cuando está caliente se echa la harina, se dan unas vueltas con una cuchara de madera y se añade del tomate y el agua. Se deja cocer unos 10 minutos y se añade el azúcar y la sal. Según se quiera de espesa, se pone más o menos agua.

66.—SALSA DE TOMATE, CON CEBOLLA Y VINO (6 personas)

1 kg. de tomates bien maduros,
3 cucharadas soperas de aceite frito,
1 cebolla mediana (80 gr.) picada,
3 cucharadas soperas de vino blanco seco,

1 ramillete (perejil, un diente de ajo, una hoja de laurel),
1 cucharada (de las de café) de azúcar,
sal.

En una sartén se pone el aceite frito a calentar. Cuando está en su punto se añade la cebolla picada y se deja que tome algo de color (7 u 8 minutos). Entonces se añaden los tomates cortados en trozos, el ramillete y el vino. Con el canto de una espumadera se machacan muy bien los tomates durante 15 minutos a fuego mediano. Se saca entonces el ramillete y se pasa el tomate por el pasapurés.

Se añade entonces el azúcar, moviendo bien, y luego la sal. La salsa está en su punto para servirla. Si se quiere más espesa no hay más que ponerla un ratito al fuego vivo para que se evapore el caldo y se espese.

67.—SALSA BECHAMEL CORRIENTE (6 personas)

2 cucharadas soperas de harina,   ¾ litro de leche fría,
50 gr. de mantequilla,   sal.
2 cucharadas soperas de aceite
    fino,

En una sartén se pone la mantequilla a derretir, con el aceite. Una vez derretida, se añade la harina, se dan unas vueltas con una cuchara de madera y se va añadiendo poco a poco la leche fría, sin dejar de dar vueltas para que no se formen grumos. Cuando se ha incorporado toda la leche se deja dar un hervor de 5 a 8 minutos a fuego mediano.
Si la bechamel se quiere más clara, para salsa, se puede añadir más leche. Por el contrario, si se quiere más espesa, con las cantidades propuestas, habrá que cocerla un ratito más, para que quede como se desea.

68.—SALSA BECHAMEL CON TOMATE

A la receta anterior se le añade una cucharada sopera de concentrado de tomate. Se deshace éste con un poco de bechamel en un tazón y luego se añade al resto de la sartén.

69.—SALSA BECHAMEL CON YEMAS

Se ponen las yemas (2 para las cantidades dadas anteriormente) en un tazón y, muy poco a poco, se añade bechamel para que no se cuajen, y sin dejar de dar vueltas. Después se añade a la salsa de la sartén.

70.—SALSA BECHAMEL CON ALCAPARRAS

Se suele hacer para acompañar pescado hervido. La bechamel se hará empleando la mitad de leche y la mitad de caldo donde ha cocido el pescado. En el momento de servir se añade 1 ó 2 cucharadas soperas de alcaparras en la salsa. Para mejorarla se puede añadir 1 ó 2 yemas como en la salsa anterior.

71.—SALSA BECHAMEL CON CALDO (6 personas)

Esta salsa se toma más clara y resulta más ligera que la anterior. Sirve para los canelones, baño de los budines de pescado o verduras, etc.
Se hace igual que la anterior, pero con estos ingredientes:

2 cucharadas soperas rasadas   1½ vaso (de los de agua) de
    de harina,   caldo (o agua con una pas-
30 gr. de mantequilla,   tilla de Avecrem de pollo,
2 cucharadas soperas de acei-   Starlux, etc.),
    te fino,   sal.
1½ vaso (de los de agua) de
    leche fría,

Hay que tener en cuenta que el caldo natural o hecho con pastilla es salado, para poner la sal necesaria.

72.—SALSA ESPAÑOLA (6 personas)

¼ kg. de piltrafas de carne,
1 hueso pequeño de codillo,
3 cucharadas soperas de aceite o manteca de cerdo,
1 cucharada sopera rasada de harina,
1 cebolla mediana picada (100 gramos),

125 gr. de zanahorias (3 medianas),
1 ramillete (perejil, 1 diente de ajo, una hoja de laurel),
clavo (especia),
litro de agua (3 vasos de los de agua),
sal.

En un cazo se pone el aceite a calentar, poniendo la cebolla picada a dorar (unos 10 minutos), dando vueltas con una cuchara de madera. Se añaden las piltrafas de carne (pero carne sin grasa); se rehoga bien y luego se agregan las zanahorias (con la piel raspada, lavadas y picadas en cuadraditos). Se dan unas vueltas y se añade la harina. Se revuelve con una cuchara durante unos 5 minutos, añadiendo entonces el agua fría, el ramillete, el clavo y el hueso de codillo. Se deja cocer a fuego lento unos 30 minutos.

Entonces se saca el hueso de codillo y se pasa la salsa por el chino. Se vuelve a poner en un cazo, moviendo bien. Se rectifica de sal y se deja cocer a fuego lento hasta obtener el espesor que convenga.

73.—SALSA BEARNESA (6 personas)

Es una salsa entre mayonesa y holandesa, pero caliente. Es muy buena, algo delicada de hacer pues se corta fácilmente. Se sirve con filetes de solomillo, rumsteak o pescado cocido o a la parrilla, etcétera.

1 cucharada sopera de cebollita francesa o chalota muy picada (50 gr.),
2 cucharadas soperas de vinagre,
2 cucharadas soperas de agua fría,
el zumo de ½ limón (una cucharada sopera),

4 yemas de huevo,
1 pellizco de fécula de patata,
150 gr. de mantequilla,
1 cucharada sopera rasa de perejil picado,
sal,
pimienta (facultativo).

En un cazo se pone la cebollita picada con el vinagre. Se cuece un par de minutos hasta que quede reducido el líquido a la mitad. Se deja enfriar. En otro cazo se pone la mantequilla a derretir, pero sin que cueza, y se reserva. Se añade al primer cazo el agua y el zumo de limón. Se pone una sartén con agua caliente a fuego lento para que, manteniéndose caliente, no cueza. Se añaden en el cazo las yemas, y, con la punta de un cuchillo, un poco de fécula. Con una cuchara de madera o unas varillas se mueve rápidamente poniendo el cazo al baño maría en la sartén. Cuando la salsa va espesando se retira la sartén del fuego, para que el agua ya no se caliente. Se le va añadiendo poco a poco, como si se hiciera una mayonesa, la mantequilla, sin dejar de dar vueltas. Una vez incorporada toda la mantequilla, se añade el perejil, la sal y la pimienta (ésta si se quiere).

Se tendrá la salsera donde se sirva la salsa, con agua caliente. Se tira el agua de la salsera y se echa la salsa en el momento de servir.

Si se viera que la mantequilla se separa de la salsa, se bate un poco justo al ir a servirla, con el aparato de montar las claras.

74.—SALSA CON ZUMO DE LIMON (4 personas)

Para acompañar una carne frita, asada o pescado cocido. Esta salsa recuerda la bearnesa y es mucho más simple de hacer.

60 gr. de mantequilla,
1 cucharada sopera colmada de harina,
1½ vaso (de los de agua) de agua,
1 pastilla de avecrem de pollo,
el zumo de 1 limón,

1 cucharada sopera de perejil picado,
2 yemas de huevo,
un poco de nuez moscada,
sal.

En un cazo se pone la mantequilla a calentar. Cuando está derretida se le añade la harina, se revuelve un poco con una cuchara de madera y se agrega poco a poco el agua fría. Se cuece durante unos 5 minutos sin dejar de dar vueltas, y se incorpora la pastilla de caldo de pollo aplastada.

En un tazón se ponen las 2 yemas reservadas y el zumo de limón. Con una cuchara se pone un poco de salsa en el tazón y se mueve en seguida para que las yemas no se cuajen; se añade más salsa y se vierte en el cazo. Ya no tendrá que cocer la salsa, sino sólo mantenerse caliente. Se prueba de sal y se pone la que haga falta, así como la nuez moscada rallada (un poco) y el perejil. Se revuelve todo muy bien y se sirve en salsera caliente (es decir, que se pone agua caliente en la salsera, que se vaciará al ir a echar la salsa).

Nota.—Se puede también poner mitad caldo y mitad leche.

75.—SALSA MOUSSELINA PARA PESCADO (6 personas)

50 gr. de mantequilla,
2 cucharadas soperas rasadas de harina,
2½ vasos (de los de agua) de

caldo corto donde haya cocido el pescado,
2 yemas,
1 clara a punto de nieve,
sal.

En un cazo se pone la mantequilla, cuando está derretida se añade la harina, removiendo con unas varillas. Se añade poco a poco el caldo corto y se retira el cazo del fuego para que no se formen grumos. Una vez echado todo el líquido, se cuece sin dejar de dar vueltas durante unos 4 minutos. Se rectifica de sal si hace falta. Se deja el cazo al baño maría para que no se enfríe la salsa.

Al momento de servir, se bate la clara muy firme y se añaden las yemas, moviendo suavemente. En los huevos así preparados se va añadiendo poco a poco la salsa caliente, y cuando todo está bien unido se sirve en la salsera.

76.—SALSA HOLANDESA (6 personas)

1.ª fórmula

3 yemas de huevo,
150 gr. de mantequilla,

1 cucharada sopera de agua fría,
sal.

Se pone la mantequilla en trozos en un cazo y al baño maría para que se derrita pero sin cocer ni tomar color. Esto es muy importante.

En otro cazo también puesto al baño maría se ponen las yemas, el agua y la sal. Se mueve con una cuchara de madera hasta que las yemas se espesen, y entonces se va añadiendo poco a poco la mantequilla sin dejar de dar vueltas, hasta incorporarla toda.

Hasta el momento de servir la salsa se tiene al baño maría —para que no se enfríe—, y se tiene la salsera con agua muy caliente dentro, que se vaciará justo en el momento de echar la salsa.

2.ª fórmula

100 gr. de mantequilla,
1 cucharada sopera rasada de fécula de patata,

1 vaso (de los de vino) de agua fría,
2 yemas de huevo,
el zumo de ½ limón.

En un cazo se pone a derretir un pedazo de mantequilla como una nuez. Cuando está derretida se añade la fécula y, después de dar unas vueltas, el agua fría. Se deja dar un hervor y se retira del fuego. Cuando esta bechamel está ya templada, se añaden las 2 yemas, se mezclan bien y se incorpora poco a poco el resto de la mantequilla (que no esté fría, sino blanda), y, finalmente, el zumo del medio limón (poco a poco también), y la sal.

Tener la salsa al calor, al baño maría, hasta el momento de servir.

77.—SALSA DE MOSTAZA

80 gr. de mantequilla blanda (es decir, sacada con bastante anticipación de la nevera),
1 cucharada sopera de harina fina,
1 vaso (de los de agua) de agua caliente,

2 yemas de huevo,
1 ó 2 cucharaditas (de las de café) de mostaza, según guste de fuerte la salsa,
sal.

En una sartén se pone algo menos de la mitad de la mantequilla (unos 30 gr.). Cuando está derretida se le añade la harina; se dan unas vueltas con una cuchara de madera y se echa después poco a poco el agua caliente, teniendo buen cuidado de que no se formen grumos. Cuando rompe el primer hervor se aparta del fuego. En un tazón se ponen las yemas, añadiéndoles un poco de salsa de la sartén, con mucho cuidado, poco a poco y dando rápidamente vueltas con la cuchara para que las yemas no se cuajen. Se incorpora el contenido del tazón en la salsa de la sartén. En este mismo tazón se pone la mantequilla, que debe estar blanda, y la mostaza. Poco a poco se añaden unas 3 ó 4 cucharadas soperas de salsa de la sartén. Una vez desleída la mantequilla se une todo a la salsa. Se mueve bien, se rectifica de sal y se sirve. Si hubiera que esperar un poco para servir la salsa (siempre poco tiempo) se pondría en un cazo y se tendría al baño maría, pero que en ningún caso cueza la salsa.

78.—SALSA DE VINO TINTO (6 personas)

Para acompañar filetes de solomillo, etc.

2 vasos (de los de agua) de buen vino tinto,
½ vaso (de los de agua) de agua,
2 cucharadas soperas de aceite,
2 cebollitas francesas (o una corriente de 60 gr.),
1 cucharada sopera rasada de fécula de patata,

2 cucharadas soperas de salsa de tomate espesa (o una de concentrado),
1 cucharadita (de las de moka) de extracto de carne (Liebig, Bovril, etc...)
sal y pimienta molida.

En un cazo se pone el vino, y a fuego lento se reduce a la mitad (más o menos 15 minutos).
En una sartén se pone el aceite a calentar. Una vez caliente, se añade la cebolla pelada y picada. Se deja dorar un poco (unos 8 minutos), moviéndola de vez en cuando. Después se añade la salsa de tomate o el concentrado, y poco a poco el vino y el agua. Se agrega el extracto de carne, se mueve bien, se cuece suavemente la salsa un par de minutos, se cuela por el chino y se diluela la fécula disuelta en un poco de agua. Se rectifica de sal y se añade un pellizco de pimienta molida.
Se rocían los filetes con la salsa y se sirven en seguida.
Nota.—Si se quiere hacer con anticipación esta salsa, no se debe de añadir la fécula disuelta hasta casi el momento de ir a servirla.

79.—SALSA DE VINO DE MADEIRA (4 personas)

Para acompañar el jamón de York con espinacas.

3 cucharadas soperas de aceite,
1 cebolla pequeña (60 gr.),
1 cucharada sopera de harina,
¼ litro de agua con extracto de carne (1 vaso grande de agua, con una cucharadita de

moka de extracto de carne),
¾ vaso (de los de vino) de vino de Madeira,
20 gr. de mantequilla (una nuez),
sal.

En una sartén se pone el aceite a calentar; cuando está, se echa la cebolla pelada y cortada en rodajas finas. Se deja que tome un poco de color (unos 7 minutos). Añadimos la harina, y, después de darle unas vueltas, se echa poco a poco el agua con el extracto de carne y el vino, dando vueltas para que no se formen grumos. Se deja a fuego mediano o lento durante 10 minutos. Se cuela por un colador de agujeros grandes, se vuelve a calentar y se rectifica de sal si hace falta (pues el extracto de carne está ya salado).

Al momento de servir y fuera del fuego, se añade un poco de mantequilla.

80.—SALSA DE ZUMO DE NARANJA (6 personas)

Para acompañar pollos asados, ternera o cinta de cerdo asada, etc.

1½ cucharadas soperas de azúcar glass (molida como harina),
1 cucharada sopera de vinagre,
1 decilitro de agua (1 vaso de vino),
1 cucharadita (de las de moka) de extracto de carne (Liebig, Mandarín, Bovril, etc.),
1 cucharadita (de las de café) de fécula de patata,
3 naranjas de zumo,
1 ó 2 cucharadas soperas de agua para disolver la fécula, sal.

En una sartén o en un cazo se pone el azúcar glass a calentar. Cuando empieza a dorarse, añadimos el vinagre, separando para ello un segundo la sartén del fuego; se incorpora seguidamente el zumo de naranja, el decilitro de agua y el extracto de carne. Se mezcla bien, se tapa el recipiente y se cuece a fuego lento 10 minutos. En un tazón se deslíe la fécula con un poco de agua y se incorpora a la salsa, dejándola cocer un par de minutos.

A la salsa de asar los pollos o la carne se le quita la grasa con una cuchara sopera. Se añaden unas 4 ó 5 cucharadas soperas de agua caliente y se mezcla bien con el jugo, rascando con un tenedor los bordes y el fondo del cacharro donde se ha hecho el asado, para desprender lo tostado, que da muy buen gusto. Una vez que haya hervido el jugo con el agua un par de minutos, se añade a la salsa de la sartén. Se mueve bien, se deja cocer otro par de minutos y se sirve en salsera.

81.—SALSA DE JEREZ Y CHAMPIÑONES (6 personas)

Está indicada para acompañar carnes, mollejas, huevos escalfados o a los 5 minutos, etc.

125 gr. de champiñones frescos, zumo de ½ limón,
1 cucharada sopera de aceite fino,
60 gr. de mantequilla,
1 cucharada sopera de harina,
1 vaso (de los de agua) bien lleno de agua,
½ vaso (de los de vino) de jerez,
1 cucharadita (de las de moka) de concentrado de carne (Viandox, Liebig, etc.),
1 cucharada sopera de perejil picado (facultativo), sal.

En un cazo pequeño se ponen los champiñones, una vez bien lavados y cortados en láminas; se les añade algo menos de la mitad de la mantequilla, el zumo de ½ limón y sal. Se tapa el cazo y se hacen a fuego lento durante unos 10 minutos... Se reservan.

En un cazo o sartén se pone el aceite y la mantequilla a calentar. Cuando ésta se ha derretido, se agrega la harina, se le dan unas vueltas para que se dore un poco y entonces se vierte el jerez y el agua sin dejar de mover. Se deja cocer unos 8 minutos más o menos a fuego mediano. Si tuviese grumos habría que colarlo por el chino. Puesta la salsa de nuevo en el cazo, se le añaden los champiñones con todo su jugo y el concentrado de carne. Se prueba de sal, se rectifica si hace falta y se sirve en salsera.

82.—SALSA CON JEREZ Y ACEITUNAS (6 personas)

Está indicada para acompañar carnes, mollejas, huevos escalfados, etcétera.

2 cucharadas soperas de aceite fino,
1 cucharada sopera de harina,
1 cucharada sopera de salsa de tomate espesa (o una cucharada de las de café de concentrado de tomate),
1 cebolla mediana (60 gr.),

1½ vaso (de los de agua) bien lleno de agua,
½ vaso (de los de vino) de jerez,
1 cucharadita (de las de moka) de extracto de carne (Viandox, Liebig, Bovril),
50 gr. de aceitunas sin hueso, sal.

En una sartén pequeña se pone el aceite a calentar; cuando está en su punto se le añade la cebolla picada. Se deja que empiece a dorarse (unos 7 minutos) y entonces se agrega la harina. Se mueve con una cuchara de madera, durante un par de minutos. Se echa el tomate y, poco a poco, se vierte el agua y después el jerez. Se cortan las aceitunas en redondeles y se echan en la salsa. Se deja cocer unos 5 minutos. Se pone el extracto de carne y se prueba de sal, por si hiciera falta rectificar, teniendo en cuelta que el extracto de carne y las aceitunas están salados.

83.—SALSA DE VINO BLANCO (6 personas)

Se sirve para acompañar los huevos a los 5 minutos, o escalfados, etc.

1 cebolla mediana (80 gr.),
1 cucharada sopera de harina,
3 cucharadas soperas de aceite,
2 tomates medianos (150 gr.),
1 vaso (de los de vino) no lleno de vino blanco,

1 vaso (de de los agua) de agua,
1 cucharadita (de las de moka) de extracto de carne (Viandox, Liebig, Bovril, etc.),
100 gr. de jamón serrano picado, sal y pimienta.

En una sartén se pone el aceite a calentar. Se pela y pica la cebolla y se echa en el aceite, removiendo hasta que empiece a dorarse (unos 7 minutos). Se añade entonces la harina, y, un par de minutos después, los tomates lavados, cortados en trozos y quitadas las simientes. Se refríe todo durante 5 minutos y se agrega el vino y el agua. Se deja cocer unos 10 minutos a fuego lento y después se pasa por el pasapurés. Se incorpora el jamón picado y se cuece a fuego lento 3 minutos... Después se conserva al calor, pero sin cocer la salsa. Si espesa demasiado, se puede añadir un poco de agua caliente o fría.

En el momento de ir a servir se pone el extracto de carne, se prueba de sal por si acaso falta poner algo más (la salsa estará salada con el extracto de carne y el jamón) y se añade un pellizquito de pimienta molida.

Se vierte la salsa por encima de los huevos a los cinco minutos, escalfados o en tortilla que vayan a servirse.

84.—SALSA DE CHALOTAS PARA LA CARNE (4 personas)

Cuando se han frito los filetes o un trozo grande de lomo, en la misma grasa se añaden:

2 chalotas muy picaditas (2 cucharadas soperas),
1 cucharadita (de las de cafe) de perejil picado,

1 vaso (de los de vino) de vino blanco seco,
1 vaso (de los de agua) de agua,
sal.

Se cuece esta salsa durante diez minutos a fuego vivo, primero, y mediano, después, y se sirve rociando los filetes o trozos de carne que estarán al calor esperando servirse.

85.—SALSA DE CREMA LIQUIDA Y EXTRACTO DE CARNE (4 a 6 personas)

Cuando se tiene un resto de carne sin salsa se puede hacer con ¼ litro de crema líquida y una cucharadita (de las de moka) de extracto de carne (Bovril, Mandarín, Liebig, etc...) Se pone esta mezcla a calentar al baño maría y se sirve en salsera (que se calentará previamente con agua caliente).

86.—SALSA DE MANTEQUILLA Y ANCHOAS (4 personas)

Esta salsa se sirve acompañando carne en filetes o pescado asado (como mero), o frito (como lenguados), o cocido (del tipo del rodaballo).

100 gr. de mantequilla,
6 anchoas (de lata, en aceite),

1 cucharada sopera de perejil picado,
el zumo de 1 limón.

En un mortero se machacan las anchoas (bien escurridas de su aceite) con parte de la mantequilla. Una vez conseguido un puré,

se agrega el resto de la mantequilla. Se pone en un cazo al calor, pero sin que llegue a cocer la mantequilla. Cuando ésta se ha puesto líquida, se añade el zumo de limón y el perejil picado.
Se vierte por encima de lo que se vaya a servir o se sirve en salsera aparte (previamente calentada con agua hirviendo).

87.—SALSA DE MANTEQUILLA NEGRA Y ALCAPARRAS (4 personas)

Esta salsa se emplea sobre todo para la raya, el rodaballo y los sesos cocidos.

150 gr. de mantequilla,
  2 cucharadas soperas de alca-
    parras,

½ cucharada (de las de café)
  de vinagre,
  sal.

En una sartén se pone la mantequilla a derretir. Cuando empieza a tomar color (tostado, pero que no llegue a quemarse), se separa del fuego y se añade el vinagre, las alcaparras y un pellizquito de sal. Se calienta un poco, revolviendo todo muy bien y se sirve en salsera aparte. Mientras se hace la salsa, la salsera estará llena de agua caliente. Se vacía de agua y se seca rápidamente antes de verter la salsa en ella.

88.—SALSA DE GROSELLA PARA VENADO, CORZO O CIERVO (8 personas)

  2 chalotas,
  1 mata de apio pequeña (o ½
    si es grande),
200 gr. de piltrafas de carne de
    corzo,
  4 cucharadas soperas de acei-
    te,
¾ litro de buen vino tinto
    (tipo Burdeos),

1 cucharada sopera rasada de
  fécula de patata,
½ vaso (de los de vino) de
  coñac,
½ frasco o bote de jalea de
  grosella (250 gr.),
1 ramillete (laurel, tomillo, perejil, 1 diente de ajo),
3 ó 4 gotas de carmín (facultativo).

En un cazo se pone a calentar el aceite. Cuando está en su punto se echan las chalotas peladas y picadas, así como la parte blanca del apio (el tallo), picada también, el ramillete y las piltrafas de carne picadas. Se les da unas vueltas pero sin que se doren las chalotas. Se rocía con vino y con el cazo destapado se deja cocer despacio hasta que se quede en la mitad. Se pasa entonces por el chino apretando mucho. Se vuelve a poner en el cazo y se añade el coñac, la jalea de grosella, sal y pimienta. En un tazón se deslíe la fécula con un poco de agua y se incorpora al resto de la salsa. Se mueve bien, dejando cocer un par de minutos; se añade el carmín y se sirve en salsera.
Si la salsa tuviera que esperar, habría que ponerla al baño maría con una nuez de mantequilla por encima para que no se forme piel.
Nota.—Si la salta estuviese espesa, se le añade un poco de agua,

Si, por el contrario, estuviera clara, se le pone un poco más de fécula desleída con agua. Estas dos eventualidades pueden ocurrir por causa de la clase de la jalea.

FRIAS

89.—SALSA VINAGRETA

La proporción es **una cucharada sopera de vinagre** con **un pellizquito de sal y 3 cucharadas soperas de aceite** (o sea, en un vaso, una parte de vinagre y tres de aceite).
Se deshace la sal con el vinagre y se añade el aceite, batiendo bien con un tenedor.
Las vinagretas pueden variarse mucho: se les agrega mostaza, o un poco de cebolla muy picada con perejil también muy picado, o alcaparras picadas. También se les puede poner huevo duro muy picado, etc...

90.—SALSA VINAGRETA HISTORIADA (6 personas)

1.ª fórmula

Esta salsa acompaña muy bien los pescados cocidos fríos o calientes, los garbanzos, los espárragos en frío o en caliente, etc.

2 huevos duros,
2 cucharaditas (de las de moka) de mostaza.
1 cucharada sopera de vinagre,

1 vaso (de los de agua) de aceite fino,
1 cucharada sopera de perejil picado,
sal.

En un tazón se ponen las 2 yemas de huevo cocido (que habrán hervido 13 minutos) y la mostaza. Se mezcla todo junto con el dorso de una cuchara. Se incorpora el vinagre y, después, el aceite, poco a poco, y dando vueltas como para hacer una mayonesa. Cuando el aceite está todo incorporado, se sala ligeramente, y en el momento de servir se añade el perejil picado y las claras de los huevos duros muy picaditas.
Se sirve en salsera aparte.

2.ª fórmula

Se emplea para acompañar el mismo tipo de platos que la anterior.

1 huevo duro,
3 cucharadas soperas de buen vinagre,
9 cucharadas soperas de aceite fino,
1 vaso (de los de vino) de cal-

do de cocer garbanzos, o de cualquier caldo que se tenga,
1 cucharada sopera de perejil picado,
sal.

En la salsera se pone la sal y el vinagre, se revuelve bien hasta que la sal esté bien disuelta. Se va añadiendo poco a poco el aceite y después el caldo. A última hora, al ir a servir la salsa, se agrega el perejil picado y el huevo duro picado muy menudo (todo él, clara y yema).

Nota.—Se puede añadir, si gusta, un poco de cebollita francesa muy picada (una cucharada sopera).

91.—SALSA VINAGRETA CON AJO (4 personas)

Es muy apropiada para acompañar pescados fríos.

1 diente de ajo,
2 cucharadas soperas de vinagre,
6 cucharadas soperas de aceite fino,

1 cucharada sopera de perejil muy picado,
sal.

En un mortero se machaca el diente de ajo, pelado, con sal. Una vez hecho pomada, se le añade poco a poco el vinagre. Seguidamente se echa el aceite despacio, batiendo muy bien la salsa con un tenedor. Al final se agrega el perejil picado.

Se pone un ratito en sitio fresco y se sirve en salsera.

92.—SALSA ROQUEFORT (6 personas)

Esta salsa puede acompañar espárragos, pescados hervidos, carnes frías, etc.

50 gr. de queso roquefort,
2 cucharadas soperas de buen vinagre,

10 cucharadas soperas de aceite fino.

En un mortero se machaca el queso con el vinagre. Se remueve la pasta formada con estos dos ingredientes con una cuchara y se va añadiendo el aceite sin dejar de mover.

Se pone ½ hora en sitio fresco y se sirve en salsera. Se puede añadir algo de nata líquida, para dar mayor suavidad a la salsa.

93.—MONTONCITOS DE MANTEQUILLA (6 personas)

Para adornar los filetes de solomillo.

1.ª manera

Se pica muy menudo **perejil** (como una cucharada sopera) y se mezcla con unos **50 gr. de mantequilla,** que no esté dura, y una cucharada (de las de café) de zumo de limón. Se hacen 6 montones y se colocan en **unas rodajas finas de limón.** Una vez preparadas se meten en la nevera o en sitio fresco hasta el momento de emplearlos.

Cuando se han hecho los filetes a la plancha y puestos ya en la fuente de servir, se pone encima de cada uno una rodaja de limón con su mantequilla. Se sirven en seguida.

2.ª manera

Se tienen **50 gr. de mantequilla** fuera de la nevera con el fin de que esté blanda. Se ponen en un tazón y se le van añadiendo poco a poco 3 cucharadas (de las de café) de vinagre bueno, moviendo como si se fuese a hacer una mayonesa a mano. Se sala y se añade **una cucharada (de las de moka) de estragón en polvo.** Se preparan 6 rodajas de limón y se reparte esta mezcla en 6 montoncitos, uno encima de cada rodaja de limón. Se planta una ramita de perejil en cada montón y se mete en la nevera o en sitio fresco hasta el momento de ir a usarlo.

Se ponen las rodajas de limón con la mantequilla encima de cada filete en el momento de servir.

Nota.—Se puede servir esta salsa en toda clase de asados, fritos, etc. Se harán entonces 3 ó 4 veces estas cantidades y se servirá en salsera aparte.

3.ª manera

Se pone en cada rodaja de limón solamente un montoncito de mostaza.

94.—MAYONESA CLASICA (6 personas)

1.ª fórmula

2 yemas, ½ litro de aceite fino,	2 cucharadas soperas de vinagre o zumo de limón, sal.

En una ensaladera de tamaño adecuado se ponen las 2 yemas con ½ cucharada sopera de vinagre o zumo de limón y un pellizquito de sal. Se revuelve un poco con unas varillas o un tenedor y, lentamente —sobre todo al principio—, se va echando el aceite sin dejar de revolver. Una vez terminado el aceite, se añade el vinagre o el zumo y se rectifica de sal.

Conviene hacer la mayonesa en sitio bien fresco.

2.ª fórmula: mayonesa hecha en batidora (4 personas)

1 huevo entero, el zumo de ½ limón, la punta de un cuchillo de mostaza (facultativo),	¼ litro de aceite fino (puede ser algo más), sal.

Se pone en la batidora el huevo entero (que no sea sacado de la nevera en el momento de hacer la mayonesa), el zumo de limón, la mostaza, la sal y un chorrito de aceite. Todos estos ingredientes no deben cubrir del todo las cuchillas. Se emulsiona con la espátula de la batidora o con el mango de una cuchara antes de hacer funcionar la batidora. Esta se tendrá en funcionamiento durante 20 segundos. Se para y se echa el aceite de una vez; se vuelve a emulsionar un poco, como anteriormente. Se pone de nuevo la batidora en marcha unos 35 segundos, más o menos, y la mayonesa está dura y a punto.

Se prueba y rectifica de sal, mostaza o limón si hace falta.

Nota.—Hay batidoras que traen una especie de embudo con un agujero. En este caso, se puede echar el aceite allí dentro en vez de ponerlo de golpe.

95.—SALSA MAYONESA VERDE (4 personas)

1 huevo entero,
el zumo de ½ limón (más o menos),
¼ litro de aceite (puede ser algo más),
1 puñadito de hojas de perejil,

2 cucharadas soperas de alcaparras picadas,
2 pepinillos en vinagre picados, unas gotas de color verde, si hace falta,
sal.

Se procede a hacer la mayonesa como está explicado en la receta anterior (2.ª fórmula).

En el mortero se machaca el perejil y, una vez bien machacado, se le añade una cucharada sopera de mayonesa, se revuelve bien y se agrega lo del mortero a la mayonesa ya hecha. Se remueve bien para que quede verde por igual y después se incorporan las alcaparras y los pepinillos picados no muy finos. Si la mayonesa se quiere más verde, se le pondrá unas gotas de color de frasco, especial, y que esté hecho a base de espinacas.

Se reserva en sitio fresco hasta servir.

96.—SALSA MAYONESA CON TOMATE Y COÑAC (4 personas)

1 huevo entero,
el zumo de ½ limón (más o menos),
¼ litro de aceite fino (puede ser algo más),
sal,

unas gotas de salsa Perrins,
1 cucharada (de las de café) de mostaza,
1 cucharada (de las de café) de concentrado de tomate,
1 cucharada sopera de coñac.

Se procede a hacer la mayonesa como se indica en la receta de mayonesa con batidora (receta 94).

Una vez hecha, se le añade poco a poco el coñac, la mostaza, el concentrado de tomate y las gotas de Perrins. Se remueve bien y se reserva en sitio fresco.

97.—OTRA SALSA TIPO MAYONESA CON TOMATE, PERO SIN HUEVO (6 personas)

1 cucharada sopera de tomate concentrado (Intercasa, etc.),
1 vaso (de los de vino) no muy lleno de leche fría,
1 vaso (de los de vino) no muy lleno de aceite fino,
el zumo de ½ limón,

2 ramitas de apio blanco fresco, con su tallo,
10 almendras naturales sin piel,
4 granos de pimienta,
sal.

Se ponen todos los ingredientes juntos en la batidora. El apio, lavado y cortado en trocitos de un dedo de largos. Se bate bien y se vierte en una salsera que se pondrá en la nevera por lo menos una hora, o en sitio fresco.

98.—ALIOLI

Es una mayonesa con ajos.
Acompaña carne del tipo de la del cocido, o lengua, etc. También se sirve para acompañar el bacalao hervido o un plato de patatas y verdura (alcachofas, puerros, nabos, zahahorias, etc.)

1.ª manera

Se hace una mayonesa espesa, como va indicado anteriormente (receta 94, 1.ª fórmula). Aparte, en un mortero, se machacan unos 3 dientes de ajo con algo de sal (para que no se escurran del mortero). Una vez hechos puré, se les va añadiendo la mayonesa poco a poco y se sirve.

2.ª manera

Se machacan en el mortero 3 dientes de ajo con un poco de sal, como anteriormente; una vez hechos pasta los ajos, se les añade 1 ó 2 yemas de huevo, y después, poco a poco, aceite para ir haciendo una mayonesa. Al final se le agrega vinagre o zumo de limón y 1 ó 2 cucharadas soperas de agua templada.

99.—SALSA ROMESCO

Esta acompaña muy bien los mariscos, sobre todo en parrillada. Es una salsa fuerte y, por tanto, no se puede abusar de ella.

2 dientes de ajo,
2 pimientos rojos secos,
1 tomate bien maduro,
   miga de pan (el grosor de
   un huevo pequeño),

2 cucharadas soperas de aceite
   fino,
1 cucharada sopera de vinagre,
1 trocito de guindilla,
   sal y pimienta molida,
   agua.

Se ponen en remojo en agua fresca los pimientos, la víspera por la noche.
Al ir a hacer la salsa se pone la miga de pan en una taza con un poco de agua templada para remojarla.
Aparte, en un mortero, se machacan los dientes de ajo, pelados con un poco de sal para que no se escurran. Después se las añaden los pimientos. Estos se abren y con una cuchara se les quita la simiente y se raspa la carne que se pondrá en el mortero, así como el trocito de guindilla. Se machaca y se agrega el tomate, pelado, cortado en trozos y quitadas las simientes. Se agrega a esto el migajón de pan, escurrido de su agua (apretándolo con la mano). Se hace con todo ello como una crema, a la cual se añade poco a poco el aceite y el vinagre. Se pasa por el

pasapurés. Se echa sal y pimienta molida y se deja macerar en sitio fresco unas 3 horas.
Si al ir a servir la salsa resultase muy espesa, se podría aclarar con caldo de cocer el pescado o los mariscos.

100.—SALSA DE HORTALIZAS (PIPIRRANA) (6 personas)

Esto, más que una salsa, es una especie de ensalada muy picada que va muy bien para el pescado y el marisco frío, o la carne fría.

2 tomates maduros, grandes,
1 pepino mediano,
1 pimiento verde mediano,
1 cebolla pequeña (40 gr.),
3 cucharadas soperas de vinagre,

6 cucharadas soperas de aceite fino,
pimienta molida,
sal.

No se debe preparar con mucha anticipación, pues el tomate entonces suelta mucha agua.
Se cortan los tomates y el pimiento y se les quitan las simientes, se pelan la cebolla y el pepino y se pican las 4 hortalizas muy picaditas. Se aliñan con el vinagre, la sal, la pimienta y el aceite. Se mezcla muy bien y con esto se cubre el pescado o el marisco.
Para acompañar la carne, se sirve en un bol de cristal aparte.
Se deja macerar un momento (½ hora, más o menos) en sitio fresco y se sirve.

101.—ADOBO PARA CAZA

Este tipo de adobo se hace para que resulten más tiernas y sabrosas las carnes de corzo, ciervo, venado, liebre, etc.
Se tiene que hacer en un recipiente de barro o loza, pues el metal le daría mal sabor.
Debe adobarse por lo menos 5 horas y en muchos casos hasta 24 horas antes. Se pone:

Vino tinto,
cebollas cortadas en rodajas finas,
zanahorias, también en rodajas, pero más gruesas,
ramitas de perejil,

hojas de laurel o ramitas de tomillo,
pimienta en grano,
clavos en especia,
un chorrito de aceite,
sal.

Se moverá de vez en cuando la pieza de carne para que se empape bien.
Se tapará el recipiente para que no se pierda el aroma de los ingredientes.

DULCES

102.—CARAMELO LIQUIDO (4 personas)

6 cucharadas soperas de azúcar,
2 cucharadas soperas de agua,

$^1/_{10}$ litro más de agua caliente (1 vaso de los de vino).
unas gotas de zumo de limón.

En un cazo se ponen el azúcar, las gotas de zumo de limón y las 2 cucharadas de agua; se pone a fuego vivo y cuando el caramelo, que se moverá con un alambre, esté con un bonito color, se separa del fuego y, con cuidado, porque sale un vapor intenso, se echa $^1/_{10}$ de agua caliente. Se vuelve a poner al fuego y se deja cocer unos 5 minutos hasta que espese un poco. Se retira, se deja enfriar y se sirve en jarrita.

103.—SALSA DE CHOCOLATE

Para servir en salsera acompañando los budines, el helado de vainilla, peras cocidas, etc.

2 cucharadas soperas de cacao, o 200 gr. de chocolate,
4 cucharadas soperas de azúcar,
6 cucharadas soperas de agua,

2 vasos (de los de agua) de leche fría,
1 cucharada (de las de café) de fécula de patata.

En un cazo se pone el chocolate en trozos con el agua. Se pone al fuego para que se derrita. Aparte, en una taza, se disuelve la fécula con un poco de leche. Se añade el resto de la leche al chocolate ya disuelto y, dando siempre vueltas con una cuchara, se agrega el azúcar y la fécula desleída. Se cuece un par de minutos, moviendo bien, y se retira. Ya enfriada la salsa, se vierte en una salsera, colándola por un chino o colador de agujeros grandes.

104.—SALSA DE MERMELADA (6 personas)

Para acompañar un budín, un helado, etc.

3 cucharadas soperas de mermelada de grosella o frambuesa, albaricoque, etc.,
2 cucharadas soperas de azúcar,

1½ vaso (de los de agua) de agua,
2 cucharadas (de las de café) de fécula de patata,
unas gotas de zumo de limón.

En un cazo se echa el agua, el azúcar y la mermelada, poniéndolo a fuego mediano. Se dan vueltas con una cuchara de madera durante unos 10 minutos. En un tazón se pone la fécula y se disuelve con un poco de agua fría. Se añade al contenido del cazo con la mermelada y, dando vueltas, se cuece otros 5 minutos. Se incorporan las gotas de limón, se cuela y se sirve en salsera.

105.—SALSA DE ZUMO DE NARANJA (6 personas)

Para acompañar un budín, un helado, etc.

El zumo de 4 naranjas grandes, 200 gr. de azúcar, 3 cucharadas soperas de agua, 1 cucharada (de las de café) de fécula de patata o crema de arroz, 1 trozo de corteza de limón, 2 cucharadas soperas de licor de Curaçao o Cointreau.

Se puede hacer el zumo con un aparato eléctrico especial, o en una batidora, pues así resulta más espeso. Si no se tiene aparato especial, se empleará el corriente y únicamente se espesará la salsa con algo más de fécula.

Una vez hecho el zumo, se pone en un cazo con la corteza de limón y el azúcar. Se calienta suavemente. Mientras tanto se deslíe la fécula en un tazón con 3 cucharadas soperas de agua. (Si se pone crema de arroz, hay que poner unas 3 cucharadas de las de café.) Se añade al zumo y se cuece un par de minutos sin dejar de moverla con una cuchara. Se aparta del fuego, se cuela por un chino y se pone en sitio fresco o en la nevera hasta ir a servirla.

Potajes y sopas

106.—COCIDO (6 personas)

300 gr. de garbanzos (1 tazón de desayuno),
1 kg. de repollo francés,
½ kg. de zanahorias (que no sean grandes),
6 patatas medianas,
½ kg. de culata de contra o morcillo (si gusta la carne melosa),
4 huesos de caña (de vaca),

¼ de pechuga de gallina,
1 chorizo (no muy blando),
1 hueso de codillo o una punta de jamón serrano,
1 morcilla de arroz,
150 gr. de tocino veteado (salado),
1 buen puñado de fideos cabellines (muy finos),
sal.

Salsa para acompañar:
Salsa de tomate (receta 63) o vinagreta (receta 90, 2.ª fórmula).

La víspera por la noche se ponen los garbanzos en remojo en agua templada con 2 cucharadas soperas de sal.
En una olla grande se pone agua fría abundante con la carne, los huesos de caña (atados de 2 en 2 con una cuerda fina para que no se salga el tuétano), el codillo y el tocino. Se pone a calentar y cuando empieza a hervir se meten los garbanzos escurridos de su agua (se pueden meter dentro de una red especial para que no se desparramen). Cuando rompe el hervor se baja el fuego para que, sin dejar de cocer, lo haga lentamente. Una hora después se añade la gallina y el chorizo. Se espuma y se tapa otra vez. El cocido deberá cocer en total unas 3½ horas. Una hora antes de finalizar la cocción se le pone la sal y se agregan las zanahorias, peladas y partidas por la mitad a lo largo, y ½ hora después, las patatas peladas, lavadas pero enteras.
El repollo se pica, se lava y se cuece aparte. Se rehogará en el momento de servirlo, en un poco de aceite donde se hayan

dorado un par de dientes de ajo pelados. Esto es facultativo, pues si se sirve salsa, el repollo puede servirse sólo cocido y escurrido.

La morcilla o bien se cuece aparte en un cazo pequeño (porque es muy fuerte de sabor para meterla en el cocido) o se corta en rodajas y se fríe, según más guste.

Terminado de cocer el cocido, se separa el caldo necesario para la sopa, dejando algo en la olla para que los elementos del cocido no se enfríen ni se sequen. Si se quiere tener sopa para la noche, se va retirando caldo y añadiendo agua caliente para que no se interrumpa la cocción del cocido —pasadas 2 ½ horas—. Se hervirán los fideos durante unos 15 minutos más o menos en el caldo que hemos reservado para la sopa, que se servirá aparte en una sopera.

En una fuente se pone la carne partida en trozos, así como el chorizo, el tocino, la morcilla, el tuétano en rebanaditas de pan tostado, y la gallina` (si ésta no se reserva para hacer croquetas para la cena de la noche).

En otra fuente irán los garbanzos, la verdura y las patatas.

Nota.—Se puede poner el chorizo a cocer en un cazo aparte con el repollo. Se echa todo junto cuando el agua empieza a hervir a borbotones. Se tiene así cociendo unos 30 a 45 minutos. Se escurre y se sirve sin rehogar.

Bola.—Se hace esta bola con 150 gr. de miga de pan (del día anterior), 2 huevos, 50 gr. de tocino, 1 diente de ajo, 1 cucharada sopera de perejil picado, 2 ó 3 cucharadas soperas de caldo del cocido, 1 vaso de los de vino de aceite, sal.

En una ensaladera se pone el pan desmenuzado y se añaden los 2 huevos, el perejil, el ajo muy picado y el caldo. Se revuelve bien y se forma una croqueta grande.

En una sartén se pone el aceite a calentar y se dora la bola, se saca y se echa en el cocido a cocer ½ hora. Se sirve cortado en rodajitas

107.—POTAJE DE GARBANZOS (6 a 8 personas)

½ kg. de garbanzos,
½ kg. de espinacas,
125 gr. de bacalao,
100 gr. de cebolla picada (una cebolla grande),
125 gr. de tomates (2 medianos, maduros),
2½ dientes de ajo,

1 hoja de laurel,
1 ramita de perejil,
3 cucharadas soperas de aceite,
1 cucharada sopera de harina,
1 cucharada (de las de café) rasada de pimentón,
agua y sal.

Los garbanzos tienen que ponerse en remojo la víspera por la noche, bien cubiertos de agua templada y un poco de sal.

En una olla se pone agua (templada, más bien caliente, unos 2 ½ a 3 litros). Se echan los garbanzos, el bacalao (sin remojar) deshecho en trocitos no muy pequeños y con su piel, 2 dientes de ajo pelados y la hoja de laurel. Cuando rompe el hervor, se baja el fuego y se deja cocer suavemente unas 2 horas (depende de la clase de garbanzos).

Se preparan las espinacas. Se les quitan los tallos, se lavan muy bien y se escurren. A las 2 horas de cocer los garbanzos se ponen en la olla para que cuezan juntos unos 30 minutos.

En el mortero se machaca el ½ diente de ajo con la ramita de perejil.

En una sartén se pone el aceite y cuando está caliente se echa la cebolla muy picada, se rehoga dando vueltas con una cuchara de madera. Cuando la cebolla se va poniendo transparente (5 minutos más o menos) se añade la harina, el contenido del mortero y el pimentón. Se rehoga todo junto unos 5 minutos (con cuidado de que no se queme el pimentón) y se incorpora todo en la olla. Se mueve todo y se prueba de sal por si hace falta rectificarlo. Se deja cociendo todo junto unos 15 minutos más o menos.

Se sirve en sopera, quitando los 2 dientes de ajo enteros y la hoja de laurel.

Nota.—Se puede añadir al potaje unas bolitas de bacalao, que le van muy bien.

2 trocitos de bacalao (remojado y desmenuzado, pero sin cocerlo),
1 diente de ajo,
1 cucharada sopera de cebolla muy picada,

1 huevo,
2 cucharadas soperas de pan rallado,
1 plato con harina.

Se mezclan todos los ingredientes y se hacen unas bolitas como avellanas (con su cáscara). Se envuelven en harina y se echan en el potaje para que den un hervor. Se sirve todo junto.

108.—POTAJE CON ACELGAS, PATATAS, JUDIAS BLANCAS Y ARROZ (6 personas)

1 taza de desayuno (no llena) de judías blancas (350 gr.),
3 patatas,
½ taza (de desayuno) de arroz,
4 hojas de acelga,
¼ kg. de nabos,
¼ kg. de magro de cerdo,
unas hebras de azafrán.

Refrito:
3 cucharadas soperas de aceite,
1 tomate,
1 cebolla pequeña (50 gr.),
sal.

Poner la víspera las judías en remojo en agua fría. Al ir a hacer el potaje, se les quita a las judías su pellejo. Se ponen a cocer en agua fría. Cuando rompen a hervir se tira el agua y se vuelve a poner fría. Se dejan cociendo hasta que se deshagan (unos 25 a 30 minutos).

Se lavan muy bien las acelgas, se pican muy menudas y se ponen a cocer en agua caliente con sal, junto con el magro partido en trozos pequeños, los nabos pelados y picados en trozos pequeños. Cuando todo está tierno (es decir, al cabo de una hora), se mezcla todo y se sigue cociendo despacio ½ hora más o menos. En una sartén se pone el aceite a calentar; se le añade la cebolla muy picada, se deja dorar (unos 7 minutos) y después se echa el tomate pelado y quitadas las simientes. Cuando está bien refrito se incorpora al potaje.

Se machacan en el mortero las hebritas de azafrán con un poco de caldo, y se incorporan también. Media hora antes de servir el potaje, se agregan las patatas peladas, lavadas y cortadas en trocitos pequeños. Quince minutos después de echar las patatas, se añade el arroz.

Cuando la cocción ha terminado, se sirve en sopera.

109.—POTAJE SENCILLO (6 personas)

1 taza (de desayuno, no llena) de judías blancas (250 gr.),
3 litros de agua (2 fríos y otro templado),
½ kg. de patatas,
1 punta de jamón magro (125 gramos),
1 trozo de tocino (125 gr.),

30 gr. de manteca de cerdo (una cucharada de las de café),
1 kg. de repollo (si es francés, mejor),
1 hoja de laurel,
½ cebolla mediana (50 gr.),
2 dientes de ajo,
sal.

Las judías estarán en remojo desde la noche anterior.

Se ponen las judías remojadas en una cacerola bastante grande, con 1 litro de agua fría, una hoja de laurel, la ½ cebolla partida en dos, los 2 dientes de ajo, la manteca, el tocino y el jamón. Se deja cocer durante una hora (más o menos, según la clase); durante este tiempo se corta la ebullición 3 veces, echando un chorrito de agua fría (cada 15 minutos, por ejemplo). Cuando llevan una hora, se apartan unas cuantas y se dejan en caldo para que no se enfríen. Las demás se pasan por el pasapurés, dejándolas en la cacerola con el caldo, el tocino y el jamón sin que deje de cocer.

Se vuelve a poner en la cacerola grande las judías pasadas, 1 litro de agua templada, y, cuando rompe a hervir, se añade el repollo muy limpio y picado. Se deja cocer una hora y después se añaden las patatas cortadas en cuadritos y la sal. Cocerá de nuevo durante ¾ de hora, hasta que estén cocidas las patatas y el repollo. Entonces se incorporan las judías que se tenían reservadas.

Se rectifica de sal si hace falta. Se cortan la punta de jamón y el tocino en cuadraditos, y se sirve todo en sopera.

110.—CALDO GALLEGO (6 personas)

100 gr. de judías blancas (1 vaso de los de vino, no lleno),
1 hueso de lacón con algo de carne,
1 hueso de rodilla de ternera,
¼ kg. de carne de vaca (morcillo u otra),

2 patatas medianas,
300 gr. de grelos (nabizas o repollo),
un poco de unto (una cucharada sopera, más o menos),
agua y sal.

Se ponen en remojo las judías unas 3 horas antes de ir a cocerlas.

En una olla se ponen unos 4 litros de agua fría. Se echan la carne, el lacón, el hueso de ternera y el unto, y se deja cocer durante una hora a fuego mediano. Mientras tanto se ponen las judías en un cazo con agua fría y sin sal. Se ponen a cocer también, y cuando rompe el hervor se tira toda el agua y se vuelve a poner agua fría que las cubra bien, pero no demasiado. Se dejan cocer durante ½ hora y se añaden entonces a la olla con su caldo. Se cuece todo hasta que las judías están blandas, más o menos en total 1½ hora (depende de la clase de judías). Se echarán ahora las patatas peladas, cortadas a cuadraditos y lavadas. Se dejan cocer otros 15 minutos, poniendo entonces la sal, y se incorporan los grelos, a los cuales se les quitan los tallos, se pican las hojas y se lavan bien. Se deja cocer todo junto durante unos 20 a 30 minutos más. Se prueba el caldo para rectificar la sal si hace falta, y se sirve en sopera.

Nota.—Este caldo está mejor hecho la víspera y recalentado.

111.—POTE GALLEGO (6 personas)

El principio es el mismo que el del caldo gallego, pero se sirve más espeso.

250 gr. de judías blancas,
150 gr. de lacón (carne),
  2 huesos de rodilla de ternera,
½ kg. de carne de vaca magra,
  4 patatas medianas,

½ kg. de grelos (nabizas o repollo francés),
unto (una cucharada sopera más o menos),
agua y sal.

Se prepara igual que la receta anterior.

112.—PURE DE GARBANZOS (6 personas)

1½ litros de caldo del cocido (desgrasado),
750 gr. de garbanzos cocidos (resto del cocido),
  2 puerros medianos (150 gr.),

2 cucharadas soperas de aceite,
1 cucharada sopera de maizena,
sal,
cuadraditos de pan frito.

Poner el aceite a calentar; una vez caliente, se echan los puerros cortados en trocitos, teniéndolos un rato hasta que se doren ligeramente (15 minutos). Añadir entonces un vaso de caldo del cocido y dejarlo cocer unos 5 minutos, retirando luego el cazo del fuego. Se incorpora esto al resto del caldo y se irán pasando en varias veces por la batidora los garbanzos con un poco de caldo.

Una vez esté hecho el puré, se pone al fuego. En un tazón se deslíe la cucharada de maizena con un poco de caldo frío (un par de cucharadas soperas bastarán). Añadirlo al puré y dejar que éste dé un hervor muy lento durante unos 5 minutos.

Rectificar de sal y servir en sopera con los cuadraditos de pan fritos.

113.—PURE DE JUDIAS BLANCAS (6 personas)

300 gr. de judías blancas,
  2 dientes de ajo,
  1 hoja de laurel,
  1 cucharada sopera de aceite,
agua,

2 cucharadas soperas de harina,
25 gr. de mantequilla,
sal,
unos currusquitos de pan frito.

Se ponen las judías en remojo unas horas antes de utilizarlas (de 3 a 5 horas) con agua fría.

Se escurren de su agua de remojo y se ponen, al ir a utilizarlas, en un cazo con agua fría hasta que rompa bien el hervor. Con una tapadera se cubre el cazo y se tira este agua, volviendo a poner unos 2 litros escasos de agua fría, los 2 dientes de ajo (pelados), la hoja de laurel y una cucharada de aceite. Se dejan cocer a fuego mediano hasta que estén bien tiernas (el tiempo depende de la clase de judías y de la clase de agua, por lo cual es mejor sacar algunas y probarlas). Una vez bien tiernas se retira el cazo, y cuando están templadas se pasan en tandas por la batidora, quitándoles los ajos y el laurel.

Se cuela el puré por el chino para que salga fino. En un tazón se ponen las 2 cucharadas de harina y se deshacen con un poco de puré frío. Se vierte esto en el resto del puré y se deja cocer unos 8 minutos. Se le pone sal, y en el momento de servir se añade el trozo de mantequilla en el puré bien caliente, para que se derrita, pero sin cocer.

Se sirve en sopera, con unos currusquitos de pan frito.

Nota.—También se puede hacer un puré con un resto de judías cocidas o guisadas. Se procede entonces igual que para el puré de garbanzos (receta 112).

114.—PURE DE LENTEJAS (6 personas)

500 gr. de lentejas ya cocidas,
10 cucharadas soperas de arroz crudo,
caldo de las lentejas o agua

con una pastilla de Avecrem de pollo,
agua y sal.

En una cacerola se pone agua abundante a cocer, **sin sal.** Cuando rompe el hervor se echa el arroz y se cuece durante unos 15 minutos (este tiempo depende de la clase de arroz). Una vez cocido, se vierte en un colador grande y se refresca al chorro del agua fría, reservando la mitad del arroz. La otra mitad y las lentejas con algo de su caldo se pasan por la batidora, en varias tandas. Después de pasadas, se les añade caldo si hace falta. En todo caso, la pastilla disuelta en un poco de agua caliente, le dará muy buen gusto al puré. Se calienta bien al ir a servirlo. Se rectifica de sal si hace falta. Se sala un poco el arroz blanco reservado y éste se pone en montoncitos encima del puré, justo en el momento de ir a servirlo para que no se hunda.

115.—PURE DE GUISANTES SECOS (6 personas)

½ kg. de guisantes secos (comprados así),
2½ litros de agua,
125 gr. de zanahorias,

1 cebolla pequeña (100 gr.),
150 gr. de tocino muy veteado,
sal.

Se pone el ½ kg. de guisantes secos en remojo unas 6 a 8 horas en agua fría que los cubra.

Al momento de hacer la sopa, se pone en una cacerola los 2½ litros de agua fría (sin sal) y los guisantes; cuando van a cocer se forma una espuma que se quita con la espumadera, y, después de esto, se echan las zanahorias y la cebolla cortadas en trozos grandes, así como un trozo de tocino (el más grasiento; el otro se reserva).

Se deja cocer lentamente por espacio de 1½ a 2 horas. Cuando los guisantes están muy deshechos, se deja enfriar un poco y se pasa en veces por la batidora todo esto, quitando el trozo de grasa de tocino que quede, para que no se enrede en las aspas de la batidora.

Se corta en cuadritos muy pequeños el resto del tocino más beteado y en un poco de agua caliente se ponen a dar un hervor (5 minutos).

Una vez hecho el puré se cuece lentamente otra vez, se le pone sal y se añaden los trocitos de tocino, dejando que hiervan por espacio de unos 10 minutos; se sirve en sopera.

116.—PURE DE GUISANTES SECOS CON LECHE(6 personas)

350 gr. de guisantes secos,
1 cebolla pequeña (40 gr.),
1 ramillete (una hoja de laurel, 1 diente de ajo y una ramita de perejil),
1 hueso de codillo,

40 gr. de mantequilla,
1 vaso (de los de agua) de leche caliente,
agua y sal,
unos cuadraditos de pan fritos.

Se ponen los guisantes en remojo en agua fría unas 12 horas antes de cocerlos, limpiándolos muy bien de piedrecitas, etc.

En una cacerola se pone agua fría (sin sal), los guisantes escurridos de su agua de remojo, la cebolla pelada y partida en dos, el codillo y el ramillete. Se pone a fuego mediano hasta que rompa el hervor, y, a partir de entonces, a fuego lento (sin que deje de cocer) durante unas 2½ a 3 horas.

Se retira el hueso de codillo y se pasan por el pasapurés cogiendo los guisantes con algo de su caldo. Se pone el puré en un cazo, se le echa sal y se agrega la leche caliente, y, si hiciese falta, caldo de cocerlos. Se incorpora la mantequilla y se revuelve bien con una cuchara de madera, calentándolo todo bien.

Se sirve en sopera con unos cuadraditos de pan frito aparte.

117.—SOPA GRATINADA DE CEBOLLA (6 personas)

3 cucharadas soperas de aceite,
300 gr. de cebollas,
2 cucharadas soperas rasadas de harina,
1 litro de agua fría,
1 cucharada sopera de vino blanco (facultativo),

100 gr. de pan cortado en rodajas muy finas (mejor del día anterior),
75 gr. de queso gruyère rallado,
sal.

En un cazo se pone el aceite a calentar y se echan las cebollas peladas y cortadas en rodajas muy finas, dejando que se doren ligeramente, se agrega la harina, espolvoreándola sobre la cebolla. Se dan unas vueltas y se añade el agua, el vino y muy poquita sal.

Se deja cocer a fuego lento unos 6 minutos. Mientras tanto, se cortan las rebanadas de pan muy finas, se tuestan o se fríen según se prefiera. Se vierte la sopa en una sopera o cacharro de barro o cristal resistente al horno. Se colocan la rebanadas de pan por encima y se espolvorea el queso rallado. Se mete en el horno a gratinar durante media hora más o menos hasta que esté la sopa bien gratinada y se sirve en su misma sopera o cacharro.

118.—SOPA DE CEBOLLA CLARA (6 personas)

3 cucharadas soperas de aceite,
2 cebollas medianas cortadas en rodajas finas (200 gr.),
2 cucharadas soperas rasadas de harina,
2 litros de caldo (o agua con

pastillas de Gallina Blanca, Starlux, etc.),
1 cucharada sopera de perejil picado,
100 gr. de queso parmesán rallado (facultativo),
sal.

Se ponen las 3 cucharadas de aceite en una cacerola; cuando está caliente el aceite, se echa la cebolla en rodajas y se deja que tomen color (unos 10 minutos), moviendo con cuidado la cacerola. Se retiran en un plato aparte y se ponen entonces las 2 cucharadas de harina, moviendo durante unos minutos hasta que se tueste un poco ésta. Se añaden los 2 litros de caldo y las cebollas antes separadas, dejándolo cocer despacio durante 20 minutos. Se retira del fuego y se añade la cucharada de perejil muy picado.

Se sirve en sopera; aparte, en un platito, se sirve queso parmesán rallado para quien le guste.

119.—SOPA DE AJO SENCILLA (6 personas)

½ barra de pan (de ¼ kg.) del día anterior,
4 dientes de ajo,
4 cucharadas soperas de aceite,

1 cucharada (de las de café) de pimentón,
1½ litros de agua,
sal.

Se corta la barra de pan en rebanaditas finas.

En una sartén se pone el aceite a calentar; cuando está caliente se echan los dientes de ajo pelados y se refríen bien hasta que se doren por completo. Se añade entonces el pan, dejando que se refría bien. Cuando se le ha dado unas vueltas, se espolvorea con el pimentón removiendo bien todo con una cuchara de madera (cuidado, pues el pimentón se quema con facilidad). Se incorpora entonces el agua y la sal, y, a fuego lento, se deja cocer despacio

unos 10 minutos (a partir del momento en que rompe el hervor).
Se procura quitar los ajos y se sirve en sopera.

Nota.—Al echar el agua se puede añadir una pastilla de Avecrem
de pollo, pues le da muy buen gusto.

120.—SOPA DE AJO CON ALMEJAS (6 personas)

150 gr. de pan del día anterior
    (½ barra de ¼ kg.),
4 dientes de ajo,
4 cucharadas soperas de acei-
    te,

1 cucharada (de las de café)
    de pimentón,
¼ kg. de almejas,
1½ litros de agua, más un poco
    para las almejas,
    sal.

Se corta el pan en rebanaditas finas. Se lavan muy bien las almejas con agua y un poco de sal, pero sin dejarlas mucho rato en
agua.
En una sartén se ponen las almejas con ½ vaso (de los de vino)
de agua y se acerca al fuego, salteándolas para que se abran. Una
vez abiertas, se cuela el jugo que han soltado y se les quita la
mitad de la concha vacía. Se reserva todo.
En otra sartén se pone el aceite a calentar y se fríen los ajos
pelados hasta que se doren (hay quien los quita entonces, pero
si se quiere se pueden dejar). Se incorpora el pan rehogándolo
muy bien y se espolvorea con el pimentón, sin dejar de mover
con una cuchara de madera (porque el pimentón se quema con
facilidad). Se incorpora ahora el agua con el caldo de las almejas
y se echa sal. Se pone en un cacharro de barro, o de porcelana, o de
cristal resistente al fuego. Cuando rompe a hervir, se enciende el horno. Pasados los 10 minutos se colocan las almejas por
encima de la sopa, hundiéndolas un poco, y se mete la fuente en
el horno unos 5 a 10 minutos, hasta que se tueste un poco. Se
sirve en esta misma fuente.

121.—SOPA DE AJO CON HUEVOS (6 personas)

150 gr. de rebanadas de pan
    cortadas finas y con corteza
    (si el pan es del día ante-
    rior, mejor),
¼ litro de aceite (sobrará),
5 dientes de ajo,
1 cucharada sopera de cebolla
    picada,

1 cucharada (de las de café)
    de pimentón,
1 ramillete de perejil,
1½ litros de agua hirviendo,
6 huevos (facultativo),
    sal.

Poner el aceite en una sartén y, cuando esté caliente, se fríe muy
bien el pan. Cuando está dorado se saca y se reserva en un
plato. Se dejan en la sartén sólo 4 cucharadas soperas de aceite.
Cuando están calientes, se fríen bien los ajos y la cebolla picada,
dando vueltas con una cuchara de madera. Ahora se pone el pimentón, apartando la sartén para que no se queme y moviendo
bien. El pan se coloca en una cazuela de barro, o de cristal resistente al fuego; encima se echa el aceite con la cebolla y el pi-

mentón (los ajos se retiran entonces y se tiran). A continuación se echa el litro y medio de agua **hirviendo** y se le pone sal. Se mueve bien con una cuchara de madera para que se mezcle por igual. Se incorpora el ramillete de perejil y se acerca a la lumbre; cuando rompe el hervor, se deja a fuego lento 10 minutos. En este tiempo se tiene el horno encendido y se mete dentro hasta que forma costra. Se cascan entonces 6 huevos en la sopa, echando un poco de sal en cada uno, y se mete la cazuela otro ratito al horno, hasta que la clara de huevo se cuaje. Servir en seguida.

122.—PURE DE ZANAHORIAS (6 personas)

2 litros de agua,
3 cucharadas de aceite frito,
½ kg. de patatas,
½ kg. de zanahorias,
½ cebolla picada en trozos grandes (100 gr.),
2 tomates medianos (o una cucharada pequeña de concentrado),
1 ramita de perejil,
sal,
cuadraditos de pan frito.

En un cazo se ponen los 2 litros de agua fría, las patatas peladas y cortadas en trozos grandes, las zanahorias bien lavadas y raspada la piel, cortadas en rodajas; la cebolla, los 2 tomates sin piel ni pepitas, la ramita de perejil, las 3 cucharadas de aceite frito y por fin la sal.
Se pone todo esto a cocer una hora más o menos, según sean de duras las zanahorias y las patatas. Si mengua el agua, hay que añadirle agua fría para que siempre tenga el mismo volumen.
Luego se retira del fuego y se le quita la ramita de perejil; cuando está templado se va pasando por la batidora en tandas y se sirve con cuadraditos de pan frito aparte.
Nota.—Se puede preparar de antemano este puré, pero para que esté bueno es imprescindible pasarlo por la batidora **antes** de que se enfríe.
Una vez hecho el puré se puede enfriar y volver a calentar al servirlo.

123.—SOPA DE CALABAZA (6 personas)

¾ kg. de calabaza,
¼ kg. de patatas,
2 puerros medianos (150 gr.),
3 cucharadas de aceite,
1½ litros de agua,
½ litro de leche,
1 cucharadita (de las de moka)) de extracto de carne (Bovril, Mandarín, Liebig),
sal.

En una cacerola se pone el aceite, y cuando está caliente se echan los puerros cortados en trocitos y se rehogan unos 5 minutos; después se agregan las patatas peladas y cortadas en trozos, así como la calabaza en trozos también. Se añade entonces el 1½ litro de agua fría y la sal (más bien poca, pues el extracto de carne salará más), y se pone a cocer. Cuando rompe a hervir, se baja el fuego y se cuece despacio (sin dejar de hervir) por espacio de unos 45 minutos. Se retira del fuego y se deja enfriar un poco; entonces se pasa, en varias veces, por la batidora.

Después de hecho el puré se añade la leche caliente, y, finalmente, el extracto de carne, moviendo para que quede bien mezclado; se sirve en sopera.

Nota.—Hay quien prefiere poner sólo calabaza; se suprimirán entonces las patatas y se pondrá 1½ kg. de calabaza.

124.—PORRUSALDA (6 personas)

¼ kg. de bacalao,
6 puerros medianos,
¾ kg. de patatas,

4 cucharadas soperas de aceite,
2½ litros de agua.

Poner el bacalao en remojo en agua fría la víspera. Cambiarlo de cazo y de agua varias veces, para que quede bien desalado.

Se pone el bacalao desalado en ½ litro de agua fría y cuando rompe a hervir se separa. Se le quitan entonces las espinas y la piel, desmigándolo, y se conserva el agua donde ha cocido, volviendo a poner el bacalao ya preparado en ella.

Aparte, en un cazo, se pone el aceite a calentar y se echan los puerros partidos en trozos, se rehogan un poco sin que tomen color (unos 5 minutos) y se añaden las patatas peladas y cortadas en cuadraditos, que también se rehogan algo. Se incorporan los 2 litros de agua (fría) y se deja cocer durante 35 minutos más o menos (según la clase de patatas). Estas deben quedar enteras. Se agrega entonces el bacalao con su agua y se deja cocer todo junto otros 10 minutos. Se rectifica de sal y se sirve en sopera.

125.—SOPA DE PUERROS Y PATATAS (6 personas)

3 puerros grandes,
3 cucharadas soperas de aceite,
6 patatas medianas (¾ kg.),

2 litros de agua,
sal,
1 pastilla de caldo (Avecrem, Maggi, etc.).

Se pone a calentar el aceite en una cacerola y se le añade lo blanco de los puerros lavados y cortados por medio y luego a trozos de unos 2 cm. de largo. Se rehogan bien hasta que empiezan a estar ligeramente dorados. Se incorpora entonces el agua y la sal (poca, pues la pastilla de caldo sala también). Se da un hervor (5 minutos) y se le añaden las patatas peladas, lavadas y cortadas en cuadraditos pequeños. Se deja cocer unos 30 minutos hasta que las patatas estén bien tiernas.

Al momento de ir a servir, se añade la pastilla de caldo disuelta en un poco de líquido de la sopa.

126.—SOPA DE PUERROS CON LECHE (6 personas)

1½ litros de agua,
4 puerros medianos,
5 patatas medianas (600 gr.),
2 cucharadas soperas de aceite,

½ litro de leche caliente,
1 cucharadita (de las de moka) de extracto de carne,
sal.

En una cacerola se ponen las 2 cucharadas de aceite. Cuando está caliente, se añaden los puerros cortados en trozos y quitadas las partes verdes. Se dan una vuelta sin que tomen casi color (unos 5 minutos); después se agrega el agua fría y las patatas peladas y cortadas en trozos medianos. Se pone la sal y se deja cocer por espacio de una hora a fuego mediano. Se retira y cuando está templado se pasa por la batidora. Se incorpora ahora el ½ litro de leche caliente y la cucharadita de extracto de carne. Se sirve en sopera.

127.—SOPA DE TOMATE Y JUDIAS VERDES (6 personas)

250 gr. de judías verdes,
250 gr. de patatas,
1½ kg. de tomates muy maduros,
  2 litros de agua,

2 cucharadas de aceite frito,
1 ramita de perejil y una hoja de laurel,
  sal.

Poner en el agua fría las patatas peladas y cortadas en trozos más bien grandes, los tomates (sin piel ni pepitas), el aceite y el ramillete de perejil y laurel, y sal. Se pone todo esto a cocer, y cuando ha hervido durante 45 minutos se deja enfriar un poco y se pasa por la batidora.
Aparte se preparan las judías verdes, quitándoles los rabos y los hilos y cortándolas en trocitos de 1½ cm. de largo. Se cuecen en agua hirviendo con sal y la punta de un cuchillo de bicarbonato para que tengan un bonito color verde. Cuando se ve que están cocidas (unos 20 minutos, depende de la clase de judías), se escurren.
Se vierte la sopa en la sopera y se echan encima las judías para que no se hundan muy al fondo y resulte más bonito.

128.—SOPA DE JUGO DE TOMATE (4 personas)

½ litro de caldo (o agua con pastillas de Avecrem, Starlux, etc.),
½ litro (o sea, un bote) de jugo de tomate (Vida u otro),
  2 cucharadas soperas de jerez seco,

1 cucharada sopera colmada de maizena, o 1 rasada de fécula de patata,
4 cucharadas soperas de crema líquida,
1 poco de perejil picado,
  sal.

Se prepara en ½ litro de agua el caldo, como venga indicado en las pastillas que se usen. A este caldo se añade la maizena desleída en un par de cucharadas soperas de agua fría. Se cuece un par de minutos. A este preparado se añade el contenido del bote de jugo de tomate, bien sacudido para que esté muy mezclado, y, por último, el jerez. Se rectifica de sal.
Si se va a servir la sopa caliente, se tienen al calor sin que hierva, y en el momento de servir se añade en cada taza de consomé o cada plato ya servido la cucharada de nata líquida, y encima de ésta un poco de perejil muy picado. Queda amarmolada la superficie y resulta muy bien.

Si esta sopa se quiere servir fría, se pone algo menos de maizena en el caldo y se mete en la nevera a enfriar. Al ir a servir, se pone la crema y el pellizco de perejil.

129.—CREMA DE ESPARRAGOS (6 personas)

(Hecha con el agua de cocer los espárragos)

60 gr. de mantequilla,
 3 cucharadas soperas de harina,
 2 litros de agua de cocer los espárragos,
 2 yemas de huevo,
 sal,

1 manojito de espárragos,
1 cucharada (de las de café) de perejil muy picado,
1 cucharadita (de las de moka) de jugo de carne (Liebig o Mandarín).

Esta sopa se hace con el agua de cocer espárragos. Como este agua se conserva muy bien en la nevera en cacharro de cristal (ensaladera o botellas) de un día para otro, se guardará el agua de cocer varios manojos juntos para que tenga más sabor. También se reserva un manojo de espárragos más finos, que se cortarán en trocitos de 2 cm. de largo hasta donde estén tiernos.

En un cazo se pone la mantequilla a derretir (sin que cueza). Cuando está líquida se añaden las 3 cucharadas soperas de harina y los 2 litros de líquido frío, moviendo con unas varillas. Se rectifica de sal. Cuando rompe a hervir se deja por espacio de 10 minutos.

En el momento de ir a servir se añaden las 2 yemas de huevo, teniendo cuidado de desleírlas en un tazón aparte con muy poco líquido caliente al principio para que no se cuajen. Se vierte en tazas de consomé, repartiendo los espárragos en las 6 tazas, y después se echa el perejil en el momento de servir.

130.—SOPA-CREMA DE ESPARRAGOS (6 personas)

30 espárragos medianos,
50 gr. de mantequilla,
 3 cucharadas soperas de harina,

3 yemas,
sal,
1 cucharada pequeña de perejil muy picado.

Se limpian de tierra y se pelan muy bien los espárragos, dejándolos enteros o partidos por la mitad. Se lavan en agua fría y se echan en un cazo de agua hirviendo con sal. Tienen que cocer sin parar unos 20 minutos, hasta que se noten tiernos al pincharlos con un cuchillo.

Sacar los espárragos del agua y cortar las yemas (o puntas) y tenerlas separadas en un plato. El resto de los espárragos se pasan por la batidora con un poco del agua en la cual han cocido. Se pasa este puré por un colador de agujero grande.

En otro cazo se pone a derretir la mantequilla (sin que se dore) y se le añaden las 3 cucharadas de harina, y con parte del agua de cocer los espárragos se hace una bechamel clarita. Se incorpora entonces el puré hecho en la batidora. Se rectifica de sal y se deja al espesor deseado (teniendo en cuenta que las yemas aclaran un poco la crema).

En el momento de servir se ponen en la sopera las 3 yemas y, muy poco a poco, se añade la sopa para que no cuaje el huevo. Después se echan las puntas de espárrago en la sopera y, finalmente, se espolvorea con el perejil.

131.—CREMA DE ESPINACAS (6 personas)

2 litros de agua con sal,
½ kg. de espinacas,
25 gr. de mantequilla,
2 cucharadas soperas de aceite,

100 gr. de harina (4 cucharadas soperas),
¼ litro de leche fría,
1 yema de huevo,
sal,
cuadraditos de pan frito.

En 2 litros de agua salada hirviendo se echan las espinacas limpias y sin tallos. Cocer a fuego vivo durante 10 minutos. Pasarlas por la batidora con algo del agua donde han cocido.
Aparte se hace una bechamel con la mantequilla, el aceite, la harina y la leche fría. Si al cocer quedase espesa, aclararla con el agua de hervir las espinacas. Añadir éstas pasadas y rectificar de sal. Según guste de espesa la sopa, se podrá aclarar con el agua de cocer las espinacas, hasta tener la cantidad de sopa necesaria (de 1½ a 2 litros).
En un tazón se pone la yema de huevo y se añade poco a poco sopa para que no se cuaje. Una vez bien diluida, se incorpora al resto de la sopa. Al verter la sopa en la sopera se cuela por un pasapurés o el chino. Se sirve inmediatamente, con cuadraditos de pan frito aparte.

132.—CREMA DE BERROS (6 personas)

2 manojos de berros,
1 puerro gordito,
1 cebolla mediana (100 gr.),
3 cucharadas de aceite,
6 patatas medianas,

1½ litros de agua salada caliente,
¼ litro de leche,
1 cucharadita (de las de moka) de extracto de carne,
sal y pimienta.

En una cacerola poner el aceite al fuego; cuando está un poco caliente echar el puerro partido en trozos, a lo ancho y a lo largo, y la cebolla picada también gruesa. Darles unas vueltas con una cuchara de madera. Pasados unos minutos (de 5 a 10), añadir las patatas cortadas en trozos y los berros de 1½ manojo, limpios y quitados los tallos gordos. El otro medio manojo se limpia y se pica la hoja. Se reserva este picado. Verter en la cacerola el litro y medio de agua salada caliente y dejar cocer con la cacerola tapada durante una hora. Cuando esté templada la sopa, se pasa por la batidora y al ir a servirla añadirle el ¼ litro de leche templada. Cocer entonces despacio otro ¼ de hora y, ya en la sopera, agregar las hojas de berros picadas que habíamos reservado.

133.—CREMA DE APIO (6 personas)

2 matas de apio enteras,
2 cebollas grandes (250 gr.),
4 cucharadas soperas de aceite,
20 gr. de mantequilla,
3 litros de agua hirviendo,
½ pata de ternera (o 1 hueso de codillo),
2 cucharadas soperas de harina,
1 y ¾ vasos (de los de agua) de leche fría,

2 yemas de huevo,
125 gr. de crema líquida (o ¹/₈ de litro),
1 ramillete con ½ hoja de laurel, perejil, y 1 diente de ajo,
sal y pimienta,
1 cucharada sopera de hojas verdes de apio picado fino (o perejil).

En una cacerola se ponen 2 cucharadas soperas de aceite y cuando está caliente se echan los apios cortados en trozos grandes (10 cm.) y las cebollas también picadas grande. Se les da una vuelta moviendo con una cuchara de madera, sin que llegue a tomar color. Se añade el agua caliente, la ½ pata de ternera bien lavada, el ramillete, la sal y la pimienta. Se deja cocer despacio durante 1½ hora. Una vez cocida, retirar la pata de ternera y, cuando esté templada, pasar la sopa por la batidora. Colar después por un chino, apretando mucho el puré que quede dentro. Aparte se hará una bechamel con los 20 gr. de mantequilla y 2 cucharadas soperas de aceite, la harina y la leche fría (para que no se formen grumos). Una vez hecha la bechamel, se añade la sopa que se tiene ya pasada y se deja cocer muy despacio durante 10 minutos. Se rectifica de sal.

En la sopera se ponen las 2 yemas de huevo y los 125 gr. de crema y, muy poco a poco, se añade la sopa para que no se cuajen las yemas ni se corte la crema.

Espolvorear de verde de apio picado y servir en seguida.

134.—SOPA DE APIO Y PATATAS (6 personas)

2 apios (la planta entera), unos 250 gr.,
¾ de patatas,
3 cebollas medianas (250 gr.),
2 huesos de codillo,
2½ litros de agua,

3 cucharadas soperas de aceite,
sal,
1 cucharadita de hojas de apio verdes muy picadas, o perejil picado.

Limpiar y cortar en trozos de unos 10 cm. los tallos de apio, reservando algunas hojas de las más verdes para picarlas y adornar con ellas la sopa.

En una cacerola echar las 3 cucharadas soperas de aceite, poner al fuego y añadir los tallos de apio y las cebollas también cortadas en trozos más bien grandes. Dar vueltas con una cuchara de madera hasta que tomen un poco de color (unos 10 minutos) y añadir las patatas peladas y cortadas en trozos, los 2 huesos de codillo y, en seguida, los 2½ litros de agua.

Cuando empieza a hervir se pone el fuego más lento para que cueza suavemente por espacio de una hora. Dejar que se enfríe un poco y, cuando esté templado, pasar en veces por la batidora (quitando previamente los huesos). Volver a poner en el fuego y servir bien caliente en sopera, agregando la cucharadita de apio picado.

135.—CREMA DE CHAMPIÑONES (6 personas)

250 gr. de champiñones de París,
  25 gr. de mantequilla (grosor
de una nuez),
   4 cucharadas soperas de harina,

unas gotas de limón,
1½ litros de caldo (o agua y
Starlux),
  1 yema,
sal.

Limpiar bien los champiñones y picarlos muy menudos. Ponerlos en un cazo con la mantequilla, unas gotas de limón y sal. Tapar el cazo y dejar que se vayan cociendo a fuego lento (unos 10 minutos).
En una sartén se pone la harina y se le da vueltas con una cuchara de madera hasta que tome un poco de color (10 minutos). Se añade entonces poco a poco el litro de caldo (que esté frío para que no forme grumos) y se deja cocer por espacio de 10 minutos, dando vueltas con las varillas. Entonces se añaden los champiñones con su jugo y se deja cocer a fuego muy lento unos 5 minutos.
En la sopera donde se vaya a servir se pone la yema y se vierte al principio muy poquito a poco la sopa. Se mueve con una cuchara de madera y se sirve inmediatamente.

136.—PEQUEÑA MARMITA (6 personas)

  1 cucharada (de las de café) de
perejil picado,
  3 zanahorias medianas (200
gramos),
  2 puerros medianos,
¼ kg. de patatas (3 medianas),
  1 despojo de pollo,
  1 higadito de pollo (sin hiel),

¼ de gallina (de pata),
  1 hueso de codillo,
  1 cucharadita (de las de moka)
de extracto de carne (Bovril
o Liebig),
sal,
  3 litros de agua fría.

En una cacerola grande se ponen las zanahorias peladas y lavadas, cortadas en cuadraditos pequeños, los puerros enteros y atados con una cuerda fina, el despojo, la molleja se pela y se parte en dos, vaciando la bolsa interior, el higadito, la gallina, el hueso y sal (poca). Se cubre con los 3 litros de agua. Se tapa y se deja cocer a fuego mediano flojo durante unas 3 horas. Pasado este tiempo se añaden las patatas peladas, lavadas y cortadas en cuadraditos pequeños y se dejan cocer una ½ hora más hasta que estén tiernas.
Al ir a servir la sopa se sacan los puerros, el despojo, el hueso de jamón, la gallina y el higadito. Los puerros y el despojo no se utilizan. Al cuarto de gallina se le separa la carne, se corta en trocitos y se pone en la sopera, así como el higadito, también

partido. Se disuelve el extracto de carne, y, una vez la sopa en la sopera, se espolvorea con perejil picado y se sirve.

Naturalmente, la sopa ha quedado reducida a casi la mitad del caldo, pero si se ve que es poco, se puede añadir un poco de agua caliente antes de cocer las patatas.

137.—CALDO DE COCIDO CON ARROZ, HUEVO DURO Y PEREJIL PICADO (6 personas)

2 litros de caldo del cocido,
2 huevos duros,

1 cucharada sopera de perejil picado,
4 cucharadas soperas de arroz.

Se pone el caldo a calentar y cuando empieza a hervir se echa el arroz. Cuando vuelve a romper el hervor, se deja cocer lentamente durante 15 minutos (más o menos, depende de la clase de arroz). Mientras tanto se pican los huevos duros, no poniendo toda la clara, pues sería mucho blanco. Una vez hecho el arroz, se vierte la sopa en la sopera y allí mismo se le añade el perejil y el huevo. Se sirve en seguida.

138.—CALDO AL MINUTO

Para hacer ¼ de litro de caldo rápidamente, bien para un enfermo, bien para hacer una salsa más sabrosa.

100 gr. de vaca magra picada,
1 cebolla pequeña picada (70 gramos),
2 zanahorias medianas en rodajas (100 gr.),
1 ramillete de perejil, 1 dien-

te de ajo y laurel (⅓ hoja),
1½ cucharada sopera de aceite,
1½ cucharada sopera de vino blanco,
½ litro de agua hirviendo,
sal.

Poner en una ollita o cazo el aceite; cuando esté caliente, rehogar la carne y las verduras picadas y añadir a los 5 minutos el ½ litro de agua hirviendo, el vino y la sal.

Dejar cocer ½ hora a fuego mediano. Se consigue así ¼ de litro de caldo muy bueno.

Si es para un enfermo, será mejor suprimir la cucharada de aceite y poner la carne en el agua fría y, cuando rompe a hervir, quitar la espuma y añadir las verduras, el vino (si se quiere) y la sal.

139.—CALDO DE RABO DE BUEY (6 a 7 personas)

Este caldo se tiene que preparar la víspera o, por lo menos, unas horas antes, para darle tiempo de enfriarse del todo.

3 litros de agua hirviendo,
½ kg. de rabo de buey cortado en trozos,
½ kg. de carne magra picada,
¼ de pechuga de gallina,
2 puerros medianos,
2 zanahorias,
2 nabos,
1 cebolla asada al horno con 1 clavo (de especia) pinchado,

1 vaso (de los de agua) de vino blanco,
3 cucharadas soperas de buen jerez,
1 ramillete de perejil, laurel y tomillo,
sal,
pimienta (facultativo),
1 clara de huevo.

El rabo de buey tiene que ponerse en remojo en agua fría desde la noche anterior a la que se vaya a hacer el caldo.
Póngase en una cacerola los trozos de rabo de buey, la pechuga, las zanahorias, los puerros y los nabos partidos en trozos grandes, la cebolla previamente asada en el horno, hasta que tenga un bonito color (unos 20 minutos), con el clavo pinchado en ella, el ramillete de perejil, laurel y tomillo y la mitad del vino blanco. Dar unas vueltas con una cuchara de madera y dejar que se ponga el vino pegajoso como el jarabe (unos 8 minutos). Añadir entonces el resto del vino, el agua hirviendo y la sal. Déjese cocer durante 2 horas sin parar, pero a fuego lento en cuanto haya roto a hervir. Cuélese entonces el caldo y añádase la carne picada y la clara de huevo ligeramente batida con tenedor (pero sin que se ponga a punto de nieve). Remuévase bien con una cuchara de madera y déjese cocer por espacio de ½ hora. Dejar que se enfríe del todo el caldo y quitarle la grasa que se formará en la superficie. Pásese entonces el caldo por un trapo fino mojado para desengrasarlo del todo. Cuando se vaya a tomar, calentar el caldo de nuevo. Rectifíquese de sal y pimienta, si hace falta, y añádanse las 3 cucharadas de jerez.
Sírvase caliente en tazas con cualquier adorno de consomé (bolitas fritas o flan).

140.—CONSOME (6 personas)

Para 1½ litros de consomé:

½ pata de ternera,
½ kg. de carne de vaca magra cortada en trozos pequeños,
1 cebolla pequeña (50 gr.),
1 puerro mediano (sólo lo blanco),

2 zanahorias medianas (200 gr.),
2 nabos (200 gr.),
1 rama de apio,
1 clavo (de especie),
2 claras de huevo,
sal y agua fría.

En 2 litros de agua fría se ponen la media pata de ternera y la carne en trozos. Se pone al fuego para que hierva. Cuando lleve unos 30 minutos, se quita la espuma que se forma en la superficie con una espumadera y entonces se añaden las zanahorias raspadas, lavadas y cortadas en trozos, los nabos igualmente pelados y en trozos, la cebolla partida en dos, el puerro también partido en dos, el apio, el clavo y la sal, según guste. Se vuelve a esperar que rompa el hervor y se pone entonces a fuego lento durante una hora y media, moviendo de vez en cuando con una cuchara de madera y cortando este tiempo de cocción dos veces, echando ½ vasito (de los de vino) de agua fría, para facilitar así que suba la espuma que quede.

Una vez pasado este tiempo, se baten las claras a punto de nieve no muy firmes, se ponen en una cacerola y muy despacio se va echando el caldo encima, moviendo con una cuchara de madera. Se deja cocer unos 20 minutos. Después se cuela este caldo por un pasapurés para quitarle la carne y las verduras, y se cuela otra vez, después de tener el caldo ya solo, por un colador fino con una gasa o un trapo de batista. Se prueba y se rectifica de sal si hiciese falta.

Si el consomé hubiese quedado de color pálido, se puede oscurecer con un poco de concentrado de carne (Liebig, Maggi), o simplemente con un poco de caramelo hecho con una cucharadita de azúcar, unas gotas de agua y bien tostado (pero no quemado, pues daría un gusto amargo al caldo). Se le echan al caramelo unas cucharadas de caldo y luego se pasa a la olla, dando así un bonito color dorado.

141.—ADORNOS DEL CONSOME

1.º flan:

¼ de litro de caldo o de leche (una taza de las de té),   2 yemas, sal.

Batir un poco las 2 yemas con el caldo o la leche en frío, poner un poco de sal y verter esta mezcla en un platito de hacer huevos al plato. Meter en el horno, al baño maría, unos 10 a 15 minutos, hasta que se cuaje.

Una vez frío, volcarlo del molde y cortar en cuadraditos que se ponen en las tazas de consomé en el momento de servirlo a la mesa.

2.º flan:

2 decilitros de caldo,   1 huevo.
3 yemas,

Se baten las yemas y el huevo como para tortilla y se añade el caldo caliente (que no se cuaje). Se sazona de sal y se pone en un molde untado con mantequilla. Se pone al baño maría, al horno, pero sin que hierva para que no tenga agujeros. Se deja una hora y se saca del horno, dejándolo enfriar en el molde. Después se saca y se corta en cuadraditos.

3.º picado de jamón de York y huevo duro:

100 gr. de jamón de York muy magro,   2 huevos duros.

Cortar el jamón de York en tiritas muy finas y de unos 2 cm. de largo y picar los huevos.

Se pone un poco de cada cosa en cada taza y se vierte luego el caldo encima, caliente o frío, según se quiera tomar.

4.º bolitas:

Añadir en el momento de servir una bolitas de las que se venden en el comercio (Rochina, etc.)

142.—SOPA DE FIDEOS SIMPLE (6 personas)

2 litros de caldo (de cocido   125 gr. de fideos.
o de preparados),

Cuando el caldo está caliente, se echan los fideos poco a poco con la mano y se deja cocer despacio 15 minutos más o menos (esto depende de la clase de fideos). Tener buen cuidado de que no se deshagan, pues se pone lechoso el caldo y no es bueno.
Quitar la espuma que se forma por encima, rectificar de sal y servir en seguida.
Esta sopa se debe hacer en el momento que se vaya a tomar.

143.—SOPA DE HARINA TOSTADA (6 personas)

6 cucharadas soperas de ha-   2 yemas de huevo,
rina,   cuadraditos de pan frito,
1¾ litros de caldo preparado de   sal.
antemano y frío,

En una sartén se ponen las 6 cucharadas soperas de harina, se pone al fuego y, sin dejar de mover con una cuchara de madera, se espera a que tome un bonito color tostado (5 a 7 minutos). Entonces, y poco a poco, se va añadiendo el caldo frío, sin dejar de mover para que no se formen grumos, y cuando rompe a hervir se deja por espacio de unos 10 minutos. Se rectifica de sal si hace falta.
En la sopera donde se vaya a servir se ponen las 2 yemas y muy despacio, para que no se cuajen, se va añadiendo la sopa. Después se pone la mantequilla y cuando esté derretida y movida se sirve con cuadraditos de pan frito.

144.—SOPA FINA DE TAPIOCA (6 personas)

6 cucharadas soperas de ta-   25 gr. de mantequilla,
pioca,   2 yemas de huevo,
2 litros de caldo (o lo corres-   ½ cucharadita (de las de moka)
pondiente a 2 litros hecho   de extracto de carne (Liebig,
con pastillas de caldo, Maggi,   Bovril, etc.)
Gallina Blanca, etc.),

Si se hace con caldo ya preparado de antemano, se calienta éste y, una vez caliente, se le echa la tapioca en forma de lluvia, dando vueltas con una cuchara de madera para que no se formen grumos.

Si se hace con pastillas de caldo (que también resulta muy bien), se mide el agua y se cuece en ella la tapioca, como anteriormente se ha dicho. Se cuece unos 20 minutos, moviendo lo más a menudo posible; después se agregan las pastillas deshechas con los dedos o con un poco de agua, si se ve que ésta ha menguado mucho.

A partir de aquí, la receta sigue igual para cualquier procedimiento de cocer la tapioca. Se prueba de sal y se rectifica si da lugar.

En la sopera donde se vaya a servir la sopa se ponen las yemas y la mantequilla y con una cuchara, muy poco a poco, se echa un poco de sopa, se mueve bien para que no se cuajen las yemas. Una vez bien desleídas las yemas, se vierte el resto de la sopa ya más rápidamente y dando vueltas para que quede bien mezclado todo y bien derretida la mantequilla.

Se sirve en seguida.

145.—CREMA DE GALLINA (6 personas)

1 pechuga de gallina (unos 400 gr.),
¼ kg. de huesos de ternera (rodilla),
2 zanahorias medianas (100 gr.),
1 cebolla mediana (80 gr.),
1 rama de apio (hojas y tallo),
1 vaso (de los de agua) no lleno de leche,

1¼ litros de caldo (de cocer la gallina),
20 gr. de mantequilla,
1 cucharada sopera de aceite fino,
2 cucharadas soperas de harina,
1 yema de huevo,
1 ramillete (perejil, 1 diente de ajo, ½ hoja de laurel), sal y pimienta.

Se ponen en una cacerola 2 litros de agua fría, la gallina, los huesos, las zanahorias partidas en trozos grandes, la cebolla partida en dos, el apio y el ramillete con un poco de sal. Se pone a fuego lento y cuando empieza a cocer se baja el fuego y se deja hasta que la gallina esté tierna (puede ser 1½ horas, pero depende exclusivamente de que sea más o menos dura).

Una vez cocida, se saca la gallina del caldo. Se separa la carne y se pica en cuadraditos no muy pequeños y se reserva.

En una sartén o en un cazo se pone la mantequilla y el aceite a calentar; una vez derretida aquélla, se añade la harina y con unas varillas se mueve, añadiendo la leche fría (para que no haga grumos). Después de cocer unos 4 minutos, se agrega el caldo donde ha cocido la gallina. Se deja enfriar un poco esta bechamel clarita y se pasa por la batidora con la zanahoria y el apio.

En un tazón se deslíe la yema con un poco de sopa para que no se cuaje. Se agrega lo del tazón al resto de la sopa. Se calienta con mucho cuidado de que ya no hierva.

En la sopera se ponen los trozos de gallina que se tenían reservados y se vierte la sopa, colándola por un colador de agujeros grandes, y se sirve en seguida.

146.—SOPA DE POLLO A LA BELGA (6 personas)

(Waterzooi).

Véase receta 846.

147.—SOPA DE HIGADITOS (6 personas)

6 higaditos de pollo,
50 gr. de almendras crudas peladas,
1 diente de ajo,
unas hebras de azafrán,
1 yema de huevo,
3 cucharadas soperas de aceite fino,
1¼ litros de caldo,
1 cucharada sopera rasada de fécula de patata,
3 cucharadas soperas de agua fría,
sal,
pan frito en rebanaditas.

Si las almendras tienen piel, se las pone a remojo un rato en agua templada y se aprietan por la punta más redonda para que salga la piel entera.
Se ponen las 3 cucharadas soperas de aceite a calentar en una sartén y se fríe el ajo; se retira y se ponen las almendras a freír hasta que estén doradas. Se retiran en un plato y se fríen los higaditos ya lavados y salados, colocando sobre la sartén una tapadera para protegerse de las salpicaduras del aceite. En el mortero se machacan las hebras de azafrán, a las cuales se incorpora un poco de caldo.
Los higaditos ya fritos, las almendras y el azafrán se echan en la batidora. Se añade un poco de caldo y se bate. En un cazo se vierte este puré y el resto del caldo y se deja cocer a fuego lento unos 10 minutos.
Al momento de servir se deslíe la fécula de patata con el agua y se añade a la sopa, dejando que dé un hervor. En un tazón se pone una yema de huevo y, con mucho cuidado, se le añade poco a poco unas cucharadas de sopa caliente y se vierte una vez disuelta en la sopa.
Se sirve en sopera con unas rebanaditas de pan frito.

148.—SOPA HUERTANA (6 personas)

3 cucharadas soperas de aceite,
¼ kg. de zanahorias,
¼ kg. de nabos,
2 puerros medianos,
3 patatas más bien grandes,
½ kg. de espinacas,
1 ramita de apio,
150 gr. de tocino veteado,
2 litros de agua caliente,
1 cucharadita (de las de moka) de extracto de carne,
sal.

Cortar en cuadraditos las zanahorias, los nabos, la ramita de apio, la cebolla y los puerros. Poner el aceite en una cacerola y, cuando está caliente (sin que eche humo), echar todas las verduras, moviendo de vez en cuando la cacerola para que no se agarren, pero teniéndola tapada y a fuego lento.

Después de 10 minutos echar el agua caliente y la sal (más bien poca, pues al añadir el extracto de carne queda más salado). Dejar que cueza 20 minutos y entonces echar las patatas peladas y cortadas en cuadraditos y las espinacas (lavadas, sin tallos y muy picadas las hojas).

Aparte, cortar en cuadraditos menudos el tocino y echarlo en un cacito con agua caliente para que dé un hervor (3 minutos bastan). Escurrirlo bien y echarlo en la cacerola de las verduras.

Cuando las patatas estén cocidas, pero no deshechas (unos 20 ó 25 minutos más o menos), estará la sopa.

Desleír en un tazón el extracto de carne con un poco de líquido de la sopa y añadirlo a la misma. Mover bien con una cuchara de madera y servir bien caliente en sopera.

149.—SOPA DE VERDURAS (6 personas)

½ kg. de verduras frescas cortadas (la venden en bolsas preparadas),
1 hueso de codillo con poca grasa (125 gr.),
1 cucharada sopera de aceite fino,

2 litros de agua fría,
1 cucharada sopera rasada de maizena,
sal,
1 cucharadita (de las de moka) de extracto de carne.

En un cazo con 2 litros de agua fría se pone la verdura (previamente lavada), el codillo, el aceite y la sal. Se deja cocer más o menos ½ hora a fuego lento desde que rompa a hervir.

Cuando se vaya a servir, se deslíe la maizena con un poco de agua fría y después con caldo de la sopa; se vierte en el cazo dando vueltas con una cuchara de madera y dejando que cueza unos 5 minutos.

Se retira el hueso de codillo y se sirve en sopera.

150.—SOPA DE REPOLLO (6 personas)

½ kg. de repollo (francés si es posible, o muy tierno),
125 gr. de tocino veteado,
3 cucharadas soperas de aceite,
1 cebolla grande (200 gr.),

2 litros de agua hirviendo,
4 cucharadas soperas de arroz,
1 cucharadita (de las de moka) de extracto de carne (Liebig, Bovril),
sal.

Picar en tiritas el repollo, lavarlo y escurrirlo bien.

En una cacerola poner el aceite a calentar con el tocino en cuadraditos y la cebolla muy picada. Cuando ésta haya tomado un poco de color, añadir el repollo y dejarlo tapado, pero moviéndolo de vez en cuando con una cuchara de madera durante 15 minutos. Echar entonces los 2 litros de agua hirviendo y dejar cocer otros 10 minutos. Añadir el arroz limpio de piedras y suciedades, pero sin lavar. Dejar cocer otros 30 minutos. Añadir, disolviéndolo muy bien, el extracto de carne.

Servir en sopera.

151.—SOPA DE MERO (8 personas)

1 litro de agua,
¼ litro de vino blanco,
3 cucharadas soperas de aceite,
2 puerros medianos (150 gr.),
2 cebollas medianas (200 gr.),
1 kg. de patatas,
1 cabeza de merluza o pescadilla,
400 gr. de mero en una raja,

1 ramillete de perejil, 1 diente de ajo y una hoja de laurel,
2 yemas de huevo,
1 vaso (de los de vino) de leche,
1 cucharada (de las de café) de perejil picado,
unos cuadraditos de pan frito,
sal.

En una cacerola se ponen las 3 cucharadas de aceite a calentar, se añaden los puerros y las cebollas picadas en trozos grandes. Se dan unas vueltas hasta que tomen algo de color. Verter encima el agua y el vino y, cuando haya roto a hervir, agregar la cabeza de merluza, el mero y el ramillete. Cuando rompe a hervir otra vez, añadir el kilogramo de patatas peladas y cortadas en trozos grandes y la sal. Dejar cocer por espacio de una hora. Quitar entonces la cabeza de merluza, que se tira. El mero se retira, se le quitan las espinas, el hueso y la piel y se pasa por la batidora con las patatas y el caldo.
Añadir después de hecho el puré la leche caliente.
En una taza poner las dos yemas y, con unas cucharadas de sopa, desleírlas muy despacio para que no se cuajen, dando vueltas con una cuchara. Incorporar esto al resto de la sopa bien caliente y echarla en la sopera. Se espolvorea de perejil y se sirve con los cuadraditos de pan aparte.

152.—SOPA MARINERA (6 personas)

2 litros de agua,
2 puerros medianos,
½ cebolla mediana (60 gr.),
3 cucharadas soperas de aceite,
2 tomates medianos,
½ kg. de gambas,
¼ kg. de rape en una raja,

½ hoja de laurel,
unas hebras de azafrán,
2 dientes de ajo (dados un golpe para que estén aplastados),
sal, pimienta,
125 gr. de fideos un poco gordos.
sal.

Poner en una cacerola el aceite. Cuando está caliente, echar los puerros y la cebolla picados. Dejar que se rehoguen bien durante 5 minutos. Poner entonces los tomates en trozos con las pepitas quitadas. Dar una vuelta a todo ello, moviendo con una cuchara de madera, y añadir el laurel, los dientes de ajo aplastados, los 2 litros de agua fría, la sal, las gambas (enteras) y la raja de rape. Cuando empieza a hervir, se deja a fuego vivo unos 15 minutos. Después se retira la cacerola del fuego y se cuela el caldo. Con el rape (que se deshuesa) y las gambas (se separan los cuerpos de las cabezas y éstas se machacan en el mortero, colando el caldo que salga) se pone el pescado y las colas de gambas en la batidora, en veces, y con un poco de caldo se bate. Se cuela por el chino, pasando el caldo y apretando bien con la seta de madera para que saque toda la sustancia.

En un mortero se machacan las hebras de azafrán con un poquito de caldo (2 cucharadas soperas) y se agrega a la sopa.

Se incorporan entonces los 125 gr. de fideos, que se cuecen por espacio de 15 a 20 minutos.

Se rectifica de sal y pimienta y se sirve en sopera.

153.—CREMA DE CARABINEROS, GAMBAS O CANGREJOS (6 a 8 personas)

½ kg. de carabineros o cangrejos de río,
½ kg. de gambas grandes,
100 gr. de mantequilla,
100 gr. de crema de arroz,
1 decilitro de crema líquida (1 vaso de los de vino),
2 cucharadas soperas de coñac,
sal y pimienta negra.

Caldo corto:
2 litros de agua fría,
2 decilitros de vino blanco (1 vaso de los de agua),
2 zanahorias medianas cortadas en rodajas,
1 cebolla mediana (150 gr.) cortada en cuatro,
1 ramita de perejil,
1 hojita de laurel,
sal.

En una cacerola se ponen todos los ingredientes del caldo corto y, cuando rompe a hervir, se deja a fuego lento que cueza durante 30 minutos. Se retira del fuego y se deja enfriar totalmente. (Se puede preparar varias horas antes.)

Cuando se vaya a hacer la sopa se lavan muy bien los carabineros o los cangrejos y las gambas y se ponen enteros en el caldo corto frío. Cuando rompe a hervir se baja el fuego y se dejan cocer unos 5 minutos, según tamaño. Después se retiran los bichos del caldo. Se separan las colas de algunas gambas y se reservan cortadas en dos en un tazón tapado con un plato para que no se sequen.

Se tiran las cabezas de los carabineros, que son muy fuertes de sabor.

Con los demás bichos y todos los caparazones y cabezas se prepara una mantequilla, es decir, se machacan en el mortero, por tandas y con la mantequilla. Se va echando este puré en un cazo, y, cuando está todo bien machacado, se pone el cazo en el horno a temperatura muy suave durante 25 minutos. Se mide el caldo corto, pues debe haber 1½ litros, de lo contrario se añade un poco de agua hasta alcanzar esta cantidad. Después se pone un trapo limpio en un colador y se vierte este puré y un poco de caldo corto de cocer los carabineros. Se estruja bien el trapo con la mano, recogiendo todo lo que suelta el puré. Esto se une al resto del caldo corto.

En un tazón se deslíen los 100 gr. de crema de arroz con un poco de caldo corto (frío, o, si no, con un poco de agua fría). Se pone el caldo a calentar añadiéndole las 2 cucharadas de coñac, cuando está caliente se añade la crema de arroz desleída. Se deja cocer removiendo continuamente con una cuchara de madera durante unos 5 ó 10 minutos. Se rectifica de sal y pimienta si hace falta.

En la sopera donde se va a servir se pone la crema líquida. Se deslíe con muy poca sopa, primero, para que no se corte la crema. Se incorpora poco a poco toda la sopa y las colas reservadas, y se sirve inmediatamente en sopera o en tazas de consomé (repartiendo antes las colas).

Esto mismo se hace sólo con cangrejos de río o sólo con gambas y sale igualmente una crema muy fina.

154.—CREMA DE GAMBAS (6 personas)

½ kg. de gambas frescas crudas,
50 gr. de mantequilla o aceite fino,
3 cucharadas soperas de harina,
2 litros de caldo (o agua con

unas pastillas de Avecrem, Starlux, etc.),
2 cucharadas soperas de puré concentrado de tomate (Intercasa, etc.),
2 cucharadas soperas de coñac,
1 decilitro de crema líquida, sal y pimienta negra en polvo.

Dejar apartadas 100 gr. de colas de gambas peladas, que servirán para adornar la sopa.

Machacar en un mortero los 400 gr. restantes de gambas con las cabezas que se hayan quitado anteriormente, o pasarlo en dos o tres veces en la batidora (añadiendo un poco de agua fría, 2 cucharadas soperas de cada vez).

En una cacerola poner la mantequilla o aceite, y cuando esté caliente, echar la harina, dando unas vueltas con una cuchara de madera hasta que se dore un poco. Añadir entonces el puré de gambas y las dos cucharadas de concentrado de tomate. Agregar seguidamente los 2 litros de caldo templado (previamente preparado).

Dejar que cueza durante 30 minutos a fuego lento y quitando de vez en cuando la espuma que se forma por encima.

Pasar esta sopa por un colador de tela metálica gruesa o por un chino. Poner la sal y pimienta negra en polvo. Añadir entonces el coñac y las gambas apartadas para el adorno, para que vayan cociendo.

En la sopera se pone la crema líquida y se vierte muy lentamente al principio la sopa caliente, para que no se corte la crema.

155.—CREMA DE PESCADO CON NATA Y CURRY (6 personas)

1 kg. de pescado (entre merluza y rape u otros pescados blancos).
Caldo corto: (Véase receta 501) agua fría,
4 cucharadas soperas de aceite,
1 cebolla mediana (100 gr.),
1 zanahoria,
1 nabo,

1½ cucharada sopera de harina,
1 cucharadita rasada (de las de moka) de curry,
1 cucharada sopera de perejil picado,
$^1/_8$ de litro de nata líquida, el zumo de ½ limón,
2 cucharadas soperas de arroz, agua y sal.

Se hace el arroz cocido (receta 165). No se rehoga. Se reserva después de enfriarlo al chorro del agua.

Se pone el pescado limpio de espinas, lavado y cortado en trozos, en una cacerola, y se cubre de agua fría abundante. Se añaden los ingredientes del caldo corto (la zanahoria y el nabo cortados a rodajas gruesas, después de pelados), la cebolla pelada y cortada en dos, y, por último, la sal, el vino y el laurel. Se pone a fuego vivo y cuando rompe el hervor se baja el fuego y se cuece 10 minutos. Se aparta del fuego y se deja enfriar. Se separa el pescado y se reservan unos trozos de rape en un tazón con un poco de caldo para que no se sequen.

En una cacerola se pone el aceite a calentar; cuando está caliente se pone la cebolla pelada y picada a rehogar, así como la zanahoria y el otro nabo. Cuando está todo bien rehogado y la cebolla se pone transparente (unos 8 minutos), se añade la harina y el curry. Se revuelve bien y se agrega poco a poco el caldo corto con el pescado, calculando unos 2 litros de líquido. Se cuece todo esto durante ½ hora a fuego lento. Se separa del fuego y cuando está templado se pasa por la batidora.

Se vuelve a calentar en el momento de ir a servir la sopa. Se incorpora el zumo de limón, la sal; después el arroz, y, a última hora, la crema líquida, y el rape reservado.

Una vez en la sopera se espolvorea con el perejil picado, sirviéndose a continuación.

156.—SOPA DE PESCADO DESMENUZADA (6 personas)

100 gr. de bacalao,
100 gr. de pan,
½ kg. de pescado variado,
½ kg. de cangrejos de mar o de río,
2 tomates medios bien rojos (½ kg.),
1 cebolla pequeña (60 gr.),
1 cucharada (de las de café), de pimentón,
5 cucharadas soperas de aceite,
2 litros de agua de cocer el pescado,
1 hoja de laurel,
sal y pimienta.

Se pone el bacalao a remojo en agua fría, sin cambiarle el agua.

En una sartén se pone el aceite a calentar. Cuando está caliente, se echa la cebolla pelada y picada. Se rehoga hasta que empieza a dorar (unos 6 a 8 minutos), después se añade el tomate cortado en trozos y quitadas las simientes. Se refríe durante unos 15 minutos machacando el tomate de vez en cuando con el canto de una espumadera. Una vez hecho, se pasa el refrito por el pasapurés. Se reserva.

En una cacerola se pone todo el pescado fresco y los cangrejos. Se cubre de agua fría, se pone sal y una hoja de laurel. Se pone a fuego vivo y cuando ha dado un hervor de un par de minutos, se retira del fuego. Se cuela el pescado en un colador grande, se quita el laurel y se reserva el agua de cocerlo.

El pan se pone en remojo en un poco de caldo de cocer el pescado.

Se le quitan las espinas y las pieles al pescado y al bacalao y se pasa por un pasapurés de agujeros bien grandecitos, mezclado con el pan.

Se les quita a los cangrejos el caparazón y se pasa el cuerpo y el interior de la cabeza (si son de río) también por el pasapurés. Se vierte algo de caldo para que cuele lo más posible de sustancia del pasapurés.

En un cazo se vuelve a poner el tomate, se calienta y se echa el pimentón; se rehoga muy rápidamente con una cuchara de madera (pues se quema fácilmente). Se añade el pescado y el pan pasado y se cubre con 1½ a 2 litros de caldo de pescado.

Se prueba de sal y se rectifica, si hace falta. Se echa pimienta molida, un pellizco, y se cuece esta sopa durante 5 a 10 minutos. Se sirve en sopera.

157.—SOPA DE MEJILLONES (6 personas)

1½ kg. de mejillones,
1½ litro de agua,
 1 decilitro de vino blanco seco (1 vaso de los de vino),
 ½ litro de leche,
 3 cucharadas soperas de aceite,
 3 cucharadas soperas de fécula de patata (más bien rasadas),

2 yemas de huevo,
2 cebollas medianas picadas (150 gr.),
1 diente de ajo,
1 cucharada (de las de café) de perejil picado,
½ hoja de laurel,
1 ramita de tomillo,
 sal,
 pimienta.

Se raspan los mejillones de uno en uno en seco. Una vez limpios se ponen todos juntos en agua fría, moviéndolos mucho con la mano. Si hay alguno entreabierto se tirará, pues es señal de que el bicho está muerto. Se ponen en una cacerola con el vino blanco, el tomillo y el laurel y un poco de sal. Cuando están abiertos (unos 6 minutos más o menos) se quitan los bichos de las cáscaras y se reservan en un plato, tapándolos con un trapo húmedo, para que no se sequen. También se reserva el caldo que han soltado, colándolo por un trapo para que no tenga arenilla.

Aparte, en otra cacerola, se pone el aceite y cuando está caliente se echa la cebolla picada y el diente de ajo (dándole primero un golpe para aplastarlo y que tenga así más aroma). Se deja hasta que la cebolla tome un poco de color (unos 8 minutos), moviendo con una cuchara de madera. Se añade el agua y el caldo de los mejillones. Se cuece durante unos 10 minutos y se agrega la fécula disuelta en un poco de agua fría. Se cuece otros 5 minutos y se vierte entonces la leche caliente.

En la sopera donde se vaya a servir la sopa se ponen las yemas, se vierte muy poco a poco la sopa para que no se cuajen. Se incorporan los mejillones. Si éstos son muy grandes se pueden cortar en dos con unas tijeras, se añade el perejil picado y se sirve.

158.—SOPA DE PESCADO BARATA CON FIDEOS GORDOS (6 personas)

1 cabeza de merluza,
raspas de pescado,
agua de cocer gambas,
½ vaso (de los de vino) de vino blanco,
2 litros de agua,
1 cebolla grande (150 gr.),
3 cucharadas soperas de aceite,
2 cucharadas soperas de harina,
1 cucharada sopera rasada de concentrado de tomate,
unas hebras de azafrán,
½ diente de ajo,
1 hoja de laurel,
sal,
125 gr. de fideos gordos (un puñado).

En 2 litros de agua fría (o en agua de cocer gambas, completada hasta 2 litros) con sal, vino blanco, un trocito de cebolla y una hoja de laurel, se sumergen las raspas de pescado y la cabeza de merluza. Cuando ha hervido unos 10 minutos se retira y se cuela por un colador fino.

En una cacerola se pone el aceite a calentar, se añade la cebolla muy picada, se refríe unos 8 minutos; se agrega la harina y se deja tostar ligeramente; se pone el tomate y se le añade el agua de cocer el pescado.

En el mortero se machaca el azafrán con el ½ diente de ajo y un poco de sal (para que no se escurra el ajo), se añade un poco de caldo del pescado y se incorpora esta mezcla del mortero a la sopa, dejándola cocer durante 15 minutos.

Después se cuela por un colador de agujeros grandes (pasapurés), se añaden los fideos para que cuezan hasta que estén tiernos (15 minutos más o menos).

Se sirve en sopera.

159.—GAZPACHO (6 a 8 personas)

1¼ kg. de tomates maduros, pelados y quitadas las semillas
½ cebolla mediana (80 gr.),
1 pepino pequeño,
1 pimiento verde pequeño,
¼ kg. miga de pan (del día anterior y remojada en agua),
sal,
1 taza de aceite fino,
2 cucharadas de vinagre,
agua fría,
unos trozos de hielo,
aparte, en platitos separados, un poco de tomate en cuadraditos, pimiento, pepino y cuadraditos de pan (del día anterior están mejor).

En la batidora se pone en veces parte de las hortalizas, un poco de vinagre, un poco de aceite y parte del pan. Se bate bien para que quede muy fino. Si hiciese falta algo de agua, se le añade, pero no suele ocurrir, pues el tomate es muy caldoso.

Una vez batido todo se pone en la sopera donde se vaya a servir y se mete en la nevera.

Al ir a servir el gazpacho se ponen unos cubitos de hielo y se mueve para que se enfríe bien, y se añade el agua fría. Esta se pondrá a gusto, pues hay quien prefiere el gazpacho espeso y hay quien lo prefiere clarito.

Aparte se sirven las verduras picadas, cada una en un platito, y el pan en cuadraditos también por separado.

160.—GAZPACHO EN TROZOS   (6 personas)

3 tomates medianos bien carnosos y maduros,
2 cucharadas soperas de cebolla muy picada,
1 pimiento verde pequeño,
1 pepino pequeño,
½ diente de ajo (pequeño),
1 ramita de perejil,
1¼ litros de agua,

3 cucharadas soperas de aceite fino,
1½ cucharadas soperas de vinagre,
2 cucharadas soperas de pan rallado,
sal,
hielo,

Se deshace la sal con el vinagre y se le añade el aceite. Se bate un poco con un tenedor y se echa en la sopera donde se vaya a servir. Se incorpora el agua poco a poco, batiendo con un tenedor; después el pan rallado. En un mortero se machaca el ajo con las hojas de perejil y se pone una cucharada del caldo de la sopera. Se junta lo del mortero con lo demás y se mete en la nevera una hora o más.

Se pican muy menudos los tomates pelados y quitadas las simientes, la cebolla, el pepino (pelado) y el pimiento. Se incorpora todo esto al líquido de la sopera.

En el momento de servir, si no está bastante frío, se pueden añadir unos cuadraditos de hielo.

161.—GAZPACHUELO FRIO   (4 a 5 personas)

3 yemas de huevo (ó 2 huevos enteros),
½ litro de aceite fino,
1 litro de agua helada,
1½ cucharadas soperas de vinagre,

sal y pimienta,
100 gr. de aceitunas sin hueso, cortadas en trocitos,
2 tomates pelados, quitadas las simientes y cortados en trozos.

Hacer una mayonesa corriente con las 3 yemas, el vinagre, la sal, la pimienta y añadiendo poco a poco el aceite (receta 94, 1.ª fórmula). Hay que tener cuidado de poner el aceite y el huevo a la misma temperatura del ambiente para que no se corte la mayonesa. (Se puede hacer también con 2 huevos enteros en la batidora [receta 94, 2.ª fórmula]; en cualquier caso debe estar bien firme.) Una vez hecha la mayonesa, se pone en la sopera donde se vaya a servir y se va añadiendo poco a poco el agua **muy fría**, revolviendo bien.

Se sirve en seguida, agregando en la sopera los trocitos de aceituna y de tomate.

162.—AJO BLANCO CON UVAS (6 personas)

150 gr. de almendras crudas,
2 dientes de ajo, grandes,
la miga de una barra de pan de ¼ kg.,
2 cucharadas soperas de vinagre,

²/₃ de vaso (de los de vino) de aceite fino,
un buen puñado de uvas peladas (200 gr.) rosas o moscatel,
agua y sal.

Se pone la miga de pan en remojo con agua fría durante ½ hora. Si las almendras no están peladas se pelan, poniéndolas en agua templada un rato. Se aprietan con los dedos y sale la almendra mondada.
En la batidora se pone por tandas la miga de pan un poco escurrida, el ajo, las almendras, el aceite y el vinagre. Una vez batido todo, se vierte en una sopera. Se echa sal y se mete en la nevera unas 2 horas por lo menos.
Al ir a servir se añade poco a poco agua helada al ajo blanco de la sopera, hasta que tenga la fluidez deseada (como la del gazpacho) y se incorporan las uvas, previamente peladas. Se sirve en seguida.

163.—GAZPACHUELO CALIENTE DE PESCADO (6 personas)

2 huevos enteros,
¼ litro de aceite fino,
1½ cucharada sopera de vinagre,
½ kg. de pescado (rape, mero, el pescado que se quiera),
¼ de chirlas o almejas (facultativo),
¾ kg. de patatas (holandesas rojas que no se deshagan),
un puñado de pan (del día

anterior), cortado en rebanadas finas, tostadas o fritas,
2 cucharadas soperas de vino blanco,
1 hoja de laurel,
½ cebolla pequeña en dos cascos,
1½ litro de agua fría,
sal y pimienta.

En un cazo se pone el agua fría con sal, cebolla, laurel y vino blanco, y el pescado entero lavado rápidamente. Se pone al fuego, y, cuando rompe el hervor, se deja 2 minutos; se retira y se tapa. Se tiene así el pescado. Si se añaden chirlas, hay que cocerlas aparte y quitarles las 2 conchas. El caldo de cocerlas se cuela por un trapo, por si tuviera arena, y se añade al otro.
Aparte se hace una mayonesa con las 2 yemas, el aceite, el vinagre, la sal y la pimienta en la forma clásica, según está explicado (receta 94, 1.ª ó 2.ª fórmula).
En una cacerola se pone casi toda el agua de cocer el pescado (dejando un poco para que no se seque éste). Se pelan, lavan y cortan las patatas en rodajas de ½ cm. de gruesas. Se ponen a cocer (si hace falta se puede añadir más agua para que el caldo resulte suficiente al servir la sopa). Se dejan cocer unos 30 minutos (según la clase de patatas).
En la sopera donde se vaya a servir la sopa se pone la mayonesa

y, poco a poco, se va añadiendo el caldo caliente de las patatas sin dejar de dar vueltas (para que no se corte la mayonesa). Se incorporan las patatas, el pescado cortado a trocitos y las chirlas sin las conchas.

Las rebanaditas de pan se sirven aparte o se echan a última hora en la sopa.

164.—VICHYSSOISE FRIA (8 personas)

4 puerros grandes (sólo lo blanco),
1 cebolla grande (150 gr.),
2 cucharadas de mantequilla (40 gramos),
5 patatas medianas (1 kg.),
4 vasos (de los de vino) bien llenos de caldo (se puede hacer con cubitos tipo Gallina Blanca u otro),
3 vasos (de los de vino) bien llenos de leche,
¼ litro de crema líquida,
2 cucharadas (de las de café) de perejil picado,
sal.

En una cacerola se pone la mantequilla a derretir; primero se echa la cebolla y, al ratito, los puerros cortados menudos. Cuando está sólo ligeramente dorado, se añaden las patatas (peladas y cortadas en rebanaditas finas), el caldo (si es de cubitos se pone el agua fría y cuando empieza a hervir se añaden éstos, que se derriten muy fácilmente con sólo moverlos con una cuchara de madera), y se deja cocer muy despacio durante 40 minutos (más o menos). Se retira del fuego y se deja enfriar un poco. Se pasa entonces por la batidora. Se agrega la leche y se vuelve a pasar todo junto por la batidora.

Se vierte la sopa en una ensaladera de cristal o loza (mejor que de metal), se rectifica de sal y se añade entonces la crema. Se mete en la nevera, tapada con un plato para que no tome ningún gusto. Se suele hacer por lo menos con 12 horas de anticipación y está mejor hecha 24 horas antes.

Al momento de servir en tazas de consomé, se espolvorea cada una con un poco de perejil picado y se sirve muy frío.

Arroz, legumbres, patatas, pastas

ARROZ

165.—ARROZ BLANCO (6 personas)

1.ª fórmula:

½ kg. de arroz (que no sea de Calasparra, para que salga más tierno),

agua hirviendo abundante,
50 gr. de mantequilla,
sal.

Se pone agua abundante en una cacerola (sin sal) y cuando rompe el hervor a borbotones, se echa el arroz, limpio pero sin lavar (se puede limpiar en seco con un trapo de cocina limpio. Se mueve con la cuchara de madera para que no se apelotone. Se deja cocer a fuego vivo de 12 a 15 minutos (depende de la clase de arroz). Se echa entonces en un colador grande y se pone al chorro del agua fría, haciéndolo saltar para que quede todo él bien lavado. Se deja así en el colador y escurrido hasta el momento de emplearlo.

En un cazo se pone la mantequilla a derretir, se echa el arroz y se sala, dándole vueltas con una cuchara de madera.

Así está caliente y en su punto.

Nota.—Para servirlo de manera más original, se tiñe el agua de cocer el arroz machacando unas hebras de azafrán en el mortero y desliéndolas en el agua. Se pone amarillo el arroz. También se puede añadir, al rehogarlo, una lata pequeña (100 gr.) de guisantes.

2.ª fórmula:

½ kg. de arroz (que no sea de Calasparra),
agua abundante,
5 cucharadas soperas de aceite,

1 diente de ajo pelado y dado un golpe,
sal.

Se procede como en la receta anterior para cocer el arroz y lavarlo. Una vez hecho esto, se rehoga en una sartén amplia donde se habrá puesto el aceite a calentar y 1 diente de ajo a dorar unos 5 minutos. El ajo se retira antes de poner el arroz.

166.—ARROZ BLANCO CON CHAMPIÑONES (6 personas)

½ kg. de arroz,
agua,
100 gr. de mantequilla,
2 cucharadas soperas más bien colmadas, de harina fina,
¾ litro de leche fría,

½ kg. de champiñones frescos,
2 cucharadas soperas de aceite,
1 limón,
2 yemas de huevo,
sal.

Se hace el arroz como está explicado en la 1.ª fórmula y se deja lavado en el colador hasta que estén hechos los champiñones. Estos deben estar bien blancos, pues si la piel está marrón es que son viejos y correosos. Se cepillan muy bien los champiñones con un cepillo de uñas suave que se reservará para este uso. Se separa el rabo y se corta la parte baja del mismo, que suele tener tierra. Se cortan en 2 ó 4 partes los champiñones (según sean de grandes). A medida que se van preparando, se van echando en agua fría abundante con el zumo de ½ limón. Una vez preparados todos, se escurren y se ponen en un cazo con 25 gr. de mantequilla, unas gotas de zumo de limón y un poco de sal. Se tapa con la tapadera y a fuego lento se les deja hacerse, saltándolos de vez en cuando para que se rehoguen por igual, en lo que tardarán 10 minutos.
Mientras tanto se hace la bechamel. En una sartén se pone a calentar la mantequilla con el aceite. Cuando se ha derretido la mantequilla se echa la harina, y, poco a poco y dándole vueltas con una varilla, se le va incorporando la leche fría. Se sazona de sal y se deja cocer unos 10 minutos a fuego lento. Debe quedar clarita.
En un tazón se ponen las yemas y se deslíen poco a poco con la bechamel. Cuando están incorporadas a la misma se añaden los champiñones con su jugo. Se dejará a fuego muy lento, pues con las yemas ya incorporadas, la bechamel no debe hervir.
Se rehoga el arroz con 50 gr. de mantequilla y se le echa sal. Cuando está bien movido se mete en un haro de pastelería apretando

un poco, pero no demasiado. Se vuelca en una fuente redonda y se retira con cuidado el haro de metal. En el centro se vierte la bechamel con los champiñones y se sirve en seguida.

167.—ARROZ BLANCO CON GAMBAS, RAPE Y MEJILLONES (6 personas)

½ kg. de arroz,
2 cucharadas soperas de harina,
1 raja de rape de 250 gr.,
¼ kg. de gambas,
1 kg. de mejillones,
½ vaso (de los de vino) de vino blanco,
1 cucharada sopera de cebolla picada,
1 hoja de laurel o una ramita de perejil,
70 gr. de mantequilla,

2 cucharadas soperas de aceite fino,
1 cucharada sopera rasada de puré concentrado de tomate (Intercasa),
1½ vaso (de los de agua) de leche fría,
1½ vaso (de los de agua) de caldo de cocer el pescado,
1 cucharada sopera de perejil picado,
agua,
sal.

Se hace el arroz como está explicado anteriormente (receta 165, 1.ª fórmula).

En una sartén se ponen los mejillones, bien lavados y limpios de barbas (que se quitarán con un cuchillo), con el vino blanco. Se tapa con una tapadera y se dejan a fuego lento; unos 10 minutos después están ya abiertos. Se retira el bicho de la concha (si alguno no se ha abierto se tira, pues es señal de que está malo). Si los mejillones son muy grandes se cortan en dos con unas tijeras y se reservan en un plato tapado con otro plato, para que no se sequen.

Se cuela el jugo que han soltado por un colador con un trapito para que no pase la arena que suelen soltar, y se reserva.

En un cazo con agua fría y sal se ponen las cabezas y los desperdicios de las gambas, que se irán pelando y dejando las colas en crudo y enteras. Los desperdicios se cuecen unos 10 minutos y se cuelan también uniendo el agua con la de los mejillones. Se lava y se corta en trozos la raja de rape, reservándola también.

Se hace una bechamel. En una sartén se pone algo menos de la mitad de la mantequilla a calentar con el aceite; se añade la harina y se da un par de vueltas con unas varillas y se va añadiendo poco a poco la leche, alternando con caldo de cocer los mejillones y las cabezas de las gambas. Se deja cocer unos 10 minutos, rectificando de sal y agregando entonces el concentrado de tomate, moviendo bien para que se mezcle y quede la bechamel color de rosa. Esta debe quedar más bien espesa, pues se va a aclarar con las gambas y el rape que están crudos. Se ponen éstos y se deja cocer la bechamel otros 10 minutos a fuego mediano, añadiéndose después los mejillones.

Para servir se moldea el arroz en un molde en forma de corona, una vez rehogado con la mantequilla y sazonado de sal. Se vierte en el centro la bechamel con el pescado. Se espolvorea con perejil picado y está listo para servir.

168.—ARROZ BLANCO CON PECHUGA DE GALLINA, CHAMPIÑONES Y TRUFAS (6 personas)

½ kg. de arroz,
1 pechuga de gallina,
1 puerro pequeño,
1 zanahoria,
½ hoja de laurel,
¼ kg. de champiñones de París,
el zumo de un limón,
2 trufas en rodajitas,

50 gr. de mantequilla,
2 cucharadas soperas de aceite,
1½ vaso (de los de agua) de leche fría,
¼ litro de caldo de cocer la gallina,
2 yemas de huevo,
sal.

Lo primero se tendrá la gallina cocida. Para esto se pone en un puchero pequeño la pechuga (¼ de gallina que sea hermoso), el puerro (sólo la parte blanca) cortado en dos, la zanahoria en rodajas, la ½ hoja de laurel, agua fría que lo cubra todo bien y sal. Se pone a fuego mediano, de ¾ a una hora aproximadamente, comprobando si la gallina está tierna antes de retirarla.

Se hace entonces el arroz blanco como está explicado anteriormente (receta 165, 1.ª fórmula) y se reserva sin rehogar hasta que se vaya a servir.

Se preparan los champiñones lavándolos muy bien al chorro y cepillándolos con un cepillo pequeño. Se separa la cabeza del rabo (quitando en éste la parte arenosa). Se corta todo en rodajitas no muy finas echándolas en agua con zumo de ½ limón a medida que se van cortando. Una vez todos los champiñones limpios, se ponen en un cazo con 25 gr. de mantequilla, unas gotas de limón y sal. Se tapa el cazo con tapadera y se deja a fuego lento unos 10 minutos.

Se hace mientras la bechamel. En una sartén se ponen unos 25 gr. de mantequilla a derretir con el aceite. Cuando está derretida se añade la harina y se da un par de vueltas con unas varillas. Se agrega entonces poco a poco la leche alternando con el caldo de la gallina, se sala y, dando vueltas, se deja cocer unos 15 minutos. Se incorporan a la bechamel los champiñones con su jugo, la trufa y la gallina en trocitos.

Se rehoga el arroz y se moldea en molde en forma de corona. Se vuelca en una fuente.

En un tazón se tendrán las 2 yemas y con un poco de bechamel se deslíen para que no se cuajen. Se agregan a la bechamel, revolviendo bien sin que cueza ya. Se vierte ésta en el centro del arroz y se sirve inmediatamente.

169.—ARROZ BLANCO FRIO CON MAYONESA Y ATUN (6 personas)

½ kg. de arroz blanco, agua y sal,
1 lata de atún al natural de ¼ kg.,

3 tomates para cortar en rodajas,
unas hojas tiernas de lechuga,
1 huevo duro.

Mayonesa:
2 huevos enteros,
2½ vasos (de los de agua) no llenos de aceite fino,
2 cucharadas soperas de vinagre o zumo de limón,
sal.

Se hace la mayonesa con la batidora (receta 94, 2.ª fórmula), que salga más dura.

Se prepara el arroz como va explicado en la receta, 1.ª fórmula (receta 165). Una vez bien escurrido el arroz, se echa un poco de sal y se mueve bien sin rehogarlo.

En una ensaladera grande se mezcla el arroz con un poco más de la mitad de la mayonesa y el atún deshecho en trocitos, reservando un poco para adorno. Se revuelve con una cuchara de madera para que quede bien mezclado todo.

Se unta muy ligeramente con el dedo un poco de aceite fino por una flanera y se mete la mezcla del arroz, atún y mayonesa en ella, apretando un poco para que no quede ningún agujero. Se mete en la nevera al menos durante una hora.

Al ir a servirlo se vuelca, pasando un cuchillo de punta redonda por los bordes de la flanera, en una fuente redonda. Se pone un poco de mayonesa por arriba del flan de arroz y se adorna la fuente con la lechuga, el tomate en rodajas, el atún que se reservó y el huevo duro. Se sirve.

A las rodajas de tomate hay que ponerles un poco de sal y en las hojitas de lechuga una mezcla de atún y mayonesa, para que no queden tan crudas y sin gracia.

El huevo duro se puede poner picado por encima del arroz, o en rodajas, como más guste.

170.—ARROZ BLANCO CON HUEVOS FRITOS (6 personas)

½ kg. de arroz,
agua y sal,
50 gr. de mantequilla,
6 huevos,
12 lonchas finas de bacon,
1 litro de aceite para freír.

Salsa de tomate:
1 kg. de tomates bien maduros,
1 cebolla mediana,
3 cucharadas soperas de aceite frito,
1 cucharada (de las de café) de azúcar,
sal.

Se hace el arroz como está indicado en la receta 165, 1.ª fórmula, y una vez enfriado al chorro del agua se deja en espera.

Se hace la salsa de tomate (véase receta 63) y se reserva al calor.

La mantequilla se pone a derretir en un cazo y se echa el arroz, se rocía de sal y se mueve con una cuchara de madera para que quede bien rehogado. Se coloca en un molde en forma de corona, apretando un poco con una cuchara de madera y se vuelca en una fuente redonda pero sin destapar aún el molde para que no se enfríe el arroz. Se tendrá la fuente en sitio caliente, en espera.

En una sartén se pone el litro de aceite a calentar. Cuando está en su punto (se prueba con una cortecita de pan que ha de freírse dorándose bastante deprisa, pero sin quemarse), se fríen las lonchas de bacon. Después se casca cada huevo en una taza de té y se echa en el aceite para que se fríen con bonita forma redonda.

Cuando todos los huevos están ya fritos se retira el molde del arroz, se vierte la salsa de tomate en el centro y se colocan los huevos salándolos con un poco de sal de mesa, alrededor de la fuente, con las lonchas de bacon entre huevo y huevo. Se sirve en seguida.

171.—ARROZ BLANCO A LA CUBANA (6 personas)

½ kg. de arroz (que no sea de Calasparra),
agua hirviendo abundante,
50 gr. de mantequilla,
sal,

6 huevos,
1 litro de aceite,
6 plátanos medianos.

Se prepara el arroz como se indica en la receta 165, 1.ª fórmula. Una vez lavado se deja en espera, antes de rehogarlo.

En una sartén se pone el litro de aceite a calentar, y cuando está en su punto (se verá con una rebanadita de pan) se fríen los plátanos pelados y cortados en dos quedando todo lo largos que son y la mitad de anchos. Se reservan en un plato al calor (a la boca del horno ligeramente caliente y abierto).

La mantequilla se pone a calentar en una cacerola y se echa el arroz bien escurrido. Se sazona de sal y se rehoga muy bien. Se fríen los huevos de uno en uno, cascándolos cada vez en una taza de té para poder echarlos en el aceite lo más cerca posible y de una vez, para que tengan bonita forma. Se coloca el arroz en una fuente redonda. Alrededor se colocan los huevos fritos y entre medias de cada uno ½ plátano. Los otros medios plátanos se ponen sobre el arroz y se sirve en seguida.

172.—ARROZ BLANCO CON SALSA DE TOMATE, JUDIAS VERDES Y TORTILLA (6 personas)

½ kg. de arroz (que no sea de Calasparra),
80 gr. de mantequilla,
3 cucharadas soperas de aceite,
agua hirviendo,
1 kg. de tomates,
2 cucharadas soperas de aceite frito,

1 cucharada (de las de café) de azúcar,
¾ kg. de judías verdes,
1 pellizco de bicarbonato,
3 huevos,
sal.

Se hace la salsa de tomate más bien espesa, como se indica en la receta 63.

Se prepara el arroz blanco según se explica en la receta 165, 1.ª fórmula, y se deja en reserva una vez refrescado.

Se pelan de hilos las judías verdes y si son anchas se parten en trozos pequeños para que formen cuadraditos. Se lavan en agua

fresca y se cuecen en agua hirviendo abundante y sal, y un pellizco de bicarbonato, durante unos 20 minutos (según la clase y
lo frescas que sean las judías). Se escurren después de cocidas
y se rehogan con la mitad de la mantequilla que se tiene. Se hace
una tortilla con los 3 huevos: se ponen 3 cucharadas soperas de
aceite a calentar en una sartén mediana, y una vez bien batidos
los huevos con un tenedor y sazonados de sal, se vierten en la
sartén dejando la tortilla extendida como si fuera una tortilla de
patata. Se vuelve con una tapadera cuando está cuajada por un
lado y se reserva en la sartén al calor.

En una fuente alargada se pone en el centro el arroz, después de
rehogado éste. Alrededor del arroz se echa la salsa de tomate. En
el copete y a lo largo del arroz, las judías verdes rehogadas y la
tortilla cortada a tiras de 1 dedo de ancho adornando la fuente. Se
sirve en seguida.

173.—ARROZ BLANCO FRIO CON VERDURAS Y VINA-
GRETA (6 personas)

400 gr. de arroz (que no sea de
   Calasparra),
  ¾ kg. de judías verdes, o
1½ kg. de guisantes (o una lata
   grande),
  ½ kg. de tomates bien maduros,
   unas hojas blancas de lechuga,

3 huevos duros,
  una salsera con sal, aceite,
  vinagre, una cucharada (de
  las de café) de perejil muy
  picado y 1 huevo duro
  muy picado,
  sal.

Se hace el arroz blanco como se indica en la receta 165, 1.ª fórmula. Una vez que se ha refrescado al chorro, está ya listo para
ponerlo en un molde en forma de corona. Sólo hay que rociarlo
de sal fina en el mismo colador y hacerlo saltar en él para que
se sale por igual, pero no hay que rehogarlo, puesto que se
come frío.

Se lavan, pelan de hilos y cortan en trocitos pequeños las judías
verdes y se ponen a cocer en agua abundante hirviendo y con
sal (se cuecen destapadas). Cuando vuelve a romper el hervor se
dejan de 20 a 30 minutos, según la clase de judías. Se puede
añadir al agua de cocerlas un pellizco de bicarbonato para que
resulten más verdes.

Si son guisantes frescos, se cuecen, una vez desgranados, en agua abundante hirviendo y con sal. Cuando están tiernos (depende de la clase) se escurren bien y se dejan enfriar.

Lavar y cortar los tomates en rodajas.

En una fuente se pone el arroz moldeado en corona con un molde que se retira. Se coloca en el centro del mismo la verdura (guisantes o judías verdes), y alrededor las hojas de lechuga con los tomates cortados en rodajas, alternando. Se adorna con el huevo duro cortado en gajos finos y se sirve con la vinagreta aparte (receta 89).

Se puede meter la fuente un rato en la nevera, en verano, pero no más de una hora.

174.—ENSALADA FRIA DE ARROZ (6 personas)

½ kg. de arroz (para blanco),
¾ kg. de tomates (4 medianos),
1 pimiento rojo de lata,
¼ kg. de champiñones frescos, el zumo de 1 limón,
2 cucharadas soperas de perejil picado,

1 huevo duro,
2 cucharadas soperas de vinagre,
6 cucharadas soperas de aceite, sal.

Se cuece el arroz como para blanco, según la fórmula 1.ª (receta 165). Cuando está refrescado se escurre bien y se reserva (sin rehogar).

Se lavan, pelan y vacían de sus pepitas los tomates. Se cortan en trocitos, se espolvorean de sal y se reservan para que suelten su agua.

Se lavan muy bien los champiñones y se les quitan las partes con tierra. Se cortan en láminas finas y se ponen en agua con el zumo de medio limón. Se escurren en seguida y se rocían con el zumo del otro medio limón, moviéndolos para que todos se empapen del zumo y así no se pongan negros.

En una ensaladera se pone el arroz mezclado con los trozos de tomate, los champiñones, el pimiento cortado en cuadraditos pequeños y el perejil. Se hace una vinagreta y se rocía por encima, mezclando todo bien. En el momento de servir, se pica el huevo duro y se espolvorea la ensaladilla.

Esta se puede servir en la misma ensaladera o en una fuente adornada con unas hojas de lechuga alrededor.

175.—ARROZ BLANCO CON GALLINA (6 personas)

1 gallina de 1½ kg. (tierna),
½ kg. de arroz (que no sea de Calasparra),
2 zanahorias (medianas),
1 cebolla mediana (80 gr.),
2 clavos (especia),
1 hoja de laurel,
1 vaso (de los de vino) de vino blanco,
80 gr. de mantequilla,

2 cucharadas soperas de aceite fino,
1 cucharada (de las de café) de perejil picado,
2 cucharadas soperas de harina,
2 yemas de huevo,
½ cucharadita (de las de moka) de concentrado de carne (Liebig, Bovril, etc.), agua y sal.

En una olla con agua fría abundante y sal se pone la gallina entera, bien cubierta por el agua. Se añade la cebolla con los 2 clavos pinchados, la hoja de laurel, las zanahorias lavadas y raspada la piel y cortadas en rodajas gruesas, y el vino blanco. Se cubre la olla con su tapadera y se pone al fuego. Cuando rompe el hervor se baja éste para que, sin dejar de cocer, lo haga lentamente. Se le quita de vez en cuando la espuma que se le forma por encima con una espumadera y se deja cocer (según sea de tierna la gallina) de 1½ a 3 horas. Se prueba si está tierna pinchándola con un tenedor entre el muslo y la pechuga.

Durante este tiempo se hace aparte el arroz blanco (receta 165, 1.ª fórmula).

Uan vez cocida la gallina, se saca del caldo y se trincha, volviéndola a poner en parte del caldo para que no se enfríe.

Se hace la salsa: en una sartén se pone la mitad de la mantequilla a derretir con el aceite; cuando está en su punto se añade la harina y, en seguida (sin que ésta tome color), el caldo de cocer la gallina, moviendo bien con unas varillas para que no se formen grumos. Para que haya salsa abundante se empleará de ¾ a 1 litro de caldo.

En un tazón se ponen las yemas y se deslíen poco a poco con unas cucharadas de salsa (teniendo cuidado de que no se cuajen). Se incorporan a la salsa junto con el concentrado de carne y el perejil picado. Se prueba por si hubiese que rectificar de sal la salsa. Se echa dentro de la misma la gallina partida y se reserva al calor, cuidando mucho de que no cueza la salsa.

Después se sala y se rehoga el arroz, poniéndolo en un molde en forma de corona. Se vuelca en una fuente redonda y, en el centro, se coloca la gallina con la salsa.

Se sirve en seguida, cuidando de poner en la mesa los platos calientes.

176.—ARROZ BLANCO CON TERNERA (6 personas)

1½ a 2 kg. de pecho de ternera,
½ kg. de arroz,
2 zanahorias medianas,
1 cebolla mediana (80 gr.),
2 clavos (especia),
1 hoja de laurel,
1 vaso (de los de vino) de vino blanco,
80 gr. de mantequilla,

2 cucharadas soperas de aceite fino,
1 cucharada (de las de café) de perejil picado,
2 cucharadas soperas de harina,
2 yemas de huevo,
½ cucharadita (de las de moka) de concentrado de carne (Liebig, Bovril, etc.),
agua y sal.

Se procede exactamente como en la receta anterior, cambiando la gallina por carne. Esta hace más espuma que la gallina y habrá que quitársela varias veces.

177.—ARROZ BLANCO CON RIÑONES (6 personas)

1 riñón de ternera (500 gr.),
½ kg. de arroz,
1 vaso (de los de vino) de jerez,
5 cucharadas soperas de aceite,
2 cucharadas soperas de harina,

2 vasos (de los de agua) de agua,
40 gr. de mantequilla,
agua,
sal.

Se limpian y lavan los riñones como va especificado en la receta 919, 1.ª manera.
Se hará ahora el arroz blanco (receta 165, 1.ª fórmula) y, una vez refrescado, se deja en espera.
Hacer la salsa: en una sartén se pone el aceite a calentar. Se echa la harina y, moviendo con unas varillas, se deja que tome color tostado (unos minutos). Se añade entonces el vino, el agua y la sal, moviendo para que no se formen grumos. Se deja cocer esta salsa unos 5 minutos y luego se incorporan los trocitos de riñones para que cuezan otros 5 minutos.
Se rehoga y se sala el arroz y se le da forma en un molde en corona.
Se vuelca en una fuente y se ponen los riñones con su salsa en el centro, sirviendo el plato en seguida.

178.—ARROZ DE ADORNO, AMARILLO Y CON GUISANTES (6 personas)

½ kg. de arroz (que no sea de Calasparra),
1 lata pequeña de guisantes finos de 100 gr. (o un puñado

de guisantes frescos cocidos),
unas hebras de azafrán,
40 gr. de mantequilla,
agua y sal.

Se procede como para el arroz blanco (receta 165), únicamente se machacan las hebras de azafrán en el mortero, primero solas y después de hechas polvo con un par de cucharadas de agua. Este agua se añade a la que se pondrá para cocer el arroz.
Si son de conserva, los guisantes se pondrán a calentar en su lata, abierta y en un cazo con agua caliente (al baño maría). Se incorporarán cuando se vaya a rehogar el arroz con mantequilla, quedando mezclados con éste.

179.—ARROZ AMARILLO CON HUEVOS REVUELTOS (6 personas)

½ kg. de arroz,
1 lata pequeña de guisantes finos,
unas hebras de azafrán,
40 gr. de mantequilla,
agua y sal.

Huevos:
8 huevos,
20 gr. de mantequilla,
3 cucharadas soperas de leche,
¼ kg. de gambas ó 2 trufas,
sal.

El arroz se prepara como se explica en la receta anterior, teniéndolo al calor una vez rehogado y añadidos los guisantes. Hay que tenerlo preparado, ya que los huevos revueltos no pueden esperar cuando están en su punto.

En un cazo se ponen los huevos enteros, la mantequilla, la leche y la sal. Si se hace con gambas, éstas estarán peladas y cortadas las colas en dos, puestas con los huevos, crudas. Si es con trufas, se cortarán en rodajitas finas, poniéndolas cuando los huevos estén a medio hacer.

En una sartén grande y profunda se tendrá agua hirviendo y se mete dentro el cazo con todos los ingredientes (al baño maría). Se da vueltas rápidamente con un tenedor apurando bien los bordes del cazo, que es donde los huevos se cuajan antes. Cuando se ve que los huevos se van poniendo cremosos hay que retirar el cazo del agua, pues los huevos terminan de cuajarse, moviéndolos bien antes de echarlos en la fuente (el tiempo varía según gusten los huevos revueltos más o menos cuajados; suelen ser unos 10 minutos, pero dependerá del gusto de cada cual).

Se pone el arroz en una fuente alargada, todo a lo largo y ocupando la mitad de la fuente. En la otra mitad se ponen los huevos revueltos y se sirve en seguida.

180.—ARROZ MILANESA (6 personas)

½ kg. de arroz,
1 cebolla mediana,
100 gr. de jamón serrano,
100 gr. de chorizo,
1 lata de guisantes de ¼ kg.,

100 gr. de queso de Parma rallado,
agua y sal,
3 cucharadas soperas de aceite.

En un cazo se pone agua abundante (3 litros para el ½ kg.) y cuando rompe a hervir se echa el arroz, dejándolo cocer 15 minutos más o menos (según la clase de arroz). Cuando está en su punto, se cuela por un colador grande y se lava con agua fría al chorro.

En una sartén grande se ponen las 3 cucharadas de aceite y la cebolla muy picadita. Cuando está un poco dorada, se echa el jamón y el chorizo picado a cuadraditos muy pequeños. Se les da unas vueltas y se incorpora entonces el arroz, revolviendo muy bien con una cuchara de madera para que se mezcle y se caliente todo por igual. Cuando está bien movido (unos 5 minutos), se le agrega la sal necesaria y luego los guisantes escurridos de su jugo. Se revuelve otro poquito.

Se sirve en una fuente con el queso rallado aparte, para que cada cual se ponga lo que guste.

181.—ARROZ AL CURRY (6 personas)

½ kg. de arroz (para blanco),
¼ kg. de champiñones de París,
1 lata pequeña de guisantes (100 gr.),
1 lata pequeña de pimiento rojo (100 gr.),
50 gr. de mantequilla,

2 cucharadas soperas de aceite fino,
1 cucharadita (de las de moka) de curry,
el zumo de 1 limón,
agua y sal.
Adorno:
2 huevos duros en rodajas, o lonchas de bacon fritas.

Se cuece el arroz según está explicado en la receta anterior (arroz milanesa).

Mientras se hace el arroz, se preparan los champiñones. Se cepillan y lavan muy bien con agua y el zumo de ½ limón para quitarles toda la tierra. Se parten en trocitos y en un cazo se ponen con 15 gr. de mantequilla, unas gotas de zumo de limón y un poco de sal. Se tapa el cazo con su tapadera y se dejan más o menos unos 15 minutos, moviéndolos de vez en cuando.

Al ir a servir el arroz se rehoga con el resto de la mantequilla y el aceite, el curry, los champiñones con su jugo, los guisantes y el pimiento cortado a cuadraditos de 1 cm., agregando la sal.

Se revuelve todo muy bien junto y se sirve en una fuente, adornándolo con rodajas de huevo duro o con lonchitas de bacon fritas.

182.—ARROZ CON TOMATE, SALCHICHAS, GUISANTES Y PIMIENTOS (6 personas)

2 tazones de arroz de Calasparra (600 gr.),
²/₃ de vaso (de los de agua) de aceite,
1 cebolla grande (100 gr.),
1 diente de ajo.
1 ramita de perejil,
1 tazón de salsa de tomate (¾ kg. de tomates),

3 tazones de agua caliente,
1 lata pequeña de guisantes,
1 lata pequeña de pimientos rojos (100 gr.),
4 salchichas frescas,
1 pastilla de caldo (Avecrem o Starlux, de pollo),
sal.

Se tendrá hecha una salsa de tomate, de antemano, con ¾ de kg. de tomates (receta 63).

En una cacerola o paellera se pone el aceite a calentar. Se le añade la cebolla pelada y picada menuda. En un mortero se machaca el diente de ajo, pelado, y el perejil con un poco de sal (para que no se escurra el ajo). Una vez que la cebolla está transparente (unos 5 minutos), se incorpora lo del mortero, el tomate y las salchichas, partidas en dos (con tijeras), para que se rehoguen un poco. Luego se añade el arroz, moviéndolo con una cuchara de madera durante unos 3 ó 4 minutos. Se agregan los tazones de agua con la pastilla de caldo desleída en agua caliente. Se echa la sal (con cuidado, ya que el ajo llevaba sal y el caldo es salado también) y el pimiento cortado en tiras no muy largas. Se mete la cacerola en el horno con calor mediano (y previamente calentado). Se revuelve unas cuantas veces para que quede el arroz bien suelto. En una de las últimas veces se agregan los guisantes. Cuando el agua está consumida (unos 20 minutos más o menos), está el arroz para servir y se dejará unos 5 minutos fuera del horno para que repose.

Nota.—Si se hace menos cantidad de arroz, se pondrá menos tomate del correspondiente, añadiendo entonces un poco de agua para que quede completo el volumen de agua de los tazones.

183.—PAELLA SENCILLA (8 personas)

$2/3$ vaso (de los de agua) de aceite,
2 tazones de arroz de Calaspa-rra (600 gr. más o menos),
5 tazones de caldo de pescado,
$1/4$ kg. de gambas,
1 calamar mediano,
$1/2$ kg. de chirlas o 1 kg. de me-jillones,
1 rajita de rape ($1/4$ kg.),
$1/2$ chorizo en rajitas (quitada la piel),
1 pimiento verde (si es tiem-po de ello),

1 pimiento colorado fresco, asa-do o de lata,
1 lata pequeña de guisantes (100 gr.),
1 cebolla pequeña (70 gr.),
2 tomates frescos medianos, unas hebras de azafrán en rama,
1 trozo de diente de ajo (me-nos de la $1/2$),
1 ramita de perejil, sal.

En una sartén se pone la mitad del aceite a calentar y una vez caliente se echa la cebolla picada y al ratito (unos 5 minutos) los tomates cortados en trozos, quitadas las simientes y pelados. Se deja rehogar todo esto unos 5 minutos, machacando los tomates con el canto de una espumadera. Se pasa luego por el pasapurés y se echa en la paellera.

En un cazo se ponen a cocer en agua fría salada el hueso del rape y todas las cáscaras de las gambas, reservando las colas aparte. En otro cazo se cuecen las chirlas con poca agua (muy lavadas antes con agua y sal). En cuanto se abren las conchas se retiran del fuego y se quita la mitad de las conchas que no tienen el bicho, reservando las otras mitades y colando por un colador muy fino o por una gasa el caldo donde han cocido, así como el de los desperdicios de las gambas.

En la paellera donde se va a servir el arroz se pone el resto del aceite con el refrito que ya está. Si hay pimiento verde, se echa entonces para que se fría un poco, en trocitos cuadrados de unos 3 cm. Luego se va echando el calamar en tiritas de $1/2$ cm. de ancho y 4 cm. de largo, o en redondeles el cuerpo, el rape a trocitos y el arroz. Se dan unas vueltas con una cuchara de ma-dera, sin que tome color. Se echa sal y, por fin, el caldo de los desperdicios y de las chirlas caliente, pero no hirviendo. Este se completa con agua caliente si no hubiese lo suficiente, es decir, los 5 tazones de caldo. Se mueve un poco la paellera por las asas para que quede el caldo bien repartido. Todo esto debe ha-cerse a fuego mediano.

Mientras tanto, en un mortero se machaca el poquito de ajo, el perejil y el azafrán, con un poquito de sal para que no se escurra, y se moja con un par de cucharadas soperas de agua templada. Se vierte esta mezcla sobre el arroz y se mueve el caldo con las asas de la paellera, o por encima con una cuchara, para que quede bien repartido. Se incorporan ahora las colas de gambas bien re-partidas y cuando está a medio consumir el caldo se pone bien dispuesto, para que haga bonito, el pimiento rojo en tiritas, las chirlas o los mejillones, los guisantes y el chorizo.

Se suele dejar, desde el momento de poner el caldo, unos 20 mi-nutos, pero esto depende de la clase de arroz.

Una vez que está tierno el arroz y consumido el caldo, se pone la paellera fuera del fuego, sobre una bayeta mojada, dejando que repose unos 5 minutos. Se sirve con unos gajos grandes de limón sin pelar y enganchados en el filo de la paellera para que adorne ésta. Hay a quien le gusta usar el limón y echar unas gotas sobre la paella servida en su plato. También hay quien acostumbra poner unas gotas de limón cuando ha echado el caldo en el arroz, ya que el limón le hace quedar bien suelto.

184.—PAELLA DE POLLO

Se trincha el pollo en trozos no grandes y se fríen, lo primero, en el aceite de la paella, unos 10 minutos. Se retiran en un plato, se hace la paella como se ha indicado en la receta anterior, volviendo a poner el pollo cuando se incorporan las gambas; después se procede como acabamos de ver para todo lo demás.

185.—PAELLA CON TROPEZONES DE COCIDO (6 personas)

2 tazones de arroz de Calasparra (600 gr. más o menos),
¼ de gallina,
1 morcilla
1 chorizo
150 gr. de tocino
1 puñado de garbanzos
} Todo esto del cocido hecho el día anterior.
1 lata pequeña de guisantes (100 gr.),
1 pimiento colorado (asado o de lata),

1 vaso (de los de agua) no lleno de aceite,
1 cebolla pequeña (unos 70 gr.),
4 tazones (del mismo tamaño) de caldo del cocido,
1 tomate fresco grandecito y bien colorado,
unas hebras de azafrán,
1 trozo de diente de ajo (menos de ½),
1 ramita de perejil,
sal.

En una sartén se pone la mitad del aceite y cuando está caliente se echa la cebolla picada, se le da unas vueltas durante unos 5 minutos; después se añade el tomate cortado en trozos y quitadas las pepitas. Se deja rehogar, machacándolo con el canto de una espumadera. Pasados de 5 a 10 minutos, se pasa todo por el pasapurés y se echa el refrito en la paellera con el resto del aceite. El fuego tiene que ser mediano. Cuando todo está caliente, se echa el tocino, la pechuga, la morcilla (cortados en trozos y la morcilla en rodajas) y la mitad de los garbanzos. Seguidamente se echará el arroz, se le da unas vueltas con una cuchara de madera y se vierte ya el caldo caliente (no cociendo) por encima. Se mueve la paellera por las asas para que quede bien repartido todo.
En el mortero se machaca el ajo, el perejil y el azafrán con un poco de sal y se moja con un par de cucharadas soperas de agua templada. Esto se incorpora también a la paellera, dándole unas vueltas con una cuchara de madera rápidamente.
Se deja así unos 15 minutos, y cuando está consumido el caldo se disponen los guisantes, el resto de los garbanzos, el chorizo, la morcilla en rodajas y las tiras de pimiento hasta que se termine de hacer la paella y consumir el caldo (suele tardar unos 20 minutos, pero depende de la clase de arroz).

Cuando esté tierno el arroz, se retira del fuego, se pone la paellera sobre una bayeta mojada para que repose unos 5 minutos antes de servirlo.

186.—PAELLITA CON BACALAO (6 personas)

350 gr. de bacalao,
2 tazones de arroz de Calasparra (600 gr.),
4 tazones de caldo (o agua con una o dos pastillas de Avecrem, Starlux, etc., de pollo),
1½ vaso (de los de vino) de aceite,
1 lata pequeña de guisantes (100 gr.),
1 lata pequeña de pimientos rojos,
½ kg. de tomates rojos,
1 cebolla grande (100 gr.),
1 cucharada (de las de café) rasada de pimentón,
2 dientes de ajo,
1 cucharada (de las de café) de perejil picado,
unas hebritas de azafrán,
2 cucharadas soperas de agua,
1 plato de harina,
sal.

Se pone el bacalao a desalar en una cacerola con agua fría, por lo menos 12 horas antes de usarlo (o sea, la víspera por la noche). Para desalarlo bien hay que cambiarle el agua por lo menos 4 veces; pero cada vez deben sacarse los trozos de la cacerola y enjuagarla bien, pues la sal se queda depositada en el fondo.
Una vez desalados, se ponen los trozos de bacalao en un paño limpio y se secan bien; se parten en trozos pequeños y se envuelven en harina, sacudiendo ésta para que quede muy poca.
En una sartén se pone el aceite a calentar y se fríe el bacalao, que se reserva en un plato.
En una paellera se pone el ½ vaso de aceite (del que ha sobrado de freír el bacalao) a calentar. Se fríen la cebolla y 1 diente de ajo, todo ello muy picado, unos 5 minutos, dando vueltas con una cuchara de madera. Se añade entonces el pimentón y después los tomates, pelados y quitadas las pepitas; se refríe unos 10 minutos, machacando con el canto de una espumadera. Se agrega el arroz y se dan unas vueltas, pero sin que tome color; se incorpora el bacalao y la sal (poca) y, por fin, el caldo caliente.
En un mortero se machacan las hebras de azafrán, el otro diente de ajo con un poco de sal (para que el ajo no resbale), se moja esto con un par de cucharadas soperas de agua y se añade el arroz, dando una vuelta al caldo, para que quede bien mezclado, y moviendo la paellera por las asas. A los 15 minutos, cuando el arroz se va quedando algo más seco, se echan los guisantes y el perejil y se coloca el pimiento en tiritas para que quede bonita la fuente. Se deja otros 5 minutos (este tiempo depende de la clase de arroz).
Antes de servir se deja la paellera fuera de la lumbre y sobre una bayeta mojada y escurrida, en reposo, unos 5 minutos.
Se sirve entonces en la misma paellera.

187.—SOUFFLE DE ARROZ BLANCO (6 personas)
   (véase receta 500)

LEGUMBRES

GARBANZOS

188.—COCIDO (6 personas)
(véase receta 106)

189.—RESTOS DE COCIDO EN FORMA DE BUDIN (6 personas)

El volumen de 3 ó 4 tazones de desayuno de resto de cocido, es decir: garbanzos, verduras, zanahorias, patatas, carne, chorizo, etc.

3 huevos,   **pan rallado.**
  un poco de aceite fino,

Salsa de tomate: aparte, en salsera (receta 63).
Se pasa por la máquina de picar la carne todo lo que queda del cocido. Se añade a esto las 3 yemas, se mezcla bien y se agregan las 3 claras a punto de nieve muy firme, suavemente para que no se bajen.
Se unta con aceite fino un molde de cake largo y se espolvorea ligeramente con pan rallado.
Se mete al horno mediano previamente calentado y al baño maría. Se deja de 20 a 30 minutos más o menos. Se saca, se desmolda y se sirve con salsa de tomate aparte.

190.—GARBANZOS ALIÑADOS (6 personas)

¾ kg. de garbanzos,
 1 pellizco de bicarbonato,
 1 hueso de codillo más bien grasiento,
 2 puerros medianos (sólo lo blanco),
¼ kg. de zanahorias (3 medianas),
 3 tomates medianos,
  sal y agua.

Salsa:
 3 cucharadas soperas de vinagre,
 9 cucharadas soperas de aceite fino,
 2 cucharadas soperas de caldo de cocer los garbanzos,
 2 huevos duros picados (½ se deja para adornar la fuente de garbanzos),
 1 cucharada (de las de café) de perejil picado,
 1 cucharada (de las de café) de cebolla picada,
  sal.

Se ponen los garbanzos en remojo, por lo menos 12 horas antes de hacerlos, con un pellizco de bicarbonato y un poco de sal, en agua templada. Después de estar en remojo, se lavan bien para que no les quede nada de bicarbonato y se ponen en agua caliente (pero no hirviendo) con sal, el codillo, los puerros pelados y lavados y las zanahorias, igualmente lavadas y raspada la piel con un cuchillo. Si éstas son grandes, se cortan en dos a lo largo. Se pone a fuego mediano más bien lento.

Se dejan cocer el tiempo necesario (éste dependerá de la clase de los garbanzos y del agua: la más fina es la mejor, y la que tiene más cal, la peor). Deberán cocer de 2 a 3 horas.

Una vez cocidos, se escurren bien de su caldo y se ponen en una fuente redonda en un montón. Se adorna la fuente todo alrededor con rodajas de tomate, y encima de los garbanzos, en estrella, se ponen las zanahorias con ½ huevo duro picado en el copete.

Se sirve con una salsera de vinagreta aparte, en la cual se pone el aceite, el vinagre, el caldo, la sal, 1½ huevo duro picado, el perejil muy picado y la cebolla (facultativo) muy picada también.

Nota.—El caldo de cocer los garbanzos es muy bueno y se puede utilizar para cocer arroz, hacer una sopa, etc.

191.—GARBANZOS REFRITOS (6 personas)

½ kg. de garbanzos,
100 gr. de manteca de cerdo,
 1 cebolla mediana (100 gr.),
 3 tomates medianos bien maduros,

1 cucharada (de las de café) de pimentón,
½ chorizo de cantimpalos, agua y sal.

Se ponen los garbanzos en remojo la víspera (o unas 12 horas antes) en agua que no esté muy fría, con un pellizco de bicarbonato y un poco de sal. Después de remojados y antes de cocer, se lavan bien para que no les quede bicarbonato.

Se pone una olla con agua y sal. Cuando va a empezar a hervir (hace burbujas alrededor), se echan los garbanzos. Se cubre la olla y se dejan cocer a fuego mediano hasta que estén tiernos, pero sin que se deshagan (más o menos 2 horas, pero este tiempo depende de la clase de los garbanzos).

Mientras cuecen, se hace el refrito en una sartén. Se pone a derretir la manteca de cerdo; cuando está caliente se le añade la cebolla pelada y muy picada. Se rehoga unos 5 minutos hasta que se pone transparente. Se le agrega entonces los tomates pelados y cortados en trozos pequeños y quitadas las simientes. Se machaca bien con el canto de una espumadera. Se refríen durante unos 10 minutos. Se añade el pimentón y el chorizo, pelado y cortado en lonchitas muy finas. Se revuelve todo y se reserva fuera del fuego (para que no se queme el pimentón).

Una vez cocidos los garbanzos, se escurren bien de su caldo y se echan en la sartén. Se ponen a fuego vivo, se revuelven bien durante 5 minutos y se sirven bien calientes en una fuente.

Nota.—Se puede aprovechar un resto de garbanzos del cocido del día anterior. Se tendrán removiéndolos en la sartén algo más de tiempo para calentarlos bien.

192.—POTAJE CON ESPINACAS (6 personas)

½ kg. de garbanzos,
1 kg. de espinacas,
200 gr. de bacalao,
2 cebollas pequeñas (100 gr. las 2),
6 cucharadas soperas de aceite,
1 hoja de laurel,
½ cabeza de ajo pequeña,

1 diente de ajo,
1 cucharada (de las de café) rasada de pimentón,
1 ramita de perejil,
1 tomate grandecito,
1 cucharada sopera de harina, sal, agua y un pellizco de bicarbonato.

La víspera de hacer el potaje se ponen los garbanzos en remojo en agua templada (quitado el frío), con sal y un pellizco de bicarbonato (esto, si el agua no es fina).

En agua fría se pone en remojo el bacalao y se le cambia el agua unas 3 ó 4 veces, sacando cada vez el bacalao del cazo y enjuagando éste bien para que la sal no se quede en el fondo.

Cuando se vaya a hacer el potaje, se lavan muy bien los garbanzos y se ponen en una olla con agua caliente (pero no hirviendo), con la ½ cabeza de ajo entera, la hoja de laurel y una cebolla pelada y entera. Se deja de 2¼ a 2½ horas a fuego mediano, después de lo cual se incorpora el bacalao, dejándolo cocer otra ½ hora.

Se lavan muy bien las espinacas, quitándoles los tallos, y se echan en la olla, cociendo unos 15 minutos.

En una sartén se pone el aceite a calentar; se refríe la cebolla pelada y muy picada, sin que tome demasiado color (10 minutos); se añade el tomate cortado y quitadas las pepitas. Un poco después se echa la harina, que se freirá bien, y, por fin, el pimentón. Seguidamente se pasa por el pasapurés, echando esta salsa en la olla de los garbanzos. Se prueba entonces de sal y se rectifica si hace falta.

En un mortero se machaca el perejil con el diente de ajo y se le añade una cucharada sopera de caldo de la olla. Se echa dentro y se mueve bien.

Se deja cocer durante unos 15 ó 20 minutos todo junto. Se sirve en sopera.

Hay quien pone unas bolitas que se hacen con 1 huevo batido como para tortilla, una miga de pan (tamaño de un huevo grande), desmenuzada, y ajo y perejil muy picadito (1 diente y 2 ramitas de perejil). Con todo esto se hace una masa, con la cual se formarán unas bolitas o una sola morcilla grande. Se envuelven en pan rallado y se fríen. Se echan después de incorporar el refrito.

193.—POTAJE CON ARROZ Y PATATAS (6 personas)

400 gr. de garbanzos,
½ kg. de patatas (3 grandes),
¼ kg. de arroz,
2 cucharadas soperas de aceite,
1 cebolla mediana (80 gr.),
2 clavos (especia),

1 diente de ajo,
1 ramita de perejil,
unas hebras de azafrán,
sal,
1 pellizco de bicarbonato,
agua.

Se ponen los garbanzos en remojo con agua templada (no fría), por lo menos 12 horas antes de cocerlos, con un poco de sal y un pellizco de bicarbonato.

Cuando se van a cocer, se lavan muy bien varias veces y se echan en agua caliente (no hirviendo) con un poco de sal y las 2 cucharadas de aceite.

Se pela la cebolla, se le pinchan los 2 clavos y se mete al horno hasta que esté tostada por fuera, y se echará asimismo en el agua con los garbanzos, que se tendrán cociendo a fuego mediano unas 2½ horas. Este tiempo depende de la clase de los garbanzos y del agua. Cuando los garbanzos empiezan a estar tiernos pero bien enteros, se añaden las patatas, cortadas a cuadraditos y bien lavadas. Se dejan cocer unos 15 minutos, se les agrega el arroz y se cuecen otros 20 minutos más.

Después de incorporado el arroz, se pone en el mortero el diente de ajo con las hebras de azafrán, el perejil y un poco de sal. Se machaca todo bien y se añade un par de cucharadas soperas del caldo donde están cociendo los garbanzos. Se echa con los garbanzos el contenido del mortero, se prueba de sal y se rectifica si hiciese falta.

Se sirve en sopera.

JUDIAS

194.—JUDIAS BLANCAS GUISADAS (6 personas)

700 gr. de judías blancas,	2 cebollas pequeñas (100 gr. las 2),
½ cabeza de ajo entera y asada,	1 cucharada sopera de harina,
1 hoja de laurel,	1 cucharada (de las de café) de pimentón,
1 chorizo o una morcilla asturiana,	sal.
4 cucharadas soperas de aceite,	

Si las judías son del año, no se deben poner en remojo; si no se tiene seguridad de que sean tiernas, se pondrán en remojo en agua fría unas 3 horas antes de cocerlas.

Se ponen las judías en agua fría sin nada (ni sal), de modo que el agua sólo las cubra, y se tapan con la tapadera. Cuando rompe el hervor se escurre el agua y se vuelve a poner nueva, añadiendo entonces la cabeza de ajo asada (para ello se arrima la cabeza de ajo al fuego, debajo de la cacerola donde cuecen las judías, dándole vuelta para que se ase por igual por todos lados), la hoja de laurel y una cebolla entera, así como el chorizo o la morcilla enteros.

Se dejan cocer 2 horas más o menos (según la clase de las judías), añadiéndoles durante este tiempo unas 3 veces agua fría para cortarles la cocción. Cuando están tiernas las judías, se les agrega el siguiente refrito:

En una sartén se calienta el aceite, se refríe la cebolla picada y después que está dorada se añade la harina, dejándola que tome un poco de color y moviendo con una cuchara de madera. Pasa-

dos 10 minutos se le echa el pimentón y 3 ó 4 cucharadas del caldo de las judías. Se pasa por el pasapurés el refrito, echándolo dentro de la cacerola donde cuecen las judías. Se echa ahora la sal. Se quita el chorizo y la hojita de laurel (ésta se tira) y el chorizo se corta en rodajas, que se vuelven a echar en las judías.
Se sirven estas judías en sopera.

195.—JUDIAS BLANCAS EN ENSALADA (6 personas)

700 gr. de judías blancas,
  1 cebolla pequeña (50 gr.),
  1 hoja de laurel,
  1 cucharada (de las de café) de perejil picado,
  1 cucharada sopera de cebolla muy picada,

3 cucharadas soperas de buen vinagre,
9 cucharadas soperas de aceite fino,
sal.

Se ponen las judías en una cacerola con agua fría sin sal y cubiertas con tapadera; cuando dan el primer hervor, se tira ese agua y se pone otra que las cubra bien.
Se les añade una cebolla pelada y cortada en dos cascos y una hoja de laurel.
Se dejan cocer unas 2 horas a fuego mediano, echándoles durante este tiempo tres veces un chorrito de agua fría que les corte el hervor y que les reponga el agua que han consumido.
Una vez tiernas pero enteras (el tiempo depende de la clase de las judías), se escurren de su caldo y se retira el laurel y la cebolla. Se dejan enfriar o templar y se las pone en una ensaladera. Se aliñan con sal, aceite y buen vinagre, se espolvorean con el perejil y la cebolla picada y se mueven bien.
Se sirven así o adornadas con unas rodajas de tomate.

196.—JUDIAS BLANCAS CON COSTRA (6 personas)

600 gr. de judías blancas,
  1 hojita de laurel,
  agua,
  1 kg. de tomates,
  1 cebolla mediana y ½ pequeña,

4 cucharadas soperas de aceite,
1 cucharada (de las de café) de azúcar,
1 lata de guisantes,
3 huevos,
sal.

Se ponen las judías en agua fría sin nada (ni sal) y tapadas con la tapadera. Cuando rompe el hervor, se tira el agua y se pone otra vez agua fría que sólo las cubra, con una hoja de laurel y la cebolla mediana partida en dos. Se dejan cocer unas 2 horas a fuego mediano, añadiendo durante este tiempo agua fría por tres veces, para reponer la que hayan consumido.
Mientras tanto, en una sartén, se pone el aceite a calentar, se echa la cebolla muy picada, que se cueza un poco pero sin dorarse (unos 10 minutos). Se echan después los tomates bien lavados y partidos en trozos. Con el canto de una espumadera se machacan bien y se dejan unos 15 minutos para que se haga la

salsa. Se pasa por el pasapurés y se vuelve a poner en la sartén añadiendo entonces la sal y el azúcar.

Se escurren entonces las judías en un colador grande y se revuelven con la salsa de tomate y la mitad del bote de guisantes (escurridos de su caldo). Se sazonan de sal y se ponen en una fuente de barro, porcelana o cristal resistente al horno. Se pone el resto de los guisantes por encima. Se baten los 3 huevos como para tortilla y se vierten por encima de las judías.

Se mete la fuente a gratinar a fuego vivo, y, cuando los huevos están cuajados (10 minutos más o menos), se sirven en su misma fuente.

197.—JUDIAS BLANCAS CON SALCHICHAS Y TOCINO
(6 personas)

½ kg. de judías del Barco de Avila (grandes),
6 salchichas de Frankfurt,
6 salchichas frescas,
2 lonchas (de ½ cm. de grueso) de bacon,
¼ kg. de punta de jamón,
1 ramillete (perejil, una hoja de laurel, 1 diente de ajo),
40 gr. de mantequilla,
agua fría,
3 cucharadas soperas de aceite,
1 cucharada (de las de café) de perejil picado,
sal.

Se ponen las judías en remojo en agua fría unas 2 horas antes de ir a cocerlas.

Para cocerlas se ponen agua fría, que justo las cubra y, poco a poco, se les va dando calor. Cuando rompe el hervor, se escurren de su agua y se echan en otra cacerola con agua fría, que sólo las cubra. Se les vuelve a dar lumbre despacio y durante la primera ½ hora se les para la cocción por dos veces echándoles un poco de agua fría (si hace falta, porque se vayan quedando secas, se les puede añadir agua más de dos veces).

Después de pasada la primera ½ hora se les incorpora el jamón y el bacon entero. Cuando las judías están casi cocidas (unas 2 horas), se sazonan de sal y se meten entre medias las salchichas de Frankfurt, y todo cocerá durante unos 10 minutos.

En una cacerola se pone la mantequilla a derretir. Se escurren bien las judías con una espumadera y se saltean con la mantequilla y el perejil, retirando el ramillete.

Se sirven en una fuente redonda con el jamón y el bacon cortado en trozos (tantos como comensales); las salchichas de Frankfurt enteras y las otras se saltearán en una sartén aparte con 3 cucharadas de aceite, pinchándolas antes con un palillo.

Se sirven bien calientes y con los platos previamente calentados.

Nota.—El caldo de las judías está riquísimo para hacer una sopa y se debe aprovechar (como sugerencia, se pueden deshacer 2 cucharadas soperas de fécula de patata al momento de servir, 1 trozo de mantequilla, una cucharada pequeña de perejil picado y una yema de huevo si se quiere).

198.—JUDIAS BLANCAS DE ADORNO

Estas judías acompañan muy bien a la pierna de cordero asada.

300 gr. de judías blancas,
1 cebolla pequeña (50 gr.),
1 hoja de laurel,

1 cucharada (de las de café) de perejil picado,
75 gr. de mantequilla,
sal.

Se ponen las judías en agua fría sin nada (ni sal) y cubiertas con tapadera. Cuando rompe el hervor, se tira el agua y se pone otra vez agua fría que sólo las cubra, con una hoja de laurel y una cebolla pelada y partida en dos. Se dejan cocer unas 2 horas a fuego mediano, añadiéndoles durante este tiempo agua fría tres veces, para espantarlas y reponer el agua consumida.

Una vez bien tiernas pero enteras, se escurren en un colador grande. En una sartén se derrite la mantequilla y se ponen las judías, salteándolas para que no se agarren. Se les echa sal y el perejil picado, y se sirven con el cordero, pero sin que se doren (esto las endurece).

199.—FABADA (6 personas)

½ kg. de fabes (judías asturianas),
2 morcillas también asturianas,
1 punta de jamón serrano de 100 gr.,
2 chorizos,
100 gr. de tocino entreverado,
1 trozo de rabo o de pata de cerdo,

½ oreja de cerdo,
½ vaso (de los de agua) de aceite,
1 cebolla grande (125 gr.),
2 dientes de ajo,
unas hebras de azafrán,
1 cucharada (de las de café) rasada de pimentón,
sal.

Se ponen las judías en remojo en agua fría, unas tres horas, y después de este tiempo se escurren.

Se ponen en una cacerola cubiertas con agua fría y se ponen al fuego; cuando rompen a hervir, se vuelca la cacerola, tapándola con una tapadera, y se escurre el agua. Aparte se tendrá una olla con agua fría y se echan dentro. Se añade entonces: la cebolla, pelada y cortada en cuatro; los dientes de ajo, pelados pero enteros; el aceite; la oreja; el rabo o pata. Se añade el pimentón, se revuelve y finalmente se echa en la olla los embutidos, primero los más duros: el jamón y el chorizo, y al rato los demás menos las morcillas.

El agua debe cubrir lo justo la fabada. Se tapa la olla y se deja cocer a fuego lento de 2 a 3 horas (el tiempo depende de las judías). Media hora antes de finalizar la cocción se añaden las morcillas. Se sala casi a última hora y entonces se añade el poquito de azafrán bien machacado en el mortero y disuelto con un poco de caldo de cocer la fabada.

No se suele servir ni el rabo ni la oreja, pero hay a quien le gusta y los incluye, pero la oreja cortada en tiras finísimas.

Nota.—La fabada está mucho mejor hecha la víspera y recalentada. También se suelen sacar unas fabes, se hace puré con ellas y así se espesa el caldo de la fabada.

200.—JUDIAS ENCARNADAS (6 personas)

600 gr. de judías encarnadas,
100 gr. de tocino,
  1 hueso de codillo,
  4 cucharadas soperas de aceite,
  1 cebolla mediana (80 gr.),
  1 diente de ajo,

1 ramita de perejil,
1 hoja de laurel,
1 cucharada sopera rasada de harina,
1 tomate bien maduro,
  sal.

Se ponen las judías en agua fría sin sal, y tapadas. Cuando rompe el hervor, se les quita el agua y se vuelven a cubrir con agua fría, añadiéndoles el tocino, el codillo partido en dos, las hojas de laurel y el tomate entero. Se les añade por tres veces un poco de agua fría para cortarles el hervor y reponer el agua que se ha consumido. Deben estar cubiertas por el agua, pero nada más.

Se dejan cocer durante 2 a 3 horas, según sean de tiernas.

En una sartén se pone el aceite a calentar y se fríe la cebolla muy picada. Cuando está dorada (unos 8 a 10 minutos) se añade la harina y se mueve hasta que tome color dorado. Se agregan 4 ó 5 cucharadas del caldo donde están cociendo las judías.

En un mortero se machaca el diente de ajo con la ramita de perejil, un poco de sal y el tomate pelado, cortado y quitadas las semillas. Todo esto se echa en la sartén, se mueve muy bien y se vierte todo en la cacerola donde cuecen las judías. Se echa sal y se deja cocer todo junto por espacio de unos 15 minutos más o menos. Se sirven quitándoles las hojas de laurel y el codillo. La carne de éste se rebaña y se echa otra vez con las judías, así como el tocino en trocitos pequeños.

201.—JUDIAS PINTAS CON ARROZ (6 personas)

400 gr. de arroz (que no sea de Calasparra),
  agua hirviendo,
 40 gr. de mantequilla,
  sal,
400 gr. de judías pintas,
  2 dientes de ajo,
  1 hoja de laurel,

1 cebolla mediana (100 gr.),
1 cucharada sopera de harina,
4 cucharadas soperas de aceite,
1 cucharadita (de las de moka) de pimentón,
  agua y sal.

Se ponen las judías en una cacerola con agua fría que las cubra pero sin sal. Se tapa con su tapadera. Cuando dan el primer hervor, se les quita el agua, echando otra también fría y bien cubiertas, pues deben quedar muy caldosas. Se les incorpora ½ cebolla pelada y cortada en dos, la hoja de laurel y 1 diente de ajo. Se les corta el hervor por tres veces durante las 2 ó 3 horas que cuezan (según sean de duras), con un chorrito de agua fría.

Mientras tanto se prepara el arroz blanco (receta 165, 1.ª fórmula) y se deja separado una vez lavado.

En una sartén se pone el aceite a calentar. Cuando está caliente se echa la ½ cebolla muy picada y el diente de ajo (dado un golpe con el mango de un cuchillo, con el fin de aplastarlo un poco y que suelte más aroma). Una vez dorada la cebolla, se le añade la harina, que también se deja tostar (unos 10 minutos). Se incorpora entonces el pimentón y seguidamente unas 3 ó 4 cucharadas del caldo donde cuecen las judías. Esta salsa se vierte en las judías y se les agrega la sal.

Se rehoga el arroz con la mantequilla y se sala. Se pone en un molde en forma de corona. Se vuelca en una fuente redonda y más bien honda. Se vierten en el centro las judías con su caldo y se sirve en seguida.

LENTEJAS

202.—LENTEJAS GUISADAS (6 personas)

600 gr. de lentejas,
 1 tomate maduro,
 ½ cebolla mediana (100 gr.) en 2 cascos,
 ½ cebolla mediana (100 gr.) picada,
 2 dientes de ajo,
 1 hoja de laurel,
 1 ramita de perejil,
 1½ vaso (de los de vino) de aceite (sobrará),
 2 rebanadas de pan frito,
 1 cucharadita (de las de moka) de pimentón,
 agua y sal.

Se limpian con mucho cuidado las lentejas (pues suelen tener piedrecitas) y se ponen en remojo en agua fría abundante unas horas (la víspera por la noche si se quiere).

En una cacerola se ponen las lentejas escurridas de su agua de remojo, se les añade el laurel, los 2 cascos de cebolla, 1 diente de ajo (sin pelar) y se cubren con agua fría abundante, sin sal. Se ponen a cocer con la cacerola tapada, a fuego lento después de roto el hervor, y se tendrán cociendo durante 1 ó 2 horas (según la clase de las lentejas).

En una sartén se pone el aceite a calentar, se fríen las dos rebanadas de pan, se retiran y se reservan. Se quita un poco de aceite dejando sólo un fondo en la sartén. Se añade la ½ cebolla picada, se refríe hasta que empieza a dorarse (unos 8 minutos) y se echa entonces el tomate pelado, cortado en trozos y quitadas las semillas. Se refríe todo junto y, apartando la sartén del fuego, se echa el pimentón. Se revuelve bien y se vierte sobre las lentejas.

En un mortero se pone 1 diente de ajo pelado, un poco de sal, el perejil y el pan frito. Se machaca bien y se deslíe con 2 ó 3 cucharadas soperas de caldo de cocer las lentejas. Se vierte en la cacerola de las mismas. Se revuelve todo bien, se rectifica de sal y se cuece todo junto durante unos 10 minutos.

Se sirve en sopera, retirando antes el laurel y el ajo de cocerlas.

203.—LENTEJAS SIMPLES CON TOCINO Y SALCHICHAS (6 personas)

600 gr. de lentejas francesas,
1 cebolla pequeña (50 gr.),
2 clavos (de especia),
1 hoja de laurel,
1 zanahoria mediana,
2 dientes de ajo,

12 salchichas corrientes,
¼ kg. de panceta,
1½ vaso (de los de vino) de aceite (sobrará),
sal.

Se limpian cuidadosamente las lentejas y se ponen en remojo unas horas, bien cubiertas de agua fría.
En una cacerola se ponen las lentejas escurridas de su agua de remojo. Se añade la cebolla con los 2 clavos pinchados en ella, el laurel, la zanahoria raspada, lavada y partida en cuatro trozos, los 2 dientes de ajo sin pelar y el tocino en un trozo. Se cubren con agua fresca abundante y no se les echa sal. Se tapa la cacerola con su tapadera y se ponen a cocer. Cuando rompe el hervor se baja el fuego para que cuezan lentamente más o menos durante una hora o 1½ horas (el tiempo dependerá de la clase).
Cuando se van a servir las lentejas se escurren (guardando el caldo). Se les quita la cebolla, el laurel, el ajo, la zanahoria y el tocino. Este se corta en cuadraditos. Se pone aceite a calentar, se pinchan las salchichas en varios sitios con un palillo para que no se revienten al freír y se fríen unos 5 minutos. Se reservan al calor. Se retira como la mitad del aceite de la sartén y se ponen los cuadraditos de tocino a freír unos 3 minutos y se añaden las lentejas. Se revuelve todo bien y se salan. Las lentejas así salteadas se ponen en una fuente. Se colocan las salchichas por encima y se sirve en seguida.
Nota.—Hay quien prefiere las lentejas algo caldosas. Se podrá entonces añadir el caldo de cocerlas en la proporción que guste. El caldo se puede guardar por si sobran lentejas y se quiere hacer un puré con ellas, pasándolas por la batidora y adornando el puré con currusquitos de pan fritos o un poco de arroz blanco.

204.—LENTEJAS EN ENSALADA (6 personas)

Se procede exactamente como para las anteriores, pero sin poner tocino. Cuando las lentejas están tiernas se escurren de su salsa con una espumadera, se les quita el laurel, la cebolla, el ajo y la zanahoria. Se ponen en una ensaladera de cristal o porcelana y se rocían con aceite, vinagre y sal, moviéndolas bien y dejándolas que se templen o que se enfríen del todo, como más guste.
Se recuerda que por una cucharada sopera de vinagre —en la cual se disuelve la sal— se ponen 3 de aceite fino. Las lentejas tienen que tener suficiente aliño para estar sabrosas.

205.—PURE DE GUISANTES SECOS (6 personas)

½ kg. de guisantes secos,
1 cebolla pequeña (40 gr.),
1 ramillete con una hoja de laurel, 1 diente de ajo y una ramita de perejil,

1 hueso de codillo,
50 gr. de mantequilla,
2 vasos (de los de vino) de leche caliente,
sal y agua.

Se ponen los guisantes en remojo en agua fría unas 12 horas antes de guisarlos, limpiándolos muy bien de piedrecitas, etc.
En un cazo se pone agua fría (sin sal), la cebolla pelada y partida en dos, el codillo y el ramillete. Se dejan cocer despacio durante 2½ a 3 horas.
Se pasan los guisantes por el pasapurés. Se pone el puré obtenido en un cazo a lumbre mediana, se sazona de sal y se añade la leche caliente poco a poco, así como la mantequilla en varios trozos. Cuando está todo incorporado al puré, éste debe tener la misma consistencia que un puré de patatas.
Se servirá como adorno del plato de carne o simplemente con salchichas fritas.

PATATAS

206.—MANERA DE COCER LAS PATATAS

Las patatas se pueden preparar de muchas maneras y es un plato barato, bueno y variado.
Para cocerlas (base de muchas recetas) se lavan bien sin pelarlas y se secan un poco. Se ponen en un cazo con agua fría (que las cubra bien), un chorrito de leche fría y sal. Cuando rompen a hervir, se baja el fuego y se cuecen a fuego mediano durante unos 30 minutos más o menos (este tiempo depende de la clase de patata).
Si se tuviesen que cocer las patatas peladas y en trozos, o bien porque así lo pida la receta o por abreviar, se procede igual que se explica anteriormente.

207.—PURE DE PATATAS (6 personas)

Esta cantidad es para hacer un puré, para acompañar un plato de carne u otra cosa.

1¼ kg. de patatas,
50 gr. de mantequilla,

¼ litro de leche caliente (1 vaso de los de agua bien lleno),
sal y agua.

Se pelan las patatas y se cortan en trozos grandes si son gordas. Se lavan en agua fría rápidamente. En un cazo bastante grande se pone agua fría y sal (una cucharada de las de café), se echan las patatas ya peladas, cortadas y lavadas, de forma que el agua las cubra bien. Se ponen al fuego, y cuando empieza a hervir el agua se dejan entre 20 y 30 minutos, según la clase de patata. En otro cazo se pone el trozo de mantequilla partido en dos o tres, y sobre esto se va pasando la patata por el pasapurés. Cuando está pasada toda la patata y la mantequilla bien derretida, se dan vueltas con una cuchara de madera. Se va añadiendo poco a poco la leche caliente.

Se rectifica de sal y se tiene al calor suave para utilizar el puré cuanto antes. No debe cocer nunca el puré una vez hecho.

Si el puré gusta más o menos espeso, lo único que hay que variar es la cantidad de leche que se va añadiendo.

208.—BOLAS DE PURE DE PATATAS (6 personas)

1¼ kg. de patatas,
4 huevos,
pan rallado,

sal y agua,
1 litro de aceite (sobrará).

Se pelan las patatas y las gordas se cortan en trozos. Se lavan y se ponen en una cacerola con agua fría y sal (una cucharada de las de café), que las cubra bien.

Se ponen a cocer, y cuando empieza a hervir el agua se dejan de 20 a 30 minutos (según la clase de patata que se emplee).

Cuando están cocidas, se pasan en seguida por el pasapurés. Se baten 2 huevos enteros, como para una tortilla, y se incorporan al puré. Se rectifica de sal si hace falta. Se forman entonces unas bolitas con las manos, se pasan por los otros 2 huevos batidos, que estaban reservados, y después por el pan rallado.

En una sartén se pone el litro de aceite a calentar, y cuando está en su punto (se ve echando un trocito de pan: si se dora rápidamente, pero sin arrebatarse, es que está bien el aceite) se fríen y se sirven en seguida de adorno.

209.—PURE DE PATATAS CON CHORIZO, TOCINO Y PIMENTON (REVOLCONAS) (6 personas)

1½ kg. de patatas,
3 hojas de laurel,
1 diente de ajo sin pelar,
125 gr. de panceta,
1 chorizo (125 gr.),
1 vaso (de los de vino) más una cucharada sopera de aceite,

1 cucharada (de las de café) de pimentón,
2 vasos (de los de vino) de agua de cocer las patatas,
sal,
triángulos de pan frito para adorno.

Se pelan, se cortan en trozos grandes y se lavan las patatas. Se ponen en un cazo con agua fría abundante, sal, el diente de ajo, las 3 hojas de laurel y una cucharada sopera de aceite a cocer durante 30 minutos más o menos (según la clase de patata). Mientras tanto, en una sartén pequeña se pone el aceite a calentar. Se refríe el chorizo cortado en trozos pequeños y el tocino picado también bastante menudo. Cuando están fritos, se sacan con una espumadera y se reservan. En este mismo aceite y fuera del fuego se añade el pimentón. Se revuelve bien, se vuelve a poner el chorizo y el tocino y se conserva al calor flojo.

Se quitan las hojas de laurel y el diente de ajo. Se pasan las patatas por el pasapurés, añadiéndoles poco a poco, sin dejar de dar vueltas, el contenido de la sartén con su aceite.

Después se aclara el puré con agua de cocer las patatas, según guste de espeso, y se revuelve con una cuchara de madera.

Se sirve en una fuente, adornando el puré con triángulos de pan frito.

210.—CROQUETAS DE PURE DE PATATA CON BACALAO
(6 personas)

1½ kg. de patatas rojas (holandesas),
¼ kg. de bacalao (no muy grueso),

2 yemas de huevo,
agua fría,
1 litro de aceite (sobrará),
1 diente de ajo (facultativo),
sal, si hiciese falta.

En una cacerola se ponen las patatas sin pelar, pero muy bien lavadas, y el bacalao sin remojar, si es de esa clase que venden en cajas y no está muy seco; de lo contrario, se remoja una sola vez durante un par de horas. Se cubren de agua y se ponen a cocer. Cuando rompe el hervor, se dejan entre 20 y 30 minutos (según la clase de patata). Una vez cocidas, se pelan en seguida y, sin dejarlas enfriar, se pasan por el pasapurés. Después se quitan las pieles y las espinas al bacalao, desmenuzándolo muy bien con las manos, o bien pasándolo por el pasapurés. Se mezcla con la patata y se añaden las 2 yemas de huevo. También se puede agregar entonces 1 diente de ajo pelado y frito en aceite y luego machacado en el mortero con un poco de sal. Esto se añade al puré, pero es facultativo.

Se baten las claras a punto de nieve (con un pellizquito de sal). Con las manos bien limpias y mojadas se forman las croquetas. Habrá que mojarse las manos varias veces durante la operación, pues si no se pega la masa.

En una sartén con aceite bien caliente se fríen las croquetas por tandas de 6 a 8 a la vez. Se escurren bien y se sirven, bien con dos ramitas de perejil frito o con salsa de tomate servida en salsera aparte.

211.—BRANDADA

(véase receta 524)

212.—BUÑUELOS DE PURE DE PATATAS (6 a 8 personas)

1 vaso (de los de agua) de agua (algo menos de ¼ litro),
1 kg. de patatas,
80 gr. de mantequilla,
5 huevos,
2 cucharadas soperas colmadas de harina,
sal, nuez moscada,
1 litro o más de aceite (sobrará).

Salsa de tomate:
1 kg. de tomates maduros,
2 cucharadas soperas de aceite,
1 cucharada (de café) de azúcar,
sal.

Se hace la salsa de tomate (receta 63).

Buñuelos

En un cazo con agua fría que las cubra y sal se ponen a cocer las patatas, lavadas y sin pelar, durante unos 20 minutos. Se pinchan para saber si están en su punto, pues el tiempo depende de la clase de las mismas.

Mientras, en un cazo bastante amplio, se pone el agua, la mantequilla y la sal a cocer. Cuando hierve, se echa de golpe la harina y se mueve bien fuerte la masa con una cuchara de madera hasta que se separa de las paredes del cazo. Se aparta entonces del fuego y se deja enfriar un poco (3 minutos); se incorporan de uno en uno los 5 huevos, no añadiendo el siguiente hasta que esté muy incorporado el anterior.

Se pelan las patatas y se pasan por el pasapurés, añadiéndolas a la masa y poniendo entonces un poco de nuez moscada rallada. Se mueve muy bien.

Cuando se vayan a hacer los buñuelos, se pone el aceite a calentar en una sartén amplia y profunda. Al empezar a calentarse se separa un poco del fuego (esto es muy importante), se echan los buñuelos cogiendo la masa con una cuchara de postre y echándola en la sartén. No deben hacerse a la vez para dejarles sitio y que se inflen. Se vuelve a acercar la sartén al fuego mediano y la masa va subiendo a la superficie. Se dejan dorar un rato y se sacan. Se ponen en una besuguera a la boca del horno para que no se enfríen mientras se fríen los demás.

Se sirven en fuente con la salsa de tomate en salsera aparte.

213.—BUÑUELOS DE PURE DE PATATAS EMPANADOS, CON QUESO RALLADO O NUEZ MOSCADA (6 personas)

1½ kg. de patatas,
4 huevos enteros,
1 clara,
4 cucharadas soperas de leche templada,
20 gr. de mantequilla,
100 gr. de queso gruyère rallado,
o un poco de nuez moscada,
1 plato con pan rallado,
1 litro de aceite (sobrará),
agua y sal.

Salsa de tomate:
1 kg. de tomates,
2 cucharadas soperas de aceite,
1 cucharada (de las de café) de azúcar,
sal.

Se hace la salsa de tomate (receta 63) y se reserva al calor.
Se lavan bien las patatas y se ponen enteras con su piel en agua fría salada, que las cubra bien. Cuando empiezan a cocer, se dejan 20 minutos más o menos (si son nuevas; 10 minutos más en caso contrario).
En caliente se pelan y se pasan por el pasapurés. Se añade la mantequilla, las 4 cucharadas de leche templada, el queso rallado o la nuez moscada rallada y 1 huevo entero más 3 yemas, batido todo ello como para tortilla. Se mueve muy bien con una cuchara de madera y se rectifica de sal.
Se baten las 4 claras restantes a punto de nieve muy firmes. Se incorporan al puré procurando moverlo lo menos posible, solamente lo justo para mezclar las claras.
Se forman unas croquetas cuadradas de 3 dedos de anchas. Se pasan por el pan rallado y se fríen en el aceite caliente (se probará el punto del aceite con una rebanadita de pan).
Se sirven en una fuente con la salsa de tomate en salsera aparte.

214.—PURE DE PATATAS AL GRATEN (6 personas)

1 kg. de patatas,
1 vaso (de los de agua) bien lleno de leche caliente (¼ litro),
125 gr. de mantequilla,

2 huevos,
4 claras,
100 gr. de queso rallado,
sal.

Se pelan y cortan las patatas en trozos grandes y se meten en un cazo cubiertas con agua fría y sal. Cuando están cocidas (a partir de cuando empiezan a cocer ½ hora más o menos), se pasan por el pasapurés. Se añaden 100 gr. de mantequilla, la leche caliente y parte del queso rallado (guardando un poco para espolvorear por encima). Se agregan las yemas y, por fin, las claras a punto de nieve bien firmes.
En un molde resistente al horno se pone el resto de la mantequilla a derretir, se unta bien y se vierte el puré así preparado.

Se espolvorea con el queso rallado que se ha reservado; con una cuchara sopera se hacen unos dibujos y se mete al horno bien caliente. Cuando está tostado por arriba (una ½ hora de horno), se sirve en seguida en la misma fuente donde se ha hecho.

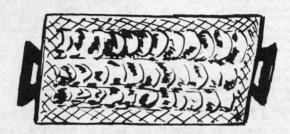

215.—BRAZO DE GITANO DE PURE DE PATATAS, ATUN Y MAYONESA (6 personas. Plato frío)

1¼ kg. de patatas,
  1 lata de atún al natural, grande (250 gr.),
    o carne picada, o gambas, o un resto de pescado, etc.,
  3 tomates duros y colorados, medianos,
50 gr. de mantequilla,
  1 vaso (de los de vino) bien lleno de leche caliente,
50 gr. de aceitunas,
    unas hojas de lechuga, sal.

Mayonesa:
  2 huevos,
1½ vaso (de los de agua) de aceite fino,
    el zumo de ½ limón, sal.

Se hace la mayonesa (receta 94, 2.ª fórmula). Se reserva en sitio fresco.

Se pelan, lavan y cortan en trozos grandes las patatas. Se ponen en un cazo bien cubiertas de agua fría y sal. Se acercan al fuego y, cuando rompe el hervor, se dejan unos 30 minutos más o menos (depende de la clase de la patata). Se escurren y se pasan en seguida, en caliente, por el pasapurés.

Se añade entonces la mantequilla y seguidamente la leche caliente. Se escurre muy bien el aceite de la lata de atún, se desmenuza un poco y se mezcla con 3 ó 4 cucharadas soperas de mayonesa. Se moja en agua caliente y se escurre muy bien un paño de cocina limpio. Se extiende en una mesa y se pone encima el puré de patatas. Se extiende éste con un cuchillo grande, dejándolo de 1½ cm. de espesor. Se coloca en el centro, en una tira, la mezcla de atún y mayonesa y algunos trocitos de tomate pelados y quitadas las simientes (con 1 tomate es suficiente). Se doblan las dos partes del puré, formando un rollo grande (como un brazo de gitano de pastelería).

Se cubre por encima con un poco de mayonesa y se adorna con los dos tomates sobrantes, aceitunas y unas hojas de lechuga. Se mete un rato en la nevera y se sirve con el resto de la mayonesa en salsera aparte.

216.—BRAZO DE GITANO DE PURE DE PATATAS, PESCADO Y SALSA DE TOMATE (6 personas)

1¼ kg. de patatas,
½ kg. de pescado (o un resto),
1½ vaso (de los de vino) de leche caliente,
50 gr. de mantequilla,
1 poco de nuez moscada rallada,
sal.

Salsa de tomate:
1½ kg. de tomates bien maduros,
3 cucharadas soperas de aceite,
1 cucharada (de las de café) de azúcar,
sal.

Se hace la salsa de tomate (receta 63) que quede más bien espesa. El pescado, si está crudo, se pondrá en un cazo cubierto con agua fría, 2 cucharadas soperas de vino blanco, 1 casco de cebolla, una hoja de laurel y sal. Cuando rompa el herbor a borbotones, se apartará el cazo del fuego y a los 5 minutos se sacará y se escurrirá el pescado. Sea recién cocido, sea un resto de pescado, se limpiará de pieles y espinas y se desmenuzará, mezclándolo con 3 cucharadas soperas de salsa de tomate y un poco de nuez moscada.

A partir de aquí se procederá en todo igual que en la receta anterior, procurando envolver el puré rápidamente para que no se enfríe mucho. Se cubre con salsa de tomate y se mete en el horno previamente calentado, unos 5 minutos, para que se caliente el brazo de gitano.

Se sirve en seguida. Se puede adornar con aceitunas verdes o negras y, si queda salsa de tomate, se servirá en salsera aparte.

217.—PURE DE PATATA CON HUEVOS (6 personas)

1 kg. de patatas,
70 gr. de mantequilla,
¼ litro de leche caliente (un vaso de los de agua),

agua fría,
6 huevos,
100 gr. de queso rallado,
sal.

Se hace el puré (receta 207). En un cazo se ponen los 50 gr. de mantequilla en dos trozos y se pasan las patatas por el pasapurés de forma que caigan sobre la mantequilla. Se revuelve bien una vez pasadas todas las patatas, hasta que la mantequilla esté toda derretida; entonces se añade poco a poco la leche caliente y parte del queso rallado (reservando un poco para espolvorear la fuente). Si es necesario, se rectifica de sal.

Este puré se pone en una fuente honda que vaya al horno. Se forman 6 huecos con el dorso de una cuchara y se vierte en cada uno 1 huevo. Se le echa un poco de sal y un trocito de mantequilla (del grosor de un dedal). Se espolvorea con el resto del queso rallado la superficie del puré y se mete la fuente en el horno caliente hasta que la clara de los huevos esté cuajada (de 5 a 10 minutos). Se sirve en la misma fuente.

218.—PATATAS FRITAS

1 litro de aceite (sobrará),   **1 kg. de patatas** (holandesas mejor),
        sal.

Se pelan las patatas, se cortan en tiras de un dedo de gruesas, se lavan bien y se dejan ½ hora en agua fría para que se les quite el almidón. Después se secan con un paño limpio y se les echa un poco de sal, moviéndolas bien para que ésta se reparta.

Se pone el aceite en una sartén amplia y honda. Cuando está caliente (pero no mucho: una rebanada de pan no se debe dorar rápidamente), se ponen en tandas las patatas. Cuando están fritas pero sin dorar, se sacan y se escurren. Cuando están fritas todas las patatas, se calienta más el aceite y, en el momento de tener que servirlas, se vuelven a echar en el aceite caliente hasta que estén bien doradas. Se sacan, se rectifican de sal y se sirven en seguida.

Las patatas a la inglesa (finas y redondas), las paja, todas ellas, se preparan como las anteriores, pero sin dejarlas tanto tiempo en agua, se secan bien con un paño y se fríen una sola vez hasta que estén doradas. El aceite tiene que estar caliente, pero que no las arrebate, pues se dorarían demasiado sin cocerse por dentro.

219.—REVUELTO DE PATATAS PAJA, HUEVO Y BACALAO (6 personas)

1½ kg. de patatas,   **1 litro de aceite** (sobrará),
5 huevos,   **sal.**
¼ kg. de bacalao,

Se habrá puesto durante 8 horas el bacalao en remojo en agua fría que le cubra bien, cambiándole por lo menos 3 veces el agua. Para esto se saca el bacalao del agua, se tira ésta y se enjuaga el cacharro, volviendo a poner el bacalao dentro del agua nueva; de lo contrario, la sal se deposita en el fondo y el bacalao no se desala como debe.

Se pone el bacalao en un cazo que esté cubierto de agua fría y, cuando empieza a hervir el agua, se separa. Cuando el agua está templada, se saca el bacalao y se desmenuza muy menudo en hebras, quitándole la piel y las espinas; se reserva.

Aparte se pelan las patatas y se lavan con agua y se secan. Se cortan con cualquier aparato o cuchillo a propósito en forma de patatas paja no muy finas. En una sartén se pone el aceite al fuego; cuando está en su punto (poniendo un trocito de patata se verá), se fríen las patatas moviéndolas hasta que queden de un bonito color dorado. Se hacen por tandas para que no se peguen unas con otras. Se escurren y se reservan.

En el momento de ir a servir se escurre el aceite de la sartén (que tiene que ser grande), se vierten los huevos batidos como para tortilla y se deja que empiecen a cuajarse un poco, moviéndolos con un tenedor. Se echan en seguida las patatas y el bacalao y se revuelve muy bien todo. Se sala ligeramente y cuando se ve que los huevos están cuajados (pero no demasiado), se pone el revuelto en una fuente y se sirve en seguida.

220.—REVUELTO DE PATATAS EN CUADRADITOS, HUEVOS Y GUISANTES (6 personas)

1½ kg. de patatas,
  6 huevos,
  1 lata de guisantes de 250 gr.,

1 litro de aceite (sobrará),
sal.

Se pelan las patatas, se lavan bien y se secan. Se cortan en cuadraditos de 1 cm. de costado, más o menos, y se salan ligeramente. Se pone el aceite en una sartén más bien grande y cuando está caliente (se prueba con un poco de patata) se fríen por tandas las patatas moviéndolas hasta que estén bien doraditas. Se escurren en un colador grande. Cuando están todas fritas, se vacía el aceite que queda, dejando sólo una ligera capa en el fondo, y se vuelven a poner todas las patatas en la sartén aún caliente. Se baten muy bien los 6 huevos como para tortilla, echándoles sal. Se tendrá la lata de guisantes abierta y escurridos de su agua. Se echan los huevos en la sartén por encima de las patatas y, seguidamente, los guisantes. Se pone la sartén a fuego vivo y se dan vueltas rápidas hasta que los huevos estén cuajados (como para los huevos revueltos). El tiempo dependerá exclusivamente del gusto de cada cual, contando unos 5 minutos más o menos.

Se coloca el revuelto en una fuente y se sirve en seguida.

Nota.—Este mismo revuelto se puede hacer con puntas de espárragos, cortadas en trozos, en vez de guisantes.

221.—PATATAS GUISADAS CON CHIRLAS O CON PI-MIENTOS VERDES (6 personas)

1½ kg. de patatas,
  1 cebolla mediana (80 gr.),
  2 tomates colorados medianos,
  ¼ kg. de chirlas,
  1 cucharada sopera de harina,
  6 cucharadas soperas de acei-te,

1 diente de ajo,
1 ramita de perejil,
unas hebras de azafrán,
1½ litros de agua,
sal.

Se lavan bien las chirlas en agua fría con sal. Se les cambia un par de veces el agua y se ponen seguidamente a cocer en agua fría con sal. En cuanto las conchas se abren, se separan del fuego. Cuando el agua se ha enfriado un poco, se cuela por un colador fino (e incluso por un trapo bien limpio) y se reserva; se quitan los bichos de sus conchas y se reservan en el agua de cocerlos.

En una sartén pequeña se pone el aceite a calentar; cuando está en su punto, se echa la cebolla pelada y bien picada, se refríe unos 3 minutos dando vueltas con una cuchara de madera y se añaden los tomates lavados, pelados, quitadas las simientes y partidos en trozos pequeños. Se refríen unos 8 minutos con todo lo demás.

En una cacerola se pone el refrito y se añaden las patatas pela-das, lavadas y cortadas en trozos medianos (según guste). Se agrega en seguida la harina y se dan unas vueltas con la cu-chara.

En un mortero se machaca el diente de ajo pelado con un poco de sal, el perejil y el azafrán. Una vez bien machacado, se añade un poco de caldo de cocer las chirlas y se vierte por encima de las patatas, así como el caldo con las chirlas. Se agrega agua para que cubra bien las patatas (1 litro más o menos). Se cuece durante una ½ hora (según la clase de patata) y se sirve en sopera.

Si hiciese falta algo más de agua, se puede añadir templada cuan-do se están cociendo las patatas.

Nota.—Para hacer estas patatas con pimientos en vez de chirlas se cortarán éstos en trozos cuadrados, después de quitarles el rabo y la simiente, y se fríen con la cebolla y el tomate unos 15 a 20 mi-nutos. Por lo demás, se procede igual.

222.—PATATAS GUISADAS VIUDAS (6 personas)

1½ kg. de patatas holandesas
  (rojas),
  1 cebolla grande (100 gr.),
  1 cucharada rasada (de las de café) de pimentón,
  6 cucharadas soperas de acei-te,
  unas hebras de azafrán,

3 ramitas de perejil (una cu-charada sopera de perejil pi-cado),
1 pastilla de Avecrem,
1½ litros de agua (más o me-nos),
sal.

En una cacerola se pone el aceite a calentar; cuando está caliente, se le echa la cebolla pelada y muy picada. Se rehoga hasta que empieza a dorarse (de 5 a 6 minutos) y entonces se le añaden las patatas peladas, lavadas y cortadas en trozos medianamente grandes. Se rehogan unos 5 minutos, moviéndolas bien con una cuchara de madera, y se les agrega el pimentón; se vuelve a dejar rehogar otros 2 minutos. Se cubren entonces de agua fría, se les incorpora el Avecrem y un poco de sal.

En el mortero se machaca el azafrán con el perejil, se pone un poco de agua para revolverlo bien una vez picado y se echa por encima de las patatas. Se mueve bien todo y se cuece a fuego mediano durante unos 30 minutos, hasta que las patatas estén blandas (para saberlo se pincha una con un alambre: si pasa bien por el centro del trozo de patata, es que está en su punto). Se espolvorean con el perejil picado, se revuelve y se sirven en seguida en sopera.

223.—PATATAS EN SALSA CON HUEVOS DUROS (6 personas)

1½ kg. de patatas,
3 huevos duros,
1 yema,
3 cucharadas soperas de aceite,
1 cebolla grande (100 gr.),
2 cucharadas soperas rasadas de harina,
1 cucharada sopera de perejil picado,
3 cucharadas soperas de vino blanco,
1 cucharadita (de las de moka) de extracto de carne (Bovril, Liebig, etc.),
2 cucharadas soperas de leche fría,
sal y agua fría.

Se cuecen los huevos para duros (receta 435). En un cazo se pone agua fría, leche y sal, y se ponen las patatas enteras, sin pelar y previamente lavadas (que las cubra bien el agua). Cuando rompe el hervor, se cuecen de 20 a 30 minutos (según la clase de patata, nueva o vieja). Una vez cocidas, se escurren. Se reservan hasta hacer la salsa.

En una sartén se pone a calentar el aceite, se echa la cebolla pelada y picada muy menuda. Se dan unas vueltas con una cuchara de madera hasta que la cebolla se empiece a dorar (7 minutos más o menos). Se le añade entonces la harina, se vuelve a dar unas vueltas y poco a poco se añaden 1½ a 2 vasos (de los de agua) de agua templada o fría, hasta formar una salsa clarita que debe dar unos hervores (6 minutos) para que no sepa a harina cruda. Se agrega entonces el vino y el extracto de carne. Se vuelve a dar un hervor y se rectifica de sal si hace falta.

En una fuente honda (de barro, porcelana o cristal resistente al fuego) se van poniendo las patatas peladas y cortadas en rodajas más bien gruesas, alternando con rodajas de huevo duro y espolvoreando el perejil.

En un tazón se pone la yema y se deslíe con un poco de salsa (para que no se cuaje); se incorpora esto al resto de la salsa. Esta se vierte por encima de las patatas, moviendo la fuente para

que se reparta bien, y se pone al fuego para que cueza despacio unos 10 minutos más.
Se sirve en la misma fuente.

224.—PATATAS REDONDAS GUISADAS CON VINO BLANCO (6 personas)

2 kg. de patatas (queda desperdicio, que se aprovecha para un puré),
1 cebolla mediana (125 gr.),
4 cucharadas soperas de aceite,
1 cucharada sopera colmada de harina,
unas hebras de azafrán,
½ diente de ajo machacado en el mortero,
1 hoja de laurel,
1 cucharadita de perejil picado,
agua fría (2 vasos de los de vino más o menos),
¼ litro de vino blanco (1 vaso de los de agua),
sal.

Se pelan las patatas, que sean lo más grandes posibles y de clase que no se deshagan (rojas, holandesas). Se forman bolas con un aparato especial para esto y se lavan.
En una sartén pequeña se pone el aceite a calentar, se añade la cebolla picada menuda y se rehoga hasta que empiece a tomar algo de color (5 minutos). Se pasa esto a una cacerola grande y se añaden las patatas bien escurridas de agua; se les da unas vueltas en el aceite, se añade entonces la harina y se rehoga un poco con las patatas, moviendo con cuchara de madera. Se incorpora seguidamente el agua necesaria para que las cubra bien solamente, el vino y la sal.
En un mortero se machaca primero en seco el azafrán, después el ajo y luego se deslíe con un poco de agua y se echa en la cacerola. Se echa también una hoja de laurel y se deja cocer a fuego lento una hora más o menos, según sea la patata, moviendo de vez en cuando la cacerola por las asas para que se mezcle y trabe la salsa.
Al momento de ir a servir se espolvorea con el perejil picado.

225.—PATATAS REFRITAS Y GUISADAS (6 personas)

1½ kg. de patatas,
2 vasos (de los de agua) de aceite,
4 vasos (de los de agua) de agua,
1 vaso (de los de vino) de vino blanco,
1 cubito de caldo (Maggi, Starlux, etc.),
2 dientes de ajo,
1 ramita de perejil,
1 cucharadita de pimentón (de las de moka),
sal.

Se pelan las patatas y se lavan en agua fresca. Se secan y se cortan como para tortilla (en rebanaditas finas).
En una sartén honda se pone el aceite a calentar y se fríen las patatas en dos veces, bien fritas. Se escurren del aceite y se ponen en una cacerola.
En el mortero se machacan los dientes de ajo con un poco de sal, se les añade el perejil y el pimentón. Se machaca bien y

se echa un poco de agua. Esto se incorpora a las patatas y se revuelve bien con una cuchara de madera. Se añaden los vasos de agua, la pastilla de caldo y el vino y se rectifica de sal si hace falta.

Tienen que quedar las patatas bien caldosas. Se les da un hervor de unos 10 a 15 minutos y se sirven en fuente honda.

226.—PATATAS REBOZADAS Y GUISADAS (6 personas)

1½ kg. de patatas,
  1 plato sopero con harina,
  4 huevos,
  ¾ de litro de aceite (sobrará),
  1 cebolla pequeña (70 gr.) muy picada,
  1 diente de ajo,

1 cucharada sopera de perejil picado,
1 cucharada sopera de harina,
1 litro de agua,
  unas hebras de azafrán,
  sal.

Se lavan bien las patatas, se pelan y se cortan en rodajas más bien gruesas (½ cm.) Se les echa sal. Se envuelven en harina y luego en huevo batido.

En una sartén se pondrá a calentar el aceite, y se fríen de 4 en 4 las rodajas de patatas para que queden bien. Se van colocando en una besuguera (de barro, porcelana o duralex) en varias capas pero que queden holgadas.

En el mortero se machaca el diente de ajo pelado con un poco de sal, después se añade el azafrán y se revuelve bien todo después de machacado con un poco de agua.

En una sartén se ponen 3 cucharadas soperas de aceite a calentar (que ha sobrado de freír las patatas), se dora la cebolla pelada y picada muy menuda; se añade una cucharada sopera de harina, se dan unas vueltas, se añade lo del mortero, el resto del agua y se sala. Se vierte sobre las patatas colándolo por colador grande. Se espolvorean con el perejil picado. Sobre la lumbre se deja que cuezan despacio una media hora y se mete un rato después al horno (unos 10 minutos) previamente calentado.

Se sirven en la misma fuente.

227.—PATATAS CON LECHE Y HUEVOS (6 personas)

1¼ kg. de patatas,
100 gr. de queso gruyère rallado,
  3 huevos enteros,

¾ de lito de leche (más o menos),
½ litro de aceite (sobrará),
  sal.

Se pelan y lavan las patatas. Se cortan en rodajitas un poco más gruesas que para la tortilla. Se salan y se fríen en una sartén, por tandas; que den sólo unas vueltas sin llegar a dorarse y con el aceite no muy caliente. Se van colocando en una fuente honda (de cristal, barro o porcelana resistente al fuego).

En una ensaladera se baten muy bien los huevos, se salan ligeramente, se echa casi todo el queso y, poco a poco, la leche. Esto se vierte por encima de las patatas, removiendo un poco con un tenedor con el fin de que todas ellas queden bien empapadas de crema. Se espolvorea con el resto del queso y se mete a horno mediano.

De vez en cuando se vuelve a mover con el tenedor para que todo esté bien impregnado. Si hiciese falta porque se vayan quedando las patatas un poco secas, se les puede añadir algo más de leche.

Se tiene 20 minutos con calor general y 10 minutos más gratinando, hasta que estén doradas.

228.—PATATAS AL HORNO CON BECHAMEL (6 personas)

1¼ kg. de patatas,
1 litro de leche fría,
1½ cucharada sopera rasadas de harina,
1½ cucharadas soperas de aceite,
40 gr. de mantequilla,

1 diente de ajo,
1 cucharadita (de las de moka) de extracto de carne (Liebig, Bovril, etc.),
75 gr. de gruyère rallado, agua y sal.

Poner las patatas bien lavadas, sin pelar, en un cazo con agua fría que las cubra, y sal. Ponerlas al fuego y, cuando rompa el hervor, bajar éste para que cuezan despacio durante 25 minutos (más o menos) a partir del momento en que empiezan a cocer (este tiempo depende de la clase de la patata). Sacarlas del agua, pelarlas y cortarlas en rebanadas lo más finas que se pueda, sin que se rompan.

Untar la fuente de cristal o de barro donde se vayan a servir con 1 diente de ajo. Poner la mitad de las patatas y hacer una bechamel, como sigue:

En una sartén se pone una cucharada de aceite y la mantequilla; cuando ésta está derretida se pone la harina, se mueve con las varillas y se va añadiendo el litro de leche fría y sal (con cuidado, pues el queso y el extracto de carne salan). Cuando empieza a cocer se deja unos 4 minutos sin dejar de dar vueltas y se añade el concentrado de carne.

Se vierte la mitad de la bechamel sobre las patatas ya preparadas, se pone la mitad del queso rallado; después las demás patatas, el resto de la bechamel y el resto del queso espolvoreado por encima.

Se meten en el horno previamente calentado y cuando están bien doradas (unos 15 minutos) se sirven en la misma fuente.

229.—PATATAS CON TOMATES, CEBOLLAS Y HIÉRBAS AROMATICAS, AL HORNO (6 personas)

1½ kg. de patatas medianas,
4 tomates grandes, bien maduros (¾ kg.),
1 cebolla grande (250 gr.),
75 gr. de gruyère rallado,
1 cucharadita (de las de

moka) de hierbas aromáticas, o
3 ramitas de tomillo,
1 vaso bien lleno (de los de vino) de aceite,
sal.

Se lavan y se ponen a cocer las patatas cubiertas de agua fría, con sal. Una vez cocidas (más o menos 30 minutos), se escurren y cuando están templadas se pelan. En una fuente de cristal, barro o porcelana, resistente al horno, se pone una capa fina de aceite en el fondo. Se cortan las patatas en rodajas de 1 cm. de gruesas. Se colocan la mitad en la fuente. Se pela la cebolla y se corta la mitad en rodajas. Se sueltan un poco los aros de la cebolla y se colocan encima de las patatas. Se pone una capa de rodajas de tomates, se espolvorean con muy poca sal, después con la mitad de las hierbas aromáticas (o se pone una ramita de tomillo) y después con la mitad del queso rallado. Se vuelve a colocar patata, cebolla, sal, hierbas y rodajas de tomate. Se rocía todo con el resto del aceite y se espolvorea el queso sobrante.

Se mete al horno mediano (previamente calentado durante unos 10 minutos) y se tiene hasta que los tomates están blandos y dorados, más o menos 45 minutos.

Se sirve en su misma fuente.

230.—PATATAS AL HORNO CON SALSA DE TOMATE (6 personas)

1½ kg. de patatas,
  50 gr. de queso rallado,
  25 gr. de mantequilla,
  ½ litro de aceite,
150 gr. de tocino entrevetado,
sal.

Salsa de tomate:
1 kg. de tomates maduros,
2 cucharadas soperas de aceite frito,
1 cucharada (de las de café) de azúcar,
sal.

Salsa de tomate (receta 63). Se pasa por el pasapurés y se reserva.

Se pelan las patatas, se lavan y se cortan en rodajas finas como para hacer tortilla. Se pone el aceite a calentar en una sartén y se fríen por tandas. Se fríe también muy rápidamente el tocino picado en trocitos pequeños. Se escurre y se reserva.

En una fuente honda resistente al horno (barro, cristal o porcelana) se colocan las patatas alternando con parte del tocino y de la salsa de tomate. Se sala por capas. Se rellena así la fuente y se espolvorea por encima el queso rallado. Se pone la mantequilla en trocitos, como avellanas, y se mete en el horno previamente calentado, durante una hora más o menos a fuego más bien lento.

Se sirven en la misma fuente.

231.—PATATAS RELLENAS CON JAMON (6 personas)

  6 patatas grandes,
150 gr. de jamón serrano picado muy fino (una punta),

75 gr. de mantequilla,
sal.

Se escogen unas patatas grandes y de bonita forma (de unos 200 gr. cada una). Se lavan bien y, sin pelar, se secan con un paño y se meten al horno mediano para que se asen (más o menos una hora a fuego mediano, pero depende de la clase de la patata). Una vez bien blandas, se parten por la mitad a lo ancho para que queden 2 medias patatas. Con una cuchara de café se vacía la pulpa de la patata, procurando no estropear la piel; se sala el interior y en el fondo se pone como una avellana de mantequilla.

La patata se aplasta con un tenedor, se sala ligeramente y se mezcla con el jamón picado. Con esta mezcla se vuelven a rellenar las medias patatas, sentándolas bien en la fuente para que no se vuelquen. Se les pone otro trozo de mantequilla por encima y se meten al horno para calentarlas unos 10 minutos.

Se sirven entonces en seguida.

232.—PATATAS CON PIMIENTOS (6 personas)

6 patatas grandes,
1 pimiento grande rojo,
4 pimientos grandes verdes,
2 huevos duros,

1½ vaso (de los de agua) de aceite,
agua fría,
sal.

Se cuecen los huevos duros (receta 435).

En el horno medianamente caliente se mete el pimiento rojo entero a asar (unos 10 minutos, o algo más si es muy carnoso). Una vez en su punto se saca, se tapa con un paño o un papel y, cuando está templado, se pela, se corta a tiras quitando el rabo y las simientes, se sala y se reserva.

Se lavan bien las patatas enteras, sin pelar, y se ponen en un cazo con agua fría y sal, que las cubra bien. Se cuecen de 20 a 30 minutos (según la clase de patatas).

Mientras se cuecen las patatas se preparan los pimientos verdes. Se les quita el rabo y la simiente y se cortan en cuadrados grandecitos. En una sartén se pone el aceite, y cuando está caliente (no mucho) se echan los pimientos y se salan. Se tapan con una tapadera y a fuego mediano se tienen unos 15 a 20 minutos, hasta que estén fritos (no demasiado).

Se prepara una fuente resistente al horno, poniendo en el fondo unas 3 cucharadas del aceite de freír los pimientos. Se pelan las patatas y se les corta en la parte de arriba un gajo grande y abajo una rodaja para que sienten en la fuente. Se sala un poco cada patata (con sal de mesa) y se vierte un poco de aceite de los pimientos. En el hueco se coloca un trozo de huevo duro y unas tiritas de pimiento rojo. Alrededor de la fuente se colocan los pimientos verdes y se echa un poco más de aceite de freírlos encima de la patata.

Se mete la fuente unos 10 minutos al horno (mediano) para que se caliente bien todo el plato, y se sirve.

233.—PATATAS COCIDAS Y REHOGADAS (6 personas)

Estas patatas se sirven como adorno de muchos platos.

¾ kg. de patatas rojas o nuevas,
4 cucharadas soperas de aceite
fino,
50 gr. de manteca de cerdo,

1 cucharada sopera de perejil
picado,
1 cucharada sopera de leche
fría,
agua fría y sal.

Se lavan bien las patatas sin pelarlas y se ponen en un cazo con agua fría y sal, lo suficiente para que las cubra muy bien. Se ponen a fuego mediano y, cuando empiezan a hervir, se dejan unos 20 a 30 minutos (depende de la clase de patata). Una vez cocidas se pelan y se cortan en trozos. En una sartén se ponen el aceite y la mantequilla a calentar; cuando están calientes, se echan las patatas. Se saltean moviendo la sartén por el mango hasta que estén bien doradas por igual; cuando están en su punto se espolvorean con un poco de sal, si están sosas, y el perejil, y se sirven en seguida.

234.—PATATAS CON CHORIZO Y BACON (6 personas)

1 ½ kg. de patatas pequeñas y,
a ser posible, nuevas,
50 gr. de chorizo para frito,
100 gr. de bacon en lonchas gorditas,
5 cucharadas soperas de aceite,

40 gr. de manteca de cerdo,
1 cucharada sopera de perejil
picado,
1 diente de ajo picado muy
fino,
sal.

Se pelan y lavan las patatas que, a ser posible, deben ser nuevas y pequeñas, todas del mismo tamaño más o menos. En una cacerola o sartén amplia (para que no se monten unas encima de otras) se pone a calentar el aceite y la manteca; cuando está en su punto se echa el chorizo en rajitas finas (peladas) y el bacon sin la corteza y cortado en tiras de 1 cm. de ancho más o menos. Se les da una vuelta y en seguida se añaden las patatas. A veces, según la clase de chorizo, éste se pone duro; para evitar esto, se rehoga en el aceite, se saca y se reserva. Al estar las patatas rehogadas y 10 minutos antes de servirlas, se vuelven a incorporar las rajas de chorizo reservadas.

Se salan las patatas y se dejan dorar despacio, es decir, a fuego lento entre 45 minutos y una hora, sacudiendo la sartén de vez en cuando para que se doren por todos lados. Cuando se vayan a servir, se espolvorean con el perejil y el ajo y se mueven un poco en la misma cacerola.

Se pasan a una fuente y se sirven en seguida.

235.—PATATAS CON SALCHICHAS (6 personas)

12 patatas de muy buena clase, o mejor nuevas (50 gr. cada pieza),
12 salchichas,
 4 cucharadas soperas de aceite,

1 cucharada sopera rasada de perejil picado,
2 dientes de ajo muy picados, sal.

Pelar las patatas y hacerles en el centro un agujero (con un tubo especial que se vende para las manzanas asadas, o con un cuchillo simplemente). Se mete en el agujero de cada patata una salchicha.

Se pone el aceite en una besuguera, se colocan las patatas con sus salchichas, y los trocitos de patata sacados del agujero se ponen con un poco de sal y la mitad de perejil y el ajo por encima. Se mete a horno mediano. A los 15 minutos se les da la vuelta, se pone sal, perejil y ajo y se rocían con su aceite; se vuelven a meter unos 30 minutos más o menos en el horno, dándoles la vuelta y rociándoles con la grasa tres o cuatro veces durante este tiempo.

Se sirven en seguida en una fuente caliente.

236.—PATATAS ASADAS A LA AMERICANA

Se calcula una patata más bien gruesa por persona, y se sirven como acompañamiento de filetes de solomillo o chuletas.

Esta receta requiere unas patatas de buenísima calidad.

Se lavan muy bien (con un cepillo si fuese posible). Se frotan por fuera con 1 diente de ajo pelado y después con aceite de oliva. Esto se tiene que hacer con los dedos, como dándoles un verdadero masaje. Se pinchan con un tenedor no muy profundamente, 3 ó 4 veces en distinto sitio. Se envuelven en papel de plata y se meten en el horno (previamente calentado) 10 minutos a fuego lento, y después 50 minutos a fuego mediano.

Se sirven en seguida en su mismo papel entreabierto sólo por donde está la raja del papel de plata que las envuelve.

Nota.—Se puede dar un tajo con un cuchillo y poner un trozo de mantequilla en la patata al ir a servirlas.

237.—TORTA DE PATATAS PARA ACOMPAÑAR FIAMBRES, CARNES, ETC. (6 personas)

¾ kg. de patatas,
 3 ó 4 cucharadas soperas de aceite,

50 gr. de mantequilla (o manteca de cerdo),
agua, sal,
cebolla y tocino (facultativo).

Se lavan bien las patatas sin pelar y se ponen en un cazo con agua fría, con sal, que las cubra bien. Cuando rompe el hervor, se dejan cocer ½ hora más o menos si son nuevas, algo más si son viejas. Cuando están tiernas (se pinchan para saberlo), sin que estén deshechas, se escurren de su agua y se dejan en un plato hasta que estén bien frías.

Cuando se vaya a hacer la torta se pelan las patatas y se pasan a la «moulinette», o se cortan con un cuchillo especial como patatas paja. Se pone el aceite a calentar en una sartén y se van echando las patatas formando como una tortilla sin huevos, y, sin apretar la torta, se dejan unos 10 minutos hasta que empiezan a dorarse; luego, con una tapadera, se vuelve la torta y se fríe la otra cara durante 10 minutos. Después se pone la torta en la tapadera, se escurre el aceite y en su lugar se pone la mitad de la manteca o mantequilla y se dora unos 5 minutos, repitiendo esta operación por la otra cara.

Debe quedar la torta muy dorada y curruscante. Se pone en una fuente y se corta a triángulos para servir de acompañamiento de muchos platos.

Si se quiere con cebolla, se refríe ésta antes de poner la patata en la sartén, cortándola en tiritas finas. Cuando está transparente (5 minutos más o menos) se revuelve con la patata.

El tocino también le da muy buen gusto. Se procede como con la cebolla, picando bastante menudo el tocino y refriéndolo antes de mezclarlo con la patata.

238.—PATATAS EN ENSALADILLA CON ATUN Y HUEVO DURO (6 personas)

1¼ kg. de patatas,
1 lata de atún en aceite (de 225 gr.),
3 huevos duros,
1 cebolla francesa muy picada,
1 cucharada (de las de café) de perejil picado,
3 cucharadas soperas de vinagre,
6 cucharadas soperas de aceite fino,
2 cucharadas soperas de leche fría,
sal,
agua.

Se hacen los huevos duros (receta 435).

Se lavan bien las patatas enteras y sin pelar; se ponen en un cazo con agua fría y sal que las cubra bien. Cuando rompe el hervor, se dejan 25 a 30 minutos (según la clase de la patata). Cuando están cocidas (se atraviesa una con un alambre o un cuchillo y debe pasar suavemente toda la patata) se escurren y se pelan. Se van cortando en rodajas y echándolas en una ensaladera alternando con el atún en trozos y rodajas de huevo duro.

En una cuchara sopera se pone un poco de sal y vinagre; se mezcla bien con un tenedor para que se deshaga la sal y se echa por encima de las patatas. Después se vierte el aceite, rociando bien toda la ensalada, y se añade la cebolla y el perejil picado. Se mueve con cuidado para no deshacer la patata y el huevo y se sirve templado o frío (en verano).

239.—PATATAS CON MAYONESA, TOMATES, AN-CHOAS, ETC. (6 personas)

8 patatas medianas (1 kg.),
1 pepino mediano,
3 tomates duros,
1 lata de anchoas en aceite,
1 pimiento rojo de lata,
100 gr. de aceitunas deshuesa-das,
2 cucharadas soperas de alca-parras,
1 huevo duro,

2 cucharadas soperas de leche fría,
agua fría,
sal.
Mayonesa:
2 huevos,
1½ vasos (de los de agua) de aceite,
el zumo de ½ limón,
sal.

Se hace primero la mayonesa (receta 94, 1.ª fórmula) y se re-serva al fresco.

Lavar bien las patatas enteras y sin pelar. Se ponen en un cazo con agua fría que las cubra bien, las 2 cucharadas de leche fría y sal. Se dejan cocer unos 30 minutos (más o menos), según la clase de patata. Cuando estén cocidas se dejan enfriar un poco, se pelan y cortan en rodajas.

Se pican las alcaparras y se mezclan con la mitad de la mayo-nesa. Se pela y corta en rodajas muy finas el pepino, se sala ligeramente y se pone en un plato durante una ½ hora para que suelte el agua. Se escurre.

Se mezcla la mayonesa con las patatas y el pepino y se colo-can en una fuente redonda en forma de domo. Se recubre con el resto de la mayonesa sin alcaparras que estaba reservada. Se adorna con rodajas de tomate, pimiento rojo, huevo duro, anchoas y aceitunas.

Se mete la fuente un rato en la nevera y se sirve cuando esté bien fría.

PASTAS, CANALONES Y ÑOQUIS

240.—MANERA DE COCER LAS PASTAS

MACARRONES:

Se calcula para 6 personas 1 paquete y ½ de macarrones de las marcas más corrientes españolas o, para más seguridad, de 50 a 60 gr. por persona (antes de hervidos).

Se cortan en trozos en crudo. Se pone al fuego agua muy abundante con sal, y cuando rompe a hervir se echan los macarrones, que se cocerán destapados. Cuando vuelve a romper a hervir, se baja un poco el fuego sin que paren de cocer y se tienen de 15 a 20 minutos (esto depende exclusivamente de la marca y del gusto de cada cual. Los italianos toman la pasta mucho más cruda que los españoles). Se escurren en un colador grande y se pasan por el chorro del agua fría. Entonces están preparados para cualquier guiso.

Nota.—Hay quien les echa una cucharada (de las de café) de aceite fino y crudo en el agua de cocerlos para que no se peguen.

CINTAS O SPAGHETTIS:

Se cuecen lo mismo que los macarrones, pero sin pasarlos por el agua fría. Se debe calcular, por lo tanto, la hora exacta de servirlos, a fin de no tenerlos en agua caliente más que el tiempo necesario, para que no se pongan gelatinosos. Se deben servir con platos previamente calentados, evitando así que se enfríen.

CANALONES:

Hay en el comercio unos canalones que resultan muy buenos y que no se tienen que cocer. Solamente se dejarán en remojo en agua fría durante una hora para que la pasta se ablande bien.

Si se quieren utilizar canalones corrientes, se cocerán como los macarrones; cuando estén en su punto se sacarán con mucho cuidado para que no se rompan y se extienden sobre un paño limpio de cocina hasta el momento de utilizarlos.

Nota.—Igual que para los macarrones, se les puede añadir un chorrito de aceite en el agua de cocerlos.

241.—MANERA DE HACER LA PASTA DE LOS SPAGHETTIS (6 personas)

½ kg. de harina,   sal.
3 huevos,

En una ensaladera se pone la mitad de la harina, en el centro se echan los huevos, el agua y la sal. Se mezcla con la mano y se trabaja mucho la pasta, añadiendo poco a poco toda la harina. Cuando la pasta está hecha, se forma un bola y ésta se tira fuertemente y desde bastante alto sobre el mármol de la mesa, unas 8 ó 10 veces. Después, espolvoreando el mármol con un poco de harina, se extiende hasta que quede muy fina con el rollo de madera. Se deja secar así de ½ a una hora. Se enrolla sin apretar y se corta en tiras de ½ cm. o más si se quiere, según guste.

Se suelta la pasta para que las tiras queden alargadas y se procede como para las cintas del comercio para cocerlas.

También se pueden conservar hasta una semana, si se dejan secar bien antes de guardarlas.

242.—MACARRONES CON CHORIZO Y TOMATE (6 personas)

350 gr. de macarrones,
100 gr. de chorizo,
100 gr. de queso gruyère o parmesano rallado,
 30 gr. de mantequilla,
 1 kg. de tomates maduros,

1 cebolla mediana (100 gr.),
3 cucharadas soperas de aceite,
1 cucharada (de las de café) de azúcar,
sal.

Se cuecen los macarrones como va explicado (receta 240), y, una vez refrescados, se reservan.

Se hará salsa de tomate (receta 63).

Se mezcla la salsa (reservando dos o tres cucharadas soperas) y la mitad del queso rayado con los macarrones. Se vierten en una fuente de cristal o de porcelana resistente al horno.

Se parte el chorizo, quitándole el pellejo, y se dispone en trocitos sobre la fuente, hundiéndolos un poco entre los macarrones con el fin de que no se sequen. Se echan por encima las cucharadas de tomate reservadas y se espolvorea con queso rallado. Se pone la mantequilla en trocitos como avellanas y se meten al horno a gratinar.

Cuando la costra de encima está bien tostada (de 15 a 30 minutos, según el horno) se sirven en la misma fuente.

243.—MACARRONES CON BECHAMEL (6 personas)

350 gr. de macarrones,
100 gr. de queso gruyère o parmesano rallado,
 2 cucharadas soperas de harina, rasadas,
 50 gr. de mantequilla (½ vaso

para la bechamel y ½ para el gratinado),
2 cucharadas soperas de aceite,
¾ litro de leche fría,
sal,
nuez moscada (facultativo).

Se cuecen los macarrones (receta 240), y, una vez refrescados, se reservan.

Se hace la bechamel. En una sartén se pone la mitad de la mantequilla a derretir con el aceite. Se le añade la harina, se da un par de vueltas moviendo con las varillas. Se agrega poco a poco la leche fría, y, dando vueltas, se deja que cueza unos 10 minutos y se sala.

En una fuente de cristal o de porcelana resistente al horno se mezclan los macarrones con un poco más de la mitad de la bechamel, se ralla un poquito de nuez moscada y se echa la mitad del queso. Se revuelve bien todo junto.

Se vierte por encima, alisando un poco con el dorso de una cuchara, el resto de la salsa bechamel y el queso rallado que queda, y se colocan unos trocitos de mantequilla por encima, del grosor de una avellana.

Se mete en el horno (previamente calentado) de 15 a 30 minutos, hasta que se forme una bonita costra dorada.

Se sirve en la misma fuente.

244.—MACARRONES A LA AMERICANA (6 personas)

350 gr. de macarrones,
  2 latas de sopa «Campbell's» de champiñón,
1½ vaso (de los de agua) de leche,
1 cucharada (de las de café) de curry,
50 gr. de queso gruyère o parmesano rallado,
25 gr. de mantequilla, sal.

Se cuecen los macarrones (receta 240), y, una vez refrescados, se prepara la salsa.

En un cazo se pone la sopa a calentar con la leche. Se le añaden los macarrones y se espolvorea con el curry. Se mezcla bien y se pone en una fuente de cristal o porcelana resistente al horno, más bien profunda. Se espolvorea con el queso rallado y se ponen unos trocitos de mantequilla como avellanas. Se mete al horno, previamente calentado, por espacio de unos 15 minutos, y se sirven.

245.—TIMBAL MILANESA (6 personas)

300 gr. de spaghettis,
  3 higaditos de pollo,
  1 pechuga de pollo (cocida con una zanahoria y 1 puerro),
125 gr. de mollejas de ternera, zumo de 1 limón,
  1 trufa,
150 gr. de champiñones de París,
  1 vaso (de los de vino) de aceite para freír,
 75 gr. de queso gruyère o parmesano rallado,
 40 gr. de mantequilla,
1 cucharada sopera de aceite fino,
1 vaso (de los de agua) de caldo (de cocer la pechuga de gallina o de cubitos de caldo Maggi u otros),
1 cucharada sopera de harina,
2 cucharadas soperas de salsa de tomate espesa,
½ vaso (de los de vino) de Madeira o de Jerez,
1 yema de huevo, sal.

Hay que preparar primero los ingredientes y tener hecha la salsa de tomate.

Los higaditos se preparan quitándoles con cuidado la hiel y se fríen rápidamente (se terminarán de hacer con los spaghettis).

La pechuga de pollo o de gallina se tendrá cocida en agua con unas rodajas de zanahoria, 1 puerro y sal. Se deshuesa y se corta en trozos más bien grandes.

Las mollejas se tienen por lo menos una hora en remojo en agua fresca, se lavan bien y se ponen al fuego con agua fría y sal. Cuando rompe a cocer el agua se dejan unos 5 minutos. Se escurren y se meten en agua fría, quitándoles todos los pellejos. Se secan muy bien con un trapo limpio, se cortan en cuadraditos, se rebozan ligeramente en harina y se fríen.

Los champiñones se escogerán pequeños. Se separa el rabo (cortándole la parte con tierra) de la cabeza. Se lavan en agua fría con unas gotas de limón, y, escurridos, se ponen en un cazo con la mitad de la mantequilla, sal y unas gotas de limón. Se tapa el cazo con tapadera y se dejan a fuego lento unos 10 minutos.

Preparado todo esto, se cuecen los spaghettis en la forma acostumbrada (receta 240).

Mientras se prepara la salsa. En una sartén se ponen los 20 gr. de mantequilla y una cucharada de aceite. Cuando la mantequilla se ha derretido, se echa la harina y, poco a poco, el caldo (frío). Se mueve bien con unas varillas y se rectifica de sal. Se añaden entonces las dos cucharadas de tomate y el jerez y se deslíe la yema en un tazón (para que no se cuaje), poco a poco, con salsa. Una vez hecha la salsa, se ponen los spaghettis bien escurridos y calientes en una legumbrera honda; se echan los champiñones, los higaditos, la pechuga, las mollejas, el queso rallado y la salsa. Se remueve muy bien todo y se espolvorea con un picadito de trufa. Se sirve en seguida.

246.—MACARRONES CON MAYONESA (6 personas)

(Plato frío)

2 huevos,
   zumo de 1 limón o vinagre,
¼ litro de aceite fino,
1½ paquete de coditos (300 gr.),
1 lata pequeña de atún en
   aceite (100 gr.),

½ kg. de tomates duros,
   unas aceitunas rellenas,
1 huevo duro,
   sal.

Con 1 huevo entero, aceite, sal y zumo de limón, se hace una mayonesa (en la batidora, receta 94).

Aparte, en agua hirviendo con sal, se echan los coditos y se cuecen unos 15 minutos (según la marca). Cuando están en su punto, se escurren en un colador y se enfrían al grifo, dejándolos escurrir. Una vez fríos se mezclan bien con la mitad de la mayonesa y el atún en trocitos (bien escurrido de aceite o del escabeche). Se ponen en el centro de una fuente. Alrededor se colocan rodajas de tomate con un poco de mayonesa encima, las aceitunas y el huevo duro picado y espolvoreado por encima de los coditos (sale muy fino el huevo pasándolos por un pasapurés).

Meter la fuente en la nevera ½ hora y servir tal cual.

(Plato caliente)

300 gr. de macarrones (grosor mediano),
3 cucharadas soperas de gruyère rallado (75 gr.),
30 gr. de mantequilla,

Mayonesa:
¼ litro de aceite fino,
1 huevo entero,
el zumo de 1 limón,
sal,
la punta de un cuchillo de mostaza.

Se cuecen los macarrones (receta 240).
Durante este tiempo se hace la mayonesa en la batidora (receta 94).
Una vez cocidos, refrescados y escurridos los macarrones, se echan en una cacerola con la mantequilla y el queso rallado, se calientan suavemente y se revuelven bien. Se separan del fuego y se pone más o menos la tercera parte de la mayonesa, se mezcla bien y se vierte todo en una fuente resistente al horno (cristal, porcelana, etc.) Se echa por encima el resto de la mayonesa, alisándola un poco con una cuchara o cuchillo, y se meten a gratinar a horno más bien vivo. Cuando la mayonesa está dorada, se retiran del horno y se sirven en la misma fuente.
Nota.—A veces es necesario volcar un poco la fuente con el fin de quitar con una cuchara el aceite que pueda soltar la mayonesa al estar en el horno.

247.—MACARRONES CON ESPINACAS (6 personas)

1½ kg. de espinacas,
300 gr. de macarrones,
80 gr. de mantequilla,
60 gr. de queso gruyère o parmesano rallado,
1 cucharada sopera de harina,
1 cucharada sopera de aceite fino,
¼ litro de leche fría (1 vaso bien lleno de los de agua),
agua y sal,
1 pellizco de bicarbonato.

Se cortan los tallos de las espinacas dejando sólo las hojas. Se lavan muy bien en varias aguas para que no tengan tierra y se cuecen en una olla amplia. Cuando el agua (con un pellizco de bicarbonato para que queden bien verdes las espinacas) con sal cuece a borbotones, se meten y se empujan con una espumadera para que el agua las cubra bien. Al romper a hervir otra vez, se las deja unos 10 minutos. Se escurren en un colador grande apretándolas un poco con el dorso de una cuchara para que suelten bien el agua. Se pican no muy menudas sobre la tabla, con un cuchillo grande.
Aparte se ponen a cocer los macarrones (receta 240), y mientras tanto se hace la bechamel.
En una sartén se ponen unos 25 gr. de mantequilla a derretir con una cucharada sopera de aceite. Se añade la cucharada de harina, se da unas vueltas con las varillas sin que tome color y, poco a poco, se añade la leche fría, y, por fin, la sal. Se deja cocer a fuego lento unos 5 minutos sin dejar de dar vueltas.
En otra sartén se pone casi toda la mantequilla, reservando sólo un poco para gratinar, y se saltean las espinacas. Se colocan en

una fuente de cristal o porcelana que sea resistente al horno, de modo que cubran todo el fondo. Se escurren bien los macarrones y se revuelven con la mitad del queso y se ponen sobre las espinacas.

Finalmente se cubre todo con la bechamel. Se espolvorea con el resto del queso rallado, se ponen encima unas avellanitas de mantequilla y se mete la fuente al horno (previamente calentado) hasta que adquiera un bonito color dorado (unos 15, gratinado).

248.—MACARRONES CON MEJILLONES AL CURRY (6 personas)

350 gr. de macarrones,
1 kg. de mejillones,
1 ramita de apio (facultativo),
½ vaso (de los de vino) de vino blanco,
1 chalota (grandecita) o una cebolla pequeña (80 gr.),
30 gr. de mantequilla,
2 cucharadas soperas de aceite fino,

1½ cucharadas soperas rasadas de harina,
2 vasos (de los de agua, o ½ litro) de leche fría,
100 gr. de queso rallado,
1 cucharada (de las de café) de perejil muy picado,
1 cucharada (de las de café) rasada de curry,
sal.

Se lavan y pelan muy bien las barbas de los mejillones y se ponen en una sartén amplia con el vino blanco, la ramita de apio (cortada en dos trozos) y sal. Se ponen a fuego mediano, cubriéndolos con una tapadera y moviendo la sartén de vez en cuando.

Una vez abiertos los mejillones, se separan de su cáscara. Si son muy grandes, se cortan con las tijeras en dos o tres trozos. El caldo que han soltado se cuela por un colador muy fino (o incluso por una batista) y se reserva.

Se cuecen los macarrones (receta 240).

Mientras se cuecen se va haciendo la salsa. En una sartén se pone la mitad de la mantequilla a derretir con el aceite. Se añade la chalota picada muy menuda, dejándola unos 5 minutos y dándole vueltas para que se haga, pero sin dorarse. Se añade después el curry en polvo y la harina y se va mojando con la leche y el caldo de los mejillones. Se deja cocer unos 5 ó 10 minutos esta bechamel.

En una fuente de cristal o porcelana resistente al horno se colocan los macarrones y los mejillones, que se revuelven mezclados con la mitad del queso rallado y el perejil. Se cubren con la salsa y se espolvorean con el resto del queso rallado.

Se meten en el horno (previamente calentado) a gratinar, hasta que tengan una bonita costra dorada. Entonces se sirven.

249.—MACARRONES CON ATUN DE LATA (6 personas)

350 gr. de macarrones,
1 lata pequeña (150 gr.) de atún al natural,
4 cucharadas soperas de aceite fino,
1 cucharadita (de las de moka) de azúcar,
1 cebolla mediana (80 gr.),
1 diente de ajo,

3 tomates grandes bien maduros (o de lata), 400 gr.,
1 buen pellizco de hierbas aromáticas,
30 gr. de mantequilla,
½ vaso (de los de vino) de vino blanco,
50 gr. de queso gruyère rallado,
sal.

Se cuecen los macarrones (receta 240), y, una vez refrescados, se prepara la salsa.
En una cacerola se pone el aceite a calentar, se echan la cebolla y el ajo pelados y muy picados, hasta que se ponga transparente (unos 5 minutos). Se incorporan los tomates pelados, cortados en trozos y quitadas las simientes; se machacan bien con el canto de la cuchara y se añade el vino, el azúcar, la sal y el pellizco de hierbas aromáticas. Se cuece durante unos 15 minutos. Se echan en la salsa los macarrones, el trozo de mantequilla, el queso rallado y el atún en trocitos. Se revuelve todo junto y se sirve.

250.—CODITOS CON BACON Y GUISANTES (6 personas)

300 gr. de coditos,
1 lata de ¼ kg. de guisantes,
80 gr. de gruyère rallado,
12 lonchas finas de bacon (tocino ahumado),
1 kg. de tomates maduros,

2 cucharadas soperas de aceite frito,
1 cebolla grande (125 gr.),
1 cucharada (de las de café) de azúcar,
agua y sal.

En una cacerola se pone agua y sal. Se pone al fuego y, cuando rompe a hervir, se echan los coditos, moviéndolos un poco para que no se peguen. Se dejan cocer unos 20 minutos (depende de la clase de pasta), y se cuelan por un colador grande pasándolos después por el chorro de agua fría.
Aparte, en una sartén, se pone el aceite a calentar. Se echa la cebolla pelada y picadita. Se deja dorar unos minutos (de 5 a 8 minutos), y se añaden los tomates, cortados en trozos grandes y sin semillas. Con una espumadera se machacan bien durante unos 10 minutos. Se pasa entonces por el pasapurés y se le agrega la sal y el azúcar.
Se mezclan los coditos con el tomate, los guisantes (escurridos de su caldo) y parte del queso rallado, dejando que se caliente un poco y se ponen en una fuente de horno, espolvoreando el queso por encima. Se tiene en el horno unos minutos hasta que se deshaga el queso.
Aparte se hacen unos rollitos con el tocino y se pinchan con un

palillo, para que no se desenrollen al freírlos. Se fríen bien y se colocan en la fuente de adorno (quitando los palillos después de freír, y se sirve en seguida.

251.—CINTAS CON RIÑONES (6 personas)

300 gr. de cintas,
 1 riñón de ternera de ½ kg.,
 30 gr. de mantequilla,
 6 cucharadas soperas de aceite,
 3 cucharadas soperas de harina,
 1 vaso (de los de vino) de jerez,
 1 vaso (de los de agua) de

agua con 1 cubito de caldo o 1 cubito de extracto de carne,
Se puede emplear 1½ vaso (de los de agua), mitad agua, mitad vino blanco,
 50 gr. de queso gruyère rallado,
sal.

Se limpian los riñones (receta 919, 1.ª manera).
En una sartén se ponen 4 cucharadas de aceite; cuando está caliente, se echan los riñones bien escurridos, y, moviéndolos con una cuchara de madera, se les dan unas vueltas (unos 5 minutos). Se tapa con una tapadera y se escurre muy bien el jugo. Se dejan así tapados cerca del calor para que, sin hacerse más, tampoco se enfríen.
Se ponen las cintas a cocer en la forma acostumbrada (receta 240).
Mientras tanto se va haciendo la salsa de los riñones. En una sartén se pone la harina, y, sin dejar de dar vueltas, se la deja tomar un bonito color tostado. Cuando está, se le echa la mitad de la mantequilla y las 2 cucharadas soperas de aceite. Una vez derretida la mantequilla, se le va añadiendo el jerez y el agua con el extracto de carne o el caldo de cubito. Se da vueltas hasta que haya dado un hervor durante 3 ó 4 minutos. Se incorporan entonces los riñones, que se irán haciendo a fuego lento.
Después de bien escurridas las cintas, se les echa el resto de la mantequilla con el queso rallado, y se mueve para que se mezcle bien.
En una fuente redonda, que se calentará previamente (pues las cintas se enfrían de prisa), se disponen las cintas dejando un agujero en el centro. Allí se colocan los riñones con un poco de salsa (para ello se sacarán con una espumadera), y se verterá la salsa en parte sobre las cintas y el resto sobre los riñones, sirviéndolas en seguida.

252.—SPAGHETTIS A LA ITALIANA CON BACON Y HUEVOS (6 personas)

350 gr. de spaghettis,
150 gr. de bacon (en 2 lonchas gordas),
 75 gr. de mantequilla,
 75 gr. de queso parmesano rallado,

½ vaso (de los de agua) de aceite (sobrará),
 4 huevos,
 1 pellizco muy pequeño de hierbas aromáticas,
agua y sal.

Se cuecen los spaghettis sin cortarlos en agua hirviendo abundante, con sal. Deben quedar más bien firmes. Mientras tanto se quita la corteza al bacon, se corta en tiras de 1 cm. de ancho y se fríen en un poco de aceite caliente. Se retira y se reserva. Cuando están los spaghettis cocidos (el tiempo depende de la clase, pero será de 10 a 20 minutos más o menos), se escurren en un colador grande y se cubren con un paño limpio para que no se enfríen. En un cazo amplio se pone la mantequilla a derretir (sin que se dore); se le añade el bacon frito y los 4 huevos batidos como para tortilla. En seguida se echan los spaghettis, el pellizco de hierbas aromáticas y el queso rallado, y se mueve bien todo hasta que esté bien mezclado.
Se pone en una fuente honda previamente calentada y se sirve en seguida con los platos también calientes.

253.—SPAGHETTIS CON GUISANTES Y ALMEJAS (6 personas)

350 gr. de spaghettis,
1 lata pequeña de guisantes (100 gr.),
½ kg. de almejas,
50 gr. de mantequilla,

75 gr. de queso parmesano rallado (o M. G.),
½ vaso (de los de vino) de vino blanco,
1 chalota,
agua y sal.

Se cuecen los spaghettis (receta 240). Mientras se van cociendo se preparan las almejas. Se lavan bien, con agua y sal, y se ponen en una sartén, rociándolas con el vino blanco y una chalota pequeña picada. Se ponen al fuego, se sacude la sartén por el mango y cuando están las almejas abiertas, se retiran. Se sacan los bichos de su cáscara y se cuela el jugo que está en la sartén por un colador muy fino o mejor por una gasa (para que no pase nada de arena). Se reserva.
Una vez cocidos los spaghettis, se escurren en un colador grande. En un cazo amplio se pone la mantequilla a derretir (sin que cueza), se echan los spaghettis, se les agregan las almejas, los guisantes, el jugo de las almejas y el queso espolvoreado. Se mezcla todo muy bien, se pone en una fuente (previamente calentada) y se sirven en seguida con los platos también templados.

254.—SPAGHETTIS CON GUISANTES Y SETAS (6 personas)

350 gr. de spaghettis,
1 lata pequeña de guisantes (100 gr.),
1 puñado de setas (frescas, secas o de lata),

50 gr. de mantequilla,
75 gr. de queso parmesano rallado (o M. G),
agua y sal.

Se procede como en la receta anterior. Se preparan las setas, si son secas, de lata o frescas, según costumbre, y se revuelven igual que en la receta anterior, sustituyendo las almejas por las setas.

Es un plato con sabor muy distinto pero también sabroso.

255.—RAVIOLI

Se hace la misma pasta que la explicada para los spaghettis (receta 241). Se deja reposar unas 2 horas en bola y luego se parte por la mitad y se extiende en dos planchas muy finas y cuadradas.

Se coloca el relleno que se haya preparado sobre una de las planchas (la receta va seguidamente), poniendo una cucharadita (de las de moka) del mismo cada 3 cm. de distancia una de otra.

Antes de colocar la segunda plancha, se pasa un pincel mojado en agua por la superficie de la masa, formando cuadros por donde se cortarán los raviolis. Se coloca la segunda plancha, toda ella mojada (la cara interna, naturalmente), sobre la primera. Se pasa un cortapasta ondulado, apretando bien para que queden los bordes perfectamente pegados.

Se pone una cacerola con agua abundante y sal; cuando hierve, se echan los raviolis por tandas. Cuando rompe a hervir el agua de nuevo, se baja el fuego y se dejan cocer despacio unos 20 minutos. Se escurren y se refrescan (en agua fría) para que no se peguen.

Así están preparados para añadirles la salsa y meterlos al horno. No deberá demorarse el hacerlo para que no se sequen.

Nota.—Hay bastantes sitios (supermercados, buenas tiendas de alimentación, etc.) donde se encuentran raviolis ya preparados. No habrá entonces más que cocerlos, hacerles la salsa y meterlos al horno, con lo cual todo resulta más fácil y rápido.

Rellenos para raviolis (unos 35):

Relleno 1.º:

½ kg. de espinacas,
150 gr. de carne de salchicha,
5 cucharadas soperas de leche caliente,
el grosor de un huevo de miga de pan,
1 cucharada sopera de jerez,

1 cucharada sopera de cebolla muy picada,
1 huevo,
3 cucharadas soperas de aceite,
sal.

Se limpian las espinacas, quitándoles los tallos. Se lavan en varias aguas y se cuecen en un cazo con agua abundante hirviendo con sal durante unos 10 minutos.

Entonces se escurren en un colador. Se aprietan bien para que suelten todo el agua y se pican muy menudas (con un cuchillo o pasándolas por la máquina de picar la carne).

En un tazón se mete la miga de pan en remojo con la leche caliente. En una sartén se pone el aceite a calentar; cuando está en su punto, se echa la cebolla picada, que se deja dorar unos 10 minutos, y se agrega la carne, a la cual se da unas vueltas. Se separa la sartén y se pone la carne con la cebolla en una ensaladera. Se incorpora la miga de pan ligeramente estrujada para escurrir un poco la leche, el jerez, el huevo y la sal. Se amasa bien con una cuchara de madera y, finalmente, se añaden las espinacas.

Se deja enfriar totalmente esta pasta antes de colocarla sobre la masa de los raviolis.

Relleno 2.°:

½ kg. de espinacas,
150 gr. de carne magra de ternera,
2 puerros medianos,
50 gr. de queso gruyère o parmesano rallado,

100 gr. de pan rallado,
1 huevo,
1 cucharada sopera de jerez,
3 cucharadas soperas de aceite,
sal.

Se procede como en la receta anterior para preparar y cocer las espinacas.

En una sartén se pone el aceite a calentar y se echan los puerros lavados y cortados en dos a lo largo y en trozos de unos 3 cm. de largo. Se dejan rehogar unos 10 minutos y después se agrega la carne cortada en trozos no muy grandes. Se tapa la sartén con una tapadera y, a fuego lento, se deja unos 15 ó 20 minutos, dando de vez en cuando una vuelta.

Cuando está todo, se pasa por la máquina de picar la carne junto con las espinacas. Se pone este picado en una ensaladera, añadiendo entonces el pan rallado, el queso, el huevo entero, el jerez y la sal. Se amasa bien para que todo quede muy unido.

Cuando el relleno esté bien fino, se procede a preparar los raviolis.

Salsas

1.ª De tomate:

1½ kg. de tomates bien maduros,
3 cucharadas soperas de aceite frito,
½ cebolla mediana (50 gr.),

1 cucharada (de las de café) de azúcar,
sal,
100 gr. de queso gruyère o parmesano rallado,
25 gr. de mantequilla.

En una sartén se pone el aceite a calentar; se echa la cebolla, que se deja freír unos 5 minutos, después de los cuales se añaden los tomates cortados en trozos y quitadas las simientes. Con el canto de una espumadera se machacan muy bien mientras se fríen. A los 10 minutos se pasa el refrito por el pasapurés y se le añade el azúcar y la sal.

En una fuente de barro, cristal o porcelana que resista al horno se pone un poco de salsa de tomate en el fondo y se espolvorea con un poco de queso rallado. Se colocan los raviolis encima y se cubren con el resto de la salsa de tomate. Se espolvorea con el resto del queso y se pone la mantequilla en bolitas del grosor de una avellana cada una.

Se mete al horno mediano a gratinar, y se sirve cuando la salsa está dorada.

2.ª Bechamel:

50 gr. de queso gruyère rallado,
50 gr. de mantequilla,
 2 cucharadas soperas de aceite,
 1 cucharada sopera de harina,

½ litro de leche (fría),
2 cucharadas (de las de café)
 de puré de tomate concentrado,
 sal.

En una sartén se pone a calentar la mitad de la mantequilla con
el aceite; se echa la harina y se revuelve un poco; se añade poco
a poco la leche fría, sin dejar de mover con las varillas. Se echa
la sal y se deja cocer unos 6 minutos, añadiendo después el tomate. Se colocan los raviolis en una fuente de barro, cristal o
porcelana resistente al horno y se vierte la bechamel por encima.
Se espolvorea con el queso rallado y se pone la mantequilla en
bolitas del grosor de avellanas.
Se mete al horno fuerte a gratinar y, cuando está bien gratinada, se
sirve.

256.—ÑOQUIS FINOS (6 personas)

200 gr. de sémola de trigo,
 ¾ de litro de leche,
 75 gr. de mantequilla,
 3 huevos,
 30 gr. de mantequilla para gratinar,

100 gr. de queso gruyère rallado,
 agua salada,
 sal y un poco de nuez moscada rallada.

En un cazo se pone a cocer la leche con los 75 gr. de mantequilla, la
nuez moscada (rallada) y la sal. Cuando la leche hierve, se echa
la sémola desde un poco alta para que caiga en forma de lluvia.
Se darán vueltas con una cuchara de madera hasta que la masa se
separe de las paredes del cazo. Se retira éste del fuego.
Añádanse entonces, uno por uno, los 3 huevos y la mitad del
queso rallado.
Se pone una cacerola grande con agua y un poco de sal a cocer. Se
forman los ñoquis con una cuchara sopera como si fuesen croquetas grandes. Cuando el agua hierve a borbotones, se baja
el fuego y se echan dentro algunos ñoquis (que deberán quedar
holgados para cocer bien); se vuelve a dar más fuego y, cuando
empieza otra vez a hervir el agua, se apaga el fuego y se cubre
la cacerola, manteniéndose así durante unos 6 ó 7 minutos, después
de los cuales se sacan los ñoquis con una espumadera y se
echan en agua fría un ratito hasta que se enfríen. Se van cociendo así por tandas. Se escurren bien y se colocan en la fuente
donde se vayan a servir. Esta debe ser de cristal o porcelana
resistente al horno. Se colocan, se espolvorean con el resto del
queso rallado y se pone en trocitos la mantequilla que se había
reservado para gratinar.
Se meten en el horno previamente calentado, hasta que tengan
un bonito color dorado y se sirven entonces en seguida.

257.—ÑOQUIS SENCILLOS (6 personas)

1 litro de leche (escaso),
225 gr. de sémola de trigo,
60 gr. de mantequilla,
25 gr. de mantequilla para untar la fuente,
40 gr. de mantequilla para rociar los ñoquis,

50 gr. de queso gruyère rallado,
2 huevos enteros,
2 yemas,
sal y nuez moscada.

Poner la leche a calentar con un poco de nuez moscada rallada y la mantequilla (60 gr.). Cuando hierve, se echa la sémola en forma de lluvia y se cuece moviendo con una cuchara de madera. Se añade entonces la sal y se dan vueltas constantemente hasta que se empieza a desprender de las paredes del cazo (15 minutos, más o menos). Se retira del fuego y, una vez templada la masa, se baten en un plato sopero los 2 huevos enteros y las 2 yemas como para tortilla; se incorporan a la masa. Se pasa una besuguera por agua fría, se escurre (sin secar) y se vierte la masa de los ñoquis dentro. Se deja enfriar por lo menos una hora antes de hacerlos.

Se unta una fuente resistente al horno con los 25 gr. de mantequilla. Se colocan los ñoquis, que se formarán con 2 cucharas soperas, como unas croquetas más bien grandes, en la fuente de horno, y se espolvorean con el queso rallado, rociándolos seguidamente con un trozo de mantequilla derretida (40 gr.).

Se meten en el horno hasta que estén bien gratinados. Se sirven en la misma fuente en seguida.

Se pueden acompañar con salsa de tomate en salsera aparte.

258.—CANELONES DE CARNE (6 personas)

El relleno de los canalones se puede hacer de muchas maneras, más o menos caras. La base es siempre un resto de carne de vaca, ternera o mejor de cerdo, que se pasa por la máquina de picar la carne. Esta se mezcla con una o varias cosas que pueden ser: higaditos de pollo (previamente rehogados), pechuga de gallina o pollo (cocida, o asada y picada), un seso de cordero también previamente lavado y cocido, foie-gras, jamón serrano o de York, carne de salchichas, etc.

Lo fundamental es mezclar la carne con una o varias cosas que le den sabor y ligereza. Queda muy rico también friendo una cebolla pequeña con un poco de tomate y haciendo una pasta con todo ello. La pasta propiamente dicha de los canalones se empleará según la explicación de cada marca.

Yo aconsejo las marcas que no hay que cocer, sino sólo echarlos en agua fría antes de emplearlos. Son buenas y de fácil manejo.

Por ejemplo, para 12 canalones haremos el relleno siguiente:

150 gr. de carne de ternera,
 1 pechuga de gallina (ya cocida),
 1 seso de cordero (ya cocido),
30 gr. de foie-gras,
 1 cebolla pequeña (60 gr.),
 4 cucharadas soperas de aceite,
30 gr. de mantequilla,
75 gr. de queso gruyère rallado.

Salsa de tomate (receta 64):
¾ kg. de tomates,
   aceite, sal, azúcar.

Bechamel (receta 67):
30 gr. de mantequilla,
 2 cucharadas soperas de aceite fino,
¾ litro de leche fría (o mitad de leche y mitad de caldo),
 2 cucharadas soperas de harina, sal.

Se tiene echa la salsa de tomate de forma que quede bien espesa.

En una sartén pequeña se ponen 2 cucharadas soperas de aceite a calentar y se echa la cebolla pelada y muy picadita. Cuando se pone transparente (unos 5 minutos más o menos), se añaden 2 cucharadas soperas de salsa de tomate. Esto se mezcla con la carne ya picada y con todo lo que se añada a la misma.

Se rellenan los canalones escurridos sobre un paño limpio, se enrollan y se colocan en una fuente de porcelana o cristal resistente al horno.

Aparte se hace una bechamel más bien clarita. Se añade entonces lo que queda de la salsa de tomate (esto es facultativo; se puede hacer la bechamel sin tomate). Se vierte sobre los canalones, pasándola por el chino o por un colador de agujeros grandes (si no lleva tomate no es necesario).

Se espolvorea con el queso rallado y se pone la mantequilla que queda en trocitos como avellanas. Se meten al horno (previamente calentado) por espacio de unos 20 minutos a gratinar.

Cuando la superficie está bien dorada, se saca a la boca del horno, o se apaga éste y se sirve unos 5 minutos después, porque es un plato que conserva muchísimo el calor.

259.—CANELONES FRITOS (6 personas)

Los mismos ingredientes que para la receta anterior, pero en vez de cubrirlos con bechamel se pasan por una masa hecha como sigue:

200 gr. de harina,
 1 huevo entero,
   sal,

1 botella de cerveza (El Aguila, Mahou, etc.)

En una ensaladera se pone la harina y se espolvorea con sal. Se casca 1 huevo, se mezcla un poco y se va añadiendo poco a poco la cerveza (que no debe estar fría, sino a su temperatura normal). Con una cuchara se dan vueltas, añadiendo la cerveza necesaria para que quede como una bechamel espesa.

Se pone 1 litro de aceite a calentar en una sartén. Cuando está caliente, se sumergen los canalones rellenos, de uno en uno, en la masa primero y en el aceite después, con la abertura del canalón vuelta hacia el fondo de la sartén para que no se abra. Se fríen hasta que quedan dorados. Se sacan con una espumadera y se reservan al calor. Cuando están todos fritos se sirven así o acompañados con una salsa de tomate servida en salsera aparte.

260.—CANELONES DE ATUN, HUEVOS DUROS Y CHAMPIÑONES (6 personas)

12 canalones,
 1 lata de atún en aceite o al natural, de 250 gr.,
 2 huevos duros,
100 gr. de champiñones de París,
 20 gr. de mantequilla,
   el zumo de ½ limón,
 1 cebolla grande ó 2 medianas (200 gr.),
 3 cucharadas soperas de aceite,
 2 cucharadas soperas de salsa de tomate,
 50 gr. de queso gruyère rallado,
   sal.

Salsa de tomate:
 1 kg. de tomates bien maduros,
 2 cucharadas soperas de aceite,
 1 cucharada (de las de café) de azúcar,
   sal.

Bechamel:
 2 cucharadas soperas de harina,
 25 gr. de mantequilla,
 2 cucharadas soperas de aceite,
 ½ litro de leche fría (o mitad leche y mitad caldo).

Se ponen a remojar los canalones en agua fría durante una hora. Se hace la salsa de tomate (receta 63), que debe quedar espesa, y se preparan los champiñones. Se cepillan y se lavan bien para quitarles la tierra, se les corta la parte del rabo que no esté buena y se ponen picaditos en un cazo a fuego lento con un poco de mantequilla y unas gotas de zumo de limón. Se cubren con la tapadera y en 10 minutos estarán hechos.

Una vez hechas estas dos cosas, se prepara el relleno. En una sartén se ponen las 3 cucharadas soperas de aceite a calentar. Se agrega la cebolla picada muy menuda y se deja freír unos 5 minutos para que no coja color. Fuera del fuego, se añaden las 2 cucharadas soperas de salsa de tomate, el atún escurrido y desmenuzado, los champiñones, los huevos duros picados. Se mezcla bien y se rectifica de sal si hace falta.

Se rellenan con esto los canalones escurridos y se ponen en una fuente de cristal o de porcelana resistente al horno.

Se hace ahora la bechamel (receta 67), y cuando está hecha se le agregan 3 ó 4 cucharadas de salsa de tomate, para que quede rosada. Se cubren con ella los canalones y se espolvorean de queso rallado. Se ponen unos trocitos de mantequilla por encima y se mete la fuente en el horno previamente calentado. Cuando tenga una costra bien dorada, se saca unos 5 minutos fuera del horno y se sirven, pues es un plato que conserva mucho el calor.

Nota.—Estos canalones se pueden hacer con pescado fresco o un resto de pescado, resultan también muy buenos. Siendo fresco, habrá que dar un hervor al pescado.

261.—CANELONES DE ESPINACAS Y HUEVOS DUROS
(6 personas)

12 canalones,
1½ kg. de espinacas,
  3 huevos duros picados bastante grandes,
100 gr. de queso gruyère rallado,
 80 gr. de mantequilla,
   sal.

Bechamel:
  2 cucharadas soperas de harina,
25 gr. de mantequilla,
  2 cucharadas soperas de aceite,
½ litro de leche fría (o mitad leche y mitad caldo).

Se ponen los canalones durante 1 hora a remojo. Mientras tanto se va haciendo el relleno. Se lavan y quitan los rabos de las espinacas y se sumergen en una olla con agua hirviendo abundante y sal. Se les puede echar un pellizco de bicarbonato para que tengan un bonito color verde. Hay que empujarlas hacia el fondo para que cuezan bien, porque tienen tendencia a subir a la superficie. En 10 minutos, a partir de cuando vuelve a hervir el agua, deben estar tiernas si son bien frescas. Una vez cocidas, se escurren en un colador grande y se pican con un cuchillo en la tabla de la carne.

En una sartén se ponen 50 gr. de mantequilla y cuando está derretida se saltean bien las espinacas picadas. Se retiran del fuego y se les agregan los huevos duros picados y la mitad del queso rallado. Se rellenan con esto los canalones escurridos y se colocan en una fuente de cristal o porcelana resistente al horno. Se cubren con la bechamel (igual que las recetas anteriores 260 y 261), se espolvorea la superficie con el resto del queso rallado y los 30 gr. de mantequilla se colocan en trocitos como avellanas.

Se meten a horno previamente calentado y, cuando tienen una bonita costra dorada (de 15 a 30 minutos), se sirven en la misma fuente, dejando ésta reposar fuera del horno unos minutos, pues es un plato que guarda mucho el calor.

262.—CANELONES CON UN RESTO DE RAGOÛT

Salen muy buenos y originales los canalones hechos con un resto de ragoût (o carne guisada).

Se pica la carne, las zanahorias y las cebollitas. Con esto se rellenan los canalones. En una fuente de cristal o porcelana resistente al horno se pone en el fondo salsa del ragoût. Se colocan encima los canalones rellenos. Se vuelve a poner algo de salsa de la carne por encima. Se hace una bechamel corriente (receta 67). Con ella se cubren los canalones, se espolvorean con queso gruyère rallado, se ponen trocitos de mantequilla por encima y se mete la fuente en el horno hasta que esté la bechamel con costra dorada.

Se sirven en su misma fuente.

Verduras, champiñones, setas, criadillas (de tierra)

VERDURAS

263.—ACEDERAS A LA FRANCESA

Se sirven como adorno con huevos fritos o acompañando carne, etc.

2 kg. de acederas,
50 gr. de mantequilla,
1 cucharada sopera de harina (colmada),

½ litro de leche fría (2 vasos de los de agua),
2 yemas,
agua fría,
sal.

Se separan las hojas de acederas del tallo (éste no se utiliza), se lavan muy bien en agua fría abundante. En una cacerola se ponen de 3 a 4 litros de agua fría con una cucharada sopera de sal. Se meten las acederas dentro y se ponen a cocer a fuego vivo. Cuando rompe el hervor, se dejan unos 15 minutos, después de los cuales se escurren muy bien en un colador grande. Se pican muy menudas.

En una cacerola se pone la mantequilla a derretir y se agrega la harina, dando unas vueltas con una cuchara de madera, sin que tome calor, y se añade poco a poco la leche; se deja dar un hervor a esta bechamel unos 4 minutos, se sala ligeramente, se incorporan entonces las acederas y se revuelve muy bien para que no se agarren. Se tapan con tapadera y, a fuego muy lento, se dejan unos 20 minutos, revolviéndolas de vez en cuando.

Se ponen en un tazón las 2 yemas y se añade un poco del puré para que no se cuajen. Se incorpora a las acederas y se remueve todo en el fuego lento. Se rectifica de sal y se sirven acompañadas de huevos o carne.

264.—ACEDERAS REHOGADAS

2 kg. de acederas,
6 cucharadas soperas de aceite,
2 dientes de ajo,

1½ cucharada sopera de vinagre,
agua fría,
sal.

Se preparan y cuecen como en la receta anterior, pero picándolas algo menos menudas.

En una sartén se pone el aceite a calentar, se rehogan dentro los 2 dientes de ajo, los cuales se habrán aplastado ligeramente dando un golpe. Cuando estén dorados, se retiran y se ponen las acederas a rehogar, dándoles varias vueltas con una cuchara de madera. Al momento de servir se rocían con el vinagre, separando la sartén del fuego. Se vuelven a calentar y se colocan en la fuente donde se vayan a servir de adorno.

265.—ACELGAS EN ESCABECHE (6 personas)

1½ kg. de acelgas,
agua fría,
5 cucharadas soperas de harina,
1 vaso (de los de vino) de agua fría,
½ litro de aceite (sobrará),
6 cucharadas soperas de aceite,

4 dientes de ajo,
3 hojas de laurel,
3 cucharadas soperas de vinagre,
2 vasos (de los de vino) de agua fría,
sal.

Manera de cocer las acelgas

Se pican las acelgas muy menudas y se lavan bien con agua fría abundante. Se ponen en una olla con agua fría y sal y se dejan cocer. Cuando rompe el hervor, se dejan unos 30 minutos más o menos (según sean de tiernas) destapadas. Se escurren bien y, si hiciese falta, en la tabla de la carne se vuelve a picar con la media luna.

Aparte se hace una masa ligera con:

5 cucharadas soperas de harina,   el vaso de agua y sal.

Se pone el ½ litro de aceite a calentar en una sartén. Se mezcla la masa con las acelgas y, con una cuchara sopera, se cogen unos montones de acelgas y se van echando en la sartén para que se frían unos 3 ó 4 minutos. Se sacan y se dejan escurrir de 4 en 4 y, una vez escurrido el aceite, se colocan en una fuente honda.

Se prepara entonces el escabeche. En una sartén más pequeña se ponen 6 cucharadas soperas del aceite que haya sobrado al freír las acelgas. Cuando está caliente se le echan los dientes de ajo pelados, se dejan dorar ligeramente y se añaden las hojas de laurel para que doren también. Se retira entonces la sartén del fuego y se incorporan los 2 vasos de agua (con cuidado para que no salte y salpique) y el vinagre. Se vuelve a poner a la lumbre a que dé un hervor de unos 3 ó 4 minutos. Se sacan entonces los ajos y el laurel y se vierte el líquido sobre la fuente de acelgas.

Se deja unos 5 minutos antes de servir, para que tomen bien el gusto las acelgas.

Se puede servir este plato en caliente, dejando las acelgas ya fritas a la boca del horno y vertiendo el líquido bien caliente; o frío, dejando enfriar las acelgas y preparado el líquido con antelación.

266.—ACELGAS REHOGADAS (6 personas)

1½ kg. de acelgas (con mucho verde),
agua fría,
8 cucharadas soperas de aceite,
2 rebanadas de pan frito cortadas en 4 trozos,

1 cucharada sopera de vinagre,
1 cucharada sopera de cebolla muy picada,
1 diente de ajo,
sal.

Se cuecen las acelgas como está indicado en la receta 265. Una vez cocidas, se escurren muy bien. En una sartén se pone el aceite a calentar, se fríe el diente de ajo (pelado y dado un golpe con el mango de un cuchillo para que dé más sabor). Una vez bien refrito, se retira y se ponen las acelgas. En un mortero se machaca muy bien el pan frito, se revuelve ya machacado con la cebolla cruda y muy picada y luego se le añade el vinagre. Esto se esparce sobre las acelgas, se revuelven bien con una cuchara en la misma sartén durante unos 5 minutos y se sirven en seguida.

267.—ACELGAS REHOGADAS, CON CUSCURROS DE PAN, JUGO DE CARNE Y VINAGRE (6 personas)

1½ kg. de acelgas (con mucho verde),
agua fría,
1 taza de salsa de carne sobrante,

1 puñado de cuadraditos de pan frito,
1 cucharada sopera de vinagre,
¼ litro de aceite (sobrará),
sal.

Se cuecen las acelgas según está explicado en la receta 265. Una vez cocidas, se escurren muy bien.

En una sartén pequeña se pone el aceite a calentar y se fríen los cuadraditos de pan y se reservan.

Al momento de ir a servir las acelgas, se ponen en una sartén amplia; se rocían con la salsa de carne, se rehogan bien, moviéndolas con una cuchara de madera. Se mezclan los cuscurritos de pan y se echa el vinagre por encima, moviendo y calentando todo bien antes de pasarlas a la fuente donde se servirán.

268.—ACELGAS CON TOMATE (6 personas)

1¾ kg. de acelgas,
agua fría,
1 kg. de tomates bien maduros,
1 cebolla mediana (80 gr.),

3 cucharadas soperas de aceite frito,
1 cucharada (de las de café)
de azúcar,
sal.

Se cortan, lavan y cuecen las acelgas (receta 265).
Aparte, en una sartén, se hace la salsa de tomate. Se pone el aceite y, cuando está caliente, se refríe la cebolla picada unos 5 minutos; se añaden los tomates lavados, partidos y quitadas las semillas. Se fríe esto durante unos 20 minutos, machacándolos bien con el canto de una espumadera. Se agrega el azúcar y la sal. Se echan dentro las acelgas bien escurridas y se rehoga todo junto durante unos 5 minutos. Se sirve así en una fuente.

269.—TALLOS DE ACELGAS REHOGADOS (para adorno de la carne)

1½ kg. de acelgas (sólo se uti-
lizarán los tallos),
1 plato con harina,

2 huevos,
1 litro de aceite (sobrará),
agua y sal.

Se cortan los tallos de las acelgas de unos 3 cm. de largo (se comprarán con tallo ancho y bien blanco) y se ponen en una cacerola con agua fría abundante y sal. Se dejan cocer unos 35 minutos más o menos (depende del grueso de los tallos). Se escurren en un colador.
En una sartén se pone el aceite a calentar. Cuando está en su punto, se pasa cada tallo por harina. Se sacude para que caiga el sobrante y luego se pasa por el huevo batido como para tortilla y se fríe. Se sirven bien calientes en la fuente donde ya esté la carne.

270.—TALLOS DE ACELGAS AL HORNO CON SALSA ESPAÑOLA (6 personas)

2½ kg. de acelgas (para utilizar sólo los tallos),
agua,
6 cucharadas soperas de aceite,
1 kg. de tomates bien maduros,
1 cebolla grande (150 gr.),
¼ kg. de zanahorias,
1 hoja de laurel,
1 diente de ajo,

1 ramita de perejil,
1 ramita de tomillo,
1 vaso (de los de vino) de
vino blanco,
2 vasos (de los de agua) de
agua,
1 cucharada (de las de café)
de azúcar,
50 gr. de gruyère rallado,
sal y pimienta.

Se compran unas acelgas de tallo ancho. Se separan los tallos de las hojas (la parte verde se guardará para hacer un budín de verduras); se pelan bien los costados y se cortan en trozos de unos 3 cm. de largo. Se ponen a cocer en una olla con agua fría abundante y sal. Se cuecen más o menos durante 35 minutos (el tiempo depende de la clase y grosor de los tallos). Una vez cocidos, se ponen en un colador grande para que escurran bien.

Se hace la salsa. En una sartén se pone el aceite a calentar y se añade la cebolla picada; se deja unos 5 minutos y se agregan las zanahorias, raspadas y cortadas en rodajas; se dejan unos 10 minutos, dándoles vueltas con una cuchara de madera.

Después se añaden los tomates pelados, cortados en trozos grandes y quitadas las simientes. Se deja unos 10 minutos y se incorpora el vino blanco, la sal, el laurel, el tomillo, el azúcar y el ajo y, finalmente, el agua. Se deja cocer a fuego mediano durante una hora y se pasa por el pasapurés, retirando antes el laurel y el tomillo.

Se coloca la mitad de los tallos en una fuente que vaya al horno y en la mitad de la cantidad se echan unas cucharadas de salsa. Se coloca el resto de los tallos y encima se vierte el resto de la salsa y se espolvorea con el queso rallado. Se mete al horno, para que se dore el queso, durante unos 15 minutos y se sirve en la misma fuente.

271.—TALLOS DE ACELGAS AL HORNO CON AJO Y PEREJIL (6 personas)

2½ kg. de acelgas (sólo se utilizan los tallos),
2 cucharadas (de las de café) de perejil picado,
3 cucharadas soperas de pan rallado,
4 cucharadas soperas de aceite fino,
30 gr. de mantequilla, sal.

Se pelan los costados de los tallos de acelga y se cortan en trozos de unos 4 cm. de largo. Se ponen en una cacerola bien cubiertos de agua fría y sal y se cuecen durante 35 minutos más o menos (hasta que estén tiernos). Se escurren bien una vez cocidos y se colocan en una fuente, que vaya al horno, por capas; entre cada capa se pone un poco de perejil y un poco de ajo, así como parte del aceite, y se vuelve a cubrir. Encima, una vez puesto el ajo y perejil sobrantes, se espolvorea con el pan rallado y se pone a trocitos la mantequilla. Se mete al horno unos 10 ó 15 minutos, y se sirve en seguida.

272.—ALCACHOFAS CON VINAGRETA (6 personas)

12 alcachofas medianas,
3 cucharadas soperas de buen vinagre,
9 cucharadas soperas de aceite fino,
1 cucharada sopera de perejil muy picado,
1 limón (½ entero y ½ en zumo),
agua y sal.

Se les quita a las alcachofas el tallo y las hojas duras externas. Se cortan en dos mitades a lo largo, se frotan con ½ limón a medida que se van cortando y se echan en agua fría con zumo de limón.

En una cacerola se pone agua abundante con sal y, cuando hierve, se van echando las alcachofas. Cuando rompe de nuevo el hervor, se baja el fuego para que sigan cociendo despacio y se tapa la cacerola con tapadera. Se dejan hasta que estén tiernas (de 30 a 45 minutos, según la clase de alcachofas; se probará arrancándoles una hoja para saber si están en su punto). Se escurren una vez cocidas, estrujándolas ligeramente. Se colocan en una fuente con la parte cortada hacia arriba. Se hace en un tazón la vinagreta, disolviendo primero la sal con el vinagre y añadiéndole luego el aceite. Se bate bien y con una cuchara se rocían las alcachofas. Después se espolvorean con el perejil y se sirven.

273.—ALCACHOFAS EN SALSA (6 personas)

1½ a 2 kg. de alcachofas pequeñas y tiernas,
2 cucharadas soperas colmadas de pan rallado,
2 cucharadas soperas de aceite,
1 cucharada (de las de café)
de perejil picado,
2 dientes de ajo muy picados,
1 limón,
agua,
sal.

Se quitan a las alcachofas sus hojas externas que son duras. Se les cortan las puntas de las hojas, se frotan bien con ½ limón (para que no se pongan oscuras) y se cortan en dos o en cuatro a lo largo. Se echan en agua fresca con unas gotas de zumo de limón, reservando una raja para el guiso.

Cuando están todas las alcachofas preparadas, se escurren y se ponen en un cazo, que debe ser alto y más bien estrecho. Se les añade la rodaja de limón, el pan rallado espolvoreado, el aceite, el perejil y los ajos muy picados. Se cubren de agua fría (la justa) y se añade la sal, revolviendo todo bien con una cuchara de madera.

Se ponen a fuego más bien vivo hasta que rompe el hervor. Se tapa el cazo y se dejan a fuego mediano durante unos 45 minutos, (este tiempo depende de la clase de las alcachofas).

Se prueba una hoja para asegurarse de que están cocidas. Se sirven en una fuente honda con su salsa.

Nota.—Este plato se puede preparar de antemano y recalentarse.

274.—ALCACHOFAS REBOZADAS Y EN SALSA (6 personas)

2 alcachofas medianas por persona (12 piezas),
agua,
100 gr. de jamón serrano muy
picado,
1 cucharada sopera de harina
rasada,
3 cucharadas soperas de aceite,
2 cebollas medianas (150 gr.)
muy picadas,
¾ de litro de caldo de cocer
las alcachofas,
harina para rebozar,
½ litro de aceite para freír las
alcachofas (sobrará),
1 limón,
sal.

Se preparan las alcachofas cortando los rabos, quitándoles las hojas exteriores, que suelen ser duras, y cortando las puntas de las demás. Se frotan con ½ limón rápidamente y se lavan bien en agua fría con un chorro de zumo de limón.

Se pone en una cacerola agua suficiente para que cubra las alcachofas y sal. Cuando rompe a hervir, se sumergen las alcachofas y se cuecen unos 45 minutos (depende de lo tiernas que estén), tapándolas con una tapadera. Se verá si están tiernas arrancando una hoja y probándola. Cuando están cocidas, se escurren, poniéndolas boca abajo y apretando con mucho cuidado. Una vez escurridas, se parten en dos a lo largo.

Se pasan rápidamente por harina y se sacuden para que caiga la sobrante; se fríen en una sartén; una vez fritas se van colocando en una fuente de cristal o de porcelana resistente al fuego.

Se prepara la salsa. En una sartén se ponen 3 cucharadas soperas de aceite; cuando está caliente se añade la cebolla muy picada, hasta que tome un color un poco dorado (unos 8 minutos). Se agrega entonces la harina y se dan unas vueltas con las varillas y, por fin, los ¾ de litro del agua de cocer las alcachofas, fría o templada. Se cuece esta bechamel clarita por espacio de unos 5 minutos. Se incorpora el jamón serrano muy picado. Se rectifica de sal si hace falta y se vierte por encima de las alcachofas.

Se pone la fuente en el fuego y, cuando rompe a hervir, se baja y se dejan cocer lentamente de 10 a 15 minutos. Se sirven en su misma fuente.

275.—ALCACHOFAS AL HORNO (6 personas)

2 alcachofas medianas por persona,
pan rallado,
aceite fino,
2 cucharadas (de las de café) de perejil muy picado,
30 gr. de manteca de cerdo (facultativo),

4 cucharadas soperas de vino blanco,
1 limón (½ entero y ½ en zumo),
agua,
sal.

Se quita a las alcachofas el tallo y las hojas duras externas, se parten en dos mitades a lo largo, se frotan con ½ limón a medida que se van cortando y se van echando en agua fría con el zumo del otro ½ limón.

En una cacerola se pone agua abundante con sal y, cuando empieza a hervir, se echan las alcachofas dentro. Se cubre la cacerola con tapadera y cuando rompe el hervor se baja el fuego y se dejan hervir hasta que estén tiernas. Para saber cuándo están se prueba una hoja arrancándola, pues si son tiernas se cuecen en seguida (unos 30 minutos) y si son más duras pueden tardar casi una hora.

En la fuente de cristal o porcelana (resistente al fuego) se pone el vino blanco y la manteca de cerdo en 3 trocitos. Una vez cocidas las alcachofas, se sacan del agua y se van colocando en la fuente tal y como salen de caldosas. Se pone en cada alcachofa un poco de aceite, un poco de perejil y se espolvorean ligeramente con pan rallado. Se meten a horno mediano unos 30 minutos y se sirven en seguida en su misma fuente.

276.—ALCACHOFAS RELLENAS DE JAMON SERRANO (6 personas)

12 alcachofas medianas,
150 gr. de jamón serrano,
 1 cucharada sopera de vino blanco,
2½ cucharadas soperas de pan rallado,
 2 cucharadas soperas de aceite fino,

1 pastilla de caldo (Avecrem, Starlux, etc., de pollo),
1 cucharada sopera de perejil picado,
1 limón,
1 diente de ajo (facultativo),
 agua,
 sal.

A las alcachofas se les quitan los tallos de manera que queden planas, para que no se caigan al guisarlas y servirlas. Se les quitan las hojas externas más duras, se cortan con un cuchillo las hojas a media altura y después se abren las hojas del centro (del corazón). Se vacían con la punta del cuchillo. Se frotan las alcachofas con ½ limón (para que no se pongan negras) y se van echando en un recipiente con agua fría y el zumo de ½ limón. Una vez preparadas, se pica muy menudo el jamón, se mezcla con el pan rallado (1½ cucharadas soperas), el vino blanco, el perejil y el diente de ajo pelado y picado muy menudo. Se escurren las alcachofas y se van rellenando con la mezcla del jamón y demás ingredientes.
Se ponen bien asentadas en una cacerola de forma que no se caigan. Se vierte agua fría hasta que queden cubiertas. Se machaca la pastilla de caldo y se deshace con un poco de agua, y también se echa por encima de las alcachofas. Se rocían con una cucharada sopera de pan rallado y el aceite.
Se ponen al fuego tapadas y, cuando rompen a hervir, se baja éste para que se cuezan despacio. Cuando llevan ½ hora cociendo, se prueba la salsa de sal y, si hiciese falta, se añadirá un poco (el jamón y la pastilla salan bastante). Cuando el líquido está consumido (no quedando más que la salsa necesaria para servirlas), están en su punto (una hora más o menos).
Se sirven en una fuente con un poco de salsa en el fondo de la misma.

277.—ALCACHOFAS AL HORNO CON JAMON Y BECHAMEL (6 personas)

12 alcachofas medianas,
150 gr. de jamón de York,
½ litro de leche,
25 gr. de mantequilla,
 2 cucharadas soperas de aceite fino,

2 cucharadas soperas rasadas de harina,
60 gr. de queso rallado,
1 limón,
 agua y sal.

Se quitan las hojas externas más duras y se cortan las puntas de las alcachofas; se parten en dos a lo largo, se les quita el corazón estropajoso y se frotan con ½ limón. A medida que están preparadas se echan en una cacerola con agua fría abundante y el zumo de ½ limón. Una vez preparadas todas las alcachofas, se echan en una cacerola con agua hirviendo, una corteza de limón y sal. Se tapa y se cuecen entre 30 minutos y una hora (según sean de duras). Se prueba una hoja para saber cuándo están tiernas. Se escurren bien. Se pica el jamón de York. Se colocan las alcachofas, en una fuente resistente al horno, con la parte cortada hacia arriba. Se rellenan con el jamón de York picado.

En una sartén se pone la mantequilla y el aceite a calentar; cuando la mantequilla está líquida se le añade la harina. Se revuelve y, poco a poco, se añade la leche fría sin dejar de dar vueltas con una cuchara o unas varillas. Se cuece esta bechamel unos 6 minutos. Se sala y se vierte encima de las alcachofas, cubriéndolas bien. Se espolvorean con el queso rallado y se meten al horno a gratinar durante unos 15 a 20 minutos.

Cuando están bien doradas se sirven en la misma fuente.

278.—FONDOS DE ALCACHOFAS CON FOIE-GRAS Y BECHAMEL (6 personas)

12 alcachofas muy grandes y tiernas,
1 lata de foie-gras de 200 gr. de buena clase,
25 gr. de mantequilla,
2 cucharadas soperas de aceite fino,
¾ de litro de leche fría,
2 cucharadas soperas colmadas de harina,
60 gr. de gruyère rallado,
agua,
½ limón,
sal.

Se quitan las hojas duras de fuera y se cortan las demás muy a ras del fondo (éstos se escogerán lo mayores posible). Se frotan con limón y se echan en agua fría.

En un cazo se pone agua abundante a cocer con sal; cuando hierve se echan los fondos de alcachofas y se cuecen durante unos 25 minutos (no deben de estar muy cocidas, pues terminarán de hacerse en el horno). Se sacan del agua, se ponen boca abajo para que escurran bien. Una vez escurridas, con cuidado, se arranca la parte estropajosa, si la tuviesen, y se rellenan estos fondos con foie-gras abundante y se van colocando boca arriba en una fuente de cristal o porcelana resistente al horno.

En una sartén se pone la mantequilla y el aceite a derretir; se les añade la harina, se le da unas vueltas y poco a poco la leche fría, moviendo constantemente con unas varillas. Se echa sal y se deja cocer unos 10 minutos. Se vierte esta bechamel sobre las alcachofas. Se rocían con queso rallado y se meten a gratinar al horno mediano. Cuando tienen un bonito color, se sirven en la misma fuente.

279.—ALCACHOFAS REHOGADAS (6 personas)

1½ a 2 kg. de alcachofas pequeñas y tiernas,
1 limón,
150 gr. de jamón serrano veteado,
30 gr. de manteca de cerdo (facultativo),

2 cucharadas soperas de aceite fino,
1 cucharada sopera de perejil
picado,
agua,
sal.

Se lavan y preparan las alcachofas como va explicado para alcachofas a la vinagreta (receta 272).
Una vez cocidas, se escurren bien.
En una sartén se pone la manteca y el aceite a calentar (si no
se quiere poner manteca, se pondrá más cantidad de aceite).
Cuando está derretida la manteca en el aceite, se echa el jamón
picado en cuadraditos pequeños. Se echan las alcachofas y se
saltean un ratito hasta que todas estén bien envueltas en la grasa
(unos 10 minutos); se espolvorean con el perejil y se sirven en
una fuente, recién rehogadas.

280.—ALCACHOFAS REBOZADAS (6 personas)

12 alcachofas más bien pequeñas,
2 ó 3 huevos,
harina en un plato,

1 litro de aceite (sobrará),
1 limón (½ entero y ½ en
zumo),
agua y sal.

Se cuecen y preparan las alcachofas como en la receta 272, cortándolas en cuatro si son grandes y en dos si son más pequeñas.
Se escurren bien, estrujándolas un poco con la mano, de una en
una, al ir a pasarlas por la harina.
Se pasan por harina y luego por huevo batido, como para tortilla. Se fríen en aceite abundante (probando éste con una rebanadita de pan para que esté en su punto). Se escurren bien y se
sirven en seguida solas o como adorno de carne.

281.—APIO CON BECHAMEL (6 personas)

6 matas de apio blanco pequeñas, 3 grandes (que se partirán en dos),
agua,
3 cucharadas soperas de harina,
40 gr. de mantequilla,

2 cucharadas soperas de aceite
fino,
¾ litro de leche fría,
60 gr. de queso rallado (gruyère o parmesano),
sal.

Se cortan los apios de una longitud aproximada de 15 cm. Se quitan los tallos exteriores y verdosos, se pelan bien y se lavan, en
agua fría abundante.
En una cacerola se pone agua abundante con sal y, cuando hierve
a borbotones, se meten los cogollos de apio. Se tapa la cacerola

con tapadera y se dejan cocer unos 10 minutos. Se sacan entonces con cuidado con una espumadera y se dejan escurrir muy bien.

En una sartén se pone el aceite y la mantequilla a derretir, se le añade la harina y, poco a poco, la leche fría dando vueltas con unas varillas. Se deja que dé un hervor (3 a 4 minutos) y se sala.

Se colocan los apios en una fuente de cristal o porcelana resistente al fuego y se cubren con la bechamel. Se espolvorea el queso rallado. Se meten a un horno mediano hasta que se dore la bechamel (más o menos 20 minutos).

Se sirven en su misma fuente.

282.—APIO EN SU JUGO (6 personas)

6 matas de apio pequeñas, o 3 grandes (que se partirán en dos),
3 lonchitas finas de tocino veteado,
1 cebolla pequeña (60 gr.),
2 zanahorias medianas,
1 vaso (de los de vino) de vino blanco,
1 vaso (de los de agua) de agua,
½ cucharadita (de las de moka) de extracto de carne (Mandarín, Liebig, Maggi, etcétera),
1 cucharada sopera de aceite,
1 cucharada sopera rasada de harina,
agua,
sal.

Se procede a preparar las matas de apio como en la receta 281. Se escurren bien. En una cacerola amplia, para que después de hacer la salsa y al poner los apios no tropiecen mucho, se ponen las lonchitas de tocino, el aceite se calienta suavemente y se añade la cebolla pelada y cortada en rodajas, así como las zanahorias y la harina. Se dan unas vueltas con una cuchara de madera para que la cebolla y la harina se tuesten un poco, y se pone encima el apio. Se rocía con el vino blanco y el agua, se tapan con tapadera y, a fuego lento, se dejan de 1 a 1 ½ horas. Cuando están tiernos los apios, se sacan con una espumadera cuidadosamente y se colocan en la fuente donde se vayan a servir (ésta estará a la boca del horno para que no se enfríen). Se pasará la salsa por el pasapurés y se agrega el concentrado de tomate y el extracto de carne, y, si hiciese falta, algo más de agua. Se da un hervor a la salsa y con ella se cubren los cogollos de apio y se sirven en seguida.

283.—APIO CON MANTEQUILLA Y QUESO RALLADO (6 personas)

6 matas de apio blanco pequeñas, o 3 grandes (que se partirán en dos),
agua,
150 gr. de mantequilla,
100 gr. de queso gruyère rallado,
sal.

Se cortan los apios de una longitud aproximada de 15 cm. Se quitan los tallos exteriores y verdosos, se pelan bien y se lavan.

En una cacerola se pone agua abundante a hervir con sal; cuando hierve a borbotones se sumerjen los apios, se tapa con tapadera y, cuando rompe de nuevo el hervor, se baja el fuego y se dejan cocer de 1 a 1½ horas, según sean de duros. Cuando están tiernos se escurren muy bien, con mucho cuidado y se colocan en una fuente resistente al horno (cristal, porcelana, etc.), poniéndoles la mantequilla en trozos y espolvoreándolos con el queso rallado. Se meten al horno para que el queso se dore y cuando tiene un bonito color se sirven en su misma fuente.

284.—PREPARACION DEL APIO CRUDO PARA MEZCLAR CON ESCAROLA EN ENSALADA

Es buenísimo como sabor mezclar a la escarola y también a la lechuga, una vez preparada la ensalada, unos tallos muy blancos y tiernos de apio, cortados de unos 3 cm. de largo y partidos no hasta el final en unos 3 trozos; forman como una pequeña flor que da un gusto riquísimo a la ensalada. Claro está que se lavarán en agua fresca antes de incorporarlos a la ensalada.

285.—BERENJENAS AL AJO (6 personas)

6 berenjenas medianas,
12 cucharadas soperas de aceite,
2 cucharadas soperas de perejil picado,

3 dientes de ajo muy picaditos,
pan rallado,
sal.

Se lavan las berenjenas sin pelarlas y se les quita el rabo. Se parten por la mitad a lo largo. Se salan ligeramente y se dejan boca abajo una hora más o menos en un colador grande para que suelten su agua.
En una sartén amplia se ponen 9 cucharadas soperas de aceite a calentar; se ponen las berenjenas boca abajo (la carne tocando la sartén), sin que monten unas encima de otras y se hacen a fuego mediano, más bien lento, durante una ½ hora. Cuando están tiernas se colocan boca arriba en una besuguera, bien colocadas unas al lado de otras. Se espolvorean con el ajo y el perejil mezclado y después con un poco de pan rallado. Se rocían con el resto del aceite y se meten al horno para que gratinen, hasta que estén doradas (unos 20 minutos). Se sirven en la misma fuente.

286.—BERENJENAS EN SALSA AL GRATEN (6 personas)

7 berenjenas más bien grandes,
½ litro de aceite (sobrará),
4 vasos (de los de agua) de agua caliente,
2 pastillas de caldo de pollo (Avecrem),

2 cucharadas soperas de harina,
25 gr. de mantequilla,
1 cucharada sopera de aceite fino,
50 gr. de queso gruyère rallado,
sal.

Se pelan las berenjenas y se cortan en rodajas a lo ancho, de ½ cm. de grosor. Se van poniendo en una fuente honda o una ensaladera (de cristal o loza), echándoles un poco de sal a cada capa. Se tiene así por espacio de una hora, moviéndolas de vez en cuando para que vayan soltando su agua. Pasado este tiempo, en una sartén grande se pone el aceite a calentar. Cuando está en su punto (se prueba con una rebanadita de pan), se van friendo las berenjenas por tandas para que queden cocidas por dentro y doradas por fuera. Se sacan y se escurren en un colador grande.

En otra sartén se pone la mantequilla y la cucharada sopera de aceite a calentar. Mientras tanto se disuelven las pastillas de caldo en el agua. Se añade la harina a las grasas calientes de la sartén, se dan vueltas rápidas con unas varillas o una cuchara de madera, y, poco a poco, se va echando el caldo. Se cuece unos 8 minutos esta bechamel. No se sala, puesto que las pastillas llevan su sal.

Se pone la mitad de las berenjenas en una fuente honda de porcelana, barro o cristal resistente al fuego. Se cubre con un poco de bechamel, se ponen las berenjenas que han quedado y se cubren bien con el resto de la salsa. Se espolvorea el queso rallado y se mete la fuente en el horno previamente caliente para que gratinen, durante unos 15 minutos. Cuando se haya formado una capa dorada, se sirven en su misma fuente.

287.—BERENJENAS RELLENAS CON CHAMPIÑON Y BECHAMEL (6 personas)

6 berenjenas medianas,
5 cucharadas soperas de aceite,
30 gr. de mantequilla,
200 gr. de champiñones,
1 cebolla mediana (80 gr.),
1 cucharada sopera de harina (colmadita),
¼ litro de leche fría,
75 gr. de queso gruyère rallado,
zumo de 1 limón,
1 yema de huevo,
sal.

Se cortan a lo largo las berenjenas sin pelarlas. Se les quita la simiente y con cuidado se les quita la carne del centro. Esta carne se pica en cuadraditos, se sala, así como las berenjenas enteras.

Mientras sueltan su agua, se preparan los champiñones. Se lavan bien y se pican. Se pone en un cazo la mitad o un poco más de la mantequilla, unas gotas de limón y sal. Se cuecen a fuego lento durante unos 10 minutos.

Se ponen las medias berenjenas en una fuente con un chorrito de aceite en cada una y se meten a horno mediano boca arriba.

En una cacerola o en una sartén se pone el resto del aceite y la mantequilla a calentar. Se echa la cebolla pelada y picada menuda; cuando se pone transparente, se le añaden los cuadraditos de berenjena. Se rehogan bien, moviéndolos con una cuchara de madera. A los 10 minutos se les agrega el champiñón, se espolvorea con la harina y se añade poco a poco la leche fría para formar una bechamel. Se deja cocer a fuego lento unos 10 minutos (si hace falta se puede añadir algo más de leche). En un tazón se pone el resto del zumo del limón y la yema, se deslíe con algo de bechamel para que no se cuaje y se añade a lo de la cacerola.

Se revuelve todo junto y se rellena con esto las medias berenjenas. Se espolvorean con el queso rallado, se vuelven a meter una vez rellenas en el horno y, cuando están gratinadas, se sirven en su misma fuente.

288.—BERENJENAS CON JAMON Y BECHAMEL (6 personas)

6 berenjenas grandes (moradas con preferencia),
100 gr. de jamón serrano veteado,
1 cucharada sopera de harina,
1 vaso (de los de agua) de leche fría,

1 cucharada sopera de aceite fino,
25 gr. de mantequilla,
pan rallado,
50 gr. de mantequilla (más o menos),
1 litro de aceite (sobrará),
sal.

Se cortan las berenjenas a lo largo y con un cuchillo se les quita la carne de dentro.
En una sartén se pone el litro de aceite a calentar y se fríen las cáscaras vacías de las berenjenas. Aparte se pica el jamón y la carne de las berenjenas. Se mezclan y, en la misma sartén casi vacía del aceite de freír, se le dan unas vueltas a este picadito. Aparte se hace un poco de bechamel espesa. En un cazo se derrite la mantequilla (los 25 gr.) con la cucharada de aceite; cuando está caliente se añade la harina, se revuelve y se agrega poco a poco la leche fría; se mueve bien, se echa sal y se cuece la bechamel unos 8 ó 10 minutos. Se mezcla con el picadito y con esto se rellenan las cáscaras de las berenjenas. Se ponen éstas en una fuente resistente al horno. Se espolvorean con un poco de pan rallado y se ponen como unas avellanas de mantequilla; se meten al horno hasta que estén doradas y se sirven en la misma fuente.
Nota.—La bechamel puede hacerse también con la mitad de leche y la mitad de caldo (agua con una pastilla) y resulta así más ligera.

289.—BERENJENAS RELLENAS DE ARROZ (6 personas)

6 berenjenas medianas,
6 cucharadas soperas de aceite,
6 cucharadas soperas de arroz,
agua,
2 cucharadas soperas de pan rallado,
50 gr. de mantequilla,
sal,

Salsa de tomate:
½ kg. de tomates muy maduros,
1 cebolla pequeña (50 gr.),
2 cucharadas soperas de aceite,
1 cucharada (de las de café) de azúcar,
sal.

Se hace la salsa de tomate muy concentrada, como está explicada en la receta 63.
Se lavan las berenjenas sin pelarlas, se parten en dos a lo largo y se les da un par de tajos profundos, se salan ligeramente y se ponen en una fuente resistente al horno (cristal o porcelana,

etcétera). Se rocían con el aceite y se meten a horno mediano para que se asen.

Mientras se asan las berenjenas, se hace el arroz blanco. En un cazo se pone agua abundante a cocer. Cuando rompe el hervor, se echa el arroz y se deja cocer de 12 a 15 minutos (según la clase de arroz). Se escurre en un colador grande y se refresca al grifo de agua fría. Una vez bien escurrido se sala salteándolo en el mismo colador.

Cuando la carne de las berenjenas está blanda se retiran del horno, y, una vez templadas, con una cuchara se vacía la carne, quitándole las simientes, y se pica. Esta se mezcla con el arroz blanco y la salsa de tomate. Se vuelven a rellenar las medias berenjenas. Se espolvorean con un poco de pan rallado y se pone encima de cada una dos trocitos de mantequilla. Se meten otra vez al horno a gratinar unos 25 minutos, más o menos. Se sirven en la misma fuente.

290.—BERENJENAS RELLENAS DE CARNE (6 personas)

6 berenjenas medianas,
200 gr. de carne picada (o un resto de carne, o 150 gr. de jamón serrano),
4 cucharadas soperas rasadas de pan rallado,
2 dientes de ajo picado,
1 ramita de perejil picado,
1 huevo,
12 cucharadas soperas de aceite fino,
sal.

Se lavan las berenjenas y, sin pelarlas, se parten en dos a lo largo. Se ponen en una besuguera al horno para gratinar, ligeramente saladas y dándoles un par de tajos profundos y rociadas con ½ cucharada sopera de aceite. Cuando se ve que están blandas, se sacan. Con una cucharita se vacían con cuidado y se pica toda la carne de las berenjenas. Se pone en una ensaladera con la carne picada, el huevo batido como para tortilla, 2 cucharadas de pan rallado, el ajo muy picado, el perejil y sal. Se mezcla todo muy bien y se vuelven a rellenar las berenjenas. Se colocan así preparadas en una fuente para horno, se espolvorean con un poco de pan rallado y se rocían con una cucharada de aceite y se meten o horno mediano durante 45 minutos, y, luego, a gratinar a fuego más vivo durante otros 10 minutos.

Se sirven en la misma fuente.

291.—TORTILLITAS DE BERENJENAS (6 personas)

6 huevos,
3 berenjenas medianas,
1 cebolla mediana (60 gr.),
2 cucharadas soperas rasadas de harina,
4 cucharadas soperas de aceite,
½ litro de leche fría,
75 gr. de queso gruyère rallado,
1 vaso de aceite (sobrará),
sal.

Salsa de tomate:
1 kg. de tomates maduros,
3 cucharadas soperas de aceite,
1 cucharada (de las de café) de azúcar,
sal.

Se hace la salsa de tomate (receta 63) y se reserva.
Se pelan y pasan por la «moulinette» o la máquina de picar carne las berenjenas.
En una sartén se ponen las 4 cucharadas soperas de aceite a calentar y se les añade la cebolla muy picada y el picadito de berenjenas. Se refríe todo muy bien; cuando está bien frito (unos 10 minutos) se le añade la harina y, después de darle unas vueltas, la leche, dejándolo cocer unos 10 minutos. Se sala y se reserva.
En una sartén se pone un poco de aceite a calentar. En un plato se bate 1 huevo como para tortilla, con un poco de sal. Se vierte la mitad del huevo en la sartén y, cuando se ve que se está cuajando, se pone el relleno dentro y se forma una tortillita. Se coloca en una fuente resistente al horno. Se van haciendo así todas las tortillitas. Se cubren entonces con salsa de tomate, se espolvorean con el queso rallado y se meten al horno a gratinar. Cuando están gratinadas, se sirven en su fuente.
Nota.—Se pueden cubrir de bechamel, hecha con leche o con mitad leche y mitad caldo, en vez de salsa de tomate, si se prefiere.

292.—BERENJENAS COCIDAS CON TOMATE (6 personas)

2 kg. de berenjenas (6 medianas ó 4 grandes),
1½ kg. de tomates bien maduros,
2 cebollas grandes (400 gr.),
1 vaso (de los de agua) de aceite (12 cucharadas soperas),
1 cucharada (de las de café) de azúcar,
agua fría,
sal.

En un cazo de agua fría con sal se van echando las berenjenas peladas y cortadas en trozos (cuadrados) grandecitos. Se cuecen unos 20 minutos y se ponen en un colador grande a escurrir.
En una sartén se pone el aceite a calentar y se echa la cebolla muy picada. Cuando esté bien dorada (unos 15 minutos), se añaden los tomates cortados en trozos y quitadas las simientes. Con el canto de una espumadera se machaca bien y se deja cocer unos 10 minutos a fuego mediano. Se pasa por el pasapurés esta salsa, añadiéndole entonces el azúcar y moviendo bien. Se vuelve a poner en una cacerola y se agregan las berenjenas bien escurridas. Se sala, se deja cocer a fuego lento unos 10 minutos y se sirve en fuente.

293.—BERENJENAS GRATINADAS CON TOMATE (6 personas)

2 kg. de berenjenas (6 medianas ó 4 grandes),
75 gr. de queso gruyère rallado,
½ litro de aceite,
1 kg. de tomates bien maduros,
3 cucharadas soperas de aceite,
1 cucharada (de las de café) de azúcar,
1 cebolla grande (100 gr.),
1 pellizco de hierbas aromáticas,
sal.

Se pelan las berenjenas y se cortan a lo largo en lonchas finas. Se ponen en un colador grande espolvoreándolas con sal, durante una hora más o menos, para que suelten su agua.

Mientras tanto, se hace la salsa de tomate clásica (receta 63), agregándole, una vez pasada la salsa, el pellizco de hierbas aromáticas.

Se secan las berenjenas con un paño limpio y se van friendo por tandas con el ½ litro de aceite caliente hasta que estén bien doradas. A medida que están fritas se van escurriendo en un colador. Cuando todas las berenjenas están fritas, se ponen en una fuente resistente al horno (cristal, barro o porcelana) por capas y cada capa se recubre con un poco de salsa de tomate. Se espolvorea por fin con el queso rallado, se mete a gratinar a horno más bien caliente y, cuando están gratinadas, se sirven en su fuente.

294.—BERENJENAS ESTILO SETAS

Para adornar una fuente de carne.

¾ kg. de berenjenas (jaspeadas, pues no suelen tener simiente),
1 diente de ajo picado,

1 cucharada sopera de perejil picado,
2 vasos (de los de agua) de aceite,
sal.

Si son para plato de verduras, se calculará 2 ½ kg. de berenjenas para 6 personas.

Se pelan las berenjenas (hay quien no las pela y también resultan bien), se cortan en rodajas de 1 dedo de gruesas (2 cm.), se espolvorean con sal y se dejan durante una hora más o menos para que suelten su agua.

En una o dos sartenes se pone el aceite a calentar (no mucho) y se ponen las berenjenas de manera que queden holgadas de sitio. Se cubre la sartén con una tapadera y se deja a fuego lento durante 20 minutos, más o menos. Cuando las berenjenas están hechas y blandas, se escurre casi todo el aceite, no dejando más que muy poco para que no se peguen.

Se espolvorean con el ajo, el perejil picado y un poco de sal, se ponen a fuego más vivo y se saltean, moviendo la sartén por el mango. Se sirven en seguida adornando la carne.

295.—BERENJENAS FRITAS DE ADORNO (6 personas)

¾ kg. de berenjenas jaspeadas (son mejores porque no tienen pepitas),

1 plato con harina,
1 litro de aceite (sobrará),
sal.

Se pelan las berenjenas y se cortan muy finas a lo largo. Se espolvorean de sal y se dejan una hora más o menos para que suelten su agua.

Pasado este tiempo, se secan con un paño limpio. Se pasan por harina, sacudiendo cada trozo para que sólo se quede la harina necesaria, y se fríen en aceite bien caliente, hasta que estén doradas.

Esto se debe hacer por tandas y en el último momento, para que las berenjenas queden muy curruscantes.

Si hiciese falta, una vez fritas, se espolvorearán las berenjenas con un poco de sal fina.

296.—BERROS EN ENSALADA

Se les quitan los tallos largos, se lavan muy bien y se aliñan como una ensalada corriente.

297.—ENSALADA FANTASIA

Se mezcla patata cocida (con su piel), pelada y cortada en rodajas, manzanas, peladas, quitados los centros y cortadas en trocitos, y berros; todo esto mezclado con mayonesa.

298.—BERROS PARA ADORNO

Se quitan los tallos más largos, se atan por ramilletes, se lavan muy bien y se ponen así, bien escurridos de agua, de adorno para carne o pescado.

299.—CALABACINES FRITOS (6 personas)

Para adorno

¾ kg. de calabacines,	sal,
3 cucharadas soperas de harina,	aceite abundante para freír
1 vaso (de los de agua) de cerveza,	(1 litro más o menos).

En una ensaladera se pone la harina y se vierte poco a poco la cerveza, dando vueltas con una cuchara de madera. Debe quedar como unas natillas espesas. Se sala ligeramente y se deja en reposo ½ hora.

Mientras tanto, se pelan y cortan en rodajas finas los calabacines. Se sumergen en la masa, rodaja por rodaja, y se fríen en aceite abundante. Se sacan y se dejan escurrir en un colador; se sirven en seguida.

300.—CALABACINES REBOZADOS Y FRITOS (6 personas)

1½ kg. de calabacines más bien grandes (esta cantidad es para un plato de verduras). Para adorno sólo basta con ½ kg.	harina en un plato,
	1 litro de aceite (sobrará),
	1 cucharada (de las de café) de perejil picado,
4 huevos,	sal.

Se pelan los calabacines y se cortan en rodajas finas. Se espolvorean con sal y se dejan así por lo menos una hora. En una sartén se pone a calentar el aceite, cuando se vayan a hacer. Se escurren bien rodaja por rodaja los calabacines y se pasan primero de uno en uno por harina, sacudiendo bien para que no quede más que la precisa, y después por un plato donde se irán batiendo los huevos enteros como para tortilla, y se fríen por tandas.

Se espolvorean con un poco de perejil picado y se sirven en seguida.

301.—CALABACINES FRITOS Y BACON (6 personas)

1¼ kg. de calabacines (4 medianos),
6 lonchas finas de bacon,
5 cucharadas soperas de aceite frito,

1 cebolla grande (125 gr.) muy picada,
1 plato con harina,
2 dientes de ajo,
1 litro de aceite (sobrará), sal.

Se pelan los calabacines y se cortan en rodajas de ½ cm. de grosor, se espolvorean con sal. Se pone el aceite a calentar en una sartén. Cuando está en su punto (para saberlo se fríe una rebanadita de pan) se pasan las rodajas de una en una por harina y se fríen. Se van colocando en una fuente redonda resistente al horno, formando un caracol. Una vez fritos todos los calabacines, en el mismo aceite se fríe el bacon. Se reserva todo al calor (en el horno templado). Se cuela el aceite y se vuelven a poner en la sartén las 5 cucharadas soperas, se calientan y se echa la cebolla muy picada, así como los dientes de ajo pelados y también muy picaditos. Se refríen de 5 a 6 minutos, hasta que, estando la cebolla transparente, se empieza a dorar. Se echa esto por encima de los calabacines. Se coloca el bacon por encima, se mete al horno bien caliente unos 4 minutos, y se sirve en la misma fuente.

302.—CALABACINES AL HORNO (6 personas)

6 calabacines medianos,
9 cucharadas soperas de aceite frito,
1 cucharada sopera de perejil muy picado,

2 dientes de ajo muy picados,
6 cucharadas soperas de pan rallado,
sal.

Se les quita el rabo a los calabacines y se pelan. Se parten por la mitad a lo largo. Se ponen 3 cucharadas soperas de aceite en una fuente resistente al horno (duralex, porcelana o barro). Se ponen los calabacines con la parte curva tocando el fondo de la fuente, se salan y se rocían con las 6 cucharadas soperas de aceite. Se meten a horno mediano, rociándolos de vez en cuando con el aceite y su propio jugo. Cuando están blancos y empiezan a dorarse ligeramente, se saca la fuente a la puerta del horno y se espolvorean los calabacines con pan rallado, ajo y perejil picado. Se les echa el juguito que está en el fondo de la fuente y un poco más de aceite si se ve que hace falta. Se vuelve a meter la fuente en el horno hasta que los calabacines estén bien gratinados y se sirven en su misma fuente.

303.—PISTO DE CALABACIN (6 personas)

2 kg. de calabacines,
2 cebollas grandes (250 gr.),
1 kg. de tomates maduros,
5 cucharadas soperas de aceite,

1 cucharada (de las de café) de azúcar,
2 pimientos verdes medianos (facultativo),
sal.

En una sartén se ponen 3 cucharadas soperas de aceite a calentar, se añaden las cebollas peladas y picadas, dándole unas vueltas con una cuchara de madera, hasta que la cebolla se ponga transparente (5 minutos más o menos). Se pelan y cortan los calabacines en cuadraditos, quitándoles las simientes, y se agregan a la cebolla, dándoles unas vueltas para que queden sofritos. Aparte se hace la salsa de tomate: en una sartén se ponen 2 cucharadas soperas de aceite a calentar, se les agregan los tomates pelados y cortados en trozos. Se machacan mucho con el canto de una espumadera. Se dejan unos 10 minutos y se pasa el tomate por el pasapurés. Se le añade la sal y el azúcar y se echa sobre el calabacín, moviendo todo muy bien, y se deja unos 25 minutos, más o menos, para que se termine de cocer. Si hace falta se añade agua.
Si se quieren añadir pimientos verdes, se lavan, se les quita el rabo y la simiente y se cortan en cuadraditos. En una sartén pequeña se ponen 2 cucharadas soperas de aceite a calentar y se añaden los pimientos. Se cubre la sartén con tapadera y, a fuego lento, se van haciendo durante unos 25 minutos más o menos, moviendo de vez en cuando la sartén para que no se agarren. Se añaden un poco antes de servir el pisto, para que den un hervor con el resto de las verduras.
Se sirve en una fuente honda.
Este plato se puede preparar con anticipación y se recalienta.
Hay quien pasa el pisto por el pasapurés una vez hecho y en el momento de servir le añade 3 huevos batidos como para tortilla, le dan unas vueltas y se sirve adornado con unos triángulos de pan de molde fritos.

304.—PISTO DE CALABACIN CON PATATAS (6 personas)

5 cucharadas soperas de aceite,
2 cebollas grandes (¼ kg.),
1 kg. de tomates bien maduros,
1 kg. de calabacines,
2 pimientos verdes medianos,
2 patatas pequeñas (200 gr.),

1 huevo,
¼ litro de aceite (sobrará),
1 cucharada (de las de café) de azúcar,
sal, agua.

En una sartén se ponen 3 cucharadas de aceite a calentar y cuando está caliente se añaden las cebollas peladas y muy picadas. Se les da una vuelta, hasta que se pongan transparentes, se le añaden entonces los tomates pelados, cortados y quitadas las simientes. Se refríen a fuego mediano, machacando muy bien con el canto de una espumadera, durante unos 15 minutos.

Mientras se refríen se preparan los pimientos. Se lavan, se les quita el rabo y las simientes y se cortan en cuadraditos. Se ponen las 2 cucharadas soperas restantes de aceite a calentar en otra sartén pequeña. Se añaden los pimientos, se cubre con una tapadera la sartén y se dejan a fuego lento que se hagan, moviendo de vez en cuando la sartén para que no se agarren.

En otra sartén se pone el ¼ litro de aceite a calentar y, cuando está medianamente caliente, se refríen las patatas, peladas, lavadas y cortadas en rebanaditas como para tortilla de patatas. Deben de cocer primero en el aceite y luego refreírse. Se sacan una vez hechas y se dejan en espera.

Aparte se pelan y cortan los rabos a los calabacines. Se parten en dos a lo largo y se les quita la simiente. Se cortan como las patatas, en rebanaditas finas. Se ponen en un cazo con agua fría que sólo los cubra lo justo. Se ponen a cocer unos 8 minutos, después de lo cual se escurren bien.

En el refrito de tomate se añade el azúcar, se mueve y se agregan los pimientos escurridos de su aceite, las patatas igualmente escurridas y los calabacines. Se añade sal, se le da a todo unas vueltas durante unos 5 minutos.

Al momento de servir se bate un huevo como para tortilla y se añade al pisto, revolviéndolo todo.

Este pisto se puede hacer de antemano, dejando sin poner el huevo. Este se pondrá al recalentar el pisto, para servirlo.

305.—PISTO DE CALABACIN CON ARROZ (6 personas)

1½ kg. de calabacines,
  4 tomates maduros (medianos),
  1 cebolla grande (125 gr.),
  1 diente de ajo,

4 cucharadas soperas de aceite,
4 cucharadas soperas de arroz, agua y sal.

Se pone un cazo con agua a calentar. Cuando está hirviendo se echa el arroz y se deja cocer unos 15 minutos (el tiempo depende de la clase de arroz). Pasado este tiempo, se escurre en un colador grande y se refresca al chorro con agua fría. Se escurre bien y se reserva.

En una cacerola se pone el aceite a calentar; una vez caliente, se echan la cebolla y el diente de ajo, pelados y picados (el ajo muy menudo). Se rehogan unos 2 minutos y se añaden los tomates pelados, cortados en trozos y quitadas las simientes. Se rehogan otros 5 minutos y se agregan los calabacines lavados (sin pelar) y cortados los rabos con un trocito de carne pegada al rabo. Se cortan en dados y se echan. Se sala y se deja cocer a fuego lento y tapada la cacerola durante 45 minutos. Se tiene que mover bastante a menudo con una cuchara de madera, para que el pisto no se pegue al fondo. Pasado este tiempo, se añade el arroz, se dan unas vueltas para mezclarlo con el pisto y se sirve en una fuente.

Nota.—Se puede preparar este plato con anticipación, pero entonces se deja el pisto hecho y el arroz lavado y escurrido, y sólo se mezclan a última hora las dos cosas, calentando bien el pisto con el arroz.

306.—PISTO ESTILO FRANCES (6 personas)

2 cebollas grandes (300 gr.),
4 calabacines medianos (¾ kilogramo),
3 berenjenas medianas (¾ kilogramo),
2 pimientos verdes medianos,

5 tomates bien maduros (½ kilogramo),
2 dientes de ajo,
10 cucharadas soperas de aceite, sal.

En una sartén grande y profunda se pone el aceite a calentar. Se le añade la cebolla pelada y muy picada. Se deja ésta unos 10 minutos hasta que se ponga transparente, se agregan las berenjenas peladas y cortadas en cuadraditos de 2 cm. de costado, se pone el fuego muy lento con el fin de que se cuezan sin freírse. Se deja 10 minutos y se añaden los pimientos verdes cortados también en trozos cuadrados y vaciados de su simiente. Se dejan otros 10 minutos. Finalmente se añaden los calabacines pelados y cortados en cuadraditos como las berenjenas, los tomates (pelados y vaciados de su simiente, y cortados en trozos), Se añaden los 2 dientes de ajo pelados y la sal. Se deja a fuego lento una hora y cubierta la sartén con una tapadera durante una hora. Si resultase muy caldoso, se deja durante los últimos 10 minutos destapada la sartén para que se consuma un poco el caldo.
Se puede preparar anticipadamente y recalentar, o bien servir en seguida.

307.—PISTO DE CALABACIN CON ATUN (6 personas)

1½ kg. de calabacines medianos,
2 cebollas grandes (200 gr.),
1 pimiento verde mediano,
¾ kg. de tomates (6 grandecitos),

8 cucharadas soperas de aceite,
3 cucharadas soperas de agua fría,
1 lata de atún al natural de 200 gr.,
sal.

En una sartén amplia se ponen 4 cucharadas soperas de aceite a calentar. Se rehoga el calabacín pelado y cortado en trozos más bien grandes (quitando la simiente si la tienen) y añadiéndole, una vez rehogado durante un par de minutos, unas 3 cucharadas soperas de agua (un chorrito). Se deja durante ¼ de hora, más o menos, hasta que esté blando.
En otra sartén se ponen otras 3 cucharadas soperas de aceite y se rehoga muy bien el pimiento lavado y cortado en cuadraditos, se fríe a fuego mediano durante unos 15 minutos, hasta que esté blando. Se saca y se reserva en un plato. Allí mismo se refríen las cebollas peladas y picadas; cuando empiezan a dorar se les añaden los tomates lavados, pelados y cortados en trozos, quitándoles las simientes. Se refríen bien, machacándolos con el filo

de una espumadera hasta que esté espeso el tomate. Cuando está en su punto, se vierte en la sartén grande con el calabacín y el pimiento y se revuelve dejándolo todo junto unos 10 minutos, dando vueltas al pisto de vez en cuando.
Aparte se escurre bien el atún y se parte en trozos grandecitos. En el momento de servir se mezcla con el pisto para que se caliente, y se sirve en seguida.
El pisto se puede hacer con anticipación, añadiéndole el atún sólo en el momento de servir.

308.—CALABACINES CON SALSA DE TOMATE AL GRATEN (6 personas)

2 kg. de calabacines grandecitos,
40 gr. de mantequilla,
1 kg. de tomates maduros,
3 cucharadas soperas de aceite frito,

1 cucharada (de las de café) de azúcar,
1 cebolla grande (100 gr.) facultativo,
150 gr. de queso rallado,
sal.

Se hace la salsa de tomate (receta 63).
Cortar el rabo de los calabacines, pelarlos y cortarlos a lo largo, en rebanadas no muy finas. Poner un cazo con agua abundante y sal; cuando empieza a hervir, poner los calabacines dentro unos 5 minutos, sacarlos y escurrirlos durante bastante tiempo para que suelten bien su agua. Colocarlos en una fuente (de cristal o porcelana resistente al horno) previamente untada con la mitad de la mantequilla, espolvoreando un poco de queso rallado entre cada capa de calabacín. Cubrir todo con la salsa de tomate. Espolvorear el tomate con el resto del queso rallado y poner trocitos de mantequilla por encima. Meter la fuente al horno, previamente calentado, para que gratine, y cuando se haya formado una capa dorada, servir en la misma fuente.

309.—CALABACINES CON BECHAMEL (6 personas)

2 kg. de calabacines,
½ litro de leche fría,
2 cucharadas soperas colmaditas de harina,
25 gr. de mantequilla,

2 cucharadas soperas de aceite fino,
75 gr. de gruyère rallado,
agua y sal.

Se pelan los calabacines y se cortan en rodajas de ½ cm. de grueso (es decir, bastante gruesas). Se ponen en un cazo con agua fría y sal y se ponen a cocer; cuando hierven, se retiran para que no se deshagan. Se escurren bien.
Se colocan las rodajas en una fuente (cristal, porcelana, etc.) que sea resistente al horno.
Aparte, en una sartén o un cazo, se hace una bechamel. Se derrite el aceite con la mantequilla, se le añade la harina, se dan unas vueltas y, poco a poco, se incorpora la leche fría, dando vueltas con unas varillas. Se añade sal, teniendo en cuenta que se ha de poner queso rallado, y se deja cocer durante unos 10 minutos. Se

vierte sobre los calabacines, se espolvorea con el queso rallado y se mete al horno hasta que esté bien gratinado. Se sirve en la misma fuente.

310.—CALABACINES GRATINADOS CON QUESO (6 personas)

2 kg. de calabacines medianos,
100 gr. de queso gruyère rallado,
3 ó 4 cucharadas soperas de pan rallado,

50 gr. de mantequilla,
1 poco de nuez moscada (facultativo),
agua y sal.

Se pelan los calabacines, se cortan en rodajas más bien gorditas (1½ cm. o más). Se sumergen en agua abundante hirviendo con sal. Se cuecen 4 ó 5 minutos (más o menos), depende de lo gruesas que se corten las rodajas; tienen que estar tiernas, pero enteras, sin que se deshagan. Se ponen a escurrir en un colador grande. Una vez escurridas, se colocen en una fuente honda resistente al horno (duralex, porcelana, etc.) Se coloca una capa, se espolvorea con un poco de queso rallado y se pone un poco de nuez moscada rayada (si este sabor gusta). Se alternan así los calabacines y el queso. Encima de la última capa se espolvorea algo más de queso que en las otras. Se espolvorea el pan rallado, se pone la mantequilla en trocitos y se mete al horno (previamente calentado) para que gratine.
Una vez gratinado, se sirve en la misma fuente.

311.—CALABACINES EN ENSALADA

Calabacines frescos y tiernos,
vinagre, sal y aceite (una cucharada sopera de vinagre por 3 de aceite),

perejil muy picado,
agua y sal.

Se escogen unos calabacines medianos, tiernos, frescos, sin pepitas y todos iguales de tamaño.
Se pone agua abundante con sal en un cazo y, cuando rompe a hervir, se ponen los calabacines dentro durante unos 6 a 8 minutos, enteros y sin pelar.
Se sacan, se dejan escurrir y enfriar. Se cortan entonces en rodajitas más bien finas (si se quiere se puede dejar la corteza) y se cubren de vinagreta y perejil picado. Se meten así un ratito en la nevera y se sirven.
Se pueden servir así, combinados con tomates, judías verdes, remolacha, etc., como primer plato en verano.

312.—CALABAZA REHOGADA (6 personas)

1½ kg. de calabaza,
4 puerros medianos,
unas rebanaditas de pan frito (2 puñados),

3 dientes de ajo,
¼ litro de aceite,
agua y sal.

Se limpian los puerros y se cortan en trocitos de 3 cm. de largo. En un cazo se pone agua y sal y cuando empieza a hervir se le echa el puerro. Se deja cocer ½ hora a fuego mediano y se le añade entonces la calabaza, quitada la corteza, las pepitas y cortada en trozos cuadrados más bien pequeños (un poco mayores que unos dados corrientes). Se dejan cocer hasta que estén tiernos, unos 45 minutos, más o menos (para saber si están tiernos se pincha uno con un tenedor). Pasado este tiempo se escurre el agua, tapando el cazo con una tapadera y ladeándolo.

En una sartén bastante grande se pone el aceite a calentar. Cuando está en su punto se fríen las rebanaditas de pan hasta que estén bien doradas. Se sacan y se quita parte del aceite, dejando sólo un poco para que cubra el fondo. Se ponen los dientes de ajo pelados y dados un golpe (con el mango de un cuchillo, para que se aplasten un poco). Se refríen bien hasta que estén bien doraditos. Se sacan y en este mismo aceite se pone la calabaza con el puerro y las rebanaditas de pan. Se rehoga todo con cuidado a fuego lento, para que no se agarre, durante unos 10 minutos, y se sirve en una fuente calentada previamente.

313.—PURE DE CALABAZA GRATINADO (6 personas)

1 trozo de calabaza de 1½ kg.,
8 cucharadas soperas de aceite,
25 gr. de mantequilla,
2 cucharadas soperas colmadas de harina,
½ litro de leche fría,
3 huevos,
100 gr. de gruyère rallado,
sal, nuez moscada.

Se pela, se quitan las pepitas de la calabaza y se cortan en cuadraditos. En un cazo se ponen 6 cucharadas soperas de aceite a calentar; cuando está caliente se pone la calabaza, y, a fuego lento, se rehoga, moviéndola de vez en cuando con una cuchara de madera, hasta que los trozos estén bien tiernos y sin jugo (para saberlo se pinchan con un tenedor). Se pasa entonces por el pasapurés.

En una sartén se pone la mantequilla y las 2 cucharadas soperas de aceite a calentar, se les añade la harina, se dan unas vueltas con las varillas y, poco a poco, se echa la leche fría, moviendo constantemente. Se echa sal y un poco de nuez moscada. Se cuece esta bechamel durante unos 10 minutos y se incorpora al puré de calabaza.

Se baten en un plato sopero los 3 huevos, como para tortilla, y se incorporan al puré.

Se vierte esta mezcla en una fuente resistente al horno, se espolvorea con queso rallado y se mete al horno caliente a gratinar. Cuando el queso forma una bonita costra dorada, se retira y se sirve en la misma fuente.

314.—MANERA DE COCER LOS CARDOS

Se corta cada tallo y se pelan los costados y los lomos si hiciese falta. Se frotan con ½ limón y se cortan en trozos de unos 4 cm. de largo. El tronco se corta en trocitos, quitándole la parte dura del centro.

Se van echando en agua fría abundante con un chorro de zumo de limón.

En un tazón se pone una cucharada sopera de harina y se deslíe con agua (esto para un cardo de tamaño mediano). Se vierte en una olla y se añade agua abundante para que esté holgado el cardo al ponerlo. Se echa sal y se pone al fuego, cubriéndolo con una tapadera no del todo cerrado para que no se salga el agua.

Cuando empieza a hervir, se echa el cardo y se deja cocer a fuego mediano por espacio de 1 a 2 horas (según sea de tierno el cardo). Cuando está a punto, se escurre para guisarlo según se quiera.

315.—CARDO CON SALSA DE PIMENTON

1 cardo blanco y mediano,
1 cebolla mediana (80 gr.),
1½ cucharada sopera de harina,
1 cucharada (de las de café) rasada de pimentón,
3 cucharadas soperas de aceite,
agua de cocer el cardo,
sal.

Se prepara y cuece el cardo (receta 314).
En una sartén se pone el aceite a calentar, se le añade la cebolla muy picadita y, cuando está dorada, se le echa la harina. Se dan unas vueltas con una cuchara de madera y se añade el pimentón, revolviendo todo muy bien. Se le añade entonces el agua (con la harina) donde ha cocido el cardo y se da un hervor a la salsa (1½ vaso de los de agua suelen bastar de líquido, pero depende del tamaño del cardo). Se puede poner asimismo en una cacerola o colada por un colador de agujeros grandes (para quitar la cebolla) y se echa el cardo cocido y escurrido. Se le deja cocer unos 10 minutos a fuego lento en la salsa y se sirve en fuente previamente templada, para que no se enfríe.

316.—CARDO EN SALSA BLANCA (6 personas)

1 cardo blanco y mediano.
1 cucharada sopera de perejil picado,
2 cucharadas soperas de harina,
3 dientes de ajo,
3 cucharadas de aceite,
1 limón,
½ cucharadita (de las de moka) de extracto de carne (Bovril, Liebig, etc.),
agua y sal.

Se prepara y cuece el cardo (receta 314). Una vez cocido, se escurre en un colador. Se reserva el agua de cocerlo.

En una sartén se pone el aceite a calentar, se pelan los ajos y se echan para que se refrían bien dorados. Se mueve con una cuchara de madera.

Una vez bien dorados los ajos, se retiran y se añade una cucharada sopera de harina, se le da vueltas para que no se dore. Se agrega caldo del de cocer los cardos, para que quede una salsa más bien clarita.

Se ponen los cardos en una cacerola y se cubren con la salsa. Se le deja dar un hervor. Se añade entonces ½ cucharada del extracto de carne, se revuelve bien, se espolvorean con el perejil picado y se sirve en una fuente más bien honda.

317.—CARDO AL GRATEN CON QUESO Y MANTEQUILLA (6 personas)

1 cardo blanco y mediano,
1 limón,
1 cucharada sopera de harina,
100 gr. de queso gruyère rallado,

50 gr. de mantequilla,
2 cucharadas soperas de aceite fino,
agua y sal.

Se cuece el cardo (receta 314). Una vez cocido, se escurre bien. Se pone el aceite en una fuente resistente al horno (porcelana, cristal, etc.), se colocan los cardos y se espolvorean con queso rallado. Se divide la mantequilla en trozos pequeños que se ponen salpicados sobre el queso y se mete en el horno a gratinar. Cuando el queso está bien dorado, se sirve en su misma fuente.

318.—CARDO EN SALSA CON AJO Y VINAGRE (6 personas)

1 cardo mediano,
1 cebolla mediana (100 gr.),
1 diente de ajo,
1 ramita de perejil,
1 rebanada de pan frito,
1 cucharada sopera de vinagre,

2 cucharadas soperas de harina,
5 cucharadas soperas de aceite,
pimienta o cominos,
½ limón,
agua y sal.

Se pela, corta y cuece el cardo (receta 314).
Una vez tierno el cardo, se escurre, guardando parte del agua de cocerlo.
En una cacerola se pone el aceite a calentar, y cuando está caliente se refríe la cebolla muy picada y se deja dorar (unos 10 minutos), removiéndolo de vez en cuando. En el mortero se pone el diente de ajo, el perejil, la rebanada de pan frito, la pimienta (un poco molida o una bolita entera) (o cominos, a gusto) y un poco de sal. Se machaca bien todo, se añade a la cebolla y se agrega una cucharada sopera de harina. Se mueve con una cuchara de madera. Se añade el vinagre y parte del agua de cocer el cardo. Se echa el cardo escurrido y se cubre con el resto del agua de cocerlo que lo cubra apenas. Se rectifica de sal, se deja cocer unos 10 minutos y después se sirve en legumbrera o fuente honda.
Se puede preparar con anticipación y recalentar en el momento de servir.

319.—CARDO EN VINAGRETA (6 personas)

1 cardo blanco mediano,
aceite abundante,
vinagre,
1 cucharada (de las de café) de perejil muy picado,

1 huevo duro picado (facultativo),
sal.

Se cuece el cardo como está explicado en la receta 314. Caliente se escurre bien y se pone en una fuente honda o una ensaladera. Se aliña con vinagreta (receta 89) y se espolvorea con el perejil y el huevo duro picado.
Se suele servir caliente, pues es verdura de invierno y apetece más, pero también está bueno frío.

320.—CARDILLOS

Es una verdura que se suele servir con el cocido.
Se limpian muy bien de tierra y se pelan los cantos, dejando los cardillos unidos por el tronco. Se cuecen en agua hirviendo con sal. Cuando están cocidos (unos 30 minutos, según sean de frescos y tiernos), se escurren bien y se rehogan en aceite frito.
Se pueden, una vez cocidos y escurridos, servir con una vinagreta hecha con aceite, vinagre, sal, una cucharada sopera de pan rallado, una cucharadita (de las de café) de perejil picado y 1 diente de ajo muy picado.

321.—CEBOLLAS REBOZADAS Y FRITAS PARA ADORNO (6 personas)

1.ª receta:

150 gr. de harina,
1 huevo,
1 cucharada sopera de aceite fino,

1 botella de cerveza (sobrará),
1 litro de aceite (sobrará mucho),
sal.

En una ensaladera se pone la harina, la sal, la yema del huevo y la cucharada de aceite. Se mezcla y se añade poco a poco la cerveza, dando vueltas hasta que quede como unas natillas espesas.
Aparte se pelan las cebollas y se cortan a lo ancho para que al soltarse las rodajas formen unas anillas grandes.
Se monta la clara a punto de nieve firme (con un pellizco de sal); se mezcla a la masa, moviendo lo justo para que quede incorporada ligeramente.
Se echa el aceite en una sartén honda y se pone a calentar. Cuando está en su punto (esto se prueba con una rebanadita de pan), se coge una anilla de cebolla, se sumerge en la masa, se saca y se fríe. Se deben de freír pocas a la vez para que tengan sitio en la sartén y se doren bien.
Se sacan, se escurren en un colador grande y se sirven calientes, como adorno de carnes asadas o filetes.

2.ª receta:

3 ó 4 cucharadas soperas de harina,
sifón (más o menos 1 vaso bien lleno de los de agua),

1 cucharada sopera de perejil picado,
sal.

Se pelan y cortan las cebollas en redondeles sueltos igual que en la receta anterior.

En una ensaladera de cristal se pone la harina con la sal y se va desliendo con sifón hasta que queda una crema como unas natillas espesas.

Se sumerge cada redondel de cebolla en esta masa y se fríe en aceite abundante.

322.—CEBOLLAS EN PURE (6 personas)

2 kg. de cebollas,
2 cucharadas soperas de harina,

4 cucharadas soperas de aceite,
sal.

En una cacerola, si puede ser de hierro (cocotte), si no de metal grueso, se pone el aceite a calentar y se echan las cebollas peladas y cortadas en rodajas de 1½ cm. de gruesas. Se mueve bien con una cuchara de madera y, cuando ha disminuido su volumen, se espolvorean con la harina, volviendo a mover bien. Se echa la sal, se revuelve todo, se tapa la cacerola con tapadera y se deja cocer a fuego muy lento durante unas 3 horas.

Se puede hacer con anticipación y recalentar en el momento de servir las cebollas, pues están mejor.

323.—CEBOLLAS RELLENAS DE CARNE (6 personas)

12 cebollas medianas (80 a 100 gramos cada una),
¼ kg. de carne picada (cerdo y ternera mezclado),
1 migajón de pan,
1 vaso (de los de vino) bien lleno de leche caliente,
½ diente de ajo,
2 huevos,

1 cucharada sopera de vino blanco,
1 cucharada (de las de café) de perejil picado,
1 pastilla de caldo (Starlux, Maggi, etc.),
¼ litro de aceite,
2 cucharadas soperas de aceite,
1 plato con harina,
agua y sal.

Se pelan las cebollas, y con un cuchillo de punta fina se les da un tajo circular en la parte de arriba y se corta una rebanadita en el lado opuesto para que asienten en la cacerola. Se pone agua abundante y sal a hervir y se sumergen las cebollas 15 minutos. Se sacan y se dejan escurrir, reservando el agua de cocerlas.

Mientras, en una ensaladera, se pone la carne picada, el migajón (del tamaño de un huevo grande) de pan ya mojado en leche caliente y escurrido ligeramente, si sobra; el perejil y el ajo muy picado, el vino blanco y 1½ huevos batidos como para tortilla (se reserva un poco de huevo batido) y sal. Se amasa todo bien junto.

Se recortan las cebollas por donde se había dado el tajo y se quita el centro. Se rellenan con la carne preparada anteriormente.

En una sartén se pone el aceite a calentar. Se pasa el relleno que asoma de cada cebolla por huevo batido, y después toda la cebolla por harina. Se van friendo por tandas.

En una fuente resistente al horno (besuguera, cristal o porcelana) se ponen las 2 cucharadas de aceite a calentar. Se colocan las cebollas unas al lado de las otras con el relleno para arriba. En un tazón se disuelve la pastilla de caldo con el agua de cocer las cebollas y se rocían éstas, dejándoles líquido como a media altura. Se meten a horno mediano unos 30 minutos, más o menos, hasta que las cebollas estén tiernas y doradas, rociándolas de vez en cuando con el caldo.

Se traspasan con un alambre fino para saber si están tiernas. Este tiene que entrar muy fácilmente.

Se sirven en su misma fuente.

324.—MANERA DE COCER LAS CEBOLLITAS FRANCESAS

Se pelan las cebollas y, una vez peladas, se ponen en un cazo las unas al lado de las otras, sin que monten unas encima de otras. Se cubren bien con agua y se les añade un trocito de mantequilla (la proporción es de ¼ kg. de cebollitas y 20 gr. de mantequilla), un pellizco de sal y unas gotas de zumo de limón. Se cubre el cazo con una tapadera y, a fuego mediano, se cuecen más o menos ½ hora (este tiempo depende de lo grandes que sean). Para saber si están en su punto, se atraviesan con un alambre fino. Si éste pasa fácilmente, están en su punto. Hay que tener cuidado, pues fácilmente se pasan y entonces se deshacen.

325.—MANERA DE GLASEAR LAS CEBOLLITAS FRANCESAS

Después de peladas, se ponen en un cazo de forma que no monten unas encima de otras. Se cubre de agua templada o fría, se añade un trocito de mantequilla, sal y una cucharada (de las de café) de azúcar. Se cubren con un papel de estraza recortado, para que entre en el cazo casi rozando las cebollas, y se meten a horno mediano. Cuando el agua está consumida, las cebollitas deben de estar en su punto. Se comprueba traspasando una con un alambre fino. Las cebollitas deben estar brillantes, y así están a punto para adornar cualquier fuente.

326.—CEBOLLITAS FRANCESAS CON BECHAMEL (6 personas)

12 ó 18 cebollitas francesas medianas,
2 cucharadas soperas rasadas de harina,
½ litro de leche fría,
1½ cucharadas (de las de café) de concentrado de tomate,
50 gr. de queso rallado,
30 gr. de mantequilla,
2 cucharadas soperas de aceite,
unas gotas de zumo de limón,
agua y sal.

Se preparan y cuecen las cebollitas (receta 324). Una vez hechas, se escurren y se hace la bechamel.

En una sartén o cazo se pone el resto de la mantequilla y el aceite a calentar. Se añade la harina, se dan unas vueltas con las varillas y, poco a poco, se le añade la leche fría. Una vez echada la leche, se deja cocer unos 5 minutos la bechamel.

Se aparta del fuego y se le incorpora el concentrado de tomate. Se revuelve bien. Se colocan las cebollitas unas al lado de las otras en una fuente o besuguera resistente al horno (cristal o porcelana). Se les vierte la bechamel por encima, se espolvorea con el queso rallado y se meten un ratito al horno hasta que el queso esté gratinado. Se sirven en su misma fuente.

327.—CELERI-RAVE

Se pelan los celeri-rave. Se cortan en dos, se ponen en un cazo con agua fría y sal. Se pone a cocer y, cuando rompe a hervir el agua, se dejan 20 minutos. Se sacan del agua y se dejan enfriar. Cuando están fríos, se cortan en tiritas como las patatas paja. Se mezclan con mayonesa, a la cual se añade un poco de mostaza y pimienta negra en polvo. Se hace con ½ hora de anticipación para que macere todo junto.
También hay quien toma los celeri-rave pelados y crudos, pero, por lo demás, preparados como se explica anteriormente.

328.—MANERA DE COCER LAS COLES DE BRUSELAS

Las coles de Bruselas tienen que estar muy verdes, apretadas las hojas y del mismo tamaño en lo posible. Se pelan de hojas lacias y se corta un poco el tronco. Se echan en agua fría y, una vez preparadas todas, se lavan bien con agua abundante con un chorro de vinagre o de zumo de limón para que salgan todos los gusanitos y bichos que puedan estar dentro.
En una cacerola amplia se pone agua y sal, a cocer. Cuando hierve, se cogen las coles a puñados, se escurren bien y se van echando de puñado en puñado para que no se pare el hervor, tapando cada vez la cacerola para que no pierda calor. Una vez echadas todas las coles, se destapa la cacerola para que se conserven verdes. Hay quien les echa incluso un pellizquito de bicarbonato para que estén bien verdes, pero no es muy recomendable, pues ablanda las coles y hay que vigilar bien la cocción para que no se deshagan. Para el tiempo, depende de lo grandes y lo frescas que sean, tardando entre 20 y 35 minutos.
Una vez cocidas, se echan en un colador y se refrescan al chorro del agua fría, con cuidado de que no se deshagan. Están entonces preparadas para ser utilizadas.

329.—COLES DE BRUSELAS REHOGADAS (6 personas)

1¼ a 1½ kg. de coles de Bru-   100 gr. de mantequilla,
selas,   sal.

Se cuecen las coles como está indicado anteriormente. En una sartén amplia se pone la mitad de la mantequilla y se saltean hasta que estén ligeramente doraditas. Se rectifican de sal, si hiciese falta, y se vierte el resto de la mantequilla (derretida en un cazo pequeño, pero sin que cueza) en el momento de servir.
Para quien no las quiera con mantequilla, se pueden hacer con aceite. Se calienta el aceite poniendo 2 dientes de ajo pelados

y aplastados con el mango de un cuchillo. Una vez dorados, se retiran y se echan las coles, salteándolas bien. Se sazonan con pimienta molida y se les rocía con un par de cucharadas soperas de vinagre o bien con una cucharada (de las de café) rasada de mostaza (no poniendo entonces la pimienta).

330.—COLES DE BRUSELAS CON BECHAMEL (6 personas)

1¼ a 1½ kg. de coles de Bruselas,
25 gr. de mantequilla,
2 cucharadas soperas de aceite,

2 cucharadas soperas rasadas
de harina,
½ litro de leche fría,
1 cucharada (de las de café)
de perejil picado,
sal.

Se cuecen las coles (receta 328). Una vez escurridas y refrescadas, se hace la bechamel.
En una sartén se derrite la mantequilla con el aceite, se le añade la harina, se dan unas vueltas con unas varillas y se añade poco a poco la leche fría. Se sala y se deja cocer unos 8 minutos. Se agregan entonces con cuidado las coles, se mueve para que se empapen bien, se vierten en una legumbrera y se espolvorean con el perejil picado.
Nota.—Se puede hacer la bechamel con mitad leche y mitad caldo (o agua y una pastilla).

331.—COLES DE BRUSELAS GRATINADAS

Preparadas como en la receta anterior, se pueden poner en una fuente resistente al horno (cristal o porcelana) y se espolvorean con 75 gr. de gruyère rallado; se meten al horno hasta que el queso se gratine. Se sirve en su misma fuente.

332.—COLES DE BRUSELAS EN VOL-AU-VENT

También se pueden servir preparadas como en la receta 330, en un vol-au-vent, metiéndolo unos minutos al horno una vez puestas las coles dentro, para que se caliente, y sirviéndolo acto seguido.

333.—MANERA DE COCER LA COLIFLOR

Se separan los ramos de la coliflor cuando se quiere tener suelta; si no se ahueca el centro cortando lo más posible el tronco del centro.
Para suelta, se pelan un poco los troncos, para que se pongan tiernos al cocer. Se echa en agua fría con el zumo de ½ limón para remojarla y lavarla.
En una cacerola se pone agua abundante con sal; cuando hierve, se echa la coliflor, se moja una rebanada de pan de un dedo de gruesa en leche y se echa con la coliflor, que se cuece desta-

pada. Una vez tierna (se prueba un tronco: para una coliflor de 1 kg., unos 30 minutos más o menos), se escurre en un colador grande y con cuidado para que no se rompa y se refresca al chorro del agua fría; después se termina de secar sobre un paño limpio.

Cuando se quiere entera se procede igual, pero con cuidado para que no se rompa o se separen los ramilletes.

334.—COLIFLOR REBOZADA

Esto es más bien para acompañar la carne.

1 coliflor pequeña (más o menos 1 kg.) para 6 personas,
el zumo de ½ limón,
1 litro de aceite (sobrará mucho),

1 plato con harina,
2 huevos,
agua y sal.

Se cuece la coliflor (receta 333). Si los ramilletes son muy abultados, es mejor partirlos en dos para que queden algo más planos.

Una vez bien escurrida la coliflor sobre un paño, se pasa ligeramente por harina cada pedazo y, después, por huevo batido. Se fríen y se escurren los trozos en un colador grande. Se sirve bien caliente y recién fritos los trozos, con la carne.

335.—BUÑUELOS DE COLIFLOR (6 personas)

1 coliflor de 1½ kg. más o menos,
agua y sal,
el zumo de ½ limón.

Masa de envolver:
250 gr. de harina,
2 decilitros de leche fría (1 vaso de los de agua, no lleno),
3 cucharadas soperas de aceite fino,

3 cucharadas soperas de vino blanco,
1 cucharada (de las de café) rasada de levadura (Royal),
1 pellizco de sal.
1 litro de aceite para freír (sobrará),
1 limón en rodajas para adornar,
unos ramilletes de perejil para adornar.

Se prepara y se cuece la coliflor en ramilletes (receta (333), pero cuidando de que no se deshagan.

Aparte se hace la masa de envolver.

En una ensaladera se pone la harina y la sal mezcladas, en el centro se pone el vino y el aceite, se mezcla un poco todo esto y se añade poco a poco la leche fría. Una vez mezclado todo, se deja reposar por lo menos ½ hora. Al momento de ir a hacer los buñuelos, se añade la levadura.

Se pone el aceite a calentar y, cuando está en su punto (se prueba friendo una rebanadita de pan), se cogen los ramilletes y uno a uno se sumergen en la masa y se echan en el aceite. Cuando están bien dorados, se sacan, se escurren en un colador grande y se guardan al calor (a la boca del horno templado).

Una vez frita toda la coliflor, se coloca en una fuente redonda en montón, se adorna con rodajas de limón y perejil y se sirve en seguida.

Nota.—También se puede servir acompañado con salsa de tomate, servida aparte en salsera.

336.—COLIFLOR CON SALSA DE VINAGRETA (6 personas)

1 coliflor mediana (más o menos 1½ kg),
agua y sal,
el zumo de ½ limón.

Vinagreta:
2 cucharadas soperas de buen vinagre,

6 cucharadas soperas de aceite fino,
1 cucharada sopera rasada de perejil muy picado,
1 cucharada sopera rasada de cebolla muy picada (facultativo),
sal.

Se cuece la coliflor en ramilletes (receta 333).
Una vez cocida y bien escurrida, se coloca en la fuente donde se vaya a servir y se rocía con la vinagreta (sal, vinagre y aceite, ya mezclados previamente). Después se espolvorea con la cebolla y el perejil, y se sirve templada o fría.

337.—COLIFLOR FRIA CON MAYONESA (6 personas)

1 coliflor mediana (1½ kg.),
el zumo de ½ limón.
agua y sal,
Salsa mayonesa:
2 huevos,
½ litro de aceite fino,

1 zumo de limón,
1 poco de mostaza (facultativo),
2 huevos duros para adornar (cocidos 13 minutos).

Se cuece la coliflor entera (receta 333). Se deja escurrir muy bien y enfriar.
Se hace la salsa mayonesa clásica o bien en la batidora (ésta resulta muy bien para esta receta, pues es algo más ligera. receta 94).
Se coloca la coliflor en una fuente redonda y se cubre con la mayonesa (ésta tiene que ser abundante para que toda la coliflor esté bien cubierta).
Se pica 1 huevo duro y se espolvorea la parte de arriba de la coliflor. Se corta en rodajas el otro huevo duro y se coloca en la fuente alrededor de la coliflor.

338.—BUDIN DE COLIFLOR (6 personas)

1 coliflor pequeña, ya cocida (700 gr.),
4 huevos,
½ litro de leche fría,
3 cucharadas soperas colmadas de harina,

50 gr. de mantequilla o margarina,
2 cucharadas soperas de aceite fino,
100 gr. de queso rallado,
un poco de nuez moscada,
sal.

Salsa de tomate:

1 kg. de tomates bien maduros,
3 cucharadas soperas de aceite
frito,

1 cucharada (de las de café) de
azúcar,
sal.

Se hará salsa de tomate (receta 63) y se reserva al calor.
Se cuece la coliflor dejando sólo los ramos, sin troncos, o pelando
éstos para que una vez cocidos estén tiernos (receta 333).
Una vez bien escurrida la coliflor, se hace puré con un tenedor.
En una sartén se pone el aceite y un poco más de la mitad de la
mantequilla a derretir, se le añade la harina, se revuelve con unas
varillas y se añade poco a poco y sin dejar de mover la leche
fría. Se sala y se añade un poco de nuez moscada rallada. Se
cuece durante unos 8 minutos esta bechamel. Se aparta del fuego.
En un plato se baten los huevos de dos en dos y se añaden a la
bechamel. Se añade a ésta el queso rallado y cuando está bien
incorporado se le agrega la coliflor deshecha con un tenedor.
Se unta con bastante mantequilla una flanera de unos 19 cm. de
diámetro. Se vierte la masa y se mete al baño maría (el agua
hirviendo de antemano y el horno encendido unos 5 minutos antes). Se tiene a horno mediano más bien caliente una hora.
Al ir a servir, se pasa un cuchillo de punta redonda todo alrededor de la flanera y se vuelca en una fuente redonda, cubriendo el
budín con la salsa de tomate caliente, y se sirve en seguida.

339.—COLIFLOR CON BECHAMEL (6 personas)

1 coliflor mediana (1½ kg.),
zumo de ½ limón,
30 gr. de mantequilla,
2 cucharadas soperas de aceite
fino,

2 cucharadas soperas de harina,
½ litro de leche fría,
75 gr. de gruyère rallado,
agua,
sal.

Se cuece la coliflor en ramilletes (receta 333). Una vez bien
escurrida, se coloca en una fuente o besuguera de cristal o porcelana resistente al horno.
En una sartén se pone el aceite a derretir con la mantequilla, se
añade la harina y moviendo con unas varillas se dan unas vueltas.
Se agrega entonces la leche fría, poco a poco, dando vueltas
constantemente. Se sala y se deja cocer unos 10 minutos. Se
vierte esta bechamel por encima de la coliflor. Se espolvorea con
el queso rallado y se mete al horno para gratinar.
Una vez bien dorada la bechamel, se saca y se sirve en su misma
fuente.

340.—COLIFLOR CON BECHAMEL Y ALMENDRAS O PIÑONES (6 personas)

Es una variante de la receta anterior. Se le añade sólo 60 gr. de
almendras crudas sin cáscara y se cuece la coliflor entera.
Se pone en una fuente redonda, se cubre con la bechamel más

espesa y algo menos de queso rallado (50 gr. bastan). Se mete al horno a gratinar; cuando empieza a gratinar, se pinchan las almendras o los piñones en la coliflor de manera que sobresalga la mitad de la almendra, y se vuelve a meter al horno un ratito, teniendo cuidado de que no se doren demasiado las almendras o los piñones.

Se sirve en su misma fuente.

341.—COLIFLOR AL HORNO CON MANTEQUILLA, LIMON, PEREJIL Y HUEVO DURO (6 personas)

1 coliflor mediana (1½ kg. más o menos),
el zumo de 1½ limón,
150 gr. de mantequilla,

1 cucharada sopera de perejil picado,
1 huevo duro muy picadito,
agua,
sal.

Se cuece la coliflor entera (receta (333).

Una vez en su punto, se escurre un poco y se coloca en una fuente honda de porcelana o cristal (resistente al horno). Se pone la mantequilla en trozos por toda la coliflor, se rocía con el zumo de limón y se mete al horno a gratinar un poco, rociándola de vez en cuando con el jugo. Una vez que esté ligeramente dorada (unos 15 a 20 minutos), se saca y se espolvorea con el perejil y el huevo duro, y se sirve en seguida.

También se puede espolvorear con queso gruyère rallado, no poniendo entonces más que el limón y algo menos de mantequilla y nada de perejil y huevo duro. Se tendrá que dorar el queso antes de servir la coliflor.

342.—COLIFLOR COCIDA, CON SALSA DE MANTEQUILLA TOSTADA Y PAN RALLADO (6 personas)

1 coliflor mediana (1½ kg. más o menos),
el zumo de ½ limón.
agua y sal,

Salsa:
Zumo de ½ limón,
200 gr. de mantequilla,
3 cucharadas soperas de pan rallado.

Se cuece la coliflor en trozos más bien grandes (receta 333). Se escurre y se reserva al calor.

En un cazo se derrite la mantequilla y se deja cocer hasta que se ponga dorada. En este punto, se separa un poco del fuego y se le echa el zumo del ½ limón. Se vuelve a poner al fuego y se le añade el pan rallado. Se revuelve bien, sin que tome más color, y se vierte por encima de la coliflor; se sirve en seguida.

343.—ENDIVIAS AL GRATEN (6 personas)

12 endivias medianas,
100 gr. de mantequilla,

60 gr. de queso gruyère rallado,
agua y sal.

Se lavan las endivias al chorro (si se dejan en agua amargan más) y se ponen a cocer en una cacerola con agua fría y sal que las cubra bien. Se pone al mismo tiempo otra cacerola con agua y sal igualmente. Cuando el agua de las endivias empieza a cocer a borbotones, con una espumadera se las va sacando y se colocan en la segunda cacerola, cuya agua debe estar hirviendo también. Este traslado de aguas es para que no amarguen (hay quien no las cuece más que en una sola agua y también están buenas). Cuando empieza a hervir de nuevo, se cuecen durante unos 25 minutos hasta que estén tiernas. Se sacan del agua y, una vez bien escurridas, se colocan en una fuente de porcelana o de cristal que sea resistente al horno. Se les pone la mantequilla encima, en trocitos, y se espolvorean muy bien con el queso rallado. Se meten al horno hasta que el queso esté bien gratinado y se sirven en la misma fuente.

344.—ENDIVIAS CON BECHAMEL (6 personas)

12 endivias medianas,
100 gr. de gruyère rallado,
   agua y sal.

Bechamel:
   2 cucharadas soperas de harina,
   30 gr. de mantequilla,
   2 cucharadas soperas de aceite fino,
   ½ litro de leche fría,
   sal.

Se preparan y cuecen las endivias como en la receta 343. Cuando están cocidas, se escurren bien y se colocan en una fuente de cristal o porcelana resistente al horno y se procede a hacer la bechamel como está explicado en la receta 67. Se cubren las endivias con la salsa. Se espolvorean con el queso rallado y se meten al horno a gratinar. Cuando están bien doradas, se sirven en su misma fuente.

345.—ENDIVIAS CON JAMON DE YORK Y BECHAMEL (6 personas)

Se procede igual que en la receta anterior, pero, al disponer las endivias en la fuente de horno, se envuelve cada una en una loncha fina de jamón de York. Se cubren de bechamel y queso rallado, y se gratina.

346.—ENDIVIAS AL JUGO (6 personas)

12 endivias medianas,
25 gr. de mantequilla,
2 cucharadas soperas de aceite fino,
1 cucharada sopera de harina,
1 vaso (de los de agua) de caldo (o agua con una pastilla de Avecrem, Starlux, etc., o un resto de salsa de carne),
1 hueso de codillo,
1 poco de nuez moscada,
agua y sal.

Se lavan y cuecen las endivias igual que en la receta 343, pero al cocerlas la segunda vez se dejan sólo 15 minutos. Una vez bien escurridas, se hace la salsa.

En una sartén o cacerola amplia se pone la mantequilla y el aceite a calentar. Una vez disueltos se añade la harina, se dan unas vueltas con una cuchara de madera y, poco a poco, se añade el vaso de agua. Se agrega el hueso de codillo y se colocan las endivias en esta salsa, espolvoreándolas con un poquito de nuez moscada.

Se dejan cocer unos 10 ó 12 minutos en la salsa. Se trasladan a la fuente de servir.

Nota.—Se puede preparar este plato de antemano, cociendo las endivias sólo 5 minutos en la salsa y al calentarlas cociéndolas otros 5 minutos.

347.—ENDIVIAS EN ENSALADA

Se les quita el tronco de abajo que sujeta las hojas, éstas se cortan por la mitad de la parte más larga y se lavan bien al chorro del agua fría, sin dejarlas permanecer en el agua, pues amargan mucho. Se secan y se aliñan con vinagreta (sal disuelta en una cucharada sopera de vinagre y 3 cucharadas soperas de aceite), sirviéndolas bastante rápidamente después de aliñadas para que no pierdan su tiesura, que es su gracia.

Se pueden servir mezcladas con tomate e incluso revueltas con escarola.

348.—ENSALADA DE ESCAROLA

Se limpia y lava muy bien la escarola, soltándole las hojas y no guardando más que las blancas. Si éstas son largas, se cortan en dos o tres trozos. Se aliñan con vinagreta (sal disuelta en una cucharada sopera de vinagre y 3 cucharadas soperas de aceite fino). No se debe aliñar con mucha anticipación, pues esta clase de ensalada está buena si la hortaliza está bien tiesa.

Para variar, se puede frotar la ensaladera donde se vaya a servir con un diente de ajo pelado. Le va muy bien a la escarola.

Se puede mezclar con trocitos de tomate pelados.

Se puede también mezclar con los tallos blancos del apio. Son dos sabores que van muy bien juntos.

349.—MANERA DE PREPARAR Y COCER LOS ESPÁRRAGOS

Se calcula normalmente 1½ a 2 kg. para 4 personas.

Se procura comprar los espárragos del mismo grosor; se pelan desde la yema hasta abajo, enteros, y se cortan todos del mismo largo (unos 25 cm. más o menos). A medida que se van limpiando se echan en agua fresca.

Para cocerlos se pone una cacerola con agua abundante y sal a calentar; cuando hierve a borbotones, se sumergen los espárragos dentro, dejando todas las yemas del mismo lado, con el fin de que al sacarlas no se rompan. Se tapa la cacerola y, cuando vuelve a hervir el agua, se cuentan 30 minutos para espárragos corrientes y

40 minutos para los gruesos. De todas maneras, se prueba si están tiernos pinchando uno con un alambre, pues depende mucho de que los espárragos sean frescos. Los espárragos bien frescos están brillantes y se les clava una uña fácilmente.

Si hubiese que demorar el servirlos, se conservan en el agua, si es poco tiempo (una hora); si no se escurren, se pone una servilleta doblada en la fuente de servir, se colocan los espárragos y se cubre con papel de plata toda la fuente.

Los espárragos se sirven calientes o fríos (no helados, pues pierden su sabor) y con salsas variadas:

Mantequilla derretida con una cucharada (de las de café) de perejil picado.

Mayonesa de todos los estilos.

Vinagreta con huevo duro picado, etc.

350.—JAMON CON ESPARRAGOS (6 personas)

2 kg. de espárragos verdes,
6 lonchas de jamón de York,
50 gr. de gruyère rallado,
1 cucharada sopera de harina,
20 gr. de mantequilla,

1 cucharada sopera de aceite fino,
1½ vasos (de los de agua) de leche fría,
sal.

Cortar la parte dura de los espárragos, lavarlos y ponerlos a cocer en agua hirviendo con sal (más o menos 30 minutos). Se comprobará si están tiernos pinchando uno con un alambre.

Una vez cocidos, se sacan del agua y se escurren muy bien sobre un paño doblado.

Se reparten en 6 partes los espárragos. Se envuelve cada parte en una loncha de jamón de York, dejando que asomen de un lado todas las yemas. Se colocan en una fuente resistente al horno (cristal o porcelana).

Se hace la bechamel. En una sartén o cazo se pone a derretir la mantequilla con el aceite; una vez caliente, se agrega la harina. Se le dan unas vueltas y, poco a poco, se le añade la leche, dando vueltas con unas varillas, y se le añade la sal. Se deja cocer unos 5 minutos. Se retira y se vierte sobre las lonchas de jamón, pero dejando las yemas de los espárragos sin cubrir para que se vean. Se espolvorea con el queso rallado y se mete al horno a gratinar. Una vez dorada la bechamel, se sirve en la misma fuente.

351.—PUNTAS DE ESPARRAGOS CON GUISANTES (6 personas)

1½ kg. de guisantes frescos,
1 manojo (2 kg.) de espárragos delgados,
100 gr. de jamón serrano veteado,
1 cebolleta fresca, mediana,

3 cucharadas soperas de aceite fino,
1 cucharada (de las de café) de azúcar,
1 huevo duro,
agua y sal.

Se preparan los guisantes (receta 363).

Aparte se pelan y cortan los espárragos en trozos de unos 3 cm. de largo hasta donde están tiernos. Se lavan bien. Se pone una cacerola con agua abundante y sal, y se dejan cocer unos 25 minutos más o menos, hasta que estén tiernos pero sin deshacerse. Se escurren muy bien y se añaden, al ir a servir, a los guisantes, revolviendo todo muy bien. Se ponen en una fuente honda y se adorna con el huevo duro en rodajas o picado, como más guste.

352.—PUNTAS DE ESPARRAGOS REVUELTAS CON PATATAS Y HUEVOS (6 personas)

2 kg. de espárragos cortos,
1 kg. de patatas,
6 huevos,

½ litro de aceite (sobrará),
agua y sal.

Se pela y se corta la parte tierna de los espárragos como de 3 cm. de largo, y se cuecen (receta 349). Una vez cocidos, se ponen en un colador para que escurran toda su agua.
Se pelan y lavan las patatas y se cortan en cuadraditos pequeños. En una sartén se pone el aceite a calentar y se fríen muy doradas las patatas. Se sacan, se escurren, se salan ligeramente y se reservan.
Se quita casi todo el aceite de las patatas, dejando sólo un poco en el fondo de la sartén, donde se vuelven a poner los espárragos.
En un plato hondo se baten los huevos como para tortilla. Se salan ligeramente y se vierten en la sartén, revolviéndolos con un tenedor con los espárragos. Cuando el revuelto está cremoso se aparta del fuego para que cuaje algo más, y, a última hora, se echan las patatas fritas, que tienen que estar bien fritas para que no se ablanden. Se revuelve bien todo junto y se vierte el revuelto en la fuente de servir; se sirve en seguida.

353.—ESPARRAGOS VERDES EN SALSA (4 personas)

2 manojos de espárragos verdes (2 kg.),
2 rebanaditas de pan frito,
1 diente de ajo,
4 cucharadas soperas de aceite,

1 cucharadita (de las de moka) de pimentón,
1 cucharada sopera de vinagre,
1 ramita de perejil,
2 huevos,
sal y agua.

En una cacerola se pone el aceite a calentar; cuando está caliente se fríe el diente de ajo. Se separa y se machaca en el mortero. Se ponen en la cacerola los espárragos cortados en trozos de 3 cm. de largo (la parte tierna) y el vinagre. Se rehogan unos 5 minutos más o menos. Se agrega entonces el pimentón, se da una vuelta y se cubren los espárragos con agua (la justa para cubrirlos). Se añade entonces lo del mortero, se echa sal y se deja cocer todo esto (40 minutos más o menos) hasta que los espárragos estén tiernos. Al ir a servirlos se baten 2 huevos como para tortilla y se revuelven con los espárragos. Se sirven en seguida.

354.—ESPARRAGOS VERDES REHOGADOS CON AJO, VINAGRE Y PIMENTON (6 personas)

2 manojos de espárragos (2 kilogramos),
3 rebanadas de pan frito,
3 cucharadas soperas de vinagre,
6 cucharadas soperas de aceite,

1 cucharada (de las de café) de perejil picado,
½ cucharada (de las de café) de pimentón,
2 dientes de ajo,
1½ vaso (de los de agua) de agua caliente,
sal.

Se cortan los espárragos en trozos de unos 4 cm. de largo (hasta donde estén tiernos). Se lavan. En una sartén se pone el aceite a calentar. Se fríen las rebanadas de pan, se retiran y se reservan; luego se doran los 2 dientes de ajo, pelados, hasta que estén dorados. Se separan y se ponen en un mortero, machacándolos con el pan. Se reserva.

En una cacerola se pone el aceite de freír el pan y se rehogan los espárragos durante un par de minutos. Se separa la cacerola del fuego y se añade el pimentón; se revuelve. Se rocían los espárragos con el agua, se ponen de nuevo al fuego, se tapa la cacerola con tapadera y se cuecen a fuego mediano durante una hora, sacudiéndolos de vez en cuando para que no se agarren.

Con el vinagre y un poco de caldo de los espárragos se deslíe lo del mortero y se vierte en los espárragos. Se sazona con sal, se revuelve todo en el fuego durante 5 minutos y se espolvorea con el perejil picado.

Se sirve en una fuente honda.

355.—ESPARRAGOS TRIGUEROS PARA TORTILLA (2 personas)

1 manojo de espárragos trigueros o silvestres,
4 huevos,

3 cucharadas soperas de aceite, agua y sal.

Se cortan los espárragos trigueros de unos 3 cm. de largo, tirando la parte que se note dura. Se lavan y se ponen a cocer primero en agua fría sin sal y a los tres minutos en otra agua ya salada durante unos 10 minutos, hasta que están tiernos.

Se baten los huevos en un plato hondo con tenedor. Se les añade sal y se ponen los espárragos bien escurridos.

En una sartén mediana se ponen 3 cucharadas soperas de aceite a calentar; cuando está a punto se vierte el contenido del plato hondo. Se procede como para una tortilla de patata corriente, es decir, se deja cuajar la tortilla y se vuelve poniendo una tapadera o un plato en la sartén, y volcando ésta se queda la tortilla en la tapadera. Con precaución se va escurriendo otra vez la tortilla en la sartén para que se cuaje y dore por la otra cara.

Se sirve en seguida en fuente redonda.

356.—MANERA DE PREPARAR Y COCER LAS ESPINACAS

Para casi todas las recetas a base de espinacas se cuecen éstas antes y después se preparan.

Se les quitan los tallos y raíces y se lavan en varias aguas, con agua fría abundante. Una vez bien lavadas, se escurren y se ponen en una cacerola con sal más bien gorda, sin nada más.

De vez en cuando se vuelven con una cuchara de madera.

Para 6 personas se cuenta de 2½ a 3 kg. de espinacas y de 20 a 25 minutos para que se cuezan con su propia agua.

357.—ESPINACAS CON BECHAMEL (CREMA DE ESPINACAS) (6 personas)

3 kg. de espinacas bien frescas y sanas,
agua,
25 gr. de mantequilla,
2 cucharadas soperas de aceite fino,
1 cucharada sopera de harina,

1 vaso (de los de agua) de leche fría,
sal,
3 rebanadas de pan de molde cortadas en triángulo y fritas,
2 huevos duros.

Se cuecen las espinacas (receta 356). Una vez escurridas, se pican menudas sobre la tabla de la carne con un machete o sencillamente se pasan por la máquina de picar la carne, y se prepara la bechamel.

En una sartén se pone a derretir la mantequilla con el aceite, se añade la harina, se le da unas vueltas con unas varillas y se añade poco a poco la leche fría.

Cuando está sin grumos la bechamel, sin dejar de dar vueltas se cuece unos 8 minutos y se sala ligeramente. Se añaden en 3 ó 4 veces las espinacas. Se mueve todo muy bien con cuidado de que no se agarren, y se pone en una fuente, para servir con los triángulos de pan frito alrededor y los huevos duros cortados en rodajas encima. Se sirve en seguida.

Nota.—Se puede poner algo menos de leche si gusta el puré de espinacas espeso, o más si gusta más claro.

358.—REVUELTO DE ESPINACAS, GAMBAS Y HUEVOS
(6 personas)

1 kg. de espinacas frescas (o 1 paquete congeladas),
300 gr. de gambas,
8 huevos,
50 gr. de mantequilla o 5 cu-charadas soperas de aceite fino,
agua y sal,
un pellizco de bicarbonato.

Se limpian, lavan y cuecen las espinacas (receta 356), poniendo en el agua de cocerlas un pellizco pequeño de bicarbonato para que estén bien verdes. Una vez cocidas (para este plato bastan 10 minutos de cocción), se escurren muy bien en un colador grande, apretándolas para que no quede nada de líquido.
Se preparan mientras las gambas, pelando las colas. En una sartén se pone la mantequilla o el aceite a calentar. Se ponen entonces las gambas, salteándolas un poco (un par de minutos bastan). Se añaden en seguida las espinacas, que se revuelven con las gambas, durante unos 3 minutos, con una cuchara de madera.
En un plato sopero se baten los huevos como para tortilla. Se salan y se echan en la sartén, revolviendo todo junto hasta que empiezan a cuajarse los huevos.
Se vierte este revuelto en una fuente para servirlo. Se podrá adornar, si se quiere, con unos triángulos de pan de molde fritos.

359.—BUDIN DE ESPINACAS (6 personas)

2½ kg. de espinacas frescas,
3 huevos enteros,
50 gr. de mantequilla,
3 cucharadas soperas de leche fría,
agua y sal.
Salsa de tomate:
1 kg. de tomates maduros,
3 cucharadas soperas de aceite frito,
1 cucharada (de las de café) de azúcar,
1 cucharada sopera colmada de cebolla picada (una de 50 gr.), sal.

Se tendrá la salsa de tomate preparada según la receta 63.
Se preparan y cuecen espinacas (receta 356), pero se pican menos finas, con el machete.
Se unta una flanera con parte de la mantequilla que se tiene y se pone en el fondo de la flanera un papel redondo untado de mantequilla, o bien un poco de pan rallado (poco). El resto de la mantequilla se pone en una sartén, se rehogan las espinacas bien.
En un plato sopero se baten como para tortilla los 3 huevos, se les incorporan las 3 cucharadas soperas de leche y un poco de sal. Esto se agrega a las verduras, con la sartén separada de la lumbre. Se mezcla bien y se vierte en la flanera presionando un poco para que no quede ningún hueco.
Se mete al horno (previamente calentado unos 10 minutos), al baño maría, con el agua ya hirviendo. Se cuece durante una hora, más o menos, a fuego vivo primero y luego mediano.
Al ir a servir el budin, se pasa un cuchillo de punta redonda todo alrededor de la flanera y se vuelca en una fuente redonda. Se quita el papel y se cubre con salsa de tomate. Se sirve en seguida.

360.—VOL-AU-VENT DE ESPINACAS A LA CREMA Y PUNTAS DE ESPARRAGOS (6 personas)

2 kg. de espinacas frescas,
1 lata grande de puntas de espárragos,
40 gr. de mantequilla (como el volumen de 1 huevo),
1 vaso (de los de vino) de crema líquida,
agua y sal,
1 vol-au-vent de tamaño adecuado.

Se cuecen las espinacas (receta 356), se pican con el machete y se escurren muy bien. En una sartén se pone la mantequilla y las espinacas. Se les da unas vueltas y se añade la crema líquida. Se revuelve bien y se vierte la mezcla en el vol-au-vent. Se escurren muy bien los espárragos y se ponen en redondo encima de la crema de espinacas, ahondándolos un poco.

Se tapa el vol-au-vent con su tapa de hojaldre y se mete éste a horno flojo durante unos 15 a 20 minutos, hasta que esté bien caliente. Se sirve.

361.—ESPINACAS Y PATATAS GUISADAS (6 personas)

1½ kg. de espinacas frescas,
5 patatas medianas,
1 cebolla mediana (50 gr.),
2 dientes de ajo,
2 rebanadas de pan frito,
unas hebras de azafrán,
4 cucharadas soperas de aceite,
agua, sal.

Se lavan, preparan y cuecen las espinacas (receta 356), cuidando únicamente de cocerlas sólo 5 minutos.

En una cacerola (si puede ser de barro, mejor) se ponen las 4 cucharadas de aceite a calentar. Se rehogan los 2 dientes de ajo; una vez doraditos pero no mucho, se sacan y reservan. Se rehoga la cebolla pelada y picada hasta que esté transparente, pero sin dorar, unos 5 minutos. Se añaden las espinacas. Se pelan y cortan en trozos no muy grandes las patatas (que deberán ser de una clase que no se deshagan). Se cubre todo con agua.

En el mortero se machaca el azafrán, con los dientes de ajo y las rebanadas de pan frito. Se deshace con un poco de caldo de cocer las espinacas y patatas. Se añade esto a la cacerola y se rectifica de sal; se tapa la cacerola. Se deja cocer a fuego mediano unos 30 minutos, más o menos, hasta que están cocidas las patatas. Se sirven en la misma cacerola si ésta es de barro, y si no, en fuente honda.

Se sirve en plato sopero y con cuchara.

362.—ESPINACAS DE ADORNO

Se preparan y cuecen las espinacas (receta 356). Se pican con machete en la tabla de la carne y se rehogan con un buen trozo de mantequilla (por 1½ kg. de espinacas, unos 50 gr. de mantequilla).

Las espinacas así rehogadas pueden acompañar la carne.

También se ponen así en el fondo de una fuente de cristal o porcelana resistente al horno, con pescado (filetes de lenguado o gallo, mariscos, etc.), o como fondo de unos macarrones (véase receta 247). Todos estos platos se cubren con bechamel y queso rallado y se sirven gratinados.

363.—GUISANTES SENCILLOS (6 personas)

2½ a 3 kg. de guisantes,
2 cebolletas frescas,
3 cucharadas soperas de aceite fino,
100 gr. de jamón serrano veteado,

1 cucharada (de las de café)
de azúcar,
1 vaso (de los de agua) de
agua fría,
sal.

Se desvainan los guisantes. En una cacerola se pone el aceite a calentar; una vez caliente, se ponen las cebolletas enteras a rehogar unos 3 ó 4 minutos (sin que tomen color); después se añaden los guisantes, que se rehogan un poco moviéndolos con una cuchara de madera. Se agrega entonces el agua y el azúcar. Se mueve bien; se tapa la cacerola con tapadera y se dejan cocer a fuego lento. A los 25 minutos se agrega el jamón muy picado. Se cuecen de 35 minutos a una hora, según lo tiernos que sean, vigilando para que no se deshagan. Se rectifican de sal, pues el jamón los sala, y se sirven calientes, tal como salen de la cacerola.

364.—GUISANTES Y ZANAHORIAS (6 personas)

1½ kg. de guisantes,
¾ kg. de zanahorias tiernas,
1 cebolleta fresca,
25 gr. de mantequilla,
3 cucharadas de aceite fino,

½ litro de agua,
6 lonchitas finas de bacon,
¼ litro de aceite para freír el bacon (sobrará),
sal,

Se raspan con el filo del cuchillo las zanahorias, se lavan y se cortan en cuadraditos pequeños. Se desvainan los guisantes y se guardan en las vainas. Se atan un par de puñados (o mejor, se meten en una red de garbanzos).
En una cacerola se pone el aceite a calentar. Se le añade entonces la cebolleta picada muy fina y se le da unas vueltas con una cuchara de madera. Antes de que empiece a tomar color (unos 3 minutos), se añaden las zanahorias y el agua. Se dejan cocer unos 15 minutos; se añaden entonces los guisantes y las vainas en la red. Se salan y se dejan cocer unos 35 minutos, más o menos, según sean de tiernas las verduras (no se deben deshacer). Cuando se vayan a servir se retiran las vainas y, volcando la cacerola tapada con la tapadera, es le quita casi toda el agua. Se agrega entonces el trozo de mantequilla y se revuelve hasta que esté derretida.
En una sartén se pone a calentar el ¼ litro de aceite y se fríen las lonchas de bacon. Se sirven las verduras en una legumbrera con el bacon alrededor, adornando.

365.—HABAS CON HUEVOS (6 personas)

2 kg. de habas muy tiernas y pequeñas,
6 cucharadas soperas de aceite,
1 cebolla mediana (100 gr.),

un pellizco pequeño de bicarbonato,
100 gr. de jamón serrano veteado,
3 huevos,
agua y sal.

Se pelan las habas (siendo éstas pequeñas y tiernas se comen con las vainas) como las judías verdes, es decir, cortando las dos puntas y tirando con ellas de las hebras que puedan tener en los costados. Se cortan a cuadraditos por cada grano. Se van echando en agua fría abundante para lavarlas bien.
En una cacerola se pone agua abundante a cocer; cuando hierve a borbotones se echan las habas escurridas de su agua, se las rocía de sal y se echa el pellizco de bicarbonato; se mueven y aplastan un poco con el dorso de una cuchara de madera, para que estén todas cubiertas de agua desde el principio. Se dejan cocer por espacio de una hora o 1¼ horas, destapadas (esto es importante, pues si no se ponen negras).
Mientras se cuecen, se va haciendo un refrito. En una sartén se pone a calentar el aceite y, cuando está, se le añade la cebolla muy picada; se deja unos 5 minutos (que esté frita sin tomar color). Se agrega el jamón, se le da también unas vueltas durante otros 3 minutos. Se escurren muy bien las habas en un colador

grande, se echan en la sartén y se les da unas vueltas para que se refrían un poco.

Se baten los huevos en un plato con un tenedor, con una pizca de sal (muy poquito por el jamón) y se vierten sobre las habas, dándoles rápidamente unas vueltas. Cuando el huevo empieza a estar cuajado entre las habas, se ponen en una fuente y se sirven en seguida.

366.—HABAS SALTEADAS CON JAMON (6 personas)

4 kg. de habas muy tiernas,
6 cucharadas soperas de aceite,
100 gr. de jamón serrano muy picado,
2 dientes de ajo picados,

1 cucharada sopera de perejil picado,
½ vaso (de los de vino) de agua,
sal.

Se pelan las habas. En una cacerola se pone el aceite a calentar (poco). Cuando está templado se añaden las habas, se espolvorean con el ajo y el perejil picados, se salan y se ponen a fuego muy lento, destapadas. De vez en cuando se saltean en la cacerola, pero agarrando ésta por las asas, para no tocar las habas. Después de unos 15 minutos (más o menos) se les agrega el jamón muy picado y se terminan de hacer. Para que estén tiernas se calcula entre ½ hora y ¾.
Se sirven en una fuente.

367.—HABAS CON JAMON (6 personas)

4 kg. de habas,
3 cucharadas soperas de aceite,
1 cebolla mediana (50 gr.),

100 gr. de jamón serrano veteado,
el zumo de ½ limón,
agua y sal.

Se pelan de sus vainas y se quita el pellejo de cada grano. Se pone agua abundante en un cazo, el zumo de ½ limón y la sal. Cuando hierve se echan las habas y se cuecen a fuego mediano unos 20 minutos (más o menos), destapadas.
En una sartén se pone el aceite a calentar, se le añade la cebolla muy picada, dándole vueltas unos 6 minutos para que no dore pero se ponga transparente. Después se añade el jamón picado y las habas bien escurridas. Se da unas vueltas y se sirven.

368.—HABAS CON LECHE Y YEMAS (6 personas)

4 kg. de habas,
25 gr. de mantequilla,
2 cucharadas soperas de aceite,
1 cucharada sopera colmada de harina,
1½ vaso (de los de agua) de leche,

2 yemas,
1 cucharada (de las de café) de perejil picado,
un pellizco pequeño de bicarbonato,
agua y sal.

Se les quitan las vainas y la piel de cada grano a las habas; se echan en agua hirviendo abundante con sal. Se les añade el pellizquito de bicarbonato y se cuecen durante 20 minutos, destapadas. Pasado este tiempo, en una cacerola se pone la mantequilla con el aceite a calentar; se echan las habas escurridas pero no mucho, como salen con la espumadera, se espolvorean con el perejil picado y la harina, se revuelven y se rocían poco a poco con la leche. Se dejan cocer a fuego lento hasta que estén tiernas (unos 10 minutos), y, en el momento de servir, se les añaden las 2 yemas desleídas en un tazón con un poco de la salsa de las habas, para que no se cuajen las yemas. Se incorporan a las habas, se revuelve bien y se sirven en seguida bien calientes, pero sin que cuezan ya más.

369.—HABAS EN SALSA (6 personas)

2 kg. de habas muy tiernas y pequeñas,
6 cucharadas soperas de aceite,
1 cebolla mediana (100 gr.),
100 gr. de jamón serrano veteado,
2 cucharadas soperas de harina,
1 vaso (de los de vino) de vino blanco,
(o ½ de buen vinagre),
un pellizco muy pequeño de bicarbonato,
agua y sal.

Se preparan las habas (siendo éstas muy pequeñas y tiernas, se comen con las vainas) como las judías verdes, es decir, cortando las dos puntas y tirando con ellas de las hebras que puedan tener en los costados. Se cortan en cuadraditos por cada grano y se van echando en agua fría abundante para lavarlas bien.

En una cacerola se pone agua abundante a cocer; cuando hierve a borbotones se echan las habas escurridas de su agua, se rocían de sal y se pone el pellizco de bicarbonato; se las mueve y aplasta un poco con el dorso de una cuchara de madera, para que estén todas cubiertas de agua desde el principio. Se dejan cocer por espacio de 45 minutos a una hora, destapadas (si no las habas se ponen negras).

Cuando vayan a estar cocidas, se va haciendo la salsa. En una sartén se pone el aceite a calentar, se añade la cebolla picada y ésta se deja unos 6 minutos para que se refría sin tomar color; se agrega la harina, se le da unas vueltas durante otros 5 minutos sin que tome casi color. Se le añade el jamón picado no muy menudo (del tamaño de unos guisantes), se rehoga un poco y se añade el vino.

Cuando están las habas cocidas se escurren en un colador grande, guardando algo de su agua. Se echa la salsa en la cacerola y seguidamente las habas. Se les da unas vueltas con la cuchara de madera y se les añade un poco del agua donde han cocido, lo justo para que las medio cubra.

Se dejan cocer a fuego lento (y siempre destapadas) unos 10 minutos, y se sirven en una fuente.

370.—HABAS GUISADAS (6 personas)

4 kg. de habas,
1 lechuga pequeña (o unas hojas verdes tiernas),
1 cebolla pequeña picada (40 gramos),
1 diente de ajo,
2 rebanadas de pan frito,
1 cucharada sopera de vinagre,
1 cucharada (de las de café) rasada de pimentón,
4 cucharadas soperas de aceite,
un pellizco muy pequeño de bicarbonato,
agua caliente y sal.

Se desgranan las habas quitándoles también la piel que recubre cada haba. Se pone un cazo con agua y sal, y, cuando hierve, se echan las habas con el pellizco de bicarbonato; se dejan cocer ¼ de hora, destapadas. Pasado este tiempo, se preparan como sigue:

En una sartén se pone el aceite a calentar. Cuando está caliente se fríen las 2 rebanadas de pan y el diente de ajo. Se sacan y se machacan en el mortero. En este mismo aceite se fríe la cebolla unos 6 minutos para que no tome color, y, después, retirando la sartén del fuego para que no se queme, se echa el pimentón y se añade en seguida la lechuga picada muy fina y las habas. Se les da unas vueltas con una cuchara de madera y se agrega lo del mortero desleído con el vinagre. Se rectifica de sal y se añade, si hace falta, 3 ó 4 cucharadas soperas de agua. Se cuecen a fuego lento más o menos 25 minutos.

Si hiciese falta se puede añadir algo más de agua caliente.

Una vez tiernas las habas, se sirven en una fuente.

371.—HABAS FRITAS DE ADORNO

Como adorno de la carne se cuecen unas habas muy tiernas y pequeñas con su vaina, pelándoles sólo los dos finales. Se cuecen en agua abundante y sal. Se les echa un pellizquito de bicarbonato y se cuecen destapadas. Una vez bien tiernas se escurren bien, se pasan por harina y se fríen. Se sirve asimismo con la carne.

372.—JUDIAS VERDES SALTEADAS CON MANTEQUILLA, PEREJIL Y LIMON (6 personas)

1 kg. de judías verdes,
100 gr. de mantequilla,
1 cucharada sopera colmada de perejil picado,
el zumo de 1 limón,
agua y sal.

Se preparan las judías verdes quitándoles las dos puntas y los hilos de los costados. Si son de clase española, es decir, anchas y largas, también se cortan a lo largo y a lo ancho. Se lavan en agua fresca y se ponen a cocer en agua abundante con sal. Cuando hierve a borbotones el agua se sumergen las judías, y cuando el agua vuelve a hervir se dejan ½ hora, más o menos, con la cacerola **destapada**. Este tiempo depende de lo tiernas que sean. Una vez cocidas, se escurren en un colador grande y se refrescan al chorro del agua fría para que no pierdan su bonito color verde. En una cacerola o sartén se pone la mantequilla a calentar; antes de que esté totalmente derretida se añaden las judías verdes bien escurridas. Se saltean bien y se les añade justo antes de servirlas el perejil, espolvoreándolo por las judías, y el zumo de limón. Se sirven en seguida en una fuente.

Nota.—Para cocer las judías con anticipación, una vez tiernas, se les cambia el agua caliente por agua fría (poniendo la cacerola debajo del grifo) y se dejan así en agua hasta el momento de rehogarlas o prepararlas.

373.—JUDIAS VERDES REHOGADAS SOLO CON ACEITE Y AJOS (6 personas)

1½ kg. de judías verdes,
  5 cucharadas soperas de aceite frito,

2 dientes de ajo,
agua y sal.

Se preparan, cuecen y refrescan las judías como en la receta anterior.

En una sartén se pone el aceite a calentar; una vez caliente, se refríen hasta que estén bien dorados los dientes de ajo, pelados y dados un golpe con el mango de un cuchillo. Cuando están dorados se retiran y se rehogan en este aceite las judías, con cuidado de no deshacerlas o requemarlas. Se sirven en seguida.

374.—JUDIAS VERDES REHOGADAS CON TOCINO (6 personas)

1½ kg. de judías verdes,
  3 cucharadas soperas de aceite frito,
150 gr. de tocino veteado, jamón serrano o incluso bacon (como más guste),

1 cebolla mediana (70 gr.),
1 cucharada sopera de perejil picado,
sal y agua.

Se preparan y cuecen las judías como en la receta 372. Se escurren bien.

En una sartén se pone a calentar el aceite; una vez caliente, se pone la cebolla pelada y partida en tiras finas, se rehoga unos 5 minutos y se añade el tocino o jamón, picado. Se rehoga otros 5 a 10 minutos, moviéndolo para que no se requeme o agarre la cebolla. Se echan entonces las judías bien escurridas y se saltean muy bien para que queden todas ellas bien rehogadas.

Se rectifica de sal si hiciese falta y se espolvorean con el perejil picado. Se sirven en seguida.

375.—JUDIAS VERDES CON SALSA DE TOMATE

Salsa de tomate:
  ¾ kg. de tomates muy maduros,
  3 cucharadas soperas de aceite frito,
1 cucharada (de las de café) de azúcar,

1 cebolla mediana (50 gr.),
1½ kg. de judías verdes,
1 cucharada sopera de perejil picado,
agua y sal.

Se arreglan las judías como para la receta 372, pero sólo se cuecen durante 15 minutos. No se deben refrescar para esta receta, con el fin de no interrumpir demasiado su cocción.
Se tendrá hecha la salsa de tomate (receta 63). Una vez pasada la salsa por el pasapurés, se vuelve a poner en la sartén y se echan las judías, escurriendo éstas lo más que se pueda de su agua caliente. Se dejan cocer destapadas y a fuego más bien lento durante unos 20 minutos, más o menos, según sean de tiernas las judías.
Al ir a servirlas, en la misma fuente se espolvorean con perejil picado.

376.—JUDIAS VERDES CON SALSA DE VINAGRE Y YEMAS (6 personas)

1½ kg. de judías verdes,
  6 cucharadas soperas de aceite,
  1 cucharada sopera colmada de harina,

agua fría que las cubra,
1 cucharada sopera de vinagre,
2 yemas de huevo,
sal.

Se arreglan las judías verdes quitándoles las puntas y los hilos. Si son anchas y largas, se cortan por la mitad a lo largo y a lo ancho.
En una cacerola se pone el aceite. Cuando está caliente se ponen las judías crudas y se rehogan bien (5 minutos). Se espolvorean después con la harina, se mueven bien con una cuchara de madera y después se cubren con agua fría y se les echa la sal. Se dejan cocer destapadas a fuego lento durante una hora, más o menos.
Al momento de servir, se ponen en un tazón las yemas de huevo y el vinagre, y se añade muy poco a poco unas cucharadas de salsa de judías.
Después de esto se revuelve con las judías del cazo, bien mezclado y moviendo bien, pero sin ponerlo al fuego para que no cuezan más.

377.—JUDIAS VERDES CON VINAGRETA (6 personas)

1½ kg. de judías verdes,
  2 cucharadas soperas de vinagre,
  6 cucharadas soperas de aceite fino,
  1 cucharada sopera de cebolleta picada (facultativo),

1 cucharada (de las de café) de perejil picado,
2 tomates grandes y duros en rodajas,
agua y sal.

Se pelan, preparan, cuecen y refrescan las judías como en la receta 372.
Una vez hechas y frías, se hace la vinagreta en un tazón. Se espolvorean las judías con la cebolleta picada y el perejil; se vierte la vinagreta bien batida y se mueve todo bien. Se coloca en una fuente, ensaladera o legumbrera y se adorna con rodajas de tomate ligeramente espolvoreadas de sal.

378.—JUDIAS VERDES CON MAYONESA (6 personas)

1½ kg. de judías verdes,
agua y sal.
Mayonesa:
2 huevos,
2 vasos (de los de agua) de
aceite fino,

zumo de 1 limón pequeño,
sal y pimienta,
unos tomates para adornar la
fuente.

Hagase la mayonesa en batidora (receta 94).
Preparar y cocer las judías verdes (receta 372).
Una vez escurridas, templadas o frías (según guste), se ponen
en una fuente. Se cubren con la mayonesa y se adorna la fuente
con rodajas de tomate.

379.—LECHUGAS AL JUGO (6 personas)

6 lechugas más bien pequeñas,
agua,
25 gr. de mantequilla,
2 cucharadas soperas de aceite
fino,
1 cucharada sopera de harina,
1 vaso (de los de agua) de
caldo o resto de salsa de la

carne. (El caldo puede estar
hecho con una pastilla de
Starlux, Maggi, Gallina Blanca, etc.),
1 hueso de codillo,
un poco de nuez moscada
rallada.

Se lavan bien las lechugas. Se les quitan las hojas exteriores
que no sean buenas y se les cortan los troncos, hasta donde se
vea que no se desarman las lechugas. Se atan con un hilo las
hojas para que no se abran.
En un cazo amplio se pone agua abundante a cocer (no se pone
sal, pues con el caldo y el codillo se salarán). Cuando hierve a
borbotones se sumergen las lechugas y se dejan cocer unos 10 minutos. Pasado este tiempo, se tira el agua caliente y se sumergen en agua fría hasta que las lechugas estén frías. Se escurren
entonces muy bien, apretando un poco con las dos manos y colocándolas en un trapo limpio para que acaben de escurrir.
Aparte, en una sartén amplia (o cacerola), se pone la mantequilla
y el aceite a calentar. Una vez derretidos, se añade la harina. Se
dan unas vueltas con una cuchara de madera, y, poco a poco, se
añade el vaso de caldo. Se añade entonces el hueso de codillo y
se colocan las lechugas en esta salsa, doblándolas en dos para
que formen un abanico. Se espolvorean con un poco de nuez
moscada. Se tapa la sartén o cacerola con una tapadera y se
deja cocer a fuego lento durante 20 minutos. Pasado este tiempo
se pincha un tronco, y si está tierno, las lechugas están a punto
de servir.
Se retira el hueso de codillo; con una espumadera se colocan con
cuidado las lechugas en la fuente donde se van a servir y se
rocían con su salsa. Se sirven en seguida o se puede preparar
de antemano y calentar.

380.—LECHUGAS AL JUGO SIMPLES (6 personas)

6 lechugas pequeñas,
5 cucharadas soperas de aceite,
1 cucharada sopera rasada de
harina,
1 vaso (de los de vino) de
vino blanco,

1½ vaso (de los de vino) de
agua,
1 cucharada sopera de extracto de carne (Liebig, Bovril,
etcétera),
sal.

Se quitan sólo las hojas exteriores que no estén sanas, dejando
las hojas verdes, que son muy buenas. Se lavan bien, se escurren y
se ata cada lechuga con un hilo para que no se abran al cocer.
En una cacerola se pone el aceite a calentar y se ponen las
lechugas a rehogar unos 5 minutos (que tengan bastante sitio, para
que no se monten unas encima de otras). Una vez rehogadas, se
espolvorea la harina y se añade el vino, el agua y algo de sal
(poca, pues el extracto de carne suele estar bastante salado). Se
cubre la cacerola con tapadera y, a fuego lento, se deja cocer
más o menos una hora. Al ir a servir las lechugas, se colocan
en una fuente quitándoles el hilo que tenían. En la salsa que
queda en la cacerola se añade el extracto de carne, se revuelve
bien y se echa por encima de las lechugas.

381.—LECHUGAS GUISADAS (6 personas)

6 lechugas más bien pequeñas,
3 tomates medianos,
1 cebolla grande (150 gr.),
4 cucharadas soperas de aceite,
1 vaso (de los de agua) no muy
lleno de agua,

1 vaso (de los de vino) de vino
blanco,
1 cucharadita (de las de moka)
de concentrado de carne (Mandarín, Liebig, Brovil, etc.),
sal.

Se cortan las hojas exteriores malas de las lechugas. Se dejan
enteras, pero quitándoles el tronco que pueda sobrar sin que se
desarmen las lechugas, y se lavan bien. Una vez lavadas se escurren y se atan con un hilo grueso, cerca del final de las
hojas; esto es con el fin de que no se abran y queden feas
las lechugas al servir.
En una cacerola amplia se pone el aceite a calentar, se coloca
la cebolla pelada y cortada en dos y luego en gajos finísimos, cubriendo todo el fondo. Sobre éste se colocan las lechugas, que
no estén montadas. Se pelan los tomates y se parten en cuatro,
quitándoles la simiente, y se reparten los trozos entre las lechugas. Se sala (más bien poco, pues luego con el concentrado de
carne quedará en su punto de sal). Se añade el vino blanco, y,
bien tapada la cacerola, se pone a fuego lento unos 5 minutos. Después de este tiempo se agrega poco a poco el agua a medida que
va haciendo falta, y después de una hora se ve si están tiernas
pinchando el tronco con un alambre. Si están, se retira la cacerola y se sirven las lechugas en una fuente alargada. En el
caldo con la cebolla y el tomate se añade el concentrado de

carne. Se revuelve bien y se vierte sobre las lechugas puestas en la fuente.

Este plato se puede hacer de antemano y recalentar añadiendo únicamente el concentrado de carne al ir a servirlas.

382.—LOMBARDA CON CEBOLLA Y VINO TINTO (6 personas)

1½ kg. de lombarda,
  5 cucharadas soperas de aceite,
¼ kg. de cebollas,
  2 manzanas reineta medianas,
  2 vasos (de los de agua) de vino tinto,

2 cucharadas soperas de vinagre,
½ vaso (de los de agua) de agua hirviendo,
2 dientes de ajo,
1 pellizco de hierbas aromáticas,
  sal.

Se separan las hojas de la lombarda, se les quita el tronco y la parte ·dura del centro de la hoja, así como las hojas exteriores que se vean más duras. En una tabla de madera se cortan a tiras finas todas las hojas y se lavan en agua fría abundante.

En una cacerola gruesa (porcelana o barro resistente al fuego) y honda se pone el aceite a calentar. Una vez caliente, se pone la lombarda escurrida y se mueve con una cuchara de madera para que se empape con el aceite. Se tapa la cacerola y se pone a fuego mediano durante 10 minutos. Pasado este tiempo se saca en un plato casi toda la lombarda, dejando sólo una capa en el fondo de la cacerola; se pone una capa de cebollas peladas y cortadas en tiritas; sal, una pizca de hierbas aromáticas, 1 diente de ajo pelado y muy picado, una manzana pelada partida en trozos, sacado el centro, y en láminas finas; otra vez lombarda, y así, en capas, todos los ingredientes. Se rocía con el vinagre, el vino y el agua caliente. Se tapa bien y se pone a horno lento durante 2 horas más o menos.

Pasadas 2 horas se mira cómo está el guiso, pues si la lombarda es tierna y fresca es probable que esté en su punto. Si no, se deja algo más. Se sirve en la misma cacerola que se ha hecho.

383.—ENSALADA DE LOMBARDA (6 personas)

2 lombardas de ½ kg. cada una, agua y sal.
Vinagreta:
2 cucharadas soperas de vinagre,

6 cucharadas soperas de aceite, pimienta molida y sal.

Se separan las hojas de la lombarda, se les quita el tronco y la parte dura del centro de las hojas. Se cortan en tiritas finas poniendo varias hojas juntas en una tabla de la carne y cortándolas con un cuchillo grande. Se lavan bien en agua fría abundante.

En una cacerola amplia se pone agua y sal a hervir; cuando cuece a borbotones se sumerge la lombarda, apoyando con una espumadera para que entre toda bien en el agua. Se cuece durante 5 minutos. Se vuelca en un colador grande y se escurre muy bien. Cuando la lombarda está templada, se pone en una legumbrera y se aliña con la vinagreta, pudiéndola tomar templada o fría.

384.—PREPARACION DE LOS NABOS

Los mejores meses para comer los nabos son de mayo a febrero. Están entonces tiernos y con la carne apretada.
Para casi todas las formas de prepararlos hay que lavarlos, pelarlos y, aunque sean pequeños (que son mejores y más tiernos), se cortan en dos a lo largo, o en rodajas no muy finas. Se sumergen en agua abundante hirviendo y sal. Se cuecen durante 10 minutos, después de los cuales se escurren en un colador grande.
Así están listos para varias recetas.

385.—NABOS SALTEADOS CON MANTEQUILLA (PARA ADORNO) (6 personas)

1 kg. de nabos pequeños,
75 gr. de manteca de cerdo,

1 cucharada (de las de café) de azúcar,
sal.

Se tornean (es decir, con un cuchillo se les da bonita forma) los nabos para que queden todos iguales. Se preparan como va explicado anteriormente. Una vez cocidos y escurridos, se pone la manteca a derretir en una sartén; cuando está derretida se ponen los nabos, y, a fuego lento, se les deja terminar de cocer salteando de vez en cuando la sartén; esto durante unas ½ hora más o menos. Pasado este tiempo se salan y se espolvorean con el azúcar para que tomen un poco de color dorado.

386.—NABOS CON BECHAMEL Y YEMAS (6 personas)

2 kg. de nabos tiernos,
agua y sal.
Bechamel:
    2 cucharadas soperas de harina,
    30 gr. de mantequilla,

2 cucharadas soperas de aceite fino,
1½ vaso (de los de agua) de leche fría,
2 yemas,
un poco de nuez moscada rallada y sal.

Preparar y cocer los nabos (receta 384), cortándolos en rodajas. Después de cocidos unos 10 minutos se escurren.
En una cacerola se pone la mantequilla a derretir con el aceite; una vez derretida se añade la harina, se dan unas vueltas con una cuchara de madera y se añade la leche fría poco a poco (si hiciese falta algo más de leche para cubrir los nabos, no importa). Se cuece durante unos 5 minutos y se sala. Se agregan los nabos bien escurridos, se pone un poco de nuez moscada rallada y se mueve bien todo. Se deja cocer despacio hasta que estén

los nabos tiernos (para saberlo se pincha un nabo con un alambre), unos 35 minutos.
Se mueven de vez en cuando para que no se agarren. Al ir a
servirlos se ponen las yemas en un tazón, se deslíen con un
poco de salsa para que no se cuajen y se incorporan después a
los nabos, moviendo bien todo antes de servir sin que vuelva
a cocer la salsa.

387.—NABOS CON BECHAMEL Y QUESO RALLADO, GRATINADOS (6 personas)

2 kg. de nabos tiernos,
  agua y sal.
Bechamel:
  3 cucharadas soperas de harina,
40 gr. de mantequilla,
  2 cucharadas soperas de aceite
  fino,

¾ litro de leche fría,
  1 cucharadita (de las de moka de extracto de carne (Liebig, Mandarín, Bovril, etc.),
75 gr. de gruyère rallado,
  sal.

Preparar y cocer los nabos (receta 384), cortándolos en rodajas
de mediano grosor y cociéndolos unos 30 minutos. Después escurrirlos muy bien.
Hacer la bechamel como está explicado en la receta anterior, añadiéndole al final el extracto de carne y cuidando de poner la sal
después del extracto de carne, pues éste sala bastante. Colocar
los nabos en una fuente de cristal o porcelana resistente al fuego; cubrirlos con la bechamel y espolvorear ésta con el queso
rallado. Meter al horno para gratinar, hasta que esté bien dorada
la bechamel.

388.—NABOS CON ZANAHORIAS (6 personas)

¾ kg. de zanahorias,
¾ kg. de nabos,
  1 cebolla grande (125 gr.),
  1 cucharada sopera de harina,

6 cucharadas soperas de aceite,
  1 cucharada (de las de café)
  de azúcar,
  agua y sal.

Se lavan y pelan las zanahorias y los nabos. Se cortan en 2 o
en 4 (según lo gruesos que sean) a lo largo.
En una cacerola se pone el aceite a calentar; una vez caliente, se
echa la cebolla pelada y picada menuda. Se rehoga hasta que
esté transparente (unos 6 minutos) y entonces se ponen las zanahorias y los nabos. Se espolvorean con la harina, se salan y
se añade el azúcar. Se mueve todo bien y se agrega agua, la justa
para que los cubra. Se deja cocer lentamente, es decir, a fuego
mediano durante más o menos ½ hora. Esto depende de lo frescos y tiernos que estén las zanahorias y los nabos.
Se sirven en fuente honda con su salsa.

389.—PEPINOS PARA ENSALADA

Se escogen unos pepinos bien verdes y duros. Se pelan y cortan
en rodajas finas, se espolvorean de sal y se tienen así por lo
menos un par de horas.

Pasado este tiempo, se ponen en un colador grande o pasapurés y se lavan un poco al chorro de agua fría. Se secan con un paño de cocina limpio y se ponen en un plato con vinagreta y perejil picado (esto es facultativo). Se meten en la nevera un ratito para que estén bien frescos.

Se pueden servir solos o mezclados con tomates y pimientos verdes.

390.—BARCAS DE PEPINOS CON ENSALADILLA (6 personas)

6 pepinos medianos,
¼ kg. de gambas cocidas,
2 dientes de ajo,
1 cebolla pequeña (50 gr.),
3 tomates duros,
1 cogollo de lechuga,
1 pimiento verde pequeño o un poco de pimiento rojo de lata,
2 huevos duros,
sal.

Mayonesa:
1 huevo,
¼ litro de aceite fino,
zumo de 1 limón,
sal.

Se lavan por fuera los pepinos, se secan y se parten por la mitad a lo largo. Se rocían con un poco de sal y se ponen boca abajo ½ hora antes de ir a prepararlos. Mientras sueltan su agua, se hace la mayonesa (receta 94).

Con la punta de un cuchillo se quitan los centros de los pepinos para que queden como unas barcas y se reserva, picada, esta carne. Se pican los dientes de ajo y la cebolla y se espolvorean en los pepinos. Se ponen en una fuente y se cubren los pepinos con papel de plata. Se meten en la nevera durante una hora. Mientras tanto se cuecen las gambas. Se ponen en un cazo con agua fría que las cubra y sal. Cuando el agua empieza a hervir, se retiran, se escurren y se pelan de su cáscara.

En una ensaladera se pone la ensalada muy picada. El pimiento cortado a cuadraditos, el pepino que se ha retirado al dar forma de barca, también picado, el tomate en trocitos, las gambas y la mayonesa. Se revuelve todo muy bien y se rellenan los pepinos con esta ensaladilla. Se pica muy fino el huevo duro y se espolvorea por encima. Se vuelve a cubrir con el papel de plata y se mete en la nevera otra hora. Se sirve así muy frío. Se come con cuchara.

391.—MANERA DE PREPARAR LOS PIMIENTOS ROJOS

Se limpian frotándolos con un paño, sin mojarlos. Se ponen así en la parrilla del horno y a fuego mediano se asan. El tiempo depende mucho del gusto de cada cual, si gustan los pimientos más o menos blandos. Pero se puede calcular unos 25 minutos.

Pasado este tiempo se sacan. Se ponen en la tabla de la carne y se cubren con un paño o se envuelven en un papel, o se ponen entre dos platos. Cuando ya están fríos, se pelan y se cortan en dos a lo largo, vaciando las simientes. Se cortan entonces en tiras de un dedo de ancho. Se prepara una vinagreta bastante cargada de vinagre y se cubren con ella los pimientos un rato antes de ir a comerlos.

392.—PIMIENTOS ROJOS CON HUEVOS DUROS

Se procede como en la receta anterior. Una vez macerados los pimientos una ½ hora en la vinagreta, se escurren un poco y se sirven con rodajas de huevo duro.

393.—PIMIENTOS VERDES FRITOS, PARA ADORNAR LA LA CARNE (6 personas)

1 kg. de pimientos verdes,
2 vasos (de los de vino) de

aceite,
sal.

Si hace falta se lavan los pimientos y luego con un paño limpio se secan muy bien. Si no, se frotan solamente en seco.
Se les corta el rabo con un trozo de carne alrededor (pues esta pulpa suele estar dura). Se vacían de simientes y, si son grandes, se cortan en tiras o en aros. Si son pequeños, se cortan en dos a lo largo e incluso se dejan enteros, salándolos entonces en el interior, una vez quitadas las simientes.
En una sartén se pone el aceite a calentar y cuando está templado se ponen los pimientos, se salan y se tapan con una tapadera. Se hacen a fuego lento más o menos 20 minutos. Se escurren bien de su aceite y se sirven.

394.—PIMIENTOS VERDES RELLENOS DE CARNE (6 personas)

12 pimientos verdes medianos,
½ litro de aceite (sobrará).
Relleno:
300 gr. de carne picada (mitad ternera, mitad cerdo),
100 gr. de jamón serrano veteado (picado con la carne),
1 migajón de pan mojado en leche caliente,
1 diente de ajo,
1 cucharada (de las de café) de perejil picado,
1 huevo,

1 cucharada sopera de vino blanco,
sal.
Salsa:
5 cucharadas soperas de aceite frito,
2 zanahorias medianas,
1 cebolla grandecita (100 gr.),
1 tomate maduro grande,
1 cucharada sopera de harina,
1 vaso (de los de vino) de vino blanco,
1 litro de agua,
sal.

Se limpian los pimientos frotándolos con un paño limpio. Se les quita el rabo y la parte alrededor del rabo. Se vacían de simientes. En una ensaladera se prepara el relleno mezclando todos los ingredientes. Si el migajón de pan estuviese muy empapado al ir a ponerlo en la ensaladera, se estruja un poco. Una vez mezclado todo se rellenan los pimientos y se cierran con un palillo, cogiendo los bordes abiertos de los pimientos.

En una sartén se pone a calentar el ½ litro de aceite y se dan unas vueltas a los pimientos de 3 en 3, retirándolos a medida que se van friendo y poniéndolos en una cacerola limpia. En la misma sartén se dejan sólo las 5 cucharadas de aceite, se calienta y se fríe la cebolla pelada y picada hasta que esté bien doradita; se añade el tomate cortado en cuatro trozos y vaciadas las simientes, las zanahorias peladas, lavadas y cortadas en rodajas finas. Después de esto se agrega la harina, el vino y el agua fría. Se deja cocer unos 25 minutos. Se pasa la salsa por el pasapurés, echándola por encima de los pimientos que están en la cacerola. Se pone sal y se deja cocer a fuego lento unos 45 minutos, moviendo de vez en cuando la cacerola para que no se agarren ni los pimientos ni la salsa (si ésta se espesara demasiado, se le puede añadir un poco de agua caliente).

Se sirven en una fuente más bien honda. Este plato se puede preparar de antemano, pues está bueno recalentado.

395.—PIMIENTOS RELLENOS DE CARNE PICADA Y ARROZ CRUDO (6 personas)

6 pimientos verdes medianos redondos y carnosos,
6 cucharadas soperas rasadas de arroz (corriente),
375 gr. de carne picada,
½ diente de ajo y perejil picados,
1 vaso (de los de agua) bien lleno de aceite (sobrará),

1 huevo,
1 plato con harina,
1 cebolla mediana (50 gr.),
1 cucharada sopera de harina,
1 pastilla de caldo (Starlux, Avecrem),
1 pellizco de azafrán en polvo, agua y sal.

Se escogen unos pimientos verdes que no sean muy alargados, sino redondos de forma. Se les quita el rabo y la tapa alrededor del rabo con un cuchillo. Se vacían de las simientes. Se salan ligeramente por dentro. Se rellena cada pimiento con una cucharada sopera rasada de arroz crudo. En un plato se mezcla la carne picada con el ½ diente de ajo, un poco de perejil muy picados y sal. Con esto se terminan de rellenar los pimientos.

En una sartén se pone el aceite a calentar mientras que en otro plato se bate el huevo como para tortilla y se remoja cada hueco donde está el relleno en harina primero y después en huevo. Así mismo, o sea, boca abajo, se ponen en la sartén para que se refrían un poco. Una vez cuajado el huevo, se tumban los pimientos y se refríen todos ellos durante 5 minutos. Esta operación se hace por tandas para que queden holgados los pimientos al freírlos. Se van colocando en una cacerola.

Se quita casi todo el aceite de la sartén, dejando sólo unas 4 cucharadas soperas. Se refríe la cebolla pelada y picada hasta que empieza a dorar (unos 7 minutos); se le añade la harina (una cucharada), se dan unas vueltas con una cuchara de madera y después se agrega sal (poca), el azafrán y 2 vasos (de los de agua) de agua. Se deja cocer unos 3 minutos y se cuela por el pasapurés, colocando éste encima de la cacerola donde están los pimientos. Se deslíe la pastilla de caldo con un poco de agua y se añade a los pimientos. Se agrega entonces más agua, hasta dejarlos medio cubiertos Se cubre la cacerola y se pone a cocer. Cuando están tiernos (más o menos ¾ de hora, pero esto depende de la clase y el tamaño de los pimientos), se sirven con su salsa, o se pueden reservar, volviéndolos a calentar al ir a servirlos.

396.—PUERROS CON VINAGRETA O CON MAYONESA (6 personas)

2 ó 3 puerros medianos por persona,   **agua y sal.**

Se cortan las raicitas de los puerros, así como la parte verde. Se lavan muy bien y se pone agua abundante con sal a cocer. Cuando rompe el hervor se sumergen en el agua y se dejan cocer más o menos 30 minutos. Pasado este tiempo, se escurren muy bien y se sirven templados, puestos como los espárragos, en una fuente recubierta con servilleta doblada, para que absorba lo que les pudiese quedar de agua. Aparte se sirve una vinagreta con vinagre, sal, aceite y una punta de cuchillo de mostaza. O también con una mayonesa clásica, receta 94.

397.—PUERROS GRATINADOS (6 personas)

2 ó 3 puerros por persona (según guste),
2 lonchas gruesas de bacon (tocino ahumado), 200 gr.,

75 gr. de queso gruyère rallado,
30 gr. de mantequilla,
3 cucharadas soperas de aceite, agua y sal.

Lavar, preparar y cocer los puerros como en la receta 396.
Sacarlos del agua y escurrirlos muy bien. Colocarlos en una fuente resistente al horno (inox, cristal o porcelana); cortar en tiritas el bacon, quitándole la piel dura del borde. Poner el aceite a calentar en una sartén y freír el bacon. Esparcirlo por los puerros y entre ellos. Espolvorear con el queso rallado. Poner la mantequilla en trocitos como avellanas y meter al horno hasta que estén gratinados. Servir en la misma fuente.

398.—PUERROS CON BECHAMEL (6 personas)

12 puerros grandes,
agua,
25 gr. de mantequilla,
2 cucharadas soperas de aceite fino,
1 cucharada sopera colmada de harina,
½ litro de leche fría,

1 cucharada sopera rasada de concentrado de tomate (o salsa de tomate espesa),
75 gr. de gruyère rallado,
2 cucharadas soperas de perejil picado (para adorno), sal.

Se cortan las raicitas y la parte verde de los puerros. Se lavan muy bien y se sumergen en agua hirviendo abundante con sal. Se dejan cocer durante unos 15 minutos y, pasado este tiempo, se escurren bien.

Se c
exter
corta

En una sartén se pone a derretir la mantequilla con el aceite; cuando está caliente se añade la harina, se mueve con unas varillas y, poco a poco, se agrega la leche fría. Se dan vueltas y se cuece durante unos 10 minutos. Se pone un poco de sal y el concentrado de tomate, que le dará a la bechamel un ligero color rosa. Se colocan los puerros en una fuente de cristal o porcelana resistente al horno y se cubren con la bechamel. Se espolvorea con el queso rallado y se mete al horno a gratinar hasta que el queso esté dorado. Se espolvorea el perejil en dos rayas y se sirve.

399.—PUERROS AL CURRY (6 personas)

Se prepara exactamente igual que la anterior, sustituyendo el concentrado de tomate por una cucharadita (de las de moka) de curry, que da un sabor más exótico al plato.

400.—MANERA DE COCER LAS REMOLACHAS

Se lavan bien las remolachas enteras con piel y hojas, sin cortar éstas, pues la remolacha pierde su bonito color rojo. Se ponen en un cazo con abundante agua fría y sal y se dejan cocer, desde que rompe el hervor, a fuego mediano unas 2 horas. Para saber si están blandas se pinchan con un alambre.
Se dejan enfriar fuera del agua, se pelan y se cortan en rodajas o en cuadraditos, aliñándolas después con aceite, vinagre y sal.

401.—MANERA DE PREPARAR EL REPOLLO

Para quitar bien los gusanitos y bichos, que pueden estar entre las hojas, se debe lavar el repollo, a ser posible con las hojas ya sueltas, con agua abundante y un chorro de vinagre o de zumo de limón.
Nota.—Véase en consejos y trucos de cocina cómo se pone un casco de cebolla cruda y pelada encima de la tapadera, mientras cuece el repollo, para que absorba el mal olor.

402.—REPOLLO CON MAYONESA (6 personas)

2 kg. de repollo tierno,   **agua y sal.**

Para adorno:

Cuatro patatas nuevas cocidas con la piel, peladas después de cocidas y cortadas en 2 ó en 4 trozos, según sean de grandes, o tomates en rodajas.

Mayonesa:
2 huevos,   **el zumo de 1 limón o vinagre,**
¼ de litro de aceite fino,   **sal.**

...ta el tronco y se separan las hojas, quitándoles a las más ... las partes duras del centro de las hojas. Después se ... el repollo en tiras de un dedo de ancho.

Se lava muy bien. En una olla se pone agua abundante con sal a cocer. Cuando hierve, se sumerge el repollo y se empuja con una espumadera para que se sumerja bien todo. Se tapa la olla y se deja cocer hasta que esté tierno (más o menos 30 minutos). Se hace la mayonesa mientras cuece (receta 94).

Una vez cocido el repollo se escurre muy bien y, si se quiere caliente, se coloca en una fuente redonda u ovalada con los trozos de patata alrededor. Se cubre todo con la mayonesa y se sirve en seguida.

Si se quiere frío o por lo menos templado, se adorna con las rodajas de tomate y se cubre igualmente con mayonesa. Esta salsa debe ser abundante, pues es la primera condición para que este plato sea bueno.

403.—REPOLLO AL JUGO (6 personas)

2 kg. de repollo tierno (francés si es posible),
70 gr. de manteca de cerdo,
150 gr. de tocino veteado,
2 zanahorias medianas (100 gramos),
1 cebolla mediana (80 gr.),

2 vasos (de los de agua) de caldo (o agua con una pastilla de Gallina Blanca, Maggi, etc.),
2 hojas de laurel,
agua y sal.

Se quitan las primeras hojas, que suelen estar marchitas. Se corta el tronco y se separan las hojas primeras; se les quita el centro de la hoja, que está duro, y se pica en tiras de un dedo de grueso, así como el resto del repollo. Se lava y en una cacerola se pone agua abundante con sal. Cuando rompe a hervir se sumerge el repollo, ayudándole con una espumadera para que quede todo él cubierto de agua. Cuando vuelve a romper el hervor se suele dejar unos 20 minutos (este tiempo depende de lo tierno que sea el repollo).

En una cacerola se pone la manteca a calentar; cuando está caliente se rehoga el tocino, cortado en lonchas finas. Se separa el tocino en un plato.

Se rehoga la cebolla, pelada y cortada en redondeles. Se rehoga unos 5 minutos hasta que se pone transparente. Se añade entonces el repollo, bien escurrido, las zanahorias peladas, lavadas y cortadas en rodajas finas y la mitad del tocino, y se mueve bien todo junto. Se rocía con el caldo caliente y se cubre el repollo con el resto del tocino. Se ponen las dos hojas de laurel, se tapa la cacerola y se deja a fuego lento unas 2 horas.

De vez en cuando se mueve la cacerola para que no se agarre el repollo. Se sirve en una fuente honda.

404.—BUDIN DE REPOLLO CON SALSA DE TOMATE
(6 personas)

1½ kg. de repollo (francés con preferencia),
50 gr. de mantequilla,
100 gr. de jamón serrano,
3 huevos,
3 cucharadas soperas de leche,
1 cucharadita (de las de moka) de concentrado de carne

(Liebig, Bovril, Mandarín, etcétera),
sal.
Salsa de tomate:
1 kg. de tomates maduros,
3 cucharadas de aceite frito,
1 cucharada (de las de café) de azúcar,
sal.

Lo primero se hace la salsa de tomate (receta 63). Se reserva una vez pasada.

Se corta el tronco del repollo, se quitan las hojas malas exteriores y se separan las que se vayan a preparar, quitando a las más exteriores la parte central de la hoja, que está dura. Se corta todo en tiras finas y se lava.

En una cacerola o en una olla se pone agua fría abundante con sal. Cuando hierve a borbotones se sumerge el repollo, apoyando con una espumadera para que entre todo, y se deja cocer ½ hora (más o menos, hasta que esté bien tierno). En un colador grande se escurre muy bien.

En una sartén honda se pone a calentar parte de la mantequilla (con parte de ella —unos 15 gr. más o menos— se unta bien el molde del budín) y se echa el repollo y el jamón muy picado. Se rehoga bien y se separa del fuego.

En una ensaladera se baten los huevos como para tortilla con la leche y se añaden al repollo. Se revuelve todo bien y se vierte en la flanera untada con mantequilla. Se mete al horno al baño maría una hora más o menos. El agua del baño maría estará hirviendo al poner el budín y el horno se habrá calentado unos 10 minutos antes. Cuando está el budín, se apaga el horno y se abre durante 8 minutos, con el fin de que no se abra el budín al volcarlo.

Se desmolda en una fuente redonda y se cubre con la salsa de tomate. Se sirve en seguida.

405.—HOJAS DE REPOLLO FRITAS (PARA ADORNO DE LA CARNE) (6 personas)

1 repollo de 1 kg. más o menos,
agua y sal,

1 plato con harina,
¾ de litro de aceite (sobrará mucho),

Se corta el tronco y se separan con cuidado las hojas para que no se rompan. Se lavan bien y se sumergen en agua hirviendo con sal, empujándolas con una espumadera para que todas queden bien metidas en el agua. Se cubre con tapadera y cuando rompe el hervor se deja unos 30 minutos. Una vez cocidas las hojas se sacan con cuidado, se escurren y se ponen sobre un trapo limpio para que absorba el agua que les quedaba.

Se doblan los dos costados laterales de las hojas y se enrollan para que se queden del tamaño de una croqueta grande, con los finales rectos. Se pasan por harina y se fríen de 4 en 4. Cuando están doradas se sacan, se dejan escurrir y se guardan al calor hasta el momento de ponerlas de adorno alrededor de la carne.

Estos rollitos van muy bien con carnes con salsa: redondo guisado, guisos, etc.

406.—HOJAS DE REPOLLO RELLENAS DE JAMON CON BECHAMEL (6 personas)

1 repollo de 1 kg.,
150 gr. de carne ya hecha y picada (unas sobras) o
150 gr. de jamón de York,
80 gr. de queso gruyère rallado,
2 cucharadas soperas rasadas de harina,

2 vasos (de los de agua) de leche fría,
25 gr. de mantequilla,
2 cucharadas soperas de aceite fino,
agua,
sal.

Se preparan y cuecen las hojas de repollo como en la receta anterior. Una vez preparadas las hojas y muy escurridas sobre un paño, se rellenan con la carne o el jamón, muy picado. Se forman unos rollitos y se ponen en una fuente resistente al horno, como si fuesen canalones.

En una sartén se pone a calentar el aceite con la mantequilla; una vez derretidos se añade la harina, se da unas vueltas con una cuchara de madera o con las varillas. Se agrega poco a poco la leche fría. Se deja cocer esta bechamel unos 10 minutos, se echa un poco de sal y se vierte por encima de los rollitos. Se espolvorean con el queso rallado y se mete al horno a gratinar. Cuando está bien dorada la bechamel, se sirve en la misma fuente.

Nota.—Se puede hacer la bechamel con mitad leche y mitad caldo (o agua con una pastilla de Avecrem, Starlux, etc.)

407.—TIRABEQUES (6 personas)

1½ a 2 kg. de tirabeques,
100 gr. de tocino veteado,
5 cucharadas soperas de aceite,
1 cebolla mediana (100 gr.),

2 cucharadas soperas de harina,
1 litro de caldo (o agua con una pastilla),
2 yemas de huevo,
sal.

Se arreglan los tirabeques como las judías verdes, es decir, cortándoles las dos puntas y tirando de ellas para quitar los hilos si los tuviesen. Se dejan enteros. Se lavan bien en agua fresca. En una cacerola se pone el aceite a calentar; cuando está caliente se le agrega la cebolla, que se refríe durante unos 5 minutos, después de los cuales se pone el tocino cortado en cuadraditos. Pasados otros 5 minutos, se ponen los tirabeques bien escurridos de agua. Se tapa la cacerola y, a fuego vivo, y salteándolos de vez en cuando para que se rehoguen todos, se dejan 10 minutos. Se destapa la cacerola y se espolvorean los tirabeques con las 2 cucharadas soperas de harina y se salan. Se mueven bien con una cuchara de madera y se les vierte el litro de caldo encima. Se tapa de nuevo la cacerola y, cuando rompe el hervor, se deja a fuego lento (sin que dejen de cocer) durante una hora. Cuando se vayan a servir, se ponen las 2 yemas en un tazón y con un poco de salsa de los tirabeques se deslíen para que no se corten. Se incorporan a los tirabeques, moviendo bien para que se repartan por igual las yemas en toda la salsa.

Si se viese que los tirabeques tienen un exceso de salsa, antes de agregar las yemas se les quita un poco, dejándolos sólo con la necesaria.

408.—MANERA DE PELAR LOS TOMATES

Cuando se quieran pelar los tomates, se procede de dos maneras:
1.ª Se pone agua a hervir y cuando hierve a borbotones se sumergen los tomates durante unos 3 segundos. Se sacan acto seguido, se pelan y se echan en agua fría para que se endurezcan otra vez.
2.ª Con un cuchillo se pasa el canto opuesto al filo del mismo apoyando bastante sobre el tomate. Después con el filo se pelan, desprendiéndose la piel así mucho más fácilmente.

409.—TOMATES RELLENOS DE CARNE (6 personas)

12 tomates (bien colorados) medianos,
300 gr. de carne picada (mitad ternera y mitad magro de cerdo),
1 huevo entero,
2 cucharadas soperas colmadas de pan rallado,
1 diente de ajo muy picado,
1 cucharada (de las de café) de perejil picado,
2 cucharadas soperas de aceite,
sal.

Con la punta de un cuchillo se cortan los rabos y la parte dura de los tomates. Se les hace un agujero en el centro. Se les pone un poco de sal y así preparados se tienen boca abajo durante una hora, más o menos, para que suelten el agua.

En una ensaladera se mezcla la carne picada, el huevo batido como para tortilla, el ajo, el perejil, el pan rallado y un poco de sal. Se mezcla bien, pero dejando la masa suelta. Con una cucharita se rellenan los tomates, dejando que sobresalga la carne de los tomates.

En una fuente de metal, porcelana o cristal resistente al horno se pone el aceite de manera que quede untado todo el fondo. Se colocan los tomates unos al lado de los otros y se meten a horno mediano durante una hora más o menos, hasta que se vea que los tomates están blandos.

Se sirven en la misma fuente.

410.—TOMATES RELLENOS DE BECHAMEL Y QUESO RALLADO (6 personas)

12 tomates maduros medianos,
5 cucharadas soperas de aceite,
25 gr. de mantequilla,
2 cucharadas soperas de aceite,
2 cucharadas soperas de harina,
½ litro de leche fría,
100 gr. de gruyère rallado,
2 huevos,
sal.

Con la punta de un cuchillo se quita la tapa alrededor del rabo y las simientes para que queden como unas cazoletitas. Se pone sal en el interior y se dejan boca abajo durante una hora para que suelten su agua.

Pasado este tiempo se colocan en una fuente resistente al horno. Se pone en cada tomate un poco de aceite (repartiendo las 5 cucharadas para los 12 tomates). Se meten a horno mediano durante 35 minutos, más o menos.

Mientras tanto se hace la bechamel. En una sartén se pone la mantequilla y el aceite a calentar. Cuando están derretidos se añade la harina, se da unas vueltas y se añade poco a poco la leche sin dejar de dar vueltas con unas varillas o con una cuchara. Se cuece durante unos 10 minutos. Se echa un poco de sal, pues el queso también está salado. Fuera del fuego, se agrega la mitad del queso y las yemas (teniendo cuidado de que la bechamel no esté muy caliente y las cuaje). Se montan a punto de nieve las 2 claras con un pellizco de sal, se incorporan a la bechamel y con esto se rellenan los tomates. Se espolvorean con el resto del queso y se meten a horno más bien fuerte hasta que esté la bechamel bien dorada. Se sirve en seguida en su misma fuente.

411.—TOMATES AL HORNO CON PEREJIL Y AJO PICADO (6 personas)

6 tomates grandes maduros,
6 cucharadas soperas de aceite,
1 cucharada sopera de perejil picado,

$1\frac{1}{2}$ cucharadas (de las de café) de ajo picado,
pan rallado,
sal.

Se lavan y cortan unos tomates grandes, maduros y carnosos en dos a lo ancho. Se les quita la simiente y se les echa sal. Se ponen boca abajo una hora antes de prepararlos para que suelten su agua.

Pasado este tiempo se colocan boca arriba en una fuente de barro, cristal o porcelana resistente al horno. Se pone en cada medio tomate un poco de perejil picado, un poco de ajo y se espolvorea un poco de pan rallado. Se vierte por encima $\frac{1}{2}$ cucharada de aceite. Se mete en el horno mediano durante una hora más o menos, hasta que la carne esté bien asada y blanda.

Se sirven en su misma fuente.

Estos tomates, escogiéndolos más pequeños, se sirven también para adornar la carne.

412.—TOMATES RELLENOS DE ENSALADILLA RUSA

Este plato sirve como entremés en verano.

6 tomates grandes,
unas hojas de lechuga,

300 gr. de ensaladilla rusa con mayonesa.

Con la punta de un cuchillo se les quita a los tomates el redondel alrededor del rabo para quitarles toda esa parte dura. Con una cuchara de las de café se les quita la simiente y algo de carne, con el fin de que queden un poco huecos. Se espolvorea el interior con un poco de sal y se colocan boca abajo durante una hora. Mientras tanto se prepara la ensaladilla rusa o se compra ésta hecha. También se venden latas de verduras ya preparadas y no hay más que mezclarlas con una mayonesa.

Se rellenan los tomates con la ensaladilla y se ponen en la nevera por lo menos una hora a enfriar; al ir a servir, se adornan con unas hojas de lechuga.

413.—TOMATES RELLENOS DE SARDINAS EN ACEITE, PIMIENTO VERDE Y ACEITUNAS (6 personas)

12 tomates redondos medianos,
 9 sardinas en aceite grandes,
 2 pimientos verdes medianos,
 3 cucharadas soperas de aceite,
100 gr. de aceitunas rellenas de pimiento rojo,
   unas hojas de lechuga,
   sal.

Vinagreta:
3 cucharadas soperas de aceite fino,
1 cucharada sopera de vinagre,
1 cucharadita (de las de moka) de mostaza,
1 cucharada (de las de café) de perejil picado,
   sal.

Se preparan los tomates como en la receta anterior.

Aparte se lavan y cortan los pimientos, quitándoles el rabo y las simientes. Se cortan en cuadraditos. En una sartén se pone el aceite a calentar y se ponen los pimientos a freír a fuego lento, tapando la sartén con una tapadera. Se dejan más o menos 20 minutos, sacudiendo la sartén para que no se agarren. Un poco antes de terminar de freírlos se les echa un poco de sal.

En una ensaladera se aplastan con un tenedor las sardinas, escurridas de su aceite y quitada la piel; se añaden los pimientos y se sazona con la vinagreta. Se rellenan con esto los tomates, se adornan poniendo en el centro una hoja de lechuga y unas aceitunas cortadas en dos.

Se meten en la nevera un par de horas. Al ir a servir, la fuente se adorna con unas hojas de lechuga.

414.—RODAJAS DE TOMATE EMPANADAS Y FRITAS

Esto se sirve de adorno de la carne o incluso de ciertos pescados.

Se deben coger unos tomates muy carnosos. Se cortan en rodajas gruesas y se sazonan con sal por las dos caras. Se dejan así una ½ hora para que suelten el agua.

Se secan con un paño limpio. Se pasan por pan rallado, después por huevo batido como para tortilla y por último por pan rallado otra vez, y se fríen en aceite abundante y caliente.

Se sirven en seguida.

415.—ZANAHORIAS EN SALSA (6 personas)

1½ kg. de zanahorias tiernas,
1 cebolla mediana (125 gr.),
6 cucharadas soperas de aceite,
1 cucharada sopera de harina,
1 vaso (de los de vino) de vino blanco,
1 cucharada (de las de café) de perejil picado,
agua fría,
sal.

En una cacerola se pone el aceite a calentar; cuando está caliente, se echa la cebolla pelada y picada muy menuda. Se deja freír a fuego mediano unos 6 minutos, hasta que se ponga transparente. Después se añaden las zanahorias, raspadas la piel, lavadas y cortadas en rodajas de ½ cm. de grosor. Se rehogan bien dándoles vueltas con una cuchara de madera, luego se espolvorean con la harina y se vuelven a rehogar unos 5 minutos moviendo bien. Se añade entonces el vino blanco, la sal y finalmente se cubren con agua fría.

Se hacen a fuego mediano, moviéndolas de vez en cuando. Se cuecen entre ½ y una hora (este tiempo depende de la clase y del frescor de las zanahorias).

Se sirve en fuente honda, espolvoreándolas con el perejil picado.

416.—ZANAHORIAS EN ENSALADA PARA ENTREMESES

Se raspan las zanahorias con un cuchillo para quitarles la piel. Se lavan bien y luego se secan. Se cortan en gusanillos con el mismo aparato de hacer las patatas paja. Se aliñan con vinagreta y se sirven como entremés con tomates, lechuga, remolachas, etc.

En ensalada, mezcladas con escarola, están muy buenas y es sanísimo.

Como es natural, se deberán emplear zanahorias muy tiernas y frescas.

417.—ZANAHORIAS GLASEADAS

Se hacen para adornar los platos de carne.

½ kg. de zanahorias pequeñas y tiernas,
½ litro de agua,
50 gr. de mantequilla,

1 cucharada (de las de café) colmada de azúcar,
1 buen pellizco de sal.

Se escogen las zanahorias muy tiernas y se les raspa la piel con el filo de un cuchillo. Se les quita la rodaja más verde que tienen en la parte de los tallos y se lavan bien. Si son pequeñas, se dejan enteras, si no se cortan en dos a lo largo. Se meten en un cazo con el agua fría, la mantequilla, el azúcar y la sal. Se recorta un papel más bien grueso (estraza), un poco mayor que el cazo y se mete dentro de la cacerola hasta tocar casi las zanahorias y esto sirve de tapadera. Se cuecen a fuego vivo hasta que se haya consumido todo el agua. Cuando llega este momento, las zanahorias están en su punto para servirlas.

418.—ZANAHORIAS CON NABOS
(Véase receta 388)

PLATOS DE VARIAS VERDURAS JUNTAS

419.—MENESTRA DE VERDURAS VERDES (6 personas)

½ kg. de judías verdes,
¾ de kg. de alcachofas pequeñas y tiernas,
1 kg. de guisantes,
3 cebolletas medianas,
1 lechuga pequeña,
150 gr. de jamón serrano veteado picado,
1 cucharada sopera de harina,

4 cucharadas soperas de aceite,
2 cucharadas soperas de vino blanco,
1 vaso (de los de agua) de agua fría,
1 limón,
2 huevos duros para adornar (facultativo),
sal.

Se pelan y preparan todas las verduras, lavándolas bien (salvo los guisantes). Las alcachofas se cortan en 2 ó 4 trozos, según su tamaño, y se les quitan las hojas de fuera, que son duras, y se cortan a media altura las hojas. Se frotan bien con limón, para que no se pongan oscuras. La lechuga se pica en tiritas, dejándole las hojas verdes sanas, que para la menestra son las mejores.
En una cacerola se pone el aceite a calentar; se rehogan las cebolletas picadas hasta que empiecen a dorarse ligeramente. Se les añade el jamón picado y se rehoga unos 3 minutos; después

se incorpora la harina, la lechuga, las alcachofas y las demás verduras. Se rehoga todo bien durante 5 minutos, y a continuación se echa el vino y la sal, se mueve y se añade el agua, de manera que cubra justo las verduras. Se tapa la cacerola y, a fuego lento, se hace la menestra durante una hora más o menos, salteando de vez en cuando la verdura para que no se agarre. (Si es necesario, se puede añadir algo más de agua.)

Se sirve en fuente honda, adornando la verdura con rodajas de huevo duro.

Nota.—Se pueden agregar habas, bien peladas o, si son muy tiernas, cortadas con sus vainas por donde termina cada grano.

420.—MENESTRA DE VERDURAS CORRIENTE (6 personas)

½ kg. de zanahorias,
½ kg. de judías verdes,
¾ de kg. de alcachofas pequeñas y tiernas,
1 kg. de guisantes (o una lata),
2 nabos,
unas hojas verdes de lechuga,

½ limón,
100 gr. de jamón serrano veteado,
4 cucharadas soperas de aceite,
1 cucharada sopera de harina,
1 cebolla pequeña (50 gr.), agua y sal.

Las verduras se ponen según la época del año. O sea, que se pueden suprimir las judías verdes y poner más guisantes, etc., haciendo toda clase de combinaciones.

Esta menestra es un ejemplo que se puede variar.

En una cacerola se pone el aceite a calentar; cuando está en su punto, se echa la cebolla muy picada y se deja unos 5 minutos, hasta que se ponga transparente y dándole vueltas con una cuchara de madera. Se pica luego el jamón en cuadraditos y se echa, así como las hojas verdes de lechuga (las exteriores que estén tiernas y sanas) cortadas en tiritas finas. Se deja rehogar un poco y se espolvorea la harina, moviéndola con una cuchara de madera. Se agregan entonces las zanahorias peladas y cortadas en cuadraditos, se añade agua que cubra todo y se deja cocer un rato. Cuando están medio tiernas las verduras, se van añadiendo las demás (los nabos picados, también en cuadraditos). Después las judías, quitados los hilos y picadas en trocitos que resulten cuadrados, los guisantes, etc., y se echa la sal. Se revuelve de vez en cuando y se deja cocer a fuego lento, vigilando las verduras para que queden tiernas pero enteras.

Las alcachofas se preparan quitándoles las hojas duras, cortando las hojas por la mitad de su altura y frotándolas con limón; se lavan en agua fría con unas gotas de zumo de limón. Si son pequeñas se parten en dos, y si no en cuatro. Si son muy tiernas se cuecen con la menestra, pero si no se tiene seguridad, se cuecen aparte y se añaden después a la menestra.

Si se ve que la menestra está demasiado caldosa, al ir a servirla se quita algo de salsa y se sirve en fuente honda. Si se quiere, se adorna con un huevo duro cortado en rodajas.

421.—BUDIN DE VERDURAS (6 personas)

1½ kg. de espinacas (o 1 kg. de acelgas),
300 gr. de zanahorias,
¾ de kg. de guisantes frescos o una lata de 150 gr.,
60 gr. de mantequilla (se reserva para untar el papel y el molde),
2 huevos enteros,
3 cucharadas soperas de leche.

Salsa:
2 cucharadas soperas de aceite,
20 gr. de mantequilla,
1½ cucharadas soperas de harina,
½ litro de leche fría,
1 cucharada sopera rasada de concentrado de tomate,
sal.

Una vez lavadas y preparadas las verduras, se ponen a cocer cada una por separado en agua fría o caliente con sal. Las zanahorias se cortan después de peladas, en rodajas más bien finas y, cuando están tiernas, se reservan unas pocas rodajas para adornar el fondo del molde. Las demás se pican.

Se prepara una flanera, untándola de mantequilla. Se corta un papel fino, que se unta también con mantequilla, y se coloca en el fondo de la flanera. Después se hace un dibujo con las zanahorias y algún guisante.

Una vez bien escurridas todas las verduras, se pone en una sartén la mantequilla y se rehogan todas las verduras juntas muy bien. Se baten en un plato los 2 huevos como para tortilla y se les agrega las 3 cucharadas de leche; se añade esta mezcla a las verduras. Se pone todo en la flanera, apoyando un poco para que no quede ningún hueco. Se mete el molde en horno con calor mediano y al baño maría con el agua hirviendo. El horno estará previamente calentado unos 10 minutos. Se deja una hora más o menos.

Se apaga entonces el horno y se abre durante unos 5 a 8 minutos antes de servirlo (para que no se abra el budín). Se vuelca sobre la fuente donde se vaya a servir, pasando antes un cuchillo todo alrededor de la flanera. Se retira el papel con cuidado y se cubre con la salsa.

Mientras está en el horno el budín, se hace la salsa: en una sartén se pone el aceite y la mantequilla a calentar; se añade la harina, se dan unas vueltas con las varillas, se agrega poco a poco la leche fría para que no haga grumos. Se le echa sal y se da un hervor durante unos 10 ó 15 minutos sin dejar de mover. Se incorpora entonces el tomate, moviendo mucho para que se deshaga muy bien.

Se vierte sobre el budín.

Nota.—Se pueden variar las verduras según el tiempo (judías verdes, repollo, etc.)

422.—RELLENOS DE VERDURAS VARIADAS (6 a 8 personas)

2 calabacines medianos (partidos en dos),
4 tomates medianos,
4 patatas medianas,
4 cebollas pequeñas,
4 pimientos pequeños (rojos o verdes),
2 zanahorias medianas (100 gramos) para la salsa,
1 cebolla grande (125 gr.) picada,
½ litro de aceite (sobrará),
1 cucharada sopera colmada de harina,
1½ litros de agua,
1 vaso (de los de vino) de vino blanco,
harina en un plato,
sal.

Relleno:
¼ kg. de carne picada (mitad ternera y mitad cerdo),
miga de pan mojada en leche caliente (si está muy mojada se escurre un poco al mezclarla con la carne),
1 diente de ajo,
1 ramita de perejil,
2 huevos,
1 cucharada sopera de vino blanco,
sal.

Se prepara el relleno con la carne picada cruda (también puede ser un resto de ternera mezclado con la carne de 3 ó 4 salchichas frescas en crudo), los huevos, el pan mojado en leche caliente, el vino y, picado en el mortero con la sal (para que no resbale), el diente de ajo y el perejil. Se amasa como si fuera para albóndigas.

Se preparan las verduras, pelándolas y haciéndoles un agujero del tamaño de una nuez; a los pimientos se les quita el rabo y se vacían de simientes. Se rellenan con la carne.

En una sartén se pone el aceite a calentar; se pasa pieza por pieza por harina y se fríen. Se colocan en una cacerola amplia, salvo los tomates, que después de fritos se reservan en un plato para ponerlos a cocer sólo unos 15 minutos para que no se deshagan.

Se hace la salsa aparte. En una sartén se ponen 6 cucharadas soperas de aceite frito a calentar; se fríe la cebolla picada hasta que esté bien doradita, se añade la cucharada de harina y se deja dorar. Se cortan las zanahorias, después de peladas y lavadas, en rebanaditas muy finas, se agrega el vino y el agua y se deja cocer unos 25 minutos. Se pasa la salsa por el pasapurés, se sala y se echa por encima de los rellenos para que los cubra bien. Se deja cocer a fuego muy lento unos 45 minutos. Se añaden entonces los tomates y se dejan cocer otros 15 minutos. Se deja reposar un poco y se sirve en fuente honda.

Nota.—Estos rellenos se pueden preparar con anticipación y recalentarlos al momento de servir.

423.—REVUELTO DE BERENJENAS, CALABACINES, TOMATES Y PIMIENTOS (6 personas)

6 cucharadas soperas de aceite,
1 cebolla mediana (100 gr.),
¾ de kg. de tomates maduros (5 piezas medianas),
3 calabacines grandes,
3 berenjenas grandes,
1 pimiento verde mediano,
1 cucharada sopera rasada de harina,

½ vaso (de los de vino) de agua,
2 ó 3 chucharadas soperas de salsa de carne (un resto) o una pastilla de pollo (Gallina Blanca, Knorr, Avecrem, etc.), sal.

En una cacerola se pone el aceite a calentar. Cuando está, se le echa la cebolla pelada y picada. Se deja dorar. Se añaden entonces los tomates, pelados y quitadas las simientes. Se rehogan durante unos 8 minutos. Se añaden los calabacines y las berenjenas, pelados y cortados en trozos más bien grandes, así como el pimiento verde, lavado, partido en dos a lo largo, quitado el rabo y las simientes y cortado en tiras más bien finas a lo ancho. Se echa sal. Se rehoga todo bien durante unos 10 minutos, se echa entonces la cucharada de harina espolvoreándola y la salsa de carne si se tiene, o el cubito de pollo o carne y el agua. Se mueve todo bien con una cuchara de madera y se deja destapado a fuego mediano de 30 a 40 minutos, moviendo de vez en cuando la cacerola para que no se pegue el pisto. Se sirve en fuente honda.
Este plato se puede hacer de antemano y calentarlo en el momento de servir.

CHAMPIÑONES, SETAS Y CRIADILLAS (DE TIERRA)

424.—PREPARACION DE LOS CHAMPIÑONES FRESCOS PARA SALSAS

Escoger los champiñones que sean muy frescos (se reconocen porque son muy blancos y al partirlos poco correosos). Si son grandecitos, se separan los pedúnculos o rabos, de la cabeza. Se quita al pedúnculo la parte con tierra y se corta en dos o tres trozos a lo ancho. La cabeza se lava y cepilla si tiene tierra con un cepillo fino, se cortan en dos o en cuatro pedazos y se echan en agua fresca con el zumo de ½ limón. Se lavan bien y se escurren en seguida.
En un cazo se ponen con un trozo de mantequilla (unos 20 gr. por ¼ kg. de champiñones más o menos), sal y el zumo de ½ limón para esta misma cantidad. Se tapan y, a fuego mediano-lento, se dejan unos 10 minutos, sacudiendo de vez en cuando el cazo por el mango para que se cuezan por igual.

Así están listos para cualquier preparación con salsa.
También se pueden cortar en rabanadas finas para las salsas que acompañan a las carnes o para tortillas.

425.—CHAMPIÑONES AL AJILLO (6 personas)

1½ kg. de champiñones pequeños,
9 cucharadas soperas de aceite crudo y fino,
3 dientes de ajo pelados y picados,

2 cucharadas soperas de perejil picado,
½ limón para zumo,
agua y sal.

Se cepillan bien los champiñones al chorro y se van echando en agua fresca con el zumo de limón. Se lavan bien y se sacan en seguida, secándolos mucho con un paño de cocina limpio.
Se preparan 6 platitos de barro, poniéndoles el aceite, los champiñones, sal y ajo picado. Se ponen a fuego mediano, primero durante unos 10 minutos y más vivo otros 5 minutos, sacudiendo de vez en cuando los platitos para que los champiñones se hagan por igual. Al ir a servir se espolvorean con perejil. Se sirven en seguida y muy calientes.

426.—CHAMPIÑONES CON BECHAMEL (6 personas)

1¼ kg. de champiñones frescos,
50 gr. de mantequilla,
2 cucharadas soperas de aceite fino,
¾ de litro de leche fría,
3 cucharadas soperas rasadas
de harina,
2 yemas de huevo,

1 limón,
2 cucharadas soperas de perejil picado,
6 triángulos de pan frito (facultativo),
pimienta molida,
sal.

Se preparan y lavan los champiñones (receta 424); únicamente si son pequeños, se dejan enteras las cabezas, y si son grandes se cortan en dos o cuatro partes, dejando los trozos grandes. Se ponen con 25 gr. de mantequilla y el zumo de ½ limón para que se hagan durante unos 8 minutos, salteándolos de vez en cuando. Se reservan.
En un cazo se pone el resto de la mantequilla y el aceite a calentar. Cuando la mantequilla está derretida se le agrega la harina. Se dan unas vueltas con las varillas o con cuchara de madera y se añade la leche fría, poco a poco. Se hace una bechamel que quede espesa. Para ello se cuece durante unos 10 ó 12 minutos, revolviendo siempre.
Aparte, en un tazón, se ponen las 2 yemas. Se deslíen, con cuidado de que no se cuajen, con un poco de bechamel. Se vierte lo del tazón en la bechamel; se echa sal y pimienta para que quede fuerte la bechamel, sin que cueza más con las yemas.
Se revuelven los champiñones con la bechamel; si ésta está espesa, se vierte con ellos el jugo que han soltado al hacerse,

de lo contrario se escurren antes de incorporarlos a la bechamel. Se reparten en platitos individuales, que estén calientes. Se espolvorean con el perejil picado y se sirven en seguida, adornados, si se quiere, con un triángulo de pan de molde frito.

Nota.—Con estos mismos champiñones se pueden rellenar vol-au-vent individuales o uno grande.

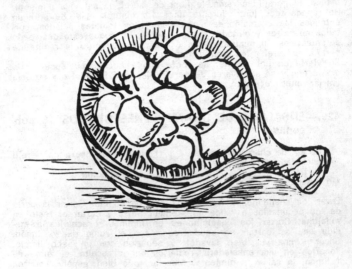

427.—CHAMPIÑONES CON ARROZ BLANCO EN SALSA (6 personas)

(Véase receta 166)

428.—CHAMPIÑONES PARA ENTREMESES (6 personas)

¾ de kg. de champiñones,
5 cucharadas soperas de aceite,
2 zanahorias pequeñas (o una grandecita),
1 cebolla mediana (80 gr.),
2 dientes de ajo enteros,
2 ramitas de perejil,
1 hoja de laurel,
1 cucharada sopera de perejil picado,
2 tomates medianos maduros,
1½ vasos (de los de vino) de vino blanco,
½ limón,
sal y pimienta molida.

Se escogen los champiñones de tamaño más bien pequeños; si no, una vez cortados los rabos a ras de la cabeza, se cortan éstas en dos. Se lavan bien con un cepillo y se echan en agua fresca con el zumo de ½ limón.

En un cazo se ponen 3 cucharadas de aceite a calentar. Se agrega la cebolla pelada y picada, las zanahorias raspadas, lavadas y picadas en cuadraditos, los dientes de ajo pelados pero enteros. Se rehoga todo esto durante unos 5 minutos y se añade el vino blanco, el perejil en rama, la hoja de laurel, la sal y la pimienta. Se rehoga todo junto durante unos 10 minutos más. Se agregan entonces los champiñones escurridos y los tomates pelados, cortados en trozos y quitadas las simientes. Se cuece esto destapado durante unos 10 minutos (más o menos). Se retira la ramita de perejil, el laurel y los dientes de ajo.

Se vierte en una fuente, se rocía con 2 cucharadas soperas de aceite fino y se espolvorea de perejil picado. Se revuelve y se deja enfriar antes de servir.

429.—ENSALADA DE CHAMPIÑONES CRUDOS (6 personas)

¾ de kg. de champiñones,
6 cucharadas soperas de aceite fino,
1½ limones para zumo,

1 cucharada sopera de perejil picado,
sal y pimienta.

Lavar los champiñones frotándolos con un cepillo. Cortar la parte de los pedúnculos o rabos que tengan tierra y cortar el resto en rodajitas. Cortar los champiñones en láminas y echarlas a medida que se cortan en agua fresca con el zumo de ½ limón. Sacarlos una vez bien lavados y secarlos con un paño limpio. Ponerlos en una ensaladera, rociarlos con el aceite, el zumo de 1 limón, la sal y la pimienta. Mezclar todo bien, espolvorear con el perejil picado. Meter la ensalada un par de horas en la nevera y servir tal cual después.

430.—NISCALOS

Se ponen más bien de adorno para la carne, pero poniéndolos solos de primer plato, se calcula ¼ kg. por persona.

Se cortan los pedúnculos o rabos, pues suelen estar vacíos o picados de gusanos. Se lavan muy bien las cabezas al chorro del grifo de agua fría, frotándolos muy bien de uno en uno con los dedos en la parte de encima y por debajo si tuviesen arena, ayudándose con la punta de un cuchillo. Una vez bien lavados, se cortan en trozos grandecitos y se ponen sin nada en una sartén y se tapan con tapadera. Se ponen a fuego mediano y se mueve la sartén de vez en cuando por el mango; se dejan así unos 15 minutos. Pasado este tiempo, se vuelca la sartén de lado y sujetando con una tapadera los níscalos se les escurre todo el jugo que han soltado. Se salan, se rocían de aceite (más o menos 1½ cucharadas soperas para cada ½ kg.), se espolvorean con ajo muy picado y perejil. Se revuelven bien y se dejan unos 10 minutos más a fuego lento, revolviéndolos de vez en cuando. Tienen que quedar envueltos en grasa, pero sin que les sobre aceite en la sartén, y bien hechos por dentro pero sin estar fritos. Se sirven en seguida.

431.—SETAS SALTEADAS

Se sirven como adorno de carnes, o en tortillas, o revueltos con huevos, pues son algo melosas para comer solas.
Se les separan los pedúnculos, se cortan las setas en trozos medianos, así como los rabos que estén sanos. Se lavan y secan seguidamente. Se pone un poco de aceite en una sartén, sólo para cubrir el fondo, se calienta un poco y se añaden las setas, se saltean hasta que tomen color por todos lados. Se pican una o dos chalotes pequeñas que se añaden a las setas, así como sal y pimienta. Se saltean unos minutos hasta que las chalotes se pongan transparentes, pero sin dorar. Se añade el zumo de 1 limón y un poco de perejil picado. Se saltea todo junto y se sirve en seguida.
Nota.—Al no tener chalotes se pueden sustituir por cebollitas francesas.

432.—SETAS GRATINADAS (6 personas)

24 setas grandes,
 8 cucharadas soperas de aceite,
 2 cucharadas soperas de perejil picado,
 2 chalotes grandes,
½ vaso (de los de vino) de vino blanco,

1 vaso (de los de vino) de caldo (o agua con una pastilla de Gallina Blanca, Maggi, etcétera),
6 cucharadas soperas de pan rallado,
sal.

Se cortan los pedúnculos o rabos de las setas. Estas se limpian de arena cepillándolas y lavándolas rápidamente al chorro de agua fría.
En una sartén se ponen 4 cucharadas soperas de aceite a calentar y se ponen las setas y los rabos a saltear. Se retiran y se colocan las setas boca arriba en un plato resistente al horno, untado con un poco de aceite. Se salan. Se pican los rabos y las migas de las setas, así como las chalotes y se revuelve con el perejil. Se rellenan las setas con esto, se rocían con el caldo y el vino blanco, se echa en cada seta un pellizco de pan rallado. Se mete al horno caliente durante 10 minutos y se sirven en la misma fuente.

433.—CRIADILLAS DE TIERRA (3 personas)

½ kg. de criadillas de tierra,
 2 cucharadas soperas de harina (rasadas),
 1 cebolla mediana (80 gr.),
 1 vaso (de los de vino) de vino blanco,

4 vasos (de los de vino) de agua,
4 cucharadas de aceite,
agua y sal.

Se lavan muy bien las criadillas de una en una, si puede ser, frotándolas con un cepillo. Se quitan con un cuchillo las partes malas que tengan y se cortan como si fueran patatas para tortilla (es decir, en láminas más bien finas). Se ponen en un cazo con agua que las cubra y se les da un hervor de 10 minutos, tapando el cazo con tapadera.

Durante este tiempo se hace la salsa. En una sartén se pone el aceite a calentar, se agrega la cebolla; cuando está dorada se le añade la harina, y, dando vueltas con una cuchara de madera, se le deja tomar color.

Después se añade el vino y el agua, se echa sal (un poco) y se deja cocer la salsa un par de minutos.

Se escurren las criadillas en un colador, se vuelven a poner en el cazo, y pasando la salsa por el chino se les vierte encima. Se tapan y se dejan cocer a fuego lento por espacio de unos 45 minutos.

Se prueba la salsa y se rectifica de sal si ha lugar.

Se sirven en un plato.

HUEVOS

434.—HUEVOS PASADOS POR AGUA

1.ª manera:

Poner un cazo con agua, la suficiente para que cubra bien todos los huevos que se vayan a hacer (nunca más de 6 a la vez, es mejor); añadirle sal (una cucharada sopera para 4 ó 6 huevos) y poner al fuego. Cuando rompe a hervir el agua, zambullir los huevos y dejarlos 3 minutos exactamente.

Para medir bien este tiempo, lo mejor es comprar un reloj de arena de 3 minutos.

2.ª manera:

Poner los huevos en un cazo, cubrirlos de agua fría y echarles una cucharada sopera de sal. Ponerlos al fuego vivo y, cuando el agua rompe a hervir, retirarlos rápidamente del agua y servirlos en seguida.

Se suelen servir en huevera o sencillamente en una taza de té, para poderlos cascar cada cual y comer con más comodidad. Se suelen acompañar de unos picatostes de pan frito.

435.—MANERA DE HACER LOS HUEVOS DUROS

Poner en un cazo agua suficiente para que pueda cubrir los huevos que se van a hacer; dejar que rompa a hervir y entonces echar una cucharada sopera de sal (por ejemplo, para 4 huevos; si son más añadir más sal, pero si son menos, dejar una cucharada sopera de sal). Cuando rompe a hervir el agua, meter los huevos con precaución y moverlos con una cuchara de madera para que al cuajarse se quede la yema bien en el centro. Dejar pasar 12 minutos (para huevos de tamaño mediano, minuto más o minuto menos si son más grandes o más pequeños de lo normal); después de este tiempo, tirar el agua caliente y poner fría, al chorro, para que se enfríe el cazo.

Dejarlos en agua hasta el momento de usarlos.

436.—HUEVOS DUROS CON BECHAMEL Y MEJILLONES (6 personas)

9 huevos,
1½ kg. de mejillones,
½ vaso de vino blanco,
1 cebolla pequeña picada,
1 hoja de laurel,
1 cucharada de aceite fino,
25 gr. de mantequilla,

2 cucharadas soperas de harina,
1 litro de leche,
50 gr. de queso gruyère o parmesano rallado,
sal.

Se cuecen los huevos duros como va explicado anteriormente.

Se preparan los mejillones. Con un cuchillo se raspan bien las barbas que tienen en las conchas y se tiran los mejillones que estén entreabiertos. Se lavan bien en una cacerola con agua, moviéndolos bien con las manos para que choquen y queden así cerrados (de lo contrario se les va el jugo). Una vez bien lavados, se ponen en una sartén grande con el ½ vaso de vino, la cebolla picada y la hoja de laurel. Se tapan con tapadera y se ponen al fuego.

Se mueven todo el rato, haciéndolos saltar agarrando para ello la sartén por el mango. Cuando están bien abiertos se retiran del fuego; se quitan los bichos de su concha con precaución y se reservan en un plato cubierto con un paño húmedo para que no se sequen. Se tiran las conchas. Se cuela por un colador muy fino (o mejor poniendo en un colador un pañuelo o trapo fino, bien limpio) el jugo de los mejillones que ha quedado en la sartén.

Se hace la bechamel con la cucharada de aceite y la mantequilla; cuando ésta está derretida se añade la harina y luego la leche fría, poco a poco, así como la sal. Se deja cocer revolviendo con unas varillas por espacio de 10 minutos, y entonces se añade el caldo de los mejillones y se deja cocer otros 4 minutos.

En una fuente que vaya al horno se ponen los huevos duros descascarillados y partidos en dos, con la yema hacia arriba; para que no se vuelvan, se corta un poco la parte blanca para que quede sentado el ½ huevo en la fuente.

Se ponen algunos mejillones y la bechamel. Se coloca el resto

de los mejillones sobre la bechamel, pero que se hundan un poco. Se espolvorea con el queso rallado y se mete al horno para que gratine unos 10 minutos, hasta que la bechamel esté dorada.
Se sirve en seguida.

437.—CROQUETAS DE HUEVOS DUROS (6 personas)

6 huevos duros,
4 cucharadas soperas de harina,
¾ litro de leche,
25 gr. de mantequilla,
2 cucharadas soperas de aceite,

1 litro de aceite para freír (sobrará),
2 huevos para envolver,
4 ramitas de perejil,
pan rallado,
sal.

Se hacen los huevos duros (receta 435).
Se quitan las cáscaras, se cortan en dos a lo largo y cada mitad se corta en tres.
Aparte se hace la bechamel. En una sartén se pone la mantequilla y el aceite; cuando la primera está derretida y mezclada con el aceite, se añade la harina. Se revuelve con unas varillas y se va añadiendo la leche fría, poco a poco. Se echa la sal y se deja cocer sin dejar de mover durante unos 10 minutos.
En la misma sartén y con dos cucharas soperas se envuelven las partes de huevo con bechamel. Se sacan y se ponen en un mármol untado con un poco de aceite, hasta que se enfríen (una hora antes de envolverlas). Después se rebozan pasando la croqueta por los huevos bien batidos como para tortilla y después por pan rallado fino.
Se fríen en aceite abundante y se sirven con ramilletes de perejil frito.

438.—HUEVOS DUROS MIMOSAS (6 personas)

9 huevos duros,
½ lata de anchoas en aceite,
unas ramitas de perejil o berros,
sal.

Mayonesa:
2 huevos,
½ litro de aceite fino (2 vasos de los de agua),
zumo de limón o vinagre,
sal y pimienta molida.

Se hace la mayonesa (receta 94) y se reserva en sitio fresco.
Se cuecen los huevos (receta 435).
Una vez cocidos los huevos y ya fríos, se descascarillan, se cortan en dos a lo largo, se quitan las yemas y se reserva todo.
Se mezcla en una ensaladera algo menos de la mitad de la mayonesa con 5 yemas y las anchoas escurridas de su aceite y picadas. Se rellenan con esta mezcla las medias claras. Se corta un trocito de clara en el fondo para que los huevos sienten y no se vuelquen. Se colocan en la fuente donde se vayan a servir. Se cubren con el resto de la mayonesa y se espolvorean con las yemas reservadas, pasándolas por un colador (que no sea de tela metálica, sino de agujeros) o por una moulinette o pasapurés. Se

adorna la fuente con ramitos de perejil o berros y se mete en la nevera durante una o dos horas; no más tiempo, pues se secaría la mayonesa y se cuartea, lo que resulta muy feo.

439.—BUÑUELOS DE HUEVOS DUROS (6 personas)

9 huevos duros,
2 huevos para envolver,
¾ litro de aceite.
Bechamel:
3 cucharadas soperas de harina,
¾ litro de leche fría,

25 gr. de mantequilla,
2 cucharadas soperas de aceite fino,
sal,
pan rallado,
salsa de tomate para servir en salsera (facultativo).

Hacer los huevos duros (receta 435), quitarles la cáscara y cortarlos por la mitad a lo ancho.
Aparte, preparar en una sartén la bechamel. Se derrite la mantequilla y el aceite, se añade la harina y con unas varillas se dan vueltas agregando poco a poco la leche fría. Se echa sal y se deja cocer unos 8 a 10 minutos. Después de lo cual se añaden las yemas de los huevos duros y se dan vueltas, hasta que estén bien deshechas e incorporadas a la bechamel. Entonces, con una cuchara pequeña, se rellenan los huevos con esta pasta, dejando que se unte un poco todo el huevo por fuera. Se dejan reposar por lo menos ½ hora, después de lo cual se rebozan en huevo bien batido como para tortilla y en pan rallado, y se fríen en aceite en su punto.
Se sirven las bolas en seguida, acompañadas de salsa de tomate servida en salsera.

440.—HUEVOS DUROS CON GAMBAS (6 personas)

9 huevos duros,
350 gr. de gambas,
1 cebolla mediana (125 gr.),
3 cucharadas soperas de harina,
3 cucharadas soperas de aceite fino,

½ vaso (de los de vino) de vino blanco,
1½ vaso (de los de agua) de agua de cocer las gambas,
sal.

Se pone un cazo con agua abundante y sal. Cuando hierve a borbotones se echan las gambas y se cuecen de 3 a 5 minutos, según sean de grandes. Una vez cocidas, se escurren en un colador y se reserva el agua donde han cocido.
Se pelan dejando las colas. Estas se cortan en dos o tres partes y se reservan.
Se cuecen los huevos según la receta 435. Se descascarillan, se cortan por la mitad a lo largo y se les sacan las yemas, que se reservan.
En una sartén se hace la salsa: Se calienta el aceite; cuando está caliente se refríe la cebolla pelada y picada hasta que empieza a dorarse (unos 8 minutos). Se añade la harina y se dan unas

vueltas con una cuchara de madera. Se va agregando poco a poco el vino y después el agua de las gambas. Se cuece la salsa durante unos 5 minutos sin dejar de dar vueltas. Se pasa por el pasapurés, se sala y se reserva al calor.

Se mezclan 7 yemas con las gambas y 2 ó 3 cucharadas soperas de salsa. Con esta mezcla se rellenan los huevos. Se les quita a éstos un trocito debajo para que sienten en la fuente. Se colocan en una fuente resistente al horno; se cubren con el resto de la salsa y se meten en el horno previamente calentado, durante unos 10 minutos. Al ir a servir, se espolvorean las yemas reservadas, picadas con un cuchillo o pasadas por un colador de agujeros (no de tela metálica). Se sirve en seguida.

441.—HUEVOS DUROS CON ENSALADILLA RUSA (6 personas)

9 huevos duros,
  macedonia hecha con ½ kg. de guisantes, ¼ kg. de zanahorias y 2 patatas medianas cocidas con su piel. O 1 lata de .ensaladilla rusa de 500 gr.
1 manojo de berros.

Mayonesa:
  2 huevos,
  2 vasos (de los de agua) de aceite fino,
  1½ cucharadas soperas de vinagre o zumo de limón,
  sal y pimienta.

Cocer los huevos (receta 435) y cortarlos por la mitad a lo largo (se les quita una rebanadita de abajo para que no bailen en la fuente). Se quitan las yemas, que se reservan para el adorno.

Aparte se cocerán las verduras; cuantas más haya mejor sabor tendrá la macedonia.

Se hace la mayonesa con la batidora (receta 94). Esta se mezclará con las verduras y se rellenarán los huevos con ello.

Se espolvorean las yemas picadas o pasadas por un colador de agujeros (no de tela metálica) y apretando con el dorso de una cuchara.

Se sirve bien frío, con unos ramilletes de berros. Se puede preparar de antemano y meter en la nevera.

442.—HUEVOS DUROS GRATINADOS (6 personas)

  9 huevos duros,
60 gr. de mantequilla,
  2 cebollas medianas (150 gr.),
  4 cucharadas soperas de aceite fino,
¼ kg. de champiñones,
  zumo de ½ limón,

  2 cucharadas soperas de harina,
½ litro de leche fría,
70 gr. de mantequilla,
  un pellizco de nuez moscada,
  sal,
  3 cucharadas soperas de pan rallado.

Se cuecen los huevos (receta 435). Se les quita la cáscara, se cortan por la mitad a lo largo y se vacían las yemas, que se reservan. Se les corta una lonchita fina debajo para que no se tambaleen en la fuente donde se sirvan.

Con 20 gr. de mantequilla se unta una fuente (que sea resistente al horno).

En un cazo aparte se van haciendo los champiñones. Se lavan bien y se limpian de tierra, quitándoles las partes malas. Se cortan en láminas finas (si los champiñones fuesen grandes habría que cortarlos, para que los trocitos resulten pequeños). Se ponen con 20 gr. de mantequilla y el zumo de ½ limón. Se tapa el cazo y, a fuego lento, se van haciendo (unos 10 minutos).

En una sartén se ponen las 2 cucharadas soperas de aceite. Se calienta, se echa la cebolla muy picadita y se deja hasta que esté dorada (unos 8 minutos).

Al mismo tiempo, y mientras se dora la cebolla, se va haciendo la bechamel. En otra sartén se ponen 25 gr. de mantequilla y 2 cucharadas soperas de aceite. Cuando está derretida, se añade la harina, y, poco a poco, la leche fría y la sal. Se mueve con unas varillas y se deja cocer unos 8 ó 10 minutos.

Cuando está hecha la bechamel, se cogen un par de cucharadas soperas y se mezclan con las yemas (reservadas), la cebolla y los champiñones. Se agrega un poco de nuez moscada y se mezcla todo bien. Se rellenan con esto los huevos duros, que se ponen en la fuente, vertiendo sobre ellos el resto de la bechamel (si estuviese un poco espesa se añade un poquito de leche fría para aclararla). Se espolvorea con el pan rallado y se ponen los 25 gr. de mantequilla que sobran por encima, en trocitos. Se mete al horno hasta que esté dorada la superficie.

Se sirve en la misma fuente.

443.—HUEVOS DUROS CON ANCHOAS (6 personas)

9 huevos duros,
6 anchoas en aceite (de lata),
60 gr. de mantequilla,
1 cucharada (de las de café) de perejil picado,
2 cucharadas soperas de harina,
½ litro de leche fría,
2 cucharadas soperas de aceite,
3 cucharadas soperas de queso rallado (50 gr.),
unas gotas de zumo de limón,
sal.

Una vez hechos los huevos duros (receta 435), descascarillados y partidos por la mitad en su parte más larga, se separan las yemas. A lo blanco se le corta una lonchita muy fina debajo para que no se tambaleen en la fuente.

Las yemas se mezclan con las anchoas bien escurridas de su aceite y picadas, el perejil y 20 gr. de mantequilla; se agregará a esta pasta unas gotas de zumo de limón, y con ella se rellenan los huevos y se ponen en una fuente que vaya al horno.

Se prepara entonces una bechamel, con 20 gr. de mantequilla y las 2 cucharadas soperas de aceite que se ponen a calentar en una sartén. Se añaden las 2 cucharadas soperas de harina y con unas varillas se mueve, añadiendo poco a poco la leche fría y la sal. Se deja cocer unos 3 minutos y se vierte sobre los huevos. Se espolvorea con el queso rallado y se pone el resto de la mantequilla en trocitos sobre el queso rallado.

Se mete en el horno para gratinar, unos 10 minutos escasos, hasta que la bechamel esté dorada.

Se sirve en seguida.

444.—HUEVOS DUROS CON SALSA CAZADORA (6 personas)

9 huevos duros,
4 cucharadas soperas de aceite,
200 gr. de cebollas,
¼ kg. de champiñones de París,
1 kg. de tomates maduros,
½ diente de ajo,
½ vaso (de los de vino) de vino blanco,

½ vaso (de los de vino) de agua,
zumo de ½ limón,
pimienta negra,
1 cucharada (de las de café) de azúcar,
1 ramita de tomillo,
sal.

En una sartén se ponen las 4 cucharadas soperas de aceite, cuando están calientes se echan las cebollas peladas y cortadas en rodajas finas. Se deja que se hagan como unos 5 minutos. Entonces se añaden los tomates pelados y quitadas las pepitas y partidos en trozos; se machacan con el canto de la espumadera. Se añaden los champiñones limpios de tierra, lavados con agua y zumo de limón y cortados en trozos pequeños, el ½ diente de ajo machacado con la sal en el mortero y disuelto con el ½ vaso de agua, la ramita de tomillo y pimienta negra. Se deja cocer por espacio de 10 minutos. Se agrega entonces una cucharadita de azúcar y se dan unas vueltas para que se deshaga.
Se descascarillan los huevos y se cortan por la mitad por la parte más alargada; se les corta un trocito debajo para que no se tambaleen en la fuente, y se ponen en la misma. Cuando está la salsa, se echa por encima y se sirve en seguida.

445.—MANERA DE HACER LOS HUEVOS MOLLETS

Téngase una cacerola con agua hirviendo y 2 cucharadas soperas de sal. Se pasan por agua fría los huevos que se vayan a utilizar y se meten en una cesta de alambre (o en un colador grande), zambulléndolos en el agua cuando hierve a borbotones. Cuando rompe otra vez el hervor se cuentan 5 minutos exactamente, mirando bien el reloj (para que la clara esté cuajada y la yema líquida). Se ponen entonces al chorro de agua fría y se dejan hasta que el agua y la cacerola estén bien frías. Esto tiene que ser muy rápido, con el fin de que paren de cocer los huevos. Se dejan en agua fría hasta el momento de emplearlos. Se descascarillan entonces, dándoles unos golpes suaves para romper la cáscara por algún lado y proceder con mucho cuidado. Cuando se vayan a utilizar, ya descascarillados, se pueden poner con mucho cuidado en agua **templada,** para calentarlos un poco, pero nunca más de 2 a 3 minutos.

446.—HUEVOS MOLLETS EN GELATINA (6 personas)

6 huevos,
¼ kg. de gelatina (comprada o hecha con gelatina Maggi, Royal, etc.),
100 gr. de jamón de York,

1 lata pequeña de guisantes (100 gr.),
1 trufa,
1 lechuga.

Se hacen los huevos mollets (receta 445) y se meten en agua fría hasta el momento de utilizarlos. En unas flaneritas de metal o, mejor, en unos moldes de porcelana, se vierte un poco de gelatina derretida (si se ha hecho en casa, cuando aún está líquida; si se ha comprado, derritiéndola al baño maría). Se ponen en sitio fresco un momento, hasta que se cuaje la gelatina. Entonces se adorna el fondo con unos guisantes puestos alrededor del molde, un trocito de trufa en el centro del mismo y un cuadradito de jamón de York encima de la trufa.

Se descascarillan los huevos y con precaución se ponen en los moldes. Se ponen otros trocitos de jamón encima del huevo y se rellena el molde con gelatina líquida hasta que quede bien lleno. Se meten los moldes en la nevera hasta el momento de utilizarlos, cuando la gelatina se haya cuajado. Se sirven desmoldados (se pasa un cuchillo todo alrededor del molde y se ayuda con la punta de un cuchillo redondo para que penetre el aire y no haga ventosa, lo cual es frecuentísimo en los platos de gelatina). Si no, se meten los moldes uno por uno en agua caliente sólo unos instantes (porque se derriten en seguida) y se desmoldan, sobre unas hojas de lechuga blancas, lavadas y secadas con un paño limpio.

447.—HUEVOS MOLLETS CON SALSA DE VINO (6 personas)

6 huevos mollets,
2 cebollas medianas (150 gr.),
½ kg. de tomates bien maduros,
2 cucharadas soperas de harina,
1 vaso (de las de agua) de agua,
½ vaso (de los de agua) de vino blanco seco,

½ cucharadita (de las de moka) de extracto de carne,
3 cucharadas soperas de aceite,
100 gr. de jamón serrano picado,
sal y pimienta,
6 triángulos de pan de molde fritos.

Se hacen los huevos mollets y se dejan en espera.

En una sartén se pone el aceite; cuando está caliente se añade la cebolla pelada y picada; se deja dorar un poco (unos 8 minutos), moviendo con una cuchara de madera. Se añade la harina y se echa el tomate partido en trozos y quitadas las pepitas; después de unos 5 minutos se agrega el vino blanco y el agua, la sal y la pimienta. Se deja cocer a fuego mediano unos 10 minutos, más o menos. Se fríen los triángulos de pan de molde y se reservan.

Se descascarillan entonces los huevos y se ponen con precaución en la fuente donde se vayan a servir. Es mejor que esta fuente sea algo honda para que la salsa cubra bien los huevos. Se añade en este momento en la sartén el extracto de carne. Se pasa la salsa bien caliente por el pasapurés, sobre la misma fuente. Se espolvorea el jamón sobre la salsa y se adorna con los triángulos de pan, puestos alrededor de la fuente, y se sirve en seguida.

448.—TARTALETAS DE ESPINACAS Y HUEVOS MOLLETS
(6 personas)

6 huevos mollets,
1 kg. de espinacas,
¼ litro de leche fría,
1 cucharada sopera de harina,
un pellizco de bicarbonato,
20 gr. de mantequilla,

3 cucharadas soperas de aceite,
¾ kg. de tomates,
½ cucharada (de las de café)
de azúcar,
sal,
6 tartaletas.

Se compran o hacen 6 tartaletas un poco grandes. Se hacen los huevos mollets (receta 445) y se tienen en espera.

En un cazo con agua hirviendo y sal se meten las espinacas, bien lavadas de tierra y cortados los tallos gordos y las raíces. Se meten en el agua hirviendo a borbotones, empujándolas con una espumadera para que queden bien cubiertas por el agua. Se añade un pellizquito de bicarbonato para que se pongan más verdes.

Se cuecen durante unos 10 minutos a partir de cuando rompe el hervor. Se escurren entonces bien, prensándolas con una cuchara para sacar toda el agua que tienen. Se pasan por la máquina de picar la carne y se dejan en espera.

Se prepara el tomate. En una sartén se ponen 2 cucharadas de aceite; cuando está caliente se añaden los tomates cortados en trozos grandes y quitadas las pepitas. Se deja que se haga a fuego mediano, más bien lento, unos 20 minutos (el tomate, una vez pasado, tiene que quedar bastante espeso), machacando bien con la espumadera. Una vez hecho se pasa por el pasapurés y se le añade la sal y la ½ cucharadita de azúcar.

Se hace mientras la bechamel para las espinacas. En una sartén se ponen la mantequilla y una cucharada sopera de aceite; cuando están calientes se agrega la harina, se dan unas vueltas con las varillas y se va añadiendo la leche, y, por último, la sal. Se deja cocer durante unos 10 minutos, después de lo cual se incorporan las espinacas. Se calienta bien todo y se pone esta crema en las tartaletas, reservándolas al calor.

Se descascarillan los huevos y se ponen sobre la crema de espinacas; por último, se echa por encima del huevo una cucharada sopera de salsa de tomate bien caliente y se sirve en seguida.

449.—TARTALETAS DE CHAMPIÑONES Y HUEVOS MOLLETS (6 personas)

6 huevos mollets,
¼ kg. de champiñones,
40 gr. de mantequilla,
el zumo de ½ limón,
2 cucharadas soperas de harina,
2 cucharadas soperas de aceite,

¼ litro de leche fría,
½ cucharadita (de las de moka)
de extracto de carne,
1 cucharada (de las de café)
de perejil picado,
6 tartaletas un poco grandes,
sal.

Se hacen los huevos mollets (receta 445) y se tienen en espera.

Se preparan los champiñones. Se lavan bien y se cortan en láminas finas, salvo 6 cabezas pequeñas que se dejan sin rabo y enteras. Se ponen en un cazo pequeño con 20 gr. de mantequilla y unas gotas de zumo de limón, que se hagan lentamente unos 10 minutos.

Aparte se va haciendo la bechamel. En una sartén se ponen 20 gr. de mantequilla y las 2 cucharadas soperas de aceite; cuando están calientes se añade la harina, se da unas vueltas con las varillas y se agrega poco a poco la leche fría. Se deja cocer despacio unos 10 minutos, dando vueltas para que no se formen grumos. Se añade entonces el extracto de carne y se mueve bien para que quede mezclado por igual. Se prueba entonces de sal, añadiendo si hiciese falta.

En las tartaletas se reparte el champiñón (menos las cabecitas enteras). Se pone encima de cada una 1 huevo mollet descascarillado. Se vierte con una cuchara la salsa bechamel sobre cada huevo (tiene que quedar espesa para que no escurra), se pone encima la cabecita de champiñón y se espolvorea con perejil picado la bechamel.

Se sirven inmediatamente.

450.—MANERA DE HACER LOS HUEVOS ESCALFADOS

Lo principal para que salgan bien estos huevos es que sean muy frescos.

Poner agua en una cacerola o en una sartén profunda; por cada litro de agua poner una cucharada sopera de zumo de limón o bien un chorrito de vinagre. Cuando el agua rompe a hervir, echar los huevos de uno en uno; para esto se va rompiendo previamente cada huevo en una taza de las de té y se echa el huevo en el agua, casi desde la misma superficie de ésta, para que no se reviente la yema y la clara no se esparza. Puestos, por ejemplo, 3 huevos a la vez, cuando vuelve a romper el hervor se baja mucho el fuego y se dejan por espacio de 3 minutos en agua muy caliente pero que no hierva a borbotones. Se sacan entonces con una espumadera y se colocan en una tartera, dejando que se enfríen. Al momento de usarlos se echa agua caliente pero no hirviendo, muy poco a poco en la tartera, y así se calientan. Nunca se dejarán más de 3 minutos en este agua. Luego se sacan con precaución. Si estuvieran aún chorreando agua, se puede poner por encima con mucho cuidado un paño que absorberá el resto del agua.

Se utilizan entonces con cualquiera de las recetas que siguen.

451.—HUEVOS ESCALFADOS CON ESPARRAGOS (6 personas)

6 rebanadas de pan de molde,
20 gr. de mantequilla,
18 puntas de espárragos (frescos o de lata),
6 huevos,
2 cucharadas soperas de vinagre,

2 cucharadas soperas de harina,
25 gr. de mantequilla,
1 cucharada sopera de aceite,
½ litro escaso de leche fría (2 vasos de los de agua),
sal y nuez moscada,

Poner los espárragos, si son de lata, a calentar en la misma lata con la tapa abierta, al baño maría.

Untar las rebanadas de pan con un poco de mantequilla y meterlas en el horno para que se vayan tostando ligeramente; cuando están en su punto, apagar el horno y abrirlo para que se conserven calientes.

Hacer la bechamel. En una sartén se pone a calentar el aceite con la mantequilla; cuando está ésta derretida se añade la harina, se revuelve con unas varillas y, poco a poco, se incorpora la leche fría. Sin dejar de dar vueltas se cuece durante 6 a 8 minutos, de manera que la bechamel quede más bien espesa. Se sazona entonces de sal y nuez moscada rallada. Se reserva al calor.

Se hacen ahora los huevos escalfados. Una vez hechos, se colocan las rebanadas de pan en una fuente caliente y se pone cada huevo sobre una rebanada de pan. Se cubre con la bechamel, se colocan los espárragos encima y se sirve rápidamente.

Nota.—Se puede poner, en vez de espárragos, un picadito de trufa o de jamón de York.

452.—HUEVOS ESCALFADOS CON CHAMPIÑONES
(6 personas)

6 rebanadas de pan de molde,
40 gr. de mantequilla,
300 gr. de champiñones,
    el zumo de ½ limón,
6 huevos,
2 cucharadas soperas de vinagre,

2 cucharadas soperas de harina,
2 vasos (de los de agua) de leche fría (no muy llenos; menos de ½ litro),
25 gr. de mantequilla,
1 cucharada de aceite,
    sal.

Lo primero se preparan los champiñones, limpiándolos muy bien y cortándolos en láminas finas. Se reservan 6 cabecitas enteras sin quitarles más que el rabo, pero se hacen juntas con las demás. Se ponen una vez lavados y escurridos en un cazo con 20 gr. de mantequilla y el zumo de ½ limón. Se tapan y se dejan a fuego lento unos 10 minutos, reservándolos al calor.

En el horno se ponen a tostar las rebanadas de pan de molde, untadas con un poco de mantequilla.

Mientras se tuestan, se van haciendo los huevos escalfados de tres en tres.

Las tostadas, una vez en su punto, deben dejarse al calor en el horno apagado.

Aparte, y por último, se prepara la bechamel. En una sartén se pone la mantequilla y el aceite a calentar, se añade la harina, se mueve con unas varillas y se va agregando la leche fría y la sal. Se retira del fuego cuando haya cocido de 6 a 8 minutos y adquiera el espesor debido (tiene que estar bastante espesa para que no se escurra del huevo).

Se ponen en una fuente las rebanadas de pan tostadas, encima un poco de champiñón, luego el huevo que se cubrirá con una cucharada sopera de bechamel, y, por fin, una cabecita de champiñón arriba del todo como adorno.

Se sirve en seguida.

453.—HUEVOS ESCALFADOS CON CEBOLLAS (6 personas)

6 huevos,
agua,
2 cucharadas soperas de vinagre,
1 kg. de cebollas medianas,
1 kg. de tomates maduros,

2 cucharadas soperas de aceite,
sal.
1 cucharada (de las de café) de azúcar,
¼ litro de aceite (sobrará mucho),
sal.

Se hacen los huevos escalfados (receta 450) y se dejan en seco en una tartera.
Aparte se hace en una sartén la salsa de tomate. Se ponen 2 cucharadas soperas de aceite, y, cuando está caliente, se añaden los tomates cortados en trozos y quitadas las pepitas. Se machacan con el canto de una espumadera, y se dejan a fuego medio unos 15 minutos para que quede espeso. Se pasa por el pasapurés y se reserva al calor añadiéndole entonces el azúcar y la sal necesaria.
Se preparan las cebollas: se pelan y se cortan en rajas a lo ancho para que formen aros que se sueltan unos de otros, quitando el centro de las cebollas (que se pueden utilizar para otra cosa). Se rebozan en harina y se fríen en aceite caliente en su punto. Se pone agua caliente en la tartera de los huevos. Una vez hecho, se forman con las cebollas seis montones en la fuente donde se vaya a servir. Se pone encima de cada montón un huevo escalfado (ya calentado y bien escurrido), y, sobre cada huevo, una cucharada sopera de salsa de tomate. Se sirve en seguida.

454.—HUEVOS ESCALFADOS EN GELATINA (6 personas)

6 huevos frescos,
½ kg. de gelatina (comprada o hecha con gelatina Maggi, Royal, etc.),
1 cucharada sopera de jerez (si se hace la gelatina en casa),

1 loncha de jamón de York un poco gruesa (unos 100 gr.),
1 latita pequeña de guisantes (100 gr.),
sal.

Hacer la gelatina según la explicación de cada marca. Si es comprada, derretirla al baño maría.
Cuando la gelatina esté líquida, verter en cada molde o cazuelita unas 3 cucharadas soperas de líquido para que cubra bien el fondo. Cuando está casi cuajada, hacer el adorno poniendo todo alrededor del fondo sobre la gelatina, un collar de guisantes bien escurridos, y en el centro un cuadradito de jamón de York.
Se hacen los huevos escalfados (receta 450), se escurren bien y se ponen con cuidado, una vez fríos, en la cazuelita. Finalmente, se vierte con cuidado otra vez gelatina (no muy caliente para no cuajar el huevo) hasta cubrir bien el huevo, y se mete en la nevera.
Servir desmoldados sobre unas hojas de lechuga.
Este plato se puede hacer la víspera.

455.—MANERA DE HACER LOS HUEVOS EN CAZUE-LITAS

Estos huevos son un intermedio entre el huevo escalfado y el huevo al plato. Para hacerlos se precisan unas cazuelitas redondas de porcelana, resistentes al fuego.

En cada cazuelita se pone un poco de mantequilla (como una avellana), se ponen al calor para que se derrita (en una tartera con agua caliente o en el horno un minuto, para que la mantequilla no se tueste), o simplemente untándola con el dedo en el fondo del molde. A continuación se echa el huevo, que debe salir con la yema entera; se sazona de sal y se ponen las cazuelitas en una tartera con agua caliente y se meten en el horno de 4 a 5 minutos.

Se pueden servir en la cazuelita en caliente o sacados de ella con mucho cuidado de no romper la yema (que debe quedar blanda), o en frío.

456.—HUEVOS EN CAZUELITAS CON RIÑONES AL JE-REZ (6 personas)

1 riñón de ternera de unos 400 gr.,
1 vaso (de los de vino) de jerez,
3 cucharadas soperas de aceite,
1½ cucharada sopera de harina,
1½ vaso (de los de agua) de agua,
6 huevos,
sal.

Se cortan los riñones en cuatro trozos grandes y se limpian muy bien de pellejos y grasa. Se lavan en agua con vinagre y después en agua clara, y se secan con un trapo limpio. Se cortan entonces en trozos pequeños y se ponen en una sartén a fuego mediano, cubiertos con una tapadera durante unos 2 minutos, sin dejar de mover la sartén. Se escurre el jugo que hayan soltado, que se tira. Se dejan los riñones en espera en un plato.

Se prepara la salsa. En la sartén se pone el aceite; cuando está caliente se le añade la harina, y, moviendo con una cuchara de madera, se deja que se tueste (unos 10 minutos). Entonces se agrega el vino, el agua y la sal, moviendo para que no se formen grumos. Se deja cocer esta salsa unos 5 minutos y se incorporan los riñones para que cuezan unos 3 minutos.

En las cazuelitas se ponen repartidos los riñones con poca salsa en el fondo (una cucharada sopera en cada cazuelita). Se casca 1 huevo encima, se pone un poco de sal de mesa y se meten al horno al baño maría (el horno un poco fuerte y el agua para el baño maría, previamente hirviendo). Cuando la clara está cuajada y la yema tierna, están en su punto los huevos. Se echa entonces encima del huevo un poco de salsa bien caliente, que habrá sobrado, y se sirve en seguida.

457.—HUEVOS EN CAZUELITAS CON QUESO EN PORCIONES Y JAMON (6 personas)

6 huevos,
6 quesos en porciones (Caserío, M. G., etc.),
2 lonchas de jamón de York (100 gr. en total),
1 cajita de trufas,
20 gr. de mantequilla,
sal.

Se ponen las porciones de queso en las cazuelitas con una avellana de mantequilla. Se meten en el horno al baño maría, hasta que el queso esté muy blando o casi derretido (30 minutos más o menos). Entonces se casca 1 huevo en cada cazuelita, se salan ligeramente y se meten otra vez al horno, al baño maría. Cuando están los huevos en su punto (la clara cuajada y la yema blanda), se sirven poniendo sobre cada clara, en el borde del molde, un poco de jamón de York muy picado, y sobre la yema un trocito de trufa.
Se sirve inmediatamente.

458.—HUEVOS EN CAZUELITAS CON CHAMPIÑONES (6 personas)

6 huevos,
¼ kg. de champiñones frescos,
40 gr. de mantequilla,
unas gotas de zumo de limón,
sal.

Se limpian bien de tierra los champiñones y después de lavados se cortan en láminas finas. En un cazo se ponen 20 gr. de mantequilla y los champiñones con unas gotas de limón y sal. Se hacen a fuego lento y tapados con tapadera, por espacio de 10 minutos.
Mientras tanto, se pone en cada molde un poco de mantequilla (como una avellana), se casca en cada molde 1 huevo, se le echa un poco de sal de mesa y se meten al horno al baño maría. Cuando está la clara cuajada, se sacan del horno. Se reparten los champiñones por encima de los huevos y se sirven en seguida.

459.—HUEVOS EN CAZUELITAS CON JAMON, CREMA Y QUESO RALLADO (6 personas)

12 cucharadas soperas de crema líquida (¼ litro),
1 loncha de jamón de York de
100 gr.,
50 gr. de gruyère rallado,
sal.

En cada cazuelita se ponen 2 cucharadas de crema y un trozo de jamón de York. Se casca 1 huevo, que se sala muy poquito, y se espolvorea por encima el queso gruyère rallado.
En una besuguera se pone agua a calentar; cuando empieza a her-

vir se colocan las cazuelitas y se mete al horno previamente caliente, durante unos 6 minutos. Se sacan del horno y se sirven los huevos en su misma cazuelita.

460.—HUEVOS EN CAZUELITAS CON SALSA DE TOMATE Y BACON (6 personas)

¾ kg. de tomates bien maduros,
3 cucharadas soperas de aceite,
1 cucharada (de las de café) de azúcar,
6 huevos frescos,

6 lonchas muy finas de bacon fritas,
1 vaso (de los de agua) de aceite (sobrará),
sal.

Hacer la salsa de tomate (receta 63). Poner en cada molde una cucharada sopera colmada de salsa de tomate espesa. Cascar los huevos en sus cazuelitas. Poner un poco de sal sobre cada huevo y meter al horno, al baño maría con agua previamente caliente, unos 5 a 6 minutos. Cuando la clara esté cuajada y la yema blanda se sirven, colocando encima de cada huevo la lonchita de bacon frito. Las lonchas deben cortarse en dos a lo largo, se enrollan y se pinchan en un palillo los dos rollos. Se fríen así en aceite y, en el momento de servir los huevos, se quita el palillo y se ponen los dos rollitos sobre cada huevo.

461.—MANERA DE HACER LOS HUEVOS AL PLATO

Se usan unos platos con orejas de barro marrón, de porcelana blanca, de cristal que resista al fuego, o de metal especiales para estos huevos.
Se pone un poco de mantequilla en cada plato (unos 10 gr.) y se meten en el horno 1 minuto ó 2, hasta que esté derretida pero no tostada. Se sacan y entonces se cascan los huevos, cada uno en su plato; se echa un poco de sal fina de mesa, en la clara, muy poca porque la yema se mancha, y se ponen los cacharros en el horno (si es de gas o eléctrico) y se enciende sólo por debajo; se dejan hasta que la clara esté bien cuajada y la yema quede líquida. Si la lumbre es de carbón, hay que hacerlo encima de la lumbre, intercalando entre el plato y la chapa un tostador de amianto que se vende en el comercio, o un tostador especial para Pyrex o cualquier cristal que vaya al fuego. Al retirar los platos del fuego, no se deben colocar directamente encima del mármol frío, pues saltarían, sino encima de una bayeta o en una tabla de madera. Servir inmediatamente.
Se darán las proporciones para 1 huevo al plato por comensal, pero hay quien toma 2. Se procede lo mismo, únicamente hay que usar unos platos un poco mayores.

462.—HUEVOS AL PLATO CON HIGADITOS DE POLLO (6 personas)

6 higaditos de pollo,
2 cucharadas soperas de jerez,
1 cucharada sopera de fécula de patata,
3 cucharadas soperas de aceite,
1 cebolla pequeña picada (80 gramos),
1 vaso (de los de agua) de agua fría,
50 gr. de mantequilla,
1 cucharada sopera de perejil picado,
6 huevos,
sal.

En una sartén pequeña se pone el aceite a calentar. Cuando está caliente se rehoga la cebolla pelada y picada, hasta que empieza a ponerse transparente (unos 5 minutos o menos). Mientras tanto se quita la hiel, se limpian de nervios los higaditos y se cortan en cuatro. Se añaden a la cebolla y se saltean unos 3 minutos. Con una espumadera se saca todo y se reserva en un plato.

En la misma sartén, y con el aceite que ha quedado, se añade la fécula. Se revuelve un poco y se añade poco a poco el jerez y después el agua. Se cuece la salsa durante 2 ó 3 minutos. Se incorpora la cebolla y los higaditos y se sala. Se reserva al calor, pero sin que cueza más.

Se pone la mantequilla en los platitos y se hacen los huevos al plato según la receta 461.

Cuando los huevos están en su punto, se calienta la salsa con los hígados y se pone en la clara sin tapar las yemas. Se espolvorea un pellizco de perejil picado y se sirven en seguida.

463.—HUEVOS AL PLATO A LA FLAMENCA (6 personas)

12 rodajas de chorizo,
2 morcillas de cebolla,
6 huevos,
40 gr. de mantequilla,
6 cucharadas soperas de aceite,
sal.

Salsa de tomate:
1 kg. de tomates maduros,
2 cucharadas soperas de aceite frito,
1 cucharada (de las de café) de azúcar,
sal.

Hacer esta salsa de tomate (receta 63), de manera que quede bien espesa.

Con la mantequilla se hacen los huevos al plato (receta 461).

Mientras se van haciendo los huevos, se pone el aceite a calentar en una sartén pequeña. Se cortan las morcillas en rajas gorditas y al chorizo se le quita la piel que lo envuelve. Se fríen las morcillas y se sacan, reservándolas al calor. Se fríe el chorizo.

Se sirven los huevos con la morcilla y el chorizo a un lado y la salsa de tomate al otro (basta una cucharada sopera bien llena).

464.—HUEVOS AL PLATO CON SALCHICHAS (6 personas)

6 huevos,
6 salchichas frescas,
6 cucharadas soperas de aceite de tomate,

40 gr. de mantequilla,
½ vaso (de los de agua) de aceite,
sal.

Hacer salsa de tomate, receta 63, de manera que esté espesa (¾ de kg. de tomates, 2 cucharadas soperas de aceite frito, una cucharadita [de las de café] de azúcar y sal).
Preparar los huevos en platos individuales, según la receta 461.
Mientras se hacen, freír en una sartén pequeña las salchichas en el aceite caliente, pinchándolas con un palillo por varios lados para que no se revienten.
Calentar la salsa de tomate previamente hecha. Al momento de servir, poner en cada plato una salchicha a un lado de las yemas y una cucharada de salsa de tomate al otro lado.

465.—HUEVOS AL PLATO CON GUISANTES (6 personas)

1 lata de guisantes finos (150 gramos) o
¾ de kg. de guisantes frescos,

6 huevos,
60 gr. de mantequilla,
sal.

Si los guisantes son de lata, poner ésta abierta a calentar al baño maría sobre la lumbre. Una vez calientes, rehogarlos con la mitad de la mantequilla sin que se frían (porque se endurecen).
Preparar los huevos al plato, receta 461, y cuando están a medio hacer se reparten los guisantes en los 6 platos. Terminar de cocer y servir inmediatamente.

466.—HUEVOS AL PLATO CON ESPARRAGOS VERDES (6 personas)

1 manojo de espárragos verdes,
6 huevos,

80 gr. de mantequilla,
sal.

Cocer las puntas de los espárragos verdes (son más sabrosos para esto). Se ponen en un cazo con agua hirviendo y sal y se dejan cocer a fuego mediano 30 minutos (más o menos; se prueban, pues el que se cuezan más o menos de prisa depende de lo gruesos y frescos que sean). Cuando están cocidos, escurrirlos bien y en una sartén saltearlos con 40 gr. de mantequilla (sin que ésta se ponga negra).
Mientras se saltean los espárragos, se preparan los huevos al plato, receta 461, y en el momento de servirlos repartir los espárragos, poniéndolos en cada plato en forma de un manojito.

467.—HUEVOS AL PLATO CON PURE DE PATATAS
(6 personas)

6 huevos,
1 paquete de puré de patatas
(Maggi, Riera Marsá, etc.)
de 125 gr. o
1 kg. de patatas,

1 vaso (de los de agua) de
leche templada,
75 gr. de mantequilla,
100 gr. de queso gruyère rallado,
sal.

Se hace el puré de patatas, receta 207, o como viene explicado en el paquete. Una vez hecho éste, se añade casi todo el queso rallado (reservando sólo un poco).
En una fuente de metal, cristal o porcelana resistente al fuego se pone parte de la mantequilla que queda en el fondo. Cuando está derretida, se echa el puré. Con el dorso de una cuchara so-pera se forman 6 huecos en el puré. Se espolvorea el queso sobrante y se mete la fuente en el horno a gratinar durante 5 mi-nutos. Se saca y se cascan los huevos, que se van colocando en los hoyos hechos antes. Se salan ligeramente y se pone encima de cada yema una avellanita de mantequilla. Se vuelve a meter en el horno y, cuando la clara de los huevos está cuajada, se sirven en esta misma fuente en seguida.

468.—HUEVOS AL PLATO, ESTILO SOUFFLE, CON QUE-
SO RALLADO Y JAMON (6 personas)

6 huevos,
3 claras,
75 gr. de queso parmesano rallado,

20 gr. de mantequilla,
1 loncha de jamón de York picada,
sal.

Estos huevos están mejor presentados en una sola tartera grande. Untar la mantequilla en la tartera; cuando empieza a derretirse al calor, añadir las 9 claras de huevo montadas a punto de nieve muy duras y mezclarlas muy delicadamente con casi todo el queso rallado (es mejor si es parmesano, porque no hace tanta hebra al derretirse). Alisarlas con una cuchara para que cubran todo el fondo de la tartera, y con la misma cuchara, girándola en redondo, hacer 6 huecos para las 6 yemas. Estas estarán cada una sepa-rada en su medio cascarón o en 6 tazas para que no se revienten. Echarlas en los agujeros, espolvorear el resto del queso rallado por encima de las claras. En las yemas, poner un poco de sal y meter al horno caliente inmediatamente (pues si no las claras hacen agua) durante unos 10 minutos, hasta que quede un poco dorado.
En el momento de servir, se espolvorea el jamón picado por en-cima de las yemas; servir en seguida.

469.—MANERA DE HACER LOS HUEVOS FRITOS

Para freír bien los huevos, es mejor hacerlos de uno en uno (si se quiere hacer más rápidamente, es preferible coger dos sartenes pequeñas y hacerlos así a un mismo tiempo).
Poner en una sartén pequeña bastante aceite, y cuando sale humo se echa el huevo, que se tendrá previamente cascado en una taza. Se echa con cuidado, y con la espumadera se va echando aceite por encima. Cuando el huevo queda suelto y flotando en la sartén, se saca con la espumadera, quedando en su punto para servir.
Se deben salar los huevos después de sacados del aceite (pues éste saltaría y podría quemar).

470.—HUEVOS FRITOS CON PATATAS PAJA Y BACON (6 personas)

1 kg. de patatas,
1 litro de aceite (sobrará),
6 huevos,

6 lonchas de tocino ahumado (bacon),
sal.

Pelar o cortar las patatas en crudo con el «Molinex» o un cuchillo especial para las patatas paja. Se lavan y se secan con un paño. Freírlas en una sartén con el aceite a punto (para esto se prueba con un trocito de patata). Mientras se fríen, se mueven con un tenedor para que no se peguen y apelotonen. Cuando están fritas, ponerles la sal y colocarlas en el centro de una fuente redonda. Dejar la fuente a la boca del horno para que no se enfríen las patatas. Luego freír las lonchas de tocino y ponerlas todo alrededor de la fuente como los rayos de un sol.
Finalmente, freír los huevos y ponerlos entre las lonchas de bacon; se sirve en seguida.

471.—HUEVOS EN MUFFINS (6 personas)

6 muffins,
6 yemas,
4 claras a punto de nieve,
1 cucharada (de las de café) de harina fina,
sal,
1 litro de aceite (sobrará),

Salsa de tomate:
¾ de kg. de tomates,
1½ cucharadas soperas de aceite frito,
1 cucharada (de las de café) de azúcar,
sal.

Se prepara lo primero una salsa de tomate espesa, receta 63.
En los muffins (que son unos bollos redondos con las tapas planas) se corta una capa fina en la tapa de arriba. Se saca un poco de miga del centro para hacer un hueco para la yema. Se pone en cada muffin así preparado una yema. Se sala ligeramente. Alrededor de la yema se pone un poco de salsa de tomate espesa.
Se baten las claras muy firmes con un pellizco de sal. Una vez bien montadas, se les añade la cucharadita de harina, revolvien-

do bien, pero lo menos posible. Se pone un montón de clara de huevo sobre cada yema, dándole una bonita forma de pirámide con las púas de un tenedor.

En una sartén honda se calienta el aceite; cuando está en su punto, se pone un muffin encima de una espumadera y se mete en el aceite, sin quitarlo de la espumadera. Con una cuchara sopera se echa aceite hirviendo sobre la clara, rápidamente, para dorarla sin que se cuaje la yema. Se saca del aceite y se pone en la fuente de servir. Hay que darse un poco de prisa para que no se enfríen los huevos ya hechos. Se podrá poner la fuente, en espera, en un horno templado previamente y ya apagado, para que no se cuajen las yemas.

Se sirve en seguida.

Nota.—Hay quien pincha en la clara unos piñones. Hace muy bonito, pero es facultativo.

A falta de muffins, también puede hacerse este plato con brioches o simplemente con pan de molde.

472.—HUEVOS FRITOS CON ARROZ (6 personas)

350 gr. de arroz para blanco,
  6 huevos,
 50 gr. de mantequilla,
  6 lonchas de tocino ahumado (bacon) o
  3 plátanos sin cáscara y partidos a lo largo,
 ¾ de litro de aceite (sobrará), sal.

Salsa de tomate espesa:
1 kg. de tomates,
3 cucharadas soperas de aceite,
1 cucharada (de las de café) de azúcar,
  sal.

Con 350 gr. de arroz se prepara el arroz blanco (receta 165, 1.ª fórmula).

Aparte, hacer salsa de tomate espesa, receta 63.

Freír en el aceite el tocino o los medios plátanos, según guste más, y, finalmente, freír los huevos.

En una fuente redonda se forma una corona de arroz blanco. En el centro se rellena con salsa de tomate. Encima del arroz y montadas, se ponen las lonchas de bacon frito (o los plátanos fritos) y, por último, alrededor del arroz se colocan los huevos fritos y se sirven en seguida.

473.—HUEVOS FRITOS ENCAPOTADOS (6 personas)

20 gr. de mantequilla,
2 cucharadas soperas de aceite,
3 cucharadas soperas de harina,
¾ de litro de leche fría,
sal,
8 huevos,

¾ de litro de aceite (sobrará),
pan rallado,
sal,
unos ramilletes de perejil frito.

En una sartén se pone aceite; cuando sale humo, se fríen 6 huevos, de uno en uno, y se van colocando en un mármol untado con aceite (para que no se peguen). Una vez fritos los huevos, se recortan para que tengan una bonita forma redonda.
En otra sartén aparte se ponen los 20 gr. de mantequilla y 2 cucharadas soperas de aceite. Cuando está derretida la mantequilla, se añade la harina y, dando vueltas con unas varillas, se añade la leche fría poco a poco. Se deja cocer unos 6 minutos para que espese la bechamel, se sala y se retira del fuego. Dando vueltas se espera a que se enfríe un poco y se vierte sobre cada huevo, hasta cubrirlo bien, clara y yema. Se deja enfriar del todo (durante una hora más o menos). En el momento de ir a servirlos, se envuelven en huevo batido (como para tortilla) y en pan rallado, y se fríen en aceite en su punto.
Se sirven en seguida con los ramilletes de perejil frito y, si se quiere, con salsa de tomate aparte en salsera.

474.—MANERA DE HACER LOS HUEVOS REVUELTOS

Se cuentan por lo menos 2 huevos por persona, pues los huevos revueltos cunden poco.
Se ponen en un cazo los huevos que se vayan a hacer, según los comensales. Se baten por espacio de un minuto con un tenedor. En seguida se añade la sal, 2 cucharadas soperas de leche fría (por cada 4 huevos), unos 20 gr. de mantequilla (también para 4 huevos). Se pone el cazo al baño maría (con agua ya muy caliente) encima de la lumbre y se empieza a mover muy rápidamente con unas varillas, rebañando muy bien los costados del cazo, pues es donde se cuajan más de prisa los huevos. Cuando están hechos una crema muy espesa, se separan, pues siguen cuajándose aun fuera del fuego. Se agregan otros 10 gr. de mantequilla, se mueve bien y se sirve inmediatamente.

475.—HUEVOS REVUELTOS CON CHAMPIÑONES, O ESPARRAGOS, O JAMON (6 personas)

¼ kg. de champiñones frescos.

Se quitan las partes feas, se limpian bien al grifo con un cepillo y luego se cortan en láminas bastante finas. Se van echando en agua con zumo de limón. Una vez bien lavados, se escurren en un trapo y se ponen en un cazo con 25 gr. de mantequilla, unas gotas de zumo de limón y sal. Se tapa el cazo con tapadera y se deja que se hagan lentamente (unos 10 minutos).

Después se revuelven con los huevos, una vez batidos éstos con tenedor, y se procede como se ha explicado en la receta anterior.

1 manojo de espárragos.

Se preparan y cuecen según la receta 349. Se escurren en un paño de cocina limpio. Se corta la parte tierna en trozos de unos 3 cm. de largo y se procede como anteriormente.

150 gr. de jamón serrano.

Se corta en cuadraditos muy pequeños todo el jamón y se añade a los huevos batidos.

Hay que tener en cuenta que el jamón es salado, para no añadir sal.

476.—HUEVOS REVUELTOS CON ARROZ Y GAMBAS (6 personas)

12 huevos,
¼ kg. de gambas (peladas) o más si se quiere,
75 gr. de mantequilla (a repartir para las gambas y los huevos al hacerlos y después de hechos),

6 cucharadas soperas de leche fría,
400 gr. de arroz,
3 litros de agua,
azafrán (unas hebras),
sal,
50 gr. de mantequilla.

Primero se hace el arroz. Se machacan las hebras de azafrán en el mortero con un poco de agua. Se añade esto a los 3 litros de agua hirviendo **sin sal.** Se agrega entonces el arroz y se deja cocer a fuego vivo unos 15 minutos más o menos. Cuando está en su punto el arroz (el tiempo depende de la clase del arroz), se vierte en un colador grande y se lava al grifo del agua fría. Cuando se vaya a comer, se echa la sal necesaria y los 50 gr. de mantequilla, y se rehoga muy bien para calentarlo.

Se preparan entonces las gambas. Se pelan las colas y se ponen en un cazo pequeño con 20 gr. de mantequilla y sal; se dejan hacer un ratito (unos 5 minutos), tapando el cazo con tapadera.

Al mismo tiempo que se va rehogando el arroz con los 50 gr. de mantequilla se van haciendo los huevos revueltos. Se ponen en un cazo los 12 huevos, se baten bien con el tenedor y se añaden las gambas preparadas, las 6 cucharadas de leche, la mantequilla y la sal. Se pone el cazo al baño maría en agua muy caliente y con unas varillas se mueve muy rápidamente, rebañando bien los costados del cazo. Cuando está hecho una crema muy espesa, se retira y se añade un poco de mantequilla.

Se pone el arroz en un molde en forma de corona y en el centro el revuelto de huevos y gambas y se sirve inmediatamente.

Nota.—Al rehogar el arroz se le puede agregar una latita de guisantes de 100 gr., pues le hace muy bonito.

477.—HUEVOS REVUELTOS EN TOSTADAS, CON TRU-FAS (6 personas)

12 huevos,
6 cucharadas soperas de leche fría,
100 gr. de mantequilla,

2 latitas de trufas,
6 rebanaditas de pan de molde,
sal.

Se abren las latitas de trufas, se sacan y se cortan 6 rebanaditas, que se reservan para el adorno. Lo demás se pica muy menudo y se reserva, así como el caldo que tiene la lata.

Se tuestan las rebanadas de pan de molde. Cuando están tostadas, se untan con mantequilla y se reservan al calor en el horno previamente calentado y luego apagado para que no se quemen las tostadas.

Se van haciendo los huevos como en la receta 474, añadiendo el caldo de las trufas al poner la leche fría.

Cuando los huevos están en su punto, es decir, cremosos, se añade la mantequilla y la trufa picada.

Se reparte sobre las tostadas y se pone una rebanadita de trufa en el centro. Se sirve inmediatamente.

478.—HUEVOS REVUELTOS EN TOSTADAS CON SAL-CHICHAS (6 personas)

12 huevos,
6 cucharadas soperas de leche fría,
100 gr. de mantequilla,
6 rebanadas de pan de molde,

6 salchichas de Franckfurt,
6 cucharadas soperas de salsa de tomate espesa,
sal.

Se hace la salsa de tomate, receta 63, de forma que quede bien espesa. Se reserva al calor.

Se prepara el pan de molde tostándolo y luego untándolo con un poco de mantequilla. Se reservan las rebanadas en el horno pre-

viamente calentado y luego apagado, mientras se preparan los huevos.

En un cazo se pone agua; cuando está a punto de hervir, se meten las salchichas y se retira un poco de la lumbre para que queden bien calientes, pero sin hervir a borbotones el agua.

Entonces se hacen los huevos revueltos, receta 474. Una vez hechos y en su punto, se reparten sobre las tostadas y se ponen en dos de los lados un trozo de salchicha partida en dos, por la mitad, y en los otros dos lados un poco de salsa de tomate muy espesa y caliente.

Se sirve inmediatamente.

479.—REVUELTO DE HUEVOS, ESPINACAS Y GAMBAS
Receta 358.

480.—HUEVOS REVUELTOS CON PATATAS Y GUISANTES O ESPARRAGOS (6 personas)

8 huevos,
1½ kg. de patatas,
1 kg. de guisantes, o ½ kg. desgranados o de lata,
¾ de litro de aceite (sobrará),
sal.

Pónganse a cocer los guisantes desgranados en abundante agua hirviendo y sal con una pizca de bicarbonato (lo que se puede coger en un pellizco, pues si no se deshace la verdura). Cuando están tiernos, se separan del fuego y se escurren bien.

Mientras se cuecen, se van friendo las patatas peladas, lavadas y secadas, cortadas en cuadraditos más bien pequeños.

Cuando están bien doradas, para lo cual se tarda más o menos unos 15 minutos, se escurren y se dejan en espera. Se quita aceite de la sartén, dejando sólo lo necesario para que no se peguen los huevos, que se vierten previamente batidos y salados. Se mueve rápidamente y, cuando se ponen cremosos, se incorporan los guisantes y seguidamente las patatas fritas reservadas; se mueve muy rápido con un tenedor o una cuchara de madera.

Se sirve en seguida.

Nota.—En vez de guisantes se pueden poner espárragos verdes o blancos, frescos o de lata.

481.—HUEVOS REVUELTOS CON PATATAS PAJA Y BACALAO (A LA PORTUGUESA) (6 personas)

8 huevos,
1¼ kg. de patatas,
¼ kg. de bacalao (sin (desalar),
1 cebolla grande (120 gr.),
1 litro de aceite (sobrará),

Se pela y quitan las espinas al bacalao y se desmenuza muy fino. (Los portugueses lo utilizan crudo; si se prefiere, se puede dar un hervor, es decir, meter los trozos de bacalao en agua fría, y cuando el agua empieza a hervir a borbotones, retirarlo y desmenuzarlo.)

En el aceite se fríen las patatas paja (receta 218) y se van reservando.
En una sartén grande se pone aceite que cubra el fondo (unas 6 cucharadas soperas), se pica muy menuda la cebolla y se fríe hasta que tome un bonito color dorado. Se añaden entonces las patatas, se pone el bacalao desmenuzado y por fin se cascan los huevos. Se revuelve todo muy rápidamente a fuego vivo y cuando los huevos están cuajados se sirve este revuelto en una fuente.

482.—HUEVOS REVUELTOS CON TOMATES (6 personas)

9 huevos,
6 triángulos de pan de molde fritos.
Salsa de tomate:
  1 kg. de tomates maduros,
  2 cebollas medianas (200 gr.),

3 cucharadas soperas de aceite frito,
½ cucharada (de las de café) de azúcar,
sal.

Se hace la salsa de tomate espesa, receta 63. Se reserva al calor.
Se fríen los triángulos de pan de molde y también se reservan al calor.
Se baten bien los huevos durante 2 minutos, se agrega sal y se ponen al baño maría solos (sin leche ni mantequilla). Cuando están en su punto, es decir, cremoso espeso, se mezclan con el tomate en el mismo cazo y se sirven en seguida con unos triángulos de pan frito adornando la fuente.

483.—HUEVOS REVUELTOS CON QUESO RALLADO (6 personas)

12 huevos,
40 gr. de mantequilla,
  5 cucharadas soperas de leche fría,

100 gr. de queso rallado (gruyère o parmesano),
sal,
unos triángulos de pan de molde fritos.

Se baten muy bien los huevos durante un minuto, se añade la leche, la mitad de la mantequilla y el queso rallado. Se bate otro poco y se pone el cazo al baño maría. Cuando están en su punto, es decir, de crema espesa, fuera del fuego se añade el resto de la mantequilla, moviendo bien y probando de sal, por si a pesar del queso rallado quedase soso. Se sirve en fuente de metal o porcelana, que se tendrá previamente al calor para que los huevos no se enfríen, y se ponen los triángulos de pan alrededor de la fuente.

484.—MANERA DE HACER LAS TORTILLAS

Se cuentan 2 huevos por persona.
Aunque para ir más de prisa se pueden hacer las tortillas para varias personas, nunca se harán de más de 5 huevos de una vez.

En una sartén de tamaño adecuado al número de huevos que se vayan a hacer se pone aceite fino, lo suficiente para que cubra bien el fondo (si no se agarra la tortilla). Se pone a fuego vivo. Mientras se calienta, se baten muy fuerte los huevos durante un minuto y se añade sal. Se vierte en la sartén y se deja cuajar un poco moviendo la sartén por el mango. Con un tenedor se desprenden los bordes y, cuando se ve que al mover la sartén se desprende la tortilla, entonces rápidamente, ayudándose con el tenedor o con una espumadera, se inclina la sartén y se dobla la tortilla, dándole bonita forma. Se manda a la mesa inmediatamente.

Hay quien agrega al batir los huevos un poco de leche, en la proporción de una cucharada sopera por cada tres huevos. Así cunde un poco más.

485.—TORTILLA A LA FRANCESA (2 personas)

4 huevos,
3 cucharadas soperas de aceite,

½ cucharada de perejil picado,
sal.

Se procede como en la explicación anterior, añadiendo únicamente el perejil en el momento de batir los huevos.

486.—TORTILLA SOUFFLE CON PEREJIL O QUESO RALLADO (2 personas)

3 huevos,
3 cucharadas soperas de aceite,
½ cucharada (de las de café) de perejil picado o

2 cucharadas soperas de queso gruyère rallado,
sal.

Se procede como en la receta 484, pero se reservan dos de las claras, que se baten a punto de nieve. Cuando están batidas y firmes, se bate con tenedor el huevo entero y las 2 yemas y, una vez batidas, se incorporan las claras a punto de nieve y el perejil. Se procede desde aquí como siempre.

Para variar, en vez del perejil se baten con los huevos 2 cucharadas soperas de queso rallado (gruyère) fresco, y se procede igual que anteriormente.

487.—TORTILLA CON QUESO RALLADO, JAMON Y CUSCURROS DE PAN FRITO (6 personas)

6 huevos,
50 gr. de queso gruyère recién rallado,
150 gr. de jamón serrano,
½ vaso (de los de vino) de leche fría,

2 rebanadas de pan,
1 vaso (de los de agua) lleno de aceite (¼ litro) (sobrará),
sal.

Se cortan las rebanadas de pan en cuadraditos pequeños y, en una sartén con el vaso de aceite bien caliente, se fríen. Se escurren cuando están dorados y se reservan. Se pica el jamón bastante menudo.

En una ensaladera se baten muy bien los huevos (incluso con el aparato de montar las claras). Se agregan entonces el queso rallado, la leche y el jamón, y algo de sal (poca, por el queso y el jamón). Se pone aceite (del de freír el pan) de forma que cubra el fondo de la sartén, pero sin que sobre mucho. Se vierte la mezcla de la ensaladera en la sartén. Se deja que se haga un poco la tortilla y se esparcen los cuscurros de pan. Cuando la tortilla se va cuajando del lado que toca la sartén, pero que aún está algo líquida por dentro (unos 15 minutos), se dobla en dos y se pasa a la fuente donde se vaya a servir, escurriéndola desde la sartén.

488.—TORTILLA DE JAMON (2 personas)

4 huevos,
3 cucharadas soperas de aceite,

30 gr. de jamón serrano.

Se pica en cuadraditos pequeños el jamón serrano, se fríe un poquito en el aceite caliente de la tortilla y se retira con la espumadera en un plato.
Se echan entonces los huevos batidos durante un minuto, se añade el jamón (se pone muy poca sal, pues el jamón sala bastante) y se procede como en la receta 484.
Si el jamón estuviese muy salado, se pone a desalar unos 10 minutos en leche templada. Se saca y se seca con un paño limpio y se emplea normalmente.

489.—TORTILLA DE CHAMPIÑONES O ESPARRAGOS, O ESPINACAS, O TRUFAS, O GAMBAS (2 personas)

3 huevos,
100 gr. de champiñones, unas puntas de espárragos, un resto de espinacas cocidas

(como 50 gr.), 2 trufas o 100 gr. de gambas peladas,
3 cucharadas soperas de aceite,
sal.

Los espárragos o las espinacas se tendrán previamente cocidos y después se rehogan con unos 20 gr. de mantequilla (para las espinacas, un poco más). Cuando están calientes, se va haciendo la tortilla y se coloca en el centro los espárragos o las espinacas, doblando la tortilla cuando está en su punto.
Las gambas se van haciendo en mantequilla y un poco de sal un ratito antes. Cuando están en su punto y una vez batidos los huevos, se añaden antes de verter éstos en la sartén.
Si sobrase mantequilla, se escurre para que no engrase la tortilla por dentro.
Los champiñones se preparan, receta 424.
Las trufas se cortan en rebanadas finas y se calientan previamente con un poco de mantequilla y una cucharada sopera de vino de Madera. Una vez preparadas, se baten los huevos y, escurriendo la salsa, se añaden a los huevos y se procede como siempre.

490.—TORTILLA DE ATUN ESCABECHADO (2 personas)

4 huevos,
50 gr. de atún escabechado,
1 cebolla pequeña (pelada y picada),

5 cucharadas soperas de aceite,
sal.

En una sartén pequeña se ponen 2 cucharadas de aceite; cuando está caliente, se rehoga la cebolla picada durante unos 5 minutos; antes de que se dore, se agrega el atún en escabeche y se mezcla bien con la cebolla, deshaciendo el atún con un tenedor o una espumadera.

Después, en otra sartén se ponen las 3 cucharadas de aceite; cuando está caliente, se vierten los huevos previamente batidos durante un minuto, con sal (poca, por el escabeche que ya está salado). Cuando se va cuajando se pone la mezcla de escabeche y cebolla en el centro y se dobla la tortilla como de costumbre, sirviéndose en seguida.

Nota.—Se puede servir con salsa de tomate alrededor de la tortilla.

491.—TORTILLITAS RELLENAS DE BERENJENAS (6 personas)

8 huevos,
¼ kg. de cebolla,
½ kg. de berenjenas,
3 cucharadas soperas de aceite,
1 cucharada sopera colmada de harina,
50 gr. de queso gruyère rallado,
1 vaso (de los de agua) bien lleno de leche,
sal.

Salsa de tomate:
3 cucharadas soperas de aceite,
100 gr. de cebolla,
1½ kg. de tomates,
1 cucharada (de las de café) de azúcar,
sal.

Se hace la salsa de tomate, receta 63.

Se pasan por la máquina de picar la carne las berenjenas peladas y crudas. En una sartén se pone el aceite y la cebolla muy picada con la berenjena. Cuando están bien fritas, se añade la harina, la leche y la sal. Se hace una bechamel espesa con esto.

Aparte, en una sartén pequeña, se van haciendo unas tortillitas (2 por persona) pequeñas que se rellenan de la bechamel hecha anteriormente. Se van colocando, a medida que se hacen, en una fuente que vaya al horno. Una vez colocadas todas las tortillitas, se cubren con la salsa de tomate y el queso rallado y se meten al horno unos 15 minutos, hasta que el queso esté dorado.

Se sirven en la misma fuente.

Nota.—Este mismo plato se hace con gambas. Se añaden a la bechamel las colas de gambas crudas y partidas en dos si son grandes. Se cuece algo más de tiempo la bechamel, pues las gambas sueltan agua y la aclaran. Por lo demás, se procede igual.

492.—TORTILLA DE PATATAS A LA ESPAÑOLA (6 personas)

8 huevos,
1 kg. de patatas,

2 vasos (de los de agua) de aceite (½ litro) (sobrará), sal.

Se lavan las patatas, una vez peladas, y se secan con un paño; se parten en dos a lo largo y después se cortan en láminas finitas. Se pone el aceite en la sartén a calentar y se fríen las patatas, moviéndolas de vez en cuando y echándoles un poco de sal.
Una vez fritas (más o menos doradas, según gusten), se separan y se ponen a escurrir en un colador grande. Se quita el aceite sobrante de la sartén.
Aparte se baten los huevos con tenedor y muy fuerte; se pone un poco de sal; en el mismo plato de los huevos se echan las patatas y se mueven con un tenedor.
En una sartén grande (o en dos pequeñas) se ponen 3 cucharadas soperas de aceite para que sólo cubra el fondo. Cuando está caliente se vierte la mezcla de huevos y patatas. Se mueve la sartén por el mango para que no se pegue la tortilla. Cuando se vea que está bien despegada y dorada (esto depende del gusto de cada cual), se pone una tapadera encima, se vuelca la sartén y se escurre suavemente la tortilla otra vez en la sartén. Se vuelve a mover por el mango y cuando esté cuajada (a gusto) se pasa a una fuente redonda y se sirve.
Nota.—Se puede servir la tortilla de patatas fría y acompañada de mayonesa. Esta la puede cubrir, o se sirve aparte en salsera.

493.—TORTILLA DE PATATAS GUISADA (6 personas)

1.300 kg. de patatas,
8 huevos,
½ litro de aceite (sobrará), sal.
Salsa:
4 cucharadas de aceite,
1 cebolla mediana (100 gr.),
1½ cucharada sopera de harina,

¾ litro de agua (3 vasos de los de agua),
unas hebritas de azafrán,
1 cucharada sopera de perejil picado,
1 latita de guisantes (100 gr.),
100 gr. de jamón serrano picado, sal.

Se hace la tortilla de patatas con algo más de patata, para que quede más gruesa (receta 492). Se reserva al calor en la sartén.

Salsa:

Se pone en una sartén o un cazo el aceite a calentar; cuando está caliente se le añade la cebolla pelada y picada. Se dan unas vueltas hasta que se empieza a poner dorada (unos 7 minutos); se agrega la harina, se revuelve un par de minutos y poco a poco se añade el agua fría.
En un mortero se machacan las hebras de azafrán y se deslíen con un poco de salsa. Se añade esto a la sartén; se da un hervor de 5 minutos y se cuela esta salsa por el pasapurés. Se vuelve a

poner en el cazo o sartén, y se incorpora el jamón, dejándolo cocer otros 5 minutos muy despacio. Se echan los guisantes y se sala, teniendo en cuenta que el jamón está bastante salado.

Ahora se puede proceder de dos maneras:

1.ª) Se echa esta salsa por encima de la tortilla y se cuece despacio unos 3 minutos. Se vuelca la tortilla en la fuente donde se vaya a servir con la salsa por encima y se corta toda la tortilla en cuadrados.

2.ª) Se pone la tortilla seca en la fuente, se corta y se vierte la salsa por encima sin que cueza la tortilla. Así queda la tortilla más seca por dentro.

494.—TRES PISOS DE TORTILLAS CON SALSA DE TOMATE (6 personas)

Salsa de tomate:
1 kg. de tomates maduros,
3 cucharadas soperas de aceite frito,
1 cucharada (de las de café) de azúcar,
sal.

Tortillas:
12 huevos,
¾ kg. de patatas (4 grandes),
atún al natural (una lata de 150 gr.),
guisantes (una lata de ½ kilogramo),
100 gr. de jamón serrano,
½ litro de aceite,
sal.

Se hace la salsa de tomate (receta 63) y se reserva al calor.

Se pelan y lavan las patatas. Se secan y se cortan en láminas. En una sartén se pone como 1 vaso (de los de agua) de aceite y se fríen las patatas. Con 4 huevos se procede a hacer una tortilla de patata corriente como va explicado en la receta 492. Una vez hecha, se pone en la fuente donde se vaya a servir y se reserva al calor.

Con otros 4 huevos y en la misma sartén donde se ha hecho la tortilla de patatas (para que tengan el mismo tamaño de diámetro) se procede a hacer la tortilla de escabeche. Se baten los huevos con un tenedor, se salan, se les añade el atún bien escurrido y desmenuzado y se vierten en la sartén, que tendrá un fondo de aceite. Se procede entonces igual que para la tortilla de patatas. Una vez cuajada se coloca encima de la anterior.

Con los 4 últimos huevos se hace otra tortilla con los guisantes y el jamón muy picadito. Se baten los huevos con un tenedor, se añaden los guisantes y el jamón, se sala muy poco (pues el jamón ya está salado) y se hace igual que las anteriores tortillas. Se coloca esta tercera encima de las otras dos. Se cubre todo con la salsa de tomate y se sirve en seguida.

Nota.—La base tiene que ser siempre una tortilla de patata, pero las otras dos pueden variar como se quiera; por ejemplo, en vez de atún se pueden poner gambas, y en vez de guisantes espárragos, o chorizo, etc.

495.—FLAN DE HUEVOS CON SALSA DE TOMATE (6 a 8 personas)

4 cucharadas soperas de harina,
40 gr. de mantequilla,
2 cucharadas soperas de aceite fino,
2 vasos bien llenos (de los de agua) de leche fría,
5 huevos,
1 clara,
nuez moscada o pimienta molida,
sal.

Salsa de tomate:
1 kg. de tomates bien maduros,
1 cucharada sopera de aceite frito,
1 cucharada (de las de café) de azúcar,
sal.

Se hace la salsa de tomate (receta 63) y se reserva.

Se unta una flanera (de unos 18 cm. de diámetro) con una tercera parte de la mantequilla, que quede muy untada, y se reserva.

En una sartén se pone a calentar el resto de la mantequilla con el aceite. Una vez derretida la mantequilla se añaden las 4 cucharadas de harina, dando vueltas con unas varillas, sin que tome color la harina. Se va echando poco a poco la leche fría, la sal y un poco de nuez moscada rallada. Se dan vueltas hasta que cueza la bechamel y quede bastante espesa (unos 10 minutos). Se deja templar fuera del fuego y se añaden las 5 yemas, una por una.

Se puede incorporar a la bechamel del flan unas colas de gambas (¼ kg.) o un picadito de jamón serrano o de York (150 gr.). Esto la mejora mucho.

Se baten las 6 claras a punto de nieve muy firme, con un pellizco de sal, y se incorporan por tandas, moviendo justo lo necesario para que queden mezcladas con la bechamel, que se vierte en la flanera.

Se tendrá el horno encendido 5 minutos antes y con agua hirviendo, se pone la flanera al baño maría a fuego mediano durante una hora, más o menos.

En el momento de ir a servir el flan se pasa un cuchillo todo alrededor del mismo y se vuelca en la fuente donde se va a servir, dejando la costra formada arriba contra la fuente. Se cubre con salsa de tomate caliente y se manda en seguida a la mesa.

Nota.—Se puede cubrir también con una bechamel clarita con 2 ó 3 cucharadas soperas de salsa de tomate (o una cucharada sopera de concentrado de tomate). O haciendo la bechamel con la mitad de leche y la mitad de caldo.

496.—FLAN SALADO (6 personas)

8 huevos,
5 cucharadas soperas de buen jerez,
3 vasos (de los de agua) de leche templada,
100 gr. de jamón serrano muy picado,
20 gr. de mantequilla o 2 cucharadas soperas de aceite fino,
sal y nuez moscada.

Salsa bechamel:
1 cucharada sopera de harina,
1 vaso (de los de agua) bien lleno de leche fría,
20 gr. de mantequilla,
2 cucharadas soperas de aceite fino,
1 cucharada sopera de concentrado de tomate, o
2 cucharadas soperas de salsa de tomate espesa,
sal.

Con la mantequilla (o el aceite fino) se unta un molde que forme corona, o una flanera. En una ensaladera se baten bien los huevos, se les añade el jamón muy picado, el jerez, sal (no mucha, pues el jamón está salado) y un poco de nuez moscada. Se bate todo junto y se añade poco a poco la leche templada (no caliente). Una vez bien mezclado todo, se pone en un molde en forma de corona y se mete al horno mediano (pero no al baño maría) para que se cuaje, durante unos 30 a 40 minutos. Mientras está el flan en el horno se hace la bechamel (receta 67). Se le agrega tomate, se revuelve bien y se reserva al calor.
Cuando el flan está cuajado se vuelca en una fuente y se rellena el centro con la bechamel. Se sirve en seguida.
Nota.—A este flan se le puede añadir en el momento de ir a servirlo, todo alrededor, champiñones frescos cortados en trozos grandes y salteados con mantequilla, zumo de limón y sal (receta 424).

497.—SOUFFLE DE QUESO (6 a 8 personas)

4 cucharadas soperas rasadas de harina,
4 cucharadas (de las de café) de fécula de patata,
100 gr. de mantequilla,

½ litro de leche (2 vasos de los de agua),
100 gr. de gruyère rallado,
5 huevos enteros,
3 ó 4 claras de huevo,
un poco de sal.

En una sartén o un cazo se ponen 75 gr. de mantequilla. Cuando está derretida se añade la harina y la fécula, se dan un par de vueltas con las varillas y se agrega el ½ litro de leche fría, dejando que rompa a hervir y dando vueltas continuamente. Se cuece unos 5 minutos. Se separa del fuego y se añade entonces el queso rallado, moviendo para que quede bien incorporado. Una vez templada la bechamel se añaden una por una las 5 yemas, se prueba de sal y se rectifica si hace falta. Se baten las claras en varias veces para que queden bien montadas y duras. Las primeras se incorporan bien y las segundas muy poco a poco, moviendo lo menos posible para que el soufflé suba mucho.
Se unta una fuente de borde alto, de porcelana o cristal resistente al horno, con los 25 gr. de mantequilla. Se calienta el horno unos 10 minutos antes y se vierte la masa en la fuente. Se mete

en el horno que estará encendido sólo abajo, y a fuego mediano primero, más fuerte pasados 20 minutos. Se deja unos 30 a 45 minutos más o menos (depende del horno), y, una vez bien subido y dorado por arriba, se sirve inmediatamente. Este plato no puede esperar ni un momento, pues el soufflé, cuando pasa su punto, se baja y no tiene vista.

Nota.—El principio de los soufflés es siempre el mismo, únicamente varía la materia que le da el gusto. Para hacerlo de gambas hay que contar ½ kg. de éstas, de las cuales no se utiliza más que las colas, que se ponen en un cazo con unos 25 gr. de mantequilla y sal. Se tapa y se dejan a fuego mediano unos 6 a 8 minutos. Después se incorporan las colas y el jugo que han soltado a la bechamel.

498.—FLANECITOS CON SALSA DE TOMATE (6 personas)

7 huevos,
8 cucharadas soperas de leche fría,
25 gr. de mantequilla,
sal y nuez moscada,

Salsa de tomate:
¾ kg. de tomates maduros,
3 cucharadas soperas de aceite frito,
1 cucharada (de las de café) de azúcar,
sal.

Se hace la salsa de tomate de antemano (receta 63) y se reserva.

En una ensaladera se baten los 7 huevos con las varillas de montar las claras (a mano), se les añade la leche fría, la sal y un poco de nuez moscada rallada. Se untan con la mantequilla las flaneritas individuales. Se vierte la mezcla en las flaneras.

Se calienta previamente el horno durante unos 10 minutos. Se ponen las flaneritas al baño maría (con el agua caliente) y se meten a horno mediano durante unos 15 minutos. Se pone la salsa de tomate en la fuente de servir y sobre la salsa se vuelcan los flanecitos. Se sirven en seguida.

Nota.—Se puede sustituir la salsa de tomate por una bechamel rosada hecha con:

25 gr. de mantequilla,
1 cucharada sopera de aceite fino,
1 cucharada sopera colmada de harina,
1½ vaso (de los de agua) de leche fría,

1 cucharada (de las de café) de concentrado de tomate (o 2 cucharadas soperas de salsa de tomate espesa),
sal.

Receta 68.

499.—SOUFFLE DE PATATAS (6 personas)

1¼ kg. de patatas,
agua fría,
¼ litro de leche caliente (1 vaso de los de agua),

70 gr. de mantequilla,
4 huevos enteros,
3 claras de huevo,
nuez moscada y sal.

Se ponen las patatas, peladas, cortadas en trozos grandes y lavadas, en un cazo, se cubren de agua fría y se les echa sal. Cuando rompe el hervor, se dejan cociendo de 20 a 30 minutos (según la clase de patata; hay que pincharlas con un cuchillo para ver si están blandas y, por lo tanto, cocidas).

Se escurren en un colador grande y se pasan por el pasapurés. Se agrega en seguida 50 gr. de mantequilla en varios trozos para que se derrita mejor en el puré, y se añade después, poco a poco, la leche caliente, dando vueltas con una cuchara de madera. Se unta una fuente con borde alto con mantequilla (20 gr.) y se enciende el horno para que esté caliente.

Se añaden las 4 yemas de huevo al puré, un poco de nuez rallada, dando vueltas y después las claras con un pellizco de sal, batidas a punto de nieve muy firmes. (Es mejor batirlas en dos tandas.) Se incorporan al puré removiendo poco, lo justo para incorporarlas sin que se bajen. Se vierte este preparado en la fuente y se mete en el horno caliente de ¾ a una hora, encendido abajo. Si 10 minutos antes de finalizar el tiempo de cocerse el soufflé no está dorado por arriba, se enciende el horno general, es decir, arriba y abajo. Se sirve en seguida en su misma fuente.

500.—SOUFFLE CON ARROZ BLANCO (6 personas)

1 plato sopero (no lleno) de arroz blanco cocido (unas 20 cucharadas soperas),
4 yemas de huevo,
6 claras,
100 gr. de queso gruyère rallado,
50 gr. de mantequilla,
2 cucharadas soperas de aceite fino,
3½ cucharadas soperas de harina,
¾ litro de leche fría,
sal.

Se aprovecha un resto de arroz blanco ya cocido pero aún no rehogado.

Se hace una bechamel (en una sartén se calienta la mitad de la mantequilla y el aceite, se echa la harina, se dan unas vueltas y, poco a poco, se añade la leche fría, moviendo con unas varillas. Se sala ligeramente y se cuece unos 8 minutos).

Una vez hecha la bechamel se aparta del fuego, y cuando está templada se añaden las yemas, de una en una, luego la mitad del arroz y casi todo el queso rallado (reservando un poco). Se ponen unos trocitos de mantequilla como avellanas encima. Cuando se vaya a meter en el horno se emplea lo que queda de mantequilla para untar la fuente de borde alto donde se vaya a hacer el soufflé (porcelana o cristal resistente al fuego).

Se montan muy firmes las claras con un pellizco de sal; se mezcla el resto del arroz y se vierte esto en la bechamel, moviendo muy delicadamente para que, quedando mezclado, no se bajen las claras. Se espolvorea con el resto de queso rallado y se mete al horno. Este se calentará previamente durante 10 minutos, primero a fuego mediano y, después de unos 20 minutos, se pone más fuerte y se deja hasta que esté bien dorado y subido, unos 15 minutos más o menos.

Se sirve inmediatamente en su misma fuente.

PESCADOS

Todo el pescado se debe lavar con agua fresca y al chorro del grifo. Se debe secar inmediatamente con un trapo muy limpio.

501.—CALDO CORTO CON VINO BLANCO

Para 1 kg. de pescado, más o menos, se suele poner:

agua fría abundante,
1 hoja de laurel,
1 trozo de cebolla pelada (40 gr. más o menos),
1 zanahoria grande, raspada la piel, lavada y cortada en rodajas,

1 vaso (de los de vino) de vino blanco bueno,
zumo de ½ limón (para que no se deshaga el pescado),
sal.

Se cuecen todos estos ingredientes juntos durante unos 10 minutos y se retira del fuego, dejando que se enfríe.
Cuando se va a cocer el pescado, se pone este caldo corto en la pesquera (cacerola alargada con una rejilla). Se colocan las zanahorias, cebolla, etc. debajo de la rejilla. Se pone el pescado en la rejilla y se sumerge. Si el caldo corto no cubre bien el pescado, se puede añadir agua fría.
Se pone la pesquera a fuego mediano, cubriéndola con su tapa-

dera. Si rompiera el hervor muy rápidamente, se abrirá el pescado.

Si el pescado que se cuece es plano (lenguados, etc.), una vez que empieza a hervir el agua a borbotones se apaga el fuego y se deja dentro del agua un ratito (5 a 10 minutos). Si el pescado es ancho (merluza, etc.) se baja el fuego y se cuece despacio unos minutos más. Cuando está, se saca la rejilla, se pone al bies encima de la pesquera, para que escurra pero sin enfriarse, y se cubre con un paño limpio mojado en agua bien caliente y estrujado. Se puede tener así un ratito en espera.

502.—CALDO CORTO CON VINO TINTO O VINAGRE

Se prepara exactamente igual que el anterior, sustituyendo el vino blanco por tinto o por vinagre (de vino tinto).
Este caldo corto se utiliza para dar color y sabor a la carne del pescado, por ejemplo, para las truchas, el lucio, etc.

503.—CALDO CORTO ESPECIAL

Receta 645.
Para el salmón, las truchas asalmonadas, etc.

504.—CALDO CORTO CON LECHE

1½ litro de agua fría,
1 vaso (de los de agua) de
  leche cocida y fría,

½ limón en rodajas sin piel,
1 hoja de laurel,
  sal.

Estas cantidades son sólo para orientación.
El caldo corto siempre debe ser abundante y cubrir todo el pescado. Se aumentará según haga falta.
Se prepara todo en frío, se sumerge el pescado y se pone al fuego sin cocerlo previamente como los anteriores.
Este caldo corto se emplea sobre todo para pescados del tipo del rodaballo, raya, etc.

505.—MANERA DE PREPARAR LA ANGUILA

Para que la anguila sea buena debe estar viva. Hay que tener mucho cuidado, pues siendo así se escapan con mucha facilidad. Se agarra por la cola con un trapo y se le da un fuerte golpe en la cabeza con algo duro.
Para quitarles la piel se da un corte alrededor de la cabeza, y con un trapo se agarra la piel y se tira hacia la cola. Debe salir entera. Después se corta la cabeza y la cola. Se hace un corte en la tripa y se vacían los intestinos. Se lava bien con agua fría y se corta en trozos.

506.—ANGUILA FRITA (6 personas)

1½ kg. de anguilas más bien
  pequeñas,
½ litro de vinagre,
½ litro de aceite (sobrará),
  harina en un plato,

2 dientes de ajo picados,
2 cucharadas soperas de perejil picado,
sal y pimienta.

Se pone la anguila en adobo por lo menos 4 horas, en vinagre. Se
saca y con un paño limpio se seca muy bien. Se salan los trozos,
se pasan por harina y se fríen. Se quita casi todo el aceite de
freír que sobra en la sartén y se ponen todos los trozos de anguila, se espolvorean con el ajo, perejil y pimienta. Se saltean
un poco y se sirven en seguida.

507.—ANGUILA A LA MARINERA (6 personas)

1½ kg. de anguilas medianas,
1 cebolla mediana (80 gr.),
½ litro de vino blanco,
½ vaso (de los de agua) de
  agua,
1 cucharada de harina,
2 cucharadas soperas de aceite,

1 pellizco de hierbas aromáticas,
1 cucharada sopera de perejil
  picado,
1 diente de ajo picado,
sal y pimienta.

Se prepara, pela y corta la o las anguilas, según está explicado
anteriormente (receta 505).
Se pela y pica la cebolla, se pone en una cacerola, se echan
encima los trozos de anguila, se rocían con el vino blanco que
debe medio cubrir los trozos de pescado, se echa sal y pimienta
y se cuece a fuego vivo unos 10 minutos.
En una sartén pequeña se pone a calentar el aceite, se le agrega
la harina, se le da unas vueltas, se añade poco a poco el agua
fría y después algo del caldo de cocer las anguilas.
Se cuece esta salsa un par de minutos y se vierte sobre las
anguilas que están en la cacerola (esto se hace con la cacerola
retirada del fuego). Se mueve con cuidado para que se quede
todo mezclado y se vuelve a cocer unos 10 minutos, más o menos,
moviendo la cacerola por las asas de vez en cuando.
Se sirve en seguida en una fuente algo honda, espolvoreando el
pescado con el ajo y perejil picados.

508.—ARENQUES AHUMADOS PARA ENTREMESES

Se compran unos arenques ahumados, enteros o en filetes. Si
son enteros hay que quitarles la espina. Se cortan en tiras de un
dedo de ancho. Se van poniendo en una terrina de porcelana o de
cristal, con tapadera. Se pone una capa de aceite fino en el
fondo, una capa de filetes de arenques, se espolvorea con perejil y cebolla muy picados, y se alternan las capas de arenque
y la cebolla y perejil. Se cubre bien con aceite fino, se tapa con

la tapadera y se pone en un sitio fresco (pero no en la nevera) durante 8 días. Pasado este tiempo, ya se pueden consumir tal como salen.

509.—ARENQUES ASADOS, SERVIDOS CON SALSA DE MOSTAZA (6 personas)

6 arenques de ración frescos, aceite y sal.
Salsa de mostaza:
80 gr. de mantequilla,
 1 cucharada sopera de harina fina,

1 vaso (de los de agua) de agua caliente,
2 yemas de huevo,
1 ó 2 cucharadas (de las de café) de mostaza, sal.

En la pescadería se manda quitar la espina central.
Se salan por dentro y por fuera ligeramente. Con una brocha plana se les pasa aceite en el centro, después se cierra, se hacen un par de tajos en el lomo y se unta bien con aceite por los dos lados. Se enciende el horno con un poco de anticipación y se ponen en la parrilla. Mientras tanto se hace la salsa de mostaza (receta 77).
Cuando están asados (unos 20 a 30 minutos), se colocan con cuidado en una fuente caliente y se sirven con la salsa de mostaza en salsera aparte.

510.—ARENQUES ASADOS CON ANCHOAS (6 personas)

6 arenques de ración,
3 cucharadas soperas de aceite,
2 latas pequeñas de anchoas en aceite,
50 gr. de mantequilla,

8 ramitas de perejil,
1 cucharada (de las de café) de mostaza,
sal (si hiciese falta).

Se mandan limpiar los arenques en la pescadería. Después, en casa, se lavan con agua y se secan muy bien con un paño limpio.
De las latas de anchoas se reservan 12 filetes para adornar los arenques. En el mortero se machacan las demás, escurridas de su aceite, con la mantequilla y 2 ramitas de perejil. Se rellenan las tripas de los arenques con esta pasta y se cierran sujetándolas con un palillo. Se mezcla el aceite con la mostaza, y, con la mitad de esta mezcla, se embadurnan los lomos de los arenques del lado que no se ponen en la parrilla. Se meten a horno mediano hasta que queden bien asados de este lado (unos 10 minutos). Se vuelven con cuidado y se unta el otro lado con el resto del aceite y la mostaza. (Para esta operación se puede utilizar una brocha plana). Se asan bien de este segundo lado, unos 10 ó 15 minutos más. Se colocan en una fuente previamente calentada. Se adornan los lomos de los pescados con un cruzadillo hecho con las anchoas reservadas y se pone un poco de perejil encima. Se sirve en seguida.

511.—ATUN

Siendo este pescado casi igual que el bonito, las mismas recetas sirven para ambos.

512.—GRATINADO DE ATUN DE LATA (6 personas)

1 kg. de mejillones,
1 lata grande (½ kg.) de atún al natural,
3 cucharadas soperas de harina,
2 vasos (de los de agua) de leche fría,
1 vaso (de los de vino) de caldo de los mejillones,
1 vaso (de los de vino) mitad vino blanco y mitad agua,
2 cebolletas frescas, o 2 chalotes grandecitas,
el zumo de 1 limón,
1 cucharada sopera de perejil picado,
3 cucharadas soperas de pan rallado,
50 gr. de mantequilla,
2 cucharadas soperas de aceite fino,
2 yemas de huevo,
2 claras a punto de nieve (facultativo),
sal.

Después de quitarles bien las barbas a los mejillones, se lavan y se ponen en un cazo con el vaso de mitad agua y mitad vino blanco con un poco de sal. Cuando se empiezan a abrir, se quitan los bichos de sus conchas y se cuela el caldo de los mejillones por un colador de tela metálica con un trapo fino y limpio metido en el colador. Si los mejillones son grandes se cortan con unas tijeras y se reservan en su caldo.

En una sartén se pone la mitad de la mantequilla y el aceite a calentar; cuando está derretida se añade la harina y se dan unas vueltas con una cuchara de madera. Poco a poco se añade la leche y se deja cocer esta bechamel unos 10 minutos. Se agrega entonces el atún (bien escurrido de su jugo) desmenuzado, los mejillones con el vaso de su caldo, el perejil y las cebolletas o chalotes picadas muy menudas. Se prueba y rectifica de sal; se incorpora entonces el zumo de limón, y las 2 yemas disueltas en un poco de salsa para que no se corten, y las claras a punto de nieve muy firme. Estos dos últimos ingredientes mejoran el plato pero no son indispensables. Se reparte en platitos individuales (de huevos al plato, o conchas, o bien incluso en una sola fuente de porcelana resistente al fuego). Se espolvorea con pan rallado y se pone el resto de la mantequilla en trocitos como avellanas.

Se mete al horno a gratinar y, cuando está dorado, se sirve en sus mismos platitos.

513.—MANERA DE DESALAR EL BACALAO

Se escogen los trozos de bacalao que sean bien blancos y con la piel oscura. Que no sean muy gruesos. Se ponen en agua fría unas 12 horas, cambiándoles el agua 4 veces. Para esto se sacan cada vez todos los trozos de bacalao y se lava muy bien el cacharro cada vez, poniéndole agua fresca y volviendo a colocar los trozos de bacalao dentro.

Si se tiene mucha prisa, pero este método no es aconsejable más que para croquetas, brandada, etc..., se pone el bacalao bastante desmenuzado en agua templada. Se cambia unas 3 veces, procediendo igual que anteriormente, pero con unas 3 horas bastará para desalar el bacalao.

514.—BACALAO AL AJO ARRIERO (6 personas)

½ kg. de bacalao más bien grueso y con la piel tirando a clara,
1 vaso (de los de agua) de aceite,
2 cucharadas soperas de aceite (para freír el pimiento),

1 cebolla grande (200 gr.),
3 ó 4 dientes de ajo,
1 lata pequeña de pimientos rojos (de 100 gr.), o
2 pimientos secos puestos a remojo.

Desmigar el bacalao la víspera, guardando la piel, y ponerlo todo en remojo, según se explica anteriormente.
Al ir a hacer el ajo arriero, se saca el bacalao y se seca suavemente, sin estrujarlo, con un paño. Las pieles se cortan con unas tijeras en tiritas finas.
En una cazuela de barro resistente al fuego se pone el aceite a calentar; cuando está caliente se echa la cebolla picada muy menuda, así como los ajos también picaditos. Se fríen despacio (a fuego lento) y sin que se doren (unos 10 minutos). Se agrega entonces la carne de los pimientos remojados.
Luego se echa el bacalao y las pieles y se sacude la cazuela, para que vaya soltando la gelatina, pero sin necesidad de darle vueltas con una cuchara. Añadirle a los 10 minutos el pimiento bien escurrido y dado unas vueltas en una sartén con un poco de aceite. Mezclar todo y dejar a fuego lento una hora, más o menos.

Variación de la receta anterior:

Se prepara como anteriormente el ajo arriero, pero sin ponerle el pimiento. Se baten 2 ó 3 huevos como para tortilla y se echan en el ajo arriero ya hecho, revolviendo todo con rapidez en el fuego hasta que los huevos queden como revueltos con el bacalao.

515.—FRITOS DE BACALAO (6 personas)

1 kg. de patatas,
½ kg. de bacalao,
3 yemas de huevo,
3 claras de huevo,

1 diente de ajo picado,
1 cucharada sopera de perejil picado,
1 litro de aceite (sobrará).

Se lavan bien las patatas sin pelarlas y se ponen a cocer en agua fría con el bacalao (sin desalar). Cuando rompe el hervor, se cuece más o menos durante 30 minutos (hasta que las patatas estén cocidas; para saberlo se pincha con un alambre).

Se escurre todo, se pelan las patatas y se pasan por el pasapurés, después se pasa el bacalao, al cual se le habrán quitado
las espinas y la piel. Una vez pasado todo se revuelve con el ajo
y el perejil y se van añadiendo las yemas de una en una. Se
montan las claras a punto de nieve firme (añadiéndoles un pellizco de sal al montarlas) y se incorporan suavemente a la
masa.
Se forman unas bolitas con dos cucharas y se fríen en aceite
abundante y bien caliente. Se sirven en seguida en una fuente.

516.—BUÑUELOS DE BACALAO CON SALSA DE TOMA-
TE (6 personas)

½ kg. de filetes de bacalao,
1 litro de aceite (sobrará),

Salsa de tomate:
1 kg. de tomates bien maduros,
3 cucharadas soperas de aceite
frito,
1 cucharada (de las de café) de
azúcar,
sal.

Masa de buñuelos:
250 gr. de harina,
1 cucharada sopera de aceite
fino,
1 cucharada sopera de ron o
coñac,
1 cucharada (de las de café)
de levadura Royal,
1 yema de huevo,
2 claras,
sal y agua fría.

Se tendrá el bacalao remojado (receta 513). Una vez remojado,
se cuece de la siguiente manera:
En un cazo se pone agua abundante fría que cubra bien el bacalao; se pone a fuego vivo y cuando rompe el primer hervor
se separa del fuego, se tapa y se tiene así 10 minutos. Pasado
este tiempo se saca del agua, se le quitan las espinas y la piel
y se separa en trozos (escamas) grandecitas.

Masa de los buñuelos:

En una ensaladera se pone la harina mezclada con la sal y la
levadura. Se hace un hoyo en el centro y se pone la yema, el
aceite, el coñac o ron. Se mezclan estos ingredientes y se añade agua hasta que la masa tenga la consistencia de una papilla clara. Se deja reposar unas 2 horas. En el momento de ir a
freír los buñuelos, se baten las 2 claras a punto de nieve firme
(con un pellizco de sal) y se mezclan a la masa con cuidado y
sólo lo justo para que queden las claras incorporadas. Se meten
los trozos de bacalao de 3 en 3 en la masa, se sacan cuando
están bien envueltos y se fríen en aceite caliente (se probará
si está en su punto friendo una rebanada de pan).
Una vez dorados los buñuelos se sacan, se escurren, se conservan
al calor a la boca del horno y se sirven en una fuente con la
salsa de tomate (receta 63) en salsera aparte.

Croquetas de bacalao y patatas

(Véase receta 58)

517.—BOUILLABAISSE DE PATATAS Y BACALAO (6 personas)

1 kg. de patatas rojas (holandesas) (6 a 8),
400 gr. de bacalao,
5 cucharadas soperas de aceite,
2 cebollas medianas (150 gr.),
2 tomates rojos medianos,
3 dientes de ajo,

1 buen pellizco de hierbas aromáticas, o
1 hoja de laurel, una ramita de perejil y una ramita de tomillo,
2 litros de agua fría,
unas hebras de azafrán,
sal.

Se desala el bacalao (receta 513).

En una cacerola se pone el aceite a calentar, se le añade la cebolla muy picada, se da unas vueltas para que se rehogue, pero sólo hasta que esté transparente (5 minutos), se añaden entonces los 3 dientes de ajo pelados y dados un golpe para aplastarlos un poco, se rehogan y se añaden los tomates lavados, pelados, cortados en trozos y quitadas las simientes. Se rehoga todo un poco y se ponen los 2 litros de agua. Se lavan, pelan y cortan las patatas en rodajas de 1 ½ cm. de gruesas y se añaden.

En el mortero se machaca el azafrán y se disuelve con 2 ó 3 cucharadas de caldo de las patatas y se vierte en la cacerola. Estas se cuecen durante unos 15 minutos y entonces se añade el bacalao. Se cuece hasta que estén las patatas tiernas (para saberlo se pinchan con un alambre), más o menos otros 15 minutos a fuego vivo. Se prueba de sal y se rectifica si hace falta.

Se sirve en fuente honda o sopera con unas rebanaditas de pan frito aparte si se quiere, pero esto es facultativo.

518.—BACALAO CON ESPINACAS Y BECHAMEL (6 personas)

2 kg. de espinacas,
500 gr. de bacalao,
1 cebolla mediana (50 gr.),
5 cucharadas soperas de aceite,
50 gr. de queso gruyère rallado,
20 gr. de mantequilla.

Bechamel:
1 ½ cucharada sopera de harina,
25 gr. de mantequilla,
2 cucharadas de aceite fino,
½ litro de leche fría,
sal.

Se desala el bacalao (receta 513). Se pone para cocerlo en una cacerola con agua fría. Se pone a fuego vivo y cuando rompe el hervor se separa del fuego, se cubre con tapadera y se deja 10 minutos. Pasado este tiempo se escurre, se le quita la piel y las espinas y se separa en escamas más bien pequeñas. Se reserva tapándolo con un plato para que no se seque.

Se cortan los tallos de las espinacas y se lavan muy bien. En una olla se pone agua abundante con sal (2 litros por cada kg. de espinacas y 20 gr. de sal). Cuando hierve a borbotones se sumergen las espinacas, empujándolas con una espumadera para que queden bien sumergidas. Se cuecen durante unos 10 minutos, destapadas. Se escurren de su agua en un colador grande y se refrescan al chorro del agua fría, estrujándolas muy bien para que no les quede agua. Se cortan con un machete y se prepara entonces la bechamel como está explicado en la receta 67.

En una cacerola o sartén se pone a calentar el aceite; cuando está, se le añade la cebolla muy picada y cuando se pone transparente (unos 5 minutos) se le agregan las espinacas, y se rehogan bien.

Se unta con mantequilla el fondo de una fuente de cristal, porcelana o barro (resistente al horno) y se ponen las espinacas bien repartidas. Se coloca el bacalao sobre ellas y se cubre con la bechamel espolvoreando con el queso rallado.

Se mete en el horno a gratinar y se sirve cuando la bechamel está bien dorada, en su misma fuente.

519.—BACALAO EN SALSA VERDE (6 a 8 personas)

1 kg. de bacalao en trozos,
1 cebolla grande (150 gr.),
    harina en un plato para rebozar,
¼ litro de vino blanco (1 vaso de los de agua),
½ litro del agua de cocer el bacalao,
unas ramitas de perejil,
1 cucharada sopera de perejil picado,

1 hoja de laurel,
1 diente de ajo,
¾ litro de aceite para freír el pescado (sobrará),
6 cucharadas soperas de aceite para la salsa,
2 cucharadas soperas rasadas de harina,
sal, si hiciese falta.

Se desala el bacalao (receta 513).

Se cuece el bacalao cubriéndolo con agua fría, se pone a fuego vivo y, cuando rompe el hervor, se deja 5 minutos hasta que haga espuma, a fuego más lento. Una vez cocido se escurre bien y se seca con un paño o se estruja bien con las manos. Se pasa por harina cada pedazo y se fríe en aceite caliente. Se reserva en un plato.

En una sartén se ponen 6 cucharadas de aceite y cuando está caliente se pone la cebolla muy picada a rehogar hasta que esté dorada (7 minutos más o menos). Mientras se dora la cebolla se machaca en el mortero el diente de ajo pelado, con un poco de sal y las ramitas de perejil. Se añaden unas 3 ó 4 cucharadas de agua de cocer el bacalao. Se espolvorea harina en la sartén (2 cucharadas rasadas o una colmada), se dan unas vueltas y se añade lo del mortero, el vino blanco, el ½ litro de caldo y una hoja de laurel. Se cuece esta salsa unos 5 a 8 minutos. Se coloca el bacalao en una fuente de cristal, porcelana o barro resistente al fuego. Se vierte la salsa encima pasándola por el chino. Se pone encima del fuego para que cueza otros 10 minutos a fuego lento y se sacude de vez en cuando la fuente para que se trabe bien la salsa. Se espolvorea entonces con el perejil picado y se sirve en la misma fuente en seguida.

520.—BACALAO CON PIMIENTOS Y SALSA DE TOMATE (6 personas)

¾ a 1 kg. de bacalao (2 trozos por persona),
1 lata de pimientos rojos (½ kilogramo),
½ litro de aceite,
1 plato con harina.

Salsa de tomate:
1 kg. de tomates muy maduros,
1 cebolla grande,
3 cucharadas soperas de aceite,
1 cucharada (de las de café) de azúcar,
sal.

Se hace la salsa de tomate más bien clara (receta 63).
Se tendrá el bacalao cortado en trozos más bien grandes, en remojo según se ha explicado en la receta 513.
Se escurre bien y se envuelve cada trozo con una tira de pimiento de lata (o asado previamente) de un dedo de ancho, que se sujetará con un palillo. Se pasa por harina cada trozo y se fríen de cuatro en cuatro, para que no tropiecen demasiado unos con otros. Se van poniendo a medida que están fritos en una fuente de barro, porcelana o cristal (resistente al fuego). Se vierte por encima la salsa de tomate y se pone a fuego lento durante unos 20 minutos, sacudiendo de vez en cuando la fuente para que se trabe bien la salsa.
Se sirve en la misma fuente.

521.—BACALAO CON PATATAS Y MAYONESA (6 personas)

½ kg. de patatas,
½ kg. de bacalao,
½ litro de leche,
¾ litro de aceite (sobrará),
1 plato con harina,

Mayonesa (hecha con la batidora):
2 huevos enteros,
½ limón (zumo),
la punta de un cuchillo de mostaza (facultativo),
½ litro de aceite fino,
sal.

Se hace la mayonesa (receta 94).
Se tendrá el bacalao desalado (receta 513). Una vez desalado se mete una hora en leche fría o templada, separando en escamas grandes los trozos y quitadas las espinas y la piel. Se saca de la leche y se escurre bien, se pasa por harina ligeramente y se fríe.
Mientras tanto se habrán lavado y puesto a cocer las patatas con su piel, en agua fría con sal, unos 30 minutos más o menos (se pinchan con un alambre para saber si están en su punto). Se

pelan y cortan en trozos grandes. Se ponen alrededor de la fuente y el bacalao en el centro. Se sirven en seguida con la mayonesa cubriendo la fuente o en salsera aparte.

522.—BACALAO CON PURE DE PATATAS Y MAYONESA, AL HORNO (6 personas)

Puré:
1 kg. de patatas,
1½ vaso (de los de agua) de leche caliente,
40 gr. de mantequilla,
agua y sal.
Bacalao:
¾ kg. de bacalao,
agua.

Mayonesa:
2 huevos,
¾ litro de aceite fino,
zumo de 1 limón,
sal.

Se hace la mayonesa en la batidora (receta 94).
Se lavan las patatas y, sin pelar, se ponen en un cazo bien cubiertas de agua fría, se les echa sal y se cuecen 30 minutos más o menos. Se pinchan con un alambre y cuando están cocidas se escurren, se pelan y se pasan por el pasapurés. Se les añade el trozo de mantequilla, se mueve un poco y se les vierte poco a poco la leche caliente. Tiene que quedar el puré un poco espeso, por lo cual habrá que rectificar quizá la cantidad de leche, pues, según la clase de patata, absorbe más o menos. También se puede hacer con puré de patatas en caja (Maggi, etc.); hará falta entonces un paquete y medio.
El bacalao se habrá desalado según la receta 513. Se pondrá cubierto de agua fría y a fuego vivo; en cuanto rompe el primer hervor se aparta y se tiene 10 minutos. Se saca del agua, se le quitan las espinas y la piel y se parte en escamas grandecitas. En una fuente de cristal o porcelana (resistente al fuego) se pone el puré de patatas todo alrededor y en el centro de la fuente el bacalao de manera que quede hueco. Se cubre todo con la mayonesa, que debe ser abundante. Con un poco de papel de plata (o aluminio) se hace una chimenea, enrollando el papel en un dedo. Esta chimenea se planta en un lado de la fuente. Se mete a horno suave unos 20 minutos hasta que se dore. Se vuelca un poco la fuente, para que por el agujero del tubo de papel de plata salga el líquido sobrante, y, si no, se quita con una cuchara.
Se sirve en seguida en la misma fuente.

523.—BACALAO CON PATATAS PAJA Y HUEVOS REVUELTOS (6 personas)

½ kg. de patatas,
350 gr. de bacalao,
4 huevos,
3 cebollas (½ kg. más o menos),

¾ de litro de aceite (sobrará),
5 cucharadas soperas de aceite,
sal.

Se desmenuza el bacalao y se lava bien al chorro.

Se pelan las patatas y se lavan enteras; después se cortan pajas no muy finas por la «moulinette» o cualquier aparato o cuchillo especial.

Se pone a calentar el aceite en una sartén profunda y se fríen bien doradas, pero por tandas, pues si no se apelotonan.

Una vez fritas, se separan y se dejan en espera. En la misma sartén se deja un poco de aceite en el fondo (4 ó 5 cucharadas soperas), se calienta y se rehoga la cebolla pelada y cortada en aros finos. Se deja dorar ligeramente (unos 8 minutso), se le incorpora el bacalao y se rehoga igualmente. Se cascan allí mismo los huevos y con un tenedor se revuelven rápidamente como para huevos revueltos. Cuando están empezando a cuajarse pero aún están cremosos, se les añaden las patatas fritas. Se sala ligeramente y se dan un par de vueltas rápidas y se vierte en una fuente, donde se servirá en seguida para que no se ablanden las patatas.

524.—BRANDADA DE BACALAO CON PURE DE PATATAS (6 personas)

½ kg. de bacalao,
½ kg. de patatas,
1 vaso (de los de agua) no lleno de aceite fino,

¼ litro de leche (1 vaso de los de agua),
6 rebanaditas de pan,
1 diente de ajo,
sal.

Se pone en remojo el bacalao, receta 513.

Se pone el bacalao ya remojado en una cacerola y se cubre sobradamente con agua fría. Se pone a fuego mediano y cuando sube la espuma se vigila para que en cuanto dé el primer hervor se retire la cacerola del fuego. Se deja el bacalao en su agua durante unos 20 minutos para que se ablande bien. Se saca de trozo en trozo, se le quita la piel y las espinas y se desmenuza con los dedos. Se pone en la batidora con un chorrito de aceite templado primero; se bate un poco y luego se añade un chorro de leche, templada también, más abundante. Se bate bien hasta que quede como una crema espesa. Se tendrá un cazo preparado al baño maría y se va echando la brandada a medida que se vaya haciendo por tandas. Hay que tener en cuenta que el bacalao, la leche y el aceite deben estar siempre templados para que esta crema salga fina.

Mientras se hace esto se habrán puesto las patatas lavadas, enteras y sin pelar en un cazo con agua fría y sal que las cubra bien. Cuando rompe el hervor, se cuecen unos 30 minutos más o menos.

Una vez pasado todo por la batidora, se pasan las patatas por un pasapurés y se incorporan poco a poco a la brandada, moviendo muy fuerte con una cuchara de madera para que el puré así mezclado quede muy fino. Se deja al baño maría hasta el momento de servir. Si se espesa demasiado la brandada, se le puede añadir un poquito de leche caliente.

Se untan con el diente de ajo pelado las rebanadas de pan por las dos caras y se fríen.

Se pone la brandada en una fuente templada de antemano, se pinchan las rebanadas de pan dentro y se sirve.

525.—BESUGO AL HORNO CON ZUMO DE LIMON, PEREJIL Y MANTEQUILLA (6 personas)

1 besugo de 1½ kg. (más o menos),
4 cucharadas soperas de aceite fino,
80 gr. de mantequilla,
el zumo de 1 limón,
2 rodajas de limón,
1 ramita de perejil,
sal.

Se manda limpiar el besugo en la pescadería y en casa se lava muy bien por fuera y por dentro con agua fresca. Se seca con un paño limpio.

En una besuguera se pone el aceite, después se sala el besugo por los dos lados y un poco por el agujero de la tripa; se le hacen dos tajos profundos con un cuchillo en el lomo que quedará arriba. Se posa el besugo en la besuguera, se le pone la ramita de perejil en la tripa y las dos rodajas de limón bien incrustadas en los tajos del lomo. Se rocía con el zumo de limón, se pone la mantequilla en trozos por encima del besugo y se mete a horno mediano más bien fuerte y previamente templado unos 30 minutos.

Se sirve en la misma besuguera.

526.—BESUGO AL HORNO CON AJO, PEREJIL Y VINAGRE (6 personas)

1 besugo de 1½ kg.,
1 patata grande,
1 vaso (de los de agua) de aceite (sobrará),
2 ó 3 ramitas de hinojo,
3 dientes de ajo muy picados,
1 cucharada sopera colmada de perejil picado,
3 cucharadas soperas de vinagre,
sal.

Se pela la patata, se lava, se seca y se corta en rodajas medianamente finas. En una sartén pequeña se pone el aceite a calentar; cuando esté en su punto, se fríen las patatas de manera que estén fritas, pero antes de que empiecen a dorarse, se retiran del aceite y se salan ligeramente. Se ponen en el fondo de una besuguera o fuente resistente al horno, donde se hará el pescado, de forma que estén sólo debajo del besugo y no sobresalgan casi.

Ya vaciado el besugo de sus tripas, se lava y se seca bien. Se le hace un tajo (con un cuchillo bien afilado) desde la cabeza hasta la cola, todo lo largo del lomo y profundo hasta la espina. Se separan los dos filetes así formados, y cortando la espina central en la cola y cerca de la cabeza, se retira ésta. Se sala por dentro y fuera el besugo y se vuelve a recomponer dejando un poco abierto el centro, donde se le pone una ramita de hinojo y 2 por encima del lomo. Se rocía el besugo con 2 cucharadas soperas de aceite y se mete a horno mediano y previamente calentado durante unos 20 minutos. Pasado este tiempo, se saca la besuguera, se quita el hinojo y, separando con cuidado de no romperlos los

lomos del besugo, se rocía el interior con la mitad del vinagre.
Se espolvorea la mitad del ajo.y la mitad del perejil, se cierra
un poco el pescado y se rocía por encima con el resto del vinagre y se espolvorea con lo que queda de ajo y perejil. Se vuelve
a meter al horno a gratinar con fuego bastante fuerte durante
10 a 15 minutos más o menos. Se saca y se sirve en su misma
besuguera.

527.—BESUGO AL HORNO CON VINO BLANCO Y PAN RALLADO (6 personas)

1 besugo de 1½ kg. (más o menos),
1 vaso (de los de vino) de vino blanco,
½ vaso (de los de vino) de agua,
4 cucharadas soperas de aceite,
4 cucharadas soperas de pan rallado,
el zumo de 1 limón,
50 gr. de mantequilla,
½ cebolla pequeña (50 gr.),
sal.

Se manda vaciar el besugo en la pescadería y en casa se lava
muy bien con agua fresca. Se seca con un paño limpio.
En una besuguera o fuente resistente al horno se pone el aceite
a calentar. Se pela y corta la cebolla en rajas muy finas y se
rehoga en el aceite hasta que se ponga transparente. Se quita la
besuguera del fuego. Se pone la cebolla en el centro de la misma
para que caiga debajo del lomo del besugo. Se sala el pescado
por dentro de la tripa y por los dos lomos. Se hacen un par de
tajos profundos con un cuchillo encima del lomo que queda arriba.
Se coloca el besugo sobre la cebolla; se rocía con el agua y el
vino mezclados y el zumo de limón; se espolvorea con el pan
rallado y se pone la mantequilla en trozos sobre el besugo, cuidando de poner un buen trozo en cada tajo cortado.
Se mete al horno mediano-fuerte (previamente encendido durante
5 minutos) unos 30 minutos, cuidando de rociar de vez en cuando
el pescado con el jugo de la besuguera.
Se sirve en la misma besuguera o fuente donde se ha hecho.

528.—BESUGO AL HORNO CON TOMATES, CEBOLLA Y CHAMPIÑONES (6 personas)

1 besugo de 1½ kg.,
6 tomates medianos (¾ kg.),
1 cebolla grande (125 gr.),
100 gr. de champiñones frescos,
4 cucharadas soperas de acei-te,
50 gr. de mantequilla,
1 vaso (de los de vino) de vino blanco,
unas gotas de zumo de li-món,
sal.

Se manda vaciar el besugo en la pescadería y en casa se lava
bien con agua y se seca con un paño limpio.
En una besuguera o en un plato resistente al horno se echa el
aceite; se ponen encima 4 tomates lavados, pelados, cortados en
rodajas finas y quitadas las simientes; encima de los tomates se

pone la mitad de la cebolla pelada y picada bastante menuda, se espolvorea con un poco de sal. Se coloca encima el besugo, al cual se habrá puesto un poco de sal en la tripa y se le habrán hecho dos tajos en el lomo. Se sala el besugo y se cubre con los otros tomates, con la cebolla y con los champiñones preparados, cortándoles las partes malas, lavándolos bien con agua y unas gotas de zumo de limón, escurridos y cortados en láminas finas. Se sala esto, se rocía con el vino blanco y se pone la mantequilla en trozos encima del besugo y de su guarnición.

Se pone encima del fuego unos 10 minutos y después se mete al horno mediano, previamente encendido, durante 35 minutos más o menos.

Se sirve entonces en la misma besuguera.

529.—BESUGO A LA PARRILLA CON SALSA MAYONESA (6 personas)

1 besugo de 1½ kg. (más o menos),
aceite,
unas ramas de hinojo o tomillo,
2 lonchitas finas de bacon,
sal.

Salsa:
1 huevo,
¼ litro de aceite fino,
el zumo de ½ limón,
1 cucharada sopera de alcaparras,
1 cucharada (de las de café) de perejil picado,
2 anchoas picadas,
sal.

Se hace una mayonesa en la batidora, receta 94.

Aparte se pica con tijeras o machete las alcaparras, las anchoas y el perejil picado. Todo esto se revuelve con la mayonesa y se reserva en un sitio fresco.

El besugo se mandará limpiar en la pescadería y en casa se lava muy bien por dentro y por fuera, secándolo después con un paño limpio.

Se hacen un par de tajos profundos en cada lomo del besugo. Se sala y se mete dentro de los cortes un trocito de bacon. Se unta todo el besugo con aceite, así como la parrilla del horno. En la parte de la tripa del besugo se mete la ramita de hinojo y se mete al horno mediano, previamente encendido, durante 10 minutos, volviéndolo de vez en cuando con cuidado y untándolo cada vez con un poco más de aceite. Una vez bien asado, se pone en una fuente previamente calentada. Se quita el hinojo y el bacon y se sirve con la salsa aparte en salsera.

530.—BOQUERONES O ANCHOAS EN VINAGRE

½ kg. de boquerones muy frescos,
½ litro de vinagre,
1 vaso (de los de vino) de aceite fino,

2 cucharadas soperas de perejil picado,
2 dientes de ajo muy picados,
sal.

Se limpian los boquerones quitándoles la cabeza y la espina central, así como las tripas y las colas. Se corta cada boquerón en dos filetes, se lavan y se secan muy bien con un trapo limpio.

Una vez preparados todos los boquerones, se ponen en una fuente honda de porcelana o cristal y se cubren con vinagre. Se dejan así por lo menos 6 horas. Pasado este tiempo, se escurre todo el vinagre de la fuente sujetando con un plato llano los boquerones y volcando la fuente. Se rocían con un poco de sal, un poco de vinagre y el aceite y se espolvorean con el ajo y el perejil picado. Se saltea bien la fuente para que se impregnen por igual y se sirven así.

531.—BOQUERONES O ANCHOAS FRITOS

También se toman los boquerones de aperitivo o de entremés, por lo que no doy cantidades.

Se escogen los boquerones más bien pequeños, pues son más finos. Se les quita la cabeza y las tripas y se lavan. Se secan con un paño limpio. Se cogen 3 ó 4 boquerones juntos y se forma un abanico poniendo todas las colas juntas, se salan ligeramente por las dos caras, se pasan por harina, se sacuden para que se caiga la harina sobrante y se fríen con aceite bastante caliente (sin que se quemen); se sirven calientes.

También de esta forma se pueden servir juntos con calamares fritos y gambas encapotadas (es decir, envueltas en una masa de buñuelos). Así resulta un plato de pescado muy bueno. Se adorna entonces la fuente con trozos grandes de limón.

532.—BONITO CON CEBOLLA Y TOMATE (6 personas)

1 ó 2 rodajas de bonito (1¼ kg. más o menos),
¼ kg. de cebolla (2 grandes),
4 tomates maduros grandes (¾ de kg.),
6 cucharadas soperas de aceite,
1 cucharada (de las de café) de harina,
1 vaso (de los de vino) de vino blanco,
1 pellizco de hierbas aromáticas o
2 hojas de laurel o una ramita de tomillo,
sal.

Pedir en la pescadería que quiten la piel de alrededor de la rodaja de bonito y que hagan unos filetes más bien gruesos.

En una sartén grande se pone el aceite a calentar, se echa la cebolla pelada y muy picada; cuando se empieza a poner transparente (5 minutos), se añade la harina y después de unas vueltas dadas con una cuchara de madera se ponen los tomates, pelados, cortados y quitadas las simientes. Se machacan bien con el canto de una espumadera y se echa el vino blanco, la sal y las hierbas aromáticas. Se deja cocer esta salsa unos 15 minutos. Después se añade el pescado y se cuece unos 15 minutos más a fuego lento y cubierta la sartén con una tapadera. Se sirve en una fuente con su salsa.

533.—BONITO CON CEBOLLA Y VINO BLANCO (6 personas)

2 rodajas de bonito (1¼ kg. más o menos),
3 cebollas grandes (250 gr.),
8 cucharadas soperas de aceite,
1 vaso (de los de vino) de vino blanco,
1 hoja de laurel,
sal.

En una cacerola se pone el aceite a calentar, se echan las cebollas peladas y muy picadas; se colocan encima las rodajas de bonito, se sala y se rocía con el vino blanco. Se pone una hojita de laurel. Se tapa con una tapadera y se deja a fuego muy lento una ½ hora. Se sacude de vez en cuando la cacerola.
Se sirve en fuente con la cebolla por encima.
Si hiciese falta, se puede añadir un poquito de agua (½ vaso de los de vino).

534.—BONITO ASADO CON BACON (6 personas)

1½ kg. de bonito en un trozo (mejor de la cola),
6 lonchitas de tocino ahumado (bacon),
2 zanahorias medianas (100 gr.),
1 cebolla mediana (50-80 gr.),
5 cucharadas soperas de aceite,
1 vaso (de los de agua) no lleno de vino blanco,
1 ramita de tomillo,
sal.

Se quita la piel, las espinas y el hueso central del pescado (se queda el bonito partido en dos, pero se vuelve a poner como estaba antes de quitar la espina central). Se sala ligeramente y se cubre con las lonchitas de bacon. Se sujetan con una cuerda fina, dando así al pescado una forma parecida a un asado de carne.
Se pone a calentar el aceite en una cacerola. Se pela y se pica la cebolla, y se lavan, se pelan y se cortan en rodajas finas las zanahorias. Se echan en la cacerola y se les dan unas vueltas con una cuchara de madera. Se pone el pescado y se dora por todos lados. Se le añade el vino y el tomillo y, cubriendo la cacerola con una tapadera, se deja a fuego lento más o menos una hora, dándole vuelta de vez en cuando.
Cuando se vaya a servir, se le quita la cuerda, el tocino y el tomillo. Si hiciese falta, se agrega un poco de agua, calentando bien la salsa, que se pasará por el pasapurés con la cebolla y las zanahorias.
Se cortan lonchitas como de carne y se sirve con la salsa por encima. Se pueden poner de adorno unas patatas cocidas.
Nota.—Si sobrase pescado, está muy bueno desmenuzado y mezclado con una salsa bechamel más bien clarita. Se pone en una fuente resistente al horno (porcelana, barro o duralex), se espolvorea con queso rallado y se ponen unos trocitos de mantequilla. Se mete en el horno a gratinar y se sirve en la misma fuente.

535.—BONITO ASADO CON MAYONESA VERDE (6 personas)

1 rodaja de bonito (1¼ kg.),
½ vaso (de los de vino) de aceite,
3 cucharadas soperas de vino blanco,
sal y pimienta.
Mayonesa:
  2 huevos enteros,
  el zumo de ½ limón,

1½ vasos (de los de agua) bien lleno de aceite fino,
3 ramitas de perejil,
1 cucharada (de las de café) de perejil picado,
2 pepinillos pequeños,
2 cucharadas soperas de alcaparras,
sal.

Se hace una mayonesa, receta 95, y se reserva en sitio fresco.
Se sala la rodaja de bonito y se untan las dos caras con el aceite, se pone en una besuguera, se rocía con el vino blanco y se mete al horno fuerte, previamente calentado. Se rocía de vez en cuando con el jugo que va soltando el pescado. Se le da la vuelta una vez, con mucho cuidado para que no se rompa la rodaja, y cuando esté dorada se sirve en una fuente adornada con unas ramitas de perejil. El tiempo de horno es más o menos 40 minutos.

536.—BONITO EMPANADO CON MAYONESA VERDE (6 personas)

1¼ kg. de bonito en una rodaja,
2 huevos,
1 plato con pan rallado,

1 litro de aceite (sobrará),
sal.

Mayonesa verde:

Igual que para el bonito asado (véase receta 95), pero poner el doble de cantidad, pues el bonito es seco y necesita mucha salsa para acompañarlo.
Se manda quitar la piel y las espinas en la pescadería y hacer filetes finos. Se lavan y se secan muy bien, se salan ligeramente, se pasan por huevo batido como para tortilla y se pasan después por pan rallado, apretando un poco para que el pan rallado se quede bien adherido.
Se pone el aceite a calentar en una sartén amplia y profunda. Cuando está caliente en su punto —que no debe ser muy fuerte para que el pescado se cueza por dentro antes de dorarse por fuera—, se fríen los trozos por tandas para que no se tropiecen en la sartén.
Se sirven en una fuente previamente calentada y adornada con unas ramitas de perejil. La mayonesa se sirve en salsera.

537.—MARMITAKO DE BONITO (6 a 8 personas)

400 gr. de bonito fresco,
1 cebolla grande,
2 tomates medianos (250 gr.),
1 kg. de patatas,
1 lata pequeña de guisantes (100 gr.),
1 lata pequeña de pimientos rojos (100 gr.),
1 trozo de guindilla,

2 dientes de ajo,
2 ramitas de perejil,
1 hoja de laurel,
4 cucharadas soperas de aceite,
agua,
1 pastilla de caldo,
sal.

En una cacerola de barro un poco honda o de porcelana resistente al fuego se pone el aceite a calentar. Cuando está caliente se rehoga el bonito, sin piel ni espinas y cortado en taquitos como de 2 cm. Una vez algo dorado se retira y reserva. En el mismo aceite se echa la cebolla pelada y muy picada. Se revuelve con una cuchara de madera hasta que esté dorada (unos 6 a 8 minutos), se añaden entonces los tomates, pelados, quitadas las simientes y picados. Se les da unas vueltas y se les añade las patatas cortadas en rodajas algo gruesas y se cubre todo con agua. Se sala moderadamente.

En el mortero se maja el diente de ajo con el perejil (y algo de sal para que no escurra). Se disuelve con un par de cucharadas de caldo de cocer las patatas y se agrega al guiso, así como el laurel y la guindilla. Se mezcla bien y se deja cocer a fuego muy lento durante unos 40 minutos. Se añade entonces la pastilla de caldo machacada, los guisantes, el pimiento cortado en tiritas finas o en cuadraditos y el bonito. Se deja cocer todo junto 10 minutos más y se sirve en su misma cacerola de barro.

538.—PASTEL DE BONITO FRIO (6 a 8 personas)

1 kg. de bonito,
6 cucharadas soperas de pan rallado (60 gr.),
1 huevo,
1 loncha gruesa de jamón serrano (100 gr.),
1 loncha gruesa de tocino (100 gr.),
1 vaso (de los de vino) de jerez,
sal y pimienta.

Caldo corto:
Agua fría,
2 hojas de laurel,
½ cebolla pequeña partida en dos,
½ vaso (de los de vino) de vino blanco.

Se quita la piel y las espinas del bonito y se pica la carne con un machete, o simplemente con un cuchillo que corte bien. Se pone el pescado picado en una ensaladera, se espolvorea con el pan rallado, se añade el huevo, el jerez, sal y pimienta. Se mezcla muy bien a mano y se extiende esta masa sobre un paño limpio, formando un rectángulo. Se cortan las lonchas de jamón y de tocino a lo largo y de ½ cm. de anchas. Se ponen encima de la masa alternando, como a rayas. Con el paño se ayuda uno para enrollar este preparado y alrededor de la masa se enrolla el paño. Se ata en las los extremidades. Se pone en una cacerola bien cubierto de agua fría, se añade el vino blanco, el laurel, la cebolla y la sal. Cuando rompe el hervor, se deja cocer tapado durante ¾ de hora. Se saca del caldo y se pone envuelto con su paño en un mármol o en una fuente y se cubre con algo de peso encima (la tabla de la carne, por ejemplo). Se deja por lo menos 2 horas. Pasado este tiempo, se quita el paño y se corta igual que un pastel de carne.

Se sirve adornado con lechuga y tomate.

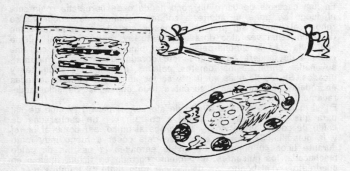

539.—BUDIN DE BONITO FRIO (6 personas)

¾ de kg. de patatas (6 medianas),
200 gr. de atún en aceite,
1 cucharada sopera de concentrado de tomate (Intercasa, etc.),

1 cebolla mediana (80 gr.),
3 cucharadas soperas de aceite,
sal.

Se ponen a cocer las patatas, lavadas y sin pelar, en agua abundante con sal. Mientras se van cociendo, se pone en una sartén mediana el aceite a calentar y cuando está en su punto se echa la cebolla muy picada. Se deja cocer ligeramente ésta. Cuando están cocidas las patatas (unos 30 minutos más o menos), se pelan y se pasan por el pasapurés; también se pasa por el pasapurés el atún, escurrido de su aceite. Se mezcla bien con el concentrado de tomate y la cebolla con su aceite. Se revuelve muy bien todo junto. Se unta con aceite fino un molde de cake (alargado es mejor). Se vierte dentro la mezcla, se aprieta con el dorso de una cuchara para que no queden huecos y se mete en la nevera unas 4 horas (o más si se quiere).

Para servir, se saca del molde, pasando primero un cuchillo de punta redonda todo alrededor del molde, y se vuelca en una fuente. Se sirve con mayonesa en salsera, y se puede adornar la fuente con rodajas de tomate y lechuga o gambas si se quiere.

540.—ASPIC DE BONITO CON MAYONESA (6 a 8 personas)

1 lata de bonito asalmonado al natural (300 gr.),
2 huevos duros,
1 latita de pimientos morrones (de unos 100 gr.),
1 cebolla mediana (80 gr.),
1 latita de guisantes (de unos 150 gr.),
1 taza de mayonesa espesa,
1 cucharadita (de las de moka) bien llena de mostaza,
1 caja de Aspic-Royal (gelatina instantánea).

Mayonesa:
Véase la receta 94.

Los ingredientes son:
1 huevo,
el zumo de ½ limón,
1 vaso (de los de agua) no lleno de aceite,
sal.

Se hace la mayonesa en batidora que quede bien dura, y se reserva en sitio fresco.

Gelatina:

Se disuelve como va explicado en la caja, pero **con la mitad de cantidad de agua**, es decir, ¼ litro.
Se cubre el fondo de la flanera donde se va a poner el aspic con una capa muy fina de gelatina aún caliente. Todo alrededor del fondo de la flanera se pone una fila de guisantes de adorno y una X hecha con dos tiritas de pimiento. Se mete ésta en la nevera para que cuaje bien la gelatina. La gelatina que queda se deja en sitio fresco (pero no en la nevera, pues se cuajaría) y sólo se utilizará cuando, aún líquida, esté casi fría.
En una ensaladera se pone el atún, se desmenuza, se agregan los huevos duros, picados en trozos no muy pequeños, se añade la cebolla pelada y muy picada, los guisantes y los pimientos cortados en cuadraditos. Se revuelve todo y se añade la mayonesa y, al final, la gelatina cuando ésta está casi fría. Se mezcla bien y se vierte en la flanera ya preparada. Se mete en la nevera por lo menos durante 2 horas.
En el momento de servir el aspic, se pasa un cuchillo de punta redonda todo alrededor de la flanera y se vuelca en una fuente redonda. Se adorna con unas rodajas de tomate y unas hojas de lechuga, y se sirve.

541.—CABALLAS CON SALSA DE AJO Y ZUMO DE LIMÓN (6 personas)

6 caballas de ración,
1 vaso (de los de agua) de aceite,
1 plato de harina,
4 dientes de ajo,

2 hojas de laurel,
2 limones,
1 vaso (de los de vino) de agua, sal.

Se mandan vaciar las caballas en la pescadería, conservándoles la cabeza (o bien se hacen filetes con las dos partes del cuerpo, quitadas las cabezas y la espina central). Se lavan y se secan bien con un paño y se les echa sal por los dos lados y por la raja de la tripa.

En una sartén se pone el aceite a calentar; cuando está en su punto, se pasan las caballas de dos en dos por harina y se fríen, por los dos lados, hasta que tengan un bonito color dorado. Se van colocando a medida que se fríen en una fuente resistente al fuego o una besuguera contrapeadas (unas con la cabeza de un lado y otras con la cola), para que no estén montadas. Se pelan y se da un golpe con el mango de un cuchillo a los ajos. Se le quita bastante aceite a la sartén donde se ha frito el pescado, dejando sólo un fondo como de unas 5 ó 6 cucharadas soperas.

Se fríen los dientes de ajo hasta que empiezan a estar dorados, se añade entonces la hoja de laurel, que se fríe también; después se añaden las rodajas de ½ limón, se calienta bien, se añade —fuera del fuego— el zumo de 1½ limones, el vaso de agua y se vierte esta salsa, colándola, por encima de las caballas. Se calienta unos 5 minutos y se sirve en seguida.

542.—FILETES DE CABALLA CON SALSA DE MOSTAZA (6 personas)

6 caballas de ración,
1 cucharada sopera de harina,
½ litro de leche fría,
20 gr. de mantequilla,
1 cucharada sopera de aceite fino,

3 cucharadas soperas de mostaza oscura (Louit),
el zumo de ½ limón,
1 cucharada sopera de perejil picado,
40 gr. de mantequilla,
sal.

En la pescadería se mandan vaciar, quitar la cabeza y cortar en dos filetes, quitándoles la espina central a las caballas. Se lavan después y se secan muy bien con un trapo limpio. Se colocan en una besuguera de forma que los filetes no monten unos encima de otros.

En una sartén se derrite la mantequilla con el aceite; una vez derretidos, se añade la harina, se dan unas vueltas con una cuchara de madera y después, poco a poco, se añade la leche fría sin dejar de dar vueltas. Se cuece la bechamel unos 10 minutos y se agrega entonces la mostaza, fuera del fuego, y el zumo de limón. Se prueba de sal y, si hace falta, se rectifica, pero con la mostaza es fácil que se tenga que salar muy poco.

Se vierte esta salsa sobre los filetes de caballa, se espolvorea el perejil y se ponen trocitos de mantequilla. Se mete al horno mediano unos 25 a 30 minutos. Se sirven entonces en su misma fuente.

543.—MANERA DE LIMPIAR LOS CALAMARES

Se desprende del cuerpo (bolsa) todo lo que cuelga, que son la cabeza, tripas, tentáculos y barbas. Se retira la bolsita de tinta que está entre las barbas y se ponen todas las que se tengan en un tazón en espera de usarlas si viene al caso.

Se arranca con los dedos el sitio donde están los ojos y las tripas, dejando las barbas y la cabeza. Se retira también el espadón, que es una parte dura y plana que está en el cuerpo, que se quita muy fácilmente.

Después de esto se lavan en varias aguas, metiendo bien el dedo por la bolsa para que quede bien limpia. Se secan con un trapo limpio los calamares, que están así preparados para condimentarlos.

544.—CALAMARES FRITOS ENVUELTOS (6 personas)

1¼ kg. de calamares medianos,
4 cucharadas soperas de harina,
1 vaso (de los de agua) de sifón,
1½ litros de aceite (sobrará),

1 plato con un poco de harina,
1 limón cortado en gajos grandes,
sal.

Se preparan primero los calamares como está explicado anteriormente. Una vez preparados, se cortan en redondeles de 1 cm. de ancho y se lavan muy bien en varias aguas. Se secan un poco y se prepara la masa de envolver.

En una ensaladera se pone la harina con un poco de sal y se va echando el sifón poco a poco, hasta formar una masa más bien espesa.

Se escurren los calamares, se salan muy poco y se pasan por harina, sacudiéndolos muy bien después y metiéndolos seguidamente en la masa de freír.

Se fríen en aceite abundante que esté en su punto (no demasiado caliente, pues no se cuecen los calamares y se arrebatan; para ello se prueba friendo primero una rebanadita de pan).

Se fríen por tandas, escurriéndolos después en un colador grande que esté en la boca del horno para que no se enfríen.

Se sirven en una fuente con los gajos de limón.

Nota.—Se puede añadir a la masa un pellizco de azafrán en polvo. Adquiere así un color más bonito.

545.—CALAMARES FRITOS SENCILLOS (6 personas)

1.ª manera:

1¼ kg. de calamares,
1½ litros de aceite (sobrará),

1 plato con harina,
sal, limón.

Se preparan, se lavan y se secan muy bien los calamares (receta 543). Se salan muy ligeramente, moviéndolos bien. Se pasan por un plato con harina y se fríen en aceite abundante bien caliente. Se escurren y se sirven en una fuente adornada con cuartos de limones sin pelar.

2.ª manera:

1¼ kg. de calamares,
1½ litros de aceite (sobrará),

1 plato con harina y pan rallado,
sal, limón.

Se preparan igual que la receta anterior. En un plato se mezcla harina y pan rallado, poniendo algo más de harina que de pan. Se procede en todo como en la receta anterior.

546.—CALAMARES EN SU TINTA CON ARROZ BLANCO (6 personas)

1.ª receta:

1 kg. de calamares pequeños, con su tinta, unas cuantas bolsas de tinta más,
1 tomate mediano (200 gr.),
1 cebolla mediana (60 gr.),
1 cucharada sopera de harina, colmada,
1 vaso (de los de vino) de vino tinto,
1 diente de ajo,
1 ramita de perejil,

1 rebanada de miga de pan,
5 cucharadas soperas de aceite,
¼ litro de aceite (que sólo se usará para freír),
2 vasos (de los de agua) de agua,
400 gr. de arroz,
agua,
40 gr. de mantequilla,
sal.

Se limpian bien los calamares, como se explica en la receta 543, y se separan las bolsitas de tinta de los calamares y las que se pedirán de más al pescadero, que se ponen en un tazón con ½ vaso de vino tinto y se reservan.

En una sartén mediana se ponen las 5 cucharadas soperas de aceite a calentar y cuando está caliente se añade la cebolla picada, se refríe durante unos 10 minutos hasta que esté doradita; se agrega entonces el tomate pelado, cortado y quitadas las simientes y, después de frito un rato, se añade la harina y el agua.

En una sartén se pone el ¼ litro de aceite a calentar y se fríe la miga de pan, el perejil y el diente de ajo. Todo esto se machaca muy bien en el mortero y se añade al refrito con el otro ½ vaso de vino. Se machaca bien con el dorso de una cuchara la tinta con el vino y se echa también en la sartén. Antes de que empiece a hervir la salsa, se añaden los calamares cortados en trocitos, o enteros si son muy pequeños, y se dejan cocer a fuego lento unas 2 horas o 2½. Todo esto se hace sin sal, pues al cocer los calamares tanto tiempo no hace falta; en todo caso, al momento de servirlos se prueban y se rectifica si hace falta.

Se hace el arroz blanco según va indicado en la receta 165, 1.ª fórmula. Se forma en un molde de corona y se vuelca en una fuente redonda. En el centro se echan los calamares con su salsa y se sirve en seguida.

Para hacer los calamares solos, habrá que calcular unos 2 kg. de calamares y aumentar todos los demás ingredientes en proporción.

Se suelen servir en una fuente de barro o en platitos de barro individuales, donde darán un hervor antes de pasarlos a la mesa.

2.ª receta:

1 kg. de calamares pequeños, con su tinta,
unas cuantas bolsas de tinta más,
1 kg. de cebollas,
1 diente de ajo,
2 cucharadas soperas de salsa de tomate,

½ vaso (de los de vino) de vino blanco,
2 ramitas de perejil,
1 cucharada sopera de pan rallado,
1 vaso (de los de vino) de aceite,
sal.

Se limpian igual que en la receta anterior. Se guardan las bolsitas de tinta en un tazón (si se limpian con bastante anticipación, se cubre la tinta con un poco de aceite para que no se reseque).

En una cacerola (si puede ser de barro, mejor) se pone el aceite, se añaden las cebollas peladas y muy picaditas, el diente de ajo también picado menudo. Se pone a calentar y se refríe la cebolla muy despacio durante unos 10 minutos sin que llegue a dorarse. Se añaden los calamares cortados en trozos, se dejan durante 15 minutos, moviéndolos de vez en cuando. Mientras tanto se machacan las tintas con el perejil. Se echan en la cacerola, así como el tomate y el vino. Se deja cocer todo junto unos 10 minutos. Se ve entonces si la salsa queda clara, y si hace falta se espesa con el pan rallado.

Se prueba y se rectifica de sal a última hora.

547.—CALAMARES PEQUEÑOS EN SU TINTA O CHIPIRONES

De 4 a 6 chipirones por persona, según tamaño. Se preparan igual que las recetas anteriores, pero una vez limpios se les dejan las aletas y se rellenan con las barbas. Se aumentan los ingredientes según se pese de chipirones. Se suelen servir en cazoletas de barro individuales.

548.—CALAMARES RELLENOS (6 personas)

6 u 8 calamares medianos (unos 60 gr. cada pieza),
300 gr. de carne magra de cerdo, picada,
2 huevos duros,
1 cebolla mediana (100 gr.),
¼ litro de aceite (sobrará),
1 cucharada sopera (un poco colmada) de harina,

harina en un plato para rebozar,
½ vaso (de los de vino) de vino blanco,
1 litro de agua,
1 ramita de perejil,
1 pellizco de azafrán en polvo,
sal.

Se limpian los calamares como se ha explicado (receta 543).
No se conserva la tinta. Una vez bien lavados los calamares, se
pican muy menudo los tentáculos y las barbas, dejando la bolsa
del calamar entera.
Se mezcla muy bien la carne picada con lo picado del calamar
y los huevos duros, también picados.
No se echa sal y con esta pasta se rellenan los calamares. No
deben quedar muy rellenos, pues al guisarlos se encogen bastante. Se cosen por arriba con una aguja gorda y cuerda fina o
hilo grueso.
En una sartén se pone el aceite a calentar. Cuando está en su
punto se pasan los calamares por harina y se fríen de dos en
dos. Se reservan en un plato.
En una cacerola se ponen unas 5 ó 6 cucharadas soperas del
aceite que ha sobrado. Se fríe la cebolla picada muy fina hasta
que se dore (unos 8 minutos); se le añade la harina y se le da
vueltas hasta que se dore un poco (5 minutos). Se agrega el
vino, el agua y un pellizco muy pequeño de azafrán en polvo.
Se ponen los calamares dentro. Se cubre la cacerola con una
tapadera y a fuego lento se cuecen durante una hora y ½. Se
prueba la salsa y entonces se le echa la sal que haga falta, moviendo bien la cacerola y la salsa para que se reparta bien.
Se quita la cuerda con la cual han quedado cosidos los calamares
y se sirven en una fuente un poco honda con su salsa.

549.—FILETES DE CASTAÑOLA AL HORNO (4 personas)

1 castañola pequeña (de ¾ a
1 kg.),
1 cebolla grande (120 gr.),
1 vaso (de los de vino) bien
lleno de aceite fino crudo,

½ vaso (de los de vino) de vino
blanco,
1 cucharada sopera de perejil
picado,
sal.

En la pescadería se manda preparar la castañola en filetes, quitándole primero la piel negra y dejando los 4 filetes como si fueran de lenguado.
En una besuguera (de cristal, porcelana, etc., resistente al horno) se colocan los filetes. Se salan, se rocían con el aceite y
el vino. Se pone encima de cada filete la cebolla muy picada
mezclada con el perejil. Todo esto en crudo. Se mete a horno
mediano unos 45 minutos y se sirve en la misma fuente.

550.—FILETES DE CASTAÑOLA CON CEBOLLA Y TOMA-
TE (4 personas)

1 castañola de ¾ a 1 kg.,
1 diente de ajo,
2 cebollas grandes (200 gr.),
3 tomates maduros grandes,
6 cucharadas soperas de aceite,
1 vaso (de los de vino) de vino
blanco,

1 ramita de tomillo o 2 hojas
de laurel,
1 cucharadita (de las de moka)
de azúcar,
sal.

En la pescadería se manda preparar la castañola como para la receta anterior, en filetes.

En una sartén grande se pone el aceite a calentar; una vez caliente se echa la cebolla pelada y muy picada; cuando se ha puesto transparente (unos 6 minutos) se añaden el diente de ajo, los tomates pelados, quitadas las simientes y partidos en trozos; se echa el azúcar y se machacan bien con el canto de una espumadera y se deja cocer el refrito durante unos 10 minutos más. Se añaden entonces los filetes de castañola, el vino blanco, el tomillo y la sal. Se cubre la sartén y se hace a fuego más bien lento durante 30 minutos más o menos. Si hiciese falta se puede añadir un poco de agua. Se sirve en una fuente con la salsa por encima y retirando el tomillo o el laurel y el diente de ajo.

Se puede preparar este plato de antemano y calentarlo al ir a servirlo.

551.—CONGRIO

Hay que comprar la parte abierta del congrio, pues la cola tiene muchas espinas.

Este pescado se guisa como la mayoría de las recetas de la merluza, por ejemplo, merluza en salsa verde, merluza con cebolla y limón, merluza frita con currusquitos de pan y alcaparras, merluza a la catalana y merluza guisada con chirlas.

552.—DENTON EN SALSA (6 personas)

6 rodajas de dentón (150 gr. cada rodaja),
1 lata pequeña de guisantes (100 gr.),
1 cebolla mediana (100 gr.),
2 dientes de ajo,
1 cucharada sopera de perejil picado,
1 pellizco de azafrán en rama,
1 hoja de laurel,
1 cucharada sopera de harina,
1 plato con harina,
¾ litro de aceite (sobrará); se reservan 3 cucharadas soperas para el refrito,
2 vasos (de los de agua) de agua de cocer la cabeza y la cola del dentón,
sal.

En un cazo se ponen los desperdicios del dentón (cabeza y cola) con una hoja de laurel, agua fría y sal, y se ponen a cocer. Cuando ha hervido unos 10 minutos se retiran y se cuela el agua, que se reserva.

En una sartén se pone el aceite a calentar. Mientras se calienta se lavan bien las rodajas de dentón, se secan con un paño limpio, se salan por las dos caras, se pasan por harina sacudiendo para que caiga lo sobrante, y se fríen. Cuando están doradas se reservan en una fuente honda resistente al fuego.

En una sartén pequeña se ponen 3 cucharadas soperas de aceite a calentar, se echa la cebolla pelada y picada a dorar, así como los dientes de ajo pelados. Cuando están dorados se separan y se machacan en el mortero con el azafrán y un poco de sal. Se echa algo del agua de cocer los desperdicios y se cuela todo por el chino.

En la misma sartén se rehoga un poco la harina y se añade poco a poco el agua restante y lo del mortero colado. Se deja cocer un par de minutos, se rectifica de sal y se vierte por encima del pescado. Se espolvorea el perejil y se echan los guisantes. Se pone la fuente a fuego mediano unos 10 minutos, sacudiendo de vez en cuando la fuente para que se trabe la salsa; se sirve en seguida en su misma fuente.

553.—GALLOS

Se preparan de la misma manera que los lenguados. Es un pescado muy similar, pero menos fino.

554.—FILETES DE LENGUADO

Para que no se encojan los filetes, una vez sacados del pescado se agarran por una de las puntas y se golpean sobre un mármol, por los dos lados.
Esto se hará igualmente para los filetes de gallo.

555.—FILETES DE LENGUADO CON ESPINACAS, BECHAMEL Y LANGOSTINOS (6 personas)

2 kg. de espinacas,
50 gr. de mantequilla,
25 gr. de mantequilla más, agua,
3 ó 4 lenguados de ración grandes (300 gr. cada uno más o menos),
½ kg. de langostinos o gambas grandes, sal.
Caldo corto:
Véase receta 501.

Bechamel:
25 gr. de mantequilla,
3 cucharadas soperas de aceite,
1 cucharada sopera de harina,
1½ vaso (de los de agua) de mitad leche fría, mitad caldo corto,
50 gr. de queso gruyère o parmesano rallado,
un pellizco muy pequeño de curry (facultativo),
sal.

Anteriormente se tendrá preparado el caldo corto.
En la pescadería se manda quitar la piel negra de los lenguados y hacer filetes. Se piden todos los desperdicios de los lenguados.
Se ponen en la pesquera los desperdicios de los lenguados y las verduras del caldo corto en el fondo, o sea, debajo de la rejilla. Se lavan bien los filetes, se golpean y se doblan en forma de horquilla. Se ponen en el caldo corto encima de la rejilla así como los langostinos. Se ponen al fuego y cuando dan el primer hervor se aparta la cacerola del fuego y se saca la rejilla para que escurra el pescado y el marisco.
Se preparan mientras las espinacas (receta 356). Una vez cocidas éstas se escurren muy bien, se pican con un cuchillo (o sea,

no muy picadas) y se rehogan en un cazo con la mantequilla (50 gr.). Con el resto de la mantequilla se unta la fuente de porcelana o cristal resistente al horno y se ponen las espinacas extendidas en el fondo de la fuente. Se colocan los filetes de lenguado y las colas de los langostinos peladas encima, y se hace la bechamel.

En una sartén se derrite la mantequilla y el aceite juntos. Se añade la harina, se da unas vueltas y, poco a poco, sin dejar de dar vueltas con las varillas, se agrega la leche y el caldo corto. Se deja cocer unos 10 minutos, se prueba de sal, se añade el curry y se vierte la bechamel sobre el pescado. Se espolvorea con el queso y se mete la fuente al horno previamente calentado, hasta que esté bien dorado (unos 20 minutos más o menos). Se sirve en la misma fuente.

556.—FILETES DE LENGUADO AL WHISKY (6 personas)

3 lenguados medianos (350 gr. cada uno),
50 gr. de mantequilla,
   un trocito de mantequilla para untar la fuente,
2 cucharadas soperas de aceite fino,
150 gr. de champiñones frescos,
3 cucharadas soperas de buen whisky,
2 yemas de huevo,

1 vaso (de los de vino) de crema líquida espesa (algo menos de ¼ litro),
1½ vaso (de los de agua) de caldo corto,
30 gr. de gruyère rallado fresco,
   zumo de ½ limón,
   un pellizco de curry,
1 cucharada de harina,
   sal.

Caldo corto:
Véase receta 501.

En la pescadería se manda quitar la piel negra de los lenguados y sacar los filetes enteros. Se guardan las raspas y los desperdicios.

Se hace un caldo corto abundante, pues habrá que repartirlo en dos. Una parte se reserva para cocer los filetes, con la otra parte se cuecen los desperdicios. Cuando rompe el hervor, se dejan unos 35 minutos para que quede muy concentrado. Se cuela por un colador muy fino y se reserva.

Se golpean los filetes en un mármol y se ponen en el caldo corto frío reservado; cuando rompe el hervor se retiran del fuego.

Se unta la fuente de metal o porcelana resistente al fuego donde se vayan a servir, con mantequilla, y se ponen los filetes de pescado bien escurridos. Se cubren con un paño mojado en agua caliente y bien retorcido (o con papel de estaño) y se reservan al calor en su fuente.

En un cazo pequeño se ponen los champiñones previamente quitadas las partes con tierra de los podúnculos, y lavados. Se cortan en láminas y se les añade un poco de mantequilla (menos de la mitad), un chorrito de zumo de limón y sal. Se cuecen unos 10 minutos, más o menos, y se reservan.

En una sartén se pone el aceite y el resto de la mantequilla a calentar; cuando están derretidos se añade la harina, se dan unas vueltas y se agrega poco a poco el caldo corto concentrado de los desperdicios. Sin dejar de dar vueltas, se cuece unos 5 minutos y se añade el whisky. Se cuece otros 3 ó 4 minutos y se echan los champiñones con su jugo.

En un tazón se deslíen las yemas con la nata (si está muy líquida se bate para que espese un poco, con cuidado para que no se haga mantequilla o se corte). Se añade a la bechamel, pero sin que cueza ya ésta. Se agrega el curry y un poco de sal. Se prueba y se rectifica de sal si hace falta.

Se vierte esta salsa por encima de los filetes. Se espolvorea ligeramente con el queso rallado y se mete al horno fuerte a gratinar, hasta que esté dorada la salsa, y se sirve en seguida.

Esta última operación debe ser rápida para que no se reseque el pescado.

557.—FILETES DE LENGUADO CON BECHAMEL GRATINADA (6 personas)

3 lenguados de ración grandes (350 a 400 gr. cada uno),
¼ kg. de gambas,
25 gr. de mantequilla,
2 cucharadas soperas de aceite fino,
1 vaso (de los de agua) de leche fría,
1 vaso (de los de agua, más o menos) de caldo de desperdicios,
1 cucharada sopera colmada de harina,
1 pellizco de curry (facultativo),
2 yemas de huevo,
60 gr. de queso gruyère rallado, sal.

En la pescadería se manda quitar la piel negra de los lenguados y hacer filetes. Se piden los desperdicios.

En casa se sacan las colas de las gambas, reservándolas, y se cuecen las cabezas y las cáscaras de las gambas con las espinas de los lenguados con agua fría y sal durante 5 minutos. Se cuela muy bien este caldo apretando bien los desperdicios para que rindan todo su jugo.

Se lavan los filetes de lenguado, se secan bien con un paño limpio y se golpean en un mármol. Se salan ligeramente y se colocan en la fuente (de metal, porcelana o cristal) donde se vayan a servir, doblados en dos en forma de horquilla, sin que monten unos encima de otros.

Aparte, en una sartén, se hace una bechamel. Se pone a calentar el aceite con la mantequilla; cuando está caliente se añade la harina, se dan unas vueltas con las varillas y se agrega poco a poco la leche y después el agua de cocer los desperdicios. Se cuece durante unos 10 minutos, añadiendo luego las colas de las gambas y cociendo la bechamel unos 5 minutos más, sin dejar de dar vueltas. Si se quiere se pone un pellizquito de curry. Se prueba de sal y se rectifica si hiciese falta.

En un tazón se ponen las yemas y con una cuchara se añade muy poco a poco unas cucharadas de bechamel, moviendo muy bien para que no se cuajen las yemas. Se mezcla esto con la bechamel y se vierte por encima de los filetes de lenguado. Se espolvorea con el queso rallado y se mete a horno previamente calentado y mediano unos 15 minutos, con el fuego por debajo. Pasado este tiempo se pone a gratinar unos 10 minutos más, hasta que esté todo dorado, y se sirve en la misma fuente.

558.—FILETES DE LENGUADO CON BERENJENAS Y BE-CHAMEL (8 personas)

4 berenjenas grandes y de forma redonda,
2 lenguados más bien grandes (½ kg. cada uno),
4 cucharadas soperas de aceite,
1 cucharada sopera de harina,
1 vaso (de los de agua) de leche fría,
50 gr. de gruyère o parmesano rallado,
50 gr. de mantequilla,
1 cucharada sopera de aceite fino,
sal.

Se les quita la piel a los lenguados y se saca de cada uno los cuatro filetes. Se lavan y secan bien.
Se pelan las berenjenas, se les quitan los rabos y se cortan en dos a lo largo. Se salan por las dos caras.
En una sartén amplia se pone el aceite a calentar y se colocan las berenjenas de manera que estén holgadas. Se refríen a fuego lento, primero por una cara y, dándoles la vuelta con cuidado de no romperlas, del otro lado. En total unos 30 minutos.
Se sacan de la sartén, se escurren bien y se colocan en la fuente de cristal o porcelana resistente al horno donde se vayan a servir.
Se golpean los filetes de uno en uno contra un mármol (para que luego no se encojan al cocer), se salan, se doblan en dos, como una horquilla y se posa cada filete encima de cada media berenjena.
Se hace la bechamel (receta 67). Tiene que quedar bastante espesa.
Se vierte como una cucharada sopera de bechamel por encima de cada filete de lenguado. Se espolvorea con un poco de queso, se pone una avellana de mantequilla y se mete al horno, previamente calentado, a gratinar hasta que esté dorado el queso (más o menos 15 minutos), que es el tiempo requerido para que se cueza el pescado.
Se sirve en seguida en su misma fuente.

559.—FILETES DE LENGUADO AL HORNO, CON VINO BLANCO Y PICADITO DE CEBOLLAS (4 personas)

2 lenguados de ración grandes (350 a 400 gr. cada uno),
1 cebolla pequeña,
1 cucharada sopera de perejil,
1 vaso (de los de vino) de aceite fino,
½ cucharada (de las de café)
de hierbas aromáticas en polvo,
1 vaso (de los de vino) de buen vino blanco,
1 vaso (de los de vino) bien lleno de agua, de cocer los desperdicios,
1 cebolla pequeña (40 gr.), sal.

En la pescadería se manda quitar la piel negra de los lenguados y sacar los filetes. Se piden los desperdicios. Los filetes se lavan y secan muy bien y se golpean contra el mármol.

En un cazo se ponen los desperdicios del pescado a cocer con agua, justo para que los cubra, y sal. Se cuecen unos 30 minutos a fuego mediano y se cuelan muy cuidadosamente para que no tengan ninguna espina.

En una besuguera de metal, cristal o porcelana resistente al horno, se pone un poco de aceite en el fondo. Se salan ligeramente los filetes y se colocan en la fuente, sin que monten unos encima de otros. Se rocían con el vino blanco y después con el resto del aceite.

En un platito se mezclan bien la cebolla y el perejil muy picados con las hierbas aromáticas; se reparten por encima del pescado. Se vierte todo alrededor de la fuente 1 vaso (de los de vino) no lleno del agua de cocer los desperdicios. Se sacude un poco para que penetre bien.

Se mete en el horno, previamente calentado (durante 5 minutos más o menos), de 25 a 30 minutos y se sirve en la misma fuente.

560.—FILETES DE LENGUADO AL HORNO CON SALSA DE TOMATE, CHAMPIÑONES, MEJILLONES Y QUESO RALLADO (6 personas)

3 lenguados de ración grandes (de 350 a 400 gr. cada uno),
½ kg. de mejillones,
50 gr. de queso gruyère o parmesano rallado,
200 gr. de champiñones,
20 gr. de mantequilla,
½ limón,
1 vaso (de los de vino) de vino blanco,
1 hoja de laurel,
agua y sal.
Salsa de tomate:
1 kg. de tomates maduros,
3 cucharadas soperas de aceite frito.
1 cucharada (de las de café) de azúcar,
1 cebolla mediana (60 gr.),

Se tendrá hecha y pasada la salsa de tomate con anticipación (receta 63).

En la pescadería se manda quitar la piel negra de los lenguados y hacerlos filetes. Estos se lavan y secan bien y se golpean contra un mármol.

Se preparan ios mejillones. Se les quitan con un cuchillo las barbas estropajosas que llevan en la cáscara. Se lavan muy bien en varias aguas para quitarles la arena y se ponen en un cazo con un poco de vino ($^1/_3$ del vaso), una hoja de laurel, agua y un pellizco de sal. Se ponen a fuego mediano, se saltean de vez en cuando, y cuando empiezan a abrirse las cáscaras se retiran. Se quitan los bichos de las cáscaras, se cuela muy bien el caldo donde han cocido (por un colador y un trapo), y se reservan en este caldo.

Se preparan los champiñones. Se limpian muy bien al chorro con un cepillo si puede ser. Se les quita la parte con tierra del rabo y se cortan en láminas, los rabos y las cabezas. Se ponen en un cazo con los 20 gr. de mantequilla, unas gotas de zumo de limón y sal; se cubren y se cuecen a fuego lento unos 10 minutos. Se mezclan con el tomate y el resto del vino blanco.

En una fuente de porcelana o cristal resistente al fuego se pone un poco de salsa en el fondo. Se colocan los filetes de lenguado, que no se monten demasiado unos encima de otros, se ponen los mejillones repartidos encima del pescado y se vierte el resto de la salsa de tomate con los champiñones. Se espolvorea con el queso rallado y se mete a gratinar unos 10 minutos más hasta que el queso esté dorado. Se sirve en la misma fuente.

561.—CAZOLETAS DE FILETES DE LENGUADO CON CHAMPIÑÓN Y BECHAMEL (8 personas)

8 cazoletas de masa quebrada (se venden en pastelerías o, en su lugar, 8 volovanes individuales),
2 lenguados grandes (400 a 500 gr. cada uno),
125 gr. de champiñones frescos,
1 trufa bien negra,
1 limón,
20 gr. de mantequilla,
sal.
Caldo corto:
Véase receta 501.

Salsa bechamel:
1 cucharada sopera colmada de harina,
1 vaso (de los de agua) de leche fría,
½ vaso (de los de agua) de caldo corto,
30 gr. de mantequilla,
2 cucharadas soperas de aceite fino,
2 yemas de huevo,
sal y pimienta.

Se tendrá preparado el caldo corto de antemano, si es posible; si no, se prepara igual en el momento (sin cocerlo antes) y se ponen los filetes (éstos los habrá hecho el pescadero, reservando los desperdicios). Los filetes primero se lavan bien y se secan, se golpean en un mármol y se enrollan dejando un agujero en el centro, y se sujetan con un palillo. Se ponen en el caldo corto y se cuecen. Cuando rompe el hervor se retiran con una espumadera y se reservan en un plato, tapándolos con un paño mojado en agua caliente y estrujado, o con papel de plata. Se pondrán en el horno templado (pero apagado) en espera.

En el caldo de cocer los filetes, una vez retirados éstos, se añaden los desperdicios del pescado y se cuece durante 20 minutos. Se cuela y se reserva.

Aparte se lavan muy bien los champiñones y se cortan en láminas, que se van echando en agua fría con el zumo de ½ limón.

En un cazo pequeño se ponen los champiñones escurridos con los 20 gr. de mantequilla, el otro zumo de ½ limón y sal. Se tapa el cazo y se hacen a fuego mediano durante unos 10 minutos. Se reservan.

En una sartén se pone a calentar la mantequilla y el aceite; cuando la mantequilla está caliente se añade la harina, se dan unas vueltas y, poco a poco, se añade la leche fría y después un poco de caldo corto bien colado. Se cuece esta bechamel durante unos 10 minutos. En un tazón se ponen las yemas y, poco a poco, se deslíen con un poco de bechamel (para que no se cuajen las yemas). Se agrega esto a la salsa, se aparta del fuego y se rectifica de sal.

Se pondrán las cazoletas a calentar en el horno. Se colocan los rollitos de lenguado en cada una y se reparte la bechamel por encima. Se sirven.

Nota.—Este plato se puede presentar sin las cazoletas y únicamente puestos los rollitos en una fuente de cristal o porcelana resistente al fuego.

Al no llevar pasta, habrá que calcular, al menos, 2 filetes por persona.

562.—ROLLITOS DE FILETES DE LENGUADO RELLENOS CON JAMON EN SALSA (6 personas)

6 lenguados de ración,
200 gr. de jamón serrano no muy curado, picado,
1 cucharada sopera bien llena de perejil picado,
2 huevos duros.

Caldo corto:
  agua fría.
  un chorrito de vino blanco (3 cucharadas soperas),
1 hoja de laurel,
1 casco de cebolla (40 gr.),

1 zanahoria en rodajas,
  el zumo de ½ limón,
  sal.

Bechamel:
30 gr. de mantequilla,
  2 cucharadas soperas de aceite,
1 cucharada sopera de harina,
1 vaso (de los de agua) de leche fría,
1 vaso (de los de agua) de caldo corto,
  sal.

En la pescadería se mandan sacar los filetes a los lenguados. Se lavan y se secan muy bien con un trapo limpio y se golpean contra un mármol.

Se tendrá preparado de antemano el caldo corto para que esté frío, receta 501.

Se forman unos rollitos con los filetes de lenguado, pero con un hueco en el centro. Se les pone un palillo plantado para que al cocer no se desenrollen. Se colocan en la rejilla de la pesquera y se sumergen en el caldo corto frío. Se pone a fuego mediano y cuando rompe el hervor se saca la rejilla y se pone al bies sobre el cacharro, tapando los filetes con un paño mojado en agua caliente y retorcido para que no se enfríen ni se sequen.

Se hace la bechamel: En una sartén se derrite la mantequilla con el aceite, se añade la harina, se da un par de vueltas con una cuchara de madera. Se agrega poco a poco la leche fría, se deja cocer unos 5 minutos y luego se echa caldo corto de cocer el pescado hasta que quede la salsa clarita. Se cuece otros 5 minutos, se rectifica de sal y se aparta, incorporando el perejil picado.

En una fuente se colocan los filetes de lenguado, quitándoles los palillos. Se rellenan con un poco de jamón picado. Se vierte la bechamel por encima y se espolvorean con el huevo duro picado (éste debe llevar sobre todo la yema y poca clara).

Se sirve en seguida.

563.—FILETES DE LENGUADO CON ARROZ (6 personas)

½ kg. de arroz para blanco.
40 gr. de mantequilla,
    unas hebras de azafrán,
    agua y sal,
 3 lenguados mayores que de ración (350 a 400 gr.) cada uno,
125 gr. de champiñones,
125 gr. de jamón serrano o de York picado,
    unas gotas de zumo de limón,
 2 cucharadas soperas de aceite fino,

1 cucharada sopera colmada de harina,
1 vaso (de los de agua) de leche fría,
½ vaso (de los de agua) de caldo corto.

Caldo corto:
Agua.
1 chorrito de vino blanco (3 cucharadas soperas),
1 hoja de laurel,
    el zumo de ½ limón,
1 casco de cebolla (40 gr.),
1 zanahoria mediana en rodajas, agua y sal.

Se prepara el caldo corto de antemano para que esté frío, receta 501.

En la pescadería se mandan sacar los filetes a los lenguados. En casa se lavan y secan bien y se golpean contra un mármol antes de cocerlos.

Se preparan los champiñones: se lavan muy bien, se les quita la parte con tierra, se pican menudos y se ponen en un cazo pequeño con un poco de mantequilla, zumo de limón y sal. Se cubren con tapadera y se dejan a fuego mediano unos 10 minutos, más o menos. Se les agrega el jamón picado y se mezcla para que se caliente todo junto. Se reservan.

Se hace el arroz según la receta 165, nota; pero sin ponerle los guisantes. Una vez rehogado, cuando se vaya a servir se pone en un molde (flanera) y se vuelca en el centro de una fuente redonda. Se reserva al calor.

Se doblan los filetes de lenguado como una horquilla, se colocan en la rejilla de la pesquera y se sumergen en el caldo corto frío. Se ponen a fuego mediano y cuando rompe el hervor se saca la rejilla, se coloca al bies sobre el cacharro de cocer el pescado y se tapan los filetes con un paño limpio para que no se enfríen.

Se procede a hacer la bechamel. En una sartén se pone el aceite y la mantequilla a calentar; se le agrega la harina, se dan unas vueltas con una cuchara de madera y poco a poco se incorpora la leche fría; se deja cocer unos 5 minutos y después se añade el caldo corto para que quede la bechamel más bien clarita (½ vaso de los de agua más o menos). Se sala.

En una fuente redonda se vuelca en el centro el molde del arroz. Se colocan los filetes de lenguado alrededor. Con una cuchara se rellenan de picadito los filetes. Se vierte la bechamel por encima de los filetes y se sirve en seguida.

564.—FILETES DE LENGUADO FRITOS EN BUÑUELOS (6 personas)

3 lenguados más grandes que de ración, para sacar 12 filetes   **(350 a 400 gr. cada uno), sal.**

Pasta de envolver: cualquiera de las 3 recetas 53.

En la pescadería se mandan sacar los filetes, que se lavan y se secan muy bien con un paño limpio. Se golpean contra un mármol, se salan ligeramente y se sumergen en la masa de buñuelos. Se fríen y se escurren bien y se sirven en seguida en una fuente adornada con dos ramilletes de perejil.

Nota.—Se puede servir aparte una salsa de tomate, pero esto es facultativo.

565.—FILETES DE LENGUADO EMPANADOS CON ARROZ BLANCO Y SALSA DE TOMATE (6 personas)

4 lenguados de ración (200 gr.
  cada uno),
2 huevos enteros,
1 plato con pan rallado,
¾ de litro de aceite (sobrará),
  sal.
Arroz blanco:
½ kg. de arroz,
  agua y sal,
50 gr. de mantequilla.
  (Véase receta 165.)

Salsa de tomate:
1 kg. de tomates,
3 cucharadas soperas de aceite
  frito,
1 cucharada (de las de café) de
  azúcar y sal.
  (Véase receta 63.)

En la pescadería se manda quitar la piel negra y hacer filetes los lenguados. Estos filetes se lavan y se secan con un paño limpio y se golpean contra un mármol.
Se hacen la salsa de tomate y el arroz blanco de antemano.
Un poco antes de ir a servir se pone el aceite de freír a calentar y cuando está en su punto (no muy caliente, para que se cuezan por dentro los filetes antes de que se doren) se pasan por huevo batido como para tortilla y luego por pan rallado. Se aprieta un poco el pan con las palmas de las manos para que quede bien pegado y se fríen.
Una vez fritos todos los filetes, se reservan a la boca del horno.
Se rehoga el arroz con la mantequilla. Se pone en un molde para flan, apretando ligeramente, y se vuelca en el centro de la fuente donde se vaya a servir. Se colocan los filetes empanados alrededor y se vierten un par de cucharadas de salsa de tomate encima del molde de arroz. El resto del tomate se sirve en salsera aparte. Se sirve todo en seguida.

566.—FILETES DE LENGUADO REBOZADOS Y FRITOS, SERVIDOS CON MAYONESA DE COÑAC Y TOMATE (6 personas)

4 lenguados grandecitos (300 a
  400 gr. cada uno),
1 plato con harina,

2 huevos,
1 litro de aceite (sobrará),
  sal.

Mayonesa:

Hacer la receta de la mayonesa con coñac y tomate, pero doblando todas las cantidades, menos quizá la mostaza (receta 96).
En la pescadería se mandan sacar los filetes de los lenguados. Se calculan 2 por persona, más o menos. Se lavan y se secan muy bien con un paño limpio y se golpean contra un mármol. Se salan ligeramente por las dos caras. Se pasan por la harina, sacudiendo un poco los filetes para que caiga el sobrante de harina. Se baten los huevos como para tortilla, se pasan los filetes y se echan

en una sartén amplia, donde estará el aceite caliente, pero no mucho, para que el pescado se haga por dentro antes de dorarse por fuera. Para saber el punto del aceite se prueba con una rebanadita de pan frito.

Se sirven en seguida en una fuente calentada previamente, con la mayonesa en salsera aparte.

567.—LENGUADOS MOLINERA CON MANTEQUILLA (6 personas)

6 lenguados de ración (150 a 200 gr. cada uno).
1 plato con harina,
1 litro de aceite (sobrará),
150 gr. de mantequilla,

2 cucharadas soperas de perejil picado,
el zumo de un limón,
unos gajos de limón cortados con su piel,
sal.

En la pescadería se manda quitar la piel oscura de los lenguados. Se lavan y se secan muy bien con un paño limpio. En una sartén se pone el aceite a calentar. Cuando está en su punto (no demasiado caliente para que el pescado se haga por dentro antes de dorarse), se sala ligeramente cada cara de los lenguados, se pasan de uno en uno por harina, sacudiéndolos para que caiga la que sobra. Se fríen de dos en dos a lo sumo. Cuando están bien dorados, se colocan en la fuente donde se van a servir. Se espolvorean con el perejil picado y se adornan con los trozos de limón.

Aparte se derrite la mantequilla sin que cueza. Cuando empieza a hacer espuma, se le quita ésta con una cuchara, se mezcla con el zumo de limón colado para que no tenga ni pepitas ni pulpa y se vierte la mantequilla bien caliente por encima de los lenguados. Se sirve en seguida.

568.—LENGUADO GRANDE ENTERO CON VINO BLANCO, AL HORNO (6 personas)

1 lenguado grande de 1½ kg., o 2 de 600 gr. cada uno,
2 cucharadas soperas de pan rallado,
3 cucharadas soperas de aceite fino,
50 gr. de mantequilla,
el zumo de un limón,

1 vaso (de los de vino) de vino blanco,
½ cucharadita (de las de moka) de paprika (facultativo),
1 cucharada sopera de perejil picado,
sal.
1 hoja de papel de plata.

Se manda quitar en la pescadería la piel negra del lenguado. En casa se lava y se seca muy bien con un trapo limpio. En una besuguera de cristal o porcelana se pone el aceite, luego se sala ligeramente el lenguado por los dos lados y se pone en la besuguera. Se rocía con el zumo del limón y después con el vino blanco. Con la punta de los dedos se unta el paprika por todo el pes-

cado, pero esto, aunque da un sabor muy bueno, es facultativo.
Se espolvorea con el pan rallado ligeramente y después con el
perejil picado. Se esparce en trocitos la mantequilla, se cubre
la besuguera con el papel de plata posado encima y se mete
al horno unos 20 minutos. Pasado este tiempo, se quita el papel
de plata y se gratina otros 10 minutos. Se sirve en seguida en la
misma fuente.

569.—LUBINA COCIDA

Para 6 personas se calcula una lubina de más o menos 1½ kg., pues
la cabeza y la piel pesan bastante.
Se prepara un caldo corto según la receta 501.
Se manda vaciar y limpiar la lubina en la pescadería y en casa se
lava bien, se seca con un paño limpio, se sala en la tripa un
poco, se coloca en la rejilla de la pesquera y se sumerge en el caldo corto, con el agua que cubra muy bien el pescado. Se pone
a fuego vivo y cuando empieza a cocer se baja el fuego y se
tiene unos 7 minutos con el agua cociendo despacio. Después
se deja en el agua, ya con el fuego apagado, otros 10 minutos.
Para más seguridad de que la piel de la lubina no se estropee, se
puede envolver el pescado en una gasa fina mojada antes de cocerlo.
Una vez la lubina cocida, se saca la rejilla y se deja escurrir
unos minutos, poniendo la rejilla al bies encima de su cacerola.
Después se coloca con cuidado en la fuente donde se vaya a servir, con una servilleta doblada en el fondo de la fuente, que se
adorna con rajitas de tomate y huevo duro, o con perejil, limón
y patatas cocidas, o con lechuga y gambas, etc.
Se puede servir en caliente con salsa holandesa, bearnesa, etc.,
o en frío con vinagreta, mayonesa simple o más historiada, como
la mayonesa verde o con tomate y coñac, etc.

570.—LUBINA COCIDA EN CALDO CORTO ESPECIAL

Véase receta 645.
Las mejores lubinas para esta receta deben pesar entre ½ kg. y
1 kg.

571.—LUBINA AL HORNO (6 personas)

1 lubina de 1½ kg. (más o menos),	75 gr. de mantequilla, el zumo de un limón,
5 ó 6 cucharadas de aceite fino o, mejor, de salsa de grasa que haya sobrado de un asado,	4 lonchitas de bacon, sal.

En la pescadería se manda vaciar y limpiar la lubina. En casa se
lava muy bien y se seca con un paño limpio.
En una besuguera (de metal, porcelana o cristal resistente al
fuego) se pone el aceite o la grasa de carne. Se sala la lubina

por las dos caras y por dentro del hueco de las tripas. Se pone en la besuguera, se meten en el hueco de la tripa dos lonchitas de bacon, se hacen unos tajos profundos en el lomo de la lubina y se pone en cada uno de ellos una lonchita de bacon enrollada. Se pone la mantequilla en trocitos por encima de la lubina y alrededor de ella. Se rocía todo con el zumo del limón y se mete en el horno, previamente calentado, unos 5 minutos y a fuego mediano. De vez en cuando se rocía con la salsa la lubina y cuando está hecha (unos 45 minutos más o menos) se sirve en su misma fuente.

572.—LUBINA RELLENA AL HORNO (6 personas)

1 lubina de 1½ kg.,
50 gr. de mantequilla,
5 cucharadas soperas de aceite fino,
   el zumo de un limón,
1 cebolla pequeña (40 gr.),
   sal.
Relleno:
125 gr. de champiñones,
   miga de pan, un puñado (80 gr. más o menos),
1 vaso (de los de vino) de leche caliente,

1 cebolla pequeña,
2 cucharadas soperas de aceite,
1 huevo,
10 gr. de mantequilla,
   unas gotas de zumo de limón,
1 cucharada (de las de café) de perejil picado,
   sal.

En la pescadería se manda limpiar bien de escamas la lubina y abrir por la parte de la tripa. Se manda quitar toda la espina central, pero dejando la cabeza y la cola.
En casa se lava bien el pescado, se seca con un paño limpio, se sala ligeramente y se prepara el relleno.
En un tazón se pone la miga de pan con la leche muy caliente. Mientras se remoja, se preparan los champiñones. Se les quita la parte con tierra del rabo y se lavan muy bien, cepillándolos con un cepillo pequeño si puede ser. Se pican menudo y se ponen en un cazo con la mantequilla, unas gotas de zumo de limón y sal. Se cubre el cazo y se dejan a fuego mediano unos 10 minutos.
En una sartén pequeña se pone el aceite a calentar y se le añade la cebolla picada muy fina. Cuando está empezando a dorarse (unos 8 minutos), se reserva.
En una ensaladera se pone la miga de pan remojada, la cebolla, los champiñones, el perejil, el huevo batido como para tortilla y sal. Se mezcla muy bien y se coloca este relleno dentro del pescado. Se cose con una cuerda fina la tripa para que no se salga el relleno, dejando un rabo de cuerda para agarrarla cuando el pescado se vaya a servir y quitarle la cuerda.
En una besuguera (de cristal o porcelana, resistente al fuego) se pone el aceite, se coloca la lubina encima, se le hacen 2 tajos con un cuchillo en la piel del lomo que quedará arriba, pero que no pasen a la carne. Se rocía con el zumo del limón, se echa sal encima y debajo de la lubina y se pone la mantequilla en

trozos. Se mete al horno (previamente calentado) y se deja a horno mediano unos 45 minutos más o menos, rociándola de vez en cuando con su misma salsa.

Al ir a servir se quita la cuerda. Se sirve en la misma fuente con cubiertos de servir el pescado, con el fin de que con el cuchillo se pueda partir.

573.—LUBINAS DE RACION FRITAS (6 personas)

6 lubinas de ración,
1 plato con harina,
1½ vasos (de los de agua) de aceite (sobrará),
el zumo de un limón,

1 cucharada sopera de perejil picado,
1 buen trozo de mantequilla (30 gr.),
sal.

Se mandan limpiar y escamar las lubinas en la pescadería.

Se lavan y se secan muy bien con un paño limpio en casa y se les hacen 2 tajos en el lomo con un cuchillo. Se salan por los dos lados y un poco en el hueco de la tripa y los tajos. Se pasan por harina y se fríen de 2 en 2 en aceite caliente (pero no mucho para que se hagan por dentro antes de dorarse). Se reservan al calor, una vez fritas, en la fuente donde se van a servir. Se vacía completamente el aceite de freír el pescado y en la misma sartén se pone la mantequilla a derretir, sin que llegue a cocer. Fuera del fuego se vierte en la sartén el zumo de limón y el perejil. Se vuelve a calentar rápidamente dando vueltas con una cuchara de madera y se vierte por encima de las lubinas. Se sirve en seguida.

574.—MERLUZA COCIDA, SERVIDA CON SALSA MAYONESA, VINAGRETA U HOLANDESA (6 personas)

Caldo corto:
Para una cola de merluza de 1½ a 2 kg.:

2½ litros de agua fría,
1 zanahoria grande raspada y cortada a rodajas (125 gr.),
1 cebolla grandecita (100 gr.) cortada en 4 rodajas, después de pelada,

zumo de ½ limón,
1 hoja de laurel,
1 vaso (de los de vino) de vino blanco,
sal.

Se pone todo esto en la pesquera. Se cuece durante 15 minutos. Después se aparta y se deja enfriar totalmente. Por lo tanto, hay que preparar el caldo corto con anticipación. Cuando se vaya a cocer la merluza, se coloca ésta encima de la rejilla y se deja en el fondo, debajo de la rejilla, las zanahorias y las cebollas. Se pone a fuego mediano y cuando rompe el hervor se baja el fuego y se deja cocer muy despacio, es decir, que el agua sólo se debe estremecer, unos minutos (15 minutos para 1½ kg.). Pasado este tiempo, se saca la rejilla con el pescado y se pone oblicuamente sobre la cacerola, tapando el pescado con un paño humedecido en agua caliente y retorcido, para que no se enfríe. Se escurre unos 5 a 10 minutos y se pasa a la fuente donde se va a servir, poniendo en ésta una servilleta doblada debajo del pescado con el fin de que absorba el agua. Se adorna con unos ramitos de perejil y rajas de limón.

Se sirve con cualquiera de las salsas mencionadas antes; recetas 94, 90, 75 ó 76.

575.—COLA DE MERLUZA AL HORNO CON TOMATES Y QUESO RALLADO (6 personas)

1 cola de merluza de 1½ kg.,
50 gr. de mantequilla,
3 cucharadas soperas de aceite fino,
150 gr. de queso gruyère rallado,
4 tomates maduros medianos, sal.

En la pescadería se manda abrir la cola de merluza y quitar la espina central. Se lava y se seca bien con un trapo limpio. Se sala ligeramente el interior, se ponen un par de trocitos de mantequilla, se espolvorea con parte del queso rallado y se cierra, como si no la hubiesen abierto para quitarle la espina.

En una besuguera (de metal, cristal o porcelana resistente al horno) se pone el aceite. Se pelan los tomates y se parten por la mitad. Se ponen en el centro de la besuguera con un poco de sal encima, reservando 3 mitades.

Se coloca la merluza encima de los tomates. Se le da un par de tajos en el lomo, se unta toda la cola con la mantequilla que sobra; encima de cada tajo se pone ½ tomate y se espolvorea con el queso rallado. Se mete al horno (previamente calentado 5 minutos) y se deja a horno mediano, más o menos 30 minutos, hasta que tenga un bonito color dorado.

Se sirve en la misma fuente en que se ha hecho.

576.—RODAJAS DE MERLUZA CON TOMATE, CEBOLLA Y QUESO RALLADO (6 personas)

6 rodajas de merluza,
5 cucharadas soperas de aceite,
3 tomates grandes bien maduros,
1 cebolla grande (sobrarán los dos extremos),
100 gr. de gruyère rallado, sal.

Después de lavar y secar bien las rodajas de merluza, se ponen 4 cucharadas soperas de aceite en el fondo de una besuguera o fuente (de metal, cristal o porcelana resistente al fuego). Se ponen las rodajas de merluza, se salan ligeramente, echando un poco de aceite encima de cada una (una cucharadita de las de café). Se pone una rodaja de cebolla fina (del centro de la cebolla). Se pelan los tomates, se cortan en dos mitades, se quitan las simientes y cada mitad se pone encima de la cebolla. Se espolvorea cada rodaja así preparada con queso rallado y se mete al horno previamente calentado y a fuego suave durante unos 25 minutos. Se sirve en la misma fuente donde se ha hecho el pescado.

577.—FILETES DE MERLUZA EMPANADOS, SERVIDOS CON SALSA MAYONESA VERDE (6 personas)

Mayonesa verde (receta 95):

2 huevos,
zumo de un limón,
½ litro de aceite,
1 ramillete de perejil,
3 cucharadas soperas de alcaparras,
2 pepinillos,
sal.
1¼ kg. de filetes de merluza,

1 vaso (de los de agua) de leche fría,
1 plato con pan rallado,
2 huevos,
1 litro de aceite para freír (sobrará),
anchoas enrolladas,
sal.

Se hace la mayonesa de forma que resulte un poco dura.
Se dejan un ratito (½ hora más o menos) los filetes de pescado crudo en un plato sopero con la leche. Se revuelven de vez en cuando para que se empapen bien. Se les escurre la leche muy bien, se salan y se baten los huevos como para una tortilla, pasando los filetes dentro y después por el pan rallado.
Se pone el aceite a calentar. Cuando está en su punto, se fríen los filetes. Cuando están dorados, se escurren bien y se colocan en la fuente donde se vayan a servir. Se pone un rollito de anchoa sobre cada uno y se sirve con la mayonesa verde aparte en salsera.
Nota.—Se puede hacer muy bien con filetes de merluza congelada, dejándola descongelar antes de ponerla en la leche.

578.—FILETES DE MERLUZA REBOZADOS Y FRITOS (6 personas)

1¼ kg. de merluza abierta,
2 huevos,
1 plato con harina,
1 litro de aceite (sobrará),

sal,
1 limón cortado en 6 con su corteza.

En la pescadería se manda hacer filetes con la merluza.
Se debe preparar (lavar, secar, salar) y freír en el momento de ir a comerlos.
Se pone el aceite a calentar a fuego mediano en una sartén más bien honda. Se sala cada filete por las dos caras, se pasa por harina, también por las dos caras, y se sacuden para que caiga la harina sobrante.
En un plato hondo se baten como para tortilla los 2 huevos, se pasan los filetes de uno en uno y se fríen con el aceite no muy caliente para que cuezan un poco por dentro y se doren luego por fuera, forzando el fuego al rato. Cuando tengan un bonito color, se sacan, se posan un momento en un papel de

estraza o simplemente en un colador grande. Después se pasan a la fuente donde se vayan a servir y se adorna con el limón cortado a lo largo.

Nota.—Para que la merluza esté más jugosa, se pone leche en un plato hondo y se meten los filetes dentro (que los cubra muy poco la leche); pasados unos 15 minutos se les da la vuelta y después de 15 minutos se sacan. Se secan muy bien con un trapo limpio y se procede como está explicado anteriormente.

579.—FILETES DE MERLUZA ENVUELTOS EN JAMON DE YORK (6 personas)

12 filetes de merluza (750 gr. a 1 kg.),
6 lonchas finas de jamón de York,
2 huevos,
1 plato con harina,
1 litro de aceite (sobrará),
1 vaso (de los de agua) de leche fría,
sal.

Se ponen los filetes de merluza en un plato hondo y se rocían con la leche fría. Se dejan así durante ½ hora, dándoles un par de veces la vuelta, y se secan con un paño limpio. Se salan y se envuelven con media loncha de jamón de York, que se sujeta con un palillo. Se pasa ligeramente por harina y después por huevo batido como para tortilla. Se fríen los filetes en aceite bien caliente y se sirven en seguida con trozos de limón.

580.—FILETES DE MERLUZA CON JOROBA (6 personas)

1¼ kg. de merluza en filetes,
¼ kg. de gambas,
2 cucharadas soperas de harina,
1½ vasos (de los de agua) de leche fría,
25 gr. de mantequilla,
2 cucharadas soperas de aceite fino,
1 litro de aceite de freír (sobrará),
1 cebolla mediana,
1 cucharada sopera colmada de harina,
1 vaso (de los de vino) no lleno de vino blanco,
2 huevos,
1 chorrito de vino blanco,
1 hoja de laurel,
1 plato con pan rallado,
agua,
sal y pimienta molida.

En un cazo se ponen los desperdicios de la merluza y de las gambas (se dejan sólo las colas aparte y crudas). Se cubren de agua fría y se les añade sal, un chorrito de vino blanco (una cucharada sopera, más o menos) y una hoja de laurel. Se dejan cocer a fuego mediano unos 15 minutos. Se retiran, se cuela y se reserva el caldo corto.

En una sartén mediana se pone la mantequilla y el aceite a calentar. Cuando está la mantequilla derretida, se añade la harina y se dan un par de vueltas con una cuchara de madera. Se añade entonces, poco a poco, la leche. Se cuece unos 10 minutos, se sala y se retira del fuego.

Se ponen los filetes en una mesa, se salan y encima de cada uno se echa como una cucharada de las de postre (más pequeña que las soperas) de bechamel. Se deja enfriar. Se pone a calentar el aceite y cuando está en su punto se pasa cada filete por huevo batido y después por pan rallado. Se fríen por tandas y se van colocando en la fuente de cristal o porcelana (resistente al fuego) de forma que no estén montados unos encima de otros.

Aparte, en otra sartén pequeña, se ponen 2 cucharadas soperas del aceite de freír los filetes y se añade la cebolla pelada y picada. Cuando empieza a dorarse ligeramente, se agrega una cucharada sopera colmada de harina. Se dan unas vueltas y se vierte poco a poco el caldo de cocer los desperdicios (más o menos 2 vasos de los de agua) y el vino. Se sala y se pone un poco de pimienta molida. Se cuece esta salsa durante unos 5 minutos y se cuela por el pasapurés. Se añaden las colas de las gambas y se cuece otros 2 minutos más. Unos 15 minutos antes de ir a servir la merluza se vierte la salsa por encima. Se pone la fuente al fuego y se cuece unos 15 minutos, sacudiendo de vez en cuando la fuente para que se trabe la salsa y no se peguen los filetes.

Se sirve en la misma fuente.

581.—MERLUZA A LA CATALANA (6 personas)

¾ de kg. de filetes de merluza,
 3 patatas medianas (300 gr.),
 2 vasos (de los de agua) de aceite (sobrará),
½ cucharada sopera de harina,
 1 cebolla grande (125 gr.),
 1 diente de ajo,
 6 cucharadas soperas de salsa de tomate muy espesa (o 2 de concentrado de tomate),
 1 plato con harina,
 1 cucharada (de las de café) de pimentón,
 1 pellizco de azafrán en rama, sal.

Caldo corto (receta 501):
1¼ litros de agua,
 1 hoja de laurel,
 2 cucharadas soperas de vino blanco,
 1 trozo de cebolla (30 gr.), sal y los desperdicios del pescado.

Todos los ingredientes del caldo corto se cuecen con los desperdicios del pescado, a fuego vivo, durante unos 20 minutos para que quede el caldo algo reducido. Se cuela por un colador muy fino y se reserva.

En una sartén se pone el aceite a calentar. Mientras, se pelan, se lavan y se cortan las patatas en rodajas no muy finas. Se secan con un paño limpio y se fríen por tandas. Una vez fritas (no mucho, es decir, que se retiran del aceite antes de que empiecen a dorarse), se reservan en un plato. Después se lavan y se secan bien los filetes de merluza, se pasan por un plato con harina y se fríen también por tandas. Se reservan igualmente.

Se vacía casi todo el aceite de la sartén, no dejando más que para cubrir bien el fondo. Se echa la cebolla pelada y muy picada, el diente de ajo igual. Se rehogan hasta que la cebolla empieza a dorarse (más o menos 10 minutos). Se añade entonces la harina, luego el tomate y, después de darle unas vueltas, el pimentón; se revuelve y rápidamente se aparta del fuego (pues el pimentón se quema muy de prisa). Fuera del fuego se va añadiendo poco a poco el caldo corto de los desperdicios (3 ó 4 vasos de los de agua). En el mortero se machacan un par de hebras de azafrán y se le añade un poco de salsa. Se vierte esto en el resto de la salsa de la sartén. Se echa sal, se cuece unos 3 minutos y se pasa por el pasapurés. Se pone un poco de salsa en el fondo de una fuente de barro, porcelana o cristal resistente al horno, donde se ponen las patatas y, encima de ellas, el pescado. Se cubre con el resto de la salsa y se pone a fuego mediano la fuente hasta que las patatas estén blandas (unos 20 a 25 minutos), moviendo la fuente de vez en cuando; se sirve en su misma fuente.

582.—COLA DE MERLUZA AL HORNO CON BECHAMEL Y CHAMPIÑONES (6 personas)

1 cola de merluza de 1¼ a 1½ kg.
25 gr. de mantequilla,
2 cucharadas soperas de aceite fino,
½ litro de leche fría,
1 cucharada sopera colmada de harina,
75 gr. de gruyère rallado,
125 gr. de champiñones medianos,
25 gr. de mantequilla,
unas gotas de zumo de limón,
sal.

Poner la cola de merluza muy ligeramente salada en una fuente honda resistente al horno. En una sartén se ponen la mantequilla y el aceite a derretir; cuando están, se añade la harina, se dan unas vueltas con una cuchara de madera y, poco a paco, se añade

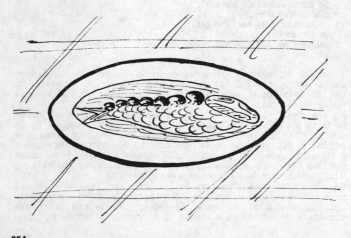

la leche fría sin dejar de dar vueltas; se echa sal y se deja cocer la bechamel 10 minutos para que quede algo espesa. Se vierte entonces sobre el pescado que está en la fuente, se espolvorea con el queso rallado y se mete al horno (que estará previamente calentado) unos 30 minutos.

Mientras tanto, se limpian muy bien los champiñones con un cepillo. Se echan en agua fresca con unas gotas de zumo de limón, dejando las cabezas enteras. Una vez limpios todos, se escurren y se ponen en un cazo con un poco de mantequilla, unas gotas de zumo de limón y sal. Se dejan unos 15 minutos para que estén bien tiernos y se reservan.

Gratinada la bechamel, se medio saca del horno la fuente del pescado y en el lomo de la cola de merluza se colocan las cabezas de los champiñones en fila, poniendo las más grandes en el empiece cortado y disminuyendo hasta la cola. Se vuelve a meter la fuente en el horno, con fuego sólo por debajo, unos 5 minutos más, y se sirve el pescado en su misma fuente.

583.—COLA DE MERLUZA RELLENA (6 personas)

1½ kg. en una cola de merluza o pescadilla grande.

Relleno:
125 gr. de champiñones,
1 puñado pequeño de miga de pan (unos 80 gr.) mojada con un vaso (de los de vino) de leche muy caliente,
1 cebolla pequeña (50 gr.),
2 cucharadas soperas de aceite,
1 huevo,
15 gr. de mantequilla y unas gotas de zumo de limón,
1 cucharada (de las de café) de perejil picado, sal.

Adorno:
1 huevo,
pan rallado (grueso),
3 tomates (cortados por la mitad),
unas ramitas de perejil,
50 gr. de mantequilla,
3 cucharadas soperas de aceite fino,
sal,
1 hoja de papel de aluminio.

En la pescadería se manda quitar la espina central a la cola de merluza, dejando ésta entera.

Se pone abierta sobre un mármol o tabla y se sala ligeramente.

Aparte se prepara el relleno. Se lavan y se cortan los champiñones muy menudos, se ponen en un cazo con un poquito de mantequilla (como una nuez) y unas gotas de limón; se tapa el cazo con tapadera y se hacen a fuego lento unos 10 minutos.

Aparte, en un tazón, se pone la miga de pan en remojo con la leche caliente. Por fin, en una sartén se calientan las 2 cucharadas soperas de aceite, se pone a dorar la cebolla. Cuando está empezando a dorarse, se retira, y en una ensaladera se echa la cebolla, el pan remojado, el champiñón, el perejil, un poco de sal y el huevo batido como para tortilla. Se mezcla todo muy bien y se pone en una tira en el centro del pescado. Se cose la cola con una cuerda fina, dejando un rabo al final para quitarla cómodamente.

Se pone el papel de aluminio en una besuguera y en el centro del papel el aceite. Se coloca el pescado encima, se bate el huevo y con un pincel se pasa por todo el pescado y se espolvorea con el pan rallado, apretando un poco para que se adhiera bien. Se pone alrededor del pescado la mantequilla en trocitos. Se mete en el horno caliente durante 25 minutos, después se cubre con el papel de aluminio que sobresale de los lados y se deja unos 10 minutos más.

Se saca del horno, se abre el papel, se tira de la cuerda para quitarla y se desliza el pescado desde el papel a la fuente, dejando caer la grasa que tiene. Se sirve adornado con tomate y perejil.

584.—MERLUZA CON MAYONESA AL HORNO (6 personas)

1 cola de merluza de 1¼ kg. (más o menos),
2 patatas grandes,
1 vaso (de los de agua) de aceite (sobrará),
2 cucharadas soperas de perejil picado,
el zumo de ½ limón,
sal.

Mayonesa (receta 94):
  2 huevos,
  ¾ de litro de aceite fino,
  el zumo de ½ limón,
  sal,
1 hoja de papel de plata (de 10 × 30 cm.)

Se hace la mayonesa de manera que no quede muy dura.

En la pescadería se manda abrir la cola de la merluza para poderle quitar la espina central y que quede en dos trozos el pescado. Se lava y se seca muy bien.

En una sartén se pone el aceite a calentar. Se pelan las patatas, se lavan y se cortan en rodajas finas. Se refríen en el aceite de manera que queden fritas, pero sin llegar a dorarse. Se escurren y se ponen en el fondo de la fuente (de cristal o porcelana resistente al horno) donde se vaya a hacer la merluza para que quede cubierto todo el fondo. Se salan ligeramente. Por encima se colocan los dos trozos de merluza contrapeados. Se salan, se espolvorean con el perejil y se rocía con el zumo del ½ limón.

Se cubre todo el pescado y la fuente con la mayonesa. Se pone en una esquina un tubo hecho con papel de plata en forma de chimenea (se enrolla el papel alrededor de un dedo para hacer como un tubito). Se enciende el horno unos 10 minutos antes de meter la fuente. Se mete el pescado al horno 20 minutos y se sirve en su misma fuente. Antes de ir a servirlo, se vuelca un poco la fuente del lado de la chimenea para sacar el líquido sobrante debajo de la costra, se quita la chimenea y por el agujero sale el líquido, que se quita con una cuchara.

Nota.—Se puede hacer este plato con merluza congelada, una vez descongelada ésta.

585.—RODAJAS DE MERLUZA FRITA SOLO CON HARINA (6 personas)

1 litro de aceite (sobrará),
1 plato con harina,
6 rodajas de merluza (de la parte cerrada del pescado),

6 rodajas gruesas de limón,
sal.

Una vez lavada y bien seca la merluza, se sala por las dos caras. Se pone a calentar el aceite en una sartén y cuando está en su punto, es decir, no demasiado fuerte para que la merluza se fría de dentro a fuera y quede bien hecha, se pasan las rodajas por la harina y se fríen de 2 en 2 hasta que tengan un bonito color dorado.

Se colocan en una fuente y se adorna cada rodaja con una rodaja de limón y se sirve.

586.—RODAJAS DE MERLUZA FRITAS REBOZADAS (6 personas)

6 rodajas de merluza cerrada,
1 litro de aceite (sobrará),
1 plato con harina,

2 huevos batidos como para tortilla,
1 limón entero,
sal.

Se pone a calentar el aceite a fuego mediano. Mientras tanto, se lavan y se secan con un paño limpio las rodajas de merluza. Se salan ligeramente por las dos caras. Se pasan por el plato de harina también por las dos caras, se sacuden para que caiga lo que sobra y se pasa después por los huevos batidos como para tortilla. Se fríen en el aceite de 2 en 2 hasta que tengan las rodajas un bonito color dorado.

Se sirven en una fuente con unos trozos de limón, sin pelarles la cáscara.

587.—RODAJAS DE MERLUZA CONGELADA FRITAS (6 personas)

6 rodajas de merluza,
1 vaso (de los de agua) de leche,
2 huevos,

1 litro de aceite (sobrará),
1 plato con harina,
sal,
1 limón.

Se descongela la merluza poniéndola en agua fría abundante con 3 cucharadas soperas de sal. Una vez blanda, se escurre y se pone en un plato hondo y se le vierte la leche, que la cubra; Se vuelven las rodajas varias veces para que queden bien empapadas. Se tienen así una ½ hora. Se escurren y se procede a rebozar y freír igual que en la receta anterior.

Se sirven en seguida con unos trozos de limón.

588.—RODAJAS DE MERLUZA FRITAS ADORNADAS CON CURRUSQUITOS DE PAN FRITO Y ALCAPARRAS (6 personas)

6 rodajas de merluza (de la parte cerrada,
1 cucharada sopera de perejil picado (rasada),
1 plato con harina,
3 rebanadas de pan de 2 cm. de gruesas,
3 cucharadas soperas de alcaparras,
40 gr. de mantequilla,
1 litro de aceite (sobrará),
sal.

Se pone el aceite a calentar en una sartén. Se cortan las rebanadas de pan a cuadraditos muy pequeños y se fríen poco.
Se pone sal por las dos caras de cada rodaja de merluza. Se pasan de una en una por harina, sacudiéndolas para que no haya mucha, y con las puntas de los dedos se pone en cada rodaja un poco de perejil picado espolvoreado, pero apretándolo luego con la palma de la mano para que quede bien adherido al pescado. Se fríen las rodajas de 2 en 2 y, una vez bien fritas, con un bonito color dorado por cada cara, se reservan en la fuente donde se vayan a servir y ésta se pone en sitio caliente.
Se retira casi todo el aceite, no dejando más que un fondo en la sartén. Se añade la mantequilla; cuando está derretida, se quita la espuma que se forma con una cuchara, se añaden las alcaparras, los curruscos de pan, se da una vuelta y se vierte toda esta salsa, repartiéndola por cada rodaja de merluza. Se sirve en seguida.

589.—RODAJAS DE MERLUZA GUISADA CON CHIRLAS (6 personas)

6 rodajas de merluza (de la parte cerradas),
¼ kg. de chirlas grandecitas,
1 litro de aceite (sobrará),
1 plato con harina,
4 cucharadas soperas de aceite,
1 cucharada sopera rasada de harina,
½ vaso (de los de vino) de vino blanco,
1 diente de ajo,
1 cebolla pequeña (50 gr.),
1 cucharada sopera de perejil picado,
1 cucharadita (de las de moka) de concentrado de carne (Liebig, Bovril, etc.),
agua y sal.

En una sartén se pone el aceite a calentar; cuando está en su punto (el aceite no debe de estar muy caliente, para que se cueza el pescado antes de que se dore), se salan las rodajas de merluza por las dos caras, se pasan por la harina del plato y se sacuden para que caiga la sobrante. Se fríen y se van colocando en una fuente de cristal, porcelana o barro resistente al fuego.
Se lavan muy bien las chirlas en varias aguas; la primera con un poco de sal para que suelten bien la arenilla. Se ponen en un cazo

con agua fría que las cubra bien y se ponen a cocer hasta que se abren. Se apartan y se van quitando las chirlas de sus cáscaras, reservándolas en un tazón con un poco del agua de cocerlas. Se tiran las conchas y se reserva el agua de cocerlas.

En una sartén se ponen las 4 cucharadas soperas de aceite a calentar, cuando están calientes, se echa la cebolla y el diente de ajo pelados y picados, se da unas vueltas con una cuchara de madera y a los 5 minutos se añade la harina, se da vueltas hasta que esté doradita y se agrega poco a poco el vino blanco y el agua de cocer las chirlas (sin apurar el fondo del cazo, donde se deposita siempre algo de arena). Se cuecen durante unos 10 minutos, más o menos. Fuera del fuego se añade el concentrado de carne y se pasa por el chino o el pasapurés, virtiendo la salsa por encima de las rodajas de merluza. Se espolvorean las chirlas y el perejil. Si se ve que es poca salsa, se puede añadir un poco de agua templada. Se prueba de sal y se rectifica si hace falta. Encima del fuego se cuece a fuego mediano otros 10 minutos más o menos, sacudiendo de vez en cuando la fuente para que la salsa se trabe bien. Se sirve en seguida en su misma fuente.

590.—RODAJAS DE MERLUZA EN SALSA VERDE
(6 personas)

6 rodajas gruesas de merluza cerrada (unos 200 gr. cada una),
4 cucharadas soperas de aceite,
1 cucharada sopera de harina,
1 cebolla mediana (80 gr.),
1 diente de ajo,
unas ramitas de perejil,
1 cucharada sopera de perejil picado muy menudo,
1½ vasos (de los de agua) de agua fría,
1 lata pequeña (125 gr.) de guisantes (facultativo),
1 ó 2 huevos duros (facultativo),
sal y pimienta.

En una sartén se pone el aceite a calentar; cuando está, se echa la cebolla a freír. Mientras tanto, en el mortero se machaca el diente de ajo y las ramitas de perejil con un poco de sal. Cuando la cebolla se va poniendo transparente (unos 5 minutos más o menos), se añade la harina, se dan unas vueltas con una cuchara de madera y se agrega poco a poco el agua fría, se cuece un poco esta salsa y se coge un par de cucharadas, que se añaden a lo machacado en el mortero, revolviendo muy bien. Se incorpora el contenido del mortero a la salsa de la sartén y se revuelve todo junto.

En una cacerola de barro o porcelana (resistente al fuego) se cuela la salsa por un chino o un colador de agujeros grandes. Se colocan las rodajas de merluza ligeramente saladas y holgadas de sitio. La salsa las debe cubrir justo; si es necesario, se puede añadir algo más de agua (teniendo en cuenta que la merluza soltará agua también al cocerse). Se espolvorea un poco de pimienta molida, el perejil picado y los guisantes (si se quiere). Se agarra la cacerola por un costado y se sacude suavemente durante unos 15 minutos. Esto es fundamental para que se trabe bien la salsa. Se prueba entonces la salsa y se rectifica si fuese nece-

sario. Se pican los huevos duros y se espolvorean por encima del pescado (esto es facultativo).
Se sirve en seguida en su misma cacerola de barro.

591.—RODAJAS DE MERLUZA A LA VASCA (6 personas) (Con espárragos, guisantes, etc.)

6 rodajas gruesas de merluza cerrada muy fresca (unos 200 gr. cada raja),
1 manojo de espárragos frescos finos (si no, una lata de puntas de espárragos),
½ kg. de guisantes frescos (o una lata de 125 gr.),
1 huevo duro picado,
4 cucharadas soperas de aceite,

1 cucharada sopera de perejil picado,
1 ramita de perejil,
1 diente de ajo,
1 cebolla mediana (80 gr.),
1 cucharada sopera de harina,
1½ vasos (de los de agua) de agua, más o menos,
sal.

Antes de empezar el guiso de la merluza se tendrán preparados y cocidos los espárragos y los guisantes, o abiertas y escurridas las latas.
En una sartén se pone el aceite a calentar. Cuando está, se echa la cebolla y el diente de ajo picados. Se refríen hasta que la cebolla se va poniendo transparente (unos 6 a 7 minutos), se agrega la harina, la ramita de perejil y en seguida un vaso de agua fría. Se cuece un poco esta salsa (unos 8 minutos) sin dejar de moverla con una cuchara de madera.
En una cacerola de barro o de porcelana (resistente al fuego) se van poniendo las rodajas de merluza ligeramente saladas y holgadas de sitio. Se pasa por un pasapurés o colador de agujeros grandes la salsa de la sartén y se vierte sobre la merluza, añadiendo entonces el ½ vaso de agua, si hace falta, para que cubra justo la merluza (pues ésta soltará agua al hacerse). Se sacude constantemente la cacerola de barro durante los 15 minutos que hacen falta a la merluza para cocerse, agarrándola con una agarrador y moviendo con cuidado para que no se rompan las rodajas.
Al ir a servir en esta misma cacerola en que se ha hecho el pescado, se añaden el perejil picado espolvoreado, los guisantes bien repartidos, los espárragos y el huevo duro picado. Se calienta todo unos 5 minutos más, probando la salsa y rectificando de sal si hace falta. Se sirve en seguida.

592.—RODAJAS DE MERLUZA AL HORNO CON SALSA DE VINO Y CREMA (6 personas)

6 rodajas de merluza (mejor cerrada),
30 gr. de mantequilla,
3 ó 4 cucharadas soperas de pan rallado,

1 vaso (de los de vino) de buen vino blanco,
1 cebollita francesa (30 gr.),
¼ litro de crema líquida,
2 cucharadas soperas de aceite,
sal.

En una besuguera de metal, cristal o porcelana resistente al fuego se ponen 3 cucharadas de aceite; después se lavan, se secan y se salan las rodajas de merluza y se ponen en la besuguera. Se les echa en cada una un poco de pan rallado y por encima una avellana de mantequilla. Se meten a horno mediano (previamente calentado) unos 25 minutos. Mientras, en una sartén se ponen las 2 cucharadas soperas de aceite a calentar, se echa la cebollita pelada y picada muy fina. Se dan unas vueltas con una cuchara de madera hasta que está transparente (unos 5 minutos más o menos), se añade entonces el vaso de vino y se cuece otros 8 minutos. Se retira del fuego y poco a poco se añade la crema. Se abre el horno y se vierte por encima de las rodajas de merluza la salsa. Se apaga el horno, pero se vuelve a meter la besuguera un ratito para que se caliente la salsa sin hervir. A los 5 minutos, más o menos, se sirve en la misma fuente.

593.—RODAJAS DE MERLUZA AL HORNO CON SALSA DE CREMA Y CHAMPIÑONES (6 personas)

6 rodajas de merluza (mejor de la parte cerrada),
3 cucharadas de aceite fino,
40 gr. de mantequilla,
1½ limones,
¾ de vaso (de los de vino) de vino blanco,

4 ramitas de perejil,
2 cucharadas soperas de pan rallado,
100 gr. de champiñones,
¼ litro de crema líquida,
sal.

En una besuguera de cristal o porcelana resistente al horno se pone el aceite. Encima se colocan las rodajas de merluza lavadas, secadas y saladas por las dos caras. Se rocían con el vino blanco y el zumo de un limón y se colocan las ramitas de perejil entre las rodajas. Se espolvorea cada una con un poco de pan rallado (un pellizco en cada una), se pone un trozo de mantequilla encima de cada rodaja (reservando un trocito para los champiñones). Se mete en el horno, previamente calentado, unos 5 minutos a fuego mediano, hasta que las rodajas están hechas y con un bonito color dorado (más o menos 20 minutos).
Mientras la merluza se va haciendo, se preparan los champiñones. Se separan las cabezas de los podúnculos. Se cepillan bien para quitarles la tierra, se lavan y se van echando en agua con unas gotas de limón. Se cortan en láminas finas, se ponen escurridos en un cazo con la mantequilla y el resto del zumo de limón. Se tapa el cazo y se dejan unos 10 minutos a fuego mediano.
Una vez hechos los champiñones, se les añade la crema líquida. Se revuelve bien todo, teniendo cuidado de calentar la crema un poco sin que cueza (pues se puede cortar).
Se quitan las ramitas de perejil a la merluza y se rocían con la salsa de los champiñones. Se vuelve a meter la fuente en el horno casi apagado 5 minutos y se sirven en su misma fuente.

594.—MERLUZA RAPIDA (6 personas)

6 rodajas de merluza (fresca o congelada),
1 vaso (de los de agua) de aceite,
2 patatas medianas,
zumo de un limón,

2 dientes de ajo muy picados,
1 cucharada sopera de perejil picado,
sal.

Se descongelan las rodajas de merluza poniéndolas en agua fría que las cubra bien y 3 cucharadas soperas de sal durante una hora, más o menos. Después se sacan, se lavan al grifo y se secan; después se emplean normalmente.
Se pelan y se lavan las patatas. Se cortan en rodajas finas (algo menos de ½ cm.) En una sartén se pone el aceite a calentar y una vez caliente se ponen las patatas a freír; tienen que freírse, pero sin dorar casi. Cuando están, se sacan.
En una fuente de cristal, barro o porcelana resistente al fuego se ponen las patatas y encima se posan las rodajas de merluza. A la sartén donde se han frito las patatas se le retira casi todo el aceite, dejando sólo un poco. Se rehogan los dientes de ajo hasta que empiezan a dorarse. Se retira la sartén del fuego y se echa el perejil picado. Se revuelve y se vierte por encima de las rodajas de merluza.
Se mete entonces la fuente en el horno, previamente calentado durante 5 minutos, y se deja que se haga. Cuando la merluza está blanca (unos 15 minutos) está el pescado en su punto. **Justo en el momento de servirla y fuera del fuego, se sala y se echa el zumo de limón.** La gracia de este plato consiste en no echar ni la sal ni el limón antes de lo dicho, por esto se insiste en ello.
Se sirve en seguida.
Nota.—Se puede hacer en el fuego en vez del horno, pero queda algo más seco.

595.—RODAJAS DE MERLUZA CONGELADA CON CEBOLLA (6 personas)

6 rodajas de merluza congelada un poco gruesas y cerradas,
5 cucharadas soperas de aceite crudo,

2 cebollas grandes picadas (400 gramos),
el zumo de 1 limón,
sal.

Se descongela la merluza como en la receta anterior.
En una cacerola amplia se pone el aceite, se coloca más de la mitad de la cebolla picada en el fondo, y sobre ella las rodajas de merluza saladas que queden holgadas de sitio; se rocían con el limón, se coloca el resto de la cebolla repartida encima de las rodajas de pescado y se tapa la cacerola. Se pone a fuego lento durante unos 40 minutos.
Se pueden servir en una fuente, teniendo cuidado de sacar las rodajas enteras con una espumadera, o se puede hacer en una fuente de cristal, porcelana o barro resistente a la lumbre y servir en la misma fuente.

596.—COLA DE MERLUZA AL HORNO CON SALSA DE ALMENDRAS, AJOS Y VINO BLANCO (6 personas)

1¼ a 1½ kg. de merluza fresca o congelada,
1 plato con harina,
½ litro de aceite (sobrará),
2 patatas medianas,
sal.
Salsa:
8 almendras,
3 dientes de ajo,
2 ramitas de perejil,

3 rebanadas de pan frito (de 1 cm. de grueso),
1 cebolla pequeña (50 gr.),
1 vaso (de los de agua) bien lleno de vino blanco,
½ vaso (de los de vino) de agua,
2 cucharadas soperas de aceite,
sal.

Si la merluza es congelada, se descongelará como en la receta 594.

Se preparan los filetes quitando las espinas y cortándolos en cuatro a lo largo.

En una sartén se pone el aceite a calentar; cuando está caliente se fríen las rebanadas de pan y se reservan. Después se pelan, se lavan y se cortan en rodajas finas las patatas y se fríen, de manera que estando fritas no se doren casi. Se colocan en el fondo de la fuente de cristal, barro o porcelana (resistente al fuego) donde se hará la merluza.

El pescado, después de lavado y seco se sala ligeramente, se pasa por harina y se fríe filete por filete. Se colocan en la fuente encima de las patatas.

En una sartén pequeña se ponen 2 cucharadas soperas de aceite a calentar y se fríe la cebolla picada hasta que empiece a dorarse (unos 8 minutos).

Mientras tanto, en el mortero se machaca el pan frito, los dientes de ajo, el perejil y las almendras. Se vierte en la sartén de la cebolla y se añade el vino, el agua y un poco de sal. Se cuece esta salsa durante 10 minutos, se cuela por un chino apretando mucho y se echa por encima del pescado.

Se mete a horno mediano (previamente calentado durante 5 minutos), 10 minutos. Se sirve en seguida en su misma fuente

597.—FILETES DE MERLUZA CONGELADA AL HORNO CON COÑAC Y SALSA DE TOMATE (6 personas)

6 filetes de merluza congelada,
30 gr. de mantequilla,
1 vaso (de los de vino) bien lleno de coñac,
1 pellizco de hierbas aromáticas (o 1 ramillete con laurel, tomillo, ajo y perejil),
¾ kg. de tomates,

2 cucharadas soperas de aceite frito,
1 cebolla mediana (80 gr.),
1 cucharada (de las de café) de harina (colmada),
3 cucharadas soperas de pan rallado,
30 gr. de mantequilla,
sal.

Se hace la salsa de tomate poniendo en una sartén el aceite a calentar; se echa la cebolla pelada y picada y se rehoga unos 5 minutos hasta que se pone transparente; entonces se añaden los tomates cortados en trozos y quitadas las simientes. Con el canto de una espumadera se machacan y se refríen durante unos 10 minutos. Pasado este tiempo se pasa por el pasapurés, se le añade la harina, la sal, el pellizco de hierbas aromáticas, se refríe otros 2 minutos y se reserva.

Se descongela la merluza, poniéndola un par de horas en una fuente sin nada. Una vez descongelada se rocía con el coñac y se le da varias vueltas a los filetes para que se impregnen bien. Se dejan más o menos ½ hora, se salan y se ponen en una fuente de cristal o porcelana.

Se calienta la salsa de tomate y se le agregan 3 ó 4 cucharadas soperas del coñac de la merluza. Se cuece durante unos 5 minutos la salsa para que espese un poco. Se vierte por encima del pescado, se espolvorea con el pan rallado, se pone la mantequilla en varios trocitos y se mete al horno durante 20 minutos, tiempo que necesita la merluza para hacerse.

Se sirve en seguida en su misma fuente.

598.—MERO ASADO (6 personas)

1½ kg. de mero en 1 ó 2 rodajas, un poco de aceite (½ vaso de los de vino),
2 ramitas de tomillo,

6 patatas medianas cocidas con la piel (facultativo),
sal.

Con los dedos o, mejor, con una brocha, se pasa un poco de aceite por las dos caras del mero. Se le pone sal y se mete a horno mediano. Este se habrá encendido 10 minutos antes, bastante fuerte. Se pone una ramita de tomillo encima y se coloca en la misma parrilla poniendo una besuguera sólo en el fondo del horno por si gotea el pescado. A los 20 minutos se da la vuelta al mero, colocándole la otra ramita de tomillo. Se deja 10 minutos más y se sirve en seguida en una fuente caliente con platos calentados.

Se puede adornar con patatas cocidas y peladas, o simplemente con unos ramilletes de perejil.

Se sirve aparte salsa en salsera. Esta puede ser una mousselina, bearnesa, mayonesa o mantequilla derretida y ligeramente tostada con alcaparras, según guste más.

599.—MERO EN SALSA VERDE (6 personas)

1 ½ kg. de mero en 2 rodajas

Se procede igual que en la receta 590, teniendo en cuenta que el mero, por ser más anchas las rodajas, tardan algo más en cocerse.

600.—MERO A LA VASCA

Se procede igual que para las rodajas de merluza a la vasca (receta 591).

601.—MERO AL HORNO CON SALSA DE CREMA Y Y CHAMPIÑONES

Se hace igual que las rodajas de merluza (receta 593).

602.—FILETES DE MERO AL HORNO CON VINO BLANCO Y PICADITO DE CEBOLLAS

Se procede igual que para los filetes de lenguado (receta 559), dejando un poco más de tiempo de horno.

603.—MERO CON VINO BLANCO AL HORNO

Se procede igual que para el lenguado entero, teniendo en cuenta que al ser un pescado más grueso se tendrá que aumentar el tiempo de horno (receta 568).

604.—PALOMETA

Véanse las recetas en Castañola.

605.—PESCADILLAS FRITAS QUE SE MUERDEN LA COLA (6 personas)

6 pescadillas de ración,
1 plato con harina,
1 litro de aceite (sobrará),
sal,
1 limón.

En la pescadería se mandan vaciar y limpiar las pescadillas.
Se lavan al chorro y se secan muy bien con un paño limpio. Se salan un poco en la parte abierta de la tripa y por el cuerpo. Se les mete la cola en la boca y se aprieta un poco para que los dientes la agarren bien.
Se calienta el aceite, se pasan las pescadillas por harina y se fríen de dos en dos para que no tropiecen, hasta que tengan un bonito color dorado. Se escurren bien y se ponen en una fuente adornada con trozos de limón sin pelarle a éste la cáscara. Se sirven recién fritas.

606.—PESCADILLAS ABIERTAS, REBOZADAS Y FRITAS (6 personas)

6 pescadillas de ración,
1 plato con harina,
1 litro de aceite (sobrará),
2 huevos enteros,
1½ limón en trozos,
sal.

En la pescadería se manda quitar la cabeza, abrirlas y quitarles la espina central, pero dejando la cola de las pescadillas.

En casa se lavan, se secan y se salan. Se pasan primero por harina, se sacuden para que no quede demasiada, y se pasan por el huevo bien batido como para tortilla. Se tendrá el aceite caliente y se fríen (pero que no esté el aceite demasiado caliente, con el fin de que se cuezan un poco por dentro antes de dorarse). Se fríen las pescadillas por tandas para que no tropiecen y se sirven en una fuente con gajos grandes de limón sin pelar.

607.—PESCADILLAS AL HORNO CON VINO Y PASAS
(6 personas)

6 pescadillas de ración,	1½ limón,
1 vaso (de los de vino) de moscatel,	3 cucharadas soperas de aceite,
2 yemas de huevo,	50 gr. de mantequilla,
1 puñadito de pasas de corinto (o málaga),	1 cucharada sopera de pan rallado, sal.

En la pescadería se mandan limpiar las pescadillas, quitarles las cabezas y la espina central.

En casa se lavan bien y se secan. En una besuguera (de metal cristal o porcelana resistente al horno) se pone el aceite en el fondo. Se salan y se doblan en dos como una horquilla, con la piel para fuera. Se espolvorean ligeramente con pan rallado y se les pone algo menos de la mitad de la mantequilla en varios trocitos. Se rocían con la mitad del vino y el medio zumo de limón, y se meten a horno mediano 15 minutos.

Mientras tanto se les quitan los rabos a las pasas y se ponen en un cazo pequeño con lo que queda del vino. Se calienta éste, pero sin que cueza y se retira del fuego, dejando las pasas dentro para que se ablanden.

En una sartén pequeña se pone el resto de la mantequilla a derretir, el zumo del limón y el vino con las pasas. Se calienta bien dando unas vueltas. En un tazón se ponen las 2 yemas de huevo y se les agrega un poco de salsa, despacio y sin dejar de mover para que no se cuajen. Se incorpora esto al resto de la salsa, se mueve bien y se vierte por encima de las pescadillas, sacudiendo un poco la fuente para que la salsa se mezcle con la de las pescadillas. Se apaga el horno y se deja unos 5 minutos más el pescado en él.

Se sirve en la misma fuente que se han hecho.

608.—PESCADILLA AL HORNO (6 personas)

1 pescadilla de 1½ kg.,
el zumo de 1 limón,
1½ cucharada sopera de pan rallado,
1 cucharada sopera de perejil
picado,

4 cucharadas soperas de aceite fino,
50 gr. de mantequilla,
sal.

En la pescadería se manda quitar la cabeza y abrir la pescadilla
para quitarle la espina central.
Se lava y se seca bien con un paño limpio.
En una besuguera se pone el aceite en el fondo. Se coloca la
pescadilla abierta con la piel tocando el aceite. Se sala, se rocía
con el perejil picado y luego con el pan rallado. Se pone la mantequilla en trocitos encima de la pescadilla y se mete a horno
mediano (que estará previamente calentado) unos 25 minutos, más
o menos. Se sirve en la misma fuente.

609.—COLA DE PESCADILLA GRANDE RELLENA

Se prepara exactamente igual que va explicado en la cola de merluza rellena (receta 583). Como las pescadillas se compran siempre enteras, se podrá hacer con la parte de cerca de la cabeza
unas croquetas, para aprovechar esta parte que no se rellena
bien.

610.—PESCADILLA GRANDE

Véase la receta del **besugo al horno con tomate, cebolla y champiñones (receta 528)**.

Lubina al horno (receta 571),
Merluza cocida (receta 574),
Cola de merluza al horno con
tomates y queso rallado (receta 575),
Pescadilla en rodajas o en filetes,

Filetes de merluza rebozados y
fritos (receta 578),
Rodajas de merluza guisada con
chirlas (receta 589),
Rodajas de merluza en salsa verde (receta 590),
Rodajas de merluza a la vasca
(receta 591).

La mayoría de las recetas de merluza se pueden hacer con pescadilla.

611.—PEZ ESPADA CON CEBOLLA Y VINO BLANCO
(6 personas)

1 kg. de pez espada en filetes
finos,
2 cebollas grandes (300 gr.),
1 plato con harina,
1 vaso (de los de vino) de
agua,

1 vaso (de los de vino) de
vino blanco,
1½ vaso (de los de agua) de
aceite,
sal.

En una sartén se pone aceite a calentar; mientras se calienta se salan los filetes por las dos caras y se pasan por harina. Se fríen rápidamente hasta que estén dorados.
Se separan y se reservan en un plato.
En una cacerola se pone un poco de aceite de freír el pescado (unas 3 cucharadas soperas), se añade la cebolla, pelada y cortada en tiras finas y largas, que se refríen hasta que se pongan transparentes (unos 5 minutos); se añade entonces el vino y el agua y se cuece unos 10 minutos más a fuego lento y moviendo de vez en cuando con una cuchara de madera.
Se agrega el pescado y se deja unos 10 minutos hasta que está hecho. Se sirve en seguida en una fuente.

612.—PEZ ESPADA A LA PARRILLA

1 kg. de pez espada en filetes cortados finos,
3 dientes de ajo,
2 cucharadas soperas de perejil picado,

4 cucharadas soperas de aceite,
el zumo de 1 limón,
sal.

Se ponen los filetes ya salados en una parrilla con fondo para que pueda recogerse la salsa al final. Se pone la mitad del aceite en cada cara de los filetes, ajo muy picado (la mitad) y la mitad del perejil. Se echa un poco de zumo de limón y se mete a horno previamente calentado y fuerte. Una vez dorados por una cara (más o menos 10 minutos) se les da la vuelta a los filetes y se vuelve a poner aceite, ajo picado, perejil y limón.
Una vez asados se ponen en una fuente caliente, se recoge el jugo que han soltado al asarse, se vierte por encima de los filetes y se sirven con una ensalada de lechuga aparte.
También se pueden acompañar de mayonesa servida aparte.

613.—PEZ ESPADA EMPANADO (6 personas)

1 kg. de pez espada en filetes finos,
1 plato con pan rallado,
2 huevos,

1 litro de aceite (sobrará),
sal,
salsa mayonesa con alcaparras.

Hacer una salsa mayonesa como va explicado en la receta 94.
Freír el pescado, salándolo y pasándolo por huevo batido como para tortilla, y después por pan rallado.
Los filetes se freirán por tandas, en aceite abundante. Escurrir bien después de frito y servir en una fuente con la salsa en salsera aparte.
Se puede adornar la fuente con lechuga aliñada o con ramilletes de perejil frito y cada filete con una anchoa enrollada puesta encima.

614.—FILETES DE PEZ ESPADA CON SALSA DE GAMBAS Y ALMEJAS (6 personas)

1 kg. de pez espada en filetes finos,
¼ kg. de gambas,
¼ kg. de almejas (chirlas o chochas),
½ litro de aceite (sobrará),
1 plato con harina,
1 cebolla grande (150 gr.),
1 cucharada sopera colmada de harina,
unas hebras de azafrán (poco) o 1 pellizco en polvo,
1 diente de ajo,
3 cucharadas soperas de jerez,
1½ vaso (de los de agua) de caldo de cocer los desperdicios,
agua y sal.

Se lavan en varias aguas con sal las almejas. Se ponen en una sartén con un vaso (de los de vino) de agua, y, a fuego vivo, se saltean hasta que se abran. Se sacan los bichos de su concha y se reservan en un tazón con su jugo (colado por un colador de tela metálica o incluso con una gasa).

Se les quitan las cabezas y las caparazones a las gambas, dejando sólo las colas en un plato. Los desperdicios se cuecen en agua y sal durante 10 minutos. Se cuela y se reserva el caldo.

Se lavan, se secan y se salan los filetes de pescado. Se pasan por harina, ligeramente. En una sartén se pone el aceite a calentar y se fríen muy rápidamente, por cada cara. Se van colocando en una fuente de barro, cristal o porcelana resistente al fuego.

En un cazo o en la misma sartén se ponen a calentar unas 4 cucharadas soperas de aceite de freír el pescado. Cuando está caliente se le añade la cebolla pelada y picada. Se refríe hasta que empiece a dorar (unos 8 minutos), se añade entonces la harina. Se revuelve un par de minutos con una cuchara de madera, y, poco a poco, se añade el jerez, el caldo de las chirlas y el de las gambas (en total 1½ vaso de los de agua). Se machaca el azafrán, con el diente de ajo pelado, en el mortero y se disuelve con 2 cucharadas soperas de agua. Se incorpora a la salsa, se cuela ésta por el chino, apretando bien, y se vierte por encima del pescado. Se añaden las colas de gambas y las almejas, se rectifica de sal y se cuece a fuego mediano durante unos 8 minutos, sacudiendo de vez en cuando la fuente para que se trabe la salsa.

Si hiciese falta se puede agregar algo más de agua.

Se sirve en la misma fuente en que se ha hecho.

615.—RAPE ESTILO LANGOSTA (6 personas)

1¾ kg. de rape crudo, de la parte ancha,
pimentón (unos 100 gr.),
3 cucharadas soperas de aceite fino,
sal.
Adorno:
unas hojas de lechuga,
1 huevo duro en rodajas, o gambas, etc.

Salsa:
mayonesa simple o mayonesa con tomate y coñac, o vinagreta (recetas 94, 96, 90).

En la pescadería se manda quitar la piel y deshuesar el rape que tiene que ser de la parte ancha, pero mejor cerrada; de lo contrario, se cortarán las aletas de la parte abierta. Salen como 2 lomos. Se guarda el hueso.

En casa se lava el rape y se seca muy bien. Se ata con una cuerda fina como si fuese un asado de carne. Se sala y con la punta de los dedos se unta con aceite primero y con pimentón después, de forma que quede muy cubierto de rojo todo el trozo de rape.

Se ponen en una cacerola los trozos de rape y el hueso solos. Se tapa con tapadera y se cuece a fuego mediano más o menos durante 30 minutos, volviendo los lomos de vez en cuando. Estos se cocerán en el jugo que el rape va soltando.

Se sacan y se dejan enfriar puestos en la tabla de cortar la carne. En el momento de servir el rape se quita la cuerda y se cortan en rodajas los lomos, de un dedo de grosor, como la cola de langosta.

Se adorna la fuente y se sirve con la salsa en salsera.

Nota.—El caldo que ha soltado el rape al cocerse está muy bueno para aprovecharlo en una sopa de pescado.

616.—RAPE CON LECHE (6 personas)

1½ kg. de rape en filetes,
1 cebolla grande (150 gr.) picada menuda,
3 cucharadas soperas de aceite fino,
30 gr. de mantequilla,
1½ cucharadas soperas de harina,

2½ vasos (de los de agua) de leche fría, o ¾ litro escasos,
½ cucharada sopera de puré concentrado de tomate,
sal.

En una sartén se pone a calentar el aceite con la mantequilla. Cuando está derretida, se echa la cebolla muy picada. Se deja unos 10 minutos para que se fría sin tomar color y se añade la harina. Se vierte poco a poco la leche fría, dando vueltas para que no se formen grumos. Después de echar toda la leche se añade la cucharada de concentrado de tomate y el hueso del rape para que cueza y vaya dando gusto, y un poco de sal.

Antes de servir el rape se saca el hueso y se sala ligeramente cada filete, metiéndolos en la salsa para que den un hervor durante más o menos 10 minutos.

Tiene que estar poco tiempo porque el rape se encoge mucho y se pone correoso.

Se sirve en fuente de porcelana honda.

617.—RAPE A LA AMERICANA CON TOMATE, COÑAC Y VINO BLANCO (6 personas)

1½ kg. de rape en filetes,
8 cucharadas soperas de aceite,
1 cebollita francesa (30 gr.),
1 diente de ajo grande,
½ vaso (de los de vino) de buen coñac,
1 vaso (de los de agua) bien lleno de vino blanco seco,
1 buen pellizco de hierbas aromáticas,
6 tomates medianos bien maduros,
el zumo de 1 limón,
1 cucharada sopera de perejil muy picado,
1 plato con harina,
sal y pimienta.

En una sartén amplia se ponen 6 cucharadas de aceite a calentar. Se sala cada filete, se pasan por harina ligeramente y se ponen en la sartén a rehogar hasta que la carne no esté ya transparente sino blanca mate. Como el rape suelta mucho caldo, éste se retira volcando un poco la sartén y sujetando el pescado con una tapadera. Una vez bien escurrido todo el caldo, se vuelven a poner 2 cucharadas soperas de aceite y se refríe otro poco el rape. Se espolvorea con una cebollita pelada y picada menuda y se pone el diente de ajo pelado y dado un golpe (con el fin de que desprenda más aroma). Se espolvorea con las hierbas aromáticas, se echa el coñac, que se habrá puesto en un cazo a calentar un poco y prendido con una cerilla para flamearlo. Después se añade el vino blanco y los tomates partidos en trozos y quitadas las simientes. Se sala ligeramente y se echa pimienta negra (un pellizco). Se tapa la sartén con una tapadera y se cuece a fuego mediano más bien vivo durante 25 minutos. Se retiran los filetes de rape de la salsa y se ponen en una fuente honda donde se vaya a servir.
Se pasa la salsa por el pasapurés, se añade el zumo de limón y se vierte sobre el rape. Se espolvorea con el perejil picado y se sirve en seguida.

618.—RAPE EN SALSA CON TOMATES Y GUISANTES (6 personas)

1½ kg. de rape en filetes,
¼ litro de aceite (1 vaso de agua bien lleno),
1 plato con harina,
1 cucharada sopera de harina,
1 cebolla grande (200 gr.),
2 dientes de ajo,
2 tomates medianos (250 gr.),
1 cucharada sopera de perejil picado,
unas hebras de azafrán,
1 lata de guisantes pequeña (100 gr.),
agua y sal.

En la pescadería se manda hacer filetes con el rape.
Se lava el pescado y se seca con un paño limpio. Se pone el aceite a calentar en una sartén, y, cuando está caliente, se reboza ligeramente el rape con harina y se fríen un poco (pasados por las dos caras rápidamente) los filetes. Se sacan y se reservan en un plato.
En una cacerola se ponen unas 4 cucharadas soperas del aceite

de freír el rape. Se calienta y se echa la cebolla muy picada. Se deja dorar, dándole unas vueltas con una cuchara (unos 8 minutos). Se añaden entonces los tomates pelados y cortados en trozos, quitándoles la simiente. Se refríen bien (unos 10 minutos) y se agrega la harina, y, poco a poco, agua suficiente para que cubra el pescado (1½ vaso de los de agua, primero, y al poner el pescado se ve si basta o no).

En un mortero se machacan los dientes de ajo, pelados, con la sal y el azafrán. Una vez machacados se les añade un par de cucharadas soperas de caldo de la salsa y se vierte esto en la salsa. Se prueba de sal, rectificando si hiciese falta.

Se da un hervor de unos 10 minutos, y se agrega entonces el rape. Se cuece todo junto otros 10 minutos más y se añaden los guisantes; se mueve todo bien y se vierte en la fuente donde se vaya a servir, espolvoreando ésta con perejil picado.

619.—BOUILLABAISSE DE RAPE Y PATATAS (6 personas)

1 kg. de rape,
½ kg. de patatas,
1 cebolla mediana (150 gr.),
2 dientes de ajo,
unas hebras de azafrán,
1 cucharada sopera de perejil picado,
1 cucharada (de las de café) de concentrado de tomate,
½ vaso (de los de vino) de vino blanco,
6 cucharadas soperas de aceite,
el zumo de ½ limón,
agua y sal.

Se lava y se seca bien el rape, quitándole la piel negra si la tiene. Se corta en trozos más bien grandecitos y se ponen en una ensaladera para que macere unas 3 ó 4 horas, con la siguiente preparación vertida en la ensaladera con el rape.

En el mortero se machaca el azafrán, un diente de ajo y un poco de sal. Se disuelve con el vino blanco. Se vierte esto en la ensaladera, con 2 cucharadas de aceite, el zumo del ½ limón y ½ vaso (de los de vino) de agua. Se revuelve de vez en cuando.

Al ir a hacer la bouillabaisse, se cuecen los desperdicios del rape con el hueso en un poco de agua y sal. Una vez cocido se cuela este caldo.

En una cacerola se pone el resto del aceite a calentar. Cuando está caliente se rehoga la cebolla pelada y picada menuda, así como el diente de ajo (éste entero). Cuando está todo dorado se añaden las patatas peladas, lavadas y cortadas en rodajas no muy finas y partidas por la mitad si la patata es grande; se rehopan un poco y se les agrega el caldo de los desperdicios y un poco más de agua si hiciese falta, para que las cubra bien, y un poco de sal. Se dejan cocer a fuego vivo unos 20 minutos (más o menos, para que no se deshagan las patatas). Pasado este tiempo se añade el pescado con su maceración, se revuelve bien y se deja cocer unos 10 minutos más, rectificando de sal si hiciese falta. Se sirve en fuente honda con su caldo y se espolvorea con el perejil en el momento de servir.

Se toma en plato sopero.

620.—RAYA COCIDA CON SALSA DE MANTEQUILLA NEGRA Y ALCAPARRAS (6 personas)

1 raya de 1.250 a 1.500 kg.,
150 gr. de mantequilla,
2 cucharadas soperas de alcaparras,
   sal.
Caldo corto:
   agua abundante,

½ vaso (de los de vino) de buen vinagre,
1 cebolla mediana (150 gr.),
2 hojas de laurel,
10 gr. de pimienta (10 bolitas),
   sal.

En la pescadería se manda cortar la raya en tres trozos en el sentido de las espinas, quitándole la cabeza y la cola; también se recorta todo alrededor hasta donde empieza la carne.
Lávese muy bien en casa y póngase en una cacerola amplia con los ingredientes indicados para el caldo corto. Cuando rompe el hervor a borbotones, se baja el fuego y se deja unos 25 minutos cociendo muy despacio.
Se sacan los trozos de raya, se quitan las dos pieles (la negra y la blanca) y se pone bien escurrido el pescado en trozos en la fuente de servir.
En una sartén se pone la mantequilla a derretir y cuando empieza a tener un color tostado (cuidando de que no llegue a quemarse) se separa del fuego y, con cuidado, se ponen las alcaparras con algo de su jugo. Se calienta un poco y se vierte por encima del pescado, que se servirá en seguida, en platos calientes.

621.—RAYA EN GELATINA CON MAYONESA DE ALCAPARRAS (6 personas)

1 kg. de raya,
   caldo corto como en la receta anterior,
   mayonesa verde (receta 95),
2 cucharadas soperas de gelatina (Maggi, Royal, etc.),

½ litro de agua,
2 cucharadas soperas de jerez,
   unas hojas de lechuga,
2 tomates rojos pero duros,
   sal.

Se prepara y cuece el pescado igual que en la receta anterior. Una vez cocido, se escurre y se quitan las espinas dejando el pescado en trocitos (o se aprovecha un resto).
Se prepara ½ litro de gelatina según va explicado en el envase de la marca elegida y se le añade el jerez, o se compra gelatina hecha y se derrite al baño maría.
Se pone un poco de gelatina en un molde redondo de 5 cm. de borde; se deja cuajar y se pone el pescado en trocitos. Se vierte el resto de la gelatina y se deja cuajar unas 3 horas en sitio fresco.
Al ir a servir el pescado se pasa un cuchillo todo alrededor del molde y se vuelca en una fuente redonda. Se adorna con unas

hojas de lechuga y rajas de tomate y se sirve así, con mayonesa aparte.

Esta gelatina se puede hacer con cualquier pescado un poco firme: besugo, merluza, lubina, etc.

622.—MANERA DE COCER EL RODABALLO

En la pescadería se escogerá un rodaballo (o parte de él, si son pocos comensales) que no sea muy grande, pues siendo así es más fina la carne. Se manda quitar la cabeza, las tripas, la cola, las aletas y las barbas que tiene todo alrededor.

Se lava muy bien con agua fresca y abundante. Se espolvorea de sal y se pone en una besuguera un poco inclinada para que escurra durante unas 2 horas. Pasado este tiempo, se vuelve a lavar y se coloca en la rejilla de la pesquera (con la piel oscura hacia abajo). Con un cuchillo bien afilado (si se cuece el pescado entero) se hacen 2 tajos, uno a cada lado de la espina dorsal y bien profundos.

Se cuece en caldo corto con leche (receta 504).

Se pone a fuego vivo y cuando baja el hervor se baja el fuego, de forma que cueza muy lentamente durante unos 25 a 30 minutos por cada kg. de pescado.

No se saca antes de servir, como los demás pescados. Se puede conservar en el caldo corto una ½ hora, pero sin que cueza antes de servirlo.

Si se sirve frío, se dejará enfriar en su caldo antes de sacarlo. Se tendrá que escurrir muy bien antes de servirlo, puesto sobre una servilleta doblada. Se le quita la piel antes de servir.

Si se va a servir en filetes, se mandarán hacer éstos por el pescadero, que tiene más costumbre.

Se calculan 200 gr. en crudo por comensal.

623.—RODABALLO COCIDO

Servido caliente:

Se cuece como está explicado anteriormente y se sirve caliente con la salsa aparte:

Holandesa (receta 76), o mou- selina (receta 75), o mantequilla negra con alcaparras (receta 87).

Servido en frío:

Mayonesas y sus variaciones.

624.—FILETES DE RODABALLO AL HORNO (6 personas)

1¼ kg. de rodaballo (en filetes),
   3 cucharadas soperas de aceite,
50 gr. de mantequilla,
   2 cucharadas soperas de pan rallado,
   1 cebolla grande (200 gr.),

1 vaso (de los de vino) bien lleno de vino blanco,
1 vaso (de los de vino) de agua,
1 cucharada sopera de perejil picado,
sal.

Se mandan hacer los filetes en la pescadería y se lavan muy bien en casa.

En una besuguera de metal, cristal o porcelana, resistente al horno, se pone el aceite. Se echa la mitad de la cebolla muy picada. Se posan los filetes de rodaballo, se salan, se espolvorean con la cebolla que queda mezclada con el perejil y después con el pan rallado. Se pone la mantequilla en trocitos repartida por encima de los filetes. Se mezclan el agua y el vino y se rocía todo alrededor de la fuente.

Se mete a horno mediano, previamente calentado 5 minutos, durante unos 45 minutos, rociando de vez en cuando con el caldo de la besuguera.

Se sirve en la misma fuente donde se ha hecho.

625.—RODABALLO AL HORNO CON MEJILLONES (6 personas)

1¼ a 1½ kg. de rodaballo en un trozo,
1 kg. de mejillones,
1 vaso (de los de vino) de buen vino blanco,
2 cucharadas soperas de aceite fino,
25 gr. de mantequilla,
1 cucharada sopera colmadita de harina,
1 vaso, más o menos (de los de agua), de caldo (o agua

y una pastilla de Maggi, Gallina Blanca, etc.),
2 yemas de huevo,
1 cucharada sopera de perejil picado,
sal.
Caldo corto con leche:
agua fría,
leche,
rodajas de limón,
1 hoja de laurel,
sal y pimienta en grano.

Véase receta 504.

Se lava muy bien el rodaballo en varias aguas, después se sala ligeramente y se deja escurrir en un plato inclinado por un lado para que expulse el agua.

Después de esto se prepara el caldo corto con leche, se pone el rodaballo encima de la rejilla, se sumerge en el líquido de la pesquera y se cuece (más o menos 40 minutos) muy lentamente, de modo que el agua haga sólo burbujas muy pequeñas.

Mientras se cuece, se limpian muy bien los mejillones, quitándoles las barbas. Se lavan y se ponen en una sartén. Se rocían con el vino blanco y a fuego mediano se saltean para que se abran. Una vez abiertos se saca el bicho de su concha y se reserva. Se cuela el caldo por un colador y una tela fina puesta dentro de éste.

En una sartén se pone el aceite y la mantequilla a calentar; cuando ésta está derretida se añade la harina, se dan unas vueltas y, poco a poco, se añade el agua de los mejillones y después el caldo en la proporción que haga falta. Se cuece unos 10 minutos sin dejar de dar vueltas a la salsa, y se echa sal.

En la fuente donde se vaya a servir el rodaballo se coloca éste sin piel y en trozos grandes, pero sin espinas.

En un tazón se ponen las yemas y se revuelven con un poco de salsa, con mucho cuidado para que no se cuajen. Se agrega entonces lo del tazón a la salsa, así como los mejillones. Se revuelve bien y se vierte por encima del rodaballo. Se espolvorea muy ligeramente con el perejil, y se sirve.

626.—SALMON COCIDO

Se cuece el salmón en un caldo corto especial o con vino blanco, en rodajas, o la cola entera, e incluso el salmón entero teniendo muchos comensales y una pesquera bastante grande (véanse recetas 645 y 501).

Ha de tenerse en cuenta que, una vez roto el hervor fuerte, se debe bajar el fuego para que cueza el salmón muy lentamente. El tiempo es de unos 25 minutos por cada kg. de pescado.

Se puede servir frío o caliente con varias salsas.

Caliente: Con salsa holandesa, muselina, etc.

Frío: Con toda clase de mayonesas.

Se suele poner una servilleta doblada en la fuente de servirlo para que empape el agua.

Se adorna con unas patatas cocidas y unos ramitos de perejil.

627.—SALMON ASADO (6 personas)

3 rodajas grandes o 6 pequeñas de salmón,

1 vaso (de los de agua) de aceite fino, sal.

Salsas: Cualquier mayonesa simple o historiada.

Se lava y se seca muy bien el pescado. Se pone el aceite en una fuente y se ponen las rodajas encima. Se les da la vuelta de vez en cuando, dejándolas en total una hora macerando en el aceite.

Pasado este tiempo se sacan, se salan por las dos caras. Se unta de aceite (que sobra del adobo del salmón) una parrilla, se calienta bien al horno y se ponen las rodajas de pescado en la parrilla, poniendo una besuguera debajo de la parrilla para recoger lo que gotee. Se vuelven las rodajas un par de veces, con cuidado, para que no se pegue el salmón.

Se verá que está ya asado el salmón y en su punto cuando al tratar de sacar el hueso central de la rodaja con un tenedor pueda éste salir fácilmente.

Se sirve en una fuente previamente calentada, con la salsa en salsera aparte.

628.—RODAJAS DE SALMON AL HORNO CON MANTE- QUILLA (6 personas)

3 rodajas grandes o 6 pequeñas
   de salmón,
1 vaso (de los de agua) de
   aceite fino,

100 gr. de mantequilla,
1 cucharada sopera de perejil
   picado,
   sal.

Se lava bien el pescado y se seca con un paño limpio. Se pone el aceite en una fuente amplia y se posan las rodajas de salmón encima, sin que monten unas encima de otras. Se dejan ½ hora y se vuelven para que la otra cara toque el aceite.

Se retiran y se escurren un poco las rodajas, se salan por las dos caras y se colocan en una besuguera de porcelana o cristal resistente al horno. Se pone en cada rodaja un buen trozo de man- tequilla y se meten a horno mediano hasta que estén bien do- radas, más o menos ½ hora. Se recoge varias veces el jugo y se rocía el pescado con él mientras se cuece. Se saca del horno, se espolvorea con el perejil y se adorna la fuente con gajos de limón enganchados en el borde de la besuguera. Para esto se separa la piel del limón como si se fuese a pelar, algo menos de la mitad de la altura de cada gajo de limón. Se sirve.

629.—MEDALLONES DE SALMON EMPANADOS (6 per- sonas)

1 kg. de salmón,
½ kg. de champiñones frescos,
40 gr. de mantequilla,
   el zumo de ½ limón,
½ litro de crema líquida (o be- chamel),

2 huevos,
1 plato con harina,
1 plato con pan rallado,
1 litro de aceite (sobrará),
   sal.

En la pescadería se manda quitar la piel y las espinas del salmón y se corta en filetes, que se aplastan un poco.

En casa se lavan y se secan muy bien los filetes y se salan.

Se limpian bien los champiñones, lavándolos al chorro, y se cortan, si hace falta, en trozos más bien grandes. Se ponen en un cazo con la mantequilla, un poco de sal y el zumo del ½ limón. Se ponen a fuego mediano, salteándolos de vez en cuando. Después de unos 10 minutos se retiran y reservan al calor.

En una plato sopero se baten los huevos como para tortilla. Se pasan los filetes de salmón, primero por harina muy ligeramente, después por huevo y por último por pan rallado.

En una sartén se pone el aceite a calentar; cuando está en su punto (esto se comprueba friendo una rebanadita de pan) se fríen los filetes por tandas para que no tropiecen. Se reservan al calor colocándolos en la fuente donde se vayan a servir.

En el cazo de los champiñones se va añadiendo poco a poco la crema líquida, moviendo bien con una cuchara de madera, para que al calentar ésta no cueza y no se corte. Cuando esta salsa está bien caliente, se vierte por encima del pescado o se sirve en salsera aparte.

Nota.—Si no se tiene crema líquida, se puede sustituir por bechamel clarita:

1 cucharada sopera de harina,
20 gr. de mantequilla,

2 cucharadas soperas de aceite,
½ litro de leche fría.

(Véase receta 67).

630.—MANERAS DE ADEREZAR EL SALMON AHUMADO

Sea para canapés o sea para plato, el salmón ahumado se puede servir con varios acompañamientos, según el gusto de cada cual.

1) Un picadito de cebollas francesas.
2) Un picadito de huevo duro.
3) Unas gotas de zumo de limón, etc.

Nota.—El salmón ahumado mejora mucho si se rocía con un poco de aceite de oliva fino antes de cualquier aderezo.

631.—SALMON A LA PESCADORA (AL HORNO, CON GAMBAS Y MEJILLONES) (6 personas)

1 kg. de salmón (en 2 rodajas,
¼ kg. de gambas grandes,
½ kg. de mejillones,
6 cucharadas soperas de aceite,
1 cebolla pequeña (50 gr.), un plato con harina,
1 cucharada sopera de perejil picado,

1½ vaso (de los de vino) de vino blanco,
1 vaso (de los de agua) de agua,
1 limón,
2 yemas de huevo,
1 cucharada sopera de leche fría,
60 gr. de mantequilla, sal.

Se lavan y se secan muy bien las dos rodajas de salmón. Se salan las dos caras y después se pasan, también las dos caras, por harina.

En una besuguera se pone el aceite y la cebolla muy picada. Se posa el salmón encima, se rocía con el zumo de limón y el vino blanco. Se colocan las gambas peladas alrededor y unos trozos de mantequilla encima de cada rodaja (más o menos la mitad de la mantequilla). Se cubre la besuguera con un papel de plata y se mete a horno moderado (previamente calentado) unos 30 minutos.

Mientras tanto se limpian las barbas de los mejillones, se lavan muy bien y se ponen en un cazo con algo de sal y 1 vaso (de los de agua) de agua, a fuego moderado. Se saltea de vez en cuando el cazo y cuando están abiertos los mejillones se retiran del fuego. Se quitan los bichos de sus conchas, se cuela por un paño fino el agua de cocerlos, dejando la justa para que los cubra y no se sequen.

Se pone el salmón con cuidado (con una espumadera) en una fuente; se colocan las gambas alrededor y se cubre con el papel de plata. Se tiene así en el horno (apagado) para que no se enfríe.

En un tazón se mezclan las yemas de huevo con la cucharada de leche. En un cazo se echa la salsa del pescado de la besuguera colada por un colador, y los mejillones con su caldo; se mezcla y calienta bien y se añade un poco de esta salsa a las yemas, teniendo cuidado de mover bien para que no se cuezan y corten. Se mezcla todo, se añade el perejil picado, se vierte por encima del salmón y se sirve en seguida.

Nota.—Si se quiere la salsa un poco más trabada, se disuelve con la leche 2 cucharadas (de las de café) de fécula de patata, se añade a la salsa de la besuguera, se cuece un par de minutos y se une esto a la crema con las yemas. Se espolvorea el perejil.

632.—SALMONETES AL HORNO (6 a 8 personas)

6 salmonetes de ración (200 gr. cada uno),
4 cucharadas soperas de aceite,
80 gr. de mantequilla,
el zumo de un limón,
6 rodajas de limón,
sal.

Se mandan limpiar los salmonetes en la pescadería.

Se lavan y se secan bien los salmonetes. Se les hacen dos rajas en el lomo. En una besuguera de metal, cristal o porcelana resistente al horno se pone el aceite, cuidando de que quede todo el fondo cubierto. Se ponen los salmonetes con un poco de sal en la tripa y media raja de limón en cada tajo. Se colocan de forma que no monten unos encima de otros. Se salan ligeramente, se rocían con el zumo de limón y se pone la mantequilla en trocitos por encima del pescado. Se meten en el horno (previamente calentado) durante más o menos 25 minutos y se sirven en la misma fuente donde se han hecho.

633.—SALMONETES AL HORNO ENVUELTOS EN PAPEL (PAPILLOTES) (6 a 8 personas)

Este guiso tiene la ventaja de que el pescado puede esperar un buen rato antes de servirlo sin que se reseque, y que además no se extienda el olor a pescado.

6 salmonetes de ración (200 gr. más o menos cada uno),
1 cebolla grande (250 gr.),
6 cucharadas soperas de aceite, unos pellizcos de hierbas aromáticas (o unas ramitas de tomillo o de hinojo),
sal,
6 hojas de papel de barba blanco.

Córtense las hojas de papel 5 cm. más largas que los salmonetes y después darles la forma de un corazón.

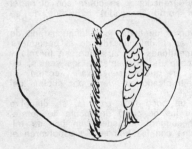 

En la pescadería se mandan limpiar los salmonetes. Se salan por las dos caras y por dentro de la tripa. Se pica la cebolla muy fina. Se unta cada salmonete por las dos caras con bastante aceite. Se pone un poco de cebolla en el papel y se posa el salmonete encima. Se espolvorea con un pellizco de hierbas aromáticas o, si no se tienen, se pone en la tripa una ramita de tomillo o de hinojo. Se espolvorea el lomo de cada salmonete con cebolla y se cierra el papel por los bordes.

Se posan los 6 paquetes encima de una parrilla y ésta sobre una besuguera o placa de horno (esto para que el fuego no les dé directamente). Se enciende el horno unos 15 minutos antes de meter los salmonetes con calor mediano. Se meten los salmonetes y se ponen a horno mediano más bien bajo. Se dejan unos 30 minutos.

Para que el gusto sea bueno, el papel no ha de tostarse.

Pasado este tiempo, se sacan y se sirven en su papel en una fuente.

634.—SALMONETES AL HORNO CON PAN RALLADO Y VINO RANCIO (6 personas)

6 salmonetes de ración (200 gr. más o menos),
4 cucharadas soperas de aceite, el zumo de ½ limón,
1 vaso (de los de vino) de vino rancio (moscatel, etc.),
1 cebolla pequeña (50 gr.),
2 cucharadas soperas de pan rallado,
50 gr. de mantequilla,
sal.

Se limpian los salmonetes, quitándoles las tripas y las escamas. Se lavan y se secan muy bien. Se salan en la parte de la tripa y por los dos lomos.
En una fuente de cristal o porcelana resistente al horno se pone el aceite y la cebolla muy picada. Se colocan los salmonetes de forma que no monten unos encima de otros. Se les hace un tajo con un cuchillo en el lomo y se rocían con el limón y el vino rancio. Se espolvorean con pan rallado y se pone por encima, en trocitos, la mantequilla. Se meten a horno mediano, previamente calentado, unos 30 minutos, hasta que estén bien dorados, y se sirven en su misma fuente.

635.—SALMONETES FRITOS (6 personas)

12 salmonetes,
1 plato con harina,
1 litro de aceite (sobrará),
sal,
1 limón cortado en gajos.

Se quitan las tripas y las escamas de los salmonetes. Se lavan y se secan muy bien. Se salan por los dos lomos y en el hueco de la tripa.
Se pone el aceite a calentar y, cuando está en su punto, se pasa cada salmonete por harina y se fríen en tandas, pero sin que tropiecen en la sartén. Una vez bien dorados, se ponen en una fuente adornada con trozos de limón (con cáscara) y se sirven en seguida.

636.—SALMONETES EMPANADOS A LA PARRILLA, CON SALSA MAYONESA (6 personas)

6 salmonetes de ración,
1 vaso (de los de agua) de aceite,
el zumo de un limón,
pan rallado en un plato,
sal.

Mayonesa. (Véase receta 95.)

Se quitan las tripas y las escamas de los salmonetes. Se lavan y se secan muy bien. En una fuente se pone el aceite y el limón. Se salan ligeramente los salmonetes por los lomos y por el hueco de la tripa. Se ponen durante 2 horas a macerar en el aceite, dándoles de vez en cuando la vuelta. Pasado este tiempo, se pasan por el pan rallado, que queden bien cubiertos. Se ponen a horno caliente en una parrilla untada con aceite (con un pincel). Cuando están bien dorados por un lado, se les da la vuelta (en total unos 45 minutos). Se sirven en una fuente, con la mayonesa aparte en salsera.

637.—SARDINAS FRITAS (6 personas)

1½ kg. de sardinas medianas,
  1 litro de aceite (sobrará),
  1 plato con harina,

1 limón en trozos,
sal.

Se limpian las sardinas quitándoles la cabeza y las tripas, pero sin abrirlas. Se lavan y se secan muy bien y se salan ligeramente. En una sartén se pone el aceite a calentar; cuando está en su punto, se pasa cada sardina por harina, por las dos caras, y se fríen por tandas para que no tropiecen. Se sacan cuando están doradas y se ponen en una fuente, reservándolas en sitio caliente hasta que se terminen de freír todas.
Se adorna la fuente con trozos de limón y se sirven en seguida.
Nota.—También se pueden hacer abiertas. Se les quita entonces la cabeza y la espina central y se procede igual.

638.—SARDINAS REBOZADAS CON HUEVO Y FRITAS (6 personas)

1½ kg. de sardinas de tamaño mediano,
  1 litro de aceite (sobrará),
  1 plato con harina,

2 huevos,
1 limón en trozos (sin quitarle la piel),
sal.

Se les quita la cabeza y la espina a las sardinas, se lavan bien, se secan y se salan ligeramente por las dos caras dejándolas abiertas. Se pone el aceite a calentar en una sartén; cuando está en su punto, se pasa cada sardina por harina, agarrándolas por la cola (que no se habrá quitado) y sacudiéndolas para que caiga la harina sobrante, y luego por huevo (batidos como para tortilla, en un plato hondo).
Se fríen en tandas para que no tropiecen demasiado. Una vez fritas, se escurren en un colador grande y se reservan en sitio caliente.
Una vez fritas todas, se ponen en una fuente adornada con trozos de limón y se sirven en seguida.

639.—SARDINAS AL HORNO CON VINO BLANCO Y PAN RALLADO (6 personas)

1½ kg. de sardinas más bien grandes,
  5 cucharadas soperas de aceite,
  1 vaso (de los de vino) no lleno de vino blanco,

3 cucharadas soperas de pan rallado,
1 cucharada sopera de perejil picado,
el zumo de ½ limón,
40 gr. de mantequilla,
sal.

Se les quitan las cabezas y las espinas a las sardinas. Se lavan y se secan muy bien. Se salan ligeramente por la parte de dentro (donde se ha quitado la espina).

En una besuguera de porcelana o cristal resistente al horno se pone el aceite. Se colocan las sardinas crudas de forma que no se monten unas encima de otras. Se rocían con el vino blanco y el zumo de limón. Se espolvorean con el perejil picado y después con el pan rallado. Se les pone la mantequilla en trocitos por encima y se meten al horno medianamente caliente durante unos 25 minutos, rociándolas de vez en cuando con su jugo.

Se sirven en la misma fuente.

640.—SARDINAS AL HORNO RELLENAS DE ESPINACAS
(6 personas)

1½ kg. de sardinas más bien grandes,
1½ kg. de espinacas,
100 gr. de mantequilla,
  2 cucharadas soperas de pan rallado,
4 cucharadas soperas de aceite,
40 gr. de mantequilla en trocitos,
agua,
sal.

Véase en el capítulo de verduras la manera de cocer las espinacas (receta 356). Una vez cocidas y bien escurridas, se pican con un machete y se ponen en una sartén con los 100 gr. de mantequilla. Se rehogan muy bien y se dejan al calor en espera.

Se quitan las cabezas y las espinas de las sardinas. Se lavan y se secan muy bien y se ponen en una mesa con la parte de la espina por arriba. Se salan ligeramente. En el centro de cada sardina se pone un poco de espinacas. Se enrolla cada sardina.

En una fuente resistente al horno se ponen las 4 cucharadas soperas de aceite, que cubran todo el fondo de la fuente. Se colocan las sardinas unas junto a otras. Se espolvorean con el pan rallado y se pone la mantequilla reservada en trocitos. Se meten al horno previamente calentado y a fuego mediano unos 30 minutos. Se sirven en la misma fuente.

641.—SARDINAS EN ESCABECHE

1 kg. de sardinas (no muy grandes),
1 plato con harina,
1 litro de aceite (sobrará),
2 hojas de laurel,
6 granos de pimienta,

2 dientes de ajo,
1 vaso (de los de agua) de vinagre no muy lleno,
1 vaso (de los de agua) de agua no muy lleno,
sal.

Se limpian las sardinas quitándoles la cabeza, las tripas y la espina. Se lavan y se secan muy bien. Se salan ligeramente, se vuelven a doblar y se pasan por harina.
En una sartén se pone el aceite a calentar y se van friendo las sardinas por tandas. Se ponen en una fuente un poco honda y unas encima de otras, pero no muy apretadas.
En una sartén pequeña se ponen unas 5 cucharadas soperas de aceite del de freír las sardinas (pero colado por un colador de tela metálica). Se fríen las hojas de laurel, la pimienta y los dientes de ajo. Una vez bien dorados y fuera del fuego, se añade el vinagre y el agua. Se vuelve a poner al fuego y se cuece unos 5 minutos, después de los cuales se vierte por encima de las sardinas para que queden bien cubiertas. Se sacude un poco la fuente y se deja enfriar antes de comerlas.
No pongo cantidades por personas, pues estas sardinas se toman más bien de aperitivo o de entremeses.

642.—TRUCHAS FRITAS:

1.ª manera:

Se escogen las truchas de 150 gr. más o menos (más pequeñas no tienen carne y mayores no se fríen bien). Se destripan, se escaman, se lavan y se secan muy bien. Se salan en la parte de la tripa y los lomos y se tienen así 10 minutos para que penetre bien la sal. Se pasan por leche y después por harina y se fríen en una sartén amplia y con aceite abundante durante unos 10 minutos, más o menos.
Se sirven en seguida con trozos de limón (con su piel).

2.ª manera:

Se escogen y limpian igual que las anteriores. Se pone una sartén amplia bien llena de aceite y se pasan por harina muy ligeramente y después por huevo batido como para tortilla y luego por pan rallado. Se fríen unos 10 minutos y se sirven también con limón.

643.—TRUCHAS A LA MOLINERA (6 personas)

12 truchas pequeñas (125 a 150 gr. por pieza),
1 plato con harina,
1 plato con leche fría,

½ litro de aceite (sobrará),
el zumo de un limón,
1 cucharada sopera de perejil,
100 gr. de mantequilla,
sal.

Se destripan las truchas, se escaman, se lavan y se secan muy bien con un paño limpio. Se salan en la parte de la tripa. Se pone en una sartén el aceite a calentar. Se pasan las truchas primero por leche y luego por harina y se fríen por tandas y con el aceite no demasiado caliente, para que se cuezan por dentro antes de dorarse por fuera. A medida que están fritas, se salan por las dos caras y se ponen en la fuente donde se vayan a servir y se reserva ésta al calor (horno bajo, o encendido primero fuerte y luego apagado). Se vacía todo el aceite de la sartén y se pone a derretir la mantequilla a fuego mediano para que quede transparente; una vez líquida toda la mantequilla, fuera del fuego se le añade el zumo de limón, se mezcla bien y se echa por encima de las truchas. Se espolvorea el perejil y se sirve en seguida.

644.—TRUCHAS ESTILO SAROBE, VARIANTE DE LAS TRUCHAS A LA MOLINERA (6 personas)

12 truchas pequeñas (de 125 a 150 gr. cada una),
tocino de jamón, 350 gr. (más o menos),
el zumo de 1½ limones,
50 gr. de mantequilla,
1 cucharada sopera de perejil muy picado,
sal.

Se vacían, se escaman, se lavan y se secan las truchas. Se salan copiosamente por los dos lomos y por el sitio de la tripa y se dejan reposar así 10 minutos con el fin de que se salen bien. En una sartén se derriten los trozos de tocino de jamón (que no esté rancio). Una vez derretido, se quitan los chicharroncillos formados y en la grasa caliente se colocan las truchas (en dos tandas, por ejemplo, para que no se monten unas encima de las otras). Se fríen muy despacio con la sartén tapada durante 3 minutos y luego con mucho cuidado se les da la vuelta y se dejan otros 3 minutos con la sartén también tapada. Luego se retira ésta del fuego y se dejan reposar las truchas un minuto. Se trasladan con cuidado a una fuente de metal o porcelana resistente al fuego y se reservan al calor. Una vez fritas todas las truchas, se rocían con el zumo de limón, se espolvorean con el perejil y se pone la mantequilla en trocitos por encima de las truchas. Se mete al horno mediano, y cuando la mantequilla está derretida se sirven rápidamente en su misma fuente.

645.—TRUCHA ASALMONADA EN CALDO CORTO ESPECIAL (3 personas)

1 trucha asalmonada de ½ kg. más o menos,
25 gr. de mantequilla,
2 cucharadas soperas de aceite,
2 ó 3 zanahorias medianas (150 gr. las 2 ó 3),
1 cebolla mediana (50 gr.),
1 loncha de tocino veteado de 100 gr.,
1 pellizco de hierbas aromáticas,
½ litro de vino blanco,
½ litro de agua,
pimienta y sal, una cucharada sopera.

Salsa holandesa:

Véase receta, 76. Se sirve en salsera aparte.
Se vacía, se escama, se lava y se seca bien la trucha. Se sala por
dentro de la tripa y por los lomos y se deja reposar así unos 10 minutos para que penetre bien la sal.
En una sartén honda se pone la mantequilla y el aceite a calentar,
mezclados. Cuando están calientes, se echan las zanahorias, la
cebolla y el tocino, todo ello cortado en trocitos. Se rehoga bien,
se sala ligeramente y se añaden las hierbas aromáticas y la
pimienta. Se dan unas vueltas más y se añade el agua y el vino.
Se deja hervir muy lentamente durante 2 horas y luego se cuela el
caldo. Se pone éste en una besuguera y se mete la trucha dentro (debe estar cubierta de líquido). Se tapa con una tapadera
y se pone a fuego lento para que apenas cueza sin hervir a borbotones. Se deja más o menos unos 30 minutos, hasta que esté
cocida.
Se sirve en una fuente con una servilleta doblada debajo de la
trucha y con la salsa holandesa aparte en salsera.

646.—TRUCHAS CON JAMON, ALMENDRAS Y AJO
(6 personas)

6 truchas de ración (¼ kg. cada
una),
1 plato con harina,
2 vasos (de los de agua) de
aceite,
6 lonchitas pequeñas de jamón
serrano,

1 punta de jamón serrano de
100 gr.,
8 almendras crudas,
3 dientes de ajo,
2 ramitas de perejil,
zumo de un limón,
3 cucharadas soperas de jerez,
sal y pimienta molida.

Se vacían, se lavan y se secan bien las truchas. Se les pone sal y
pimienta.
En una sartén se pone el aceite a calentar y se fríen ligeramente las 6 lonchitas de jamón, dándoles sólo una vuelta para
que no se endurezcan. Se mete en la tripa de cada trucha este
jamón. Se enharinan las truchas y se fríen por tandas. Se van
colocando en la fuente (resistente al horno), de forma que no
queden muy apretadas.
Se mondan las almendras (poniéndolas en un tazón con agua caliente durante unos 10 minutos se les quita muy bien la piel), se
pican menudas. Se pelan los dientes de ajo, que se pican muy
menudos también, así como la punta de jamón y el perejil.
En una sartén pequeña se ponen unas 8 cucharadas soperas de
aceite a calentar, se les añade el jamón, las almendras, los ajos
y el perejil. Se refríe un poco hasta que los ajos y las almendras
se doren ligeramente (unos 5 minutos). Se agrega entonces el
jerez y el limón, se revuelve bien y se vierte todo por encima
de las truchas. Se meten en el horno a gratinar a fuego mediano
durante unos 10 minutos y se sirven en su misma fuente, o se
trasladan a otra, como más guste, vertiendo la salsa por encima
de las truchas.

647.—TRUCHAS CON JAMON (A LA NAVARRA) (6 personas)

6 truchas de ración,
6 lonchas finas de jamón serrano,
¾ de litro de aceite (sobrará),
1 plato con harina,
1 kg. de tomates,
1 pimiento colorado fresco (de 300 gr. más o menos) o una latita de conserva,

3 cucharadas soperas de aceite frito,
1 cucharada (de las de café) de azúcar,
1 cebolla mediana (80 gr.) (facultativo),
sal.

Se vacían, se escaman, se lavan y se secan bien las truchas. Se salan por los dos lomos y se dejan reposar así unos 10 minutos para que penetre bien la sal.

Se cortan por el lado de la tripa para abrirlas. Se pone en cada trucha una loncha de jamón y se vuelven a cerrar, atándolas con un palillo para que no se abran y se salga el jamón.

Se hará la salsa de tomate espesa (receta 63) y se le agregará, una vez hecha, unas tiritas de pimiento de lata o asado, previamente· pelado y vaciado después, si es fresco. Esta salsa, bien caliente, se pone en la fuente donde se sirvan las truchas. Esta fuente se reservará al calor.

En una sartén se pone el aceite a calentar y se fríen las truchas, pasándolas antes por harina, hasta que estén bien doradas. Se ponen en la fuente y se sirven en seguida.

Nota.—Hay quien no las sirve con el tomate; también están muy buenas, y hay quien en vez de poner el jamón dentro de la tripa sólo se lo pone alrededor de la trucha (sujetándolo con un palillo) y friéndola sin harina.

Estas dos variaciones son cuestión de gusto.

648.—TRUCHAS AZULADAS (6 personas)

6 truchas de ración,
1 vaso (de los de agua) de vinagre.
Caldo corto con vino tinto hecho con:
2½ litros de agua,
1½ vasos (de los de agua) de vino tinto,

2 zanahorias medianas,
1 cebolla mediana,
1 hoja de laurel,
1 ramita de perejil,
2 ó 3 granos de pimienta negra,
1 cucharada de sal.

Se tendrá hecho el caldo corto de antemano (receta 502), pero no se dejará enfriar como para los demás pescados cocidos.

Se vacían las truchas, pero sin escamarlas y tocándolas lo menos posible. Se ponen en una fuente honda. Se calienta el vinagre en un cazo y cuando empieza a hervir se vierte por encima de las truchas, se les da la vuelta para que toquen bien el vinagre. Después se sacan y se zambullen en el caldo corto hirviendo. Se cuecen despacio durante unos 15 minutos, tapadas. Pasado este tiempo se sacan, escurriéndolas en la rejilla y colocándolas en una fuente con una servilleta doblada para que empape bien el caldo de las truchas. Se sirven en seguida con salsa holandesa o con vinagreta historiada (recetas 76 y 90).

649.—TRUCHAS FRIAS EN GELATINA (6 personas)

6 truchas de ración,
½ litro de agua,
1 vaso (de los de vino) de vinagre,
sal.
Caldo corto:
  3 litros de agua,
  1 hoja de laurel,
  1 trozo de cebolla pelada y cortada en 2 trozos (60 gr., más o menos),

2 zanahorias medianas (100 gr.),
1½ vasos (de los de vino) de vino blanco,
el zumo de ½ limón,
4 ó 5 granos de pimienta,
1 cucharada sopera de sal.
Gelatina:
½ litro de caldo corto,
2 cucharadas soperas de gelatina (Maggi o Royal).

Adornos para las truchas:

Hojas de lechuga o berros, rodajas de tomate, de huevo duro, etc.

Mayonesa en salsera aparte (receta 94).

Se prepara lo primero el caldo corto, haciéndolo cocer unos 20 minutos y echando, en el momento de romper a hervir, el vino blanco (receta 501).

Se destripan, se lavan y se secan las truchas sin escamarlas. Se ponen en una fuente honda.

En un cazo se pone a cocer el ½ litro do agua con el vaso de vinagre. Una vez que rompe el hervor, se separa del fuego y cuando está aún caliente, pero no en seguida de apartarlo, se vierte sobre las truchas. Se les da a éstas un par de veces la vuelta para que estén bien empapadas. Se sacan y se colocan en la rejilla de la pesquera, zambulléndolas en seguida en el caldo corto, que estará cociendo. Se separa inmediatamente del fuego y se dejan enfriar en el caldo corto. Una vez frío éste, se saca la rejilla, se escurren muy bien las truchas y con mucho cuidado se les quita la piel desde la base de la cabeza hasta un poco antes de la cola. Se colocan en una fuente.

Se separa ½ litro de caldo corto y se prepara la gelatina según la explicación de cada marca, utilizando en vez de agua el caldo corto. Se deja templar, y, cuando empieza casi a cuajarse, con una brocha plana se pasa por encima de cada trucha. Esta operación se repite 3 ó 4 veces, con el fin de que las truchas queden bien cubiertas de gelatina. Se meten en la nevera durante por lo menos 3 ó 4 horas (más si se quiere preparar este plato con tiempo). Se deja cuajar la gelatina que ha sobrado, que se pica y se pone alrededor de la fuente. Esta se adornará con berros u hojas de lechuga, rodajas de tomate y de huevo duro, trufas, etc.

Se sirven acompañadas de mayonesa en salsera aparte.

MARISCOS

650.—ALMEJAS A LA MARINERA (6 personas)

3 kg. de almejas medianas,
1 cebolla mediana (80 gr.),
2 dientes de ajo,
4 cucharadas soperas de aceite,
1½ cucharadas soperas de pan rallado (sin tostar),
1 vaso (de los de vino) de vino blanco,
1 hoja de laurel,
1 cucharada sopera rasada de perejil picado,
el zumo de ½ limón,
1 vaso (de los de vino) de agua fría,
sal.

Se lavan muy bien las almejas con agua abundante y sal. Se ponen en una sartén con el vaso de agua y a fuego vivo. Se sacude la sartén y cuando se vayan abriendo las almejas se retiran de una en una quitándoles una de las conchas (la vacía). Se van apartando en una cacerola. Se cuela el jugo que han soltado por un colador con un trapo fino dentro para que no pase nada de arenilla.

En una cacerola se pone el aceite a calentar; cuando está a punto, se añade la cebolla y 2 dientes de ajo muy picados hasta que la cebolla esté transparente (unos 5 a 7 minutos); se añade entonces el pan rallado, se rehoga un poco y después se pone la hoja de laurel (que se retira al ir a servir las almejas), el vino blanco, el agua de cocer las almejas, el zumo del ½ limón y la sal. Se da unas vueltas y se añaden las almejas. Si se ve que la salsa queda corta, se puede añadir algo de agua. Se espolvorea con el perejil picado, se saltea todo junto y se sirve en platos de barro individuales, repartiendo las almejas y la salsa.

651.—BECHAMEL DE ALMEJAS (6 personas)

1½ kg. de almejas grandes,
1 cebolla pequeña (50 gr.),
25 gr. de mantequilla,
2 cucharadas soperas de aceite fino,
1 cucharada sopera colmada de harina,
1 vaso (de los de agua) de leche fría,
el jugo que han soltado las almejas,
1 vaso (de los de vino) de mitad agua y mitad vino blanco,
2 huevos,
1 plato con pan rallado,
1 litro de aceite (sobrará),
sal.

Se lavan las almejas con agua y un buen pellizco de sal, moviéndolas bien con la mano y sacándolas en seguida para que no se les vaya su agua. Se ponen en una sartén con el vaso de agua y vino, a fuego vivo, salteándolas de vez en cuando. Una vez abiertas, se les quita el bicho y se pica en trozos grandes. Se abren las conchas para que queden sólo medias conchas, y se reservan. Se cuela el agua de abrirlas por un colador de tela metálica con un paño fino puesto dentro con el fin de que no pase arenilla.

En una sartén se pone la mantequilla y el aceite a derretir; una vez calientes, se echa la cebolla pelada y picada muy fina. Cuando ésta se pone transparente (5 minutos más o menos), se añade la harina, se da unas vueltas con una cuchara de madera y se agrega poco a poco la leche fría y más o menos ½ vaso (de los de vino) del jugo de las almejas. Se echa sal y se deja cocer esta bechamel unos 10 minutos. Se agregan entonces las almejas picadas, se da un par de vueltas y se retira.

Se rellenan con esta bechamel las conchas de las almejas y se dejan enfriar. En un plato sopero se baten los huevos como para tortilla. Se pasan las conchas rellenas, por la cara del relleno, por el huevo batido y después por el pan rallado.

En una sartén amplia se pone el aceite a calentar; cuando está en su punto (se prueba con una rebanadita de pan), se fríen las almejas y se sirven calientes.

Este plato se sirve sobre todo de aperitivo.

652.—ANGULAS EN CAZUELITAS (6 personas)

600 gr. de angulas,
 12 dientes de ajo,
  2 guindillas,

12 cucharadas soperas de aceite.

Se compran las angulas ya cocidas en la pescadería. Deben estar bien blancas y sueltas para que sean recientes.

Se sirven en platitos de barro individuales resistentes al fuego. En cada plato se ponen 2 cucharadas soperas de aceite con 2 dientes de ajo. Se pone a fuego vivo hasta que estén los ajos dorados. Entonces se retira la cazuela del fuego y se deja que el aceite se temple; se ponen entonces las angulas repartidas en las cazoletas y un par de rodajitas de guindilla cortadas con unas tijeras. Se vuelven a poner a fuego vivo, moviendo las angulas con un tenedor **de madera,** de forma que todas se calienten y se impregnen de aceite. Cuando rompe el hervor, se retiran del fuego y se sirven en seguida, poniendo la cazuelita en un plato y tapándola hasta llegar a la mesa con otro plato para que no salpiquen aceite y se conserven muy calientes.

Se han de comer en seguida con tenedor de madera. No se pueden recalentar, pues están incomibles.

653.—BOGAVANTE

Se cuece o se prepara como la langosta. Teniendo en cuenta que es un marisco menos fino que la langosta, no se debe comprar mayor del kg. para que la carne sea buena y fina.

CALAMARES Y CHIPIRONES

Véase en la parte de los pescados: recetas del 544 al 548.

654.—CANGREJOS DE MAR PEQUEÑOS

Estos se sirven de aperitivo y también se ponen de adorno en la paella cuando no se tienen cangrejos de río, que son más ricos de comer y más finos.

Para 3 docenas de cangrejos:

4 cucharadas soperas de aceite, agua fría, un buen pellizco de hierbas aromáticas (o una ramita de tomillo, 2 hojas de laurel y una ramita de perejil),

1 diente de ajo, pimienta en grano (3 piezas). Si es molida, poca, sal.

Se lavan con agua fría y sal los cangrejos, sin dejarlos en el agua. Se les quitan las patas (esto va a gusto del consumidor, pues hay quien prefiere conservarlas). Se machacan en el mortero 4 ó 5 cangrejos.
En un cazo se pone el aceite a calentar; cuando está a punto, se le añade el diente de ajo pelado; una vez dorado se agregan los cangrejos machacados. Se les dan unas vueltas y se añaden los cangrejos enteros (con o sin patas). Se echa el pellizco de hierbas aromáticas o el ramillete y se cubren de agua. Se echa sal y la pimienta y, cuando rompe el hervor, se dejan cocer unos 10 minutos a fuego vivo.
Se retiran del fuego y se escurren en un pasapurés de agujeros grandes. Cuando están fríos, se sirven de aperitivo o se colocan por encima de la paella en el momento de servir.

655.—CANGREJOS GRANDES DE MAR

Véanse las recetas de centollos números 663 y 664

656.—MANERA DE LIMPIAR LOS CANGREJOS DE RIO

Se lavan en agua abundante fría en el momento de ir a cocerlos (pues si se hace con anticipación se vacían de su agua). Se les arranca el intestino amargo, para lo cual se retuerce y rompe la aleta del centro de la cola, tirando de ella para que salga el intestino entero.
Así quedan en condiciones de cocerse o de guisarlos, según se elija.

657.—MANERA DE COCER LOS CANGREJOS DE RIO

Una vez preparados como anteriormente se explica, se hace un caldo corto como sigue:

Para 2 docenas de cangrejos medianos (más o menos):

Agua fría (unos 2 litros),
1 vaso (de los de agua) de vino blanco,
2 zanahorias medianas (100 gr.),
1 cebolla mediana (50 gr.),
6 granos de pimienta,

2 hojas de laurel,
1 ramita de perejil,
1 ramita de tomillo,
1 cucharada sopera de aceite fino,
sal.

Se ponen todos estos ingredientes en una cacerola o una olla, con la cebolla y las zanahorias peladas y cortadas en trozos. Se pone a fuego vivo y, cuando rompe el hervor, se zambullen los cangrejos de manera que queden bien cubiertos de líquido. Se aviva el fuego y, cuando vuelve a romper el hervor, se cuecen entre 5 y 8 minutos, según sean pequeños o grandes. Pasado este tiempo, se escurren en un colador grande y, después de escurridos, se pueden comer templados o fríos.

658.—CANGREJOS CON ARROZ BLANCO Y SALSA AMERICANA

Se procede igual que para los langostinos (receta 684).

659.—COLAS DE CANGREJOS CON SALSA BECHAMEL Y COÑAC (6 personas)

(Para rellenar volovanes o cazoletas.)
Según sean de tamaño, se calculan de 6 a 10 colas para cada comensal.
Cocer los cangrejos (receta 657). Una vez cocidos, se preparan.

75 gr. de mantequilla,
2 cucharadas soperas de aceite fino,
2 cucharadas soperas de harina,
½ litro de leche fría,

1 cucharada (de las de café) de concentrado de tomate,
2 cucharadas soperas de coñac,
1 trufa,
sal y pimienta.

Una vez cocidos los cangrejos (receta 657), se separan las cabezas y se sacan las colas de su caparazón, reservándolas.
En un cazo se pone 50 gr. de mantequilla y las cabezas. Se calienta y se dan unas vueltas. Se vierte esto en el mortero y se machaca mucho. Después se vierte esta pasta en un trapo fino y limpio y se retuerce bien para recoger el jugo que sale y que se reserva.
En una sartén o cacerola se pone el resto de la mantequilla y el aceite a calentar; cuando está derretida, se añade la harina y se dan unas vueltas con la cuchara de madera o las varillas.

Poco a poco se va añadiendo la leche y se deja cocer unos 10 minutos. Se sala, se echa pimienta y se añade el concentrado de tomate.

En un cazo pequeño se pone el coñac a calentar y se le prende con una cerilla; se vierte por encima de las colas de los cangrejos y se revuelve un poco hasta que se apague el coñac.

Se corta la trufa en láminas finas y se echa a la bechamel, así como las colas con su coñac y el jugo sacado de las cabezas. Se revuelve todo bien un minuto en el fuego, se prueba de sal y pimienta, rectificando si hace falta.

Se tendrán los volovanes al calor templado en el horno. Se rellenan y se sirven en seguida.

660.—CANGREJOS DE RIO AL ESTILO DE BURDEOS
(6 personas)

36 cangrejos grandes,
2 zanahorias grandecitas (125 gr.),
1 cebolla pequeña (50 gr.),
1 chalote (40 gr.),
2 tomates bien maduros y medianos (150 gr.),
1 vaso (de los de agua) de vino blanco seco,
1 vaso (de los de agua) de agua,
3 cucharadas soperas de buen coñac,
1 buen pellizco de hierbas aromáticas (o un ramillete con un diente de ajo, perejil, tomillo y laurel),
3 cucharadas soperas de aceite,
30 gr. de mantequilla,
1 cucharada sopera de perejil picado,
sal, pimienta común y un pellizquito de pimienta de Cayena (es muy fuerte).

En una cacerola se pone el aceite a calentar; se añaden las zanahorias peladas, lavadas y picadas muy menudas, así como la cebolla y la chalote, también muy picadas.

A fuego lento y tapada la cacerola, se dejan unos 10 minutos. Después se vierte el agua y se deja cocer otros 10 minutos.

Aparte se limpian los cangrejos como se ha explicado anteriormente y se les quita la cola central con el intestino (receta 656). Se ponen en una sartén con el vino blanco y sal. Se saltean a fuego más bien vivo, tapada la sartén, hasta que se ponen colorados.

Se calienta el coñac en un cazo pequeño y se prende con una cerilla. Una vez prendido, se vierte en los cangrejos, se saltean y se reservan.

En la cacerola donde se está haciendo la salsa se añaden los tomates partidos en trozos y quitadas las simientes. Se machacan bien y se añaden los cangrejos y su salsa, el pellizco de hierbas aromáticas y la pimienta. Se tiene todo cociendo unos 10 minutos. Después se sacan los cangrejos con una espumadera y se reservan al calor. Se cuece la salsa otros 10 minutos. Se pasa por el chino, apretando mucho; si hiciese falta, se puede añadir algo de agua caliente, se echa la cayena, se prueba de sal, se añade la mantequilla y los cangrejos. Se espolvorean con el perejil. Se saltea todo un poco para que estén bien calientes los cangrejos y se sirven en seguida en una fuente con su salsa.

661.—TORTILLA DE COLAS DE CANGREJOS DE RIO

Se calculan unos 6 cangrejos medianos por persona, 2 huevos,
20 gr. de mantequilla y 3 cucharadas soperas de aceite.

Se limpian y cuecen los cangrejos como va explicado anteriormente
(recetas 656 y 657). Una vez preparados, se separan las colas
y se les quita el caparazón. Si los cangrejos son grandecitos, se
cortan las colas en dos o tres trozos; si no, se dejan enteras.
Se pone la mantequilla en un cazo, así como las colas, un poco
de sal y pimienta molida. Se saltean de 1 a 2 minutos. Se baten
los huevos y se salan un poco. Se calienta el aceite para la
tortilla; cuando está a punto se vierten los huevos y, después de
escurrida la grasa de los cangrejos, se echan éstos en el huevo,
procurando que queden repartidos. Se procede entonces como para
una tortilla a la francesa corriente.

662.—CARABINEROS

Son mucho menos finos que los langostinos.
Se pueden utilizar muy bien para sopas. Si se quieren comer en
vez de langostinos, puesto que resultan mucho más baratos,
se aconseja comprar los carabineros que no sean grandes. Se les
quitan las cabezas, que es lo que al cocer les da el gusto más
fuerte, y después se cuecen igual que los langostinos (receta 681).
Sirven las mismas recetas.

663.—CENTOLLO FRIO A LA PESCADORA (6 personas)

2 hermosos centollos,
300 gr. de merluza,
4 cucharadas soperas de aceite fino,
3 yemas de huevo duro,
½ cucharadita (de las de moka) de mostaza,
el zumo de un limón,
5 litros de agua,

1 vaso (de los de vino) de
vinagre,
1 cucharada sopera de vino
blanco,
10 granos de pimienta,
3 hojas de laurel (una para
la merluza),
1 casco de cebolla (25 gr.),
sal.

Se prefieren los centollos hembras, pues tienen huevas, que es lo
que más gusto da. Tienen que ser muy frescas para que tengan
mucha carne.
En una olla se pone el agua, el vinagre, la pimienta, 2 hojas de
laurel y la sal. Se pone a fuego vivo y cuando rompe el hervor
se zambullen las centollas, se tapa la olla con tapadera y, cuando
vuelve a romper el hervor, se cuecen durante 15 minutos a fuego
muy vivo. Se sacan entonces del agua y se dejan enfriar. También, mientras tanto, se cocerá la merluza. Se pone para ello en
agua fría una hoja de laurel, una cucharada sopera de vino blanco,
un casco de cebolla y sal. Cuando rompe a hervir, se retira
del fuego. Se saca del agua, se le quita la piel y las espinas, se
desmenuza y se reserva.

Una vez cocidas las centollas y frías ya, se abren con cuidado para no romper el caparazón. Se saca la carne del cuerpo y de las patas y se corta en trocitos. Se limpia y se lava el caparazón y se reserva. Las huevas y la parte marrón se ponen en el mortero. Se machacan con las yemas de los huevos duros, la mostaza, el zumo de limón y poco a poco se le agregan las 4 cucharadas soperas de aceite, para que esté bien ligada la salsa. Se rectifica de sal. Esta salsa se revuelve con la merluza y la carne de las centollas. Se rellenan los caparazones y se reservan en sitio fresco hasta el momento de servir.

664.—CENTOLLOS AL HORNO (6 personas)

8 centollos de ración,
300 gr. de merluza,
2 cucharadas de aceite,
30 gr. de mantequilla,
50 gr. de mantequilla,
pan rallado,
6 cucharadas soperas de salsa de tomate espesa (½ kg. de tomates y hacer la salsa con anticipación),
2 cebollitas francesas medianas (50 gr.),
2 dientes de ajo,
5 cucharadas soperas de buen coñac,
1 cucharada sopera de perejil picado,
pimienta común, una punta de cuchillo de pimienta de Cayena,
3 ó 4 cucharadas soperas de caldo de cocer la merluza,
sal.

Se cuecen los centollos (hembras) y la merluza como en la receta 663.

Se saca la carne del cuerpo y de las patas de las centollas y se pica. Se quitan las espinas y la piel de la merluza, se desmenuza y se reserva mezclando estas dos cosas.

Sólo se limpian, se lavan y se reservan 6 caparazones de centollas (pero se compran 8 para tener más carne).

En una sartén se pone el aceite y los 30 gr. de mantequilla a derretir. Una vez calientes, se les añaden los 2 dientes de ajo pelados; se dejan dorar y se retiran. Se echan entonces las cebollitas peladas y muy picadas, se revuelven unos 5 minutos hasta que estén transparentes, se agrega entonces la salsa de tomate y, seguidamente, el coñac y las huevas con la parte oscura de las centollas. Se dan unas vueltas y se agrega el pescado mezclado. Se pone el perejil, la sal y la cayena (poco, pues es muy fuerte) y, si hace falta, un poco de caldo de cocer la merluza, si la pasta está espesa.

Se reparte esto en los caparazones. Se espolvorea con un poco de pan rallado y se ponen unos trocitos, como 2 ó 3 avellanas, de mantequilla en cada centolla.

Se meten al horno fuerte durante 5 minutos y se sirven en seguida en los mismos caparazones.

665.—CIGALAS

Manera de cocer las cigalas:

Se pone una olla con agua abundante y sal a cocer; cuando hierve a borbotones se meten las cigalas con el agua que las cubra muy bien; cuando vuelve a romper el hervor, se retira la olla y se deja enfriar durante 8 minutos.
Entonces se sacan las cigalas, se escurren y se sirven frías.

666.—CIGALAS CON MAYONESA Y CIGALAS CON VINAGRETA

Una vez cocidas como se explica anteriormente, se sirven con mayonesa en salsera aparte (receta 94).

Con vinagreta:

Se preparan la víspera. Se hace una vinagreta con aceite, vinagre (una cucharada sopera de vinagre por 3 de aceite), cebolla picada muy fina, perejil también muy picado, huevo duro, sal, pimienta y una cucharada sopera de buen coñac. Se sacan las colas de las cigalas de su caparazón y se cortan en rodajas de 2 cm. de gruesas. Se ponen en un plato hondo, bien cubiertas por la vinagreta, y se dejan por lo menos de 8 a 10 horas en sitio fresco. Se sirven frías.

667.—CHANQUETES FRITOS

Como se suelen servir de aperitivo, no ponemos cantidad. Sólo diré que ¼ kg. hace muy bien para unas 4 personas.
No se lavan los chanquetes. En un plato se tiene puesta bastante harina y, cogiendo un puñado de chanquetes, se rebozan bien en ella. Después se ponen en un colador grande de tela metálica y se les hace saltar para que se les caiga la harina sobrante.
Se fríen en aceite abundante y bien caliente (se echa un chanquete para probar el punto). Después de fritos, se sala cada puñadito que se va sacando y se ponen en una fuente. Se sirven en seguida bien calientes.

668.—MANERA DE COCER LAS GAMBAS

Se pone agua abundante con sal. Cuando ésta hierve a borbotones se echan las gambas y se reduce el fuego para que cuezan más lentamente. Se cuecen de 3 a 5 minutos, según el tamaño. Se escurren en seguida en un colador grande y se dejan enfriar.

669.—COCKTAIL DE GAMBAS (6 personas)

1½ kg. de gambas,   1 huevo duro picado.
  1 lechuga grande,

Mayonesa:

Con coñac y tomate (receta 96).
Se cuecen las gambas como va explicado anteriormente. Una
vez frías, se pelan dejando sólo las colas. Se lava y se pica a tiritas la lechuga. Se escurre muy bien (envolviéndola en un paño
limpio y sacudiéndola para que quede bien seca). Se prepara
también la mayonesa.
En unas copas de champagne o copas especiales de mariscos, se
pone un fondo de lechuga encima de una cucharada sopera de
mayonesa; después, las gambas. Se cubren éstas con mayonesa
y se espolvorean con un poco de huevo duro picado muy menudo. Se meten en la nevera, para que estén bien frías, durante
una hora o dos y se sirven en su misma copa.

670.—GAMBAS CON VINAGRETA

Se prepara igual que está explicado en cigalas a la vinagreta.
Unicamente se dejan las colas do las gambas enteras. Por lo
demás, se procede lo mismo (receta 665).

671.—GAMBAS AL AJILLO (6 personas)

1½ kg. de gambas grandecitas,   3 ó 4 dientes de ajo muy pi-
  12 cucharadas soperas de acei-   cados,
    te crudo,   sal.
  1 guindilla,

No se deben lavar las gambas. Se pelan en crudo, dejando sólo
las colas enteras. Se sirven en cazoletas de barro individuales. Se
pone en cada una 2 cucharadas soperas de aceite y un trozo
de guindilla (un arito cortado con unas tijeras). Se ponen las
gambas repartidas en los platos, se salan y se espolvorean con
el ajo picado. Se ponen a fuego vivo unos 8 a 10 minutos escasos, moviendo la cazoleta de vez en cuando. Se sirven en seguida,
tapando cada cazoleta con un plato, hasta llegar a la mesa, para
que no se enfríen y no salpiquen aceite.

672.—GAMBAS CON GABARDINA

Como se suelen servir de aperitivo, o bien juntas con otros
pescados para fritos (calamares, boquerones, etc.), no pondré
cantidades (se suele calcular para esto unos 150 gr. de gambas
por persona).

Masa de envolver:

3 cucharadas soperas de harina,   sal,
1 pellizco de azafrán en polvo,   1 litro de aceite (sobrará),
  sifón,

No se lavan las gambas, puesto que se pelan. Se les deja sólo un poco de caparazón junto a la cola. Se salan ligeramente.

Se pone el aceite en una sartén y a fuego mediano. Mientras se calienta, se hace la masa. En un plato sopero se pone la harina y, dando vueltas con unas varillas o una cuchara, se va añadiendo sifón poco a poco hasta tener una papilla. Se echa un poco de sal y el pellizquito de azafrán para dar bonito color.

Se cogen las gambas de una en una y se envuelven con la masa, agarrándolas por la cola para que ésta quede limpia. Se van echando en el aceite por tandas, para que no tropiecen, y cuando está la masa dorada se sacan del aceite con una espumadera y se reservan al calor. Una vez hechas todas las gambas, se sirven en seguida, pues cuanto más recién fritas estén mejores son.

673.—REVUELTO DE GAMBAS, ESPINACAS Y HUEVOS

(Véase receta 358)

674.—MOUSSE DE GAMBAS

(Véase receta 44)

675.—MANERA DE PREPARAR Y COCER LA LANGOSTA

Para 2 personas se calcula de 500 a 600 gr. de langosta.

Se ata la langosta en una tabla de madera fina para que tenga bonita forma. Se ponen en una olla 3 ó 4 litros de agua fría, una zanahoria mediana raspada y cortada en rodajas gordas, un trozo de cebolla pelada entera (40 gr.), una hoja de laurel, una ramita de tomillo, otra de perejil, ½ vaso (de los de vino) de vino blanco seco, una cucharadita (de las de café) de sal, unos 6 granos de pimienta. Se pone a cocer esto a fuego vivo y cuando rompe el hervor se sumerge la langosta, se tapa la cacerola y, cuando vuelve a cocer a borbotones el agua, se baja el fuego y se cuece a fuego mediano unos 15 minutos por cada kg. de langosta (para 2 kg., 25 minutos, etc.) Se separa la olla del fuego y se deja enfriar en el agua unos 20 minutos. Se saca entonces la langosta del agua, se desata y se deja escurrir.

Se separa la cabeza de la cola. Esta se abre con unas tijeras grandes por la parte de debajo del caparazón. Se saca la carne de la cola entera y se le quita la tirita negra que tiene a lo largo.

En la cabeza se le quita (sobre todo al bogabante) la bolsa del estómago, que suele tener gravilla.

Se sirve siempre fría cuando está cocida.

676.—LANGOSTA COCIDA, SERVIDA CON SALSA MAYONESA

Se prepara como va explicado anteriormente.

En una fuente alargada se pone la cabeza vaciada de las partes comestibles y el caparazón. Encima del caparazón de la cola se ponen las rodajas cortadas de la carne de la cola y alrededor de la fuente las patas y, en trozos, las partes de la cabeza. Se adorna también con hojas de lechuga, rodajas de tomate, huevo duro, etc.

Se sirve una mayonesa aparte, receta 94.

677.—LANGOSTA EN VINAGRETA

Se prepara igual que las cigalas con vinagreta, calculando una langosta de 600 gr. (más o menos) para 2 personas (receta 666).

678.—LANGOSTA A LA AMERICANA   (4 personas)

2 langostas vivas de 700 gr. cada una (o una sola pieza de 1½ kg., más o menos, para 4 personas),
50 gr. de mantequilla,
1 vaso (de los de agua) de aceite,
1 vaso (de los de agua) de buen vino blanco seco,
1 vaso (de los de vino) de buen coñac,
300 gr. de tomates bien maduros (3 piezas),

1 diente de ajo,
1 pellizco de hierbas aromáticas,
1 cebolla pequeña (50 gr.),
1 chalote (20 gr.),
1 cucharada sopera de harina, un poco de pimienta de Cayena,
1 cucharadita (de las de moka) de extracto de carne Maggi, Liebig, etc.), sal.

Cortar las langostas en dos a lo largo o en trozos si es grande (por las articulaciones de la cola). En un tazón se recoge el líquido que pueda soltar la cabeza, así como las partes blandas de dentro, las huevas si las hay y la carne de las patas. Se pone todo con la mantequilla y un poco de coñac. Se deja en espera, machacándolo un poco.

Póngase en una sartén la mitad del aceite, caliéntese y póngase un diente de ajo pelado y aplastado (dándole para esto un golpe con el mango de un cuchillo). Cuando está dorado el diente de ajo, se saca y se tira. Se ponen entonces los trozos de langosta con sus caparazones y se saltean hasta que están bien rojos. Se tira el aceite. Se calienta el resto del coñac en un cazo pequeño, se prende con una cerilla y se flamean los trozos de langosta. Una vez bien flameados, se vierten en un plato sopero y se reservan.

En la misma sartén se pone el resto del aceite, se calienta y se añade la cebolla y la chalote peladas y muy picadas; se dejan unos 5 minutos hasta que se pongan transparentes, se agrega la harina y se dan unas vueltas con una cuchara de madera. Se añaden los tomates pelados, quitadas las semillas y cortados en trozos pequeños; se refríen un rato, machacándolos con el canto de la cuchara, y se añade el vino, el extracto de carne, las hierbas aromáticas, la sal (con cuidado, pues el extracto es salado), la pimienta negra molida y la pimienta de Cayena (con moderación, pues es muy fuerte). Se cuece esta salsa durante unos 15 minutos y, pasado este tiempo, se agrega la langosta. Se cuece

otros 10 minutos. Hay quien entonces prefiere quitarles los caparazones a las langostas; esto según los gustos. Se machaca mientras
tanto lo del tazón, se calienta un poco para que se deshaga
bien la mantequilla, se pasa por un colador o un trapo fino y
se añade al guiso. Este se puede servir así o acompañado de
arroz blanco.

679.—LANGOSTA ASADA (2 personas)

1 langosta pequeña (600 gr.
para cada 2 personas),
60 gr. de mantequilla,
2 cucharadas soperas de pan
rallado,

2 cucharadas soperas de aceite fino,
pimienta molida,
sal.

Se cortan las langostas cuando están vivas aún. Se espolvorean
de sal y pimienta y se untan con una brocha plana (o la punta de
los dedos) con un poco de aceite. Se meten a horno mediano
(previamente encendido 5 minutos antes) durante unos 15 minutos.
Entonces la carne se ha separado del caparazón. Se pone un
poco de mantequilla entre los dos. Se espolvorea ligeramente
con pan rallado y se ponen trocitos de mantequilla como avellanas
por encima. Se vuelve a meter al horno más vivo para que gratine
bien y se sirven en su caparazón rápidamente.
Si hiciese falta algo más de mantequilla, se puede añadir para
que quede la langosta bien jugosa.

680.—LANGOSTA CON BECHAMEL AL HORNO (4 per-
sonas)

2 langostas de unos 600 gr.
cada una,
130 gr. de mantequilla,
½ litro de leche,
1 cucharada sopera colmada
de harina,
2 yemas de huevo,

zumo de ½ limón,
50 gr. de queso gruyère rallado,
1 trufa grande en láminas finas,
un pellizco de curry,
sal.

Caldo corto como para cocer la langosta (receta 675).
Una vez cocidas las langostas y templadas, se parten a lo largo en
dos mitades. Se les cortan las patas y las antenas. Se suelta la
carne de la cola, sin sacarla, y se vacían las medias cabezas de
todo lo que tienen (quitándoles la bolsita del estómago, que suele
tener arena, y el hilo negro de la cola, que se tiran). Todo lo
que se quita de la cabeza, las huevas color coral y las patas,
se ponen con 100 gr. de mantequilla en un cazo. Se calienta y se
machaca todo lo posible. Cuando la mantequilla empieza a espu-
mar, se le vierte el ½ litro de leche hirviendo. Se da un hervor
y se vierte en un colador grande donde se habrá puesto un trapo
limpio. Se cuela y se retuerce el trapo para sacarle toda la sustancia que tenga. Se deja reposar un poco, y entonces con una

cuchara se retira la grasa color rosa fuerte que flota encima de la leche, y se reserva en una taza.

En una sartén se pone 30 gr. de mantequilla a derretir; se le añade la harina, se dan unas vueltas con la cuchara de madera y, poco a poco, se agrega la leche. Sin dejar de dar vueltas se cuece durante unos 10 minutos. Se sala, se pone el curry y la trufa en láminas finas. Se añade poco a poco la mantequilla roja apartada en la taza y, batiendo bien, se incorpora a la bechamel.

En un tazón se ponen las yemas y el zumo de limón y se les añade poco a poco unas cucharadas de bechamel, moviendo bien con la cuchara para que no se cuajen las yemas. Se unen a la bechamel de la sartén, ya apartada del fuego. Se vierte por encima de las medias langostas, puestas con la carne hacia arriba. Se espolvorean con un poco de queso rallado y se meten en seguida al horno para gratinar. Cuando están doradas se sirven asimismo en seguida.

681.—MANERA DE COCER LOS LANGOSTINOS

Se calculan unos 6 langostinos de tamaño mediano por persona.

No se deben cocer con mucha anticipación, para que queden más jugosos.

Para 1 kg., más o menos, se pone una olla con agua fría abundante, 2 zanahorias medianas, peladas y cortadas en rodajas, una cebolla grande (150 gr.) pelada y cortada en trozos grandes, una hoja de laurel, 6 granos de pimienta y bastante sal (algo más de lo normal). Se pone a cocer el agua con todos los ingredientes. Cuando hierve a borbotones se sumergen los langostinos, y cuando vuelve a hervir el agua se cuecen 1 minuto si son medianos, algo más si son grandes.

Se aparta la olla del fuego y se dejan dentro los langostinos hasta que el agua esté templada (unos 10 minutos).

Se vuelcan entonces en un colador grande para que escurran. Se tienen así más o menos ½ hora. Se colocan entonces en la fuente donde se vayan a servir.

Si hubiese que dejarlos preparados con alguna anticipación, se debe cubrir la fuente con un trapo mojado y retorcido o con papel de plata, con el fin de que no se resequen.

682.—CORONA DE LANGOSTINOS CON GELATINA
(6 personas)

Se calculan unos 4 ó 5 langostinos medianos por persona.

½ litro de gelatina Maggi, o ½ kg. comprada y derretida, unas hojas de lechuga, unas rodajas de tomate, mayonesa verde (receta 95).

Se cuecen los langostinos como está indicado anteriormente. Se les quitan los caparazones y se reservan. Se hace la gelatina como está indicado en cada marca o bien se derrite al baño maría, si se compra hecha. Cuando está líquida se vierte un poco en un molde en forma de corona, pasado previamente éste por agua fría y escurriéndolos. Una vez cuajada la gelatina, se colocan los langostinos en el molde para que tengan bonita presencia y se vierte el resto de la gelatina aún líquida. Se mete en la nevera para que cuaje y se enfríe, por los menos unas 3 horas. Una vez bien cuajada la gelatina, se pasa un cuchillo todo alrededor del molde y se vuelca en una fuente redonda. (También se puede meter el molde unos segundos en agua caliente, pero con mucho cuidado para que no se derrita la gelatina.)

Se adorna la fuente con las hojas de lechuga y las rodajas de tomate; se pone la mayonesa en el centro y se sirve.

683.—LANGOSTINOS EMPANADOS Y FRITOS (6 personas)

36 langostinos medianos,
2 huevos,
1 plato con harina,
1 plato con pan rallado,

1 litro de aceite (sobrará),
sal y pimienta,
6 pinchos metálicos.

Se les quitan los caparazones a los langostinos y se doblan para que tengan bonita forma. Se sazonan con sal y pimienta y se dejan unos 10 minutos. Se pone el aceite en una sartén y se calienta.

Mientras tanto se baten los huevos como para tortilla y se pasan los langostinos de uno en uno por harina muy ligeramente, después por huevo y al final por pan rallado. Se pinchan de 6 en 6 en los pinchos (brochettes) y, cuando el aceite está en su punto (para saberlo se prueba con una rebanadita de pan), se fríen de 5 a 6 minutos. Se ponen las «brochettes» en una fuente y se sirven con una mayonesa aparte en salsera.

684.—LANGOSTINOS CON SALSA AMERICANA Y ARROZ BLANCO (6 personas)

Arroz ½ kg. (receta 165, 1.ª fórmula),
36 langostinos medianos,
1 vaso (de los de vino) de aceite fino,
50 gr. de mantequilla,
1 vaso (de los de vino) bien lleno de vino blanco seco,
½ vaso (de los de vino) de buen coñac,
3 tomates grandes bien maduros (más o menos 350 gr.),
1 pellizco de hierbas aromáticas,

1 ramita de perejil,
4 ó 5 cucharadas soperas de crema líquida,
2 chalotes (o una cebollita francesa mediana),
1 pellizco de pimienta de Cayena,
1 pellizco de pimienta común, sal,
unas gotas de carmín (facultativo),
1 cucharada (de las de café) de fécula de patata (facultativo).

Se separan las cabezas de los langostinos y se les quita a las colas el caparazón. Estas colas peladas se reservan en un plato tapadas con otro, para que no se sequen.

Se podrá entonces hacer el arroz que, una vez rehogado, se moldeará en flanes pequeños o en corona.

Salsa americana:

En una sartén se pone la mitad del aceite y la mitad de la mantequilla a calentar. Cuando está la mantequilla derretida se saltean las cabezas sazonadas con sal y pimienta común a fuego vivo unos 5 minutos. Pasado este tiempo, se retiran y se reservan las cabezas en un plato hondo. En esta misma grasa se ponen las chalotas (o cebollitas) peladas y picadas, así como el tomate en trozos y quitadas las simientes. Se ponen también las hierbas aromáticas, la cayena y el perejil. Se rehoga bien todo otros 5 minutos y se añade el vino. A fuego moderado se deja cocer la salsa un rato (10 a 15 minutos).

Aparte, en una sartén o cacerola, se pone el resto del aceite y la mantequilla y cuando están calientes se rehogan las colas de los langostinos, hasta que tomen un bonito color sin tostarse. En un cazo pequeño se calienta el coñac, se prende con una cerilla y se vierte prendido en los langostinos, flameándolos muy bien. Por el chino se pasa la salsa con las cabezas, apretando mucho. Se vierte esta salsa por encima de los langostinos con su grasa y su coñac. Se les deja unos 8 minutos a fuego lento que se hagan, y fuera del fuego se agrega la crema. Se rectifica de sal y pimienta si hace falta.

Si se tuviese que esperar un poco para servirlos, se pondría la crema sólo a última hora.

Se colocan en una fuente los langostinos con su salsa y a un lado los moldes de arroz, ya salado y rehogado.

Nota.—Si la salsa está demasiado clara, se espesa antes de poner la crema con una cucharadita de las de café de fécula, desleída en una cucharada sopera de agua.

685.—MANERA DE COCER LAS QUISQUILLAS

Se pone agua abundante y sal a cocer; cuando hierve a borbotones se echan las quisquillas, y al volver a romper el hervor se dejan cocer unos 5 minutos. Se echan entonces en un colador grande. Se dejan escurrir y enfriar para servirlas. Sólo se sirven de aperitivo, por ser su tamaño tan pequeño.

686.—MANERA DE LIMPIAR Y COCER LOS MEJILLONES

Se raspan con un cuchillo las conchas de los mejillones, cogiendo cada uno en la mano con la parte ancha en el sitio de los dedos y la parte estrecha en la palma de la mano. Se pasa el cuchillo tirando de las barbas (como hierbas estropajosas) que tienen, dejando la superficie de la concha limpia. Se lavan bien en agua con un pellizco de sal, pero sin dejarlos permanecer mucho en ella y moviéndolos con la mano. Se sacan, se escurren y se ponen en una sartén con 1 vaso (de los de vino para 2 ó 3 kg. de mejillones) de agua fría y 1 pellizco de sal. Se ponen a fuego vivo, se saltean de vez en cuando, y cuando se abren, ya están. Se retiran en seguida del fuego (hay que desechar los bichos que se han quedado cerrados, pues es señal de que están malos y, por lo tanto, no se pueden aprovechar).

Se les van quitando las conchas, las dos o solamente la que está sin bicho, según se vayan a hacer. Se recoge el agua que se cuela por un colador de tela metálica con una tela fina puesta dentro, con el fin de que no se pase la arenilla. Así ya están dispuestos para guisar y preparar según la receta que se elija.

687.—MEJILLONES EN VINAGRETA (PARA APERITIVO)

Se preparan como va explicado anteriormente.

Lo único es que se pondrá la cantidad de agua necesaria para que los cubra, con el fin de que queden bien jugosos.

Una vez abiertos y quitada la concha vacía, se prepara un picadito de cebolla, pimiento rojo (de lata) y unos pocos guisantes (de lata también). Se reparte este picadito por encima de cada mejillón y se rocían después cada uno con una vinagreta bien batida y repartida con una cuchara (1 pellizco de sal disuelto en una cucharada sopera de vinagre y 3 cucharadas soperas de aceite, después de disuelta la sal; éstas son las proporciones de una buena vinagreta).

688.—MEJILLONES REBOZADOS Y FRITOS

Estos mejillones se toman mejor como aperitivo.

1 kg. de mejillones grandes,
¾ litro de aceite de freír,
1 huevo,

1 plato con pan rallado,
mayonesa (facultativo).

Se limpian, se lavan y se cuecen los mejillones (receta 686). Se quitan de su concha. Se ponen entre dos paños limpios con algo de peso encima, para que se escurra todo el agua que llevan dentro.

Se bate el huevo como para tortilla con un poco de sal. Se pone el aceite en una sartén para que se caliente. Una vez el aceite en su punto (se prueba con una rebanadita de pan), se pasa cada mejillón por huevo y luego por pan rallado. Se fríen y cuando están dorados se sacan con una espumadera. Se sirven en seguida, pinchados con palillos y acompañados de un bol de mayonesa.

689.—MEJILLONES A LA MARINERA (6 personas)

2 kg. de mejillones.

(Véase almejas a la marinera, receta 650.)

690.—MEJILLONES EN SALSA BECHAMEL CLARITA (POULETTE) (6 personas)

3 kg. de mejillones,
1½ vaso (de los de vino) de agua,
½ vaso (de los de vino) de vino blanco,
25 gr. de mantequilla,
2 cucharadas soperas de aceite fino,

1 cucharada sopera colmada de harina,
agua de cocer los mejillones,
2 yemas,
1 cucharada sopera de perejil picado,
el zumo de 1 limón,
sal.

Se limpian, se lavan y se cuecen los mejillones (receta 686); únicamente se pone el agua mezclada con el vino. Una vez abiertos (los cerrados se desechan por malos), se les quita la concha vacía y se reservan al calor. Se cuela el jugo que han soltado por un colador fino y por una tela fina puesta dentro del colador para que no pase arenilla.
En una sartén se pone la mantequilla a derretir con el aceite; una vez calientes, se añade la harina. Se dan unas vueltas con una cuchara de madera y se añade poco a poco el agua de cocer los mejillones y algo más de agua si hace falta. Se cuece la salsa unos 5 minutos más. En un tazón se ponen las yemas, con el zumo de limón, se les agrega poco a poco unas cucharadas de bechamel para que no se cuajen y sin dejar de mover. Se vierte esto en la salsa, se añade sal y el perejil picado. Se prueba y se añaden entonces los mejillones, calentando todo, pero sin que vuelva a cocer. Se sirven en una fuente honda.

691.—CONCHAS DE MEJILLONES AL CURRY (6 personas)

1½ a 2 kg. de mejillones,
1 vaso (de los de vino) de agua fría,
1 vaso (de los de vino) de vino blanco,
1 chalote,
50 gr. de mantequilla,
2 cucharadas soperas de aceite fino,
3 cucharadas soperas de harina (no muy llenas),

½ litro de leche fría,
2 yemas de huevo,
1 cucharadita (de las de moka) rasada de curry,
el zumo de ½ limón,
1 cucharada sopera de perejil picado,
3 cucharadas soperas de pan rallado,
sal.

Se limpian y se lavan muy bien los mejillones (receta 686) y se ponen en una sartén con 1 vaso de agua, otro de vino blanco, la chalote pelada y picada menuda y sal. Se ponen a fuego vivo y se saltean. Cuando están abiertos se retiran del fuego, desechando los que quedan cerrados, pues es señal de que están malos. Se vacían de su concha, se pican en dos o más trozos, si son muy grandes, y se reservan en un tazón tapado para que no se resequen. Se deja cocer el caldo de la sartén unos 10 minutos más para que quede más concentrado. Se cuela entonces por un colador de tela metálica con una tela fina metida dentro para que no pase la arenilla. Se reserva también este líquido.

En una sartén se pone el aceite y algo más de la mitad de la mantequilla a derretir; cuando está derretida se añade la harina, se dan unas vueltas (sin que llegue a tomar color) y, poco a poco, se agrega la leche fría, sin dejar de dar vueltas con una cuchara o las varillas. Se añade entonces como 1 vaso (de los de agua) del líquido de cocer los mejillones. Se deja cocer unos 5 minutos. Se echa el curry, el perejil y la sal (se prueba).

En un tazón se tienen las 2 yemas con el zumo de limón. Se mezcla muy poco a poco con algo de bechamel, para que no se cuajen las yemas, y se vierte esto en la bechamel, así como los mejillones reservados al principio. Se reparte esto en 6 platitos o mejor en unas conchas verdaderas o de porcelana. Se espolvorean con un poco de pan rallado y se ponen unos trocitos de mantequilla encima de cada concha. Se meten al horno fuerte a gratinar, hasta que las conchas estén doradas.

Se sirven en las mismas conchas.

692.—BECHAMEL DE MEJILLONES EN SUS CONCHAS

Se preparan igual que la bechamel de almejas (receta 651).

693.—MEJILLONES CON MANTEQUILLA, AJO Y PEREJIL (AL ESTILO CARACOLES) (6 personas)

2 kg. de mejillones grandes,
1 vaso (de los de vino) de agua fría,
1 vaso (de los de vino) de vino blanco,
1 chalote,
1 pellizco de hierbas aromáticas, sal.

Mantequilla:
250 gr. de mantequilla,
  3 dientes de ajo,
  3 cucharadas soperas de perejil picado.

Se limpian y se lavan los mejillones (receta 686). Pero se cuecen en la sartén con agua, vino blanco, una chalote picada, un buen pellizco de hierbas aromáticas y sal. Se calientan y saltean bien, y cuando las conchas están abiertas se retiran. Se les quita la concha vacía y se colocan todos los mejillones con la concha tocando el fondo en platitos de metal individuales.

Se mezcla bien en una ensaladera la mantequilla (que no tiene que estar fría, pero tampoco a punto de derretirse), los dientes de ajo, pelados y picados muy finos, y el perejil. Una vez bien mezclada esta pasta, se pone con un cuchillo de punta redonda un poco encima de cada mejillón. Debe quedar bien cubierto. Se meten en el horno unos 3 minutos solamente, lo justo para que esté la pasta derretida y muy caliente, y se sirven en seguida.

694.—PINCHOS DE MEJILLONES, BACON Y CHAMPI-ÑONES (salen 6 pinchos grandes y bien llenos)

3 kg. de mejillones grandes,
9 lonchas finas de bacon,
¼ kg. de champiñones de París medianos,

½ limón,
aceite,
sal,
6 pinchos largos.

Se lavan, se limpian y se abren los mejillones (receta 686). Cuando están abiertos se retiran en seguida del fuego, pues se terminarán de hacer en los pinchos.
Se cogen los champiñones y se separan las cabezas de los po-dúnculos, se cepillan bien las cabezas y se lavan en agua fresca con el zumo de ½ limón.
Se pone en cada pincho la cabeza de un champiñón al principio, en mitad de la brocheta y al final. Entre medias se alternan los mejillones (sacados de sus conchas) de dos en dos con unos trocitos de bacon doblados. Se sala todo y con una brocha plana, mojada en aceite fino, se unta el conjunto del pincho.
Se ponen éstos en una besuguera de forma que el alambre quede en el reborde de la besuguera y lo que está relleno en alto para que no toque el fondo. Se mete a horno mediano, previamente ca-lentado, unos 20 a 30 minutos, dando vueltas a los pinchos de vez en cuando. Tiene que estar el bacon y el champiñón hecho, esto determina el tiempo de horno.
Se sirven asimismo los pinchos, puestos en una fuente de servir.

695.—MANERA DE COCER LOS PERCEBES

Se lavan primero muy bien con agua fría pero sin dejarlos perma-necer en ella mucho tiempo.
En una cacerola se pone agua muy abundante para que cubra bien los percebes, y sal en la proporción de 2 cucharadas soperas de sal por litro de agua. Cuando cuece el agua a borbotones se echan los percebes, y cuando vuelve a hervir se dejan cocer 5 minutos; después de este tiempo se aparta la cacerola, y al estar el agua templada, casi fría, se sacan, se escurren y se sirven.

696.—VIEIRAS O CONCHAS PEREGRINAS (6 personas)

9 vieiras,
200 gr. de champiñones frescos,
150 gr. de mantequilla,
zumo de 1 limón,
1½ vaso (de los de vino) de buen vino blanco,
1 cebolla mediana (50 gr.) pi-cada,

1 pellizco de hierbas aromá-ticas,
4 cucharadas soperas de pan rallado,
4 cucharadas soperas de salsa de tomate, espesa,
sal y pimienta de Cayena.

Se abren las conchas como las ostras. Se tira la concha de arriba y se quita la bolsa marrón que lleva dentro el bicho y se tira. Se desprenden con cuidado las carnes del bicho y el coral (parte roja).

En un cazo se pone un trozo de mantequilla (unos 35 gr.), la cebolla pelada y muy picada; se dan un par le vueltas con una cuchara de madera, se añade la carne de las vieiras y se espolvorean las hierbas aromáticas, un poco de sal, la cayena, y se rocía con el vino blanco. Se saltean durante unos 5 minutos.

Se lavan con agua y unas gotas de limón los champiñones, quitándoles bien la arena con un cepillo; se cortan en láminas y se ponen en un cazo, con un trozo de mantequilla (25 gr.), unas gotas de zumo de limón y sal. Se hacen a fuego lento durante unos 10 minutos (más o menos) y se reservan.

Una vez salteadas las vieiras, se escurren del jugo y se cortan en rebanaditas de 1½ cm. de gruesas, así como el coral. Se untan las conchas con mantequilla abundante y se reparten en ellas la carne de las vieiras, los champiñones y el coral, que se coloca por encima en el centro.

En el cazo donde se ha quedado la cebolla y el vino blanco se añade el tomate. Se mezcla y calienta bien y se reparte esta salsa por encima de las vieiras. Se espolvorean con pan rallado y se ponen varios trocitos como avellanas de mantequilla encima de cada concha. Se mete al horno, previamente calentado, hasta que se doren por arriba y se sirven en la misma concha.

BUDINES
Y
PLATOS CON PESCADOS VARIADOS

697.—BUDIN FINO DE MERLUZA   (6 personas)

¾ kg. de merluza (puede ser fresca o congelada, u otro pescado blanco),
4 huevos enteros,
2 claras,
la miga de una barra de pan (mejor del día anterior), unos 200 gr.,
1½ vaso (de los de agua) muy lleno de leche muy caliente,
un poco de nuez moscada,
50 gr. de mantequilla,
sal.

Salsa:

O bien de tomate clarita, o bechamel clara (con mitad leche y mitad agua de cocer el pescado) y una yema y unas colas de gambas.

Se pone la merluza a cocer en agua fría y sal, y cuando empieza el agua a hervir a borbotones se retira y se deja templar. Se saca entonces el pescado del agua y se le quita la piel, la raspa y las espinas y se desmenuza **muy fino.**

Se pone en una ensaladera la miga de pan con la leche hirviendo, y cuando está bien embebida se mezcla con el pescado y se machaca bien con un tenedor. Se añade la mitad de la mantequilla, que se deshaga bien, las yemas de huevo, la sal y un poco de nuez moscada rallada, y, al final, las 6 claras a punto de nieve muy firmes.

Se unta con el resto de la mantequilla una flanera de unos 20 cm. de diámetro y se vierte la masa dentro.

Se enciende el horno unos 10 minutos antes de meter el budín y se tiene preparada una bandeja algo profunda con agua hirviendo. Se mete al baño maría, más o menos una hora, a fuego mediano.

Se desmolda en la fuente donde se vaya a servir, pasando antes un cuchillo por todos los bordes.

Se cubre con la salsa deseada y se sirve en seguida.

Salsa bechamel:

25 gr. de mantequilla,
  2 cucharadas soperas de aceite,
  2 cucharadas soperas de harina fina,
½ litro de leche,
¼ litro de agua de cocer el pescado.

Se procede como siempre (receta 67) y se añade a última hora una yema (desliéndola con un poco de salsa en un tazón para que no se cuaje).

Si son colitas de gambas, se pone un poco menos de líquido para hacer la salsa y se añaden las gambas crudas en cuanto empieza a hervir la salsa, pues así dan más gusto y se quedan más jugosas.

698.—BUDIN DE PESCADO CON PATATAS Y TOMATE, FRIO O CALIENTE (6 personas)

¾ kg. de pescado blanco (merluza, pescadilla, etc.),
  2 patatas medianas (150 gr. cada pieza),
  2 huevos enteros,
  1 clara de huevo,
50 gr. de mantequilla,
  un poco de pan rallado,
  sal.
Salsa de tomate:
½ kg. de tomates blandos,
  2 cucharadas soperas de aceite,

1 cucharada (de las de café) de azúcar,
  sal.
Caldo corto:
  agua,
1 chorro de vino blanco (2 cucharadas soperas),
2 trozos de cebolla (25 gr.),
1 hoja de laurel,
  sal.

Con los tomates, el aceite, el azúcar y la sal hacer una salsa de tomate (receta 63). Después de pasada por el pasapurés se deja unos 30 a 45 minutos que espese mucho, se aparta y se tiene en espera.

Se pone el pescado a cocer en un caldo corto previamente preparado. Cuando hierve a borbotones, se separa en seguida y se deja unos 10 minutos en el agua caliente. Después se saca. Cuando está templado se quita la piel y las espinas. Se desmenuza con mucho cuidado. Se reserva.

Mientras se prepara el pescado se cuecen las patatas —lavadas y sin pelar— en agua fría que las cubra bien, y sal. Se cuecen durante 30 minutos (más o menos); se pinchan para saber si están. Se pelan y se pasan por el pasapurés, poniendo el puré en una cacerola más bien grande. Se les añade la mitad de la mantequilla, se mueve bien, y después se añade el pescado muy desmenuzado y 2 cucharadas soperas de tomate (que es más o menos lo que quedará en la sartén, después de hecho).

Se baten como para tortilla 1 huevo entero con la yema del otro. Se añade al puré y se echa la sal; por fin se montan las 2 claras a punto de nieve y se agregan suavemente.

Se unta con el resto de la mantequilla el molde (que puede ser alargado, pues se corta y aprovecha mejor el budín. Puede tener unos 24 cm. de largo para esta cantidad). Se espolvorea con pan rallado y se sacude el molde para que no quede más que el pan preciso pegado a la mantequilla. Se rellena con la masa y se mete en el horno a baño maría, unos 45 minutos más o menos. Se pincha a la media hora con un alambre, y si queda limpio es que el budín ya está.

Se pasa un cuchillo de punta redonda todo alrededor del molde.

Se puede servir caliente, cubierto con salsa de tomate, o con bechamel; o frío con mayonesa aparte. Se adorna entonces con rodajas de tomate y huevo duro o con gambas.

BUDIN DE BONITO FRIO

(Véase receta 539.)

Se saca el molde del horno, se pasa un cuchillo de punta redonda alrededor de la flanera y se vuelca en una fuente redonda y un poco honda. Se vierte la salsa por encima y se sirve en seguida.

699.—GUISO DE PESCADO A LA MARINERA (6 personas)

600 gr. de merluza (pescadilla u otros pescados que se quiera),
700 gr. de rape,
4 cucharadas soperas de aceite,
1 cebolla grande (150 gr.),
2 zanahorias medianas (100 gramos),
2 tomates medianos maduros (200 gr.),
1 diente de ajo,
1 cucharada sopera de harina,
1 vaso (de los de agua) de agua,

1 vaso (de los de vino) de vino blanco,
2 pastillas de caldo (Avecrem, Maggi, etc.),
2 yemas de huevo (facultativo),
3 cucharadas soperas de leche fría,
1 pellizco de hierbas aromáticas (o una hoja de laurel, tomillo y perejil),
1 cucharada sopera de perejil picado,
sal y pimienta.

Se pone el pescado que se quiera, siempre que sea de clase bastante fina. Se hacen filetes para quitarles las espinas, se lava y se seca bien y se corta todo en cuadraditos no muy pequeños. En una cacerola se pone el aceite a calentar, una vez caliente se echa la cebolla pelada y picada, así como el diente de ajo picadito; se añaden las zanahorias también peladas y los tomates pelados, cortados en trozos y quitadas las simientes. Se deja todo esto de 6 a 8 minutos. Se agrega la harina, se dan unas vueltas y, poco a poco, se añade el agua y el vino. Se ponen las pastillas de caldo deshechas en un poco de agua y se añade el pescado y el pellizco de hierbas aromáticas. Se da vueltas con una cuchara y se deja cocer a fuego mediano unos 20 minutos. Se sala y se pone pimienta, teniendo en cuenta que los calditos son salados.

En el momento de servir el pescado, se ponen en un tazón las 2 yemas de huevo y se baten con la leche, se añade poco a poco unas cucharadas de la salsa de cocer el pescado, con el fin de que no se cuajen las yemas. Se vierte esto en el pescado, se mueve bien, sin que cueza ya (esto es facultativo, aunque mejora mucho el guiso). Se prueba de sal. Se espolvorea el perejil picado y se sirve en seguida.

700.—CONCHAS DE PESCADO (6 personas)

Un resto de pescado (rape, rodaballo, merluza, besugo, lubina, etc.),
150 gr. de gambas,
30 gr. de mantequilla,
2 cucharadas soperas de aceite fino,
1 cucharada sopera colmada de harina,
1 vaso (de los de agua) lleno de leche fría,
½ vaso, más o menos (de los de agua), de agua de cocer los desperdicios de las gambas,
1 pellizco de curry (facultativo),
100 gr. de queso gruyère rallado,
sal.

Se pelan las colas de las gambas y se reservan.

En un cazo se ponen los desperdicios de las gambas, se cubren de agua y se cuecen unos 20 minutos. Se cuela luego el agua apretando bien los desperdicios para que suelten bien la sustancia.

En unas conchas naturales o de porcelana (no teniéndolas se utilizan también los platitos de los huevos al plato) se reparten los restos del pescado (que estará cocido, o al horno). En una sartén se pone el aceite y la mantequilla a derretir; cuando están se añade la harina. Se dan unas vueltas y, poco a poco, se añade la leche fría. Se cuece unos 5 minutos, se agregan las colas de las gambas, se revuelven y, poco a poco, se vierte el agua de cocer las gambas; se cuece otros 5 minutos más. Se añade el pellizco de curry y se sala.

Se vierte esta bechamel por encima del pescado, repartiéndola entre los platitos o las conchas. Se espolvorea el queso rallado y se meten en el horno para gratinar hasta que esté dorada la bechamel. Se sirven en las mismas conchas.

Nota.—Se pueden sustituir las gambas por unos mejillones que, además de buen gusto, hacen bonito. Se lavan, se pelan y se abren éstos según la receta 686.

701.—COPAS DE PESCADO Y MARISCO CON SALSA DE HORTALIZAS (PIPIRRANA) (6 personas)

½ kg. de gambas,
¼ kg. de rape,
½ kg. de pescado blanco (merluza, pescadilla),
  agua,
 1 hoja de laurel,
  sal.
Salsa:
2 tomates maduros grandes,
1 pepino mediano,

1 pimiento verde mediano,
1 cebolla pequeña (40 gr.),
3 cucharadas soperas de vinagre,
6 cucharadas soperas de aceite fino,
  sal y pimienta molida.

Se cuece cada pescado y marisco aparte con agua fría que lo cubra, una hoja de laurel y sal. Cuando el agua empieza a hervir a borbotones, se retira del fuego. Se saca el pescado del agua, se limpia de piel, espinas y caparazones el marisco, y se corta en trozos no muy pequeños. Se colocan en copas individuales y se deja en sitio fresco.
Se prepara la salsa (receta 100).
Unos 10 minutos antes de que se vaya a servir, se revuelve bien la salsa con su jugo, repartiéndola entre las copas.
Nota.—El pescado y el marisco se pueden variar todo lo que se quiera.

702.—ALBONDIGAS DE PESCADO (6 personas)

½ kg. de merluza (puede ser congelada),
  un trozo de miga de pan de 125 gr. (mejor del día anterior),
 1 vaso (de los de agua) de leche caliente,
 1 diente de ajo,
 1 cucharada (de las de café) de perejil picado,
 1 huevo,
  agua,
 1 plato con harina,
½ litro de aceite (sobrará),
  sal.

Salsa:
 6 cucharadas soperas de aceite,
 1 cebolla mediana (100 gr.) picada,
 1 cucharada sopera de harina,
½ litro de agua (de cocer la merluza),
 1 hoja de laurel,
  unas hebras de azafrán,
  sal.

En un tazón se pone la miga de pan en remojo con la leche muy caliente.
Se pone la merluza en un cazo y se cubre de agua fría con sal. Se pone al fuego y, cuando el agua empieza a hervir, se retira en seguida. Se escurre bien, se quitan la piel y las espinas y

se desmenuza con un tenedor. Se mezcla entonces en una ensaladera el pescado, la miga de pan remojada, el huevo entero, el ajo, el perejil y la sal. Se mezcla bien y se forman bolitas como las albóndigas de carne. Se pasan por harina. En una sartén se pone el ½ litro de aceite a calentar y se van friendo las albóndigas de 5 en 5 para que no se estropeen.

En otra sartén se ponen las 6 cucharadas soperas de aceite (del que ha sobrado de freírlas). Se echa la cebolla picada, se deja dorar y después se añade la harina, removiendo con una cuchara de madera hasta que quede un poco dorada (5 minutos). Se agrega entonces el ½ litro de agua de cocer el pescado (colada y enfriada, para que no forme grumos) y la hoja de laurel; en el mortero se machacan las hebras de azafrán, que se disuelven con un par de cucharadas de la salsa que está cociendo en la sartén. Se añade esto a la salsa, que cocerá unos 10 minutos. Se cuela la salsa y se ponen las albóndigas dentro una vez colada, para que se calienten, y se sirve en seguida con triángulos de pan frito o moldes de arroz blanco, como más guste.

Nota.—Se pueden servir también las albóndigas con una salsa de tomate clarita en vez de la salsa indicada anteriormente (salsa de tomate, receta 63).

703.—BOUILLABAISSE (8 personas)

½ kg. de merluza en rodajas,
½ kg. de rape en rodajas,
2 salmonetes,
1 lubina de ½ kg.,
1 cola de besugo de ½ kg.,
½ kg. de cangrejos de mar,
2 cebollas medianas,
3 dientes de ajo,
2 tomates pelados y sin pepitas,
1 ramita de tomillo,

1 hoja de laurel,
1 ramita de perejil,
1 cáscara de naranja,
1 ramita de hinojo,
8 cucharadas soperas de aceite, agua hirviendo,
1 barra de pan de ½ kg. (del día anterior si puede ser), sal, pimienta y unas hebras de azafrán.

Poner en una cacerola la cebolla picada en trozos grandes, los 3 dientes de ajo (dados un golpe, para estallarlos), los tomates pelados y sin pepitas, el tomillo, el laurel, el perejil, el hinojo, la cáscara de naranja. Encima de todo esto, el pescado más duro (rape, cangrejos, besugo) y las 8 cucharadas soperas de aceite, el agua hirviendo (la suficiente para que cubra el pescado), la sal, la pimienta y las hebras de azafrán (previamente machacadas en el mortero con una cucharada sopera de agua).

Poner a fuego vivo y cuando rompe a hervir dejar 5 minutos, después de lo cual se añade el resto del pescado y más agua, si hiciese falta. Se pone de nuevo a cocer y, tan pronto como vuelva a hervir, se deja unos 10 minutos.

Retirar entonces del fuego, poner el pescado en una fuente y colar el líquido echándolo en una sopera, en la cual se habrán colocado las rebanadas de pan cortadas de 1½ cm. de gruesas, y verter el líquido por encima.

Se sirven juntos la sopera y la fuente de pescados.

Carnes
y Aves

VACA

Fritos o a la plancha

Qué parte pedir	Peso por persona	Tiempo
Solomillo en filetes	125 gr. a 150 gr. p/persona	3 a 4 minutos por cada cara para fritos medianos
Filetes picados (hamburguesas)		
Lomo bajo		4 a 6 minutos para bien fritos
Tapa, cadera, babilla		

Asados
El horno bien caliente desde el principio

Qué parte pedir	Peso por persona	Tiempo
Solomillo	150 gr. sin huesos	20 minutos por cada ½ kg
Lomo alto		
Lomo bajo		
Cadera o Rumsteak		
Tapa o contra	250 gr. con huesos	
Tapa (es más seco)		

Guisos

Qué parte pedir	Peso por persona	Tiempo
Redondo	180 gr. a 200 gr. p/persona	2½ a 3 horas
Rabillo		
Espaldilla		
Falda		
Tapa		

Para el cocido: pez, morcillo o culata de contra.

VACA O BUEY

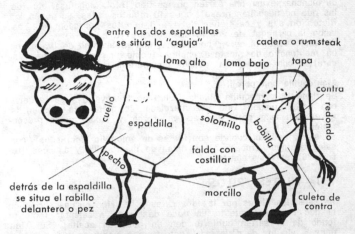

entre las dos espaldillas
se sitúa la "aguja"

cadera o rumsteak

lomo alto   lomo bajo   tapa

contra

cuello

espaldilla   solomillo   babilla   redondo

falda con
costillar

pecho

detrás de la espaldilla
se sitúa el rabillo
delantero o pez

morcillo

culeta de
contra

Se calcula normalmente unos 125 gr. de carne de vaca por persona cuando es para filetes a la plancha o fritos.
Para asada, unos 150 gr., pues merma algo (solomillo, lomo, etc.)
Para guisada, 200 gr. por persona (redondo, ragoût, etc.), pues es la forma en que mengua más.

704.—FILETES A LA PLANCHA O FRITOS

Los filetes de solomillo, lomo bajo o lomo alto y rumsteak (tapa, o contratapa) son los mejores.
Son muy buenos también y muy clásicos los filetes de babilla y cadera, pero son algo más duros y secos, sobre todo si la res estuviese recién matada. Se compran más delgados que los anteriores.

Acompañamientos

Los filetes se pueden acompañar de muchas maneras:
Patatas fritas: cortadas gordas, paja o a la inglesa.
Con puré de patatas.
Con toda clase de verduras: guisantes, judías verdes, pimientos verdes fritos, etc., cebollas fritas en buñuelos, tomates rebozados y fritos o al horno asados, etc. (estas recetas vienen en el capítulo de verduras).
O simplemente con una ensalada.
No pondremos para cada filete el acompañamiento, que será a gusto de cada uno.

705.—FILETES A LA PLANCHA

Se unta un poco de aceite en cada cara del filete y se tienen de ½ a 1 hora así en reposo. Se enciende la plancha (o a falta de plancha se usa una sartén gruesa tipo Tefal, Magefesa, etc., de las que no necesitan grasa), unos 10 minutos antes. Se ponen los filetes en ella y se tienen de 4 a 6 minutos por cada cara, salando la cara que se vuelve cuando está ya hecha.

Se suele poner al servir cada filete, una rodaja fina de limón con un montoncito de mostaza encima (como una avellana con cáscara), o con mantequilla revuelta con perejil, como más guste.

Mantequilla con perejil

Se tiene la mantequilla blanda (fuera de la nevera) y se revuelve con perejil picado. Una vez mezclada, se mete otra vez en la nevera un rato para que se endurezca y tenga mejor presentación.

Se sirve también, cuando son filetes de solomillo (tournedos), con salsa bearnesa (receta 73) o salsa de mantequilla y anchoas (receta 86), servidas aparte.

706.—FILETES FRITOS

Se salan los filetes por las dos caras y se fríen en una sartén en la que se habrá puesto un poco de aceite a calentar (sólo el fondo de la sartén cubierto con un poco de aceite). Se fríen unos 5 minutos de cada lado (este tiempo medio es muy personal según guste el filete, se puede dejar menos o también más).

Se ponen los filetes en una fuente caliente con la salsa de freírlos por encima.

Se salan antes de freír con el fin de facilitar la salida de la sangre del filete. Esta se mezcla al aceite de freír y da una salsa muy buena, con la cual se rocían los filetes.

707.—FILETES DE SOLOMILLO CON SALSA DE OPORTO Y MOSTAZA (6 personas)

6 filetes de solomillo,
4 cucharadas soperas de aceite,
5 cucharadas soperas de vino de oporto,

1 cucharada (de las de café) de mostaza,
sal.

Con los dedos se unta un poco de aceite en las dos caras de los filetes y se dejan reposar así una ½ hora.

Se echa sal a los filetes, se fríen según guste a cada persona, un término medio de 3 minutos por un lado y 4 minutos por el otro. Se reservan en una fuente al calor.

En la sartén donde se han frito los filetes y con el jugo que han soltado al freírlos se pone el oporto y la mostaza. Se revuelve bien y se cuece un par de minutos. Se vierte esta salsa sobre cada filete y se sirve en seguida, acompañando con la guarnición que se quiera (verduras, puré de patatas, patatas fritas o rehogadas, etc.)

708.—FILETES DE SOLOMILLO O LOMO, CON UN PICA-DITO DE CHAMPIÑON, CEBOLLA Y JAMON (6 personas)

6 filetes de solomillo o lomo bajo (un poco gruesos, de unos 150 gr. cada uno),
5 cucharadas soperas de aceite,
3 cebollitas francesas medianas (150 gr.),
200 gr. de champiñones frescos,
100 gr. de jamón serrano veteado (no muy curado, pues está más duro),
20 gr. de mantequilla,
zumo de un limón,
sal.

Se untan los filetes por las dos caras con el aceite ½ hora antes de ir a hacerlos.

Se lavan y cepillan los champiñones, quitándoles la parte terrosa del pedúnculo. Se van echando en agua fría con unas gotas de limón. Se escurren en seguida para que no pierdan su aroma y se pican en trocitos como de 1½ cm. Se ponen en un cazo con la mantequilla, unas gotas de limón y sal. Se hacen a fuego mediano durante unos 10 minutos. Se reservan. En una sartén se ponen 3 cucharadas de aceite a calentar. Se pelan y se pican las cebollas y se ponen en la sartén a fuego mediano, revolviéndolas de vez en cuando con una cuchara de madera. Cuando la cebolla se pone transparente (unos 5 minutos), se le añade el jamón picado, se revuelve un poco y se añaden los champiñones con su jugo. Se reserva al calor muy suave.

Se hacen a la plancha o se fríen en una sartén (según se quiera) los filetes. Se salan cuando ya está una cara frita y luego por el otro lado. Se ponen en una fuente donde se vayan a servir y con una cuchara se pone encima de cada filete un montón del revuelto de champiñones, jamón y cebollas con el jugo que ha soltado. Se sirve en seguida en platos calientes, a ser posible.

709.—FILETES DE SOLOMILLO CON MANTEQUILLA Y ANCHOAS (6 personas)

6 filetes de solomillo (pequeños pero gruesos),
3 cucharadas soperas de aceite,
100 gr. de mantequilla,
8 anchoas (de lata),
1 cucharada sopera de perejil,
el zumo de un limón,
sal.

Se untan los filetes con un poco de aceite por las dos caras una ½ hora antes de hacerlos.

Se hacen a la plancha o en una sartén con muy poca grasa, unos 5 cinco minutos por cada cara. Se salan muy ligeramente después de fritos y se reservan al calor.

En un mortero se machacan las anchoas (bien escurridas de su aceite) con parte de la mantequilla primero. Después de bien hechas puré, se agrega el resto de la mantequilla. Esto se pone en la sartén donde se han hecho los filetes. Una vez derretida la mantequilla (sin que se fría), se añade el zumo de limón y el perejil picado. Se revuelve todo y se vierte por encima de los filetes, ya puestos en su fuente de servir (o se sirve en salsera aparte). Se adorna con patatas fritas o puré de patatas.

710.—FILETES DE SOLOMILLO A LA PIMIENTA Y FLAMEADOS CON COÑAC (6 personas)

6 filetes de solomillo (de 150 gr. cada uno),
1 cucharada sopera de pimienta en grano (15 gr.) para cada filete,
6 cucharadas soperas de buen coñac (½ vaso de los de vino),
3 cucharadas soperas de aceite, sal.

Se salan las dos caras de cada filete. Se machacan un poco los granos de pimienta, de forma que queden en trozos y no en polvo. Se ponen repartidos encima de las dos caras de cada filete, apretando luego bien para incrustarlos y que no se caigan al freír éstos.
Se coge una sartén amplia y de chapa gruesa (Tefal, Magefesa, etc.), se pone el aceite a calentar; una vez bien caliente, se ponen los filetes de 3 en 3 y se dejan 4 minutos de cada lado (para una carne medianamente frita, cuyo centro saldrá rosado).
Mientras se fríen los filetes, se pone el coñac en un cazo pequeño a calentar. Cuando está templado, se le prende fuego con una cerilla y flameando se rocían los filetes: se coge en seguida el coñac con una cuchara sopera y se flamean lo más posible para que se queme el coñac bien y no resulte fuerte.
Se ponen los filetes en la fuente de servir (que estará caliente) y se rocían con su salsa. Se sirven en seguida.

711.—FILETES DE SOLOMILLO CON CHAMPIÑON, TRUFA Y CREMA (6 personas)

6 filetes de solomillo (150 gr. cada uno),
un poco de aceite fino para untar los filetes,
6 rebanadas de pan tostado,
20 gr. de mantequilla (para el pan),
3 cucharadas soperas de buen coñac,
100 gr. de champiñones frescos,
el zumo de ½ limón,
20 gr. de mantequilla,
1 latita de trufas,
4 a 5 cucharadas soperas de crema líquida,
sal y pimienta.

Se limpian de tierra, se lavan bien los champiñones y se pican. Se ponen en un cazo con el zumo de ½ limón, la mantequilla y un poco de sal. Se saltean de vez en cuando durante los 10 minutos que necesitan para hacerse. Se pica también la trufa y se mezcla con el champiñón, añadiendo también el jugo de la trufa. Se reserva al calor.
Se unta una cara de las rebanadas de pan (de molde o corriente) con un poco de mantequilla y se tuestan. Se reservan al calor.
Se fríen los filetes, previamente untados por las dos caras, con aceite fino. Cuando están fritos de un lado, se vuelven y se sala la cara ya frita (de 4 a 6 minutos de cada lado, según guste). Se ponen en la fuente donde se van a servir.
En un cazo se calienta el coñac, se prende con una cerilla y se vierte prendido por encima de los filetes, flameándolo bien. Se

pone entonces debajo de cada filete una rebanada de pan y se reserva la fuente al calor mientras se hace la salsa.

En el cacito de los champiñones se añade la crema líquida. Se calienta revolviendo todo, pero con mucho cuidado de que la crema no hierva; se rectifica de sal y se rocían los filetes con esta salsa.

Se sirve con puré de patatas o bolitas de puré.

712.—FILETES CON ACEITUNAS Y VINO BLANCO (6 personas)

6 filetes de lomo bajo o cadera (125 gr. cada uno),
½ vaso (de los de vino) de vino blanco,
125 gr. de aceitunas sin huesos,
1 cucharada (de las de café) de concentrado de tomate (o de salsa espesa),

½ cucharada (de las de café) de extracto de carne (Liebig, Mandarín, etc.),
4 cucharadas soperas de aceite,
sal.

Se echan las aceitunas en un cazo con agua fría, se ponen al fuego y se les da un hervor de 3 minutos; después se escurren bien, se secan con un paño limpio y se cortan en dos mitades.

En una sartén se pone el aceite a calentar. Mientras tanto, se echa sal ligeramente por cada cara de los filetes. Se fríen de dos en dos y se reservan al calor.

En la misma sartén, escurrida de la mitad de la salsa, se ponen las aceitunas, el vino blanco, el tomate y el extracto de carne. Se revuelve todo bien y se deja cocer unos 3 ó 4 minutos. Se colocan los filetes en una fuente, con la guarnición que se haya elegido (patatas fritas, puré, etc.), y se vierte la salsa por encima de los filetes. Se sirven en seguida.

713.—FILETES EMPANADOS (6 personas)

6 filetes de cadera o babilla, delgados (125 gr. cada uno),
1 diente de ajo (facultativo),
1 ramita de perejil,
1 plato con pan rallado,

2 huevos,
¾ de litro de aceite (sobrará mucho),
sal.

Se piden en la carnicería unos filetes delgados; si no, se aplastan para que queden finos.

En el mortero se machaca el diente de ajo, la ramita de perejil y un poco de sal (esto es facultativo).

Con la punta de los dedos se untan las dos caras de cada filete con esto. Después se pasan por el huevo batido como para tortilla y luego por pan rallado, que tiene que quedar muy uniforme por todo el filete.

Se preparan con un poco de anticipación (½ hora basta) para que el pan rallado quede bien adherido.

Se fríen en aceite abundante.

Nota.—Se puede suprimir el ajo y el perejil machacados en el mortero y sólo salar y empanar los filetes.

714.—FILETES A CABALLO (CON HUEVOS) (6 personas)

6 filetes de solomillo (de unos 150 gr. cada uno),
6 rebanadas de pan de molde,
50 gr. de foie-gras,
el zumo de ½ limón,
6 huevos,
½ litro de aceite (sobrará),
sal y pimienta.

Se cortan los filetes gruesos y se les ata una cuerda alrededor con el fin de que no ensanchen al freír.

Se untan con un poco de aceite (con la punta de los dedos) una ½ hora antes de hacerlos. Se salan y se echa pimienta en los filetes (por cada cara) y se fríen en una sartén gruesa (Tefal, Magefesa, etc.), previamente calentada y sin más grasa que la que tienen los filetes untados. Se hacen unos 3 minutos por una cara y 4 por la otra (o más si se quiere). Se reservan al calor.

Mientras tanto, se tuestan o se fríen las rebanadas de pan y, una vez doradas, se untan con un poco de foie-gras por una cara. Se reservan al calor.

En una sartén se pone el aceite a calentar y se fríen los huevos.

En una fuente se colocan las rebanadas de pan y encima de cada una 1 filete. Se calienta la salsa que han soltado, añadiéndole el zumo de limón. Se rocía cada filete con esto y sobre cada filete se coloca 1 huevo frito. Se suele servir solo o con ensalada aparte o acompañados de patatas fritas (paja o a la inglesa).

715.—FILETES (CEBON) RELLENOS DE JAMON, ACEITUNAS Y HUEVO DURO (6 personas)

6 filetes de cadera de cebón (125 gr. cada uno, cortados muy delgados),
12 aceitunas,
100 gr. de jamón serrano,
2 huevos duros,
harina en un plato para rebozar,
aceite para freír, ¼ litro (sobrará),
1 cebolla pequeña (60 gr.),
1 diente de ajo,
1 ramita de perejil,
1 cucharada sopera rasada de harina,
½ vaso (de los de vino) de vino blanco,
4 vasos (de los de agua) de agua,
sal.

Se pican las aceitunas, el jamón y el huevo duro. Con ello se rellenan los filetes, dejando un poco de relleno para añadir luego en la salsa. Se enrollan los filetes y se atan con una cuerda fina, dejándole un rabo para poderla agarrar cuando se vaya a quitar, al servir.

En una sartén se pone el aceite. Cuando está caliente, se rebozan los filetes ligeramente con harina y se fríen de 3 en 3. Se reservan en un plato.

En una cacerola se ponen 6 cucharadas soperas del aceite donde se han frito los filetes, se echa la cebolla muy picadita, que se dora. Se ponen entonces los filetes, el vino blanco y el agua.

En un mortero se machaca el diente de ajo con el perejil y un poco de sal; se deslíe lo del mortero con 2 ó 3 cucharadas de salsa donde está cociendo la carne y se echa en la cacerola.

Se revuelve bien y se cuece a fuego mediano-lento durante unos 45 minutos (según sean de duros los filetes).

Al ir a servirlos, se les quita la cuerda y se le echa a la salsa el resto del relleno para que dé un hervor. Se vierte por encima y se sirven con picatostes, arroz blanco o puré de patatas.

716.—FILETES RELLENOS DE JAMON YORK Y ACEITUNAS (6 personas)

6 filetes de babilla o cadera, de 125 gr. cada uno y cortados delgados,
3 lonchas grandes (pero finas) de jamón de York,
100 gr. de aceitunas rellenas de pimientos,
2 vasos (de los de vino) no muy llenos de vino blanco,
1½ vasos (de los de agua) de agua,
1 vaso (de los de agua) de aceite,
2 cubitos de caldo de pollo o carne,
2 cucharadas soperas de harina,
el zumo de un limón,
1 pellizco de hierbas aromáticas,
1 cebolla mediana (50 gr.),
1 diente de ajo,
sal y pimienta.

Se sazona con sal y pimienta ligeramente cada filete. Se coloca en cada uno ½ loncha de jamón y en el centro un poco de aceitunas picadas. Se enrolla cada filete y se mantiene así con un palillo o con una cuerdecita (que luego al servir se quitará).

Se pone en una cacerola el aceite a calentar. Se doran los filetes de 2 en 2 y se van reservando en un plato aparte. Una vez fritos, se retira un poco de aceite, no dejando más que el preciso para dorar la cebolla y el diente de ajo, pelados y picados. Se refríen hasta que están empezando a dorarse (unos 10 minutos). Se añade la harina, se dan unas vueltas con una cuchara de madera y se echa el vino, los calditos desmenuzados, las hierbas aromáticas y algo de agua. Se da un hervor a la salsa y se ponen en ella los rollitos de carne, dejándolos cocer a fuego lento durante 1¼ horas. Se añade entonces el zumo de limón y se cuece durante otros 15 minutos.

Hay que comprobar después de este tiempo si la carne está tierna (esto depende de la clase), pinchándola con un alambre; si hace falta, se deja un poco más.

Se sacan los rollitos, se les quita el palillo o la cuerda y se colocan en la fuente donde se servirán. Se cubren con la salsa, que se pasará por el chino, apretando mucho para que dé toda su sustancia la cebolla.

Se puede adornar con puré de patatas o arroz blanco.

717.—FILETES (CEBON) GUISADOS CON CERVEZA Y CEBOLLA (6 personas)

6 filetes cortados gruesos (redondo, rabillo tapa, etc.),
5 cucharadas soperas de aceite,
3 cebollas grandes (700 gr.),
1 botella de cerveza (o 1½, según tamaño),
sal.

Se pone el aceite a calentar en una cacerola. Cuando está en su punto, se pasan los filetes sólo un minuto de cada lado y se sacan. Se reservan en un plato.

Se pelan las cebollas y se cortan en redondeles finos a lo ancho (para que cuando se separe la cebolla forme unos aros). Se pone la mitad de las cebollas donde está el aceite de freír la carne, se posa la carne encima, se sala y se cubre con la otra mitad de las cebollas. Se tapa la cacerola y se deja a fuego muy lento durante unos 10 minutos más o menos, hasta que la cebolla se ponga transparente; entonces se le echa la cerveza, lo bastante para que cubra la carne. Se vuelve a tapar la cacerola y se deja a fuego mediano lento unas 2 ó 3 horas (según sea de dura la carne).

En este tiempo conviene mover de vez en cuando la carne en su salsa para que no se agarre.

Se sirve en una fuente con la salsa y la cebolla por encima de la carne, y se puede acompañar con molde de arroz blanco o puré de patatas.

718.—LOMO DE VACA CON PEREJIL, MANTEQUILLA Y LIMON (6 personas)

800 gr. a 1 kg. de lomo alto, en 1 ó 2 filetes grandes (también se puede hacer lo mismo con rumsteak),
50 gr. de mantequilla,
2 cucharadas soperas de aceite,
el zumo de un limón,
1 cucharada sopera de perejil picado,
sal y pimienta.

Se unta el filete grande de lomo con aceite por cada cara. Se enciende el horno fuerte unos 10 minutos y, pasado este tiempo, se pone encima de la parrilla el lomo unos 8 minutos por una cara y 10 por la otra. Se saca y se le echa sal y pimienta por las dos caras, y se coloca en la fuente donde se va a servir. Se corta entonces en trozos de unos 3 dedos de ancho (4 cm.) Se recoge el jugo que haya soltado y se pone en una sartén pequeña con la mantequilla. Se calienta todo sin que la mantequilla haga más que derretirse y no cocer. Se agrega el limón y el perejil. Se revuelve bien y se vierte por encima del lomo. Se sirve en seguida en platos calientes.

719.—LOMO DE VACA CON SALSA DE VINO TINTO (6 personas)

800 gr. a 1 kg. de lomo alto, en 1 ó 2 filetes gruesos y grandes,
4 cucharadas soperas de aceite fino,
2 chalotes medianas (60 gr.),
1¼ vasos (de los de agua) de buen vino tinto,
3 cucharadas soperas de crema líquida,
sal y pimienta negra molida.

Se echa el aceite en una sartén grande y, cuando está caliente, se pone el filete de lomo 8 minutos de cada lado (si se quiere medianamente hecha la carne, algo más si se prefiere, pero esta forma de servir la carne siempre es a base de carne poco hecha para que esté buena).

Una vez la carne en su punto y estando en la sartén, se sala y se le pone pimienta de los dos lados. Se retira y se coloca en la fuente donde se vaya a servir, reservándola al calor.

Se pelan y se pican las chalotes, se echan en la sartén donde se ha frito la carne y en el mismo jugo se dejan las chalotes unos 5 minutos. Se revuelven de vez en cuando con una cuchara de madera y se añade el vaso y cuarto de vino tinto (éste debe de ser bueno, pues es la gracia de la salsa). A fuego bajo se deja cocer esta salsa durante unos 10 a 15 minutos, con el fin de que se reduzca. Se añade entonces la crema líquida, teniendo buen cuidado de que no cueza; se revuelve bien todo y se vierte encima del lomo que está en espera y que se habrá trinchado en tiras gruesas de 3 dedos de ancho cada una (unos 4 cm. de ancho).

Se sirve en seguida acompañada de patatas cocidas o salteadas, o simplemente de una buena ensalada servida aparte.

Nota.—Se puede sustituir la crema líquida por 75 gr. de mantequilla. Esta se incorpora a la salsa al final, en 3 veces, batiendo cada vez mucho y sin que cueza.

720.—FILETES PICADOS O HAMBURGUESAS (6 personas)

Para 6 personas se suelen comprar 750 gr. de carne picada. Esta puede ser de cebón o de vaca, pero siempre es más sabrosa si se mezcla con carne de salchichas o simplemente con magro de cerdo.

La proporción para las hamburguesas es de ½ kg. de carne picada y ¼ kg. de cerdo o salchicha.

Para las albóndigas o la carne en rollo, se suelen poner 400 gr. de vaca o cebón y 150 gr. de cerdo o salchicha.

También se puede mezclar vaca y ternera, mitad y mitad.

721.—FILETES PICADOS (HAMBURGUESAS) REBOZADOS (6 personas)

6 hamburguesas,	¼ litro de aceite,
1 plato con harina,	sal.
2 huevos,	

Se salan las hamburguesas por las dos caras. Se pasan ligeramente por harina y después por huevo batido como para tortilla.

Se tiene una sartén con el aceite caliente y se van friendo los filetes por tandas.

Una vez fritos todos, se sirven en una fuente con el acompañamiento que se quiera.

Nota.—Están también muy buenos los filetes de carne picada solamente salados, pasados por harina y fritos sin rebozar en huevo.

722.—FILETES PICADOS (HAMBURGUESAS) EN SALSA CON CEBOLLA (6 personas)

6 hamburguesas,
1 plato con harina,
1 cucharada (de las de café) de harina,
1 vaso (de los de agua) de aceite (sobrará),
1 vaso (de los de vino) de vino blanco,
½ vaso (de los de vino) de agua,
1 cebolla grande (250 gr.), sal.

En una sartén se pone el aceite a calentar. Cuando está caliente, se salan las hamburguesas por las dos caras, se pasan por harina y se fríen de 2 en 2. Se van poniendo en una cacerola amplia para que no se monten unas sobre otras. Se quita casi todo el aceite de la sartén, dejando sólo un fondo (como 3 cucharadas soperas). Se pela la cebolla y se corta toda a tiras finas. Se fríe y cuando empieza a dorarse se echa la harina, dando unas vueltas con una cuchara de madera; luego se añade poco a poco el vino y el agua. Se cuece la salsa unos 5 minutos. Luego se vierte en la cacerola donde están las hamburguesas y se da un hervor de 10 minutos. Se colocan las hamburguesas en la fuente donde se vayan a servir, se recoge la cebolla con un tenedor y se coloca encima de ellas y se vierte la salsa en el plato. Se sirve en seguida acompañado de puré de patatas, o patatas rehogadas.

723.—HAMBURGUESAS CON QUESO (6 personas)

6 hamburguesas,
1 plato con harina,
1 vaso (de los de agua) de aceite,
150 gr. de queso gruyère rallado,
unas ramitas pequeñas de perejil,
sal.

Se salan las hamburguesas, se pasan por harina y se fríen en una sartén con aceite caliente (unos 4 minutos de cada lado). Se ponen entonces en una parrilla y se espolvorean por encima con queso rallado. Se meten al horno con el gratinador bien caliente. Se dejan hasta que el queso esté medio derretido. Se adorna cada hamburguesa con unas ramitas de perejil y se sirven en seguida.

724.—ALBONDIGAS (6 personas)

½ kg. de carne picada,
1 ramita de perejil,
1 diente de ajo,
4 cucharadas soperas de pan rallado,
3 cucharadas soperas de vino blanco,
1 huevo batido,
½ litro de aceite,
1 plato sopero con harina, sal.

Salsa:
4 cucharadas soperas de aceite,
100 gr. de cebolla picada,
2 tomates maduros medianos,
2½ vasos de agua (de los de agua),
unas ramitas de azafrán (pocas),
2 cucharadas soperas rasadas de harina,
sal.

En una ensaladera se pone el perejil y el ajo muy picados y el huevo un poco batido. Se pone la carne (puede ser ternera, vaca, mezcla de las dos, o mezcla de cada una de ellas con un poco de cerdo), el pan rallado, el vino y la sal. Se mezcla muy bien con una cuchara de madera. Después de bien mezclado todo se hacen bolas con las manos y, una vez formadas, se pasan ligeramente por harina.

En una sartén se pone el aceite a calentar y se fríen las albóndigas, dándoles unas vueltas para que se doren un poco. Se retiran y se van colocando en una cacerola donde no estén apretadas.

Se hace la salsa.

En una sartén se pone el aceite a calentar; cuando está, se echa la cebolla y se deja dorar unos 5 minutos, después se añaden los tomates en trozos y se machacan con el canto de una espumadera otros 6 u 8 minutos. Se agregan entonces 2 vasos de agua y la sal. Cuando rompe el hervor, se pasa por el pasapurés sobre la cacerola de las albóndigas.

En un mortero se machacan en seco las ramitas de azafrán, se añade un poco de agua del ½ vaso reservado. Se vierte por encima de las albóndigas, se enjuaga el mortero con el resto del agua y se vuelve a echar sobre las albóndigas, moviendo para que se mezcle bien la salsa.

Se dejan cocer de 20 a 30 minutos las albóndigas en su salsa (20 minutos para ternera, 30 minutos para otras carnes).

725.—ROLLO DE CARNE PICADA ASADA (6 personas)

½ kg. de carne picada,
1 ramita de perejil,
1 diente de ajo,
1 puñado de miga de pan (125 gr. más o menos),
1 vaso (de los de vino) de leche hirviendo,
6 cucharadas soperas de vino blanco,

1 huevo batido,
1 plato con harina,
5 cucharadas soperas de aceite,
1 vaso (de los de agua) de agua,
un poco de harina (para envolver la carne),
sal.

En un tazón se pone la miga de pan y se le vierte la leche hirviendo. Se deja un rato (10 minutos más o menos) para que se empape bien. En una ensaladera se pone el perejil y el diente de ajo muy picados, la carne (que puede ser vaca o ternera, mezclada con algo de cerdo), el huevo un poco batido (como para tortilla), el pan remojado, 3 cucharadas soperas de vino y la sal.

Se mezcla bien con una cuchara de madera. Después de bien mezclado, se forma un rollo grande, como un asado. Se envuelve ligeramente en harina.

En una besuguera donde se vaya a asar se pone el aceite a calentar. Cuando está en su punto, se pone la carne y se dan unas vueltas para que quede bien dorada por todos lados. Se añaden las otras 3 cucharadas soperas de vino blanco y el agua y se mete al horno. Este estará previamente calentado a fuego mediano unos 10 minutos antes. Se asa ½ hora, más o menos, a fuego mediano vivo, volviendo y rociando de vez en cuando el asado.

Se sirve trinchado como un asado y adornado con moldes de arroz blanco, o puré de patatas, o verduras rehogadas, etc.

726.—ROLLO DE CARNE PICADA EN SALSA (6 personas)

½ kg. de carne picada,
1 ramita de perejil,
1 diente de ajo,
1 puñado de miga de pan (125 gr. más o menos),
1 vaso (de los de vino) de leche hirviendo,
3 cucharadas soperas de vino blanco,
1 huevo batido,
4 cucharadas soperas de aceite,

1 cebolla grande (100 gr.),
1 cucharada sopera de harina (no colmada),
un poco de harina para envolver la carne,
1½ vasos (de los de agua) de agua,
1 vaso (de los de vino) de vino blanco,
1 hoja de laurel,
sal.

Se procede a preparar la carne igual que en la receta anterior. Una vez envuelta en harina, se pone el aceite a calentar en una cacerola, se dora la carne y, una vez dorada, se saca y se reserva. En este mismo aceite se echa la cebolla pelada y picada a dorar. Cuando está bien dorada (unos 10 minutos), se le añade la harina, se dan unas vueltas con una cuchara de madera y se agrega el vino, el agua, la hoja de laurel, un poco de sal y la carne. Se tapa la cacerola, que no debe ser muy grande con el fin de que la carne esté bien cubierta por la salsa. Se cuece durante unos 35 minutos.

Se sirve trinchada como anteriormente y con la salsa aparte en una salsera.

Nota.—Se puede añadir a la salsa unos champiñones o unas setas, cortados en láminas y cocidos en la misma salsa, pero puestos sólo unos 15 minutos antes de terminar de cocer la carne.

727.—CARNE PICADA CON PURE DE PATATAS Y HUEVOS DUROS, AL HORNO (6 personas)

½ kg. de carne picada de vaca
1 vaso (de los de agua) de leche caliente,
40 gr. de mantequilla,
1 cebolla grande (200 gr.),
2 huevos duros,
1 huevo,

1 puñado de pasas (facultativo),
6 cucharadas soperas de aceite
1 kg. de patatas,
1½ cucharadas soperas de azúcar,
agua y sal.

Se ponen las pasas a remojar con agua caliente que las cubra bien.

Con agua, sal, patatas, mantequilla y leche caliente se hace un puré de patatas (receta 207) y se reserva al calor.

Mientras se cuecen las patatas del puré, se ponen en una sartén las 4 cucharadas soperas de aceite a calentar. Cuando están calientes, se pone la cebolla pelada y muy picada a freír. Se le da vueltas hasta que empiece a dorarse (unos 8 minutos). Se añade entonces la carne picada y se revuelve con la cebolla durante unos 4 minutos más o menos; se sala. Se añaden las pasas escurridas y se revuelven con la carne (esto es si gustan las pasas). Se pone la carne en una fuente de cristal o porcelana resistente al horno. Encima de la carne se ponen los 2 huevos duros cortados en gajos o en rodajas no muy finas. El puré de patatas se mezcla con el huevo batido como para tortilla. Con este puré se cubre la carne. Se rocían las 2 cucharadas soperas de aceite por encima del puré y se espolvorea el azúcar con la mano como si fuese sal.

Se mete en el horno, previamente calentado, durante unos 15 minutos y se sirve en la misma fuente.

728.—GRATINADO DE CARNE PICADA CON ARROZ Y BECHAMEL (6 personas)

½ kg. de carne (cerdo, ternera o vaca, mezcla de 2 carnes),
200 gr. de arroz blanco,
4 tomates grandes (¾ de kg. a 1 kg.),
1 cebolla grande (125 gr.),
3 cucharadas soperas de aceite,
1 cucharada sopera de perejil picado,
40 gr. de gruyère rallado,
2 cucharadas soperas de jerez, sal.
Bechamel:
20 gr. de mantequilla,
2 cucharadas soperas de aceite,
1 cucharada sopera de harina,
½ litro de leche fría, sal.

En una sartén pequeña se ponen las 3 cucharadas soperas de aceite a calentar. Se echa la cebolla pelada y picada muy fina; cuando se pone transparente (unos 5 minutos), se le añaden los tomates lavados, pelados, quitadas las simientes y cortados en trozos medianos. Se hacen a fuego lento unos 5 minutos, moviéndolos de vez en cuando con una cuchara de madera. Una vez hechos, se reservan.

Se hace el arroz blanco como está indicado en la receta 165, pero **sin rehogar**, y se reserva.

Se pica la carne cruda en trocitos de ½ cm. En una ensaladera se pone la carne, el arroz, el refrito de tomate y cebolla, el jerez y el perejil. Se revuelve todo, se sala y se echa en una fuente de barro, cristal o porcelana resistente al horno.

Se hace la bechamel. En una sartén se pone el aceite y la mantequilla a derretir. Una vez calientes, se añade la harina, se da un par de vueltas con las varillas o una cuchara de madera y se añade poco a poco la leche fría. Sin dejar de mover, se cuece la bechamel unos 5 minutos; ésta debe quedar clarita. Se sala ligeramente. Se vierte la bechamel por encima de la carne. Se espolvorea con queso rallado y se mete al horno flojo unos 20 minutos, y luego se pone a gratinar hasta que la bechamel esté dorada.

Se sirve en la misma fuente.

729.—ASADO AL HORNO

Para un buen asado se calculan 150 gr. por persona.

Los trozos buenos son: el solomillo, el lomo alto o, siendo res grande, también el lomo bajo y el rumsteak en un trozo. Este último tiene el defecto de tener que trincharse atravesado, pero aun así resulta bueno.

Siempre conviene un trozo grande para que el asado resulte bien; es decir, por lo menos 1 kg. y no más de 3 kg., siendo mejor entonces asar la carne en el mismo horno, pero en dos trozos.

Se ata la carne con una cuerda fina dándole bonita forma. Se unta con la punta de un cuchillo con manteca de cerdo (no se sala hasta después de hecho).

Nota.—Para las personas que les guste la corteza del asado un poco tostada, se puede calentar la manteca en la besuguera donde se vaya a asar y se dan unas vueltas al solomillo para que se dore. Esto, durante unos 5 minutos como máximo. Después se procede corrientemente.

Se tendrá el horno encendido a fuego fuerte unos 10 minutos antes de meter la carne. Se mete ésta y a los 15 minutos se baja el fuego a mediano-fuerte para que el asado se haga también por dentro. Hay que tener en cuenta que este tipo de carne no es buena más que si queda rosada por dentro. La tabla al principio del capítulo da las normas de tiempo.

Durante la cocción hay que rociar el asado con su jugo varias veces, dándole también la vuelta con dos cucharas para no pincharle. Unos 10 minutos antes de terminar de asar la carne, se sala por todos lados. Se termina de asar, se apaga el horno, se abre y, al par de minutos, se cierra, para que la carne se quede caliente pero parada la cocción. El asado siempre se trincha mejor así, reposado.

Salsa:

Se quita el solomillo de la besuguera y se deja al calor en una fuente. Se le quita el exceso de la grasa a la salsa de la besuguera, con una cuchara, y se añade después un poco de agua caliente y un chorrito de zumo de limón. Se pone al fuego y con un tenedor se mueve bien, rascando un poco las partes tostadas que son las que dan mejor gusto a la salsa. Esta se sirve aparte en salsera.

730.—ASADO EN CACEROLA

A falta de horno, se usan unas cacerolas de hierro especiales que son gruesas (cocotte).

Se calienta la manteca de cerdo y, una vez derretida, se pone el asado a dorar por todos lados; una vez dorada toda la carne se volverá solamente cada 10 minutos, dejando destapada la cacerola.

Se procede para la sal y la salsa igual que en la fórmula anterior.

Para este procedimiento de asado se debe calcular unos 25 minutos por cada ½ kg. de carne.

CARNES GUISADAS

Para hacer platos de carne guisada se compra redondo, rabillo, aguja, falda, tapa o espaldilla. También al comprar un lomo para asar, los trozos que sobran al darle bonita forma son muy buenos para guisar. Igualmente pasa con el solomillo: la parte baja y la parte alta son buenísimas para guisar en trozos.

Se calcula unos 200 a 250 gr. por persona, sin huesos.

La cacerola donde se haga el guiso debe ser gruesa, pues se hace mejor. Se suelen encontrar de importación en grandes almacenes o en tiendas especializadas en baterías de cocina, etc.

731.—RAGOÛT CON ZANAHORIAS, CEBOLLITAS FRANCESAS Y GUISANTES (6 personas)

1½ kg. de carne de vaca cortada en trozos,
½ kg. de zanahorias,
¼ kg. de cebollitas francesas,
1 cebolla mediana (50 gr.) muy picada,
2 cucharadas soperas de salsa de tomate espesa (facultativo),
1 lata pequeña de guisantes (o un puñado frescos y sin cáscara),
1 vaso (de los de agua) no lleno de aceite,
1 vaso (de los de agua) no lleno de vino blanco,
1 cucharada sopera rasada de harina,
1 pellizco de hierbas aromáticas,
20 gr. de mantequilla (para las cebollitas),
agua y sal.

Se corta la carne en trozos cuadrados de unos 3 dedos de grosor. Puede ser morcillo, falda, o sea, carne de segunda. En una cacerola se pone el aceite a calentar; cuando está caliente se ponen los trozos por tandas a dorar, y se van reservando en un plato cuando están bien rehogados.

Una vez rehogada toda la carne se quita casi todo el aceite, no dejando más que un poco en el fondo de la cacerola; se pone la cebolla picada y se deja dorar ligeramente. Se añade la harina y se rehoga todo unos 5 minutos. Se vuelve a poner la carne en la cacerola, se le echa el vino blanco, después agua para que justo la cubra. Se sala y se espolvorea el pellizco de hierbas, se mueve bien, se deja que rompa el hervor y se tapa con tapadera. Se cuece durante 2 horas y entonces se agregan las zanahorias, peladas, lavadas y partidas a lo largo en trozos grandecitos. Se cuece otra hora. Se añaden entonces las 2 cucharadas de tomate.

Durante este tiempo, se ponen las cebollitas francesas previamente peladas a cocer en un cazo pequeño con un poco de agua (justo que las cubra) y la mantequilla. Una vez que están tiernas, pero enteras, se reservan. Unos 15 minutos antes de servir el guiso, se añaden las cebollitas y los guisantes escurridos de su agua.

Se sirve en una fuente, previamente templada, y con los platos del servicio también templados, pues este tipo de ragoût debe de comerse muy caliente para que no se solidifique la grasa.

(Véase receta 262.)

732.—ADOBADA Y GUISADA EN VINO TINTO (6 personas)

1½ kg. de carne de vaca en trozos (tapa y babilla),
1 cebolla grande (200 gr.),
1 zanahoria grande,
½ litro de vino tinto,
2 hojas de laurel,
¹/₃ de vaso (de los de vino) de buen vinagre,
1 ramillete con perejil, 1 diente de ajo y unas ramas de tomillo,
150 gr. de tocino fresco veteado en lonchitas,
2 cucharadas soperas de aceite,
½ litro de agua caliente,
sal y pimienta molida.

Se corta la carne en trozos cuadrados de 3 a 4 cm. de lado.
En un cacharro de barro hondo se ponen los trozos de carne, encima se corta ½ cebolla en unos 3 trozos grandes (después de pelada), la zanahoria pelada y cortada en rodajas un poco gruesas (como un duro), las 2 hojas de laurel, el ramillete, se sala y se echa un poco de pimienta. Después se rocía con ½ litro de vino tinto y el vinagre. Se tapa con tapadera y se tiene así de 6 a 10 horas, en sitio fresco (pero no en la nevera), moviendo de vez en cuando los trozos para que todos se remojen bien.
Al ir a hacer el guiso se escurren bien los trozos de carne en un plato. En una cacerola se pone el aceite y el tocino; cuando están calientes se les echa la otra ½ cebolla picada, hasta que quede bien dorada. Se echan entonces los trozos de carne y se les da una vuelta durante unos 10 minutos, moviéndolos bien con una espumadera para que todos queden rehogados. Se les añade entonces el adobo (vino, cebolla, laurel, etc...) y con la cacerola destapada se deja reducir el caldo a la mitad. Se le agrega entonces ½ litro de agua caliente y se tapa con tapadera, dejándolo a fuego lento de 3 a 4 horas, según la clase de carne.
Se sirve en una fuente honda con acompañamiento de puré de patatas o simplemente con triángulos de pan frito.

733.—GUISADA CON VINO TINTO (BOURGIGNON, ESTILO FRANCES) (6 personas)

1½ kg. de carne en trozos (tapa, espaldilla, pecho, etcétera),
1 cebolla mediana (100 gr.),
200 gr. de tocino veteado,
3 cucharadas de aceite,
1 litro de buen vino tinto,
2 cucharadas soperas colmadas de harina,
¼ kg. de cebollitas francesas,
20 gr. de mantequilla (1 trocito),
agua,
pimienta y nuez moscada,
sal.

En una cacerola se pone el aceite a calentar. Cuando está caliente (sin que salga humo) se le añade el tocino cortado en dados pequeños y la cebolla pelada y picada. Se rehoga bien todo unos 10 minutos, hasta que la cebolla empieza a dorarse. Se retira entonces con una espumadera la cebolla y el tocino, que se reservan. Se agrega la carne cortada en trozos de 3 cm. de costado; se refríen bien y, cuando están rehogados por todos lados, se espolvorean con la harina. Se vierte poco a poco el vino moviendo todo bien con una cuchara de madera, se echa un poco de pimienta molida y se ralla un poco de nuez moscada. Se revuelve bien todo junto hasta que empieza a cocer el vino. Se ponen entonces otra vez el tocino y la cebolla ya refritos, y, si hiciese falta, algo de agua caliente para que cubra justo la carne. Se tapa la cacerola y se cuece durante unas 2 ½ horas (según sea de tierna la carne). Se moverá el guiso de vez en cuando para que no se agarre el fondo de la cacerola.

Aparte, mientras tanto, se pelan las cebollitas francesas, se ponen en un cazo de forma que no se monten unas encima de otras, se cubren justo con agua fría, se salan y se les añade la mantequilla. Se cuecen así unos 30 minutos.

Cuando la carne está ya en su punto, se sala muy ligeramente si hace falta, se añaden las cebollitas y se revuelve todo junto durante unos 15 minutos. Se sirve el guiso en plato más bien hondo, con su salsa por encima y con patatas cocidas o fritas alrededor.

CARNE GUISADA CON VINO TINTO (OTRA VARIACION)

Se hace igual que la anterior, pero después de rehogar bien la carne se añaden 3 cucharadas soperas de salsa de tomate bien espesa, o 1 ½ cucharada sopera de concentrado de tomate. Luego se espolvorea la harina, etc., etc.

Se sirve este guiso con unos coditos, cocidos en agua y sal, escurridos y mezclados con un poco de mantequilla y queso rallado.

734.—RABILLO DE CADERA O TAPILLA GUISADA CON ZANAHORIAS Y CEBOLLITAS (6 personas)

1 ½ kg. de un rabillo o tapilla de vaca,
4 cortezas de jamón,
½ pata de ternera grande o una pequeña partida en dos (½ kg.),
3 cucharadas soperas de coñac,
1 ¼ litros de agua (más o menos),
1 vaso (de los de vino) bien lleno de vino blanco,
4 cucharadas soperas de aceite,
2 zanahorias medianas,

¼ kg. de zanahorias pequeñas y muy tiernas,
1 cebolla pequeña (50 gr.),
¼ kg. de cebollitas francesas,
20 gr. de mantequilla,
1 pastilla de caldo (Gallina Blanca, Starlux de pollo, etcétera),
1 cucharadita (de las de moka) rasada de hierbas aromáticas en polvo (o un ramillete; perejil, 1 diente de ajo pelado, una hoja de laurel, una ramita de tomillo),
sal y pimienta molida.

Se mecha la carne en la carnicería o en casa y se ata con una cuerda para darle bonita forma. Se chamusca la pata para quemarle los pelos.

En una cacerola se pone el aceite a calentar; cuando está caliente (sin humear) se añaden las cortezas de tocino y la cebolla picada; se pone la carne y la pata de ternera a dorar por todos los lados, volviéndolas con una cuchara de madera y un tenedor, hasta que estén doradas. Se rocían con el coñac calentado previamente en un cazo pequeño y prendiéndolo con una cerilla para quitarle fuerza. Una vez preparada así la carne, se agregan las 2 zanahorias lavadas, raspada la piel y cortadas en rodajas. Se espolvorean las hierbas aromáticas y se cubre la carne con agua (más o menos el ½ litro). Se sala ligeramente y se echa un poco de pimienta molida. Se cubre la cacerola con tapadera y, a fuego mediano, más bien lento, se deja cocer unas 3 horas. Pasado este tiempo, se añade el vino blanco, la pastilla de caldo disuelta en 2 ó 3 cucharadas de salsa de la carne y se incorporan también las zanahorias, peladas y cortadas en dos a lo largo. Se deja cocer una hora más. Se rectifica de sal si hace falta. Mientras tanto, en un cazo pequeño se cuecen las cebollitas francesas, peladas y apenas cubiertas de agua, con la mantequilla y un poco de sal.

Cuando la carne está tierna, se saca y se le quita la cuerda que le daba bonita forma. Se corta en lonchas y se coloca en una fuente. Se deshuesa la pata de ternera y se ponen los trocitos encima. Se ponen las zanahorias en trozos grandes alrededor, mezcladas con las cebollitas francesas, y se cuela la salsa por un chino, machacando las rodajas de zanahorias y la cebolla picada. Se sirve con la salsa por encima.

RECETA ANTERIOR SERVIDA FRIA

Se hace igual que la anterior, con muchas menos cantidades, o mejor, se aumenta algo de carne en la otra receta y con las sobras se hace el pâté de carne (con carne de la pata de ternera y 100 gr. de jamón serrano, todo en trocitos menudos, como dados). Se hace también ½ litro de gelatina (Maggi, Royal o comprada, y se derrite).

En un molde alargado (de cake) se pone parte de la salsa del guiso mezclada con la gelatina; se deja cuajar en la nevera y se adorna el fondo con rodajas de zanahoria y algunos guisantes (de lata o cocidos): se alternan capas de carne, jamón y pata mezclados, con algunos guisantes y trozos de zanahorias. Después se vierte la salsa, hasta que cubra bien el pâté. Se mete en la nevera unas horas, hasta que cuaje la gelatina.

Se desmolda y se sirve frío, adornado con rodajas de tomate, remolacha y hojitas de lechuga.

735.—CARNE EN ROPA VIEJA (6 personas)

Un resto de carne de redondo (de cocido, etc.), ya guisado, o trozos de carne sobrante que se freirán calculando lo que haga falta (1 kg. más o menos en crudo),
1 kg. de tomates maduros,

1 pimiento colorado grande (400 gramos) o de lata,
1 cebolla grande (200 gr.),
4 cucharadas soperas de aceite,
1 cucharada (de las de café) de azúcar,
sal.

En una sartén se pone el aceite a calentar y se añade la cebolla picada; se deja unos 5 minutos que se dore sola. Después se añaden los tomates cortados en trozos y quitadas las simientes, y se machaca lo de la sartén con el canto de una espumadera. Una vez que haya cocido unos 15 minutos, se pasa por el pasapurés y se añade el azúcar y la sal.

En el horno, previamente calentado, se asa un pimiento entero, hasta que esté blando (unos 35 minutos). Se saca, se deja enfriar cubriéndolo con un plato o un paño y se pela, quitando las simientes. Se corta en tiras de un dedo de ancho.

En la sartén se echa la carne cortada en trozos grandes, con el pimiento, para que todo junto dé un hervor.

Se sirve en una fuente con moldecitos de arroz blanco (receta 165, 1.ª fórmula).

736.—REDONDO GUISADO (8 a 10 personas)

2 a 2½ kg. de redondo de cebón,
2 cebollas grandes (250 gr.),
1 hoja de laurel,
2 cucharadas soperas de harina,

4 cucharadas soperas de aceite,
1½ vaso (de los de vino) de vino blanco,
agua y sal.

En una cacerola se pone el aceite a calentar; cuando está caliente (sin que salga humo) se pone el redondo a dorar por todos lados. Cuando está bien dorado, se saca y se reserva en un plato. Se echan entonces las cebollas peladas y picadas, que se rehogan hasta que estén bien doradas (unos 12 a 15 minutos). Se agrega entonces la harina, se dan unas vueltas, se vierte el vino, se mueve y se vuelve a poner el redondo. Se sala y se pone la hoja de laurel, agregando agua templada o fría hasta que lo cubra bien. Se tapa la cacerola y, cuando vuelve a romper el hervor, se baja el fuego hasta que cueza lentamente durante unas 3 horas (según sea de dura la carne, más tiempo si hace falta). Se da de vez en cuando una vuelta al redondo para que se haga por todos lados.

Para servirlo se saca de la salsa y en la tabla se trincha en rodajas de 1 ½ cm. de ancho. Se cuela la salsa por el pasapurés o por el chino y se sirve en salsera aparte, acompañado de puré de patatas.

Nota.—El redondo de vaca está mejor mechado con unos trozos de tocino. Lo pone más jugoso.

Se puede añadir al redondo una manzana reineta, pelada y cortada en dos, que se pasará con la salsa.

737.—MANERAS DE UTILIZAR EL RESTO DEL REDONDO

1. En ropa vieja (receta 735)

2. Envuelto con bechamel:

2 cucharadas soperas colmaditas de harina,
2 vasos (de los de agua) bien llenos de leche fría (algo más de ½ litro),
25 gr. de mantequilla,
3 cucharadas soperas de aceite fino crudo,

2 huevos,
1 plato con pan rallado,
aceite para untar la tabla de la carne,
1 litro de aceite para freír (sobrará).
sal.

En una sartén se pone el aceite con la mantequilla a derretir; cuando están, se añade la harina, se dan unas vueltas y, poco a poco, se agrega la leche fría, dando vueltas continuamente para que no se formen grumos. Se cuece la bechamel unos 10 minutos para que quede espesa, echándole entonces la sal.

Fuera del fuego, se meten de una en una las rodajas de redondo, de forma que queden bien cubiertas por la bechamel. Se sacan y se ponen a enfriar en la tabla de la carne bien untada con aceite (para que no se peguen). Se hace esto por lo menos una hora antes de ir a freírlas.

Un poco antes de ir a servirlas, se pone el aceite a calentar. Mientras tanto se baten los huevos como para tortilla. Se pasa cada pedazo de redondo primero por el huevo batido y después por pan rallado. Se fríen hasta que tengan un bonito color dorado y se sirven en seguida.

3. Otra manera de utilizar un resto de redondo, contra, etc., ya guisado, con bechamel y alcaparras (6 personas):

6 ó 12 rodajas de carne (según sean de grandes),
2 cebollas medianas (150 gr.),
3 cucharadas soperas de aceite,
25 gr. de mantequilla,
2 cucharadas soperas de harina,
1 cucharada sopera de vinagre,
¼ litro de leche,
¼ litro de caldo (o agua con

un cubito de Starlux, Gallina Blanca, etc.),
2 cucharadas soperas de alcaparras,
2 cucharadas soperas de pan rallado,
1 diente de ajo,
1 hoja de laurel,
50 gr. de mantequilla,
sal.

Se pelan y se pican muy menudas las cebollas. En una sartén se pone el aceite a calentar y, cuando está, se rehogan hasta que estén transparentes (unos 5 minutos). Se añade entonces la hoja de laurel y el diente de ajo pelado y aplastado con un golpe con el mango de un cuchillo. Se rehoga un poco y se agregan los 25 gr. de mantequilla y la harina; se rehoga todo dando vueltas un ratito, y luego, poco a poco, se añade primero el vinagre, la leche fría y luego el caldo. Sin dejar de mover, se cuece unos 10 minutos. Se sala.

En una fuente de porcelana, cristal o barro (resistente al horno) se ponen 3 cucharadas de salsa en el fondo, teniendo cuidado de quitar de ella la hoja de laurel y el diente de ajo. Se colocan las rodajas de carne. En el resto de la salsa se echan las alcaparras, se revuelven y se vierte por encima de la carne. Se espolvorea con el pan rallado, se pone la mantequilla en trocitos por encima y se mete al horno a gratinar hasta que esté bien dorado.

Se sirve en la misma fuente.

738.—GUISADA CON TOMATES Y ACEITUNAS (6 personas)

1½ kg. de carne en trozos (aguja, falda, morcillo, etc.),
1 vaso (de los de agua) de aceite (sobrará),
150 gr. de jamón serrano veteado picado,
2 cebollas grandes (200 gr.),
½ kg. de tomates muy maduros (3 grandes),
100 gr. de aceitunas rellenas de pimiento,

2 cucharadas soperas rasadas de harina,
1 vaso (de los de vino) de vino blanco,
1 pellizco de hierbas aromáticas (o un ramillete con perejil, 1 diente de ajo y una hoja de laurel),
agua y sal.

En una cacerola se pone el aceite a calentar. Cuando está a punto (sin que salga humo) se rehogan bien los trozos de carne y, a medida que están, se retiran y se reservan en un plato.

Se retira parte del aceite, no dejando más que lo justo para cubrir el fondo de la cacerola (4 cucharadas soperas, más o menos). Se echa la cebolla pelada y muy picada para que se rehogue. Cuando empieza a dorarse (unos 8 minutos) se agrega la harina, se vuelve a rehogar un poco y después se ponen los tomates pelados, cortados en trozos y quitadas las simientes. Se rehogan otros 5 minutos, machacándolos bien con el canto de una espumadera o con el de la cuchara. Se incorpora entonces la carne, el jamón y después el vino blanco. Se sala y se pone el pellizco de hierbas aromáticas o el ramillete. Se revuelve todo junto unos 5 minutos y se pone el agua suficiente para que quede la carne cubierta. Se cubre la cacerola, y, cuando rompe el hervor, se deja cocer a fuego mediano unas 2 horas (este tiempo depende de la clase de carne que se haya empleado; puede ser más o menos tiempo). Si entonces está la carne tierna se incorporan las aceitunas, a las cuales, aparte, se les habrá dado un hervor de 3 minutos y después cortadas en dos. Se revuelve bien, se tiene 15 minutos más al fuego con la cacerola ya destapada. Se sirve en fuente honda adornada con triángulos de pan frito.

739.—CONTRA GUISADA (6 personas)

1¼ kg. de contra de cebón,
150 gr. de tocino para mechar,
  1 vaso (de los de agua) de aceite,
  1 vaso (de los de agua) de vino blanco,
  1 vaso (de los de agua) de agua,
  2 cebollas grandes (200 gr.),
½ kg. de zanahorias,
8 granos de pimienta,
1 manzana reineta (facultativo),
sal,
agua, si hiciese falta en la salsa.

Se manda mechar el trozo de contra y se ata con una cuerda.

Se pone el aceite a calentar y cuando está caliente se rehoga la carne, de manera que esté dorada por todos lados. Se retira y se reserva en un plato. En el aceite se pone la cebolla pelada y picada hasta que empiece a dorarse (unos 10 minutos); se vuelve a poner la carne y se rocía ésta con el vaso de agua. Se echa la pimienta en grano y la sal. Se tapa muy bien y se cuece a fuego muy lento durante 1½ horas, dándole de vez en cuando la vuelta. Pasado este tiempo se añaden las zanahorias lavadas, raspada la piel y en trozos grandes y el vino. Se vuelve a tapar la cacerola y se cuece otra 1½ horas (este tiempo depende de lo tierna que esté la carne).

Al ir a servir se quita la cuerda de la carne, se trincha en rodajas no muy gruesas. Se retiran casi todas las zanahorias menos 2 que se reservan para la salsa; las demás se pondrán de adorno en la fuente.

Se pasa la salsa por el pasapurés (si está muy espesa después de pasada se añade un poco de agua), se calienta bien y se vierte por encima de la carne.

Se pueden poner de adorno patatas cocidas, puré o verduras en montones alrededor de la fuente.

Nota.—Después de echar el vino, se puede añadir una manzana reineta pelada y cortada en trozos. Esta se pasará por el pasapurés con lo demás.

740.—CARNE FIAMBRE (6 a 8 personas)

  1 kg. de redondo de cebón,
30 gr. de sal de nitro (comprada en farmacia),
  4 litros de agua,
350 gr. de sal,
  6 granos de pimienta,
  1 hoja de laurel,
  1 ramita de tomillo,
1 vaso (de los de vino) de vino blanco,
2 puerros medianos,
2 zanahorias medianas (100 gramos),
2 huesos de rodilla u otros de vaca.

Se unta la carne ligeramente con sal de nitro y se deja unas horas así en sitio fresco, pero no en la nevera (toda la noche, por ejemplo). Después se pone en una salmuera:

En una cacerola se pone la carne; se cubre con los 4 litros de agua, se le añade la sal, la pimienta, el laurel y el tomillo, y así se tiene 24 horas. Se mueve de vez en cuando la salmuera para que la sal no se deposite en el fondo.

Se saca, se lava ligeramente y luego se pone en una cacerola con los puerros y las zanahorias cortados en trozos grandes, los huesos, el vino blanco y agua suficiente para que la cubra. Una vez que rompa el hervor, se cuece a fuego mediano durante unas 3 horas. Se saca y se prensa (con una tabla de la carne por encima), y, una vez fría, se corta y se sirve como si fuese fiambre, con ensaladilla o ensalada de adorno.

741.—RABO DE BUEY GUISADO (6 personas)

2 rabos de buey cortados en trozos,
2 cebollas grandes (180 gr.),
1 hoja de laurel,
4 granos de pimienta,
2 clavos (especias),
¼ kg. de zanahorias,
2 vasos (de los de vino) de vino blanco,
3 ó 4 litros de agua,
sal.

En una cacerola grande se pone agua fría y los trozos de rabo de buey, de forma que bailen bien en el agua (unos 3 litros). Se pone a cocer, y cuando empieza a hervir el agua se quita la espuma que se forma por encima; sin separarlo del fuego, se añaden entonces las cebollas enteras, peladas y con un clavo metido en la pulpa de cada cebolla, los granos de pimienta, la hoja de laurel, las zanahorias raspadas y lavadas, cortadas en dos a lo largo, el vino y la sal.

Se deja cocer destapado unas 3 a 4 horas, hasta que se separa la carne del hueso y se queda el caldo bien consumido (lo justo para hacer una salsa).

Se quitan el laurel y los granos de pimienta y se pasan por el chino o el pasapurés las zanahorias y las cebollas. Se pone la carne sin los huesos en una fuente y se cubre con la salsa. Se sirve en seguida, adornado con patatas fritas o puré de patatas.

TERNERA

El horno mediano al principio y más fuerte en la mitad del tiempo de asar

Frita

Qué parte pedir	Peso por persona	Tiempo de cocción
Chuletas	180 gr.	15 minutos para chuletas
Filetes de babilla	150 gr. normales	10 a 12 minutos para los filetes, primero a fuego vivo, después más lento
Tapa		
Cadera		
Espaldilla	125 gr. para empanar	

Qué parte pedir	Peso por persona	Tiempo de cocción
Contra		
Babilla	250 gr. 250 gr. sin huesos	30 minutos por cada ½ kg.
Chuletas deshuesadas o silla		

Guisos

Qué parte pedir	Peso por persona	Tiempo de cocción
Falda		2 horas para los guisos
Aguja		
Morcillo	200 a 250 gr.	
Contra		
Osso bucco		2 a 3 horas para platos en salsa

TERNERA

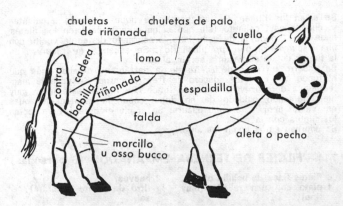

Se calcula para fieletes corrientes 150 gr. por persona (125 gr. para empanados, pues deben ser muy delgados).
Para ternera asada, de 200 a 225 gr. por persona, pues esta carne merma mucho.
Para ternera guisada, 200 a 250 gr. por persona.

742.—FILETES FRITOS (6 personas)

6 filetes de babilla o solomillo, 3 cucharadas soperas de aceite, 2 cucharadas soperas de mante- ca de cerdo o de mantequilla (60 gr.), sal.

Se salan los filetes por las dos caras. Se pone la manteca, o la mantequilla, a calentar con el aceite (esta mezcla se hace para que los filetes no se peguen en el fondo de la sartén).
Se fríen unos 5 minutos por cada cara a fuego vivo, procurando darles la vuelta con una espumadera para no pincharlos, pues así se les va el jugo. Después se tapa la sartén con una tapadera y se dejan otros 5 minutos a fuego muy lento.
Se sirven en una fuente con el adorno que se haya elegido de verduras o de patatas en puré, rehogadas o fritas.
Nota.—También se pueden freír sólo con aceite, pero la salsa resulta menos sabrosa.

743.—FILETES FRITOS CON LIMON Y MANTEQUILLA
(6 personas)

6 filetes de babilla,
4 cucharadas soperas de aceite,
el zumo de 1 limón,

1 cucharada sopera de perejil picado,
50 gr. de mantequilla,
sal.

Se salan los filetes. En una sartén se pone el aceite a calentar y, cuando está caliente (sin que salga humo), se fríen los filetes unos 6 a 7 minutos de cada lado, procurando darles la vuelta con una espumadera para no pincharlos. Se sacan y se reservan en la fuente donde se vayan a servir, al calor.

Se escurre un poco de aceite de la sartén, no dejando más que el fondo que está más oscuro de freír la carne. Se pone la mantequilla a derretir y el zumo de limón. Se mueve esto junto muy bien, teniendo cuidado de no dejar cocer la mantequilla, pues así sienta peor y se pone oscura. Se añade el perejil y se rocían los filetes con la salsa.

Se adornan éstos como los anteriores.

744.—FILETES DE TERNERA EMPANADOS (6 personas)

6 filetes finos de babilla o tapa,
1 plato con pan rallado (muy fino),

2 huevos,
¾ litro de aceite (sobrará),
sal.

Se aplastan bien los filetes y se recortan los bordes para darles bonita forma. Se les echa sal por las dos caras y se pasan ligeramente por pan rallado muy fino (para ello se cuela por un colador de agujeros grandes, sacudiéndolo para que caiga sólo lo más fino). Una vez untados todos los filetes por primera vez, se baten los huevos en un plato sopero, como para tortilla. De uno en uno se pasan los filetes por el huevo y después otra vez por el pan rallado, pero esta vez el pan tiene que quedar bien uniforme.

Se fríen en aceite abundante y caliente (para saber el punto del aceite se prueba friendo una rebanadita de pan, que no se debe arrebatar en seguida, pues así los filetes quedarían crudos por dentro).

745.—FILETES DE TERNERA RELLENOS CON BACON Y
GRUYERE (6 personas)

6 filetes de ternera (babilla, tapa o cadera),
6 lonchas finas de bacon,
6 lonchitas finas de queso gruyère,
1 pellizco de hierbas aromáticas,
2 cucharadas soperas de aceite,

50 gr. de mantequilla,
1 cucharada (de las de café) de perejil picado,
zumo de ½ limón,
sal,
2 cucharadas soperas de crema líquida (facultativo).

Se compran unos filetes delgados y con forma de óvalo más bien alargado. Se extienden de uno en uno, se salan ligeramente; en la mitad se coloca una lonchita de bacon (cortándole la parte dura del borde) y encima la lonchita de queso. Se espolvorean un poco con polvo de hierbas. Se doblan como si fuese una empanadilla y se pincha el borde o los dos bordes con un palillo, para que no se mueva el relleno.

Se salan las dos caras externas ligeramente (pues el queso ya sala el filete).

En una sartén se pone a calentar el aceite con la mitad de la mantequilla. Cuando está caliente se fríen los filetes, primero a fuego vivo un par de minutos por cada cara, y, después, a fuego más lento 12 minutos de cada lado. Se separan una vez fritos, se ponen en una fuente caliente y se reservan a la boca del horno templado para que no se enfríen. En la sartén se quita la grasa que han soltado, si hubiese mucha, se pone la mantequilla que se tiene separada y el zumo de limón, y, si se quiere más salsa, un par de cucharadas soperas de agua caliente. Se revuelve bien, y, ya fuera del fuego, se echan las 2 cucharadas de crema (calentando con cuidado esta salsa para que ya no cueza, pues se cortaría la crema).

Se espolvorean los filetes con perejil picado y se rocían con la salsa. Se sirven en seguida. Se pueden adornar con patatas paja o puré de patatas.

746.—FILETES DE TERNERA CON SALSA DE OPORTO, MOSTAZA Y PEREJIL (6 personas)

6 filetes de babilla, tapa o cadera,
5 cucharadas soperas de aceite,
5 cucharadas soperas de vino de Oporto,
1 cucharada sopera de perejil picado,
2 cucharadas (de las de café) de mostaza,
sal.

Se salan ligeramente los filetes. Se pone a calentar el aceite y se fríen de dos en dos, unos 6 minutos por cada cara, volviéndolos con una espumadera para no pincharlos. Se van reservando al calor, en la fuente donde se vayan a servir.

Una vez fritos los filetes, se retira un poco de aceite, dejando sólo el fondo con grasa; se añade el Oporto y la mostaza. Se revuelve bien y se cuece un par de minutos. Se agrega el perejil y se vierte esta salsa por encima de los filetes, que se servirán en seguida, con el adorno de patatas (puré, rehogadas, fritas, etc.) que más guste.

747.—FILETES MIGNON CON CHAMPIÑONES Y BECHAMEL (6 personas)

6 filetes de solomillo de ternera,
6 redondeles de pan de molde fritos,
¼ kg. de champiñones de París frescos,
30 gr. de mantequilla,
el zumo de ½ limón grande,

1 vaso (de los de agua) de aceite,
25 gr. de mantequilla,
2 cucharadas soperas de aceite,
2 cucharadas soperas rasadas de harina,
¾ litro de leche fría (2 vasos de los de agua, muy llenos), sal.

Se separan las cabezas de los champiñones de los podúnculos. Se lavan bien con agua y unas gotas de zumo de limón, y se escurren. Las cabezas (que deben ser pequeñas y bastante iguales) se ponen en un cazo con 30 gr. de mantequilla, el zumo de ½ limón y un poco de sal. A fuego lento se van haciendo durante unos 15 minutos, después se reservan. Los rabos de los champiñones se pican muy menudos y se reservan así en crudo.

En una sartén se ponen los 25 gr. de mantequilla y el aceite a calentar; cuando están derretidos se añade la harina, se dan unas vueltas con una cuchara de madera o unas varillas y, poco a poco, se va agregando la leche fría, y, por último, el picadito de champiñones crudos y el jugo de los champiñones del cazo.

Se cuece la bechamel durante unos 10 minutos. Se reserva al calor sin que cueza más.

Aparte, en otra sartén, se pone el aceite a calentar y se fríen los canapés de pan, que deben ser un poco mayores que la carne. Se ponen en una fuente. Se fríen después los filetes de solomillo, echándoles antes un poco de sal por cada cara y quitando un poco de aceite de la sartén. Se fríen unos 5 ó 6 minutos de cada lado. Se posa cada uno sobre las rebanadas de pan. Se rocían con la bechamel que ha de estar espesa, se ponen las cabezas de los champiñones todo alrededor de los filetes, pero encima del pan. Se mete todo unos 5 minutos en el horno previamente calentado, y se sirve en cuanto empieza a dorarse un poco.

748.—ESCALOPINES DE TERNERA REBOZADOS Y CON PICADITO DE CHAMPIÑONES (6 personas)

12 filetes pequeños y delgados (escalopines) de babilla o cadera,
2 huevos,
1 plato con harina,
½ kg. de champiñones frescos medianos,
25 gr. de mantequilla,
el zumo de 1 limón pequeño,
1 cucharada sopera de harina,
2 cucharadas soperas de aceite,
20 gr. de mantequilla,
3 cucharadas soperas de coñac,
1 vaso (de los de agua) de agua fría,
¾ litro de aceite (sobrará), sal y pimienta.

Se preparan los champiñones. Se les quitan las cabezas, se lavan éstas al chorro cepillándolas bien y se ponen enteras en un cazo con el trozo de mantequilla (25 gr.), el zumo de ½ limón, 2 cucharadas soperas de agua y sal. Se cuecen hasta que están tiernos (unos 20 minutos). Se pinchan con una aguja para saber si están en su punto. Se reservan al calor.

A los podúnculos o rabos se les cortan las partes sanas y sin tierra, se lavan bien con agua y el zumo del otro ½ limón, se escurren en seguida y se reservan.

En una sartén se pone el aceite y la mantequilla (20 gr.) a calentar. Cuando ésta se ha derretido, se añade la harina. Se deja que se tueste ligeramente, dándole vueltas con una cuchara de madera; se añade el coñac y el agua, se mueve para que no forme grumos y se añaden los podúnculos de los champiñones picados, la sal y la pimienta. Se deja cocer unos 15 minutos a fuego lento.

En una sartén amplia se pone el aceite a calentar. Mientras tanto se salan los filetes, se pasan por harina, sacudiéndolos para que caiga la sobrante. Se baten en un plato sopero los huevos como para tortilla y se pasan los escalopines de uno en uno dentro del huevo. Se fríen por tandas y se reservan al calor en la fuente donde se vayan a servir. Se colocan en redondo. Alrededor de la fuente se ponen las cabezas de champiñón enteras y alguna en el centro, y se sirve con la salsa aparte en una salsera.

749.—ROLLITOS DE TERNERA CON BACON Y ANCHOAS (6 personas)

6 filetes de ternera delgados (150 gramos cada uno) de babilla, tapa o cadera,
12 lonchas de bacon finas,
6 anchoas en aceite,
1 cucharada sopera rasada de harina,
1 cebolla mediana (80 gr.),
1 vaso (de los de vino) de vino blanco,
2 vasos (de los de vino) de agua,
4 cucharadas soperas de aceite,
1 hoja de laurel, sal.

Se ponen los filetes de ternera en una tabla y se sazonan con sal y pimienta. Se corta la parte dura de las lonchas de bacon con unas tijeras. En cada filete se ponen 2 lonchas, y en el centro se coloca una anchoa a lo largo, bien escurrido el aceite, y se enrolla cada filete para que tenga la forma de un chorizo. Se ata con una cuerda (se dejará un rabo para agarrar bien en el momento de ir a quitarla).

En una cacerola se pone el aceite a calentar; cuando está en su punto, se ponen los rollos a dorar y se van separando cuando están bien dorados, reservándolos en un plato.

Se pela y se pica la cebolla y se rehoga en el aceite de la carne durante unos 7 minutos, hasta que empieza a dorarse. Se agrega la harina y se le da unas vueltas con una cuchara de madera; se añade el vino poco a poco (para que no haga grumos), y después 1 vaso de agua y la hoja de laurel. Se ponen los rollos y se echa el agua del segundo vaso hasta que cubra los rollos. Se sazona con un poco de sal y se pone a cocer. Cuando rompe el hervor se tapa la cacerola y, a fuego mediano, se deja cocer durante una hora o 1¼ horas.

Se sacan entonces los rollos, se les quita la cuerda y se colocan en una fuente. Se cubren con la salsa pasada por el chino o pasapurés. Se sirven con triángulos de pan frito o puré de patatas.

750.—ROLLITOS DE TERNERA CON TOCINO Y CARNE PICADA (6 personas)

6 filetes de ternera delgados (125 gramos cada uno) de babilla, tapa o cadera,	1 cebolla mediana (80 gr.),
¼ kg. de carne picada,	1 vaso (de los de vino) de vino blanco,
1 loncha gruesa de panceta,	2 vasos (de los de agua) de agua,
6 ramitas de perejil,	4 cucharadas soperas de aceite,
1 cucharada sopera rasada de harina,	1 hoja de laurel, sal.

Se ponen los filetes en una tabla, se sazonan con un poco de sal y se reparte la carne picada entre los 6 filetes, aplastándola un poco. En el centro de la carne picada se pone como un dedo de tocino y una ramita de perejil entera, lavada y seca. Se enrolla cada filete y se ata con una cuerda, dejando un rabo para poder agarrarla después de hechos los filetes y cortarla para quitarla. Para todo lo demás se procede como en la receta anterior.

TODAS LAS RECETAS QUE SIGUEN SE HACEN IGUAL CON TERNERA

Filetes de solomillo con picadito de champiñón, cebolla y jamón (receta 708).
Filetes de cebón rellenos de aceitunas, jamón y huevo duro (receta 715).
Filetes rellenos de jamón de York y aceitunas (receta 716).
Filetes con aceitunas y vino blanco (receta 712).
Carne picada en rollo asada (receta 725).

Carne picada en rollo en salsa (receta 726).
Gratinado de carne picada con arroz blanco (receta 728).
Albóndigas (receta 724).

751.—CHULETAS DE TERNERA CON REVUELTO DE TO-MATE Y PIMIENTOS VERDES (6 personas)

6 chuletas de ternera (de riñonada o de palo),
6 tomates maduros medianos
(750 gr.),
4 pimientos verdes (400 gr.),

½ litro de aceite,
1 cucharada (de las de café)
de azúcar,
sal.

En una sartén pequeña se ponen 2 cucharadas de aceite a calentar. Cuando está caliente (sin que salga humo) se echan los tomates pelados, cortados en trozos y quitadas las simientes. Se
machacan con el canto de una espumadera y se hacen a fuego
vivo durante unos 20 minutos para que quede la salsa espesa. Se
añade entonces el azúcar y la sal, y se revuelve bien. Se reserva en su sartén.
En otra sartén se pone un vaso de aceite a calentar. Mientras se
calienta, se preparan los pimientos, cortándoles el rabo con un
trozo de pulpa alrededor y se vacían sus pepitas. Se cortan en
cuadraditos y se salan. Cuando el aceite está caliente, se ponen
los pimientos dentro y, a fuego más bien lento, se fríen durante
20 minutos, tapándolos con una tapadera. Pasado este tiempo, se
escurren de su aceite y se añaden al tomate, revolviendo bien.
Aparte se fríen en una sartén amplia con unas 6 cucharadas
de aceite las chuletas, previamente saladas. Se ponen de 3 en 3
para que no tropiecen. Se fríen unos 8 minutos de cada lado,
primero a fuego vivo y después a fuego más lento.
Se colocan las chuletas ya fritas en la fuente donde se vayan a
servir. Se pone encima de cada chuleta un par de cucharadas
soperas de revuelto de tomate con pimientos, y alrededor de la
fuente se pueden poner patatas rehogadas.

752.—CHULETAS DE TERNERA CON ALMENDRAS Y VINO DE MALAGA (6 personas)

6 chuletas de palo o de riñonada,
5 ó 6 cucharadas soperas de
aceite (un vaso de los de
vino bien lleno),

100 gr. de almendras naturales,
1 vaso (de los de vino) de
vino de Málaga,
sal.

Se ponen las almendras en un tazón con agua caliente durante
unos 10 minutos. Se escurren, se les quita la piel y se cortan
con un cuchillo en escamitas muy finas, o se pican entre un
papel fuerte, con un martillo (para que queden un poco gruesas).
En una sartén se pone el aceite a calentar y se fríen las chuletas
por tandas (unos 8 minutos de cada lado, primero a fuego vivo
y después más lento). Se salan luego y se reservan al calor
en la fuente donde se vayan a servir.
En la misma grasa se refríen las almendras hasta que estén

tostadas. Una vez doradas, se rocían con el vino, se revuelve bien y se reparten las almendras y la salsa por encima de las chuletas.

Se sirven con puré de patatas o lo que más guste de acompañamiento.

753.—CHULETAS DE TERNERA EN PAPILLOTE (6 personas)

- 6 chuletas de ternera de palo (200 gr. cada una),
- 3 lonchitas muy finas de jamón serrano,
- 125 gr. de champiñones de París frescos,
- 1 cucharada sopera de perejil picado,
- 2 cebollitas francesas (100 gr.),
- 25 gr. de mantequilla, unas gotas de zumo de limón,
- 10 cucharadas soperas de aceite (sobrará), sal y pimienta,
- 3 hojas de papel de barba (o 6 hojas de papel de aluminio).

En un cazo pequeño se pone la mantequilla a derretir; cuando está, se echan las cebollas peladas y muy picadas. Se rehogan unos 5 minutos y después se añaden a los champiñones previamente limpios de tierra, lavados y picados. Se rocían con un poco de zumo de limón (una cucharadita de las de café) y se echa sal. Se saltea esto durante unos 8 minutos y se agrega el perejil; se deja otro par de minutos, y se reserva.

En una sartén se ponen unas 8 cucharadas de aceite a calentar. Se fríen las chuletas por tandas y sólo un minuto de cada lado. Se retiran.

Se cortan las hojas de papel de barba en dos y se recorta cada media hoja con la forma de la chuleta mayor. Se unta cada papel muy ligeramente con aceite, con un pincel. Se echa sal y pimienta por las dos caras de cada chuleta.

Se coloca cada una en su papel, se reparte el champiñón con la cebolla y el perejil, en un montoncito encima de cada chuleta, y se cubre con ½ lonchita de jamón. Se cierra muy bien el papel y se ponen los paquetes así formados en una besuguera que se

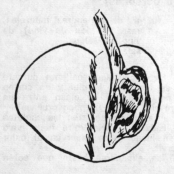

mete al horno. Este estará encendido previamente unos 10 minutos. Se hacen las chuletas a horno mediano-lento durante unos 20 minutos (hasta que el papel esté hinchado y empiece a dorarse). Se debe dar en este tiempo una vez la vuelta a las chuletas, para que durante un rato se haga también la parte de abajo.

Se sirven en su mismo papel en una fuente.

Nota.—Al no tener papel de barba, se puede poner papel de aluminio, pero dejando las chuletas un poco más holgadas en su papel.

754.—CHULETAS DE TERNERA EN PAPILLOTE CON HIGADITOS DE POLLO (6 personas)

6 chuletas de ternera de riñonada,
6 higaditos de pollo,
6 ramitas de perejil,
1 cebolla mediana (80 gr.),
6 cucharadas soperas no llenas de aceite fino,

6 cucharadas soperas no llenas de vino blanco,
sal,
pimienta molida (facultativo),
papel de aluminio.

Se salan y se pone pimienta molida (poca) en cada cara de las chuletas. Se limpian los higaditos de nervios, se les quita la bolsita de hiel si la tuviesen y se cortan en dos sin llegar al final, para formar un filetito pequeño. Se aplica el hígado en una cara de la chuleta. Se vuelve a salar un poco. Se pone una rama de perejil, se pela la cebolla y se cortan redondeles finos, aplicando uno en el hígado. Se rocía con una cucharada de aceite y luego con otra de vino blanco.

Se envuelve cada chuleta en papel de aluminio, dejando éste bastante holgado. Se mete a horno mediano, previamente calentado, durante 5 minutos, y se dejan las chuletas durante ¾ de hora.

Se sirven en una fuente con su papel, tal como salen del horno.

755.—CHULETAS EN SALSA (6 personas)

6 chuletas de palo o riñonada (de 225 gr. cada una, más o menos),
30 gr. de mantequilla,
8 cucharadas soperas de aceite,
1 vaso (de los de vino) de vino blanco ajerezado,
1 vaso (de los de vino) de agua,

1 cucharadita (de las de moka) de extracto de carne,
1 cucharada (de las de café) de perejil picado,
el zumo de ½ limón,
1 cucharadita rasada (de las de moka) de fécula de patata,
sal.

En una sartén se pone el aceite a calentar. Cuando está caliente, se fríen las chuletas por tandas, primero a fuego vivo y luego algo más lento, unos 6 minutos de cada lado. A medida que están fritas las chuletas, se salan y se colocan en la fuente donde se vayan a servir y se reservan al calor.

Una vez fritas todas, se escurre la sartén, volcándola un poco para quitarle casi toda la grasa, dejando sólo el fondo de salsa

que han dejado las chuletas. Se echa entonces el vino y el agua y se cuece a fuego vivo para dejar la salsa reducida a la mitad. Se añade la fécula disuelta en un poco de agua y se agrega el resto de la mantequilla, el extracto de carne y el zumo de limón. Se revuelve todo (sin que cueza ya la mantequilla) y se vierte por encima de cada chuleta esta salsa.
Se sirven con puré de patatas, patatas fritas o rehogadas, o bien verduras.

756.—CHULETAS EMPANADAS

Se procede como para los filetes empanados, teniendo en cuenta que las chuletas deben ser más bien delgadas para que salgan buenas (receta 744).

757.—ASADO DE TERNERA AL HORNO (6 personas)

1½ kg. de contra, babilla, riño-
    nada, etc.,
100 gr. de manteca de cerdo o
    5 ó 6 cucharadas soperas de
    aceite,

1 cebolla pequeña (50 gr.)
    (facultativo),
    agua caliente,
½ limón,
    sal.

Se ata el trozo de ternera que se va a asar para que tenga bonita forma.
En una besuguera se pone el trozo de ternera bien untado de manteca de cerdo. Se mete al horno, previamente calentado, durante 5 a 10 minutos, y a fuego mediano se derrite la manteca y se da un par de vueltas al asado. Pasada ½ hora, se sala, se rocía con un poco de agua caliente (primero ½ vaso de los de vino) y se pone la cebolla pelada y partida en dos trozos grandes de cada lado de la besuguera (esto es para que al asarse la cebolla dé un bonito color a la salsa) y se sube un poco el calor del horno. De vez en cuando se le da la vuelta al asado y se añade un poco de agua si hace falta. Se rocía el asado con su jugo. Se asa durante 1½ horas. Pasado este tiempo, se apaga el horno, se abre un ratito (2 minutos) y se vuelve a cerrar para que repose el asado al calor unos 10 minutos antes de trincharlo.
Se quitan las cebollas; se sirve la salsa en salsera aparte y la carne adornada con verduras, bolas de puré de patatas, etc.

758.—ASADO DE TERNERA, PRESENTADO CON MAYO-
NESA Y HUEVO DURO

2 huevos duros.
Se prepara y asa igual que en la receta anterior.
Se tiene hecha mayonesa (2 huevos, ½ litro de aceite fino, sal, zumo de un limón, en la batidora), que tiene que quedar bastante dura (receta 94).
En la fuente de servir la carne se pone la ternera asada y trinchada. Se cubre con la mayonesa y se espolvorea por encima de ésta los huevos duros muy picados. Se adorna la fuente con

verduras y se sirve en seguida. Aparte, en salsera, se sirve la salsa de asar la ternera bien caliente. Es un plato muy lucido y bueno.

759.—ASADO DE TERNERA CON SALSA DE YEMAS Y PURE DE TOMATES (6 personas)

Se hace exactamente igual que el cordero (receta 805).

760.—ASADO DE TERNERA HECHO EN CACEROLA (6 personas)

1½ kg. de contra, babilla o riñonada,
2 huesos,
5 ó 6 cucharadas soperas de
  aceite o 100 gr. de manteca
  de cerdo,
1 cebolla mediana (60 gr.),

1 pellizco de hierbas aromáticas (o un ramillete con perejil, laurel y un diente de
  ajo).
1 vaso (de los de vino) de
  agua,
sal.

Se ata el asado para que tenga bonita forma.
En una cacerola se pone el aceite a calentar. Cuando está caliente, se pone la ternera y se dora por todos lados. Una vez
bien dorada la carne, se añade la cebolla pelada y partida en dos
trozos grandes; se añade sal, el pellizco de hierbas aromáticas, los
huesos y el agua. Se cubre la cacerola con tapadera y a fuego
mediano-lento se asa durante 1½ horas, volviendo la carne cada
½ hora.
Una vez hecha, se le quita la cuerda a la carne, se deja reposar
unos 10 minutos en la cacerola fuera del fuego y se trincha. Se
quitan los huesos y se cuela por colador de agujeros grandes la
salsa para quitarle la cebolla. Generalmente hay bastante salsa,
pero si no se añade un poco de agua caliente, se revuelve toda
la salsa en la cacerola donde se ha hecho la carne y se sirve en
salsera aparte, adornada la carne con verduras, bolitas de patata,
berenjenas o calabacines rebozados y fritos, etc.
Nota.—La cacerola es mejor que sea de hierro fundido, del estilo
de las llamadas en Francia «cocotte». Al ser gruesa, sale mucho
mejor y sabrosa la carne.

761.—CONTRA DE TERNERA ASADA CON NARANJA (6 personas)

1½ kg. de contra de ternera,
100 gr. de manteca de cerdo o
  6 cucharadas soperas de
  aceite,
½ vaso (de los de vino) de
  coñac,
1 cucharada sopera de cáscara
  de naranja rallada,
  el zumo de 2 naranjas medianas,

1 naranja grande ó 2 pequeñas para adorno.
20 gr. de mantequilla,
2 cucharadas soperas de azúcar,
  agua y sal.
Puré de patatas:
1¼ kg. de patatas,
¼ litro de leche,
50 gr. de mantequilla,
  agua y sal.

Se ata la carne para que tenga bonita forma. Se calienta un poco el coñac y una vez puesta la carne en una besuguera se prende el coñac y se flamea con él la carne. Se unta después con la manteca de cerdo y se mete al horno, previamente calentado 5 minutos. Una vez que la carne se empieza a dorar, se sala por todos lados y se añade un poco de agua caliente (½ vaso de los de vino). Con el jugo se rocía varias veces el asado, que se tendrá durante 1½ horas asando a horno mediano, dándole la vuelta de vez en cuando.

Mientras, se cortan las naranjas en rodajas sin pelarlas. En un cazo se pone un vaso no lleno (de los de agua) de agua, 2 cucharadas soperas de azúcar y un trocito de mantequilla. Se cuece unos 5 a 7 minutos y se meten las rodajas a dar un hervor. Se reservan al calor en su caldo.

Cuando la carne está asada, se apaga el horno, se abre y se vuelve a cerrar con el fin de que deje de asar pero esté caliente. Se deja la carne unos 10 minutos antes de trincharla.

Se trincha y se ponen las lonchas en la fuente donde se vaya a servir, adornándola con montones de puré de patatas y las rodajas de naranja preparadas anteriormente y escurridas. En la salsa de la besuguera se pone la ralladura de la naranja y el zumo. Se mezcla bien, calentando la salsa, que se servirá en salsera aparte.

762.—OSSO BUCCO EN SALSA CON CHAMPIÑONES
(6 personas)

6 trozos de osso bucco,
5 ó 6 cucharadas soperas de aceite,
3 tomates grandes y maduros (500 gr.),
¼ kg. de champiñones de París frescos,
1 vaso (de los de agua) de vino blanco,
1 vaso (de los de agua) de caldo (o agua con una pastilla de Starlux, Gallina Blanca, etcétera),
1 plato con harina,
sal y pimienta (ésta es facultativo).

Se limpian y se lavan bien los champiñones, cortándolos en trozos grandes. Se reservan.

En una cacerola se pone el aceite a calentar (lo suficiente para que cubra el fondo, pero sin sobrar). Una vez caliente, se pasa cada trozo de carne por harina y se van dorando.

Se añaden los champiñones y también se les dan unas vueltas para que se rehoguen. Se echan entonces los tomates pelados, quitadas las simientes y cortados en trozos no muy grandes. Se rocía todo esto con el vino y después con el caldo. Se echa un poco de pimienta y de sal (con cuidado, pues el caldo ya sala el guiso, si es de pastilla).

Se tapa la cacerola y se cuece a fuego lento durante 1½ a 2 horas (según sea de tierna la carne).

Se sirve en una fuente un poco honda con la salsa por encima.

763.—OSSO BUCCO EN SALSA (6 personas)

6 trozos de osso bucco,
1½ vasos (de los de agua) de
 aceite,
20 gr. de mantequilla,
 unas gotas de zumo de limón,
¼ kg. de cebollitas francesas,
1 cebolla mediana (80 gr.),
3 tomates medianos (300 gr.),
1 cucharadita (de las de
 moka) rasada de hierbas
 aromáticas (o un ramillete
 con perejil, tomillo y laurel),

1 cucharada sopera de corteza
 de limón rallada,
1 vaso (de los de agua) de
 vino blanco (bien lleno),
1 vaso (de los de agua) de
 caldo (o agua con una pastilla de caldo),
1 cucharada sopera de perejil
 picado,
1 diente de ajo,
1 plato con harina,
 sal y pimienta (facultativo).

En una sartén se pone el aceite a calentar; cuando está en su
punto, se pasan los trozos de osso bucco de uno en uno por
harina, se sacuden para que no quede demasiada pegada y se fríen
hasta que estén bien dorados por las dos caras. Una vez dorados,
se reservan en un plato al calor.
En una sartén se ponen unas 3 cucharadas soperas del aceite de
freír la carne (pero colándolo para que no quede harina). Se rehoga
la cebolla hasta que empiece a dorarse (unos 8 minutos). Se añaden entonces los tomates lavados y cortados en trozos, quitadas
las simientes. Se machacan bien con el canto de una espumadera
durante 10 minutos, se echan las hierbas aromáticas y el limón
rallado y se revuelve bien.
Se colocan los trozos de osso bucco en una cacerola. Se echa
en la sartén el vino blanco, el caldo, la sal y la pimienta molida.
Se revuelve y se vierte por encima de la carne. Se cuece a fuego lento durante 2 horas en la cacerola tapada.
Mientras tanto, en un cazo se cuecen las cebollitas francesas
peladas, con agua que las cubra, la mantequilla, unas gotas de
zumo de limón y sal. Cuando están tiernas (más o menos 25 minutos, se pinchan con un alambre para saber si están cocidas), se
escurren de todo su caldo. Se ponen 2 cucharadas soperas de aceite
(del de freír la carne, colado) en el mismo cazo, se doran las
cebollitas y se reservan.
Se sacan los trozos de osso bucco de su salsa y se colocan en
una fuente caliente y se vierte por encima la salsa pasándola
por el pasapurés. Se adorna la fuente con las cebollitas y se
espolvorea con el perejil picado; se sirve en seguida.
Nota.—Hay quien prefiere la salsa sin pasar.

764.—GUISO DE TERNERA EN SALSA DE WHISKY CON ARROZ BLANCO (6 personas)

1 ½ kg. de morcillo o falda o aguja de ternera,
½ kg. de arroz,
1 hoja de laurel,
2 cebollas medianas (125 gr.),
4 zanahorias medianas (300 gr.),
½ vaso (de los de vino) de vino blanco,
1 cucharada sopera de harina,
2 cucharadas soperas de aceite,
25 gr. de mantequilla,
3 cucharadas soperas de buen whisky,
50 gr. de mantequilla (para rehogar el arroz),
1 cucharada sopera de perejil picado, agua y sal.

En un cazo se pone la carne en trozos, las zanahorias lavadas, raspadas y cortadas en dos a lo largo, una cebolla pelada y cortada en dos trozos, la hoja de laurel, el vino blanco, agua fría que cubra bien la carne y sal. Cuando rompe el hervor, se quita la espuma que se forma por encima del agua y se tapa el cazo. Se deja cocer a fuego mediano una hora o 1 ½ (según sea de tierna la carne.) Mientras cuece la carne se hace el arroz blanco (receta 165, 1.ª fórmula). Una vez refrescado, se reserva. Después de cocida la carne se hace la salsa.
En una sartén se pone el aceite y la mantequilla a calentar; cuando están calientes, se echa la otra cebolla pelada y picada muy menuda. Se rehoga y cuando empieza a dorar (unos 10 minutos) se añade la harina, se rehoga un poco y se pone el whisky y, poco a poco, caldo de cocer la carne (colado). Se mueve bien con unas varillas o una cuchara y se cuece unos 10 minutos esta salsa. Se pondrán más o menos ¾ de litro de caldo para que la salsa resulte abundante.
Se echa dentro la carne escurrida y se deja cocer unos 10 minutos todo junto.
Se rehoga el arroz con la mantequilla, se sala y se pone en un molde en forma de corona. Se vuelca y se adorna con las zanahorias picaditas por encima de la coronilla del molde de arroz.
Se pone la carne con su salsa en el centro del molde y se espolvorea con el perejil picado. Se sirve en seguida.

765.—GUISO DE TERNERA CON ZUMO DE LIMON (6 personas)

1½ kg. de ternera en trozos (falda, aguja o morcillo),
1 cucharada sopera de harina,
6 cucharadas soperas de aceite,
el zumo de 3 limones,
la ralladura de un limón,
1 cebolla mediana (60 gr.),
3 vasos (de los de agua) de agua,
1 vaso (de los de vino) de moscatel,
1 cucharada (de las de café) de azúcar,
1 cucharadita (de las de moka) de concentrado de carne (Bovril, Liebig, etc.),
1 cucharada (de las de café) de mostaza,
1 cubito de caldo (Gallina Blanca, etc.),
1 plato con harina,
¼ kg. de cebollitas francesas,
15 gr. de mantequilla,
sal y pimienta.

Se rebozan en harina los trozos de carne cortados en cuadraditos, sacudiéndolos, para que sólo quede la necesaria. En una cacerola se pone el aceite a calentar. Se refríe la cebolla pelada y picada en trocitos hasta que esté transparente (5 minutos más o menos). Se ponen los trozos de carne, para darles una vuelta. Una vez dorados, se espolvorea con la harina, se mueve bien con una cuchara de madera y se añade el agua templada o fría, el zumo y la ralladura de los limones. Se aplasta un poco entre los dedos el cubito de caldo y se mueve bien después de echarlo en el agua. Se tapa la cacerola con tapadera y a fuego mediano se deja durante 1½ horas más o menos (hasta que la carne esté tierna).

Mientras cuece, se preparan las cebollitas francesas. Se pelan y se ponen a cocer en un cazo con un poco de agua que las cubra y el trocito de mantequilla unos quince minutos.

Cuando se vaya a servir, unos 15 ó 20 minutos antes se prepara la salsa que sigue:

En otro cazo se pone la cucharadita de azúcar a tostar. Cuando está color caramelo se le añade la mostaza y el moscatel. Se vierte esto sobre el guiso, se mueve muy bien, se rectifica de sal y se deja cocer todo junto con las cebollitas francesas escurridas del jugo de cocerlas durante unos 10 a 15 minutos.

Se sirve en una fuente con la salsa por encima y adornada la carne con triángulos de pan frito o con moldecitos de arroz blanco.

766.—FILETES DE FALDA DE TERNERA GUISADOS
(6 personas)

6 filetes de falda (tiras de unos 200 gr. cada una),
5 cucharadas soperas de aceite,
2 tomates medianos maduros,
¼ kg. de cebollitas francesas,
1 cebolla mediana picada (50 gr.),
3 dientes de ajo,
200 gr. de champiñones frescos,
50 gr. de aceitunas deshuesadas,
el zumo de un limón,
40 gr. de mantequilla,
1½ vasos (de los de vino) de vino blanco,
1 vaso (de los de vino) de agua (o algo más si hiciese falta),
1 pellizco de hierbas aromáticas (o un ramillete),
sal.

En una cacerola (o cocotte) se pone el aceite a calentar. Cuando está en su punto, se doran los trozos de carne de 2 en 2. Se van reservando en un plato. Una vez dorada toda la carne, se pone la cebolla muy picada y se deja unos 5 minutos, así como los dientes de ajo, pelados y dados un golpe con el mango de un cuchillo (para que suelten más aroma). Se vuelve a poner la carne en la cacerola. Se pela y quita la simiente a los tomates y se cortan en trocitos que se van echando por encima de la carne. Se rocía el guiso con el vino y el agua, se agrega el pellizco de hierbas aromáticas y la sal. Se mueve, se tapa y cuando rompe el hervor se baja el fuego para que cueza despacio durante una hora.

Mientras tanto, se pelan las cebollitas francesas, se ponen en un cazo con agua que las cubra, sal, la mitad de la mantequilla y unas gotas de zumo de limón. Se cuecen unos 20 minutos (depende de su tamaño). Una vez cocidas, se reservan.

Se cortan, se limpian y se lavan los champiñones, cortándolos (si hiciese falta) en trozos grandes. Se lavan en agua con el zumo de ½ limón, se escurren y se ponen en un cazo con lo que queda de zumo de limón, la mantequilla que sobra de las cebollas y sal. Se tapan y se saltean unos 10 minutos.

A la hora de cocer la carne se incorporan las cebollitas escurridas, el champiñón con su jugo y las aceitunas partidas en dos a lo largo. Se revuelve todo junto, se deja un ¼ de hora más a fuego mediano y se sirve en una fuente.

767.—BLANQUETA DE TERNERA (6 personas)

½ kg. de arroz,
1½ kg. de pecho de ternera en trozo (como para ragoût),
2 zanahorias medianas (100 gr.),
1 cebolla pequeña (50 gr.),
1 hoja de laurel,
½ vaso (de los de vino) de vino blanco,
    agua fría,
2 yemas de huevo,
el zumo de ½ llmón,
1½ cucharadas soperas de harina,
¼ litro de leche fría (un vaso de los de agua),
½ litro de caldo de cocer la carne,
2 cucharadas (de las de café) de perejil picado,
2 cucharadas soperas de aceite fino,
75 gr. de mantequilla,
    sal.

Se pone en un cazo la carne. Se cubre con agua fría, se echa una hoja de laurel, una cebolla partida en dos, las 2 zanahorias en rodajas, el vino blanco y la sal. Cuando empieza a cocer, se quita la espuma que se forma encima y se deja cocer más o menos una hora o 1½ (depende de lo tierna que ésta sea) a fuego lento, pero sin dejar de hervir.

Aparte se va haciendo el arroz blanco (receta 165, 1.ª fórmula). Una vez escurrido, se deja en espera.

En una sartén se ponen 25 gr. de mantequilla y las 2 cucharadas soperas de aceite. Cuando está caliente se añade la harina y con la leche fría se deslíe. Se agrega entonces ½ litro del caldo de cocer la carne. En un tazón se ponen las 2 yemas y el zumo de ½ limón; se van deshaciendo muy poco a poco con la salsa. Se incorpora todo a la salsa, se espolvorea el perejil y se rectifica de sal. Se guarda al calor, pero sin que cueza más.

Se ponen en un cazo los 50 gr. de mantequilla a derretir, se añade el arroz y se sala. Se mueve bien rehogando el arroz, que se coloca en una fuente alargada en la mitad de la fuente. En la otra mitad se ponen los trozos de carne y, por encima de ésta, se echa la salsa; se sirve en seguida.

Se deben calentar los platos para la carne, pues este guiso se enfría rápidamente.

768.—ALETA DE TERNERA RELLENA CLASICA (8 a 9 personas)

1 aleta de ternera de 1½ kg., carne picada (los sobrantes de la aleta, o más o menos ¼ kg.),
125 gr. en una loncha de jamón serrano,
1 huevo duro,
3 zanahorias medianas (una se reserva para la salsa),
1 cebolla grande (225 gr.),
4 cucharadas soperas de aceite,
1 manzana reineta en trozos,
1 vaso (de los de vino) de vino blanco seco,
agua fría,
sal.

El carnicero habrá preparado la aleta cortándola en medio por la parte más fina, sin llegar al otro borde, para que quede como un filete grande. Los picos de carne de todo alrededor se cortan y se pican.

Una vez extendida la aleta, se pone un poco extendida en el centro la carne picada. Se colocan sobre ella y todo a lo largo unas tiras de un dedo de grueso del jamón y la zanahoria (evitando poner el centro de éstas, que suele ser más pálido) y el huevo duro pelado y cortado a lo largo en tiras (6 trozos, por ejemplo). Después se le echa sal y se enrolla toda la aleta a lo largo; se ata con cuerda fina apretando un poco para que quede todo bien pegado al desatarlo.

En una cacerola se pone el aceite a calentar y se da una vuelta a la aleta. Cuando está dorada, se retira. Se pone la cebolla a dorar, picada, y una vez dorada se vuelve a poner la carne, la manzana pelada y en trozos, una zanahoria en rodajas y sal. Se agrega el vino blanco y, cuando empieza a dar un hervor, se echa el agua fría hasta que casi la cubra. Cuando rompe el hervor, se tapa y se hace a fuego lento (más o menos 1½ horas) hasta que quede sólo la salsa suficiente para servir.

Se retira la aleta y se quita la cuerda. Se trincha en rodajas de un cm. (como un asado). Se pasa la salsa por el pasapurés y se sirve bien caliente en salsera. Se puede adornar la fuente de la aleta con grupitos de verduras, puré de patatas o con patatas fritas en cuadraditos.

769.—ALETA DE TERNERA RELLENA CON ESPINACAS Y TORTILLAS (6 personas)

¾ de kg. de aleta de ternera (abierta por el carnicero),
200 gr. de carne picada con 100 gr. de jamón serrano (una punta),
2 huevos,
3 cucharadas soperas de aceite (para hacer las tortillas),
1 kg. de espinacas,
5 cucharadas soperas de aceite (o manteca de cerdo),
½ vaso (de los de vino) de vino blanco,
1 vaso (de los de vino) de agua caliente,
sal.

Se limpian de rabos y se lavan muy bien las espinacas. Se cuecen poniéndolas en agua abundante hirviendo y sal. Una vez sumergidas, se tapa la cacerola y a los 10 ó 15 minutos se escurren, apretándolas muy bien para quitarles el agua. Se pican con machete y se reservan.

Una vez abierta la aleta, se pone la parte abierta contra la mesa. Si la otra parte tuviese mucho pellejo, se quita cortándolo con unas tijeras. Se sala ligeramente y se extiende la carne picada.

En una sartén pequeña se hacen dos tortillas planas, como crêpes. Para esto se bate cada huevo por separado, se sala y con 1½ cucharadas de aceite se hace cada tortilla. Se colocan éstas encima de la carne picada, una al lado de la otra, en la parte más larga de la aleta. Por encima de las tortillas se ponen las espinacas en una tira ancha de unos tres dedos y todo lo larga que es la aleta. Se enrolla con cuidado de no desplazar nada y se ata con una cuerda fina.

En una besuguera se ponen a calentar las 5 cucharadas soperas de aceite, se dora la aleta por todos lados, se sala muy ligeramente por fuera y se mete al horno mediano, previamente calentado durante 10 minutos. Se asa durante ½ hora y entonces se rocía con el vino. Se asa otra ½ hora y se rocía con agua caliente (primero, ½ vaso y si va haciendo falta, el otro ½). Se deja unas 2 horas en total, rociando la aleta de vez en cuando con su salsa.

Se puede servir caliente, pero hay que dejarla reposar con el horno abierto durante unos 15 minutos antes de trincharla; o bien fría, que también resulta muy buena.

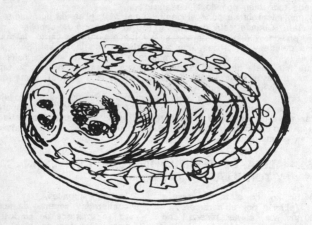

770.—ESPALDILLA DE TERNERA GUISADA (6 personas)

1 espaldilla (o sea, paletilla) de 2 kg. más o menos,
50 gr. de manteca de cerdo o 5 cucharadas soperas de aceite,
1 vaso (de los de agua) de vino blanco,
¼ kg. de zanahorias,
2 cebollas medianas (200 gr.),
3 tomates maduros medianos (400 gr.),
1 cucharada sopera de fécula de patata,
1 cucharada (de las de café) rasada de pimentón,
½ cucharadita (de las de moka) de extracto de carne,
1 pellizco de hierbas aromáticas (o 1 ramillete con perejil, laurel y tomillo),
sal y agua,
patatas rehogadas o puré para acompañar.

Se manda deshuesar la espaldilla en la carnicería y se piden los huesos. Se enrolla la carne y se ata.

En una cacerola se pone la manteca a derretir (o el aceite a calentar). Se añade la carne, las cebollas peladas y cortadas en trozos, las zanahorias raspadas, lavadas y en rodajas o trozos grandecitos y los huesos.

Se dora la carne por todos lados y se agregan los tomates pelados, quitadas las simientes y cortados en trozos. Se espolvorea con el pellizco de hierbas aromáticas y un poco de sal. Se rocía con el vino blanco y 1 vaso (de los de agua) de agua templada. Cuando empieza a cocer, se pone la cacerola en el horno previamente calentado y con calor mediano; se deja unas 3 horas. Se le da la vuelta de vez en cuando a la carne y se rocía con la salsa.

Una vez tierna, se saca de la cacerola, se trincha y se reserva al calor. Se pone la cacerola en el fuego, con una cuchara se le quita un poco de la grasa que esté encima de la salsa. Se disuelve en un tazón la fécula de patata con un poco de agua y el extracto de carne. Se añade a la salsa. Se quitan los huesos y se pasa la salsa por el chino. Se echa entonces el pimentón, moviendo bien la salsa, se prueba de sal y, si hace falta, se rectifica. Si la salsa está muy espesa, se añade un poco de agua caliente. Si está clara, se deja cocer un poco antes de poner el pimentón. Se vierte por encima de la carne y se sirve adornando la fuente con puré de patatas o patatas rehogadas.

771.—TERNERA CON CEBOLLA Y VINO DE JEREZ (6 personas)

1½ kg. de babilla, contra o tapa,
5 cucharadas soperas de aceite (o 75 gr. de manteca de cerdo),
¾ kg. de cebollas,
2 dientes de ajo,
1 vaso (de los de vino) de jerez no lleno,
2 vasos (de los de vino) de agua,
2 clavos (de especia),
sal y pimienta.

Se ata la carne como para un asado, dándole bonita forma. En una cacerola (o mejor, una cocotte) se pone el aceite a calentar (o la manteca a derretir), se pone entonces la carne para que se dore por todos lados.

Una vez dorada, se agregan las cebollas peladas y picadas en trozos más bien gruesos, los dientes de ajo pelados y dados un golpe con el mango de un cuchillo; el vino, el agua, los clavos, la sal y un poco de pimienta molida. Se tapa la cacerola y, a fuego mediano, más bien lento, se cuece durante unas 2½ horas (más o menos). Se saca la carne, se le quita la cuerda y se trincha. Se pasa la salsa por el chino o el pasapurés, apretando bien. Se sirve con patatas cocidas o con unos coditos cocidos con agua y sal, y rehogados con mantequilla y un poco de queso rallado.

772.—TERNERA ESTOFADA (6 personas)

1½ kg. de falda, aguja o morci-
    llo en trozos,
  1 vaso (de los de vino) de
    vinagre,
  1 vaso (de los de vino) de
    aceite,
  1 cabeza de ajos,
  1 cebolla grande (150 gr.),

1 pellizco de hierbas aromáti-
    cas (o una hoja de laurel,
    2 ramitas de perejil y una
    de tomillo),
1 cucharada (de las de café)
    de pimentón,
    sal,
    agua (si hace falta).

En una cacerola se pone la carne en trozos con todos los ingredientes. Se tapa con una tapadera que encaje muy bien (o con un papel, la tapadera y un peso encima). Se pone a fuego lento durante unas 3 horas más o menos (hasta que la carne esté tierna). Durante este tiempo, de vez en cuando se revuelve, para que no se pegue la carne al fondo, y, si hiciese falta, se puede añadir un poquito de agua caliente para que el estofado quede jugoso.

Se sirve en fuente más bien honda con unos triángulos de pan de molde fritos.

773.—TERNERA A LA CAZUELA CON SETAS (6 personas)

1½ kg. de redondo de ternera,
100 gr. de manteca de cerdo (o
    6 cucharadas soperas de
    aceite),
  1 vaso (de los de vino) de
    agua,
  1 vaso (de los de vino) de
    Málaga o jerez dulce,

¾ kg. de setas frescas,
  1 cucharadita (de las de mo-
    ka) de jugo de carne (Man-
    darín, Liebig, etc.),
  1 cucharada (de las de café)
    de fécula de patata,
    sal.

En una cacerola (o mejor, en una cocotte) se pone a calentar la manteca (o el aceite). Se rehoga bien la carne a fuego mediano durante ½ hora. Se añade entonces el vino y el agua, y se sala ligeramente. Se cubre la cacerola con tapadera y se cuece la carne durante otra ½ hora, volviéndola de vez en cuando.

Mientras, se limpian de tierra las setas, se lavan y se cortan en trozos más bien grandes. Se secan y se incorporan a la carne. Se vuelve a tapar la cacerola y se deja otra ½ hora.

Pasado este tiempo, se saca la carne y se trincha. Se coloca en la fuente donde se vaya a servir, reservándola al calor. Se disuelve la fécula y el jugo de carne con un poco de agua y se vierte en la salsa, se mueve bien y se deja dar un hervor. Se revuelve bien, se prueba de sal y se cubre la carne con está salsa y con las setas.

Se sirve en seguida.

Nota.—Se puede hacer también con setas secas, pero habrá que preparar éstas según venga explicado en el paquete.

774.—TERNERA AL AJILLO CON TOMATE (6 personas)

1½ kg. de falda o morcillo,
  4 cucharadas soperas de acei-
    te,
  1 cucharada sopera de pan ra-
    llado,
1½ vasos (de los de vino) de
    agua hirviendo,
  1 cabeza de ajos (50 gr. más
    o.menos),
  1 pastilla de caldo (Starlux,
    Gallina Blanca, etc.)
    sal.

Salsa de tomate:
1 kg. de tomates muy maduros,
3 cucharadas soperas de aceite
    frito,
1 cucharada (de las de café) de
    azúcar,
1 pellizco de hierbas aromáticas
    (o una hoja de laurel y una
    ramita de tomillo),
    sal.

Primero se hace una salsa de tomate que quede muy espesa (receta 63).

En una cacerola (o cocotte) se pone el aceite a calentar. Se echa la ternera cortada en trozos de 3 dedos de costado. Se rehogan bien, hasta que están dorados los trozos. Se espolvorea entonces el pan rallado por encima de la carne, se añade la salsa de tomate, los dientes de ajo pelados pero enteros y el agua hirviendo. Se echa sal (pero no mucha).

Se tapa la cacerola y, a fuego más bien lento, se cuece durante 1½ horas. Se agrega entonces la pastilla de caldo disuelta en un poquito de agua caliente; se revuelve bien y se cuece otros 15 minutos.

Se retiran los dientes de ajo y se sirve en una fuente con acompañamiento de patatas rehogadas, de arroz blanco, o simplemente con unos triángulos de pan de molde fritos.

CERDO

| Frito o a la plancha | | | Asado | | | Guisado | | |
Qué parte pedir	Peso	Tiempo	Qué parte pedir	Peso	Tiempo	Qué parte pedir	Peso	Tiempo
Chuletas	200 gr.	10 minutos por cada cara, primero a fuego vivo y después más lento	Cinta	200 a 225 gramos (sin hueso) por persona	40 minutos por cada ½ kg.	Costillas	200 gramos por persona	2 a 2½ horas según el tamaño del trozo
Filetes de jamón	150 gr. por persona		Solomillo			Aguja		
Cinta			Jamón fresco			Paletilla		

CERDO

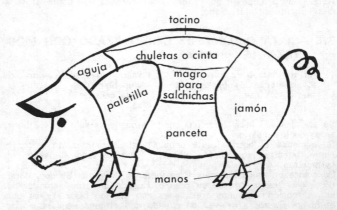

La buena carne de cerdo debe ser rosada o roja pálida, según la parte de que sea. Mengua mucho al asar, freír y guisarla, casi $1/3$ de su peso. Un asado de cinta de 1 ½ kg. en crudo se queda en 1 kg. asado.

Es muy sabrosa, pero, como es una carne con mucha grasa, es un poco indigesta.

775.—LOMO DE CERDO ASADO (6 personas)

1½ kg. de lomo de cerdo,　　　　½ limón,
　　sal y pimienta,　　　　　　　agua.

Se ata el cerdo como un asado corriente. Se le pone sal y pimienta por lo menos unas 2 horas antes de ir a meterlo en el horno.

Se pone una besuguera primero sin nada. Se enciende el horno unos 10 minutos antes de meter la carne. Se mete y se deja dorar con su grasa (si la tiene, si no, se unta el lomo ligeramente con manteca de cerdo). Se le da la vuelta varias veces hasta que esté dorado por todos lados; entonces se agregan unas 3 ó 4 cucharadas soperas de agua caliente, y con el caldo se rocía el asado de vez en cuando. Se tendrá asando 1½ horas, después de lo cual se sacará del horno el asado y se dejará reposar 5 minutos fuera del horno, antes de trincharlo en rodajas finas. Se mezcla a la salsa unas gotas de zumo de limón antes de servirla en la salsera.

Se sirve adornado con puré de patatas, patatas rehogadas con manteca y perejil, bolas de puré de patata, berros, nouilles o cintas, etc.

Como el asado de cerdo es buenísimo frío, servido con una ensalada, tiene cuenta asar más cantidad y reservar un trozo para tomar frío.

Nota.—Hay a quien le gusta más, una vez salada la carne, frotarla con 1 diente de ajo pelado.

776.—CINTA O LOMO DE CERDO ASADO CON MOSTAZA (6 personas)

1½ kg. de cinta o de lomo,
2 cucharadas soperas de buena mostaza,

1 vaso (de los de vino) de vino blanco,
agua caliente,
sal.

Se ata el asado para darle una bonita forma y se sala unas 2 horas antes de ir a asarlo.

Se enciende el horno fuerte unos 10 minutos antes de meter la carne. Mientras se calienta el horno, se unta todo el asado con la mostaza.

Se coloca en una besuguera y se mete en el horno. Se deja dorar, dándole la vuelta de vez en cuando. Cuando la carne está dorada, se va rociando en unas tres veces con el vino blanco y se baja el fuego. Se rocía de vez en cuando con el jugo de la besuguera. Estará asado en 1½ horas. Se apaga el horno, se abre un par de minutos y se vuelve a cerrar para que esté caliente pero no mucho, y se deja durante unos 10 minutos el asado para que repose. Se saca entonces, se le quita la cuerda y se trincha en lonchas más bien finas, pues está mejor. Se ponen en la fuente donde se vayan a servir y se reserva al calor, tapando la carne con una hoja de papel de aluminio para que no se reseque.

En la besuguera se ponen 2 ó 3 cucharadas soperas de agua caliente. Se revuelve bien, rascando la besuguera con un tenedor y calentando mucho la salsa. Se sirve ésta en salsera aparte.

La carne se adorna con patatas fritas, puré o coditos cocidos y revueltos con un poco de mantequilla y queso rallado.

777.—CINTA O LOMO DE CERDO CON LECHE (6 personas)

1½ kg. de cinta o lomo de cerdo,
1 litro de leche templada,
30 gr. de manteca de cerdo (una cucharada sopera),

4 dientes de ajo sin pelar,
4 granos de pimienta,
sal.

Se ata el trozo de cerdo como un asado corriente y se sala un par de horas antes de ir a hacerlo.

Se pone la manteca a derretir en una cacerola o, mejor en una cocotte. Se dora la carne por todos lados y entonces se rocía con la leche templada, se añade la pimienta y los dientes de ajo sin pelar. Destapada la cacerola y a fuego mediano, se calienta hasta que rompe el hervor, después se tapa y se deja a fuego lento, sin que deje de cocer despacio, durante 2 horas más o menos, teniendo la precaución de darle vueltas a la carne de vez en cuando, para que no se agarre la leche.

Si pasado el tiempo debido para cocer la carne la salsa fuese mucha, se destaparía la cacerola, se sacaría la carne reservándola al calor y se reduciría la salsa a fuego vivo.

Para servir, se le quita la cuerda a la carne, se trincha en lonchas más bien finas y se colocan en la fuente. Esta se puede adornar con puré de patatas o compota de manzana, como más guste.

Se cuela la salsa por un colador de agujeros grandes, o un pasapurés, quitando la pimienta y los ajos. Con un tenedor se bate la salsa (se puede batir también con el aparato de montar las claras a mano), y se sirve aparte en salsera.

778.—CINTA DE CERDO ASADA CON COSTRA DE SAL
(6 personas)

1½ kg. de cinta de cerdo,   1½ a 2 kg. de sal gorda.

En el fondo de una besuguera se pone una capa de sal de 1 cm. de gruesa y del largo y ancho del asado. Se posa ésta encima y se echa el resto de la sal cubriendo toda la carne con una capa espesa. Se aprieta un poco con las manos para formar como un caparazón. Se enciende el horno unos 5 minutos antes de meter la carne, y, a fuego mediano, se mete el cerdo durante 1 ¾ horas más o menos (el mismo tiempo de un asado normal). El tiempo lo suele señalar la sal, que se resquebraja. Se rompe la corteza de sal. Se saca la carne y se trincha como un asado normal.

Esta receta es muy sabrosa pero no da salsa. Se puede tomar la carne caliente, con cualquier acompañamiento, o fría.

779.—LOMO DE CERDO BRASEADO CON REPOLLO
(6 personas)

1½ kg. de lomo de cerdo,   50 gr. de manteca de cerdo,
  1 loncha gruesa de bacon (100   1 repollo francés de 1 kg.,
  gramos),   agua y sal.

Se ata con una cuerda la carne, como un asado corriente, y se sala por lo menos 2 horas antes de ir a hacerlo.

En una cacerola, o mejor en una cocotte, se pone la manteca a derretir, se le quita la corteza dura al bacon y se corta en trocitos, se rehoga y se pone el lomo a dorar, por todos lados. Una vez dorado, se tapa la cacerola y a fuego lento se hace el lomo. Mientras tanto se corta en tiritas el repollo, se lava y se pone una cacerola con agua abundante y sal, a cocer. Cuando hierve a borbotones, se echa el repollo bien escurrido. Se empuja con una espumadera para que quede bien sumergido todo él. Se cuece unos 15 minutos, después de lo cual se añade a la carne poniendo el repollo alrededor, bastante escurrido. Se tapa otra vez la cacerola y se deja cocer a fuego mediano una hora, moviendo de vez en cuando la carne y la verdura.

Se deja reposar la carne en la cacerola unos 5 minutos, fuera del fuego. Se saca, se quita la cuerda y se trincha en lonchas finas, que se ponen en la fuente donde se servirá, y se coloca todo alrededor del repollo. Se echa la salsa por encima o se sirve en salsera aparte, como más guste.

780.—CERDO ASADO CON PIÑA (6 personas)

1½ kg. de cinta o de lomo de cerdo,
2 cucharadas soperas de mostaza,
30 gr. de manteca de cerdo,

1 lata de 6 rodajas de piña en almíbar,
1 cucharada (de las de café) de fécula de patata,
3 cucharadas soperas de agua fría,
sal.

Se ata el asado de cerdo con una cuerda para darle bonita forma. Se sala un par de horas antes de ir a asarlo.

Al ir a meterlo en el horno, se encenderá éste bastante caliente durante unos 15 minutos antes. Mientras tanto, se unta el asado con la mostaza.

En la besuguera se pone la manteca a derretir, y en el fuego (no en el horno) se pone el asado para que se dore; una vez bien dorado por todos lados, se mete en el horno durante 1 ¼ hora más o menos, dándole vueltas de vez en cuando y rociándolo con su salsa (si es necesario se añade un poquito de agua caliente).

Pasado este tiempo se saca el asado, se le quita la cuerda y se trincha en rodajas más bien finas, que se colocan en la fuente donde se vayan a servir, reservándola al calor y tapándola con una hoja de papel de aluminio, mientras se hace la salsa, para que no se seque.

Se escurren las rodajas de piña de su jugo. Se pasan éstas por la salsa de la besuguera y se cortan en dos. Se ponen unas cuantas medias rajas encima del asado y las otras alrededor.

En un tazón se pone la fécula y se disuelve con el agua; se vierte en la salsa del asado, así como el almíbar de la piña. Se revuelve todo junto, calentándolo mucho, y se sirve en salsera aparte.

781.—CINTA O LOMO DE CERDO CON MANZANAS (6 personas)

1½ kg. de cinta o lomo de cerdo,
50 gr. de mantequilla,
6 manzanas reinetas pequeñas,
3 cucharadas de jerez,
2 cucharadas soperas de manteca de cerdo (60 gr.),

3 cucharadas soperas de agua
1 cucharada (de las de café) de fécula de patata,
3 cucharadas (de las de café) de azúcar,
agua y sal.

Se ata la carne con una cuerda como un asado normal. Se unta de sal un par de horas antes de ir a asarla.

Al ir a hacer la carne, se unta con la manteca de cerdo y se mete en el horno, previamente calentado unos 10 minutos. Se deja dorar dándole la vuelta varias veces y añadiéndole de vez en cuando una cucharada sopera de agua caliente (hasta unas 3 cucharadas). Se asa así durante ¾ hora.

Mientras tanto, se pelan las manzanas y se les quita el corazón duro y las pepitas, pero con cuidado de no vaciar el fondo de las manzanas. En el sitio del corazón se les pone ½ cucharada de azúcar y como una avellana de mantequilla y se ponen alrededor de la carne en la misma besuguera. Se rocían las manzanas con el jerez (½ cucharada en cada una) y se asan durante ½ hora a fuego ya más lento, pues las manzanas tienen que quedar enteras pero blandas.

Se saca la carne, se le quita la cuerda y se trincha en rodajas más bien finas; se ponen en la fuente donde se vayan a servir, con las manzanas alrededor. Se le agrega a la salsa la fécula de patata disuelta con un poco de agua fría, se revuelve todo bien con la salsa del asado y se vierte por encima de la carne. Se sirve en seguida.

782.—CINTA DE CERDO ADOBADA Y GUISADA (6 personas)

1½ kg. de cinta de cerdo,
50 gr. de manteca de cerdo,
½ litro de vino blanco,
3 cucharadas soperas de vinagre,
1 cebolla mediana (100 gr.),
2 zanahorias medianas (100 gramos),
1 diente de ajo,
1 buen pellizco de hierbas

aromáticas (o una hoja de laurel, 1 diente de ajo, perejil y tomillo),
6 granos de pimienta,
1 cucharada (de las de café) de fécula de patata,
1 cucharada sopera de concentrado de tomate,
sal.

Se ata la carne con una cuerda, como un asado corriente. Se pone en un cacharro de barro o de cristal, con el vino blanco, el vinagre, la cebolla pelada y partida en cuatro, las zanahorias raspadas la piel, lavadas y partidas en rodajas, la pimienta y el pellizco de hierbas aromáticas. Se tapa y se deja así unas 8 ó 10 horas (la noche anterior).

Al ir a hacer la cinta, se escurre del caldo de su adobo, se sazona con bastante sal, se unta con la manteca y se pone la cebolla y las zanahorias alrededor de la carne. Se mete al horno bastante fuerte y previamente calentado durante unos 10 minutos. Cuando empieza la cebolla y la carne a dorarse, se rocía varias veces con el caldo del adobo y se le da vuelta a la carne también de vez en cuando. Pasadas 1 ½ horas, se saca la carne, se trincha en lonchas más bien fina y se reservan al calor. Se pone la fécula en un tazón, se deslíe con un poco de agua fría, se añade a la salsa, así como el concentrado de tomate. Se calienta y se revuelve todo bien; se cuela la salsa por el chino, apretando muy bien para que pasen las zanahorias. Se puede servir la carne con patatas cocidas o con coditos cocidos y salteados con mantequilla y queso rallado. Todo ello cubierto con la salsa.

783.—LOMO O CINTA DE CERDO EN ADOBO (PARA CONSERVAR)

Se corta el trozo de lomo o de cinta en filetes y se ponen en una cacerola. Se machacan en un mortero unos dientes de ajo, pimentón en polvo y sal. Se disuelve con agua y se echa por encima de la carne, así como un pellizco de orégano. Se cubre la carne de agua y se mueve todo para que se reparta bien. Se tiene así en sitio fresco (sin ser la nevera) unos 4 ó 5 días.

Pasado este tiempo, se sacan las rodajas de carne del líquido y se escurren. En una sartén se pone aceite o manteca de cerdo y cuando está caliente se fríen los filetes por los dos lados, unos 3 minutos cada cara. A medida que están fritos se van poniendo en un puchero de barro, y cuando están todos preparados se vierte manteca de cerdo derretida por encima hasta que los cubra bien.

Así se conserva mucho tiempo la carne. Para servirlos, se calientan en la misma grasa que los cubría y se sirven.

784.—CERDO GUISADO CON AJO, CEBOLLA Y TOMATES (6 personas)

1½ kg. de filetes de magro de cerdo o de costillar,
4 cucharadas soperas de aceite,
1 diente de ajo,
1 cebolla grande (125 gr.),

3 tomates grandes maduros (½ kg.),
1 vaso (de los de vino) de vino blanco,
1 hoja de laurel,
sal.

Se preparan unos filetes de magro de cerdo, o de costillar (siendo éstas quizá se tenga que calcular un poco más de cantidad, por los huesos), salándolos un par de horas antes de guisarlos.

En una cacerola se pone el aceite a calentar; cuando está en su punto, se rehoga la cebolla pelada y muy picadita, así como el diente de ajo, también muy picado. Cuando la cebolla se pone transparente (unos 5 minutos), se va poniendo la carne, para que se dore por todos lados. Una vez dorada, se rocía con el vino blanco y después se añaden los tomates pelados, partidos y quitadas las simientes, y la hoja de laurel. Se tapa la cacerola y, a fuego lento, se tiene de 30 a 45 minutos (según sea de dura la carne). De vez en cuando conviene destapar la cacerola y mover el guiso para que no se agarre.

Cuando está hecha, se colocan los trozos de carne en una fuente caliente y se vierte la salsa por encima.

Se puede adornar con pimientos verdes fritos o patatas (rehogadas, fritas o en puré).

785.—FILETES DE CINTA DE CERDO CON MOSTAZA, SALSA DE VINO Y ZUMO DE NARANJA (6 personas)

12 filetes de cinta de cerdo, mostaza,
1 cebolla mediana (100 gr.) picada,
1 cucharada sopera rasada de harina,
el zumo de una naranja grande,
1 cucharada sopera de perejil picado muy fino,
1 vaso (de los de vino) de vino blanco,
1 ½ vasos (de los de vino) de agua,
1 vaso, no lleno (de los de agua), de aceite,
sal.

Se untan con sal y mostaza las dos caras de cada filete de cerdo. Una vez untados todos, se fríen por tandas en una sartén donde se habrá puesto el aceite a calentar, reservándolos después de fritos en un plato, al calor. En esta misma sartén, en la que se deja sólo un poco de aceite para cubrir el fondo de la misma, se dora la cebolla (unos 6 a 8 minutos) y después se agrega la harina, dando a todo esto unas vueltas con una cuchara de madera. Se añade entonces, poco a poco, el vino, el agua y el zumo de la naranja y se cuece un ratito, dando vueltas. Se cuela la salsa por el chino y se pone en una cacerola. Se agrega el perejil picado y se meten los trozos de cerdo a calentar en esta salsa unos 3 minutos. Se sacan pasado este tiempo, colocándolos en una fuente, que se adorna con puré de patatas, y se pone un poco de salsa por encima de la carne, sirviendo el resto de la salsa en salsera.

Puré de patatas:

1 kg. de patatas,
50 gr. de mantequilla,
¼ litro de leche caliente (un
vaso, de los de agua, bien lleno),
sal.

Receta 207.

786.—FILETES DE CERDO CON SALSA DE MOSTAZA Y CREMA LIQUIDA (6 personas)

6 filetes de magro de cerdo (o 12 de cinta delgados),
4 cucharadas soperas de aceite,
1 cucharada sopera de manteca (un trozo de unos 35 gr.),
1 cucharada sopera de buena mostaza,

¼ litro de crema líquida (o de bechamel: una cucharada sopera rasada de harina y un vaso no lleno, de los de agua, de leche fría).

Se salan los filetes un buen rato antes de ir a freírlos.

En una sartén se pone el aceite y la manteca a calentar. Cuando están calientes, se fríen los filetes por tandas, unos 5 minutos de cada lado, a fuego mediano. Se ponen en la fuente donde se irán a servir y se reservan al calor.

En la sartén donde se han frito se echa primero la mostaza y después la crema, se revuelve bien sin que hierva y se vierte esta salsa por encima de los filetes. Estos se adornan con patatas rehogadas.

Nota.—Si no se tiene crema, después de la mostaza se añade la harina, se revuelve un par de minutos y se agrega poco a poco la leche fría. Se cuece esta salsa durante unos 6 minutos y se vierte por encima de los filetes.

787.—FILETES DE CINTA DE CERDO CON ALMENDRAS Y VINO DE MALAGA

Véase receta 752.

788.—CHULETAS DE CERDO CON CEBOLLAS EN SALSA (6 personas)

6 chuletas de cerdo de palo,
1 vaso (de los de agua) de aceite (sobrará),
20 gr. de mantequilla,
1 vaso, no muy lleno (de los de agua), de leche fría,

3 cebollas grandes (½ kg.),
1 cucharada sopera de harina,
agua caliente,
sal y pimienta.

Se les pone sal y pimienta a las chuletas un par de horas antes de ir a freírlas.

En una sartén se pone el aceite a calentar; cuando empieza a estar caliente, se fríen las chuletas (de 2 en 2 ó de 3 en 3). Cuando están bien fritas por cada lado (10 minutos por cada cara a fuego mediano, volviéndolas solamente una vez para no endurecerlas), se reservan en un plato al calor.

Se vacía casi todo el aceite y sólo se deja un poco en el fondo de la sartén (2 ó 3 cucharadas soperas). Se calienta y se echan las cebollas peladas y cortadas a lo ancho en rodajas finas. Se rehogan unos 6 minutos, más o menos, y se cubren (justo cubiertas; es decir, con poca agua) con agua caliente. Se cuecen a fuego lento unos 15 minutos y se separan del fuego, reservándolas en su sartén al calor suave.

En otra sartén se ponen la mantequilla y 2 cucharadas soperas de aceite (de freír las chuletas); una vez caliente, se añade la harina, se revuelve unos 2 minutos y se agrega la leche fría. Se cuece la bechamel unos 5 minutos sin dejar de moverla. Se añaden entonces las cebollas y su jugo. Bien revueltas con la bechamel, se deja cocer unos 5 minutos hasta que espese un poco la salsa.

Se ponen las chuletas en la fuente donde se vayan a servir, se cubren con la salsa de cebolla y se sirven en seguida.

Se puede adornar la fuente alrededor con patatitas redondas rehogadas.

789.—CHULETAS DE CERDO CON CIRUELAS PASAS
(6 personas)

6 chuletas de cerdo de palo,
1½ vasos (de los de vino) de aceite,
½ kg. de ciruelas pasas,
1½ vasos (de los de agua) de vino tinto,
1 vaso (de los de agua) de agua,
2 palitos de canela en rama,
2 cucharadas soperas de azúcar,
1 cucharada sopera de fécula de patata o maizena,
1 kg. de patatas nuevas pequeñas,
50 gr. de manteca de cerdo,
1 cucharada sopera de perejil picado,
sal y pimienta.

Se ponen las ciruelas pasas en remojo la noche anterior (o sea, unas 6 horas por lo menos). Una vez remojadas, se tira el agua del remojo y se ponen en un cazo con el vino, la canela, el azúcar y el agua que las cubra justo lo necesario. Se revuelve todo bien y se cuecen a fuego lento, destapadas, durante unos 30 minutos (tienen que estar blandas, pero sin abrirse). Se reservan, sin que se enfríen.

Se salan y se pone pimienta a las chuletas un par de horas antes de freírlas.

En una sartén se derrite la manteca de cerdo y se ponen las patatas peladas y lavadas para que se vayan dorando lentamente. Se sacude de vez en cuando la sartén para que se doren por todos lados. Tardarán para estar buenas de 45 a 60 minutos. Se salan y se espolvorean con el perejil picado. Se reservan al calor.

En una sartén se pone el aceite a calentar y se fríen las chuletas por tandas y con fuego mediano durante 10 minutos de cada lado, volviéndolas sólo una vez para no endurecerlas.

Una vez fritas y bien doradas, se ponen en la fuente donde se vayan a servir con las patatas de un lado y las ciruelas escurridas del otro.

En la salsa de las ciruelas se agrega la fécula desleída con una cucharada sopera de agua fría (o maizena, algo menos de cantidad); se revuelve bien para espesar y calentar la salsa y se sirve en salsera aparte.

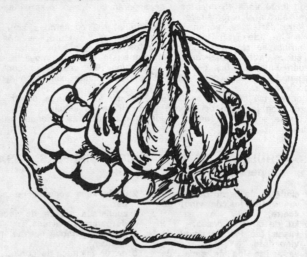

790.—CHULETAS DE CERDO CON SALSA DE TOMATE
(6 personas)

6 chuletas de cerdo de palo,
8 cucharadas soperas de aceite,
1 cebolla mediana (60 gr.),
6 tomates medianos (600 gr.),
²/₃ de vaso (de los de vino) de vino blanco,

1 diente de ajo (facultativo),
1 pellizco de hierbas aromáticas (o una hoja de laurel y una ramita de tomillo),
sal.

Se salan las chuletas un par de horas antes de ir a freírlas.
En una sartén se ponen 2 cucharadas soperas de aceite a calentar; cuando está a punto, se echa la cebolla pelada y picada. Se rehoga hasta que se ponga transparente (unos 5 minutos); se agregan entonces los tomates cortados en trozos y quitadas las simientes. Se añade el diente de ajo pelado y picado, el vino blanco, las hierbas aromáticas y la sal. Se machaca todo con el canto de una espumadera y se revuelve bien. Se tiene a fuego vivo durante unos 30 minutos, se pasa por el pasapurés y se vuelve a poner en la sartén, una vez pasada la salsa. Se pone entonces a fuego lento hasta que quede bastante espesa la salsa (a gusto del consumidor).
En otra sartén se pone el resto del aceite a calentar suavemente y se fríen las chuletas durante unos 8 minutos de cada lado a

fuego mediano, volviéndolas solamente una vez para no endurecerlas. Se colocan en la fuente donde se vayan a servir, cubriendo cada chuleta con salsa de tomate.

Se puede adornar la fuente con patatas fritas cortadas gruesas.

791.—CHULETAS DE CERDO CON NARANJA (6 personas)

6 chuletas de cerdo de palo,
6 cucharadas soperas de aceite,
2 naranjas,

1 cucharada sopera de Cointreau o Curaçao,
sal y pimienta blanca.

Se salan y se pone pimienta a las chuletas unas 2 horas antes de ir a freírlas. Se pone el aceite a calentar medianamente y cuando empieza a estar caliente se fríen las chuletas por tandas, 10 minutos de cada lado, no volviéndolas más que una vez para no endurecerlas. Se colocan en la fuente donde se vayan a servir, reservándolas al calor.

Se pela una de las naranjas y se corta en rodajas. Con la otra se hace zumo. En la misma sartén donde se han frito las chuletas, se fríen con cuidado las rajas de naranja. Se escurren y se ponen encima de las chuletas o alrededor de la fuente. En la salsa se agrega el zumo y el licor. Se calienta y revuelve muy bien y se vierte por encima de las chuletas.

Se puede acompañar la fuente con puré de patatas, y se sirve bien caliente.

CHULETAS DE CERDO QUE SE HACEN IGUAL QUE LAS DE TERNERA

Chuletas con revuelto de tomates y pimientos verdes (receta 751).
Chuletas con almendras y vino de Málaga (receta 752).
Chuletas en papillote (receta 753).
Chuletas glaseadas (receta 755).
Chuletas en papillote con higaditos de pollo (receta 754).

792.—COCHINILLO ASADO

Se debe escoger un animalito joven (de mes y medio, más o menos). Se limpia por dentro y se corta en dos partes a lo largo. Se sala muy bien varias horas antes de asarlo. Se le mete en el interior un buen pellizco de hierbas aromáticas y se unta por dentro y por fuera con un poco de aceite. Se mete en el horno previamente calentado unos 10 minutos antes y a fuego más bien flojo. Se rocía de vez en cuando con el jugo que va soltando y se le da la vuelta de vez en cuando. Se tiene así durante 1½ horas.

Pasado este tiempo, se rocía por la parte de la piel con un vaso (de los de agua) de vino blanco. Se rocía con la salsa de vez en cuando y, al estar la salsa casi consumida, se sirve trinchado en trozos grandes.

Lo clásico era asar el cochinillo en un horno de pan; resulta mucho mejor que hecho en casa, pero es más complicado de lograr, por lo cual damos este método.

793.—CODILLOS DE JAMON SERRANO CON SALCHI-CHAS, REPOLLO Y PATATAS (6 personas)

1½ kg. de repollo francés,
   6 codillos de jamón serrano grandes,
350 gr. de tocino entrebetado en un trozo,
   3 cucharadas soperas de acei-te,

6 salchichas de Frankfurt,
6 patatas pequeñas,
1 cebolla mediana,
2 zanahorias medianas,
4 clavos (especias),
   agua y sal.

En una olla se ponen los huesos de codillo (deben estar recién partidos para que no estén salados; si no habría que ponerlos en remojo una hora), el tocino, la cebolla con los clavos pincha-dos en ella y las zanahorias, lavadas y raspada la piel.
Se añade agua fría abundante (3 litros, más o menos) y se pone a cocer. Cuando rompe el hervor, se baja el fuego para que cueza despacio durante ½ hora.
Aparte, se lava y se pica el repollo. Se tiene una olla con agua co-ciendo y sal. Cuando hierve a borbotones se echa el repollo, em-pujándolo con una espumadera para que quede bien sumergido. Se tapa la olla y se cuece a fuego vivo 5 minutos, a partir del momento en que vuelve a romper el hervor. Con la espumadera se saca, se escurre y se echa en seguida en la olla donde cuecen los codillos y el tocino. Cuando vuelve a romper el hervor, se baja el fuego para que cueza despacio durante 30 minutos.
Mientras, se pelan y se lavan las patatas y se echan en la olla. Se vuelve a dejar unos 30 minutos hasta que las patatas estén tiernas pero enteras (este tiempo último depende de la clase de las patatas).
Una vez cocido todo, se escurre el repollo. En una sartén se pone el aceite a calentar y se fríen a fuego lento las salchichas (que se habrán pinchado antes con un palillo en varios sitios). Una vez fritas, se reservan al calor.
En la misma sartén se rehoga el repollo con la grasa de las sal-chichas, se pone en la fuente y las patatas se colocan alrededor de la misma. Entre patata y patata se pone un codillo, y por encima del repollo las salchichas y el tocino cortado en tiras de un dedo de gruesas. Se sirve todo en seguida.
Nota.—Con el caldo se hace una sopa muy buena con las zanaho-rias y las patatas cocidas y picadas en cuadraditos.

794.—MANERA DE FREIR LAS SALCHICHAS

Se pinchan las salchichas en varios sitios con una aguja un poco gruesa (o un palillo fino, de los redondos). Se ponen en una sartén, se rocían con aceite y se ponen a fuego lento y se dejan dorar, volviéndolas de vez en cuando hasta que estén en el punto deseado, más o menos doradas.

795.—MANERA DE COCER LAS SALCHICHAS

Se pinchan en varios sitios las salchichas con una aguja gruesa o un palillo fino (de los redondos). Se tiene un cazo con agua abundante hirviendo. Se sumergen las salchichas y, cuando rompe otra vez el hervor, se baja el fuego para que el agua cueza muy despacio (sólo con burbujas alrededor del cazo). Se tienen así unos 10 a 12 minutos y se sacan para servirlas en seguida.

796.—SALCHICHAS ENCAPOTADAS (6 personas)

Masa de envolver las salchichas:

300 gr. de harina fina,
150 gr. de mantequilla,
  1 cucharadita (de las de mo-
    ka) rasada de sal,
  1 vaso (de los de vino) de
    agua, más o menos,

harina para espolvorear la
  mesa,
12 salchichas de Frankfurt,
  1 huevo.

Se hace la masa quebrada (receta 995, 1.ª receta). Se deja reposar una hora por lo menos. Se espolvorea la masa con un poco de harina y se extiende sobre el mármol cortando unos rectángulos de 18 por 16 cm. Se pone cada salchicha en un ángulo para enrollarla en diagonal. Se doblan las esquinas apretando un poco con los dedos y poniendo la punta de la masa hacia arriba. Se bate el huevo como para tortilla y con una brocha plana se untan todos los rollos. Se colocan sobre una parrilla en el horno, previamente calentado, durante unos 30 minutos, a temperatura mediana, dándoles la vuelta una vez doradas y untándoles huevo por la segunda cara. Se sirven calientes.

797.—SALCHICHAS DE FRANKFURT CON SALSA DE MOSTAZA (6 personas)

12 salchichas de Frankfurt,
  6 rebanadas de pan de molde,
40 gr. de mantequilla,
  1 cucharada sopera de aceite
    fino,
  1 cucharada sopera de harina,

1 vaso (de los de agua) de leche fría,
1 cucharada sopera de mostaza,
3 cucharadas soperas de pan
  rallado,
  sal.

En una sartén se pone la mitad de la mantequilla a derretir con el aceite. Una vez calientes, se añade la harina, se dan unas vueltas con unas varillas y poco a poco se agrega la leche; se cuece durante 5 minutos sin dejar de dar vueltas y fuera del fuego se añade la mostaza. Se prueba y, si hace falta, se añade sal. Se reserva la salsa.

En un cazo se pone agua a cocer y cuando empieza a hervir se meten las salchichas dentro y se cuecen durante 8 minutos (despacio, con burbujas alrededor del cazo).

Mientras tanto se tuestan o fríen (como más guste) las rebanadas de pan. Una vez tostadas, se colocan en la fuente donde se vayan a servir (que será resistente al fuego). Se sacan las salchichas del agua. Se escurren muy bien y se cortan en dos a lo ancho. Se colocan encima de las tostadas.

Se cubren en parte con la salsa, dejando los finales de las salchichas sin cubrir. Se espolvorean con un poco de pan rallado y se ponen encima como dos avellanitas de mantequilla; se meten en el horno fuerte a gratinar hasta que esté la salsa dorada.

Se sirven en seguida.

798.—JAMON DE YORK CON ESPINACAS Y SALSA DE MADEIRA (6 personas)

2½ kg. de espinacas bien frescas (o un 1 kg. congeladas),
25 gr. de mantequilla,
2 cucharadas soperas de aceite fino,
1 cucharada sopera de harina,
1 vaso (de los de agua) de leche fría,
6 lonchas de jamón de York pequeñas y un poco más gruesas de lo corriente, agua y sal.

Salsa:
3 cucharadas soperas de aceite,
1 cebolla pequeña,
1 cucharada sopera de harina,
¼ litro de agua,
1 cucharadita (de las de moka) de extracto de carne,
¾ de vaso de vino de Madeira (o de Málaga, o de Jerez, si no se tiene de Madeira),
20 gr. de mantequilla, sal.

Se cuecen y se preparan las espinacas con bechamel (receta 357). Se prepara la salsa (receta 79) y, una vez hecha la salsa, se ponen las lonchas de jamón dentro para que se calienten.

Para servir este plato se pone la crema de espinacas a un lado o en los dos extremos de la fuente. Se doblan las lonchas de jamón en dos y se colocan en la fuente. Se vierte la salsa por encima del jamón, y se sirve.

799.—JAMON DE YORK CON BECHAMEL Y CHAMPIÑONES (6 personas)

6 lonchas de jamón de York cortadas algo gruesas,
125 gr. de champiñones frescos,
20 gr. de mantequilla,
el zumo de un limón,
sal.
Bechamel:
25 gr. de mantequilla,
2 cucharadas soperas de aceite fino,

1½ vasos (de los de agua) de leche fría,
1½ vasos (de los de agua) de caldo (o agua más una pastilla de Avecrem),
2 cucharadas soperas de harina,
1 pellizco (muy pequeño) de curry,
sal.

Se lavan, se cepillan y se cortan en láminas los champiñones. Se van poniendo en agua fresca con el zumo de ½ limón. Cuando están todos preparados, se escurren y se ponen en un cazo con la mantequilla (20 gr.), el zumo del otro ½ limón y sal. Se cubre el cazo con una tapadera y, a fuego lento, se hacen durante unos 10 minutos.

Mientras tanto, en una sartén se hace la bechamel. Se calienta la mantequilla con el aceite; cuando está derretida ésta, se añade la harina, se dan unas vueltas y, poco a poco, se vierte primero la leche, se cuece un par de minutos y después, también poco a poco, el caldo. Se echa el curry y la sal con cuidado, pues el caldo ya está salado. Se cuece, sin dejar de mover, unos 5 minutos. Se agregan entonces los champiñones con su jugo.

Se meten en esta salsa las lonchas de jamón todas juntas, es decir, en un solo bloque. Se dejan así, separadas del fuego, para que se calienten.

Al ir a servirlas, con un tenedor se separan de una en una, se colocan en la fuente donde se vayan a servir, doblándolas como una hoja de papel. Se vuelve a calentar un poco la bechamel, que se vierte por encima de las lonchas colocadas, y se sirve en seguida.

800.—JAMON CALIFORNIANO CON PIÑA (10 a 14 personas)

1 lata de jamón de York de unos 3 kg. (de muy buena marca),
300 gr. de azúcar morena,
10 a 14 clavos (especias),

1 lata de zumo de pomelo (½ litro),
3 ó 4 rodajas de piña en lata,
6 guindas en almíbar.

Si se encuentra el jamón de lata con hueso, sale aún más sabroso que sin él.

Se le quita al jamón unos trozos todo alrededor (que se podrán aprovechar para otra cosa), para dejarlo del tamaño de un asado de ternera grande. Con un cuchillo bien afilado se hacen unos cuadros por encima. Se cubre el jamón de azúcar, apretando un poco para que no se caiga. Se pone también azúcar debajo y en los costados. En cada ángulo de los cuadros se mete un clavo. Se pone el jamón en una chapa de horno o una besuguera y se rocía con el zumo de pomelo.

Se mete al horno, previamente calentado durante 10 minutos, y con temperatura mediana durante más o menos una hora.

Pasado este tiempo, se adorna por arriba con las rodajas de piña y las guindas cortadas en dos. Se vuelve a meter en el horno durante unos 5 minutos para que se caliente la piña.

Se coloca en la fuente de servir, cortando unas rodajas, como las de un asado de ternera, y se sirve.

Se puede acompañar con arroz blanco, bolas de puré de patatas, etc.

Nota.—En vez de rociar el jamón con pomelo se puede rociar con cerveza, que también resulta muy bueno.

CANUTILLOS DE JAMON DE YORK CON ENSALADA RUSA Y GELATINA
(Véase receta 41.)

ROLLOS DE JAMON DE YORK CON MAYONESA Y ESPARRAGOS
(Véase receta 42.)

801.—EMPAREDADOS DE JAMON DE YORK (6 personas)

3 lonchas grandes ó 6 pequeñas de jamón de York,
12 rebanadas de pan de molde,
1 plato sopero con leche fría,
2 huevos,
1 litro de aceite (sobrará),

Se pone entre dos rebanadas de pan una loncha de jamón de York. Una vez formado el emparedado, se pasa rápidamente por la leche.

Se colocan en un mármol y se prensan ligeramente con una tapadera o un plato. Se tienen así durante ½ hora. Al ir a hacerlos, se corta cada uno en dos triángulos.

Se pone el aceite a calentar en una sartén. Se baten los huevos como para tortilla y se pasan los emparedados de uno en uno por el huevo. Se fríen y cuando están bien dorados por un lado se vuelven. Una vez fritos (por tandas, para que no se estropeen al chocar), se colocan en la fuente donde se vayan a servir, que se reservará al calor hasta que estén fritos todos los emparedados. Se sirven calientes.

CROQUETAS DE JAMON YORK
(Véase receta 56.)

Para 6 personas se pondrán 200 gr. de jamón de York picado menudo ó 150 gr. de jamón serrano, también bastante picado. Se tendrá en cuenta que el jamón está salado, para echar la sal debida a la masa de las croquetas.

FILETES DE JAMON DE YORK CON BECHAMEL Y EMPANADOS (6 personas)

3 lonchas gruesas de jamón de York (125 gr. cada una).

Bechamel:
- **2 cucharadas soperas de harina (colmadas),**
- **2 vasos (de los de agua) bien llenos de leche fría,**
- **25 gr. de mantequilla,**
- **2 cucharadas soperas de aceite crudo,**
- **sal.**

Envuelto:
- **1 plato con pan rallado,**
- **2 huevos,**
- **aceite para untar la tabla de la carne,**
- **1 litro de aceite para freír** (sobrará).

Cortar las lonchas de jamón en tiras de dos dedos de anchas. Hacer la bechamel y seguir la receta 737/2.

Una vez frito el jamón, se sirve en una fuente adornada con unos ramilletes de perejil frito.

CORDERO PASCUAL

Frito o a la plancha			Asado			Guisos		
Qué parte pedir	Peso por persona	Tiempo	Qué parte pedir	Peso por persona	Tiempo	Qué parte pedir	Peso por persona	Tiempo
Chuletas de palo o de riñonada	200 a 225 gr. (con hueso)	6 minutos de cada lado para una chuleta mediana	Pierna	200 a 225 gr. (con hueso)	20 minutos por cada ½ kg. con horno previamente calentado	Paletilla	200 a 225 gr. por persona	1½ horas para los guisos
			Paletilla			Cuello		2 horas para los platos en salsa
						Falda		

CORDERO LECHAL

Frito o a la plancha			Asado			Guisos		
Qué parte pedir	Peso por persona	Tiempo	Qué parte pedir	Peso por persona	Tiempo	Qué parte pedir	Peso por persona	Tiempo
Chuletas de palo o de riñonada	250 gr.	3 minutos de cada lado	½ corderito	250 gr.	30 minutos por cada ½ kg. con horno previamente calentado	Chuletas Paletilla Cuello	250 gr. por persona	1½ horas

CORDERO

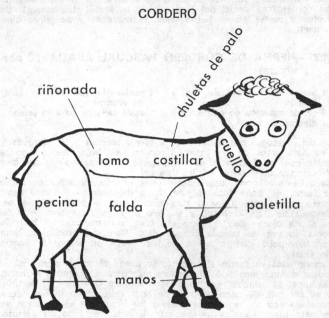

riñonada

chuletas de palo

lomo   costillar

cuello

pecina   falda   paletilla

manos

PASCUAL:

La carne del cordero pascual debe ser color rojo claro. Siendo oscura, es de un animal viejo y, por lo tanto, tendrá un sabor fuerte que no agrada.

Debe estar la carne cubierta de grasa blanca. Se debe dejar reposar 2 ó 3 días antes de comerla, siendo recién matado.

Se calculan unos 200 gr. por persona.

LECHAL:

La carne del cordero lechal es sonrosada pero pálida. Es menos alimenticia que la del cordero pascual, pero muy rica.

Se calculan unos 250 gr. por persona.

802.—CORDERO LECHAL ASADO

Se suele comprar para asar ½ corderito. Se le dan unos golpes en la carnicería para trincharlo más fácilmente al ir a servirlo.

Se frotan los trozos con un diente de ajo. Se unta ligeramente con manteca de cerdo y se espolvorea de sal. Se mete a horno

mediano durante 30 minutos por cada ½ kg. y se rocía de vez
en cuando con su jugo. Cuando está casi hecho el cordero, se
rocía con una cucharada (de las de café) de vinagre (o, mejor,
con una brocha se unta un poco de vinagre por el lado externo
del cordero, es decir, del lado pegado a la piel del animal). Se
vuelve a meter en el horno unos 15 minutos, y se sirve bien
caliente.

803.—PIERNA DE CORDERO PASCUAL ASADA (6 personas)

1 pierna de cordero de 1½ a 2 kg.,	1 cucharada (de las de café) de vinagre,
40 gr. de manteca de cerdo,	agua caliente para la salsa,
2 dientes de ajo,	sal.

Se debe escoger con preferencia la pierna redonda y no alargada.
Una hora antes de ir a asar el cordero, se frota bien por todos
lados con los 2 dientes de ajo pelados. Se unta con la manteca
de cerdo y se le pone sal. Se deja así.
Se calienta el horno previamente unos 10 minutos antes de meter
la carne. Se pone ésta en una chapa del horno o en una besuguera y se mete a horno más bien fuerte durante 15 minutos;
después se baja el fuego y se deja mediano (una hora en total
para una pierna de 1 ½ kg.; una hora y cuarto para 2 kg.) Se
rocía de vez en cuando con su jugo. Con una brocha se unta
con muy poco vinagre un ¼ de hora antes de acabar el tiempo
de asarla.
Cuando está ya asado el cordero, se apaga el horno y se deja la
pierna dentro unos 5 ó 10 minutos más para que repose al calor.
Se saca, se trincha recogiendo todo el jugo que sale al partirla,
y se reserva. Se pone un poco de agua caliente en la besuguera,
se rasca con un tenedor el fondo y los bordes, y en el fuego se
calienta bien la salsa así hecha, añadiendo el jugo de partirla.
Se sirve en salsera aparte.
Se puede acompañar con patatas rehogadas, puré de patatas o
judías blancas secas (receta 198) o frescas de adorno (frijoles).

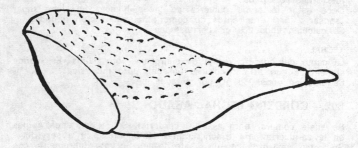

804.—CORDERO ASADO A LA SEPULVEDANA

Se puede hacer con cordero lechal o cordero pascual que no sea muy grande.

Se unta la pierna de cordero o el trozo de cordero (costillas, paletilla, etc.) con manteca de cerdo. Se sala, se pone en la bandeja de horno o en una besuguera. Se enciende el horno unos 10 minutos antes de meter la carne. Se mete y, cuando está la carne un poco dorada (unos 15 minutos), se rocía con el siguiente líquido:

En un cazo se cuece (para 6 personas):

1½ vasos (de los de vino) de agua,
2 ramitas de perejil,
2 dientes de ajo (sin pelar),
1 hoja de laurel,

½ cebolla grande (100 gr.),
2 cucharadas soperas de vinagre,
el zumo de un limón,
sal.

Una vez que haya cocido todo durante 5 minutos, se cuela y con esto se rocía la carne.

Al mismo tiempo que se echa el líquido se pueden poner unas patatitas redondas, peladas, lavadas, que se hacen con el líquido de la carne. Esta se rocía de vez en cuando con el jugo. Cuando el cordero está asado, se deja reposar la carne al calor unos 5 a 10 minutos antes de trincharla.

805.—CORDERO ASADO SERVIDO CON SALSA DE YEMAS Y PURE DE TOMATE (6 a 8 personas)

1 pierna de 1½ a 2 kg.,
40 gr. de manteca de cerdo,
1 cebolla pequeña (60 gr.),
2 ramitas de perejil,
½ hoja de laurel,
1 diente de ajo,
1 vaso (de los de vino) de vino blanco,
4 cucharadas soperas de puré de tomate (salsa espesa),
sal y pimienta.

Salsa:
2 yemas,
el zumo de un limón,
1½ cucharadas soperas de perejil picado,
25 gr. de mantequilla.

Se unta la pierna de cordero con la manteca de cerdo, se sala y se le pone un poco de pimienta molida. En la bandeja de horno (o en una besuguera) se coloca la pierna, se pone de cada lado de la carne un trozo de cebolla pelada y partida en dos y el ramillete hecho con el perejil, el ajo y el laurel. Se calienta el horno unos 10 minutos antes de ir a meter la carne. Se pone el cordero 10 minutos a horno bastante fuerte, y luego otros 15 minutos algo más flojo. Se rocía entonces la carne con el vino blanco y se vuelve a dejar otros 25 minutos, rociándola con su jugo de vez en cuando. Se añade entonces a la salsa el puré de tomate y se deja otros 5 a 10 minutos más.

Se trincha el cordero y se coloca en la fuente donde se vaya a servir, cubierto con papel de aluminio para que no se seque. Se reserva al calor.

Se vierte su salsa en un cazo y con una cuchara sopera se le quita la grasa que flota en la superficie. Se pone el cazo al baño maría con agua muy caliente.

En un tazón se baten las 2 yemas, el zumo de limón y el perejil picado y **sólo cuando se va a servir la carne se hace la salsa.**

Se pone un poco de ésta en el tazón para que no se cuajen las yemas y se agregan al cazo, así como la mantequilla, batiendo la salsa constantemente con unas varillas. Cuando la salsa se ve fina y brillante, es que está terminada y en su punto.

Se puede reservar un ratito al baño maría, pero poco tiempo, pues se espesa rápidamente. Se sirve el cordero adornado, si se quiere, con patatas rehogadas, y la salsa en salsera aparte (previamente calentada con agua casi hirviendo).

806.—PIERNA DE CORDERO PASCUAL RELLENA (6 a 8 personas)

1 pierna de 1¼ a 1½ kg. (deshuesada),
6 salchichas frescas,
100 gr. de champiñones,
½ vaso (de los de vino) de jerez,
20 gr. de mantequilla,
½ limón,
½ vaso (de los de vino) de agua,
3 cucharadas soperas de aceite,
1 pellizco de hierbas aromáticas,
sal,
harina en un plato para rebozar.

Se le pide al carnicero que le quite el hueso central a la pierna. En el sitio donde estaba el hueso se coloca un relleno hecho de la siguiente manera:

Se lavan muy bien los champiñones y se van echando en agua fría con unas gotas de zumo de limón. Una vez limpios todos, se pican menudos y se ponen a rehogar con la mantequilla, unas gotas de zumo de limón y sal en un cazo tapado y a fuego lento unos 10 minutos.

Mientras tanto, se abren las salchichas y se les quita la piel, se amasa el picado con la mitad del jerez, las hierbas y los champiñones cuando éstos están en su punto. Se pone el relleno en el centro de la pierna y ésta se cose o se ata con cuerda fina para darle una bonita forma. Se le echa sal por encima y se pasa ligeramente por harina, sacudiendo la sobrante. Se coloca en una besuguera con el aceite y el jerez sobrante y se pone a horno mediano (más bien lento) durante 1¼ horas o 1½, dándole la vuelta varias veces y rociándola con la salsa para que se dore por todos lados. Si hiciese falta, se irá añadiendo poco a poco agua caliente para formar salsa.

Para servir, se corta como un asado corriente, quitando la cuerda antes, y se acompaña con patatas fritas o en puré, con la salsa aparte en salsera.

807.—PIERNA DE CORDERO COCIDA A LA INGLESA
(6 personas)

1 pierna de 1½ a 2 kg.,
1 mata de apio (pequeña o unas ramas),
3 zanahorias medianas,
1 cebolla mediana (100 gr.),
1 cucharada (de las de café) de

hierbas aromáticas (o un ramillete: perejil, laurel, tomillo y un diente de ajo),
4 granos de pimienta,
agua y sal.

Esta pierna de cordero se puede pedir al carnicero deshuesada; se partirá así en lonchas de forma muy bonita y se trinchará entonces como un asado corriente.

Se ponen todos los ingredientes (salvo la carne) en una cacerola amplia con mucha agua. Se pone a cocer; cuando rompe el hervor, se sumerge la pierna, y cuando rompe el hervor de nuevo se cuece despacio (sin grandes borbotones), a razón de 15 minutos por cada ½ kg. de carne.

Una vez pasado este tiempo, se saca del agua, se escurre un poco y se trincha.

Se sirve caliente o fría con jalea de menta (como si fuese mostaza).

También se puede acompañar con una bechamel clarita con alcaparras:

25 gr. de mantequilla,
2 cucharadas soperas de aceite,
1½ cucharadas soperas de harina,
2 vasos del caldo de cocer la carne,

3 cucharadas soperas de alcaparras,
1 cucharadita (de las de moka) de extracto de carne (Bovril, Liebig, etc.) (véase receta 70).

808.—SILLA DE CORDERO ASADA

La silla de cordero es todo el lomo del animal en una pieza. Se enrolla la falda y se ata como un asado. Se prepara y se asa como la pierna, haciéndole antes de meterla en el horno unas incisiones poco profundas a lo largo de la carne.

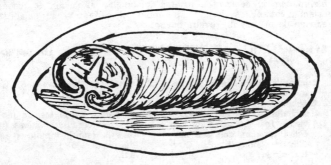

809.—PALETILLA DE CORDERO DESHUESADA (6 personas)

De 1¼ a 1½ kg. de paletilla deshuesada por el carnicero y atada como un asado corriente. Se procede lo mismo que para la pierna de cordero pascual asada (receta 803).

810.—PALETILLA DE CORDERO CON PATATAS Y CEBOLLA (PANADERA) (6 personas)

1¼ a 1½ kg. de paletilla deshuesada,
2 cebollas grandes (250 gr.),
1 diente de ajo,
5 patatas medianas (600 gr.)
o, mejor, patatitas nuevas,

80 gr. de manteca de cerdo,
1 vaso (de los de agua) bien
lleno de caldo (o simple-
mente agua con una pasti-
lla de Gallina Blanca, Starlux, etc.), sal.

Se enrolla, se ata y se sala la paletilla deshuesada. Se frota primero con un diente de ajo y luego se unta con manteca de cerdo y se pone en una cacerola de porcelana o una «cocotte» (cacerola de hierro fundido). Se mete destapada en el horno previamente calentado fuerte durante 10 minutos. Se baja el horno y se asa la paletilla durante 30 minutos, dándole la vuelta de vez en cuando para que esté dorada por todos lados.
Aparte se pelan las patatas, se lavan y se secan bien. Se pelan las cebollas y se cortan en redondeles finos y las patatas en rodajas de 1½ cm. de grosor.
Se pone el resto de la manteca en una sartén. Cuando está caliente, se echan las cebollas y se refríen unos 6 minutos hasta que empieza a dorarse. Se añaden las patatas y se hace todo a fuego mediano, echándole un poco de sal. Cuando la paletilla lleva los 30 minutos en el horno, se ponen las patatas y las cebollas alrededor de la carne. Se rocía el caldo por encima de la carne y las patatas, y se vuelve a dejar en el horno otros 30 minutos, rociando el asado y su acompañamiento unas 3 ó 4 veces en este tiempo.
Se trincha la carne en la tabla y se coloca en el centro de la fuente con su adorno de patatas y cebollas alrededor. Se deben calentar los platos de la carne, pues el cordero y su salsa se enfrían de prisa y no resulta bueno.

811.—PALETILLA DESHUESADA BRASEADA (6 personas)

1 paletilla deshuesada de 1½
a 1¾ kg.,
2 cebollas grandes (125 gr.),
4 cucharadas soperas de aceite,
1½ vasos (de los de agua) de
caldo (o agua con una pastilla de Gallina Blanca, Starlux, etc.),

½ vaso (de los de vino) de
vino blanco,
1 plato con harina,
1 cucharadita (de las de moka) de hierbas aromáticas (o
perejil, laurel, tomillo y un
diente de ajo),
sal.

En una cacerola (o, mejor, una «cocotte») se pone el aceite a calentar. Se pelan y se pican las cebollas, y se ponen a fuego lento en la cacerola con el fin de que se hagan despacio. Cuando están doradas (unos 10 ó 12 minutos), se sacan con una espumadera y se reservan en un plato.

Se pasa la paletilla (atada como un asado corriente) ligeramente por harina. Se pone a dorar en la cacerola y, una vez dorada por todos los lados, se vuelven a poner las cebollas. Se rocía todo con el vino, después con el caldo, finalmente se añaden las hierbas aromáticas y la sal. Se mueve bien todo, se tapa muy bien la cacerola, y a fuego mediano se deja que rompa el hervor. Después se baja el fuego, y lentamente se deja cocer durante unas 2 ó 2½ horas (según sea la carne).

Para servir, se saca la carne, se le quita la cuerda que la ata y se trincha. Se cuela la salsa por el pasapurés o el chino, apurando bien las cebollas, y se vierte por encima de la carne.

Se puede adornar la carne con patatas o, mejor, con pimientitos verdes fritos enteros.

Nota.—Hay a quien le gusta con unas aceitunas deshuesadas y cortadas en dos o tres trozos. Entonces se pondrán a cocer durante 5 minutos en un poco de agua. Se escurren y se añaden a la carne unos 5 minutos antes de retirarla para trinchar.

812.—CORDERO ESTOFADO (6 personas)

1½ kg. de cordero en trozos (paletilla, falda, costillar o cuello),
1 vaso (de los de vino) de vinagre,
1 vaso (de los de vino) de aceite,
1 cabeza de ajos entera, sin pelar,
1 cebolla grande (150 gr.) pelada y en 2 trozos,
1 hoja de laurel,
1 cucharada (de las de café) de pimentón,
sal.

En una cacerola se pone con la carne todos los ingredientes. Se tapa muy bien la cacerola y se pone a fuego lento durante unas 3 horas (hasta que la carne esté tierna).

Durante este tiempo, de vez en cuando se revuelve para que no se pegue la carne al fondo y, si hiciese falta, se puede añadir un poquito de agua caliente para que el estofado esté jugoso.

813.—GUISO DE CORDERO CON GUISANTES, ALCACHOFAS Y PATATAS (6 personas)

2 paletillas de cordero (1½ a 1¾ kg.),
1 kg. de guisantes,
1 kg. de alcachofas,
½ kg. de patatas,
1 cebolla grande (125 gr.),
1 cucharada sopera rasada de harina,
5 a 6 cucharadas soperas de aceite,
½ litro de aceite (sobrará),
½ vaso (de los de vino) de vino blanco,
agua y sal.

En la carnicería se piden las paletillas cortadas en trozos.
En una cacerola se pone el aceite a calentar. Cuando está caliente, se echa la cebolla pelada y picada bastante menuda. Se le da vueltas durante unos 5 minutos hasta que se ponga transparente. Se añade entonces el cordero, se rehoga bien y se agregan las alcachofas lavadas, quitadas las primeras hojas duras y las puntas de las hojas, cortadas en 2 ó 4 trozos (según sean de grandes), los guisantes y la harina. Se rehoga todo junto; se añade la sal, el vino y se cubre el guiso de agua fría. Se cuece a fuego mediano lento, con la cacerola cubierta con tapadera, durante unos 45 minutos. Se mueve de vez en cuando el guiso para que no se agarre al fondo de la cacerola.
Mientras tanto, se pelan y se lavan las patatas. Se cortan en cuadraditos. En una sartén se pone el ½ litro de aceite a calentar y se echan las patatas, que se fríen a fuego bastante lento con el fin de que queden duritas pero no doradas. Se sacan, se escurren de su aceite y se añaden al guiso. Se revuelve todo bien y se vuelve a dejar cocer durante unos 20 minutos, más o menos, moviendo la cacerola de vez en cuando para que no se agarre el guiso; se sirve en fuente honda.

814.—GUISO DE CORDERO CON ZANAHORIAS Y NABOS (6 personas)

2 paletillas de cordero (1½ a 2 kg.), o falda, o costillar, o cuello,
5 cucharadas soperas de aceite,
1 cebolla mediana (80 gr.),
¼ kg. de zanahorias tiernas,
¾ de kg. de nabos,
400 gr. de patatas,
1 vaso (de los de agua) de caldo (o agua con un cubito Maggi, Starlux, etc.),
½ vaso (de los de vino) de vino,
1 clavo (especia),
1 ramita de tomillo,
1 diente de ajo,
2 tomates bien maduros o una cucharada sopera rasada de tomate concentrado,
sal.

En una cacerola se pone el aceite a calentar; cuando está, se echa la cebolla pelada y picadita. Se deja ésta hasta que empiece a ponerse transparente, dándole vueltas con una cuchara de madera (unos 5 minutos).
Se echa el cordero, quitados los huesos más grandes (esto lo hace el carnicero) y cortado en trozos. Se le deja dorar y se añaden las zanahorias lavadas, raspadas y cortadas en rodajas más bien finas. Se agrega el vino, la sal, el clavo, la ramita de tomillo, el diente de ajo pelado y los tomates lavados, pelados y cortados en cuatro, quitándoles las simientes.
Se tapa la cacerola con tapadera y se deja a fuego mediano durante una hora. Se añaden entonces los nabos lavados, pelados y cortados en cuadraditos, así como las patatas, también en cuadraditos. Se añade el caldo y se vuelve a tapar la cacerola, dejándolo otra hora más (más o menos), hasta que la carne está tierna.
Se sirve en una fuente honda, con unos trozos de pan frito si se quiere.

815.—CORDERO AL AJILLO Y TOMATE

Se aprovecha la falda, el cuello o el costillar alto y se procede como para la ternera al ajillo con tomate (receta 774).

816.—CHULETITAS DE CORDERO CON BECHAMEL (6 personas)

18 chuletitas de palo de cordero lechal,
1 litro de aceite (sobrará),
2 huevos,
1 plato con pan rallado,
sal.

Bechamel:
2 cucharadas soperas colmaditas de harina,
2 vasos (de los de agua) bien
llenos de leche fría,
25 gr. de mantequilla,
2 cucharadas soperas de aceite,
sal.

Se pelan muy bien los huesos de las chuletas, de manera que queden limpios. Se salan las chuletas.
En una sartén se pone aceite (como un dedo de espesor en el fondo). Se calienta y se fríen las chuletas. Se sacan y se reservan en un plato.
Se unta de aceite un mármol o la tabla de la carne.
En otra sartén se ponen la mantequilla y el aceite a calentar. Cuando están, se añade la harina, se dan unas vueltas y poco a poco se va añadiendo la leche, dando vueltas con unas varillas para que no se formen grumos. Se echa sal.
Se cuece durante unos 10 minutos con el fin de que la bechamel esté espesa. Se cogen las chuletitas de una en una por el hueso, se sumergen en la bechamel de forma que queden bien cubiertas por los dos lados. Se colocan en el mármol o la tabla untada de aceite y se dejan enfriar.
Cuando se van a servir, se pone todo el aceite en la sartén donde se han frito y se calienta. Se baten los huevos como para tortilla y se pasan las chuletas primero por huevo y después por pan rallado. Se fríen por tandas, reservándolas al calor, y cuando están bien doraditas se ponen en una fuente y se sirven.

817.—MANERA DE APROVECHAR UNOS RESTOS DE CORDERO (paletilla o pierna)

En ropa vieja (receta 735).
Con bechamel y alcaparras (receta 737, n.º 3).

818.—MANERA DE DESPLUMAR LAS AVES

Se suelen vender las aves con las plumas ya quitadas. Si, por el contrario, se tienen que quitar las plumas en casa, conviene hacerlo en seguida después de muerta el ave. En caso de no haber podido quitarlas en seguida, se facilita mucho la operación sumergiendo el ave en agua hirviendo un minuto, sujetándola para ello por las patas. Esta manera de desplumar es rápida, pero tiene el inconveniente de que pierde sabor la carne del animal.

819.—MANERA DE VACIAR LAS AVES

Una vez desplumadas, se hace un corte pequeño atravesado cerca de la rabadilla y debajo de ella. Por ese agujero se mete la mano y se sacan las tripas, el hígado, el corazón, la molleja, etc.
La molleja se corta en dos, se le quita la bolsa interior y la piel de fuera. Se corta el cuello con la cabeza a ras del cuerpo del ave. En el hígado hay una bolsita con la hiel. Esta se tiene que quitar en seguida y entera, pues de romperse amargaría mucho el hígado y el pollo.

820.—MANERA DE FLAMEAR LAS AVES

Se agarran por el cuello y las patas y se pasan por la llama del gas, o mojando un algodón con alcohol se prende y se pasa así el ave por todos lados. Una vez chamuscados los pelos, con un cuchillo se arrancan los rebeldes que sean más grandes.
Una vez pelada y vaciada y chamuscados los pelos, se cortan las patas (la parte con piel amarilla y sin carne) y el cuello; así está el ave preparada para hacerla de la manera que se desee.

821.—MANERA DE PELAR LAS PATAS

El cuello y las patas (una vez quitada la piel) son muy sabrosos para emplearlos en un caldo. Para pelar las patas se puede sumergir ½ minuto en agua hirviendo, luego con un paño se tira de la piel como si fuese un guante. También se puede quemar la piel y se quita entonces a trozos.
Para que el pollo y las aves en general tengan bonita forma hay que atarles las patas y los alones con una cuerda fina. Esta sujetará también las lonchitas de bacon.

822.—MANERA DE TRINCHAR UN POLLO

Todas las aves se trinchan más o menos igual; la única dificultad consiste en encontrar la articulación para sacar la pata entera, que después se cortará en dos partes, y la pechuga con el alón, también una vez separada del caparazón, se trinchará en dos o más pedazos.

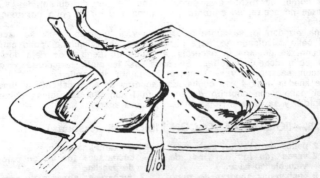

823.—POLLO ASADO (4 a 6 personas)

1 pollo tierno y grande (1½ a 2 kg.),
3 lonchas de bacon (finas),
30 gr. de manteca de cerdo,
½ limón,
agua caliente,
sal.

Una vez pelado, vaciado, chamuscados los pelos y quitados el cuello y las patas (la parte amarilla), como va explicado al principio del capítulo, se unta todo el pollo con la manteca de cerdo, se sala por fuera y por dentro y se atan 2 lonchas de bacon, una en la pechuga y otra en la espalda; la 3.ª se mete en el interior del pollo.

Se coloca en una besuguera y se mete en el horno, previamente calentado unos 10 minutos. Se asa a horno mediano, más bien fuerte, más o menos una hora, según el tamaño, dándole varias veces la vuelta para que se dore bien por todos lados. Al volverlo, se rocía bien con la salsa que se va formando en el fondo de la besuguera. De esto depende que el pollo esté bien asado y sabroso.

Cuando está ya bien asado y dorado, se retira de la besuguera, se le quita la cuerda y las lonchas de bacon (que se tiran) y se trincha para servir.

En la besuguera, con una cuchara sopera se quita gran parte de la grasa, se añade agua caliente y un chorrito de zumo de limón. Se pone a fuego vivo, moviendo bien la salsa con un tenedor para raspar toda la parte tostada del fondo de la besuguera. Se sirve la salsa en salsera y el pollo con patatas paja, verduras o puré de patatas, como más guste.

824.—POLLO ASADO EN COCOTTE (O CACEROLA)

A falta de horno se pueden hacer los pollos en una «cocotte» (cacerola de hierro fundido) o incluso en una cacerola corriente, pero de aluminio bastante grueso.
Se prepara el pollo con el bacon y la sal, igual que para asarlo al horno. La manteca se mezcla con un par de cucharadas soperas de aceite, se calienta y se pone a dorar el pollo por todos lados.
Una vez dorado, se cubre la cacerola y, a fuego mediano, se hace el pollo calculando ½ hora por cada ½ kg. Cuando el pollo está hecho, se destapa la cacerola, se sube el fuego y se deja dorar el pollo dándole vueltas. Se saca, se le quita la cuerda y el bacon, se trincha y se pone en la fuente de servir.
Se añaden unas 4 ó 5 cucharadas soperas de agua caliente al jugo del pollo y un chorrito de zumo de limón. Se dan unas vueltas rápidas y se sirve el jugo en una salsera aparte.

825.—POLLO ASADO CON LIMON (8 personas)

2 pollos de 1¼ kg. cada uno,
2 vasos (de los de vino) de vino blanco seco,
2 cucharadas soperas de zumo de limón,
2 chalotes medianas,
60 gr. de mantequilla,
1½ cucharadas (de las de café) de paprika,
2 cucharadas soperas de perejil picado,
sal.

Se parten los pollos en dos por la parte de la pechuga y sin llegar al lomo. Se ponen abiertos en una besuguera, con la parte externa reposando sobre el fondo de la besuguera, y se salan.
Aparte se mezclan todos los elementos de la salsa: el vino blanco, el zumo de limón, las chalotes muy picadas, el paprika, el perejil y la mantequilla derretida. Se vierte sobre los pollos y se meten a horno mediano (previamente calentado durante unos 10 minutos) durante ¾ de hora. Pasado este tiempo, se vuelven los pollos y se rocían con su jugo. Se dejan unos 15 minutos más, hasta que la piel esté bien dorada.
Cuando están bien asados y antes de servir, se trincha cada pollo en cuatro partes y se sirve con la salsa por encima.
Se pueden servir de adorno patatas paja o arroz blanco.

826.—POLLO ASADO CON POMELOS O NARANJAS (6 personas)

1 pollo de 1½ kg. a 1¾ (grande),
2 pomelos ó 4 naranjas,
50 gr. de manteca de cerdo,
2 lonchas de bacon,
2 cucharadas soperas de buen coñac,
pimienta,
1 manojo de berros,
sal.

Una hora antes de asar el pollo, se sala por dentro y por fuera, se le pone un poco de pimienta molida.

En un cazo pequeño se calienta un poco el coñac y se prende con una cerilla. Cuando ha ardido un poco, se vierte dentro del pollo y se meten los gajos de un pomelo pelado y separados cada gajo.

Cuando se va a asar, se enciende el horno durante unos 10 minutos antes. Se ata el pollo y se pone una loncha de bacon arriba (pechugas) y otra abajo (lomo). Se unta con la manteca de cerdo y se mete al horno. Se asará a horno mediano, a razón de 20 minutos por ½ kg. Mientras se va asando, se rocía de vez en cuando con su jugo y se le da la vuelta. A medio asar, se añade a la salsa el jugo del otro pomelo y se sigue rociando el pollo. Cuando está asado, se quita la cuerda y el bacon, se trincha el pollo y se coloca en la fuente donde se vaya a servir, con los gajos de pomelo alrededor y 2 ramilletes de berros bien limpios y lavados adornando la fuente.

Nota.—Se pueden sustituir los pomelos por naranjas. Se procede en todo igual.

827.—POLLO FRITO (6 personas)

1 pollo de 1½ ó 2 pequeños,
1 vaso (de los de vino) bien lleno de vino blanco,
4 granos de pimienta,
1 buen pellizco de hierbas aromáticas (o una hoja de laurel,

una ramita de tomillo, otra de perejil y un diente de ajo),
1 plato con harina,
sal,
1 litro de aceite (sobrará).

Se trincha el pollo en trozos y se pone en una cacerola de barro. Se sala y se rocía con el vino; se espolvorea con las hierbas aromáticas (o se ponen éstas entre medias de los trozos de pollo), se echan los granos de pimienta y se tapa la cacerola con una tapadera.

Se tiene así en adobo unas 2 ó 3 horas, revolviendo de vez en cuando los trozos de pollo.

En una sartén se pone el aceite a calentar y, una vez bien escurridos los trozos de pollo, se pasan muy ligeramente por harina, sacudiendo bien después cada pedazo, y se fríen por tandas.

Se reservan los trozos al calor, y se sirven en la misma fuente con patatas paja.

828.—POLLITOS FRITOS (4 personas)

2 pollitos de 700 gr. cada uno,
4 cucharadas soperas de aceite,
1 limón,
1 cebolla mediana (60 gr.),
4 ramilletes de perejil para freír,
3 ramitas de perejil,
1 plato con harina mezclada con 3 cucharadas soperas de pan rallado,
pimienta en polvo,
1 litro de aceite (sobrará),
sal.

Salsa de tomate:
¾ de kg. de tomates maduros,
2 cucharadas soperas de aceite (frito),
1 cucharada (de las de café) de azúcar,
1 cebolla mediana,
sal.

Se chamuscan los pelos de los pollos, se quitan las patas y los cuellos y se parte cada uno en cuatro trozos. Se salan y se les echa pimienta. Se colocan en una fuente honda o una ensaladera; se rocían con el aceite, el limón cortado en rodajas, la cebolla pelada y cortada en rodajas y las ramitas de perejil. Se deja así un par de horas, dando de vez en cuando unas vueltas a todo para que se impregne bien.

Mientras tanto se va haciendo la salsa de tomate (receta 63), que se reservará al calor mientras se fríen los trozos de pollo.

Al ir a servir el pollo, se escurren bien los trozos, se pasan por el plato con harina y pan rallado mezclado y se fríen en aceite abundante, medianamente caliente al principio, unos 10 minutos, y más fuerte después, 5 minutos más, hasta que los trozos estén bien dorados.

Se colocan en la fuente donde se vayan a servir y se adorna con los ramilletes de perejil atados con un hilo, lavados, bien secos con un trapo limpio y fritos (cuidando de separar la sartén del fuego al poner el perejil, pues salta el aceite) Se sirve con la salsa de tomate aparte en salsera.

829.—POLLO EN TROZOS EMPANADO (4 personas)

1 pollo de 1¼ a 1½ kg.,	80 gr. de mantequilla,
2 dientes de ajo,	sal.
pan rallado,	

Se parte el pollo en cuatro (cuartos) trozos. Se le quita la piel y se frotan bien los trozos con los dientes de ajo pelados. Se les pone sal y se rebozan en pan rallado, apretando bien para que queden bien cubiertos. Se colocan los trozos en una besuguera, primero por la parte interior y con la mitad de la mantequilla, se pone un trozo en cada cuarto; se asa bien a horno, previamente calentado, fuerte, y cuando se mete el pollo se deja a fuego mediano hasta que queda bastante dorado. Después se da la vuelta a los trozos, se vuelve a poner un poco de pan rallado, si hace falta, y el resto de la mantequilla.

Se sirve en seguida que esté el pollo en su punto, con patatas fritas y el jugo que han soltado.

830.—POLLO ALIÑADO, AL HORNO Y DESPUES FRITO (6 personas)

1 pollo de 1½ kg. y ½ pollo más (grande también),	agua caliente (o fría),
2 dientes de ajo,	40 gr. de mantequilla,
4 cucharadas soperas de perejil picado,	1 plato con harina,
	1 litro de aceite (sobrará),
	sal.

Se parte el pollo en trozos quitándole el caparazón (por ejemplo, cada pechuga en dos trozos). Se mezcla en un plato el perejil y los dientes de ajo pelados y muy picados. Se sazonan con sal los trozos de pollo y se frotan con el perejil y el ajo, dejándolo en los trozos de pollo por lo menos unas 3 ó 4 horas antes de ir a hacerlo.

Se rebozan entonces ligeramente con harina, se colocan en una parrilla y debajo de la parrilla se pone una bandeja con agua (fría o caliente) y dentro la mantequilla. El pollo no debe tocar el líquido. Se mete a horno mediano, encendiendo éste unos 10 minutos antes de meter el pollo. Se deja más o menos una hora. Pasado este tiempo o en el momento de ir a servir el pollo, se pone el aceite a calentar y se fríen los trozos por tandas, dejándolos bien dorados. Se colocan en una fuente y se adornan con patatas fritas.

Se puede servir aparte una salsa mayonesa verde (receta 95) o mantequilla con vinagre y estragón (receta 93, 2.ª manera).

831.—POLLO AL AJILLO (6 personas)

1 pollo tierno de 1.600 gr. o dos pequeños,
8 cucharadas de aceite (sobrará),
4 dientes de ajo,
sal.

Se parte el pollo en trozos y se salan. Se pone el aceite a calentar en una sartén grande; cuando está caliente, se refríen los trozos de pollo hasta que estén dorados, luego se echan los dientes de ajo, se revuelve con una cuchara de madera de vez en cuando y se dejan unos 45 minutos; después se tapa la sartén durante unos 15 minutos, se retiran los ajos, se escurre un poco de aceite para que no esté tan grasiento y se sirve en una fuente con su jugo por encima.

Nota.—Se pueden poner, si se quiere, los ajos muy picaditos en vez de enteros para que el gusto sea aún más fuerte.

832.—POLLO GUISADO CON VINO MOSCATEL Y PASAS (6 personas)

1 pollo de 1½ a 2 kg.,
1 cebolla mediana (100 gr.),
1 ramillete con perejil y un diente de ajo,
1 plato con harina,
1 buen puñado de pasas (100 gramos),
2 vasos de aceite (sobrará),
3 vasos (de los de agua) de agua,
1½ vasos (de los de vino de moscatel o madeira),
sal y pimienta molida.

Se corta el pollo en trozos. Se pone en una cacerola a calentar el aceite; cuando está caliente, se pasa cada trozo de pollo por harina y se fríen por tandas hasta que estén dorados. Se van separando en un plato. Cuando todo el pollo está frito, se quita casi todo el aceite, no dejando más que lo justo para cubrir el fondo.

Se pela y se pica la cebolla y se dora en este aceite; se vuelve a poner el pollo, se rocía con la mitad del vino, se mueve bien y luego, poco a poco, se le echa el agua. Se pone el ramillete,

sal y pimienta molida. Se deja cocer a fuego mediano y cubierta
la cacerola unos 30 minutos (hasta que esté tierno el pollo).
Aparte, en un cazo pequeño, se ponen las pasas (sin rabos) y
el resto del vino. Se calienta sin que hierva. Se dejan un buen
rato (mientras se hace el pollo) y a última hora se vierte esto
en la cacerola. Se revuelve todo, se quita el ramillete y se sirve en
una fuente con su salsa.
Se puede adornar la fuente con unos triángulos de pan frito
(mojados en leche, según se quiera que queden blandos o no).

833.—POLLO CON SALSA DE CHAMPIÑON (8 personas)

2 pollos de 1¼ kg. cada uno,
trinchados en trozos no muy
grandes,
¼ kg. de champiñones frescos,
25 gr. de mantequilla,
el zumo de ½ limón,
1 sobre de sopa-crema de champiñón (Knorr, Maggi, etc.) de
4 raciones,
1 vaso (de los de vino) de vino
blanco,

1 cebolla pequeña (60 gr.),
5 cucharadas soperas de aceite,
1 ramillete (un diente de ajo,
una hoja de laurel, una ramita de tomillo y una ramita
de perejil),
1 litro de agua (menos un vaso
de los de vino),
la mitad de ¼ litro de crema líquida (facultativo),
sal.

En una cacerola se pone a calentar el aceite. Una vez en su
punto, se doran los trozos de pollo por tandas y se reservan en
un plato. En este mismo aceite se echa la cebolla pelada y muy
picada, dándole vueltas con una cuchara de madera durante 7 minutos, más o menos, hasta que se empieza a dorar.
Se vuelven a poner los trozos de pollo en la cacerola.
En un tazón se disuelve la sopa con el vino y se añade el agua
caliente (la que indique el sobre, menos la correspondiente al
vino, que suele ser, más o menos, un litro). Se vierte esto en la
cacerola por encima del pollo. Se añade el ramillete y se sala
ligeramente, teniendo en cuenta que la sopa lleva sal. Se cubre
la cacerola con tapadera y, a fuego mediano, se deja de 40 minutos
a una hora (según sean de tiernos los pollos).
Mientras tanto, se lavan muy bien los champiñones, se cortan en
láminas, quitándoles las partes con tierra, y se ponen en un cazo
con la mantequilla, el zumo de limón y sal. Se hacen a fuego
lento durante unos 10 minutos. En el momento de ir a servir el
pollo, se retira el ramillete y se agregan los champiñones con su
jugo y la crema (si se quiere). Se revuelve todo muy bien y se
sirve en fuente más bien honda.
Se puede adornar la fuente con unos triángulos de pan fritos o
servir un poco de arroz blanco aparte.

834.—GUISO DE POLLO Y CHAMPIÑONES A LA FRAN-CESA (6 personas)

1 pollo hermoso (1½ a 2 kg.),
2 zanahorias medianas (125 gr.),
1 cebolla mediana (125 gr.),
50 gr. de tocino fresco veteado,
5 cucharadas soperas de aceite,
1 vaso (de los de agua) de vino blanco,
1 vaso (de los de agua) de agua,
¼ kg. de champiñones,
el zumo de ½ limón,
20 gr. de mantequilla,
1 cucharada sopera rasada de harina,
1 ramita pequeña de tomillo, o una hoja de laurel,
125 gr. de crema líquida,
2 yemas de huevo,
sal.

Se corta el pollo en trozos como para una pepitoria. En una cacerola se pone el aceite a calentar; cuando está, se refríen dentro el tocino cortado en cuadraditos pequeños y después la cebolla pelada y picada muy menuda. Se deja dorar ésta un poco (unos 8 minutos), se echan entonces los trozos de pollo, se espolvorean con la harina, se añaden las zanahorias peladas, lavadas y cortadas en rodajas finas. Se sacude la cacerola con el fin de que se doren todos los trozos de pollo. Se rocían con el vino y el agua, se añaden las hierbas aromáticas y se sala.

Se deja cocer, a partir del momento en que empieza a hervir, a fuego mediano ½ hora, si el pollo es tierno.

Mientras tanto, se lavan muy bien y cortan los champiñones en láminas. Se echan en agua con unas gotas de zumo de limón. Se escurren y se ponen en un cazo con 20 gr. de mantequilla y el resto del zumo de limón. Se tapa el cazo y se dejan unos 10 minutos.

En un tazón se baten las 2 yemas con la crema líquida.

Cuando se va a servir el pollo, se agregan los champiñones con su jugo, se sacan unas 3 ó 4 cucharadas de salsa de la cacerola y, muy poco a poco, se incorporan a la crema (para que no se corte y no se cuajen las yemas). Se vierte lo del tazón en el pollo. Desde este momento ya no debe cocer la salsa.

Se sirve en una fuente un poco profunda con la salsa por encima.

835.—POLLO EN SALSA CON SETAS SECAS, CEBOLLI-TAS, CREMA Y YEMAS (6 personas)

1 pollo de 1.600 gr.,
18 cebollitas francesas,
1 cucharada (de las de café) de azúcar,
20 gr. de mantequilla,
1 puñado de setas secas (o 500 gr. de frescas),
8 cucharadas soperas de aceite fino,
3 cucharadas soperas de aceite fino para las cebollitas,
1 vaso (de los de agua) de vino blanco,

½ vaso (de los de agua) de agua,
150 gr. de crema líquida,
2 yemas de huevo,
el zumo de ½ limón,
1 cucharada sopera rasada de maizena,
1 cucharada sopera de agua, sal y pimienta,
6 triángulos de pan de molde fritos.

Se ponen las setas secas en agua templada en un tazón para que se ablanden (unos 15 minutos).

En una cacerola se pone el aceite a calentar. Cuando está, se echa el pollo trinchado en crudo en trozos grandes. Se doran bien por todos lados, moviéndolos con una cuchara de madera durante unos 7 u 8 minutos. Entonces se echa la mitad de las cebollitas francesas peladas y, si alguna fuese grande, cortada en dos. Se dejan dorar, moviendo bien la cacerola por un asa. Cuando todo está dorado, se echa el vaso de vino blanco y el medio vaso de agua. Se agregan las setas escurridas, si son secas, o lavadas, si son frescas. Se echa sal y pimienta molida. Se tapa y se deja a fuego lento unos 30 ó 40 minutos.

Las otras cebollitas, escogidas muy iguales de tamaño y peladas, se ponen en un cazo con agua fría que las cubra, azúcar, mantequilla y sal. Se dejan una ½ hora cociendo despacio y, cuando están cocidas (pinchándolas con un alambre se ve si el centro está tierno) se escurren y se rehogan en una sartén con las 3 cucharadas soperas de aceite hasta que estén doradas.

En un tazón se bate la crema líquida con las yemas y el zumo de limón. En otro tazón se deslíe la maizena con el agua y se va añadiendo la salsa de los pollos, colándola para que no pase la cebolla. Se mueve y se deja dar un hervor para que no sepa a cruda la maizena. Esto se va añadiendo muy poco a poco al tazón con la crema y las yemas. Se baten bien las dos salsas juntas, se ponen en un bol al baño maría (con el agua caliente pero fuera de la lumbre) para que se conserve bien caliente.

Se colocan en una fuente honda los trozos de pollo y alrededor los triángulos de pan fritos y las cebollitas doradas. Se cubre todo con la salsa y se sirve en seguida.

836.—GUISO DE POLLO CON PIÑONES, PIMIENTOS VERDES Y TOMATES (6 personas)

1 pollo de 1½ a 1¾ kg.,
4 tomates medianos (½ kg.),
3 pimientos verdes (¼ kg.),
2 cebollas medianas (¼ kg.),
1 cucharada sopera rasada de pan rallado,
50 gr. de piñones,
½ cucharadita (de las de moka) de hierbas aromáticas (o

un ramillete con tomillo, laurel y perejil),
2 dientes de ajo,
1 vaso (de los de vino) de vino blanco,
1 vaso (de los de vino) de aceite,
2 pastillas de caldo de pollo (Avecrem, etc.),
sal y pimienta.

Se trincha el pollo en trozos. En una fuente de barro resistente al horno se ponen las cebollas peladas y picadas; por encima se colocan los trozos de pollo. Se pelan y se cortan los tomates en trozos, quitándoles la piel y las simientes, y se colocan por encima del pollo. Los pimientos verdes se lavan, se secan y se les quita el rabo y la simiente de dentro, y se cortan en redondeles finos (1 cm. de ancho cada uno), que se ponen también por encima del pollo.

Se espolvorea el pan rallado y después los piñones, las hierbas aromáticas, la sal y la pimienta. Se pelan y se colocan los 2 dientes de ajo entre el pollo. Se rocía todo con el aceite, se revuelve y se mete a horno mediano, previamente calentado. A los 15 minutos se revuelve todo y se añade el vino y los calditos disueltos en un poco de agua caliente (3 cucharadas soperas).

Se cuece el guiso durante unos 30 minutos más, revolviéndolo de vez en cuando, y se sirve en la misma cazuela donde se ha guisado, procurando volver a colocar los redondeles de pimiento por encima del pollo.

Se puede adornar la fuente con unos triángulos de pan de molde fritos.

Nota.—Si los pimientos son nuevos, se hacen antes; por lo tanto, se guardan la mitad y se ponen por encima de la fuente a la mitad del tiempo de guisar el pollo para que no se ablanden demasiado y sirvan de adorno.

837.—POLLO EN SALSA (6 personas)

1 pollo grande (1½ kg. a 2 kg.) o
1½ pollos medianos trinchados en trozos,
1 puñado de miga de pan (en rebanadas gruesas, como de 3 cm., sin corteza),
1 diente pequeño de ajo,
1 cebolla mediana (100 gr.),
2 ramitas de perejil,
1 cucharada (de las de café) rasada de perejil muy picado,

1 cucharada (de las de café) rasada de hierbas aromáticas, o bien un ramillete (tomillo, laurel y perejil, etc., atado),
1 pellizco de azafrán en polvo,
1 vaso (de los de vino) de vino blanco,
¼ litro de aceite,
3 vasos (de los de agua) de agua,
sal.

Se pone el aceite a calentar en una sartén mediana. Cuando está, se fríen los trozos de pollo en tandas y se reservan, una vez fritos, en una plato.

Se fríe la miga de pan y se reserva también. Se quita aceite y no se deja más que un poco, que cubra bien el fondo de la sartén. Se pone la cebolla a dorar en este aceite y cuando empieza a dorarse (unos 6 a 8 minutos), se retira con una espumadera y se pone en el mortero. Se fríe en este aceite un diente de ajo y, cuando empieza a tomar color, también se retira y se machaca en el mortero con el perejil, el azafrán, la cebolla y la miga de pan.

Se ponen unas 3 cucharadas soperas de aceite (del de freír el pollo) en una cacerola, se calienta y se echa el pollo. Se rocía con el vaso de vino blanco y se cuela por encima lo del mortero, pasándolo por un chino y deshaciéndolo con un vaso de agua vertido en 2 ó 3 veces. Se revuelve todo bien, se espolvorea con las hierbas aromáticas y se añade agua, si hace falta, hasta que cubra los trozos de pollo. Se sazona de sal, se mueve bien y se deja cocer a fuego mediano unos 30 minutos, hasta que el pollo esté tierno, pero cuidando de que no se deshaga. Unos 10 minuots antes de ir a servir el pollo, se espolvorea con el perejil picado.

Se sirve en una fuente honda y, aparte, se sirve arroz blanco.

838.—POLLO EN SALSA AL HORNO (6 personas)

1 pollo de 1¾ kg. (ó 1½ pollos de 1 kg., más o menos),
1 vaso (de los de agua) de
aceite,
25 gr. de manteca de cerdo,
harina en un plato para rebozar,
1 cucharada sopera de harina,

1 cebolla pequeña (50 gr.) muy
picada,
1 diente de ajo pelado,
2 ramitas de perejil,
unas hebras de azafrán,
1 vaso (de los de vino) de vino
blanco,
sal.

Se corta el pollo en trozos. Se echa sal en cada trozo y se pasan por harina. En una sartén se pone el aceite a calentar con la manteca y se van friendo los trozos. Cuando están bien doraditos, se colocan en una fuente honda resistente al horno (porcelana, cristal o barro). En el aceite que queda en la sartén se echa la cebolla picada; cuando está dorada se añade la cucharada de harina.

En el mortero se machaca un diente de ajo, el perejil y el azafrán. Se añade allí mismo el vaso de vino y esto se agrega a lo de la sartén. Se revuelve todo junto y cuando rompe a hervir la salsa, se rocía por encima de los trozos de pollo. Se mete a horno más bien fuerte la fuente durante una ½ hora, y se sirve en la misma fuente.

Se puede preparar este plato de antemano hasta poner el pollo en el horno. Esta última fase no se hace más que al ir a servirlo.

839.—POLLO ASADO CON SALSA DE ZUMO DE NARANJAS (6 personas)

1 pollo tierno y grande (unos 1.600 gr.),
30 gr. de manteca de cerdo,
3 lonchas finas de bacon, sal.

Salsa:
1½ cucharadas soperas de azúcar «glass» (molida como harina),
1 cucharada sopera de vinagre,
1 decilitro de agua (un vaso de los de vino no lleno),
1 cucharadita (de las de moka) de extracto de carne (Liebig, Bovril, etc),
1 cucharada (de las de café) de fécula de patata,
3 naranjas grandecitas,
1 cucharada sopera de agua
1 para desleír la fécula.

Guarnición (puré de patatas):
1 kg. de patatas,
40 gr. de mantequilla,
1 vaso (de los de agua) de leche caliente.

Véase receta 207.

Se limpia, se flamea y se prepara el pollo como lo indican las recetas 819 y 820. Se mete al horno, previamente calentado, durante una hora (más o menos) hasta que esté bien dorado, rociándolo de vez en cuando con su propia salsa y volviéndolo unas cuantas veces para que esté dorado. Una vez asado en su punto el pollo, se reserva al calor en otra besuguera. Se puede tapar con papel de plata para que no se reseque.

Salsa:

A la salsa del pollo se le quita la grasa con una cuchara y se le añaden 3 ó 4 cucharadas soperas de agua caliente. Con un tenedor se rasca bien el fondo de la fuente, para que se mezcle bien toda la salsa y lo tostado.

En una sartén se pone el azúcar «glass» a calentar. Cuando se empieza a dorar (como caramelo), se le añade el vinagre, para lo cual se separa la sartén del fuego, se agrega en seguida el zumo de 2 naranjas, el decilitro de agua y el extracto de carne. Se mezcla bien y, tapando la sartén con una tapadera, se deja cocer lentamente unos 10 minutos.

Se trinchan los pollos y se ponen en la fuente donde se vayan a servir. Se adornan con medias rodajas de naranja y montoncitos de puré de patatas. Se reservan al calor tapados.

En un tazón se disuelve la fécula con un poco de agua, se añade a la salsa de la sartén, dejándola cocer un par de minutos. Se añade entonces la salsa de asar los pollos y se sirve en salsera aparte.

Nota.—Si se hacen varios pollos, no hay que multiplicar exactamente los ingredientes de la salsa, entre otras cosas porque el jugo de los pollos no aumenta al doble por cada pieza. Para 3 pollos se pondrán 2 cucharadas de azúcar, 3 zumos de naranja, 2 de vinagre, 2 de extracto de jerez y 2 de fécula. Esto, más o menos.

840.—POLLO GUISADO CON CEBOLLITAS Y TOMATE
(6 a 8 personas)

2 pollitos de 1¼ kg. cada uno (cortados en trozos medianos),
100 gr. de tocino veteado,
4 cucharadas soperas de aceite,
6 tomatitos pequeños,
8 cebollitas francesas,
1 nuez de mantequilla (15 gr.),
1 lata pequeña de pimiento colorado (100 gr.),

½ vaso (de los de agua) de vino blanco,
½ vaso (de los de agua) de agua,
1 pellizco de hierbas aromáticas,
1 cucharada sopera de perejil picado,
sal.

Una vez flameado y preparado, se corta el pollo.
En una cacerola se pone el aceite a calentar. Cuando está en su punto, se rehogan bien los trozos de pollo. Se les añade el tocino cortado en dados. Se echan los tomates pelados, pero enteros. Se sazona con sal y las hierbas aromáticas. Se mueve bien con una cuchara de madera y se rocía con el vino y agua. Se cubre con una tapadera la cacerola y, a fuego mediano, se hace el pollo durante más o menos una hora (si son tiernos; un poco más si hace falta, pero cuidando de que no se deshagan).
Aparte, en un cazo pequeño, se cuecen las cebollas peladas, con la mantequilla, un poco de agua que las cubra y sal. Cuando el pollo está tierno, se le agregan las cebollitas, el pimiento cortado en tiras finas y el perejil picado. Se dan unas vueltas con una cuchara de madera y se sirve acto seguido en una fuente.

841.—POLLO CON SALSA AL CURRY (6 personas)

1 pollo de 1¾ kg.,
los despojos de otro pollo,
3 lonchas de bacon,
25 gr. de manteca de cerdo,
sal.

1 vaso (de los de agua) de caldo de pollo,
½ cucharadita (de las de moka) de curry,
1 yema.

Salsa:
1 cucharada sopera de harina,
25 gr. de mantequilla,
2 cucharadas soperas de aceite fino,
½ vaso (de los de agua) de leche fría.

Acompañamiento:
½ kg. de arroz,
agua y sal,
50 gr. de mantequilla,
1 latita de guisantes.

Una vez preparado el pollo, se ponen a cocer las patas (peladas) y el cuello del pollo, así como los otros despojos, en agua fría con sal. Se tiene cociendo durante una hora y se deja que el caldo se quede reducido a un vaso de los de agua. Se reserva para hacer la salsa.

Se sala y se pone el bacon como para asar el pollo (o sea, una loncha en la pechuga, otra en el dorso y la 3.ª dentro del pollo). Se se tiene una «cocotte» (y si no en una cacerola gruesa), se pone el pollo y tapándola con tapadera se asa el pollo encima de la lumbre (receta 824). Si no se tiene, se asa sencillamente como va explicado en la receta 823, en el horno.

Se asa durante ¾ de hora más o menos, sin que sea necesario que el pollo se dore mucho. Se prepara mientras el arroz, y seguidamente la salsa.

Se procede para el arroz blanco como va explicado en la receta 165, 1.ª fórmula.

En una sartén se pone el aceite y la mantequilla a calentar, se añade entonces la harina, se le dan unas vueltas con unas varillas y, poco a poco, se añade la leche y después el caldo, sin dejar de dar vueltas. Se deja cocer unos 10 minutos, se prueba de sal y se incorpora el curry.

En un tazón se pone la yema y se deshace con un poco de salsa, uniéndolo al resto de la bechamel.

Una vez asado el pollo, se trincha, se pone en la fuente donde se vaya a servir y se reserva al calor. Se añade la salsa del pollo (quitándole primero toda la grasa con una cuchara) a la bechamel. Se vierte por encima del pollo. Se adorna la fuente con el arroz blanco salteado con mantequilla y revuelto con los guisantes, y se sirve en seguida.

842.—POLLO GUISADO CON CERVEZA Y CEBOLLAS (6 personas)

1 pollo grande (1¾ kg.),
½ kg. de cebollas,
1 botella de cerveza (1½ vasos de los de agua),
1 vaso (de los de agua) de aceite (sobrará),

1 cucharada (de las de café) de fécula de patata,
1 cucharadita (de las de moka) de extracto de carne (Viandox, Liebig, etc.),
sal.

Se limpia y se prepara el pollo como de costumbre. Se sala por dentro. En una cacerola (o, mejor, una «cocotte») se pone el aceite a calentar. Cuando está caliente, se echa el pollo para que se dore por todos lados. Una vez bien dorado, se retira y se reserva en un plato. Se quita parte del aceite, no dejando más que el necesario para cubrir el fondo de la cacerola. Se pelan y se cortan las cebollas en rodajas finas que, al deshacerse, formen anillas. Se ponen éstas en aceite y se rehogan hasta que se vayan poniendo transparentes (unos 6 minutos). Se vuelve a poner el pollo en la cacerola y se rocía con la cerveza. Se sala ligeramente, se cubre y se deja, una vez que ha roto el hervor, a fuego muy lento durante 1½ horas (más o menos, depende del pollo). Durante este tiempo se volverá el pollo varias veces y cada vez se rociará con la salsa.

Una vez hecho, se saca el pollo, se trincha y se colocan los trozos en la fuente de servir. Se cuela la salsa por un colador grande. La cebolla, una vez separada de la salsa, se coloca alrededor del pollo.

En un tazón se pone la fécula, se deshace con una cucharada sopera de agua fría y se añade a la salsa. Se dará un hervor a ésta de un par de minutos. Ya separada del fuego, se le agrega el jugo de carne, se revuelve bien y se sirve en salsera aparte.

843.—PECHUGAS DE POLLO RELLENAS (6 personas)

6 pechugas deshuesadas (se encuentran ya preparadas en algunas pollerías) y sin piel,
3 lonchas finas de jamón de York (ó 6 pequeñas),
200 gr. de champiñones,
25 gr. de mantequilla,
50 gr. de aceitunas rellenas de pimientos,
2 vasos, no muy llenos (de los de vino), de vino blanco,
el zumo de un limón,
1 cucharada sopera rasada de pan rallado,

1 vaso (de los de agua) lleno de aceite,
1½ pastillas de caldo de pollo,
2 dientes de ajo,
1 cebolla pequeña (50 gr. más o menos),
1 ramita de perejil,
1 cucharada sopera rasada de perejil picado,
1½ vasos (de los de agua) de agua,
1 plato con harina,
sal y pimienta.

Se sazona con sal, y luego con pimienta molida, cada pechuga. Se colocan las medias lonchas de jamón y en el centro un poco de aceitunas rellenas picadas. Se doblan las pechugas y se cierran con uno o dos palillos. Se pone el aceite a calentar y, cuando está en su punto, se pasan las pechugas ligeramente por harina y se fríen de 2 en 2. Se separan en una plato una vez doradas.

Se retira un poco de aceite, no dejando más que lo preciso para freír la cebolla picada, los 2 dientes de ajo cortados en cuatro trozos cada uno y la ramita de perejil. Una vez doradas las cebollas y los ajos, se añade el pan rallado, se dan unas vueltas y se agrega el vino, las pastillas de caldo desmenuzadas y algo de agua. Se da un hervor a la salsa y se pasa por el pasapurés, apurando bien la cebolla.

Se colocan las pechugas en una fuente de barro, cristal o porcelana resistente al fuego y se vierte la salsa encima, añadiéndole el resto del agua para que queden las pechugas casi cubiertas.

Se preparan los champiñones, lavándolos muy bien y cortándolos en láminas más bien finas. Se ponen en un cazo pequeño con la mantequilla y unas gotas de limón. Se hacen así durante unos 5 a 10 minutos.

Se ponen a cocer las pechugas durante 20 minutos. Se prueba entonces la salsa, por si hubiese que añadirle sal (las pastillas ya salan). Pasados unos 15 minutos, se incorpora lo que queda del zumo de limón, el perejil picado y los champiñones con su jugo. Se mezcla bien y se cuece durante 5 minutos más.

Se puede servir con arroz blanco o con picatostes de pan frito adornando la fuente. Este plato se puede preparar unas horas antes y calentarse en el momento de servir.

844.—PECHUGAS DE POLLO ASADAS CON HIGADITOS Y BACON (6 personas)

6 pechugas de pollo deshuesadas (véase receta anterior),
6 higaditos de pollo,
unos pellizcos de hierbas aromáticas,

6 lonchas grandes y finas de
bacon,
60 gr. de manteca de cerdo
(más o menos),
agua y sal.

Se compran las pechugas deshuesadas (y si no se deshuesan en casa). Se les pone sal y un pellizco pequeño de hierbas aromáticas. En el centro de cada pechuga se pone un higadito de pollo, limpio y quitada la hiel. Se enrolla cada pechuga y, una vez enrollada, se pone alrededor una lonchita de bacon. Se atan los rollitos con una cuerda fina. Se unta cada pechuga con un poco de manteca de cerdo. Se enciende el horno unos 5 minutos antes de meter las pechugas. Estas, una vez colocadas en una besuguera, se meten en el horno durante más o menos ¾ de hora, dándoles la vuelta de vez en cuando y rociándolas con su jugo. Una vez hechas, se les quita la cuerda a cada pechuga y se colocan en la fuente donde se servirán.

A la salsa que queda en la besuguera de asar las pechugas, con una cuchara sopera se le quita parte de la grasa y se añaden unas cucharadas de agua caliente. Se da un hervor a la salsa, removiéndola bien, y se vierte por encima de las pechugas.

Se sirven éstas con un acompañamiento de patatas paja o bien con unos tomates al horno con perejil y ajo picado (receta 411).

845.—SUPREMA DE POLLO (4 a 8 personas) (plato frío)

1 pollo de 1½ kg. (ó 4 pechugas),
2 zanahorias grandecitas
(100 gr.),
1 cebolla grande (125 gr.),
agua,
1 pastilla de Avecrem de pollo,
sal.

Suprema:
25 gr. de mantequilla,
1½ cucharadas de harina,
1½ litros de caldo de cocer los
pollos,
2 yemas,
sal,
unas trufas de adorno.

Se pone el pollo (o las pechugas) a cocer en una cacerola, cubierto con agua fría; se añaden las zanahorias peladas, lavadas y cortadas en trozos grandes, la cebolla pelada y cortada en cuatro cascos, el Avecrem y un pellizco muy pequeño de sal. Cuando rompe el hervor, se deja cocer durante ½ hora más o menos, hasta que el pollo esté tierno. Entonces se saca el pollo (o las pechugas), se les quita la piel y se trinchan las pechugas y los muslos y se colocan en una fuente.

Se hace entonces la bechamel. En un cazo se pone la mantequilla a derretir; cuando está (sin que cueza), se añade la harina, se da unas vueltas y poco a poco se añade el caldo de cocer los pollos, que deberá estar templado nada más. Se hace una salsa medianamente espesa y se deja enfriar un poco. Se ponen las 2 yemas en un tazón, se añade un poco de salsa para que no se cuajen y se agrega después a la salsa bechamel. Con ella se cubren los trozos de pollo. Se mete en la nevera y, una vez fríos, se adorna con unas rodajitas de trufa.

Este plato se sirve frío, con lo cual se debe preparar de antemano; esto resulta muy cómodo para una cena fría.

846.—SOPA DE POLLO A LA BELGA. WATERZOOI (8 personas)

½ pata de ternera,
los despojos de un pollo,
1 pollo grandecito ó 2 pequeños (1½ kg.),
1 mata de apio,
2 puerros medianos,
3 zanahorias medianas tiernas (150 gr.),
1 pellizco de hierbas aromáticas (o un ramillete con tomillo, una hoja de laurel y perejil),

5 cucharadas soperas de aceite,
25 gr. de mantequilla,
1 cucharada sopera, más bien colmada, de harina,
2½ litros de agua,
2 yemas,
el zumo de ½ limón,
sal y pimienta molida,
1 plato con rebanaditas de pan frito.

En una olla se pone la pata de ternera chamuscada y bien lavada, los despojos del pollo, 1 puerro entero (quitadas las partes más verdes), ½ mata de apio (lo verde, bien lavado), una zanahoria lavada, raspada y cortada en rodajas, sal y 2½ litros de agua fría. Se pone a cocer todo esto a fuego lento durante unas 2 horas. Pasado este tiempo, se cuela el caldo y se reserva.

Se pica el otro puerro, las zanahorias y el resto del apio y se rehogan en una cacerola honda, donde se habrán puesto 3 cucharadas soperas de aceite a calentar. Se rehogan sin que lleguen a dorarse (unos 5 minutos); se añade el pollo cortado en trozos grandes, se espolvorea con las hierbas aromáticas y un pellizco de pimienta. Se le agrega el caldo reservado y se deja cocer suavemente unos 30 minutos (según sea de duro el pollo).

Pasado este tiempo, en una sartén se calienta la mantequilla y el aceite que queda, se añade la harina, se dan unas vueltas con la cuchara de madera y se añade, poco a poco, caldo de cocer el pollo. Se cuece esta bechamel durante unos 8 minutos y se incorpora al pollo en su cacerola. Se revuelve bien y se cuece unos 10 minutos más.

En un tazón se ponen las 2 yemas con el zumo del ½ limón; muy poco a poco se les agrega un poco de caldo de cocer el pollo. Se echa el pollo con su caldo en la sopera donde se vaya a servir (si hay algún hueso suelto se quita, pues el pollo debe quedar bastante deshecho) y se le revuelven las yemas desleídas. Se sirve en seguida en platos soperos y las rebanaditas de pan frito servidas aparte.

847.—GALLINA EN PEPITORIA (6 personas)

1 gallina de 1½ kg., tierna,
1 vaso (de los de agua) de aceite,
1 vaso (de los de vino) de vino blanco,
1 cebolla mediana (70 gr.),
1 diente de ajo,
1 ramita de perejil,
2 cucharadas soperas de piñones,
15 almendras tostadas y peladas,
2 huevos duros,
unas hebras de azafrán,
1 hoja de laurel,
1 plato con harina,
agua y sal.

Se pone el aceite a calentar en una sartén. Se trincha la gallina en trozos no muy grandes y se reboza cada pedazo en harina. Se refríen en el aceite por tandas y, cuando están bien dorados, se van reservando en un plato. En este mismo aceite se rehoga la cebolla muy picada, el diente de ajo entero, la hoja de laurel; cuando está todo bien dorado, se echan los piñones y se les da unas vueltas. Con la espumadera se saca todo y se echa en el mortero con el azafrán, las almendras, el perejil y la sal. Se machaca todo un poco.

En una cacerola se pone la gallina, se rocía con el aceite de la sartén, se añade el vino blanco, todo lo del mortero y se cubre con agua. Se pone a cocer unas 3 ó 4 horas a fuego lento (según sea de dura la gallina).

En el momento de servir se machacan las 2 yemas de los huevos duros con un tenedor y un poco de salsa de la gallina. Se incorporan a la cacerola, sin que hierva ya la salsa. Las claras se pican muy finas y se mezclan también.

Se sirve en plato hondo con su salsa, y se adorna la fuente con triángulos de pan frito o bien se acompaña con arroz blanco servido aparte.

848.—BLANQUETA DE GALLINA (6 personas)

1 gallina tierna de 1½ kg.,
½ kg. de arroz,
1 cebolla pequeña (50 gr.),
1 hoja de laurel,
2 zanahorias medianas (100 gr.),
3 clavos (especias) clavados en la cebolla,
½ vaso (de los de vino) de vino blanco,
agua fría,
2 yemas de huevo,
el zumo de ½ limón,
1½ cucharadas soperas de harina,
¼ litro de leche fría (un vaso de los de agua),
½ litro de caldo de cocer la gallina,
1 cucharada sopera de perejil picado,
2 cucharadas soperas de aceite fino,
30 gr. de mantequilla,
sal.

Se procede igual que para la blanqueta de ternera (receta 767); lo único que cambia es que la gallina se pone entera y se cuece de 2 a 3 horas, según sea de dura. Una vez cocida y tierna, se trincha y se reservan al calor los trozos en un poco de caldo para que no se sequen.

849.—PECHUGA DE GALLINA RELLENA (6 personas)

1 pechuga de gallina grandecita
(½ kg. más o menos),
¼ kg. de carne de ternera picada,
¼ kg. de carne de cerdo picada,
1 loncha gruesa de jamón serrano (150 gr.),
1 trufa (facultativo),
sal.

Caldo corto:
1 vaso (de los de vino) de vino blanco,
1 ramita de apio (facultativo),
2 zanahorias medianas,
2 puerros medianos,
1 pellizco de hierbas aromáticas
(o un ramillete con tomillo, laurel y perejil),
4 granos de pimienta,
agua y sal.

Se deshuesa la pechuga de gallina; cortando ésta por la pechuga, se tira de los huesos y del caparazón, dejando la gallina sin huesos. Se extiende esta carne encima de un paño limpio, con la piel de la gallina tocando el paño.

En una ensaladera se mezclan las dos carnes y se ponen extendidas encima de la pechuga. Se corta en tiritas finas la loncha de jamón por la parte más estrecha y se colocan por encima de la carne picada todas en el mismo sentido (el más largo de la pechuga). Se pone, por fin, la trufa cortada en láminas finas. Se enrolla la carne primero y después el paño, que se ata por las puntas dándole bonita forma.

En un cazo o una ollita se pone la carne, se cubre de agua fría, se le añade el vino blanco, los puerros (solamente la parte blanca), el apio y las zanahorias raspadas, lavadas y partidas en trozos, el pellizco de hierbas aromáticas, los granos de pimienta y un poco de sal. Se tapa con tapadera y se pone al fuego. Cuando rompe a hervir, se baja éste y se deja cocer unas 2 a 3 horas (contando que la gallina no ha de ser dura). Se saca entonces del caldo y se deja enfriar con algún peso encima para que adquiera bonita forma (el peso no debe ser mucho).

Una vez fría, se trincha como un fiambre y se sirve con gelatina y ensalada aparte.

Nota.—Con el caldo de cocer la pechuga y gelatina en polvo (Maggi o Royal) se hace la gelatina, que se pondrá picada alrededor de la gallina.

Si no se quiere hacer gelatina, se puede utilizar el caldo para una sopa, pues es muy bueno.

PAVO, CAPON, PATO, PICHONES

Se limpia y prepara igual que el pollo (recetas 819 y 820).
Para un pavo de 1½ a 2 kg. = 1 hora 15 minutos de horno.
Para un pavo de 2   a 3 kg. = 1 hora 30 minutos de horno.
Para un pavo de 3   a 5 kg. = 2 a 2½ horas de horno.

850.—MANERA DE QUITAR LOS TENDONES A LOS MUSLOS

Se da un golpe en la coyuntura de la pata (entre la parte amarilla y el nacimiento del muslo), después se destroza dándole vueltas y al final se tira de los 5 ó 6 tendones que hay. Así el muslo se queda mucho más tierno para comer.

851.—PAVO ASADO (8 personas)

A ser posible, es mejor elegir una pava, que suele ser más tierna y sabrosa que el macho.
Un par de días antes de asar el pavo, se le pone en el interior un vasito de coñac (unas 6 a 8 cucharadas soperas). Se mueve de vez en cuando el animal, para que quede bien empapada toda la parte de dentro. Al prepararlo para asar, se vacía el coñac que quede.

1 pava de 2½ kg.,	**75 gr. de manteca de cerdo,**
6 lonchas no muy finas de bacon,	**½ limón,**
	agua y sal.

Se procede igual que para el pollo asado, poniendo 5 lonchas de tocino ahumado envolviendo la pava exteriormente. La última loncha se mete en el interior del animal.
Se suele tapar el pavo con una hoja de papel de barba untada con manteca, o simplemente con una hoja de papel de plata. Esto se hace para que no se dore desde el principio, sino que se ase por dentro primero. Se retira cuando se va a dorar, es decir, en la ½ hora final.
Se asará a fuego mediano durante 1½ horas, y después a fuego más vivo la ½ hora final, dándole varias veces la vuelta y rociándola cada vez muy bien con su jugo.
Para saber si está bien asada, se pincha con un alambre un muslo; si sale jugo rosado, aún está poco asada.
Se trincha, se le quita la grasa a la salsa y se añade agua caliente y un chorrito de zumo de limón. Se rasca muy bien el fondo de la fuente y se sirve la salsa en salsera.

852.—PAVO RELLENO (10 personas)

Para un pavo de unos 4 kg.
6 lonchas de bacon,

100 gr. de manteca de cerdo,
sal.

Relleno 1.º:

½ kg. de salchichas frescas,
100 gr. de bacon,
25 gr. de especias en polvo (nuez moscada, pimienta y sal),
1 huevo más una yema,

2 cucharadas soperas de piñones (20 gr.),
100 gr. de ciruelas pasas (un puñado),
1 vaso (de los de vino) no lleno de jerez seco.

En una ensaladera se mezclan todos los ingredientes. El bacon picado, las ciruelas sin el hueso y cortadas en dos y los huevos batidos como para tortilla.
Se rellena por el cuello y por la parte de abajo, por donde se sacan las tripas. Se cosen los dos agujeros, dejando un trozo de cuerda, de rabo, para poder tirar de él al ir a quitarlo.
Se procede después de relleno igual que para el pavo asado.
Para servirlo, se trinchan las patas y los alones en varios trozos, y las pechugas, una vez separadas, en lonchas; con un cuchillo grande y bien afilado se abre el caparazón, se saca el relleno y éste se pone cortado, en un lado de la fuente, al lado de la carne del pavo. Una vez hecha, se sirve la salsa en salsera aparte.
Nota.—Hay mucha gente que sirve aparte compota de manzana o puré de castañas. Esto va en gustos.

Relleno 2.º:

½ kg. de magro de cerdo,
150 gr. de jamón serrano,
1 lata de foie-gras (125 a 150 gr.),

1 huevo batido como para tortilla,
pimienta,
sal.

En una ensaladera se mezcla todo, una vez picada la carne de cerdo con el jamón, y se procede igual que para el relleno 1.º.

853.—CAPON

Se limpia y se prepara igual que los pollos (recetas 819 y 820), y se asa como el pavo.
Sirven las mismas recetas.

854.—PATO

Para que sea tierno el pato debe ser joven, de unos 4 meses para poderlo asar o guisar.
Se prepara igual que los pollos: se pelan, se chamuscan las pelu-

sillas, etc.; pero, además, se les tiene que quitar dos glándulas que están colocadas a cada lado de la rabadilla.

Se trincha de una manera algo diferente del pollo.

Buscando el encuentro (o coyuntura), se trinchan las patas y los alones igual que el pollo. La pechuga se trincha en filetes, como se puede ver en el dibujo.

Para asar un pato se calculan de 20 a 25 minutos por cada ½ kg.

Hay que tener en cuenta que el pato es un animal que tiene mucha grasa, por lo tanto se le pondrá poca manteca al prepararlo y se suprime el bacon.

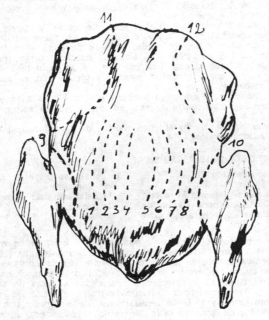

855.—PATO A LA NARANJA (4 a 5 personas)

1 pato de 1½ kg.,
3 naranjas medianas,
50 gr. de manteca de cerdo,
1 cucharada sopera de fécula de patata,
3 naranjas de zumo medianas,
1 vaso (de los de vino) de vino blanco,
1 vaso (de los de agua) de caldo,

2 vasos (de los de agua) de agua,
1 zanahoria grande (50 gr.),
2 o 3 cebollitas francesas (125 gr.),
2 cucharadas soperas de Curaçao (licor),
sal.

Lo primero se cuecen los despojos del pato en 2 vasos de agua fría y sal durante 30 minutos a fuego mediano. Se aparta y se cuela el caldo.

Se flamea y prepara el pato, metiéndole una de las naranjas pelada y cortada en trozos en la tripa. Se sala.

En una cacerola se pone la manteca a derretir. Cuando está derretida, se pone el pato, la zanahoria raspada, lavada y cortada en rodajas y las cebollas peladas y también cortadas en rodajas. Se vuelve por todos lados el pato, para que quede bien dorado.

Se vierte el vino blanco, un vaso (de los de agua) de caldo y el zumo de ½ naranja. Se tapa la cacerola y se cuece a fuego mediano durante una hora.

Pasado este tiempo, se saca el pato. Se vacía la naranja (ésta no se aprovecha) y se cuela la salsa. En un tazón se deslíe la fécula con un par de cucharadas soperas de agua y se le añade el zumo de 1½ naranjas y un trozo de cáscara cortado muy fino para que no lleve blanco. Con una cuchara se le quita a la salsa la grasa que sobre y se le agrega la fécula con el zumo. Se cuece un par de minutos.

Se trincha el pato como va indicado en un dibujo anterior y se sirve con la salsa aparte (a ésta se le retirará, al servir, la corteza).

Se puede adornar la fuente con rodajas de naranjas, con su cáscara, partidas en dos.

Otra receta para la salsa:

1 hígado de pato,
20 gr. de mantequilla,
1 cucharada sopera de aceite,
1 cucharada sopera de harina, el zumo de 2 naranjas grandes,

2 cucharadas soperas de licor de Curaçao,
la salsa de asar el pato (sin la grasa),
agua y sal.

Se fríe un poco el hígado de pato y en el mortero se machaca muy bien. En una sartén se pone un trocito de mantequilla (20 gr.) y una cucharada sopera de aceite; cuando están calientes, se añade una cucharada sopera de harina y el hígado machacado. Se agrega el zumo de 2 naranjas, 2 cucharadas soperas de curaçao, y el jugo de asar el pato, quitándole primero la grasa. Se revuelve todo esto junto, y si fuese necesario se puede agregar una cucharada sopera de agua caliente. Se cuela la salsa por un colador, se prueba de sal y se sirve en salsera aparte.

856.—PATO BRASEADO CON ACEITUNAS (6 personas)

1 pato de 1½ kg. (más o menos),
1 cebolla grande (100 gr.),
2 zanahorias grandes (125 gr.),
1 cucharada bien llena (de las de café) de fécula,
3 ó 4 cucharadas soperas de aceite,
½ litro de caldo (agua con una

pastilla de Gallina Blanca, Starlux, etc.),
1 vaso (de los de vino) de vino blanco,
100 gr. de aceitunas sin hueso,
2 tomates maduros grandes, sal y pimienta,
6 triángulos de pan de molde fritos.

En una cacerola (o, mejor, una «cocotte») se pone el aceite a calentar; cuando está en su punto, se pone el pato ya preparado. Se deja dorar por todos lados, teniendo cuidado de darle la vuelta a menudo, pero con una paleta o dos cucharas para **no pincharlo**. Mientras se va dorando, se añade la cebolla pelada y cortada en trozos y las zanahorias raspadas, lavadas y cortadas en rodajas. Se deja dorar todo lentamente unos 15 minutos. Se añaden entonces los tomates lavados, pelados y cortados en trozos, quitándoles las simientes. Se rehogan con lo demás unos 10 minutos más. Se añade entonces el vino, el caldo, la pimienta y la sal (el caldo sala también, luego hay que salar con cuidado). Se tapa la cacerola y se cuece así lentamente durante una hora. Pasado este tiempo, se saca el pato entero y se reserva al calor. Se pasa la salsa por el pasapurés o el chino.

En un tazón se deslíe la fécula con un poco de salsa para que no haga grumos y se añade a la salsa. Se añaden también las aceitunas, las cuales antes se ponen en un cazo pequeño cubiertas con agua fría y se les da un hervor de 3 minutos. Se escurren, se cortan en 2 ó 3 trocitos y se agregan a la cacerola, así como el pato, que se vuelve a poner en la cacerola.

Se cuece todo unos 10 ó 15 minutos más. Se saca el pato, se trincha y se colocan los trozos en la fuente donde se vayan a servir. Se cubre con la salsa y se sirve la fuente adornada con unos triángulos de pan frito.

857.—PICHONES RELLENOS Y SERVIDOS CON COMPOTA DE MANZANA (6 personas)

3 pichones jóvenes,
12 salchichas corrientes,
5 cucharadas soperas de aceite,
1 vaso (de los de vino) de vino añejo,
1 vaso (de los de agua) de agua,

sal,
½ kg. de manzanas reinetas,
2 cucharadas soperas de azúcar,
3 cucharadas soperas de agua,
1 cucharada sopera de coñac,
sal.

Una vez preparados, vaciados y flameados los pichones, se salan ligeramente. Se rellenan con la carne de las salchichas, a las cuales se les habrá quitado la tripa que las envuelve. Se ponen unos palillos pinchados en la piel del agujero que se ha hecho para vaciar los pichones, con el fin de que no se salga el relleno.

En una cacerola (o, mejor, una «cocotte») se pone el aceite a calentar. Se doran los pichones, volviéndolos varias veces para que se hagan por igual. Una vez dorados, se rocían con el vino y el agua. Se salan ligeramente y se cuecen a fuego mediano durante más o menos 45 minutos, hasta que estén tiernos.

Mientras tanto se va haciendo la compota de manzanas. Se pelan y cortan en 4 trozos las manzanas, quitándoles el corazón con las pepitas. Se cortan entonces en dados de 2 cm. de costado y se rocían con unas 3 cucharadas soperas de agua. Se mezcla bien y se tapa la cacerola, cociéndolas unos 30 minutos a fuego lento. Si entonces no estuviese la compota bien seca, se cuece un poco más destapada y se añade entonces el azúcar. Se calienta en un cazo pequeño el coñac, se prende con una cerilla y se flamea; después se mezcla con la compota (hay quien prefiere la compota pasada por el pasapurés, o así tal cual, esto va en gustos). Esta se reserva al calor.

Cuando los pichones están hechos, se echa la compota en el fondo de la fuente donde se vayan a servir. Encima se colocan los pichones partidos en dos a lo largo (no hay que olvidarse de quitar los palillos) y se pone el relleno alrededor de la fuente, sirviéndose en seguida.

Si se quiere, se puede adornar la fuente con unos triángulos de pan de molde fritos.

858.—PICHONES GUISADOS CON ACEITUNAS (6 personas)

3 pichones tiernos.

Se procede igual que para el pato braseado con aceitunas (receta 856).

Como los pichones son animales más pequeños que un pato, sólo se brasearán 30 minutos. Los 15 minutos después de pasar la salsa serán los mismos.

PICHONES

Sirven algunas recetas de perdiz.
Perdices con uvas (receta 877).
    »   estofadas (receta 879).
    »   en salsa con cáscara de naranja amarga (receta 881).
    »   guisadas con vinagre en caliente (receta 883).
También se hace como el **Pollo asado con limón** (receta 825) y se sirve con un adorno de guisantes.

CONEJOS

Los conejos de monte son más sabrosos que los caseros, porque muchas veces se alimentan de hierbas aromáticas.

859.—CONEJO CON NARANJA (6 a 8 personas)

2 conejos tiernos (1¼ kg. cada uno),
3 naranjas grandes,
6 cucharadas soperas de aceite,
1 cebolla mediana (100 gr.),
1½ vasos (de los de agua) de vino blanco,
1 cucharadita (de las de moka) de hierbas aromáticas, o un ramillete (perejil, laurel, un diente de ajo y tomillo),
1 cucharada sopera colmada de harina,
1 cucharada sopera de perejil picado,
sal.

En una cacerola se pone a calentar el aceite; cuando está en su punto, se echa la cebolla pelada y picada. Cuando ésta se empieza a dorar, se ponen los conejos cortados en trozos; cuando están bien dorados, se espolvorean con la harina, se revuelven bien con una cuchara de madera y se rocía con el vino blanco. Se añaden un par de trozos de corteza de naranja, las hierbas aromáticas y la sal. Se cuece a fuego mediano durante una hora, cubierto con tapadera, y pasado este tiempo se agrega el zumo de 2 naranjas. Se vuelve a tapar y se deja cocer unos 20 minutos más, revolviendo de vez en cuando el guiso.

Se pela la tercera naranja y se corta en rodajas y éstas en dos. Con ella se adorna la fuente, previamente calentada, donde se va a servir el conejo. Se pone el guiso en el centro, se retiran las cortezas de naranja y el ramillete (si lo hay) y se vierte la salsa por encima. Se espolvorea con perejil picado y se sirve en seguida.

860.—GUISO DE CONEJO CON CEBOLLITAS Y CHAMPIÑONES (4 a 5 personas)

1 conejo de 1¼ kg. (sin piel),
¼ kg. de champiñones frescos,
¼ kg. de cebollitas francesas,
1 cebolla pequeña (50 gr.),
1 vaso (de los de agua) de vino blanco,
1½ vasos (de los de agua) de aceite,
½ vasos (de los de agua) de agua,
1 pastilla de caldo (Avecrem, Starlux, etc.),
1 plato con harina,
1 hoja de laurel,
1 ramita de tomillo,
30 gr. de mantequilla,
el zumo de un limón,
sal y pimienta molida.

Se corta el conejo en trozos y la cabeza, una vez quitados los ojos, en dos.

En una cacerola se pone el aceite a calentar. Se pasan los trozos de conejo de uno en uno por harina y se doran en el aceite. Se van separando en un plato. Se quita un poco de aceite, dejando el fondo de la cacerola solamente cubierto. Se pela y se pica la cebolla muy fina, y se dora. Una vez dorada (unos 8 minutos), se añade el conejo. Se vierte el vino, se da unas vueltas con una cuchara de madera, se añade el agua, el laurel, el tomillo y el caldito deshecho en un poco de agua caliente. Se echa un poco de sal (el caldito ya sala la salsa) y pimienta. Se tapa la cacerola y, a fuego lento, se cuece ¾ de hora más o menos.

Mientras tanto se ponen las cebollitas a cocer aparte (peladas y enteras), con un poco de agua que justo las cubra y la mitad de la mantequilla, unos 10 minutos.

Se lavan y se cortan los champiñones y se ponen a cocer en un cazo pequeño con la otra mitad de la mantequilla y unas gotas de zumo de limón, también durante unos 10 minutos.

Se añaden entonces al conejo los champiñones con todo su jugo y las cebollas, escurridas. Se cuece otro ¼ de hora, revolviendo todo junto. Se prueba de sal (se añade si hiciese falta) y en el momento de servir se rocía con el resto del zumo de limón. Se sirve con su salsa en una fuente honda, adornada, si se quiere, con picatostes.

861.—CONEJO CON SALSA DE HIGADITOS, PIÑONES Y PIMIENTOS (6 personas)

1 conejo grande ó 2 pequeños (trinchado),
100 gr. de tocino veteado,
4 cucharadas soperas de aceite,
1 cebolla pequeña (50 gr.) picada,
4 tomates medianos,
30 gr. de piñones,
2 higaditos (de pollo si no se tienen de conejo),
1 lata pequeña de pimientos colorados (100 gr.),
1 buen pellizco de hierbas aromáticas,
1 vaso (de los de agua) con mitad vino blanco y mitad agua,
sal,
1 cucharada sopera de perejil picado,
sal.

En una cacerola se pone el aceite a calentar; cuando está caliente, se refríe el tocino cortado en dados y la cebolla. Cuando se les ha dado unas vueltas, se añaden los trozos de conejo y, moviéndolos con una cuchara de madera, se les deja dorar ligeramente. Se agregan los tomates pelados, cortados y quitadas las simientes, se sazona con la sal y las hierbas y se echan casi todos los piñones (reservando unos pocos). Se rocía con el vaso de agua y vino y se añaden entonces los higaditos. Se cubre la cacerola con una tapadera y se deja a fuego mediano más o menos una hora (siendo el conejo tierno; un poco más si hiciese falta, sin que se deshagan los trozos). Un poco antes de servir se ponen en el mortero y se machacan los higaditos crudos (pero teniendo buen cuidado de quitarles la bolsita de la hiel) con los piñones reservados y un trocito de pimiento, y se incorpora esta pasta a la salsa.

Se pone el resto del pimiento cortado en tiras finas y se espolvorea el perejil picado. Se da una vuelta a todo con una cuchara de madera y se sirve bien caliente en una fuente.

862.—CONEJO GUISADO CON CEBOLLITAS, TOMATES Y ZANAHORIAS (6 a 8 personas)

2 conejos pequeños de 1¼ kg. cada uno,
100 gr. de tocino veteado,
6 cucharadas soperas de aceite,
3 ó 4 tomates maduros grandes (400 gr.),
8 cebollitas francesas,
3 zanahorias tiernas medianas (125 gr.),
1 lata pequeña de pimientos colorados (100 gr.),
1 nuez de mantequilla (15 gr.),
½ vaso (de los de agua) de vino blanco,
½ vaso (de los de agua) de agua,
1 cucharadita (de las de moka) de hierbas aromáticas (rasada), o un ramillete: perejil, laurel, tomillo y un diente de ajo,
sal.

Se trinchan los conejos. En una cacerola se pone el aceite a calentar; cuando está en su punto, se rehogan bien los trozos de conejo. Se les añade el tocino cortado en dados, los tomates pelados y cortados en cuatro (quitándoles la simiente) y las zanahorias raspadas, lavadas y cortadas en rodajas finas. Se sazona con sal y las hierbas aromáticas. Se mueve bien todo con una cuchara de madera y se rocía con el vino y el agua. Se cubre con una tapadera la cacerola y se hace a fuego lento en cuanto ha roto a hervir. Si los conejos son tiernos, una hora más o menos; pero cuidando de que no queden deshechos.

Aparte, en un cazo pequeño, se cuecen las cebollitas, previamente peladas; para ello se cubren con agua fría y se pone la mantequilla y sal. Se cuecen durante unos 15 a 20 minutos.

Cuando el conejo está tierno, se le agregan las cebollitas escurridas y el pimiento cortado en tiras finas. Se da una vuelta con una cuchara de madera y se sirve en seguida en una fuente. Se puede adornar ésta con triángulos de pan de molde fritos, si se quiere.

863.—CONEJO GUISADO CON VINO BLANCO (6 a 8 personas)

2 conejos de 1¼ kg. cada uno (cortados en trozos),
1 cebolla mediana (100 gr.),
8 cucharadas soperas de aceite,
1 cucharada sopera de harina,
1 vaso (de los de vino) de vino blanco seco,
½ vaso (de los de agua) de agua,
1 cucharadita (de las de moka) de hierbas aromáticas,
1 cucharada sopera de perejil picado,
sal.

En una cacerola se pone a calentar el aceite; cuando está en su punto, se echa la cebolla muy picada. Cuando empieza a ponerse transparente (unos 5 minutos), se echan los trozos de conejo hasta que queden bien doraditos (unos 15 minutos más o menos). Se espolvorea la cucharada de harina, se mueven bien los trozos con una cuchara de madera y se vierte el vino blanco y el agua; se sala y se espolvorean las hierbas aromáticas. Se cubre la cacerola y se deja a fuego mediano, más bien lento, para que cueza despacio durante unos 45 minutos. Si el conejo es tierno, debe estar en su punto (si no, se cuece algo más).

Se sirve en una fuente espolvoreando el conejo con perejil y con la salsa por encima.

Se puede acompañar con una guarnición de puré de patatas o unos coditos cocidos con agua y sal y rehogados con un poco de mantequilla y queso rallado.

864.—GUISO DE CONEJO CON ACEITUNAS Y ALMENDRAS (4 personas)

1 conejo tierno de 1¼ kg.,
5 cucharadas soperas de aceite,
1 plato con harina,
1 cebolla grande (125 gr.),
100 gr. de aceitunas sin hueso,
1 vaso (de los de vino) de vino blanco,
3 dientes de ajo,
50 gr. de almendras tostadas,
agua,
sal y pimienta.

Se trincha el conejo en trozos, se salan y se pasan por harina.

En una cacerola se pone el aceite a calentar; cuando está caliente, se fríen los trozos por tandas hasta que estén dorados y se van reservando en un plato. En el aceite de freírlo se rehogan 2 dientes de ajo, pelados y dando un golpe con el mango de un cuchillo. Una vez bien dorados, se retiran. Se echa entonces la cebolla pelada y muy picada, se deja dorar ligeramente (unos 8 minutos), se vuelven a poner los trozos de conejo y se rocían con el vino. Se deja unos 10 minutos para que se consuma un poco el vino y se añade la pimienta molida y el agua templada, la justa para que cubra el conejo. Se tapa la cacerola y a fuego mediano, más bien lento, se deja hasta que el conejo esté tierno, sin estar deshecho (unos 45 minutos).

Mientras tanto se ponen las aceitunas en un cazo con agua fría, se cuecen unos 3 minutos, se escurren bien y se secan con un paño limpio. Se cortan en dos o tres a lo ancho y se agregan al conejo.

En el mortero se machacan las almendras (sin piel) con el diente de ajo y se agrega también al guiso. Se revuelve todo bien. Estas dos cosas, es decir, las aceitunas y el ajo con las almendras, se añaden unos 15 minutos antes de terminar de cocer el guiso.

Se sirve en una fuente con la salsa por encima y adornada ésta con bolas de puré de patatas.

865.—TRASERO DE CONEJO ASADO CON MOSTAZA
(6 personas)

1 conejo grande y tierno (de 2 kg.) ó 2 pequeños, mostaza (Louit),	ka) de hierbas aromáticas (o 2 ó 3 ramitas de tomillo),
2 cebollas medianas (150 gr.),	4 ó 5 cucharadas soperas de agua hirviendo,
100 gr. de tocino veteado,	¼ litro de crema líquida,
4 cucharadas de aceite,	1 cucharada sopera de harina,
1 cucharadita (de las de mo-	sal.

Abrir bien las patas traseras del conejo para que quede bien plano y cortar toda la parte delantera, es decir, después de las patas delanteras. Esta parte, que comprende patas y cabeza, no se utiliza.

Una vez vaciado el conejo de hígado, riñones, etc., se sala y se unta bien con mostaza.

En una besuguera o fuente honda de barro o porcelana resistente al horno se cubre el fondo con el aceite, se posa el trasero del conejo con la parte interior del mismo tocando la fuente. Todo alrededor del conejo y muy cerca de él se ponen las cebollas peladas y picadas en trozos grandes y el tocino en cuadraditos. Se espolvorea con las hierbas aromáticas (o se posan las ramitas de tomillo encima del lomo) y se mete a horno bastante fuerte y previamente calentado 10 minutos. Se asa durante 45 minutos, rociándolo de vez en cuando con el jugo y las cucharadas de agua, que se irán añadiendo poco a poco. Después de pasado este tiempo, se agrega algo menos de la mitad de la crema, se baja el fuego y se tiene otros 10 minutos más.

En un tazón se pone la harina y se mezcla con el resto de la crema. Se trincha el conejo y se pone en la fuente de servir, formando con los trozos el mismo trasero que antes de trinchar. Se cuela la salsa de asar el conejo, se mezcla con lo del tazón, se calienta con cuidado para que no sepa a harina cruda sin dejar de mover con una cuchara de madera. Se rocía la carne y se sirve.

866.—GUISO DE CONEJO CON SALSA DE SANGRE. CIVET.

(Véase la receta 868)

867.—CONEJO ESCABECHADO (4 a 5 personas)

1 conejo tierno de 1¼ kg. (sin piel),
1 vaso (de los de agua) de aceite,
3 dientes de ajo,
2 hojas de laurel,

6 granos de pimienta,
1 vaso (de los de vino) de buen vinagre de vino,
agua fría,
sal.

Se trincha el conejo. En una sartén se pone el aceite a calentar y se doran los trozos por tandas. A medida que están dorados, se ponen en una cacerola. Se deja en la sartén un fondo de aceite (unas 5 ó 6 cucharadas soperas); se rehogan los dientes de ajo pelados, las hojas de laurel y los granos de pimienta. Se separa la sartén del fuego y se añade el vinagre y el agua. Se revuelve todo junto y se vierte por encima del conejo. Si el caldo del escabeche no cubriese el conejo, se añadiría un poco más de agua. Se echa sal, se tapa la cacerola y se cuece a fuego lento hasta que el conejo esté tierno, es decir, una hora más o menos. Se puede servir caliente o frío.

LIEBRES

868.—GUISO DE LIEBRE CON SALSA DE SANGRE. CIVET (6 personas)

1 liebre joven de 1½ a 2 kg. sin piel.

Adobo:
1 cebolla mediana (100 gr.),
2 zanahorias pequeñas (100 gr.),
1 ramita de tomillo,
1 hoja de laurel,
2 clavos (de especias),
2 dientes de ajo,
1 litro de vino tinto bueno,
  sal y 6 granos de pimienta.
Guiso:
150 gr. de tocino con poca veta,
  1 cebolla mediana (100 gr.),

2 cucharadas soperas de harina,
1 vaso (de los de agua) de caldo (o agua y una pastilla de caldo de Gallina Blanca, Starlux, etc.),
2 cucharadas soperas de vinagre,
sal,
unos triángulos de pan frito.

Para que el civet sea bueno, la liebre tiene que ser joven, tiene que tener sangre y hay que conservar el hígado, quitándole con mucho cuidado la bolsita de hiel.

Para recoger bien la sangre, se pone el vinagre en la tripa y se recoge así toda la sangre arrastrada, con cuajos y todo, en un tazón. Se reserva en sitio fresco.

La noche antes de hacer el civet se trincha la liebre en trozos medianos, se ponen en una cazuela de porcelana o barro. Se sazona con sal y pimienta. Se corta una cebolla en trozos grandes, las zanahorias se raspan y se lavan y se cortan en 4 trozos y se ponen con la liebre, así como los 2 dientes de ajo pelados. Se añade el tomillo y el laurel y se rocía todo con el vino tinto (que ha de ser de buena clase). Se tapa la cacerola y se deja en sitio fresco (pero no en nevera). Se procura mover unas 3 ó 4 veces.

Cuando se va a guisar la liebre, se pone el tocino cortado en dados en una cacerola o, mejor, una «cocotte»; se calienta y, cuando está la grasa bien derretida, con una espumadera se quitan los trocitos de tocino ya rehogados, no dejando más que la grasa. Se doran los trozos de liebre escurridos y se reservan en un plato sopero. Se pone la cebolla pelada y picada a dorar unos 8 minutos; cuando empieza a tomar color, se añade la harina y se dan unas vueltas; se vuelven a poner los trozos de liebre y se cubren con el vino del adobo colado. Se recogen el tomillo, el laurel y el ajo, que se atan juntos, añadiéndolos a la liebre. Se pone a cocer y, al romper el hervor, se deja a fuego mediano unas dos horas. Se revuelve de vez en cuando y se va añadiendo poco a poco el caldo, según haga falta. Si la salsa se ve clarita, se destapa el guiso para que se consuma un poco. Poco antes de ir a servir la liebre, se machaca el hígado crudo en el mortero, se le añade una vez hecho puré la sangre con el vinagre y en el mismo mortero se ponen unas cucharadas soperas de salsa para que se deshaga; después se añade todo lo del mortero a la salsa. Se revuelve, se quita el ramillete y se sirve en fuente honda con la salsa por encima y con los triángulos de pan frito alrededor.

Nota.—Este guiso está mejor recalentado, con lo cual se guardará algo de caldo, por si la salsa está espesa. El hígado y la sangre se pondrán sólo en el momento de servir.

869.—GUISO DE LIEBRE ADOBADA (6 personas)

1 liebre de 1½ kg.,
2 cebollas medianas (200 gr.),
½ litro de vino blanco,
½ litro de caldo (o agua con una pastilla de Avecrem, Starlux, etc.),
2 cucharadas soperas de vinagre,
200 gr de tocino veteado,
5 cucharadas soperas de aceite,
1 plato con harina,
1 ramillete (una hoja de laurel, 2 ramitas de perejil, una ramita de tomillo, un diente de ajo),
1 cucharada sopera de perejil picado,
sal y pimienta.

La noche anterior de ir a guisar la liebre se prepara como sigue:
Se corta la liebre en trozos y se ponen en un cacharro de barro o

cristal. Se sazona con sal y pimienta, se pela y se corta en 4 una de las cebollas, se pone el ramillete, el vinagre y se rocía con el vino. Se saltea (en crudo) todo esto varias veces para que quede la liebre bien impregnada. (Tiene que estar unas 12 horas). Al ir a guisar la liebre, se sacan los trozos y se escurren muy bien. En una cacerola se pone el aceite a calentar y se le añade el tocino cortado en cuadraditos pequeños y la cebolla picada menuda. Se rehoga todo esto hasta que empieza a dorar (pero sólo empezar), unos 7 minutos. Se pasan los trozos de liebre muy ligeramente por la harina y se sacuden bien; se ponen en la cacerola. Con una cuchara de madera se les da unas vueltas, después se añade poco a poco el vino del adobo con todos los ingredientes y, pasados unos 5 minutos, el caldo.

Se cubre la cacerola con un papel de estraza o un paño limpio y se cierra muy bien con la tapadera encima del papel. Se cuece a fuego lento durante 1½ a 2 horas, sacudiendo de vez en cuando la cacerola para revolver la liebre con la salsa.

Para servir, se presenta en un plato hondo con su salsa por encima. Se espolvorea con el perejil picado, sacando entonces el ramillete, que se tira. Se adorna con unos triángulos de pan frito, o bien con unos coditos cocidos aparte y salteados con queso rallado y mantequilla, éstos servidos en fuente aparte.

870.—TRASERO DE LIEBRE ASADO CON MOSTAZA

(Véase la receta 865)

PERDICES

871.—MANERA DE CONOCER Y PREPARAR LAS PERDICES

Son más sabrosas las hembras de perdiz que los machos. Estos se conocen porque tienen un botón en la pata.

Se conoce que una perdiz es tierna si la parte de abajo del pico es blanda.

La perdiz se pela tirando de las plumas, que suelen ser fáciles de arrancar. Se agarra la perdiz por las patas y se tira de las plumas empezando por el trasero. Se corta la piel cerca del trasero y se sacan por allí las tripas. Al hígado hay que quitarle la hiel.

Después se chamuscan los pelos que quedan con una llama de gas o quemando un algodón mojado en alcohol y prendido con una cerilla.

Se cortan las patas. El cuello se corta hacia la mitad, de largo; se tira de la piel hacia los hombros del animal y se corta entonces el cuello a ras de los hombros. Se junta la piel, que se cose o se sujeta con un palillo.

Si se quieren lavar, se tendrán que secar muy bien después con un paño limpio.

872.—PERDICES CON SETAS (4 personas)

2 perdices jóvenes y tiernas,
½ kg. de setas (100 gr. para el relleno y 400 gr. para adorno).

Relleno:
1 miga de pan del grosor de un huevo,
1 vaso (no lleno), de los de vino, de leche caliente,
los hígados de las perdices,
7 cucharadas soperas de aceite,

1 cucharada (de las de café) de perejil picado,
1 chalote pequeña picada,
½ vaso (de los de vino) de coñac,
1 vaso (de los de vino) de agua templada,
1 pellizco de hierbas aromáticas, o un ramillete (tomillo, laurel, perejil y un diente de ajo),
sal.

Se arreglan las perdices. Se prepara el relleno, calentando la leche y poniendo dentro la miga de pan en remojo. En una sartén pequeña se ponen a calentar 2 cucharadas soperas de aceite; cuando están calientes, se echan los 100 gr. de setas (previamente lavadas y picadas), se les dan unas vueltas y se añaden los hígados. Cuando éstos están fritos (unos 5 minutos), se separa la sartén del fuego y se machacan bien los hígados en la misma sartén con un tenedor. Se agrega la miga de pan (un poco escurrida para quitarle la leche sobrante), la chalote muy picada y el perejil. Se mezcla todo muy bien. Se salan un poco las perdices por dentro y se les pone el relleno, cosiendo el agujero de la tripa por donde se han rellenado para que no se salga éste.
En una cacerola se ponen a calentar las 5 cucharadas de aceite que quedan; se colocan las perdices. En un cazo pequeño se calienta el coñac y, prendiéndolo con una cerilla, se flamean las perdices.
Se colocan las demás setas (lavadas y cortadas en trozos grandes) alrededor de las perdices y se sala el conjunto. Se vierte el agua y se espolvorea el pellizco de hierbas aromáticas. Se mete la cacerola tapada a horno mediano durante unos 25 minutos, y después a horno más fuerte durante otros 15 minutos, destapada, moviendo la cacerola y volviendo de vez en cuando las perdices para que se doren.
Una vez en su punto, se sacan las perdices, se cortan en dos a lo largo, repartiendo el relleno, y se sirven en una fuente con las setas alrededor. La fuente estará caliente, para que no se enfríe el guiso al ir a servirlo.

873.—PERDICES CON CHOCOLATE (4 personas)

2 perdices jóvenes y tiernas,
1 vaso (de los de vino) de aceite,
1½ vasos (de los de vino) de vino blanco,
2 vasos (de los de vino) de agua,

1 cebolla grande (250 gr.),
1 hoja de laurel,
3 onzas de chocolate (Louit, etcétera),
sal.

Una vez arregladas y saladas las perdices, se les atan las patas. Se pone el aceite a calentar en una cacerola o, mejor, una «cocotte». Cuando está caliente, se ponen las perdices y se doran por todos lados. Después de doradas, se sacan y se reservan en un plato. En este mismo aceite se echa la cebolla pelada y picada muy menuda. Se dan vueltas hasta que se ponga transparente (unos 6 minutos, más o menos). Se vuelven a poner las perdices en la cacerola y se rocían con el vino y un vaso de agua. Se echa el laurel y un poco de sal en la salsa. Se cubre la cacerola y a fuego muy lento se van haciendo, dándoles la vuelta de vez en cuando.

Si son tiernas, en una hora estarán hechas, pero esto depende de las perdices; se pinchan para saber si están en su punto; quizá haya que añadirles entonces un poco más de agua caliente, si se tienen que cocer más tiempo.

Una vez hechas, se reservan al calor muy suave y 15 minutos antes de ir a servirlas se agrega el chocolate rallado fino, se revuelve con la salsa y se incorpora el 2.° vaso de agua (caliente esta vez) en dos o tres veces.

Se sacan las perdices, se les quita la cuerda y se trinchan en dos a lo largo. Se ponen en la fuente donde se vayan a servir y se cubren con su salsa bien caliente. Se puede adornar la fuente con unos triángulos de pan de molde fritos.

874.—PERDICES CON SALCHICHAS Y ZANAHORIAS
(6 personas)

3 perdices tiernas,
9 salchichas corrientes (de carnicería),
½ kg. de zanahorias,
1 cebolla grande (150 gr.),
1 vaso (de los de vino) de aceite,
1 vaso (de los de agua) de vino blanco,
2 vasos (de los de agua) de agua,
1 hoja de laurel,
sal.

Una vez preparadas las perdices, se salan y se rellenan cada una con una salchicha. Las otras dos salchichas se cortan de manera que queden abiertas como un libro y se aplican una en la pechuga y otra en el dorso de cada perdiz. Se atan con una cuerda las perdices con sus salchichas.

En una cacerola (o, mejor, «cocotte») se pone el aceite a calentar. Cuando está en su punto, se doran bien las perdices por todos lados, se sacan y se reservan en un plato.

Se echa la cebolla pelada y picada, se deja dorar ligeramente (unos 8 minutos), se agregan las zanahorias peladas, lavadas y cortadas en rodajas gruesas. Se rehogan unos 5 minutos, se vuelven a poner las perdices y se rocían con el vino y el agua. Se les añade una hoja de laurel. Cuando rompe el hervor del líquido, se cubre la cacerola y se dejan a fuego lento más o menos dos horas, hasta que estén tiernas (se pinchan con un tenedor para saberlo).

Se separan las perdices en un plato, se les quitan las cuerdas y las salchichas de fuera y se pasa por la batidora toda la salsa con las salchichas y las zanahorias. Se vuelve a poner la salsa en la cacerola y se reserva hasta el momento de servirla. Se trincha en dos cada perdiz, se ponen en la fuente de servir. Las salchichas que llevaban dentro se cortan en dos y se ponen de adorno. Se puede adornar la fuente con montoncitos de coles de Bruselas cocidas y rehogadas con mantequilla (½ kg.), alternando con cebollitas francesas (½ kg.), también cocidas y luego rehogadas con aceite para que se doren un poco.

También se puede adornar la fuente con patatas paja o lo que más guste.

875.—PERDICES RELLENAS DE PASAS Y GUISADAS CON LECHE (4 personas)

2 perdices medianas y tiernas,
100 gr. de uvas pasas,
5 cucharadas soperas de aceite,
1 cebolla mediana (125 gr.),
1½ cucharadas soperas de harina (rasada),

3 cucharadas soperas de coñac,
½ litro de leche (más o menos),
pimienta negra molida,
sal.

Se preparan las perdices. Una vez preparadas y saladas por dentro, se rellenan con las pasas. Se pone un palillo en la piel del trasero para que no se salgan.

En una cacerola se pone el aceite a calentar y se rehogan las perdices hasta que estén doradas. Se sacan y se reservan en un plato. Se pone la cebolla pelada y picada a dorar. Cuando se pone transparente (unos 5 minutos), se espolvorea con la harina, se da unas vueltas con una cuchara de madera hasta que esté dorada.

Mientras tanto se calienta el coñac en un cazo pequeño, se prende con una cerilla y se flamean bien las perdices en el plato. Una vez flameadas, se ponen en la cacerola con el coñac y se cubren con leche templada. Se sala y se pone un buen pellizco de pimienta. Se cuece a fuego lento en cuanto ha roto el hervor y se dejan así tapadas una hora (según sean de tiernas las perdices).

Pasado este tiempo, se sacan las perdices, se trinchan en dos a lo largo y se ponen en la fuente donde se vayan a servir. Se adornan con las pasas y se vierte la salsa por encima, pasándola por un chino o un pasapurés. Se puede servir de adorno unas bolas de puré de patatas.

876.—PERDIZ CON SALSA DE CREMA (4 personas)

2 perdices pequeñas y tiernas,
1 cebolla mediana (125 gr.),
4 cucharadas soperas de aceite,
1 vaso (de los de vino) de agua,
½ vaso (de los de vino) de vino blanco,
½ cucharadita (de las de moka) de extracto de carne (Bovril, Liebig, etc.),
¼ litro de nata líquida,
1 cucharada (de las de café) de fécula de patata,
zumo de ½ limón,
1 pellizco de hierbas aromáticas (o un ramillete con laurel, tomillo y perejil),
pimienta molida y sal.

Una vez preparadas las perdices, se salan por dentro. En una cacerola se pone el aceite a calentar y se ponen las perdices y la cebolla pelada y picada en trozos grandes. Se deja dorar, volviendo las perdices para que se doren por todos lados. Cuando están doradas, se rocían el agua y el vino. Se salan ligeramente y se les echa pimienta y el ramillete o pellizco de hierbas. Se tapa la cacerola y se dejan cocer, a fuego lento, más o menos una hora (hasta que estén tiernas). Cuando están, se retiran de la salsa, se cortan en dos a lo largo y se colocan en la fuente donde se van a servir. Esta se reserva en sitio caliente.
Se cuela la salsa por el chino y se le agrega el extracto de carne. En una taza se deshace la fécula con una cucharada sopera de agua fría y el zumo del limón y se añade un poco de salsa; dando vueltas con una cuchara se echa todo lo de la taza en la salsa. Se añade entonces la crema y se calienta bien, con mucho cuidado de no dejar cocer la salsa para que no se corte. Se vierte por encima de las perdices y se sirve.
Se puede adornar la fuente con triángulos de pan de molde fritos o con coles de Bruselas cocidas y rehogadas con mantequilla.

877.—PERDICES CON UVAS (6 personas)

3 perdices más bien pequeñas y tiernas,
45 gr. de manteca de cerdo,
3 cucharadas soperas de aceite,
1 vaso (de los de vino) de vino blanco,
1 vaso (de los de vino) de agua,
400 gr. de uvas blancas,
3 cucharadas soperas de coñac,
sal y pimienta.

Una vez preparadas las perdices, se salan en el interior, se untan con un poco de manteca y se salan por fuera, metiendo en el interior de cada una un puñadito de uvas peladas.
En una cacerola (o, mejor, una «cocotte») se pone el aceite a calentar, se añaden entonces las perdices, se doran por todos lados, volviéndolas con cuidado de no pincharlas. Una vez doradas, se rocían con el vino, se espolvorean con pimienta, se tapa la cacerola y, a fuego más bien lento, se dejan una hora (más o menos, según sean de tiernas), volviéndolas de vez en cuando.
Mientras tanto se pelan las demás uvas.

Cuando las perdices están tiernas, se les ponen las uvas alrededor.
En un cazo pequeño se calienta el coñac, se prende con una cerilla y, una vez prendido, se rocía con él las perdices, procurando que el coñac se queme lo más posible. Se vuelve a tapar la cacerola y se deja otros 5 minutos a fuego mediano.
Se sirven las perdices partidas en dos a lo largo, con las uvas alrededor y la salsa por encima.
Si la salsa fuese un poco escasa, se le puede agregar unas cucharadas soperas de agua muy caliente, revolviendo bien la salsa antes de servirla.

878.—PERDICES CON MELON

Se prepara exactamente igual que las perdices con uvas, pero sustituyendo las uvas por dados de melón.
Los dados deben ser de 2×2 cm., es decir, grandecitos.
El melón debe ser bueno, dulce y bien maduro.

879.—PERDICES ESTOFADAS (4 personas)

1.ª receta:

2 perdices tiernas,
1 vaso (de los de vino) bien lleno de aceite,
1 vaso (de los de vino) bien lleno de vino blanco,
1 cebolla grande (200 gr.),
1 tomate pequeño (100 gr.),
20 gr. de mantequilla (una nuez), pimienta molida, canela en polvo, nuez moscada rallada, orégano,
½ cucharadita (de las de moka) de pimentón,
1 cucharadita (de las de moka) de mostaza,
1 vaso (de los de vino) de aceite para freir el pan (sobrará),
1 rebanada de pan frito,
1 cucharada sopera de vinagre,
2 dientes de ajo grandes, sal.

Se preparan las perdices. En un mortero se machacan los dientes de ajo pelalos con la sal. Con esto se untan las perdices por dentro y por fuera. Se ponen en una cacerola y se les añade en crudo el aceite, el vino, la mantequilla, la cebolla pelada y picada, el tomate entero (lavado y secado) y la mostaza; la canela, la nuez moscada, la pimienta y el orégano (de cada cosa un pellizquito). Después se añade el pimentón. Se tapa la cacerola y se pone a fuego lento, dándoles a las perdices la vuelta de vez en cuando. Después de una hora de estarse guisando, se fríe una rebanada de pan; al estar dorada, se retira del aceite y caliente aún se rocía con el vinagre. Se mete a cocer con las perdices más o menos durante otra hora. Este tiempo depende de lo duras que sean las perdices, teniendo que vigilar: si una es más tierna, se sacará antes que la otra y se reservará al calor.
Se sacan, se trinchan en dos o cuatro partes, se pasa la salsa, con el pan y la cebolla, por el chino o el pasapurés y se vierte por encima de las perdices.
Se pueden adornar con cebollitas francesas cocidas aparte (véase receta 324) o triángulos de pan frito.

2.ª receta:

2 perdices medianas,
1 vaso (de los de agua) de vino blanco,
1 vaso (de los de agua) de aceite,
1 vaso (de los de agua) de agua,
1 ramillete con una ramita de tomillo, 2 hojas de laurel, 2 ramitas de perejil,

1 cabeza pequeña de ajos,
12 cebollitas francesas,
20 gr. de mantequilla,
1 cucharadita (de las de moka) de azúcar,
agua,
sal,
8 triángulos de pan de molde fritos.

Se preparan las perdices.

En una cacerola (o, mejor, «cocotte») se pone todo en crudo: las perdices (saladas por dentro), el vino, el aceite, el agua, el ramillete, la cabeza de ajos, 4 cebollitas peladas y enteras y sal.

Se tapa la cacerola y, a fuego lento, se dejan más o menos durante unas 2 horas (hasta que estén tiernas).

En un cazo aparte se ponen las 8 cebollitas sobrantes con agua (que justo las cubra), sal, azúcar y la mantequilla. Se cuecen durante unos 20 minutos y se reservan.

Se sacan entonces las perdices, se trinchan en cuatro y se ponen en la fuente donde se vayan a servir. Esta se adorna con el pan frito, se ponen las cebollitas reservadas alrededor y la salsa por encima de las perdices. Se sirven bien calientes.

880.—PERDICES ESTOFADAS Y ENVUELTAS EN REPO-LLO (6 personas)

2 perdices medianas,
1 vaso (de los de agua) de vino blanco,
1 vaso (de los de agua) de aceite,
1 vaso (de los de agua) de agua,
1 ramillete (un diente de ajo, una hoja de laurel, 2 ramitas de perejil, una de tomillo),
2 tomates medianos maduros,
1 cebolla mediana,

6 a 12 hojas de repollo francés,
agua,
1½ cucharadas soperas de harina,
20 gr. de mantequilla,
2 cucharadas soperas de aceite,
1 vaso (de los de agua) de leche fría (¼ litro),
100 gr. de queso rallado,
sal.

Se limpian y se preparan las perdices.

En una cacerola (o, mejor, una «cocotte») se pone todo en crudo: las perdices, saladas ligeramente por dentro, el vino, el aceite, el agua, el ramillete, la cebolla (partida en cuatro), los tomates (lavados, cortados en cuatro y quitadas las simientes) y la sal. Se cubre la cacerola y, a fuego más bien lento, se cuecen más o menos durante 2 horas (este tiempo depende de lo duras que estén las perdices).

Mientras se van haciendo las perdices, se lavan las hojas enteras de repollo (deben ser las hojas de fuera para que sean grandes). Se

pone en una olla agua abundante con sal y cuando hierve a borbotones se sumergen las hojas de repollo; se tapa la olla y se
cuecen más o menos 30 minutos. Pasado este tiempo, se escurren
y se reservan.
Una vez cocidas las perdices, se sacan, se trinchan las dos patas
y las dos pechugas (como si fuesen pollos asados). Se les quitan los huesos, dejando los trozos de carne lo más grandes posibles. Se reparte la carne en las 12 hojas de repollo (o en 6 si
se prefieren los paquetes como de ración). Se doblan las hojas,
formando un paquete. Se van colocando en una fuente de cristal
o porcelana resistente al horno. Se pasa la salsa por el chino y
se reserva.
En una sartén se calienta la mantequilla y el aceite, se les añade
la harina, se dan unas vueltas y, poco a poco, se agrega la leche
fría. Se hace una bechamel que se cuece unos 6 minutos. Se le
agrega entonces como ½ vaso (de los de agua) de salsa. Se
mezcla bien, se cuece todo unos 5 minutos, se rectifica de sal
y se vierte por encima de los paquetes de repollo y perdiz. Se
espolvorea con queso rallado y se mete al horno a gratinar. Cuando está bien dorada la bechamel, se sirve en la misma fuente.

881.—PERDICES EN SALSA CON CASCARA DE NARAN-
JA AMARGA (4 personas)

2 perdices medianas,
5 cucharadas soperas de aceite,
2 cebollas grandes (250 gr.),
1 vaso (de los de vino) de vino blanco,
1 pastilla de caldo de pollo (Starlux, Gallina Blanca, etc.),
1 cucharada sopera colmada de harina,
el zumo de una naranja co-rriente,
2 cáscaras de naranja amarga,
agua y sal.

Se limpian y preparan las perdices. En una cacerola (o, mejor,
una «cocotte») se pone el aceite a calentar. Cuando está caliente,
se ponen las perdices a dorar. Una vez doradas por todos lados, se
sacan y se reservan en un plato. Se pelan y se pican las cebollas,
se ponen en la cacerola y con una cuchara de madera se les dan
vueltas hasta que empiezan a dorarse; se echa entonces la harina y también se revuelve durante unos 5 minutos. Se ponen
de nuevo las perdices. Se rocían con el vino blanco y después
con el agua templada, de forma que queden cubiertas. Se ponen
las cáscaras de naranja y la pastilla de caldo machacada o desleída con una cucharada de agua caliente (teniendo en cuenta que
esto sala algo la salsa) y la sal (con cuidado). Se tapa la cacerola y cuando rompe el hervor se baja mucho el fuego, de manera
que cuezan muy despacio durante 2½ a 3 horas (hasta que estén
tiernas). Se sacan de la cacerola, se trinchan en cuatro partes y
se ponen en la fuente de servir.
Se pasa la salsa por el chino o el pasapurés, se le añade el
zumo de naranja, se prueba de sal, rectificando si hace falta, y
se rocían con algunas cucharadas de salsa.
El resto de la salsa se servirá en salsera aparte. Se puede adornar la fuente con coditos cocidos y rehogados con mantequilla

y queso rallado, o con puré de patatas o con coles de Bruselas cocidas y salteadas con mantequilla.

Nota.—Si la salsa se aclarase demasiado al poner el zumo de naranja, se podría añadir una cucharadita (de las de café) de fécula de patata disuelta con 2 cucharadas soperas de agua. Se agrega a la salsa, se cuece un par de minutos y se sirve como hemos dicho.

882.—PERDICES CON REPOLLO (6 personas)

2 perdices medianas (tiernas),
4 lonchas de bacon,
150 gr. de tocino veteado,
3 cucharadas soperas de aceite,
1 cucharada sopera de harina,
1 pellizco de hierbas aromáticas (o un ramillete con un diente de ajo, 2 ramitas de perejil, una de tomillo y una hoja de laurel),
1 cucharadita (de las de moka) de extracto de carne (Bovril, Liebig),
agua y sal.

Se limpian y se preparan las perdices.

Se les ata a cada una 2 lonchas de bacon en el lomo y la pechuga y se salan ligeramente por dentro.

En una cacerola (o, mejor, una «cocotte») se pone el aceite a calentar. Cuando está caliente, se ponen las perdices a dorar, dándoles la vuelta para que queden bien doradas. Se espolvorean con harina y se cubren a media altura con agua templada. Se les agrega el ramillete y sal (con moderación). Se tapa la cacerola y cuando rompe el hervor se deja a fuego mediano más o menos 1½ horas.

Aparte, se lava y pica el repollo. En una olla se pone agua fría con sal y el tocino partido en dos trozos. Cuando rompe el hervor, se echa el repollo, empujándolo al fondo con una espumadera. Se cuece durante 25 minutos. Se escurre en un colador grande y, una vez bien escurrido, se coloca alrededor de las perdices, así como el tocino. Se deja con las perdices unos 15 minutos más. (Se supone que las perdices estarán entonces tiernas.) Se sacan éstas, se les quita el bacon y el ramillete y se trinchan en cuatro partes, que se colocan en la fuente donde se vayan a servir. Se escurre el repollo y se pone alrededor de las perdices. El tocino se corta en tiras de un dedo y se ponen de adorno encima del repollo.

Si la salsa está demasiado líquida, se la deja cocer destapada para que se reduzca un poco; se cuela, se la añade el extracto de carne y se sirve aparte en salsera.

883.—PERDICES GUISADAS CON VINAGRE CALIENTE (6 personas)

3 perdices pequeñas,
100 gr. de manteca de cerdo o un vaso (de los de vino) de aceite,
1 cebolla grande (150 gr.),
3 zanahorias medianas (125 gr.),
1 vaso (de los de vino) de vino blanco,
½ vaso (de los de vino) de buen vinagre,

1 pastilla de caldo (Avecrem de pollo),
agua,
1 pellizco de hierbas aromáticas (o un ramillete con tomillo, laurel, perejil, un diente de ajo),
sal,
unos triángulos de pan de molde fritos.

Se arreglan las perdices.
En una cacerola se pone el aceite o la manteca a calentar. Se ponen las perdices (saladas por dentro) a rehogar; cuando están bien doradas, se sacan y se reservan en un plato. Se echa entonces la cebolla, pelada y picada, se deja que se ponga transparente y se añaden las zanahorias raspadas, lavadas y cortadas en rodajas. Se rehogan bien (unos 10 minutos), se vuelven a poner las perdices y se rocían con el vino y el vinagre. Se deshace la pastilla de caldo en un poco de agua. Se vierte, se añade agua caliente, la necesaria para que cubra bien las perdices. Se pone sal (con cuidado, pues el caldo sala). Se tapa la cacerola y, a fuego lento, se dejan cocer más o menos durante 1 ½ horas. Este tiempo depende de lo tiernas que sean las perdices.
Se sacan de la salsa y se trinchan en dos a lo largo, se colocan en la fuente donde se vayan a servir. Se pasa la salsa por el chino y se vierte por encima de las perdices.
Se adorna la fuente con unos triángulos de pan de molde fritos.

884.—PERDICES ESCABECHADAS (6 personas)

3 perdices pequeñas,
1 vaso (de los de vino) de aceite,
1 vaso (de los de vino) de vino blanco,
1 vaso (de los de vino) de buen vinagre,
agua,
3 zanahorias medianas (125 gr.),

1 cebolla mediana (125 gr.),
2 dientes de ajo,
1 ramita de apio,
1 ramita de tomillo,
1 ramita de perejil,
2 hojas de laurel,
6 granos de pimienta,
sal.

Se preparan las perdices (vaciadas, chamuscadas, etc., receta 871).
En una cacerola se pone el aceite a calentar; cuando está caliente, se ponen las perdices para que se doren. Se retiran después de unos minutos y se reservan en un plato. Se quita casi todo el aceite de la cacerola y se vuelven a poner las perdices, la cebolla pelada y picada en trozos grandes, las zanahorias raspadas, lavadas y cortadas en rodajas, el tomillo, el laurel, el perejil,

el apio y los dientes de ajo, que se atan juntos con un hilo. Se echan los granos de pimienta y se rehoga todo durante 5 minutos. Se añade entonces el vino blanco y el vinagre, se tapa la cacerola y se deja durante 10 minutos a fuego mediano; pasado este tiempo, se añade agua para que cubra justo las perdices. Se sala y se cuecen tapadas a fuego lento durante más o menos 1½ horas (depende de lo tiernas que sean las perdices).

Se retira la cacerola del fuego y se dejan enfriar en su salsa. Si se va a comer, se sacan y se cortan por la mitad. Se pasa la salsa por el chino y se cubren con ella.

Si se han de conservar, se dejan enteras y se ponen en una olla de barro o un cacharro de cristal con boca más bien estrecha. Se cubren con salsa de cocerlas, sin pasar por el chino, de modo que queden bien cubiertas. Se vierten unas cucharadas soperas de aceite y se tapa muy bien la olla, que se conservará en sitio fresco.

Para servirlas, se trinchan en dos, se adornan con las rodajas de zanahoria y se cuela la salsa, que se echa por encima.

Se sirven frías en los dos casos.

BECADAS

885.—MANERA DE PREPARAR LAS BECADAS

Se calcula una becada por cada 2 ó 3 comensales.

Se deben tener unos 4 ó 5 días después de muertas colgadas por las patas, al aire libre, en sitio fresco, pero sin humedad y sin pelarlas.

Cuando se van a guisar, se despluman, se les quitan los ojos y la molleja, pero **no se vacían.** Se flamean, se salan y se les pone pimienta por dentro y por fuera; así están preparadas para el guiso que más guste.

886.—BECADAS ASADAS (6 personas)

3 becadas,
6 lonchas de tocino veteado, finas,

6 costrones de pan,
sal y pimienta.

Se preparan las becadas como va explicado anteriormente. Después se envuelven en unas lonchas finas de tocino, que se sujetan con un hilo. Se atraviesan con el asador y se meten a horno bien caliente y previamente calentado durante unos 10 minutos. Se ponen unos costrones de pan debajo de las becadas, con el fin de que recojan el jugo que éstas rezuman. Si el asador da vueltas, mejor; si no habrá que darles vueltas bastante a menudo. Se asan 20 minutos (más o menos, según tamaño). Una vez asadas, se trinchan en dos a lo largo (se vacían las tripas si se quiere) y se pone el tocino encima de los costrones y las medias becadas encima. Se sirven así bien calientes.

Nota.—Hay quien en el momento de pasarlas a la mesa y en la misma fuente las rocían con coñac previamente calentado (sin que llegue a hervir) y prendido con una cerilla. Resulta bonito y sabroso servirlas así flameantes.

887.—BECADAS EN CACEROLA (6 personas)

3 becadas,
6 lonchitas de tocino veteado,
50 gr. de manteca de cerdo o 4 ó 5 cucharadas soperas de aceite,

1 vaso (de los de vino) de jerez,
unas cucharadas soperas de agua caliente,
sal y pimienta molida.

Se preparan igual que para asarlas. Se pone la manteca de cerdo o las cucharadas soperas de aceite en una cacerola (o, mejor, una «cocotte»). Cuando está caliente la grasa, se ponen las becadas, se doran por todos lados y se cubre la cacerola. Se hacen a fuego mediano durante unos 20 a 25 minutos, dándoles la vuelta de vez en cuando.
En mitad de la cocción se les añade el jerez.
Una vez hechas las becadas, se sacan y se trinchan en dos a lo largo. Se les quitan las tripas, que se pondrán en la salsa. Se colocan en una fuente las medias becadas y se tienen al calor. Se rasca bien el fondo de la cacerola, se agregan unas 3 ó 4 cucharadas soperas de agua hirviendo y se pasa la salsa por el chino, apretando muy bien. Se vierte por encima de las becadas y se sirve.
Se puede adornar la fuente con triángulos de pan frito o bolas de puré de patatas.

888.—BECADAS CON COÑAC (6 personas)

3 becadas,
100 gr. de manteca de cerdo,
1 vaso (de los de vino) bien lleno de coñac,

el zumo de ½ limón,
1 cucharada sopera de perejil picado,
sal y pimienta molida.

Se preparan las becadas (receta 885). Se salan y se les unta muy bien con manteca de cerdo, por fuera, y se mete dentro de ellas como una avellana de manteca. Se asan a horno caliente y previamente calentado. Se asan sólo durante 12 a 15 minutos. Se sacan y se trinchan como si fuese un pollo, quitándoles las dos pechugas y las dos patas. Se recoge bien el jugo rosado que sueltan al trincharlas y se reservan las partes trinchadas en una fuente al calor.
Los caparazones se pican en la tabla de la carne con un cuchillo o un machete.
En un cazo mediano se pone el coñac a calentar y se prende con una cerilla. Una vez apagado, se le añade lo picado, el jugo de las becadas, sal y pimienta. Se cuece a fuego vivo, dando vueltas con una cuchara de madera durante 10 minutos. Se pasa por el chino, apretando mucho. Una vez colada la salsa, se sala y se pone pimienta; se agrega el zumo de limón y el perejil. Se vierte esta salsa por encima de las becadas y se sirve con triángulos de pan frito o bolitas de puré de patatas.

CODORNICES

889.—MANERA DE PREPARAR LAS CODORNICES

Las codornices se deben comer lo más rápidamente posible después de cazadas. Se despluman, se flamean con alcohol para quitarles la pelusa, se vacían y se salan.
Normalmente se calcula una o dos codornices por persona, según sean de gruesas.

890.—CODORNICES ASADAS (6 personas)

6 codornices bien gorditas,
6 lonchas de tocino finas,
6 hojas de viña (si se tienen, pero, aunque resultan muy buenas con ellas, es facultativo),
50 gr. de manteca de cerdo,
3 ó 4 cucharadas soperas de agua caliente,
2 manojos de berros,
6 rebanadas de pan frito,
sal.

Se preparan las codornices como va explicado anteriormente. Una vez saladas, se untan con un poco de manteca las hojas de viña y se aplican contra las pechugas. En el lomo se pone el tocino. Se unta también con un poco de manteca. Se atan y se meten a horno mediano (previamente calentado) durante 15 ó 20 minutos (en una besuguera).
Se les quita el tocino y la hoja de viña. Se colocan sobre una rebanada de pan frito, con el tocino por encima. Se rocían con jugo y se sirven en seguida con la fuente adornada con unos montoncitos de berros ligeramente aliñados.

891.—CODORNICES EN NIDO DE PATATAS PAJA (6 personas)

Se preparan igual que para asadas, pero no se les pone la hoja de viña. Se fríen las patatas paja. Se forman los nidos y se coloca en cada uno una codorniz con la pechuga hacia arriba. Se pone el tocino encima y se sirven.
La salsa se pondrá en salsera aparte. Si ésta fuese poca, se le añade una cucharada sopera de agua hirviendo. Se rasca bien el fondo de la besuguera con un tenedor y se revuelve bien esta salsa.

892.—CODORNICES EN CACEROLA (6 personas)

6 codornices bien gorditas,
6 lonchas de tocino finas,
6 hojas de viña,
50 gr. de manteca de cerdo.
3 cucharadas soperas de aceite,
4 ó 5 cucharadas soperas de agua caliente,
sal,
6 rebanadas de pan frito.

534

Se preparan igual que para asadas. Una vez preparadas, se pone el aceite en una cacerola (o, mejor, una «cocotte») a calentar. Cuando está caliente, se ponen las codornices y se doran por todos lados; se baja el fuego y se dejan ya a fuego mediano durante unos 15 ó 20 minutos, destapadas.

Se sacan, se les quita el tocino y las hojas y se ponen en una fuente encima de las rebanadas de pan frito. Se rasca la cacerola con un tenedor, se añaden las cucharadas de agua caliente, se mueve bien la salsa, que se servirá en salsera aparte o rociando las codornices.

893.—CODORNICES EN PIMIENTOS (6 personas)

12 codornices,
12 pimientos verdes (de suficiente tamaño para que quepa una codorniz dentro de cada uno),

100 gr. de panceta en lonchas finas,
5 cucharadas soperas de aceite,
sal.

Se preparan las codornices (receta 889).

Se salan las codornices por dentro y por fuera. Se envuelve cada pieza con una loncha de tocino de panceta. Se les quita el rabo a los pimientos y se vacían de las simientes. Se mete cada codorniz dentro de cada pimiento.

En una cacerola se pone el aceite que cubra ligeramente el fondo (5 cucharadas más o menos), se calienta un poco y se ponen los pimientos. Se guisan a fuego mediano, más bien lento, tapando la cacerola, de forma que se vayan haciendo con el jugo de los pimientos y del tocino. Se destapa de vez en cuando para darles la vuelta, con cuidado de no estropear los pimientos.

Se tendrán haciendo más o menos 40 minutos. Se sirven calientes con su jugo.

894.—CODORNICES EN SALSA (6 personas)

12 codornices,
5 cucharadas soperas de aceite,
3 cebollas grandes ($3/4$ de kg.),
12 cucharadas soperas de vino blanco,
12 cucharadas soperas de caldo de cocido (o agua y una pastilla),

pimienta en polvo, nuez moscada, canela,
1 cucharada (de las de café) de mostaza,
sal,
12 triángulos de pan de molde fritos (o picatostes, rectángulos de pan mojados en leche o agua y fritos).

Una vez desplumadas y limpias las codornices (receta 889), se pone el aceite a calentar en una cacerola. Se fríen de manera que quede la carne blanquecina, dándoles la vuelta y sin dejarlas que se tuesten. Se van reservando en un plato. En el mismo aceite se fríen las cebollas peladas y muy picadas. Se rehogan hasta que se pongan transparentes, dándoles vueltas con una cuchara de madera, pero sin que lleguen a dorarse (unos 6 minutos, más o menos).

Se colocan las codornices encima de la cebolla. Deben estar apretadas las unas con las otras. Se les añade el caldo y el vino blanco (en una cucharada de éste se deshace la mostaza antes de echarla). Se espolvorea con un poco de sal (pues el caldo está ya salado), se añade la pimienta, la nuez moscada y la canela (la punta de un cuchillo de cada cosa). Se cubren y se ponen a cocer; cuando rompe el hervor, se baja mucho el fuego para que cuezan lentamente durante unas 2 a 3 horas.

Se sirven en una fuente caliente, con la salsa, sin pasar, por encima y los triángulos de pan frito adornando la fuente alrededor.

895.—CODORNICES GUISADAS (6 personas)

6 codornices gordas ó 12 más pequeñas,
1 cebolla grande (150 gr.),
5 cucharadas soperas de aceite,
1 plato con harina,
½ litro más o menos de vino blanco (1½ vasos de los de agua),
sal, pimienta, nuez moscada y canela (un pellizco),
1 hoja de laurel, una ramita de tomillo.

Se preparan las codornices (receta 889).

En una cacerola se pone el aceite a calentar; una vez caliente, se echa la cebolla pelada y picada. Cuando ésta empieza a dorar (6 minutos más o menos), se pasan las codornices por harina y se ponen en la cacerola. Cuando están doradas, se les echa la sal, la pimienta, un poco de nuez moscada rallada y un pellizco de canela. Se rocían con vino blanco (que las debe medio cubrir). Se agrega el laurel y el tomillo, se pone un papel de estraza encima de la cacerola y encima la tapadera. Se cuecen a fuego mediano, sacudiendo la cacerola de vez en cuando.

Cuando las codornices están cocidas (unos 25 minutos más o menos), se sacan de la salsa, se ponen en la fuente (caliente) donde se vayan a servir. Se quita el laurel y el tomillo y se pasa la salsa por el chino, apretando bien la cebolla. Se vierte por encima de las codornices.

Estas se podrán adornar con triángulos de pan frito.

FAISANES O POULARDAS

896.—FAISANES O POULARDAS (6 personas)

1 faisán de 2 kg. (o una poularda),
4 lonchas finas de tocino veteado,
100 gr. de manteca de cerdo,
1½ vasos (de los de agua) de caldo de cocido (o agua y unas pastillas de Gallina Blanca, Starlux, etc.),
1 cucharada sopera rasada de pan rallado,
100 gr. de jamón serrano en cuadraditos,
2 zanahorias medianas (100 gr.),
1 lata pequeña de guisantes (100 gr.),
sal.

Se arreglan igual que los pollos (recetas 820 y 821).
Una vez flameado, etc., se sala por dentro y por fuera y se atan

las lonchas de tocino en el lomo y la pechuga. Se unta con la punta de los dedos con la manteca de cerdo, se coloca en una besuguera y se mete a asar a horno mediano durante ¾ de hora, igual que un pollo, dándole la vuelta de vez en cuando.

Después de asado el faisán, se le quita el tocino y se trincha. Se ponen los trozos en una cacerola con la salsa que haya soltado, se rocía con el caldo y se le añade el jamón en cuadraditos, las zanahorias peladas, lavadas y cortadas en rodajas finas y el pan rallado. Se ponen a fuego mediano lento. Cuando las zanahorias están tiernas (más o menos 30 minutos), se agregan los guisantes, se dejan unos 5 ó 10 minutos para que se calienten bien y se sirven en una fuente.

Se puede adornar la fuente con champiñones frescos (véase receta 424), o unos fondos de alcachofas, rehogados con un poco de aceite y espolvoreados con perejil picado.

Nota.—Las poulardas, siendo más tiernas, tienen que hacerse durante menos tiempo.

CORZO O CIERVO

897.—PIERNA DE CORZO CON SALSA DE GROSELLA
(8 a 10 personas)

1 pierna de 2½ kg.,
5 cucharadas soperas de aceite,
1 cucharada (de las de café) de hierbas aromáticas (o machacar laurel, tomillo y pimienta juntos),
un poco de nuez moscada,
1 vaso (de los de vino), poco lleno, de agua caliente, sal.
Salsa:
2 chalotes,
1 mata de apio pequeña (o ½ grande),

200 gr. de piltrafas de carne de corzo,
4 cucharadas soperas de aceite,
¾ de litro de buen vino tinto (Burdeos),
1 cucharada sopera de fécula de patata,
½ vaso (de los de vino) de coñac,
½ frasco o lata de jalea de grosella (250 gr.).

Se machacan el laurel y el tomillo juntos, si no se tienen hierbas aromáticas ya mezcladas. Se mezclan con el aceite, así como la pimienta y la nuez moscada. Con esto se unta bien la pierna de corzo y se deja en sitio fresco (en una besuguera) durante 3 ó 4 horas. Cuando se va a asar, se enciende el horno 10 minutos antes. Se mete la besuguera o bandeja de horno con la pierna y se asa durante 1¼ horas. Pasado este tiempo, se sala y se va echando el agua poco a poco. Se deja otros ¾ de hora, pero sin rociar el asado, para que se forme una costra muy dorada.

Mientras tanto se hará la salsa de grosella (receta 88).

Se saca la pierna, se trincha como una pierna de cordero y se sirve con la salsa en salsera aparte.

898.—CIERVO O CORZO EN CAZUELA (8 a 10 personas)

2 kg. de carne de ciervo (de lomo o chuletas deshuesadas),
1½ litros de leche fría,
¾ de kg. de cebolla,
1 vaso (de los de vino) de aceite,
4 cucharadas soperas de coñac,
¼ kg. de cebollitas francesas, agua,
20 gr. de mantequilla,

1 cucharada (de las de café) de azúcar,
1 puñado de uvas pasas,
8 ciruelas pasas,
1 ramita de tomillo,
10 granos de pimienta,
5 clavos (de especias),
1½ vasos (de los de vino) de caldo (o agua con una pastilla de Avecrem, Knorr, etcétera),
sal.

La víspera por la noche se pone la carne de ciervo en una cacerola y se cubre con leche cruda y fría. Tiene que estar así unas 12 horas, volviéndola de vez en cuando.

Cuando se va a guisar, se saca la carne de la leche, se pone en una cacerola y a fuego vivo se vuelve un par de veces durante 5 minutos para que suelte toda la leche.

Una vez reseco el trozo de carne, se flamea con el coñac calentado en un cazo pequeño y prendido con una cerilla. Se rocía con el aceite, se agregan las cebollas picadas, el tomillo, la pimienta, los clavos y la sal.

Se pone a fuego mediano y, poco a poco, se le va añadiendo el caldo.

Se cubre la cacerola y se hace durante 1¼ horas, volviendo la carne de vez en cuando. Pasado este tiempo, se añaden las pasas y las ciruelas con los huesos quitados. Se vuelve a dejar unos ¾ de hora.

Se preparan las cebollitas francesas, pelándolas y poniéndolas en un cazo con agua fría que justo las cubra, la mantequilla, el azúcar y la sal. Se cuecen unos 20 minutos y se reservan.

Una vez hecha la carne, se saca, se trincha y se pone en una fuente al calor. Se pasa la salsa por el chino y se sirve en salsera. Se adorna la carne con las cebollitas escurridas y se puede añadir también de adorno patatas cocidas o compota de manzanas.

PASTELES-TERRINAS

899.—PASTEL-TERRINA DE CARNES VARIADAS E HIGADITOS DE POLLO (8 personas)

¼ kg. de higaditos de pollo (sin el corazón y sin la hiel),
1 pechuga entera de pollo (400 gr. con huesos),
150 gr. de tocino veteado,
350 gr. de magro de cerdo,
300 gr. de tocino sin vetas,
3 huevos,

125 gr. de nata líquida montada,
4 cucharadas soperas de coñac,
6 clavos (especias),
2 hojas de laurel,
1 ramita de tomillo,
sal y pimienta molida.

En crudo se deshuesa la carne de la pechuga de pollo. Se pica (o se manda picar en la carnicería) todo junto: el tocino entrebetado, el magro de cerdo, la carne de pollo y los higaditos. Una vez bien picado, se pone en una ensaladera. Se baten los huevos como para tortilla y se agregan al picado; se añade después el coñac, la nata montada (con el aparato de montar las claras, con cuidado de no batir demasiado para que no se haga mantequilla), la sal y la pimienta. Se mezcla todo muy bien.

Se corta en lonchitas muy finas el tocino sin betas y se cubre con ello el fondo y las paredes de una terrina (especial para hacer pâtés, de loza o porcelana). Se echa la mezcla dentro, apretando con una cuchara de madera, con el fin de que no queden huecos. Se cubre por encima la carne con lonchitas de tocino, en el cual se hincarán los clavos, y por encima se pone el laurel y el tomillo. Se cubre con la tapadera de la terrina y se pone al baño maría en agua caliente.

Se mete a horno mediano (encendido 10 minutos antes) durante 1½ horas. Pasado este tiempo, se apaga el horno y se deja enfriar dentro de él el pastel. Cuando está frío, se saca del horno, se quita la tapadera, se cubre con un papel de plata y se pone algo de peso encima (una plancha, etc.) Se pone en sitio fresco durante unas 3 ó 4 horas (puede ser más tiempo).

Para servir el pastel se le quita el tomillo, el laurel y los clavos. Se vuelca y con un cuchillo se quita el tocino que le cubre. Se corta en lonchas medianamente finas y se sirve frío adornado con berros o lechuga.

900.—PASTEL TERRINA DE LIEBRE (8 a 10 personas)

400 gr. de magro de cerdo (aguja),
400 gr. de ternera (aleta o babilla),
1 liebre grandecita,
150 gr. de tocino no muy veteado,
350 gr. de tocino sin veta,
½ vaso (de los de vino) de buen coñac,
1 ramita de tomillo,
sal, pimienta molida, nuez moscada y estragón en polvo.

Se cortan en crudo unas tiras de carne en el lomo y trasero de la liebre como el dedo meñique de finas.

Se cortan así también el magro de cerdo, la ternera y el tocino entrebetado.

Se corta en lonchitas muy finas el tocino y se tapiza el fondo y las paredes de una terrina de loza. Se colocan las tiras primero de ternera, encima de liebre y, por encima de éstas, el magro de cerdo. Se alternan en las tres capas alguna tira de tocino entrebetado. Se va salando y poniendo la pimienta, la nuez y el estragón entre cada una de las capas y se repite la operación hasta llenar la terrina y acabar las tres clases de carne. Se rocían entonces con el coñac. Se cubren las carnes con lonchas de tocino y se pone entonces la ramita de tomillo y, si se quiere, algunos huesos de la liebre.

Si la terrina tiene un agujero en la tapadera (chimenea), se cierra el borde haciendo una masa con harina y agua como para lacrar; si no es inútil hacer esto.

Se coloca la terrina en una cacerola con agua caliente para que cueza al baño maría, pero con buena altura de agua. Se mete a horno mediano durante 3 horas.

Una vez hecho el pastel, se saca del horno y del agua. Cuando la terrina está templada, se destapa, se quitan los huesos y el tomillo y se cubre con un papel de plata. Se coloca algo de peso encima (una plancha, por ejemplo) para que siente el pastel y se deja en sitio fresco unas horas (6 u 8 por lo menos).

Se suele servir en su misma terrina, quitando la capa de tocino de encima.

901.—PASTEL TERRINA DE HIGADO DE CERDO (8 a 10 personas)

½ kg. de hígado de cerdo,
½ kg. de carne de cerdo picada (aguja o carne con algo
de grasa),
350 gr. de tocino sin betas,

4 cucharadas soperas de coñac,
2 huevos,
1 pellizco de hierbas aromáticas,
sal y pimienta.

Se corta el tocino en lonchitas muy finas y con ellas se tapiza la terrina de loza (fondo y paredes).

Se pica la carne no demasiado fina y se pica también el hígado, pero éste casi deshecho.

En una ensaladera se mezclan muy bien las dos carnes, la sal, la pimienta y las hierbas. Se añaden los 2 huevos batidos como para tortilla y el coñac. Una vez bien mezclado todo, se vierte en la terrina, se aprieta un poco con una cuchara para que no quede ningún hueco. Se cubre con lonchitas de tocino y se pone la tapadera de la terrina.

Si ésta tiene un agujerito (chimenea) en el asa de la tapadera, se hará una masa con agua y harina y se cierra como con lacre todo el borde de la tapadera. Si no lleva chimenea, no es necesario.

Se pone la terrina en una besuguera con agua caliente (baño maría) y se mete a horno suave durante unas 4 horas.

Pasado este tiempo, se saca la terrina del horno y del agua y se deja reposar durante 48 horas antes de abrirla y de poder comer el pastel.

Este se suele servir en su mismo molde, quitando la capa de tocino de encima.

902.—PASTEL DE PERDIZ (6 a 8 personas)

½ kg. de aleta de ternera (u
otro trozo magro),
¼ kg. de magro de cerdo,
150 gr. de jamón serrano (en
una loncha,
1 caja de trufas,

1 perdiz mediana,
6 huevos,
1 vaso (de los de vino) de
jerez,
pimienta molida y sal.

Caldo:

Agua,
½ litro de vino blanco,
½ kg. de huesos de rodilla de
vaca (ó ½ pata de ternera
en trozos),

2 zanahorias medianas
(100 gr.),
2 puerros medianos,
1 ramita de tomillo,
1 hoja de cola de pescado,
sal.

Se manda picar en la carnicería la ternera con el cerdo (en crudo).
Se mezcla esta carne picada con el jugo de las trufas, el jerez y los huevos. Se mezcla muy bien y se añade sal y pimienta. Se extiende en una mesa un paño limpio sobre el que se coloca ⅓ de la mezcla de la carne; encima se colocan tiras de jamón, alternando con trozos (lo más grandes posible) de carne de perdiz cruda y tiritas de trufa. Se vuelve a poner carne picada y otra capa de jamón, perdiz y trufas. Se cubre con el resto de la carne picada y se enrolla el trapo, dándole bonita forma a la carne. Se atan las dos puntas con una cuerda y se cose el trapo por la abertura del costado.
En una olla se pone agua abundante fría. Se vierte el vino blanco, se echan los huesos, las zanahorias raspadas y cortadas en rodajas gorditas, los puerros cortados en dos a lo largo y el tomillo. Se sala poco. Se sumerge la carne y se pone al fuego. Cuando rompe a hervir, se cuece despacio durante 3 horas. Pasado este tiempo, se saca la carne y, sin desenvolverla, se pone en sitio fresco con algo de peso encima para que adquiera bonita forma. Cuando está fría, se desenvuelve. Debe estar prensada unas horas (4 ó 6 por lo menos).
Se cuela el caldo, primero por un colador y después por un paño fino y limpio. Se agrega una hoja de cola de pescado, previamente cortada y remojada en un poco de agua. Se mezcla bien y se deja enfriar para que cuaje.
Se trincha el pastel y se adorna con la gelatina picada y unas hojas de lechuga.
Este pastel se puede hacer también con pollo o pavo.
Nota.—Si sobrase caldo, se podría gastar como caldo para sopa, etc.

903.—PASTEL DE TERNERA (8 a 10 personas)

1 aleta de ternera pequeña
(¾ de kg.),
¼ kg. de carne de ternera picada,
150 gr. de jamón serrano en una loncha,
150 gr. en una punta de jamón serrano picada con la carne,
125 gr. de miga de pan (del día anterior),
125 gr. de champiñones de París frescos,
½ pata grande de ternera en trozos, chamuscada y lavada,

3 cucharadas soperas de aceite,
1 cebolla mediana (100 gr.),
1 vaso (de los de agua) de vino blanco,
1 cucharadita (de las de moka) colmada de hierbas aromáticas (o un ramillete con laurel, tomillo, perejil y ajo),
1 vaso (de los de agua) no lleno de leche hirviendo,
agua fría,
sal y pimienta negra molida.

Se pone la miga de pan en remojo con la leche hirviendo, y mientras tanto se limpian y se lavan muy bien los champiñones; se secan con un trapo limpio y se pican bastante menudos.

En una ensaladera se pone la carne picada con el jamón; se le añade la miga de pan (si ésta se ve muy caldosa, se escurre un poco la leche, cogiendo el pan en la mano y estrujándolo ligeramente). Se añaden los champiñones. Se sala y se echa pimienta; con la mano o con una cuchara de madera se mezclan muy bien todos estos elementos. Se pone esta pasta encima de la aleta y se coloca el jamón serrano en tiras de ½ cm. de ancho y todo lo largo de la loncha. Se enrolla la carne y se envuelve muy bien en un trapo muy fino o en una gasa grande. Se atan bien las puntas con una cuerda, y el centro de la abertura de la gasa con un palillo para que no se abra.

En una cacerola se pone el aceite a calentar; cuando está caliente, se añade la cebolla picada, se deja dorar (unos 6 minutos) y se agrega la pata de ternera en trozos; se dora un poco ésta y se añaden las hierbas aromáticas y el vino blanco. Se pone la aleta y se cubre con agua. Se echa un poco de sal y se pone a cocer tapando la cacerola. Cuando rompe el hervor, se deja cocer suavemente unas 3 horas. Se saca la carne y se escurre un poco. Aún envuelta, se deja en una mesa con algo de peso encima hasta que esté fría. Se puede guardar entonces en la nevera, quitándole la gasa y envolviéndola con papel de aluminio.

Se deja hervir suavemente una hora más el caldo de cocer la carne, destapado. Se cuela y se pone en un plato hondo en la nevera para que cuaje en gelatina.

Al ir a servir, se trincha la carne y se adorna con hojas de lechuga y la gelatina picada todo alrededor.

904.—PASTEL DE POLLO, JAMON Y TERNERA (6 personas)

400 gr. de ternera picada,
150 gr. de jamón serrano en una loncha,
  1 pechuga de un pollo grande y asado,
  2 huevos,

½ vaso (de los de vino) de jerez,
100 gr. de manteca de cerdo,
  1 cucharada sopera de pan rallado,
  sal y pimienta.

Cogiendo un poco de manteca de cerdo, se unta un molde alargado (de hacer bizcocho o cake).

En una ensaladera se mezcla muy bien la ternera, el pollo picado no muy menudo, los huevos batidos como para tortilla, el resto de la manteca de cerdo, el pan rallado, el jerez, la pimienta y la sal.

Se corta en tiras finas el jamón. Se pone la carne en el molde, alternando con las tiras de jamón.

Se pone el molde al baño maría en el horno a temperatura mediana, cubriéndolo con un papel de °plata, y se cuece durante 2 horas.

Se saca del horno y del agua y, al estar templado, se pone algo de peso encima del papel para prensar un poco el pastel. Se deja unas horas en sitio fresco. Se pasa un cuchillo por los costados del molde y se desmolda en la fuente donde se vaya a servir.

Se sirve con un adorno de berros o lechuga.

905.—PASTEL TERRINA DE POLLO Y JAMON (8 a 10 personas)

1 pollo de 1¼ kg.,
1 loncha gruesa de jamón serrano (150 gr.),
100 gr. de tocino (en lonchas finas),
1 hoja de laurel,
1 ramita de tomillo,
4 cucharadas soperas de aceite,
1 cebolla pequeña (60 gr.),
2 cucharadas soperas de coñac,
sal y pimienta.

Caldo gelatina:
1 pata de ternera,
los despojos del pollo,
2 zanahorias medianas (100 gr.),
1 puerro mediano,
2 ramitas de apio,
1 hoja de laurel,
½ vaso (de los de vino) de vino blanco,
agua y sal.

En una olla se ponen 3 litros de agua fría (más o menos). Se van echando: la pata de ternera (quemados los pelos y lavada) partida en trozos, los despojos de pollo (también preparados, receta 819), las zanahorias peladas, lavadas y cortadas en trozos, el puerro, el apio y la hoja de laurel, enteros, el vino blanco y la sal. Se pone a cocer y, cuando rompe el hervor, se deja a fuego mediano durante 2 ó 2½ horas. Se aparta del fuego y se cuela. Se deja enfriar y si se forma grasa arriba se quita con una cuchara.

En una cacerola se pone el aceite a calentar y se añade el pollo cortado en dos a lo largo (una vez flameados los pelos y limpio). Se añade la cebolla partida en cuatro y. la sal. Se rehoga y se hace durante 25 minutos. Se separa del fuego y, cuando está frío, se le quita la piel. Se pone la carne en la tabla y se pica con el machete o un cuchillo en trocitos muy pequeños. Se pica igual el jamón.

Se tapiza el fondo de la terrina con las lonchitas de tocino.

Se pone una capa de pollo y jamón mezclados y se vierte un poco de caldo, se vuelve a poner pollo, jamón y caldo hasta llenar la terrina. Se rocía con el coñac y encima se pone el tomillo y la otra hoja de laurel. Se cierra la terrina con su tapadera y se pone al baño maría con bastante agua caliente para que cubra los costados de la misma. Se mete en el horno mediano (previamente calentado durante 10 minutos) durante 45 minutos.

Pasado este tiempo, se saca la terrina y se pone en sitio fresco, destapada.

Si se viese que el pastel tiene poco caldo, se puede añadir un poco.

Se deja reposar por lo menos 6 horas hasta que esté bien cuajado. Se puede preparar también de un día para otro.

Se desmolda y se le quita el tocino del fondo, sirviéndose con una ensalada para acompañar.

906.—PASTEL DE CABEZA DE CERDO (8 a 10 personas)

¼ kg. de carne de cerdo magra (sin grasa),
1 kg. entre pata, oreja y morro de cerdo,
1 cebolla mediana (60 gr.),
6 clavos (de especias),
½ vaso (de los de vino) de vino blanco,

agua fría,
2 zanahorias medianas (100 gr.),
1 hoja de laurel,
1 hojita de tomillo,
1 nuez moscada pequeña partida en dos,
pimienta molida y sal.

Se asa en el horno la cebolla picada, entera y pinchada con los clavos. Cuando está bien tostada, se saca y se reserva.

En una olla se ponen las zanahorias raspadas y cortadas en cuatro (dos a lo largo y dos a lo ancho), la cebolla (ya preparada), el laurel y el tomillo atados con un hilo, la nuez moscada y la carne.

La pata, el morro y la oreja se flamean para quemar los pelos, después se lavan bien y se añaden a la olla. Se sala, se añade pimienta y se rocía el vino blanco. Se cubre con agua fría, de modo que quede todo bien tapado pero sin exceso.

Se pone a fuego vivo hasta que rompe a hervir, después de lo cual se baja el fuego para que cueza despacio durante 5 horas, cubierta la olla con su tapadera.

Se aparta del fuego y se deja templar. Se saca la carne y se pica en cuadraditos de un cm. de lado; se quitan los huesos de la pata y se pica también la carne, así como la del morro. La oreja se corta en tiras muy finas con unas tijeras. Se mezclan todas las carnes.

En un molde alargado (de cake) se echa caldo en el fondo (colándolo), se meten todas las carnes y se cubre de caldo. Con un tenedor se mueve lo del molde, con el fin de que penetre bien el caldo y quede debidamente repartida la carne. Se pone en sitio fresco hasta que la gelatina esté cuajada.

Para servir, se pasa un cuchillo por los costados del molde y se vuelca éste en la fuente de servir. Se adorna con berros o escarola y se sirve frío entero o bien ya partido.

907.—FOIE-GRAS

No pondré cantidades, pues siendo la receta fácil, ya se verá lo que se quiere hacer.

El mismo peso de hígado de cerdo que de manteca de cerdo (ésta en crudo, es decir, aún sin derretir).

Se pasa junto, por tandas, por el pasapurés. Una vez hecho puré, se añade a esta pasta un poco de coñac y huevo batido como para tortilla (para ½ kg. de hígado: 4 cucharadas soperas de coñac y un huevo).

Se pone la pasta en una flanera y se mete el molde al baño maría con agua abundante. A partir de cuando rompe a hervir, se deja cocer una hora más o menos, es decir, hasta que la grasa sube a la superficie. Se saca el molde del agua y se deja enfriar el foie-gras en la flanera. Una vez frío, se desmolda y se cubre todo con la manteca que ha rezumado arriba.

HIGADO

El hígado, sea de ternera, cerdo, pollos, etc., se debe freír en aceite poco caliente, sobre todo al principio, con el fin de que no se ponga oscuro.
El tiempo depende exclusivamente del gusto de cada cual, siendo el mínimo de 6 minutos por cada filete.

908.—HIGADO DE TERNERA FRITO. SENCILLO (6 personas)

6 filetes de hígado (125 gr. cada uno),
¾ de vaso (de los de agua) de aceite,

1 cucharada sopera rasada de perejil picado,
1 cucharada sopera de vinagre o zumo de limón (facultativo), sal.

Se preparan los filetes, quitándoles los nervios. Se salan y se fríen por tandas en aceite poco caliente al principio, como va dicho anteriormente. A medida que están fritos, se ponen en la fuente se vayan a servir, y se reservan al calor.
En la sartén donde se han frito, se echa el vinagre o el zumo de limón, apartando la sartén del fuego para que no salte el aceite. Se calienta bien y se vierte la salsa por encima de los filetes.

Se espolvorean con un poco de perejil picado y se sirven.

Nota.—Hay a quien le gusta con un diente de ajo muy picado. Este se echa con el perejil en la sartén, y se refríen un par de minutos con la salsa. Esta llevará o no vinagre, según guste.

También se puede sustituir el ajo, perejil y vinagre por 2 cucharadas soperas de alcaparras, que se saltearán en la sartén después de frito el hígado.

909.—FILETES DE HIGADO DE TERNERA MACERADOS CON VINO DE MALAGA (6 personas)

6 filetes de hígado de ternera (125 gr. cada uno),
1 vaso (de los de vino) de málaga,
1½ vasos (de los de vino) de aceite,

1 cucharada sopera de perejil picado,
1 cucharadita (de las de moka) rasada de hierbas aromáticas,
sal.

Se preparan los filetes, quitándoles los nervios. Se ponen en una fuente un poco honda y se rocían con el vino y se espolvorean con las hierbas aromáticas. Se dejan macerar durante una hora, dándoles la vuelta de vez en cuando. Pasado este tiempo, se escurren y se secan con un paño limpio. Se salan y se fríen en el aceite no muy caliente, se espolvorean con el perejil picado y se rocían con la salsa de la sartén.

Se adornan con puré de patatas, o patatas fritas o verduras, según guste.

910.—FILETES DE HIGADO DE TERNERA EMPANADOS (6 personas)

6 filetes de 100 a 125 gr. cada uno, cortados finos,
1 diente de ajo (facultativo),
1 ramita de perejil,
1 plato con pan rallado fino,

1 ó 2 huevos (según sean de gordos),
½ litro de aceite (sobrará),
sal.

Se recortan los filetes para que tengan bonita forma. Se les echa sal. En el mortero se machacan el diente de ajo, la ramita de perejil y un poco de sal. Con las puntas de los dedos se pasa esto por los filetes. Seguidamente se pasan ligeramente por el pan rallado (muy fino), después por el huevo batido como para tortilla y otra vez por el pan rallado, pero esta vez el pan tiene que quedar muy uniforme.

Se fríen en aceite abundante y bien caliente (para lo cual se prueba friendo una rebanadita de pan). Se sirven en seguida.

911.—HIGADO CON MOSTAZA Y BACON (6 personas)

6 filetes de hígado de ternera (125 gr. cada uno),
6 lonchas finas de bacon,

mostaza,
¼ litro de aceite (sobrará),
sal.

Se pone un poco de sal en una de las caras de cada filete; la otra se unta de mostaza, bastante para que cubra bien.

En una sartén se pone el aceite a calentar y se fríen bien fritas las lonchas de bacon. Se reservan al calor (a la boca del horno). Se quita casi todo el aceite, dejando sólo un poco que cubra el fondo de la sartén. Estando este aceite apenas templado, se ponen uno o dos filetes a la vez y, a fuego mediano, se fríen 5 minutos de cada lado (más o menos, según el gusto de cada cual). Una vez fritos los filetes, se ponen en una fuente con las lonchas de bacon sobre la cara del filete que tiene la mostaza, y se sirven con patatas o verduras, según se quiera.

912.—FILETES DE HIGADO DE TERNERA CON VINO BLANCO (6 personas)

6 filetes de hígado de ternera (125 gr. cada uno),
harina en un plato,
1 vaso (de los de vino) de aceite,

1 vaso (de los de vino) de vino blanco,
1 pellizco de hierbas aromáticas,
1 cucharada (de las de café) de perejil picado,
sal.

Se salan los filetes de hígado por las dos caras y se pasan por un plato con harina, dándoles un poco con los dedos para que la harina se pegue, pero también para quitar la sobrante.

En una sartén amplia se echa el aceite; cuando está caliente (pero no mucho, pues el hígado está mejor frito lentamente que arrebatado), se fríen los filetes por las dos caras rápidamente. Se dejan en la sartén y se espolvorean ligeramente con el pellizco de hierbas aromáticas (laurel y tomillo) en polvo. Se le echa el primer vaso de vino. A fuego mediano se deja consumir este vino, se da una vuelta a los filetes y se rocían con el segundo vaso de vino. Cuando la salsa haya cocido un poco, se sirven en una fuente los filetes espolvoreados con el perejil y rociándolos con la salsa que hay en la sartén.

913.—ESCALOPINES DE HIGADO CON CEBOLLA Y VINO BLANCO (6 personas)

¾ de kg. de hígado hecho escalopines (filetes pequeños y finos),
harina en un plato para rebozar,
¼ litro de aceite,

1 vaso (de los de vino) de vino blanco,
¼ kg. de cebolla picada,
1 pellizco de estragón en polvo,
sal.

En una sartén se pone a calentar el ¼ litro de aceite; cuando está a punto (es decir, no muy caliente, pues el hígado se debe freír lento y no arrebatado), se fríen los filetes (pocos a la vez) pasados por harina y sacudidos para que no tengan demasiada.

Se sacan y se reservan. Se quita el aceite y, una vez colado, se cogen 4 cucharadas soperas y se vuelven a poner en la sartén.

Se echa la cebolla muy picada y se deja que se haga lentamente durante 15 minutos; se añade entonces el vaso de vino blanco y se deja a fuego lento otros 5 minutos. Se meten después los filetes en la salsa, se cubren con tapadera y se dejan a fuego lento 10 minutos. Se sirven en seguida.

914.—HIGADO DE TERNERA (EN UN TROZO) GUISADO (6 personas)

850 gr. de hígado de ternera en un trozo (de la parte más gruesa del hígado),
125 gr. de tocino,
1 cebolla mediana (50 gr.),
4 cucharadas soperas de aceite,
1½ vasos (de los de vino) de vino blanco,
1 vaso (de los de vino) de agua,
1 buen pellizco de hierbas aromáticas (o una hoja de laurel, una ramita de tomillo, un pellizco de polvo de estragón, etc.),
sal.

Con parte del tocino se mecha el hígado. Con lo que queda se hacen unas lonchas muy finas y se cubre la parte de arriba del hígado. Se ata luego el trozo de carne como si fuese un asado corriente.
Se pone el aceite en una cacerola y se calienta. Una vez caliente, se echa la cebolla pelada y picada, se deja 5 minutos hasta que se pone transparente y se añade entonces el hígado. Se dora por todos lados, se sala, se espolvorea con las hierbas (o se pone el ramillete) y se rocía con el vino y con el agua. Se cubre la cacerola y, a fuego mediano, se deja durante unos 35 a 40 minutos, dándole la vuelta de vez en cuando.
Se saca entonces, se le quita la cuerda y el tocino de encima y se trincha en lonchas medianamente finas. Se pasa la salsa por el pasapurés o el chino y se sirve por encima la salsa o aparte en la salsera.
Se puede acompañar el hígado con coditos (cocidos y rehogados con mantequilla y queso rallado), con puré de patatas o con cualquier verdura que apetezca (coles de Bruselas, guisantes, alcachofas, judías verdes, etc.)

915.—FILETES DE HIGADO CON CEBOLLA, TOMATE Y CREMA (6 personas)

6 filetes de hígado de ternera (125 gr. cada uno),
1 cebolla grande (150 gr.),
4 tomates medianos (350 gr.),
1 plato con harina,
1½ vasos (de los de vino) de aceite,
1 cucharada sopera rasada de perejil picado,
1 cucharadita (de las de moka) de extracto de carne (Liebig, Bovril, etc.),
3 cucharadas soperas de crema líquida,
sal.

Se preparan los filetes, quitándoles los nervios.
En una sartén amplia se pone el aceite a calentar. Se pasan los filetes, después de salados, por la harina, sacudiéndolos un poco

para que caiga la harina sobrante. Se fríen y, una vez fritos, se reservan en un plato al calor.

En este mismo aceite se fríen las cebollas peladas y cortadas en rodajas para formar aros. Cuando éstas están transparentes (unos 6 minutos), se añaden los tomates pelados, cortados en trozos y quitadas las simientes. Se refríen durante unos 15 minutos. Se agrega el extracto de carne. Se colocan entonces los filetes en la sartén y se cubren, teniéndolos así unos 5 minutos. Se les da la vuelta y se tienen otros 5 minutos del otro lado.

Se sacan con un tenedor y se colocan en la fuente donde se vayan a servir. Se espolvorea en la sartén el perejil, se añade la crema separando ya la sartén del fuego, se rectifica de sal si hiciese falta y se vierte la salsa por encima de los filetes.

Se sirven acompañados de puré de patatas ó de coditos cocidos y rehogados con mantequilla y queso o, sencillamente, de triángulos de pan frito.

Nota.—Si no se dispone de crema, se puede sustituir por 2 cucharadas soperas de jerez. Este se tiene que cocer un ratito con la salsa para que no esté muy fuerte.

916.—FILETES DE HIGADO CON CHAMPIÑONES (6 personas)

6 filetes de hígado de ternera (125 gr. cada uno),
¼ kg. de champiñones frescos,
1 plato con harina, para rebozar,
1½ vasos (de los de vino) de aceite,
25 gr. de mantequilla,
zumo de ½ limón,
1 cucharada sopera de perejil picado,
1 cucharada sopera de agua caliente,
2 cucharadas soperas de vino blanco,
sal.

Se lavan y se preparan los champiñones, cortándolos en láminas. Se ponen en un cazo con la mantequilla, el zumo de limón y un poco de sal. Se hacen durante unos 10 minutos (receta 424). Pasado este tiempo, se reservan.

Se limpian los filetes de nervios. Se salan y se pasan ligeramente por harina.

En una sartén se pone el aceite a calentar moderadamente y se ponen los filetes a freír por tandas. Una vez fritos, se sacan, escurriéndolos un poco, y se ponen en la fuente donde se vayan a servir.

Se ponen en la sartén los champiñones con su jugo, el perejil y el vino blanco. Se revuelve todo un par de minutos y se echa por encima de los filetes. Se sirven en seguida.

917.—PINCHOS DE HIGADO DE TERNERA CON BACON (6 personas)

¾ de kg. de hígado de ternera en un trozo,
6 lonchas de bacon (no muy finas),
aceite,
6 rebanadas de pan finas,
sal.

Se corta el hígado en taquitos, se salan y se enfilan en un pincho, alternando con un trocito de bacon, al cual se le habrá quitado la piel dura del borde. Se unta con un pincel el aceite por todo el pincho y se mete al horno caliente durante unos 20 minutos en una besuguera estrecha, con el fin de que las dos puntas del pincho queden en alto. Se les da una vuelta de vez en cuando para que se asen por igual.

Por debajo de los pinchos se ponen unas rebanadas de pan, para que vayan recogiendo el jugo que cae de la carne. Se sirve enfilada la carne y con el pan debajo del pincho.

Otra manera de hacer los pinchos

Una vez armados los pinchos, se empanan, pasándolos por huevo batido como para tortilla y pan rallado. Se fríen entonces en una sartén con aceite abundante. Se sirven así mismo.

918.—HIGADITOS DE POLLO (6 personas)

40 higaditos de pollo (más o menos),	1 vaso (de los de vino) de vino blanco,
2 cebollas grandes (200 gr.),	4 cucharadas soperas de aceite, sal y pimienta.

En una cacerola se pone el aceite a calentar; cuando está en su punto, se añaden las cebollas peladas y picadas. Cuando están transparentes (5 minutos), se echan los higaditos bien limpios de nervios y de su hiel; se salan y se les pone pimienta. Se cuecen a fuego lento durante 10 minutos, revolviéndolos de vez en cuando. Se agrega entonces el vino, se cubre la cacerola y se deja que se haga despacio durante unos 15 minutos más.

Se sirven en una fuente con triángulos de pan frito.

RIÑONES

919.—MANERA DE LIMPIAR Y PREPARAR LOS RIÑONES DE TERNERA PARA CONDIMENTARLOS DESPUES

Si no se preparan muy bien los riñones, sobre todo los de ternera, por ser más grandes, saben a orín.

1.ª manera de limpiarlos:

Se cortan los riñones en trocitos pequeños, quitándoles toda la grasa y los conductos. Se ponen en un colador de agujeros grandes y se les echa un puñado de sal, revolviéndolos bien con la mano para que queden impregnados de sal todos ellos. Se tienen así unas 2 horas. Pasado este tiempo, se ponen, en el mismo colador, debajo del grifo del agua fría unos 15 minutos, salteándolos de vez en cuando para que suelten la sal. Se escurren bien y entonces están a punto para guisar.

2.ª manera de limpiarlos:

Se cortan los riñones de ternera en cuatro trozos. Se les quitan los conductos blancos, la grasa y las pieles. Se lavan rápidamente en agua fresca. Se pone un cazo con agua a cocer hasta que hierve a borbotones. Se colocan los trozos de riñones encima de una tapadera de alambre o una rejilla y se dejan al vapor unos 15 minutos. Sueltan todo el jugo fuerte que tienen en el interior. El agua del cazo se pondrá oscura. Se retiran del vapor y se preparan de la manera que se haya elegido.

920.—RIÑONES CON VINO BLANCO Y ARROZ (6 personas)

1 kg. de riñones de ternera,
350 gr. de cebollas (3 grandes),
4 cucharadas soperas de aceite,
2 ramitas de perejil,
1 diente de ajo,

1 cucharada sopera rasada de pan rallado (facultativo),
1 vaso (de los de vino) bien lleno de vino blanco,
sal.

Arroz blanco:

400 gr. de arroz, agua, 50 gr. de mantequilla, sal.

(Receta 165.)

En una cacerola se ponen las cebollas muy picadas por encima de los riñones, ya limpios y arreglados (receta anterior, 1.ª fórmula). Se rocía todo con el aceite y se pone la cacerola a fuego **muy lento** durante unos 30 minutos más o menos.
En un mortero se machaca el perejil con el diente de ajo (pelado y cortado para que no resbale). Se les añade el vino y esto se agrega a los riñones de la cacerola y se cuece todo revuelto otros 5 minutos. Si se ve que el guiso queda un poco claro, se le añade entonces un poco de pan rallado. Se sala y se vuelve a dejar otros 5 minutos.
Se forma una corona con el arroz blanco ya rehogado. Se vuelca en la fuente donde se vaya a servir y se echan los riñones guisados en el centro.
Se sirve en seguida.

921.—RIÑONES DE TERNERA CON SALSA DE JEREZ Y ARROZ BLANCO (6 personas)

1 kg. de riñones de ternera,
1½ vasos (de los de vino) de jerez,
4 cucharadas soperas de aceite,

2 cucharadas soperas de harina,
2 vasos (de los de agua) de agua,
sal.

Arroz blanco:

400 gr. de arroz, agua, 50 gr. de mantequilla, sal.

(Receta 165.)

Se cuece el arroz y se reserva.
Se limpian y se arreglan, según la 1.ª fórmula, los riñones de
ternera.
En una sartén se pone la harina y con una cuchara de madera,
dándole vueltas y a fuego mediano, se tuesta, dejándola tomar
color (unos 10 minutos). Se le añade el aceite y, después de
revolverlo, el jerez, el agua y la sal. Se deja cocer unos 5 minutos. Se echan los riñones y, a fuego muy lento, se dejan cocer
unos 10 minutos. Mientras tanto se rehoga el arroz y se pone
en un molde en forma de corona. Se vuelca en la fuente donde se
vaya a servir y se reserva al calor. Se ponen en el centro los
riñones y se sirven en seguida.

922.—RIÑONES CON SALSA DE TOMATE, PRESENTA-DOS EN ALCACHOFAS DE PAN (6 personas)

1 riñón de ternera (¾ de kg.
    más o menos),
6 panecillos o alcachofas,
1 litro de aceite (sobrará),
1 cucharada sopera de piñones,
3 cucharadas soperas de buen
    jerez,
1 cucharadita (de las de moka)
    rasada de pimentón,

1 yema de huevo duro,
½ kg. de tomates maduros,
2 cucharadas soperas de aceite
    frito,
1 cebolla mediana (60 gr.),
1 cucharada (de las de café)
    de azúcar,
sal.

Se lavan y se preparan los riñones (receta 919).
Se hace la salsa de tomate. En una sartén se pone el aceite a
calentar. Se lavan y se cortan los tomates y se les quitan las simientes. Se pela y se pica la cebolla. Se agrega esto al aceite de
la sartén; con el canto de una espumadera se machaca bien y se
refríe durante unos 15 minutos.
En un mortero se machacan la mitad de los piñones con la yema de
huevo. Se deslíe con el jerez y se agrega a la sartén, así como
el pimentón, la sal y el azúcar. Se revuelve bien todo y se pasa
por el chino o el pasapurés. Se reserva al calor.
Se corta una tapadera a los panecillos o alcachofas de pan y se
vacían de toda su miga.
En una sartén honda se fríen los panecillos por tandas y boca
abajo, reservándolos igualmente al calor a horno muy flojo.
En otra sartén se pone un fondo de aceite del de freír los panes
(un vaso escaso de los de vino). Se saltean los riñones, cortados
en cuadraditos, durante 6 ó 7 minutos. Con una tapadera se
cubre la sartén y se vuelca para quitar toda la grasa de freír los
riñones (ésta no se aprovechará, pues no es buena). Se salan
ligeramente y se revuelven con la salsa de tomate. Se agregan

los piñones reservados. Se rellenan con este revuelto los panes
y se sirven en seguida.

Nota.—Se puede hacer esta receta igualmente con riñones de cerdo o de cordero. Se pueden sustituir los panecillos individuales
por una libreta grande de pan.

923.—PINCHOS DE RIÑONES DE CERDO O CORDERO, CON TOCINO Y CHAMPIÑONES (2 personas)

2 riñones de cerdo ó 6 de cordero,
1 loncha de bacon gruesa (100 gr.),
125 gr. de champiñones frescos pequeños,

2 cucharadas soperas de aceite,
agua y el zumo de un limón, sal y pimienta.

Se cortan los riñones en dos a lo largo, como si se abriera un
libro. Se les quita la piel, las partes blancas y los conductos.
Se ponen en una ensaladera con agua fría que los cubra y el
zumo de ½ limón. Se mueven un poco con la mano, se escurren
y se secan muy bien con un paño limpio.
Se le quita la corteza dura al bacon y se corta en cuadrados
grandecitos.
Se les quita a los champiñones los rabos o podúnculos, se lavan
muy bien en agua y el zumo de otro ½ limón y se escurren
muy bien.
Se cortan los riñones en trozos grandes y se enfilan en los pinchos
metálicos, alternando con un cuadradito de bacon y un champiñón,
hasta llenar el pincho. Se salan, se pone un poco de pimienta,
y con un pincel mojado en aceite se unta todo bien. Se
ponen a horno bien caliente en una fuente, de manera que el
pincho de alambre quede en alto y los riñones no rocen el fondo
de la fuente. Se les da la vuelta algunas veces y más o menos
a los 20 minutos deben estar.
Se sirven así mismo en sus pinchos, en una fuente previamente
calentada y adornada con montoncitos de berros o de patatas paja.

924.—PINCHOS SIMPLES DE RIÑONES DE CERDO O DE CORDERO (2 personas)

3 riñones de cerdo u 8 de cordero,
2 cucharadas soperas de aceite,
1 diente de ajo,

1 cucharada (de las de café) de perejil picado,
3 rebanadas de pan,
agua y el zumo de ½ limón, sal.

Se cortan, se limpian, se lavan y se secan los riñones (receta 923).

Se dejan cortados en dos y se enfilan en unos pinchos de alambre. Se salan y se untan de aceite con un pincel.

Se ponen las rebanadas de pan en el fondo de la besuguera o fuente y se posan los riñones encima para que queden en vilo, igual que en la receta anterior. Se meten a horno bien caliente, primero vueltos con la parte abombada hacia arriba y después de 10 minutos se vuelven del otro lado. Se espolvorean entonces con el ajo y el perejil muy picado y una gota más de aceite. Se tienen otros 10 ó 15 minutos más y se sirven en una fuente, posados sobre las rebanadas de pan (esto es si se quiere), con patatas paja de adorno.

SESOS

925.—MANERA DE LIMPIAR Y COCER LOS SESOS

Para cualquier manera de preparar los sesos, se tendrán que limpiar y cocer como va explicado seguidamente. Esta explicación es valedera para los sesos de ternera o de cordero.

Primero se ponen en un colador donde quepan justo (ni muy grande ni muy pequeño) y se colocan debajo del grifo de agua fría, que caiga suave para no estropearlos. Cuando ya no suelten sangre, se retiran.

Se ponen en una ensaladera con agua fría abundante, que los cubra bien, y se añade vinagre a este agua (para un seso de ternera mediano, ½ vaso de los de vino de vinagre).

Una vez remojados durante 15 ó 20 minutos, se sacan y se les quita muy bien la telilla que los cubre, las venas y la sangre que aún tengan. Después de limpios, se prepara el agua para cocerlos.

1 clavo (de especia),	1 zanahoria en rodajas,
3 granos de pimienta,	agua fría,
1 hoja de laurel,	sal.
1 casco de cebolla,	

Se ponen los sesos a cocer a fuego mediano durante 20 minutos, más o menos, para un seso de ternera. Menos tiempo para uno de cordero.

Se escurre y, para que se conserven blancos, se tapan o bien con un trapo o poniéndolos en un tazón con un plato por encima.

926.—SESOS HUECOS (O EN BUÑUELOS) (6 personas)

1½ sesos de ternera ó 3 de cordero,	1 litro de aceite para freír (sobrará).

1.ª masa de freír:

300 gr. de harina,
1½ vasos (de los de agua) de
  leche fría,
  3 cucharadas soperas de aceite fino,

3 cucharadas soperas de vino
  blanco,
1 cucharadita (de las de
  moka) de levadura Royal,
  sal.

2.ª masa de freír:

300 gr. de harina,
  1 pellizco de levadura Royal,
  1 pellizco de azafrán en polvo,

sifón,
sal.

Se limpian y se cuecen los sesos como va explicado anteriormente.
Una vez cocidos y fríos, se cortan en trocitos (de 2 a 3 cm. de
costado), se sumergen en la masa y se fríen en seguida. Se escurren en un colador y se sirven con salsa de tomate en salsera.
Se puede adornar la fuente con ramilletes de perejil frito (teniendo cuidado de no echar el perejil en aceite muy caliente, pues
se arrebata).

927.—SESOS EMPANADOS (6 personas)

1 ½ sesos de ternera ó 3 de cordero,
  1 plato con pan rallado,
  2 huevos,
  1 cucharada sopera de aceite
  fino,

1 litro de aceite para freír
  (sobrará),
  sal,
salsa de tomate y arroz
  blanco.

Se preparan y se cuecen los sesos (receta 925). Se cortan en dos
a lo largo (los 2 lóbulos del seso); éstos se cortan en lonchas
más finas (de ½ cm.) En un plato sopero se baten los
huevos con la cucharada sopera de aceite y un pellizco de sal.
Se pasan las lonchitas de seso por el huevo y luego por el pan
rallado. Se aplastan un poco con la mano para que el pan rallado se adhiera bien. Se dejan encima de un mármol o una tabla.
Se calienta bien el aceite y, cuando está en su punto (se prueba
con una rebanadita de pan), se fríen por tandas para que no se
estropeen. Se ponen en la fuente donde se vayan a servir y ésta
se reserva al calor.
Se adorna la fuente con arroz blanco (receta 165) y se sirve con
salsa de tomate en salsera aparte (receta 63).

928.—SESOS CON MANTEQUILLA NEGRA (6 personas)

6 sesitos de cordero (para este
  guiso son los más finos),
½ kg. de mantequilla,
  1 plato con harina,

3 cucharadas soperas de buen
  vinagre,
2 cucharadas soperas de perejil picado (facultativo),
  sal.

Una vez preparados, cocidos y escurridos los sesos (receta 925),
se cortan en dos (los 2 lóbulos enteros). Se rebozan ligeramente
en harina.
En una sartén se pone algo menos de la mitad de la mantequilla

a derretir. Cuando está derretida, se pasan rápidamente los medios sesos, dándoles la vuelta para que se doren ligeramente. Esto se hace por tandas para que no se estropeen los sesos. Se colocan en la fuente donde se vayan a servir. Se espolvorea un pellizco de perejil en cada trozo. Se añade el resto de la mantequilla y se fríe hasta que se ponga oscura (no mucho, pues se quema y no tiene buen sabor). Se agrega entonces el vinagre, separando la sartén del fuego, y volviéndola a poner al calor una vez echado el vinagre. Se revuelve bien y con esta salsa se rocían los sesos, que se servirán en seguida para que no se enfríe la mantequilla. **Nota.**—Se puede sustituir el vinagre por alcaparras.

929.—SESOS EN SALSA BECHAMEL CLARITA (POLLITA) (6 personas)

4 sesos de cordero,
30 gr. de mantequilla,
2 cucharadas soperas de aceite fino,
1 cebolla pequeña (40 gr.),
2 cucharadas soperas de harina,
1½ vasos (de los de vino) de caldo (o agua y un trozo de pastilla de Avecrem, Starlux, etc.),
1 vaso (de los de vino) de leche,
2 yemas de huevo,
el zumo de un limón,
1 cucharada sopera rasada de perejil picado,
sal.

Se preparan y se cuecen los sesos (receta 925). Una vez templados, se cortan en dos a lo largo (se separan los 2 lóbulos) y estas mitades otra vez en dos mitades a lo largo. Se reservan.

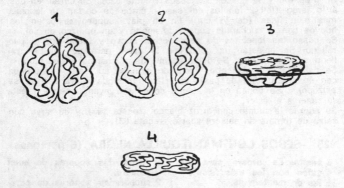

Se hace la salsa.
En un cazo o en una sartén se pone a calentar el aceite con la mantequilla. Cuando ésta está derretida, se añade la cebolla picada muy fina; se dan unas vueltas con una cuchara de madera y se la deja tomar un poco de color (unos 6 ó 7 minutos). Cuando empieza a dorarse, se agrega la harina; también se le da a ésta

unas vueltas para que se tueste un poco. Se agrega primero la leche fría, sin dejar de dar vueltas, y luego el caldo. Una vez hecha la bechamel, se cuece un par de minutos (ésta debe quedar algo espesa). Se separa un poco del fuego y se sala ligeramente (pues el caldo ya está salado).

En un tazón se deslíen las yemas con el zumo de limón, se les añade una cucharada de salsa dando vueltas para que no se cuajen las yemas, después otra y, por fin, se echa lo del tazón en la salsa. Se incorporan los trozos de sesos, se espolvorean con el perejil y se calienta algo, pero con fuego bajo para que no se cuajen las yemas. Con la cuchara se echa salsa para cubrir los trozos de sesos, con el fin de que se calienten bien y, con cuidado de no romperlos, se pasa todo a una fuente previamente calentada y se sirven en seguida.

930.—SESOS AL GRATEN, CON BECHAMEL Y CHAMPIÑONES (6 personas)

2 sesos de ternera,
125 gr. de champiñones frescos,
 50 gr. de mantequilla,
  2 cucharadas soperas de aceite fino,
  2 cucharadas soperas de harina,
1½ vasos (de los de agua) de leche fría,
zumo de un limón,
 50 gr. de gruyère rallado,
sal.

Se preparan los sesos (receta 925). Se dejan enfriar y se cortan los 2 lóbulos; cada uno se corta en láminas de un cm. de gruesas y se colocan en una fuente de cristal o porcelana resistente al horno.

Aparte se lavan, primero al chorro y después en agua con el zumo de ½ limón, y se cortan en láminas finas los champiñones. Se cuecen en un cazo con el zumo de ½ limón y menos de la mitad de la mantequilla y un poco de sal (receta 424).

En una sartén se pone a calentar el resto de la mantequilla con el aceite. Cuando están calientes, se añade la harina, se dan unas vueltas con una cuchara de madera y, poco a poco, se vierte la leche fría. Se cuece a fuego mediano durante unos 6 minutos, se sala y se añaden los champiñones con su jugo. Se vierte esta bechamel por encima de los sesos. Se espolvorea con el queso rallado y se mete a gratinar con fuego vivo.

Cuando está dorada la bechamel, se sirve.

931.—SESOS CON SALSA DE TOMATE GRATINADOS (6 personas)

2 sesos de ternera, ó 4 ó 5 de cordero,
50 gr. de queso rallado,
30 gr. de mantequilla,
1 kg. de tomates,
3 cucharadas de aceite frito,
1 cucharada (de las de café) de azúcar,
sal,
1 cebolla (facultativo),
sal.

Se preparan los sesos (receta 925).

Se hace la salsa de tomate (receta 63), de manera que quede más bien espesa.

Se cortan los sesos en rodajas de 2 cm. de grosor y se van colocando en forma de corona en una fuente (de barro, cristal o porcelana) resistente al fuego. Se cubren con la salsa de tomate. Se espolvorean con el queso y se reparte la mantequilla por encima en cuatro montoncitos como avellanas. Se pone a gratinar en el horno y, cuando el queso está dorado, se sirven en su misma fuente.

LENGUA

932.—MANERA DE COCER UNA LENGUA DE VACA O DE TERNERA

Para 6 u 8 personas se calcula una lengua de 1 ¼ kg. Se limpia muy bien de huesos, nervios y gordo. Se pone en remojo en agua fría durante unas 12 horas (toda la noche). Se cepilla entonces muy bien. Se pone agua abundante en una cacerola y cuando rompe el hervor se sumerge la lengua. Se deja cocer a borbotones durante 10 minutos. Pasado este tiempo, se pone la cacerola con la lengua debajo del grifo del agua fría, y cuando el agua está renovada y fría se saca la lengua. Con un cuchillo afilado se pela, quitándole la piel gruesa que tiene. Esta operación de pelar la lengua hay quien prefiere hacerla después de cocida en el caldo. Esto según el gusto de cada cual.

Se prepara una cacerola o una olla con 150 gr. de cortezas de tocino. Se ponen éstas con la piel tocando el fondo de la cacerola. Se posa la lengua encima. Se echa una cebolla grande (125 gr.) cortada en dos; 2 zanahorias grandes (125 gr.) raspadas, lavadas y cortadas en rodajas gruesas; unos huesos de rodilla u otros; un ramillete con perejil, tomillo, una hoja de laurel y un diente de ajo. Se echa sal y unos gramos de pimienta, se rocía con un vaso (de los de vino) de vino blanco y se cubre de agua fría.

Se pone a fuego vivo y, cuando rompe a hervir, se cubre la cacerola, se baja algo el fuego y se tiene cociendo durante unas 2½ a 3 horas.

Este tiempo depende de lo tierna que sea la lengua. Para probar si está, se traspasa con un alambre fino, que debe entrar fácilmente en la carne.

Pasado este tiempo, está ya la lengua para comer, acompañada de varias salsas o hecha en guisos variados.

933.—LENGUA CON SALSA DE VINAGRETA HISTORIADA

Una vez cocida la lengua, se trincha en lonchas abiesadas. Se colocan en la fuente donde se vaya a servir, caliente o fría, como más guste. Se adorna la fuente con un picadito de lechuga y se

adorna la lengua con un huevo duro muy picado espolvoreado por encima.
Se sirve la salsa vinagreta aparte (receta 90).

934.—LENGUA CON BECHAMEL Y ALCAPARRAS

Una vez cocida, cortar la lengua en lonchas abiesadas y proceder igual que en la receta 737, n.º 3.

935.—LENGUA CON SALSA DE CEBOLLA, TOMATE Y VINO BLANCO

¼ kg. de cebollas (2 grandes),
4 tomates maduros grandes (¾ de kg.),
6 cucharadas soperas de aceite,
1 cucharada (de las de café) de harina,

1 vaso (de los de vino) de vino blanco,
1 pellizco de hierbas aromáticas (o una hoja de laurel y una ramita de tomillo), sal.

Una vez cocida la lengua (receta 932), se trincha en lonchas abiesadas. Se prepara igual que el bonito (véase receta 532).
Como la lengua está ya hecha y no soltará agua, quizá se deban añadir algunas cucharadas soperas de agua.
Se puede servir este plato de lengua acompañado de moldecitos de arroz blanco.

936.—LENGUA ESTOFADA (6 personas)

1 lengua de 1 a 1¼ kg.,
2 cebollas medianas (200 gr.),
4 zanahorias medianas (150 gr.),
80 gr. de manteca de cerdo,
1 vaso bien lleno (de los de vino) de vino blanco,
1 vaso bien lleno (de los de

vino) de caldo de cocer la lengua,
1 pellizco de hierbas aromáticas (o una hoja de laurel y una ramita de tomillo),
1 rebanadita de pan frito,
1 diente de ajo,
sal y pimienta.

Se prepara y se cuece la lengua (receta 932), pero **sólo se cocerá durante 2 horas.** Pasado este tiempo, se pone la manteca de cerdo a calentar; cuando está caliente, se le añade la cebolla pelada y picada. Se rehoga hasta que esté transparente (unos 6 minutos). Se posa encima la lengua escurrida de su jugo. Se raspan y se lavan las zanahorias y se cortan en rodajas algo gruesas que se ponen alrededor de la lengua; se rocía con el vino y el caldo y se agrega el pellizco de hierbas.
En un mortero se machaca el pan frito con un diente de ajo y se deslíe con un poco de caldo de cocer la lengua (un par de cucharadas soperas). Se vierte esto por encima de la lengua. Se añaden 2 ó 3 granos de pimienta y muy poca sal.
Se pone a fuego vivo hasta que rompe a hervir, y entonces se cubre la cacerola con papel de estraza y la tapadera. Se deja a fuego lento durante 1½ horas.

Se saca y se trincha la lengua, se pone en la fuente donde se vaya a servir y se adorna con las zanahorias. Se pasa la salsa por el chino o el pasapurés y se vierte por encima de la lengua. Se sirve bien caliente.

Si la salsa resultase algo clara, se espesará con una cucharada (de las de café) de fécula de patata desleída en un poco de salsa y revuelta con toda ella después.

937.—LENGUA REBOZADA

Como la lengua de ternera suele ser grande, se podrá servir parte con salsa y parte rebozada, para variar.

Se corta en rodajas finas y se pasa primero por huevo batido como para tortilla y después por pan rallado, apretando un poco para que éste se adhiera bien.

Se fríe en aceite por tandas y se sirve así mismo, o con salsa de tomate aparte en salsera.

MOLLEJAS

938.—MANERA DE PREPARAR Y COCER LAS MOLLEJAS

Se calcula 1 a 1 ¼ kg. de mollejas de ternera para 6 personas. Para cualquier manera de hacer las mollejas, se tendrán que preparar como sigue: Se ponen en remojo en agua fresca unas 4 horas, cambiándoles el agua 3 ó 4 veces.

Ingredientes para cocer las mojellas:

Para 1 ó 1 ¼ kg. de mollejas:

2 zanahorias medianas (100 gr.),
1 puerro mediano (o una cebolla pequeña de 50 gr.),
1 ramita de apio (facultativo),
1 hoja de laurel,
el zumo de un limón,
agua abundante,
sal.

Para cocerlas se ponen en una cacerola con agua fría que las cubra bien. Se añaden las zanahorias peladas y cortadas en rodajas, el puerro (o una cebolla pequeña cortada en dos), una ramita de apio (si se tiene), una hoja de laurel, el zumo de un limón y sal. Se ponen a cocer y, cuando rompe el hervor, se baja el fuego y se cuecen despacio unos 5 minutos. Se retiran entonces del fuego y se vacía el agua caliente, reemplazándola por agua fría. Una vez refrescadas las mollejas, se escurren. Se limpian muy bien, quitándoles las pieles, las bolas de grasa y sangre que tengan. Se colocan en un trapo limpio, que se dobla para que queden envueltas, y se coloca algo de peso encima (una tabla de carne ligera). Se tienen así durante una hora. Pasado este tiempo, se cortan en filetes gorditos y están así a punto para condimentarlas según la receta que se quiera.

939.—MOLLEJAS GUISADAS CON CHAMPIÑONES FRESCOS Y CEBOLLITAS (6 personas)

1 kg. de mollejas de ternera,
¼ kg. de champiñones frescos,
¼ kg. de cebollitas francesas pequeñas,
1 plato con harina para rebozar,
4 cucharadas soperas de aceite,
20 gr. de mantequilla,
el zumo de un limón,
2 vasos (de los de vino) de buen vino blanco,
¼ de litro de nata líquida (o 2 yemas de huevo),
sal.

Se preparan las mollejas como va explicado anteriormente.
Se lavan y se preparan los champiñones, dejándolos enteros si son pequeños o en trozos grandes si hay que cortarlos. Una vez lavados con el zumo de ½ limón, se escurren bien y se ponen en un cazo con la mantequilla (20 gr.), el zumo del ½ limón que queda y sal. Se saltean, se cubre el cazo con una tapadera y se dejan a fuego lento unos 10 minutos. Después se reservan, dejándolos en un sitio caliente.
En una cacerola se pone el aceite a calentar y se echan las cebollitas peladas y enteras. Se rehogan bien y cuando empiezan a dorarse (unos 10 minutos) se pasan los filetes de molleja en harina (sin sacudirlos para que esta harina sirva para espesar la salsa) y se doran con las cebollas. Una vez doradas, se añade el vino y se hace a fuego lento durante unos 15 minutos, sacudiendo de vez en cuando la cacerola. Se agregan entonces los champiñones con su jugo, revolviendo todo junto. Se rectifica de sal.
En un tazón se pone la nata líquida (o las yemas) y se deslíe con un poco de salsa. Se echa en la cacerola, apartando ésta del calor para que no cueza la salsa y se corte (lo mismo se hará si se ponen yemas).
Se vierte todo lo de la cacerola en la fuente de servir y se pasa rápidamente a la mesa. Se puede servir la fuente adornada con moldecitos de arroz blanco.

940.—MOLLEJAS GUISADAS AL JEREZ (6 personas)

1¼ kg. de mollejas,
1 cebolla mediana (80 gr.),
2 zanahorias medianas (100 gr.),
1 tomate grande (50 gr.) bien maduro,
4 cucharadas de aceite,
1 cucharada sopera colmada de harina,
½ vaso (de los de vino) de jerez,
1 vaso (de los de agua) de caldo (o agua con una pastilla de Starlux, Avecrem, etcétera),
1 pellizco de hierbas aromáticas (o un ramillete de laurel, tomillo y perejil),
sal y pimienta,
6 triángulos de pan de molde frito.

Se preparan las mollejas (receta 938).
En una cacerola se pone el aceite a calentar. Una vez caliente, se añade la cebolla pelada y picada. Se dan unas vueltas hasta que

se ponga transparente (unos 5 minutos); entonces se echan las zanahorias raspadas, lavadas y cortadas en rodajas y la harina. Se revuelve todo bien y se añade el tomate partido en cuatro trozos y sin simientes. Se incorporan entonces los filetes de molleja, que también se revuelven con cuidado para que no se deshagan, y se dejan dorar. Se echa sal, un poco de pimienta y las hierbas aromáticas (o el ramillete). Se rocía todo primero con el jerez y después con el caldo. Se espera que rompa el hervor, se baja el fuego y se tapa. A fuego lento se deja una hora, moviendo de vez en cuando el guiso.

Al ir a servir, se coloca el pan frito alrededor de la fuente, las mollejas escurridas en el centro y la salsa, una vez pasada por el chino o por el pasapurés, cubriendo las mollejas.

Se sirve en seguida.

941.—MOLLEJAS FLAMEADAS CON COÑAC Y SERVIDAS CON GUISANTES (6 personas)

1 kg. de mollejas,
½ vaso (de los de vino) de coñac,
100 gr. de manteca de cerdo,
1 cucharada sopera de perejil picado,

1 lata grande de guisantes (½ kg.) sin caldo o
2 kg. de guisantes frescos,
50 gr. de mantequilla,
sal y pimienta.

Se preparan las mollejas (receta 938).

En una sartén se pone la manteca a derretir; una vez caliente, se doran los filetes de molleja. Una vez bien dorados, se salan y se les pone un poco de pimienta. En un cazo pequeño se calienta un poco de coñac, se prende con una cerilla y se echa en la sartén, procurando con una cuchara rociar bien las mollejas para que el coñac se queme lo más posible. Se espolvorean con el perejil picado y se dejan a fuego mediano durante 15 minutos.

Mientras tanto se calienta la lata de guisantes, abierta, al baño maría. Una vez bien calientes, se escurren los guisantes (cerrando la tapa de la lata y volcándola sale el jugo). Se ponen los guisantes en un cazo, se les añade la mantequilla y se saltean un poco. Se verificará la sal, añadiendo si hiciese falta.

Se ponen las mollejas en la fuente donde se vayan a servir, rociándolas con su salsa, y alrededor se ponen los guisantes. Se sirve en seguida.

942.—MOLLEJAS CON ESPINACAS (6 personas)

1 kg. de mollejas,
3 kg. de espinacas,
1 plato con harina para rebozar,
1 cucharada sopera de harina,
25 gr. de mantequilla,

1 vaso (de los de agua) de leche fría,
1½ vasos (de los de agua) de aceite (sobrará),
agua y sal.

Se preparan las mollejas (receta 938).

Se lavan y se cuecen las espinacas en agua y sal (receta 356).

Después de cocidas y bien escurridas, se pican con un machete o, mejor, se pasan por la máquina de picar la carne.

En una sartén se derrite la mantequilla; una vez derretida, se añade la harina, se dan unas vueltas con una cuchara de madera y, poco a poco, se va echando la leche fría. Se cuece unos 5 minutos dando vueltas con la cuchara y se añaden las espinacas. Se sala y se reserva al calor.

En otra sartén se calienta el aceite. Cuando está a punto, se pasan los filetes de molleja ligeramente por harina, sacudiéndolos un poco para que caiga la que sobra, y se fríen hasta que estén dorados. Se escurren bien.

En una fuente se pone la crema de espinacas y por encima las mollejas; se sirve bien caliente.

943.—MOLLEJAS EMPANADAS CON SALSA DE TOMATE (6 personas)

1¼ kg. de mollejas,
2 huevos,
1 cucharada sopera de aceite,
1 plato con pan rallado,
¾ de litro de aceite (sobrará).
2 ramilletes de perejil.

Salsa de tomate:
1 kg. de tomates bien maduros,
3 cucharadas soperas de aceite frito,
1 cucharada (de las de café) de azúcar,
sal.

Se preparan las mollejas (receta 938).
Se hace la salsa de tomate (receta 63).
Una vez preparados los filetes de mollejas, se baten los huevos con la cucharada sopera de aceite y un poco de sal como para tortilla. Se pasan los filetes por el huevo y después por pan rallado, apoyando para que éste quede bien incrustado.

En una sartén amplia se pone el aceite a calentar. Cuando empieza a calentarse, se fríen los ramilletes de perejil, que se reservan. Se calienta entonces más el aceite y se fríen las mollejas hasta que queden bien doradas. Se ponen en la fuente donde se vayan a servir y se adornan con el perejil. Aparte, en salsera, se sirve la salsa de tomate.

944.—VOL-AU-VENT DE MOLLEJAS, CHAMPIÑONES Y TRUFAS (6 personas)

6 vol-au-vent individuales (o uno grande),
½ kg. de mollejas,
½ kg. de champiñones frescos,
35 gr. de mantequilla,
el zumo de un limón,
1 latita de trufas,
2 cucharadas soperas de harina,
½ litro de leche fría,

25 gr. de mantequilla,
2 cucharadas soperas de aceite fino,
1 cucharadita (de las de moka) de jugo de carne (Liebig, Bovril, Viandox, etc.),
nuez moscada,
sal.

Se preparan las mollejas (receta 938), pero en vez de hacer filetes se cortan en cuadraditos de 2 cm. de lado.

Se lavan y se preparan los champiñones (receta 424), pero sin cortarlos si son pequeños o cortándolos en trozos grandes si son grandes. Una vez hechos, se reservan al calor.

En una sartén se pone el aceite y la mantequilla a calentar; cuando están calientes, se añade la harina. Se dan unas vueltas con una cuchara de madera y se añade, poco a poco, la leche fría sin dejar de dar vueltas. Se cuece la bechamel durante unos 5 minutos, se le añade el jugo de carne y se prueba de sal. Se raspa un poquito de nuez moscada. Se agregan las mollejas, los champiñones con su jugo y las trufas, cortadas en láminas finas. Se revuelve todo junto y con este revuelto se rellenan los/el vol-au-vent. Se meten en el horno previamente calentado y con calor moderado. Una vez calientes, se sirven en una fuente.

945.—CROQUETAS DE MOLLEJA

½ kg. de mollejas.

Preparar las mollejas (receta 938), pero en vez de cortarlas en filetes se cortan en cuadraditos. Se procede igual que para las demás croquetas (receta 56).

CALLOS

946.—CALLOS EN SALSA POLLITA (A LA FRANCESA)
(6 a 8 personas)

1 kg. de callos (tripa),
½ kg. de morros,
1 pata de vaca o de ternera (¾ de kg.),
100 gr. de tocino con mucha veta,
2 cebollas medianas (150 gr.),
6 clavos (de especias),
3 zanahorias medianas (150 gr.),
1 ramillete (laurel, tomillo, ajo, perejil),
3 cucharadas soperas de coñac,
agua,
sal y pimienta.

Salsa:
4 cucharadas soperas de aceite,
2 cucharadas soperas de harina,
½ litro de caldo (o agua con 2 pastillas de Avecrem, Star-lux, etc.),
3 yemas de huevo,
zumo de un limón,
1 cucharada sopera de perejil picado,
sal.

Se flamea la pata para quemar los pelos. Se parte en trozos, se cortan los callos en trozos grandes como las dos manos juntas y se lavan bien en dos o tres aguas. Se ponen después con bastante sal y vinagre, se mueven mucho y se vuelven a aclarar hasta que se quite el olor a vinagre. Se raspan y se limpian entonces con un cuchillo poco afilado o un cepillo fuerte para quitar las babas.

En una cacerola amplia se pone el tocino en tiras, las 2 cebollas peladas enteras y pinchadas cada una con 3 clavos, las zanahorias raspadas, lavadas y cortadas en rodajas gruesas, el ramillete, el coñac, la sal, la pimienta molida y los callos, con el morro y la pata. Se cubre con agua abundante y se pone a cocer. Cuando rompe el hervor, se baja el fuego para que cuezan despacio durante 5 horas. Después se escurren y se prepara la salsa.

En una cacerola se pone el aceite a calentar, se le añade la harina, se dan unas vueltas con una cuchara de madera, se va añadiendo el caldo (o agua con pastillas) para hacer una bechamel clarita. Se rectifica de sal.

Se cortan los callos y el morro en trocitos, se añade la carne de la pata y se meten en la salsa a cocer suavemente durante ½ hora. Antes de ir a servir, se ponen en un tazón las yemas de huevo con el zumo de limón y se deslíe con unas cucharadas de salsa, teniendo buen cuidado de que no se cuajen las yemas. Se vierte esto en la salsa. Se mueve muy bien y se echa en la fuente honda, donde se servirá. Se espolvorea con el perejil y se sirve bien caliente.

947.—CALLOS A LA MADRILEÑA (6 a 8 personas)

Nota.—Los callos se deben preparar el día anterior, pues están mucho mejor recalentados.

Esta cantidad es la mínima que se debe hacer para que estén sabrosos.

1½ kg. de callos (tripas),
½ kg. de morros,
1 pata de vaca o de ternera (750 gr.),
4 cucharadas de aceite,
2 chorizos (150 gr.),
2 morcillas de callos (150 gr.),
½ guindilla,
1 hoja de laurel,
4 clavos de especias,
10 granos de pimienta,
un poco de nuez moscada rallada,
2 dientes de ajo picados,
1 cebolla pequeña (50 gr.) cortada en 4 trozos,
½ cebolla (50 gr.) picada,
1 cucharada sopera de harina,
2 tomates frescos (250 gr.),
1 cucharada (de las de café) de pimentón,
1 vaso (de los de vino) de vinagre,
agua y sal.

Se cortan los callos en trozos grandes (como una mano). Se lavan bien en dos o tres aguas. Después se ponen con bastante sal y el vinagre. Se mueven mucho y se vuelven a aclarar, hasta que se les quita el olor a vinagre. Entonces con un cuchillo poco afilado se les quita, raspándolos, toda la parte viscosa que tienen. También se pueden frotar con un cepillo, quitándoles todas las bolsas de sebo.

Una vez hecho esto, se cortan en trozos más pequeños, se ponen en una olla cubiertos de agua y se ponen a fuego vivo. Cuando rompe el hervor fuerte, se tira en seguida el agua. Se vuelven a cubrir con agua, se añaden las morcillas (enteras), el laurel, la guindilla, la pimienta, los clavos, la nuez rallada (un poco), la cebolla, los ajos y un tomate pelado. Todo esto se cuece hasta que los callos están tiernos (por lo menos unas tres horas). Se puede utilizar para esto la olla exprés, con una hora de cocción.

En una sartén se pone el aceite a calentar, se echa la cebolla muy picada, el pimentón y el chorizo en rodajas. Se da unas vueltas y se añade a la olla. Se deja cocer una hora más. Se separan del fuego y se dejan enfriar.

Al ir a servirlos, se corta la morcilla en rodajas y la pata en trocitos.

CRIADILLAS

948.—CRIADILLAS EMPANADAS CON ARROZ BLANCO (6 personas)

½ a ¾ de kg. de criadillas medianas,
1 huevo,

1 plato con pan rallado,
½ litro de aceite (sobrará),
sal.

Arroz blanco:

400 gr. de arroz, agua, sal y mantequilla.

Se mandan pelar y cortar en filetes no muy finos las criadillas.
Se prepara el arroz blanco (receta 165).
Antes de rehogarlo, se fríen las criadillas. Se bate el huevo (o 2 huevos si hiciese falta) como para tortilla, con sal. Se cortan los filetes en dos o tres partes a lo largo; se pasan por huevo y después por pan rallado. Se fríen por tandas en aceite caliente. Se escurren, a medida que se fríen, en un colador grande.
Una vez fritas todas las criadillas, se ponen en un lado de la fuente donde se vayan a servir y se reservan al calor.
Se rehoga el arroz con la mantequilla y se sala. Se pone en la otra mitad de la fuente, o en moldecitos, como más guste, y se sirve.
Nota.—Se puede acompañar con salsa de tomate en salsera.

CORAZON

949.—CORAZON DE TERNERA EN SALSA (6 personas)

1 ¼ kg. de filetes de corazón de
    ternera cortados gruesos,
½ vaso (de los de agua) de
    aceite,
½ vaso (de los de agua) de
    vino blanco,
1 cebolla grande (125 gr.),
2 tomates medianos maduros
    (200 gr.),
4 zanahorias medianas
    (¼ kg.),

1 diente de ajo,
½ vaso (de los de agua) de
    agua,
1 pastilla de caldo (de pollo,
    Gallina Blanca, Starlux, etc.),
1 pellizco de hierbas aromáti-
    cas (o un ramillete con to-
    millo, laurel, perejil),
    sal.

En una cacerola (o «cocotte») se pone el aceite a calentar. Cuando
está caliente, se ponen los filetes a dorar por tandas y se van
separando en un plato, a medida que están dorados. En el aceite
se pone la cebolla muy picada y cuando se empieza a poner
transparente (unos 6 minutos) se añade el diente de ajo pelado y
dado un golpe con el mango de un cuchillo (para que dé más
aroma). A los 5 minutos se añaden las zanahorias lavadas, peladas
y cortadas en rodajas. Se saltean un par de minutos y se añade
la harina. Se dan unas vueltas y se vuelve a poner la carne; se
añaden los tomates pelados, quitadas las simientes y cortados en
trozos. Se echa sal (poca) y las hierbas aromáticas, el vino y el
agua. Se tapa la cacerola y, cuando rompe el hervor, se baja
el fuego y lentamente se cuece durante una hora.
Pasado este tiempo, se agrega la pastilla de caldo machacada y
disuelta en un poco de salsa de cocer la carne. Se revuelve bien
y se cuece ½ hora más (este tiempo depende de lo duros que
estén los filetes). Se rectifica de sal si hiciese falta.
Se sirven con su salsa, en una fuente honda, con puré de patatas
o patatas cocidas y cortadas en trozos grandes.

950.—CORAZON DE TERNERA EMPANADO (6 personas)

1 kg. de filetes de corazón cor-
    tados finos,
2 huevos,
1 plato con pan rallado,
1 litro de aceite (sobrará),
    sal.

Salsa de tomate:
1 kg. de tomates bien maduros,
3 cucharadas soperas de aceite
    frito,
1 cucharada (de las de café) de
    azúcar,
1 cebolla mediana (80 gr.),
    sal.

Se hace la salsa de tomate (receta 63). Se reserva al calor.
Los filetes de corazón se salan, se pasan por huevo batido como

para tortilla y por pan rallado, apretando con la mano el pan rallado para que no se caiga, y se fríen por tandas.

Una vez fritos, se sirven en una fuente. Se pueden acompañar de arroz blanco o patatas fritas; la salsa de tomate se sirve en salsera aparte.

MANOS (o patas)

951.—MANERA DE COCER LAS MANOS DE CORDERO

Todas las recetas de manos de cordero deben empezar por prepararse como sigue:

Se limpian muy bien con el cuchillo si les queda algo de piel e incluso se flamean en el gas o con un algodón mojado en alcohol y prendido con una cerilla. Después de esto, se ponen en una cacerola, se cubren bien con agua fría y se dejan cocer a fuego muy vivo durante 10 minutos. Se escurren y se refrescan con agua fría y se vuelven a escurrir.

En una cacerola se pone agua fría abundante (para que pueda cubrir las manos de cordero). En un tazón se deslíen 2 cucharadas soperas de harina con agua fría y se añade al agua de la cacerola, así como una cebolla grande con 3 clavos de especies pinchados, 2 hojas de laurel, una ramita de perejil, un diente de ajo, el zumo de ½ limón, una ramita de tomillo y sal.

Se pone esto a cocer y cuando hierve a borbotones se sumergen las patas. Cuando vuelve a romper el hervor, se tapa la cacerola y se deja cocer hasta que las patas estén tiernas (unas 3 horas más o menos). Se quita de vez en cuando la espuma que se forma arriba.

Cuando están tiernas, se sacan, se escurren y se guisan como se quiera.

952.—MANOS DE CORDERO RELLENAS CON SALCHI-CHAS, EMPANADAS Y FRITAS (6 personas)

12 patas de cordero,
12 salchichas de carnicería (corrientes),
3 huevos,
1 plato con pan rallado,
1 litro de aceite para freír (sobrará),
sal.

Se dejan las patas con su hueso central, se limpian y se cuecen como va explicado anteriormente. Una vez cocidas, se les quita el hueso central, que se desprende casi solo, y se rellena este hueco con una salchicha. Esta se pinchará con un palillo en varios sitios, con el fin de que al freír no estalle. Se cierra la pata con un palillo si hace falta.

En un plato se baten los huevos como para una tortilla. Se pasan las patas por huevo y después por pan rallado, apretando para que éste se adhiera muy bien.

568

En una sartén honda se pone el aceite a calentar y se fríen las manos por tandas, reservando las que están ya fritas al calor. Se ponen en una fuente y se sirven. Se pueden acompañar con salsa de tomate en una salsera.

Nota.—Se pueden suprimir, si se quiere, las salchichas, pero resulta un plato mucho más soso.

953.—BUÑUELOS DE MANOS DE CORDERO (6 personas)

8 patas de cordero,
1 litro de aceite para freír (sobrará),
Masa de buñuelos:
300 gr. de harina,
1½ vasos (de los de agua) de leche fría,

3 cucharadas soperas de aceite fino,
3 cucharadas soperas de vino blanco,
1 cucharadita (de las de moka) de levadura Royal,
sal.

Se limpian y se cuecen las manos de cordero (receta 951). Una vez cocidas, se deshuesan con mucho cuidado y se cortan en trocitos.
Se hace la masa de los buñuelos como va explicado en la receta 53.
Se pone el aceite a calentar en una sartén honda. Cuando está en su punto (se prueba con una rebanadita de pan), se sumergen los trozos de carne en la masa y se fríen hasta que estén dorados. Esto se hace por tandas, reservando los buñuelos al calor.
Cuando están todos fritos y escurridos, se sirven en una fuente adornada con ramitos de perejil también fritos.
El perejil se ata con un hilo y se fríe con el aceite poco caliente, pues si no se pone en seguida oscuro.

954.—MANOS DE CORDERO CON TOMATE (6 personas)

12 manos de cordero,
1 hoja de laurel,
1 cebolla pequeña (50 gr.),
1 kg. de tomates maduros,
3 cucharadas soperas de aceite frito,

1 cucharada (de las de café) de azúcar,
1 cebolla mediana (100 gr.),
sal.

Se hace la salsa de tomate clásica con cebolla, que quede bastante espesa (receta 63).
En la casquería se pedirá que le quiten el hueso del centro a las patas. Una vez preparadas y ya cocidas las manos (receta 951), se ponen en la salsa de tomate y se dejan a fuego lento unos 25 minutos.
Se sirven en fuente honda.

955.—MANOS DE CORDERO CON SALSA DE LIMON
(6 personas)

12 patas de cordero.

Se preparan y se cuecen como va explicado en la receta 951.
Mientras se terminan de cocer, se hace la salsa de limón (receta 74). Se colocan las patas escurridas en una fuente y se cubre
con la salsa. Se sirven en seguida.

956.—MANERA DE COCER LAS MANOS DE CERDO

Para unas 4 manos.

Las manos de cerdo se suelen vender ya limpias de piel y chamuscados los pelos. Si no, se hará como va explicado para las
de cordero.
Después se lavan en varias aguas. Se les da un corte desde la
pezuña hasta arriba. Se ponen en una cacerola, se cubren con
mucha agua y se les añade un vaso (de los de vino) de vino
blanco, 2 cebollas medianas peladas y cortadas en dos, 3 zanahorias peladas, lavadas y cortadas en cuatro trozos, 2 dientes de
ajo pelados, una hoja de laurel, una ramita de tomillo, una ramita
de perejil, 2 clavos de especia y sal.
Se pone la cacerola a fuego vivo y cuando empieza a cocer a borbotones se tapa con una tapadera, se baja el fuego y se dejan
cocer despacio durante 4 horas (más o menos) hasta que estén
tiernas. Se escurren en un colador grande o en una plato, y se
preparan como más gusten.

957.—MANOS DE CERDO EMPANADAS

Se preparan como anteriormente. Unicamente se envuelve cada
mano en una gasa limpia ·o se ata con una cuerda fina para que
no se deformen.
Una vez cocidas, se escurren. Se deshuesan lo más posible y se
arman con bonita forma. Se ponen en un mármol o una mesa y
se pone la tabla de cortar la carne encima para que pese un
poco. Se dejan así durante ½ hora.
Pasado este tiempo, se empanan, pasando las patas primero por
huevo batido como para tortilla y después por pan rallado. Se fríen
en aceite caliente de dos en dos y, una vez doradas, se escurren
bien y se sirven en seguida.
Se pueden acompañar con alguna salsa de tomate (receta 63), o
de mayonesa con tomate y coñac (receta 96), o verde (receta 95),
servida aparte en salsera.

958.—MANOS DE CERDO CON TOMATE

(Véase la receta 954.)

959.—BUÑUELOS DE MANOS DE CERDO

(Véase la receta 953.)

960.—MANOS DE CERDO CON SALSA ESPAÑOLA.

(Véase la receta 72.)

Salsa española (receta 72):

Se cuecen las manos de cerdo (receta 956). Una vez cocidas, se cortan en dos, se deshuesan y se ponen a dar un hervor dentro de la salsa española, que tiene que ser abundante.
Nota.—Resulta muy bueno el añadir a la salsa 2 cucharadas soperas de piñones, en el momento de poner las manos.

ASADURA

961.—ASADURA DE CORDERO (6 personas)

1 asadura de cordero entera (que son: los pulmones, el hígado y el corazón),
4 cucharadas soperas de aceite,
2 tomates medianos (¼ kg.),
2 cebollas grandes (200 gr.),
1 vaso (de los de vino) de vino blanco,
1 cucharada (de las de café) rasada de pimentón,
1 cucharada sopera de perejil picado,
1 pellizco de hierbas aromáticas (o un ramillete de laurel, tomillo, un diente de ajo pelado),
sal.

Se corta toda la asadura en trocitos todos iguales de dos dedos de ancho. Se pone el aceite en una cacerola para que se caliente; una vez caliente, se le añade la cebolla pelada y muy picada. Se refríe, dándole vueltas con una cuchara de madera hasta que empiece a tomar color (unos 8 minutos). Se agrega entonces la asadura cortada en trocitos cuadrados y se revuelve hasta que esté dorada. Se añade el pimentón, removiendo rápidamente, los tomates pelados, cortados en trozos y quitadas las simientes, el vino blanco, las hierbas aromáticas y la sal. Se tapa la cacerola y, a fuego muy lento, se cuece durante 45 minutos.
Se espolvorea con perejil picado y se sirve en una fuente, que se podrá adornar con triángulos de pan frito o puré de patatas.

Repostería

962.—BIZCOCHO CON NATA DE LA LECHE (6 personas)

1 vaso (de los de agua) de nata de la leche (ésta debe guardarse cuando está cocida la leche, escurriendo un poco la nata, pero no mucho, y debe ser de varios días, para que se agrie ligeramente),

1 vaso (de los de agua) de azúcar,

un poco de mantequilla o aceite para untar el molde,

1½ vasos (de los de agua) de harina fina,

2 huevos,

la cáscara rallada de un limón,

1 cucharadita (de las de moka) colmada de levadura Royal,

2 cucharadas soperas de harina para untar el molde.

Se unta bien un molde alargado con la mantequilla o aceite fino y se espolvorea con las 2 cucharadas soperas de harina, quitando la sobrante que no se quede pegada, volcando y sacudiendo con una mano el molde.

En una ensaladera se pone la nata, el azúcar, la cáscara de limón rallada y los huevos batidos como para tortilla. Se revuelve todo muy bien y se echa un vaso de harina. La levadura se espolvorea encima de la harina, se revuelve bien, se añade entonces poco a poco el otro ½ vaso de harina y, una vez incorporada totalmente, se vierte en el molde la masa.

Se mete el molde en horno frío y se enciende después de metido a fuego lento, primero hasta que sube y un poco más fuerte después, durante más o menos 45 minutos a una hora. Después de sacado del horno el bizcocho, hay que volcarlo del molde lo más deprisa posible sin quemarse, o sea, pasados unos 15 minutos. Se pone sobre una tela metálica para que no se concentre la humedad en ninguna de las caras del bizcocho, y cuando está totalmente frío se sirve.

Nota.—Todos los bizcochos se pueden conservar un par de días, envolviéndolos después de estar fríos en un papel de plata.

963.—BIZCOCHO CON LECHE Y ACEITE (8 personas)

2 huevos,
250 gr. de harina,
200 gr. de azúcar,
1 taza (de las de té) de leche,
1 taza (de las de té) de aceite fino crudo,
1 cucharadita (de las de moka) de levadura Royal,

un poco de mantequilla o aceite para untar el molde,
2 cucharadas soperas de harina para untar el molde,
la cáscara de un limón rallado o un pellizco de polvos de vainilla,
un pellizco de sal.

En una ensaladera se baten los huevos como para hacer una tortilla, se les añade la leche, el aceite, el azúcar y la cáscara rallada del limón o la vainilla. Se revuelve todo junto. Se mezcla la harina, la sal y la levadura y se añaden en unas tres veces a la crema de la ensaladera.

Se unta el molde de cake (alargado) con la mantequilla o aceite y después se espolvorea con la harina, sacudiendo bien el molde para quitar lo sobrante. Se echa la masa en el molde y se mete al horno muy poco caliente. Cuando se ve que el bizcocho va subiendo, se da algo más de calor, pero siempre tiene que estar el horno menos de mediano.

Cuando el bizcocho está dorado, se pincha con un alambre: si éste sale limpio, el bizcocho está ya cocido. Esto tardará más o menos una hora.

Se saca del horno, se deja templar el molde y se vuelca el bizcocho para dejarlo enfriar en una rejilla puesta en hueco (en un plato sopero, por ejemplo).

Véase la receta anterior.

964.—BIZCOCHO GENOVESA (8 personas)

3 huevos,
el peso de 3 huevos, de azúcar,
el peso de 2 huevos, de harina,
100 gr. de mantequilla,
la ralladura de un limón,

mantequilla para untar el molde,
2 cucharadas soperas de harina para espolvorear el molde,
un pellizco de sal.

Se separan las yemas de las claras. Estas se ponen en una ensaladera con un pellizco de sal y se baten a punto de nieve muy firme. Se les añade, una vez montadas, las yemas, y después el azúcar. Se mueve sin parar, y siempre en el mismo sentido, con una cuchara de madera durante 10 minutos, después de lo cual se agrega la harina, cucharada por cucharada, la ralladura de limón y, al final, la mantequilla derretida (teniendo buen cuidado de que ésta no cueza). Se pone en un molde alargado de cake, previamente untado de mantequilla y espolvoreado con un poco de harina.

Se mete al horno muy suave (éste estará encendido 5 minutos antes) y se tendrá durante 45 minutos a una hora. Se pincha con un alambre en el centro para ver si está cocido. El alambre debe salir limpio.

Fuera del horno y cuando esté aún caliente (unos 15 minutos después), se vuelca en una rejilla o tela metálica y se deja en hueco sobre un plato sopero hasta que esté bien frío.

Véase la nota, receta 962.

965.—BIZCOCHO CUATRO CUARTOS (6 a 8 personas)

3 huevos grandes,
  su mismo peso de mantequilla
  o margarina (Tulipán),
  su mismo peso de harina,
  su mismo peso de azúcar,
  la ralladura de un limón o vainilla en polvo (un pellizco),

un poco de mantequilla o aceite para untar el molde,
un poco de harina para espolvorear el molde,
sal,
1 cucharada (de las de café) de levadura Royal.

Se deja la mantequilla o la margarina fuera de la nevera para que esté blanda.

Se baten las claras a punto de nieve firme, se les añaden las yemas, después el azúcar, la margarina o la mantequilla, la vainilla y la harina mezclada con la levadura. Se mueve todo suavemente.

Se unta un molde alargado con aceite y después se espolvorea con harina. Se vierte la masa en el molde. Se pone a horno mediano flojo durante unos 50 minutos.

Se saca del horno el bizcocho después de comprobar con un alambre si está bien cocido y, cuando está templado, se vuelca y se termina de enfriar sobre una parrilla o rejilla.

Véase la nota, receta 962.

966.—BIZCOCHOS TOSTADOS (4 a 5 personas)

2 huevos,
  su peso de harina,
  su peso de azúcar,
  el peso de un huevo de mantequilla,

un poco de mantequilla para untar el molde,
1 cucharada (de las de café) de levadura Royal,
un pellizco de sal.

Se baten los huevos enteros con el azúcar; cuando la mezcla se pone espumosa, se añade la harina (previamente mezclada con la levadura y la sal) cucharada a cucharada y, al final, se incorpora la mantequilla derretida (sin que cueza).

Se unta un molde redondo de borde no muy alto. Se mete a

574

horno suave durante unos 45 minutos. Cuando el bizcocho está cocido, se saca del horno y se deja enfriar un poco. Al estar templado se vuelca el molde encima de una rejilla. Cuando está frío del todo se corta en tiras de dos dedos de ancho y de unos 4 cm. de largo. Se vuelven a meter en el horno más bien caliente hasta que se tuesten, dándoles a los trozos la vuelta para que queden por igual. Una vez tostados, se dejan enfriar y se guardan en una lata cerrada, en la cual se podrán conservar varios días.

También se puede comer el bizcocho entero y fresco.

967.—BIZCOCHO DE CLARAS DE HUEVO (6 a 8 personas)

6 claras de huevo,
200 gr. de azúcar,
150 gr. de maizena,
100 gr. de mantequilla,
   un poco de mantequilla y

de harina para untar el molde,
un pellizco de vainilla en polvo,
sal.

Se montan las claras muy firmes de tres en tres (para que suban más) y con una pizca de sal. Se juntan en una ensaladera y se añade alternando cada vez una cucharada sopera de azúcar y otra de maizena. Al final se agrega la mantequilla ligeramente derretida. Se unta un molde de cake con mantequilla y se espolvorea con harina. Se vierte la masa dentro.

Se mete a horno mediano (previamente calentado unos 5 minutos) durante 50 minutos más o menos.

Se retira del horno y cuando está templado se vuelca del molde y se coloca encima de una rejilla para que se termine de enfriar.

Véase la nota, receta 962.

968.—BIZCOCHO AMARMOLADO (6 a 8 personas)

125 gr. de mantequilla,
   un poco de mantequilla para untar el molde,
200 gr. de azúcar,
  3 huevos,
  1 vaso (de los de vino) de leche,
250 gr. de harina fina,

2 cucharadas soperas de harina (para el molde),
1 cucharada (de las de café) de levadura Royal,
2 cucharadas soperas de chocolate o cacao en polvo,
un pellizco de sal.

Se ponen en una ensaladera la mantequilla blanda con el azúcar; se mueve bien y se añaden las 3 yemas de huevo, después la leche y, por fin, cucharada por cucharada, la harina, que se habrá mezclado con la levadura. Al final se baten las claras a punto de nieve muy firme (con un poquito de sal) y se agregan sin mover mucho. Se separa la masa en dos. Una de las mitades se mezcla con el cacao.

En un molde alargado de cake, previamente untado con mantequilla y espolvoreado con un poco de harina, se pondrán las dos masas, alternando parte de la blanca, otra de la de chocolate y así sucesivamente. Se meterá a horno muy suave durante una hora más o menos.

Cuando el bizcocho esté cocido (se pincha con un alambre para saberlo: si éste sale limpio, el bizcocho está hecho), se dejará templar y se vuelca, dejándolo enfriar sobre una rejilla.

Véase la nota, receta 962.

969.—BIZCOCHO DE CHOCOLATE (8 personas)

3 huevos,
   su mismo peso de harina,
   su mismo peso de azúcar,
   su mismo peso de mantequilla,
   su mismo peso de chocolate,

1 cucharadita (de las de moka) bien llena de levadura Royal,
un poco de mantequilla y 2 cucharadas soperas de harina para untar el molde,
sal.

En una cacerola se pone la mantequilla a derretir (sin que cueza), se añade el chocolate en trozos y se derrite lentamente. Cuando está bien derretido y fuera ya del fuego, se agrega el azúcar, se mueve bien; se incorporan las 3 yemas de huevo (una por una), la harina mezclada con la levadura y, por fin, las claras de huevo a punto de nieve muy firmes (con un pellizquito de sal). Estas se mezclan con cuidado.

Se vierte la masa en un molde alargado bien untado de mantequilla y espolvoreado con harina, sacudiendo con la mano para que caiga la sobrante.

Se mete a horno templado suave durante unos 50 minutos más o menos. Una vez comprobado si el bizcocho está bien cocido (pinchándolo con un alambre), se saca del horno y cuando está templado se vuelca, dejando que se termine de enfriar sobre una rejilla puesta en hueco (en un plato sopero, por ejemplo).

Véase la nota, receta 962.

970.—BIZCOCHO BORRACHO (BABA) (6 a 8 personas)

2 yemas de huevo,
3 claras de huevo,
3 cucharadas soperas de azúcar,
6 cucharadas soperas de harina,
1 cucharada sopera de levadura Royal,
un poco de mantequilla para untar el molde,
sal.

Salsa:
¼ litro de agua,
125 gr. de azúcar,
2 decilitros de ron (1½ vasos de los de vino).

Se baten las 3 claras muy firmes con un pellizquito de sal. Cuando están batidas se les añade el azúcar, después las yemas y, cucharada a cucharada, 3 de harina, la de levadura Royal y las 3 últimas de harina.

Se unta con mantequilla un molde en forma de corona. Se vierte la masa dentro y se mete a horno mediano unos 45 minutos.

Mientras el borracho se cuece, se va haciendo el almíbar, poniendo el agua con el azúcar y el ron a que cuezan durante unos 5 minutos.

Se apartará para que no cueza más, pero sin dejarlo enfriar.

Cuando se ha comprobado que el bizcocho está cocido (con un alambre), se saca del horno y sin desmoldar se le vierte poco a poco el almíbar caliente.

Una vez bien empapado, se desmolda, volcándolo en la fuente donde se vaya a servir, y se sirve así o con nata montada en el centro y con unas frutas confitadas adornando.

971.—BIZCOCHO BORRACHO HECHO CON PAN RALLADO (BABA) (8 personas)

4 huevos,
4 ó 5 cucharadas soperas de pan rallado,
4 cucharadas soperas de azúcar,
1 cucharada (de las de café) de levadura Royal,
un poco de mantequilla para untar el molde,
un pellizco de sal.

Almíbar para emborrachar:
1½ vasos (de los de vino) de ron,
8 cucharadas soperas de azúcar,
1½ vasos (de los de vino) de agua.

En una ensaladera se ponen las yemas de los huevos, se les añade el azúcar, se baten y cuando forman una crema muy espumosa se agrega el pan rallado, la levadura y al final las claras batidas (con un pellizco de sal) a punto de nieve muy firme.

Se vierte la masa en un molde en forma de corona y bien untado de mantequilla; se mete a horno templado unos 45 minutos. Mientras tanto se hace el almíbar.

En un cazo se ponen juntos el ron, el agua y el azúcar. Se cuecen unos 5 minutos. Se separa del fuego.

Cuando el bizcocho está cocido (esto se comprobará con un alambre), se saca del horno y, sin dejarlo enfriar ni sacarlo del molde, se le vierte poco a poco el almíbar.

Cuando está frío y bien empapado, se desmolda y se sirve con el centro adornado con nata montada y frutillas confitadas (estas dos cosas son facultativas y se pueden poner por separado cada una si se quiere).

Otro adorno del borracho:

Crema pastelera:

1 litro de leche,
4 yemas de huevo,
6 cucharadas soperas de azúcar,
2 cucharadas soperas colmadas de maizena,

1 cucharada (de las de café) de harina,
vainilla en polvo o en rama (puesta en la leche),
3 cucharadas soperas de azúcar para quemar la crema.

Se pone a cocer la leche con la mitad del azúcar y la vainilla. Aparte, en un tazón, se mezclan muy bien las yemas, el resto del azúcar, la harina y la maizena.

Cuando la leche empieza a cocer, se echa con una cuchara sopera un poco en el tazón (unas 4 cucharadas de leche más o menos bastan) y luego se vierte lo del tazón en el cazo de la leche, dejando cocer esta crema unos 3 minutos **sin dejar de moverla**. Se separa del fuego y se enfría moviéndola un poco. Cuando está fría y el borracho está desmoldado, se vierte la crema en el centro, se espolvorea con azúcar y con una plancha caliente se quema para formar una costra de caramelo. Se sirve en seguida.

972.—BIZCOCHO CON MANDARINAS Y NUECES (6 a 8 personas)

1 bizcocho redondo (comprado),
3 yemas,
150 gr. de azúcar molida,
150 gr. de mantequilla,
el zumo de 2 clementinas,
4 ó 5 clementinas en gajos,
100 gr. de azúcar,
1 vaso (de los de vino) de agua (no lleno),
100 gr. de nueces picadas gruesas.

Se compra un bizcocho redondo o se hace una genovesa (receta 964), o un bizcocho de claras de huevo (receta 967, en molde redondo). Se separa en dos partes. Se hace una crema:
En una ensaladera se ponen las yemas y el azúcar, se mueve un poco con una cuchara de madera, se añade el zumo y después, poco a poco, la mantequilla derretida (pero sin que cueza) al baño maría. Se mueve muy bien durante unos 20 minutos. Se pone la mitad de esta crema untada en una de las partes del bizcocho. Se cubre con la otra media parte y se unta la parte de arriba y los bordes con lo que queda de crema.

En un cazo se pone el agua con el azúcar a cocer unos 5 minutos, se meten los gajos de las mandarinas dentro a cocer unos 10 minutos. Se sacan y una vez bien escurridos y templados se colocan, dándoles bonita forma, encima del bizcocho. En el centro del mismo se ponen unas pocas nueces y en los costados también. Estas quedan adheridas por la crema.
Se pone en sitio fresco y se sirve.
Nota.—Esta tarta se puede hacer igual con naranjas.

973.—BIZCOCHO-TARTA DE NARANJA (6 personas)

125 gr. de azúcar,
4 huevos,
50 gr. de harina,
50 gr. de fécula de patata,
la corteza rallada de 2 naranjas,
½ tarro de mermelada de naranja,
1 vaso (de los de licor) de Cointreau o Curaçao,
25 gr. de mantequilla.

Baño:
200 gr. de azúcar,
1 decilitro de agua (1 vaso de los de vino),
un pellizco de vainilla,
1 cucharada sopera de agua fría,
10 gotas de esencia de naranja.

Rallar la corteza de una de las naranjas, echándola en una ensaladera, añadir el azúcar y las yemas de huevo de una en una. Dar vueltas a esto con una cuchara de madera durante 15 minutos. Añadir la harina y la fécula y, al final, las claras sin montar.
Untar un molde redondo de unos 26 cm. de diámetro, más bien altito, con la mantequilla y verter la masa dentro. Meter al horno muy suave durante unos 50 minutos más o menos.
Una vez sacado el bizcocho del horno, se deja templar y se saca del molde. Cuando está frío del todo se parte por la mitad, formando dos redondeles. Se rellenan con la mezcla de la mermelada de naranja, la corteza rallada de la 2.ª naranja y el licor.
Se baña entonces la tarta con la preparación siguiente:
En un cazo se pone el azúcar, el agua fría y el pellizco de vainilla. Se pone a fuego mediano unos 10 minutos, después de los cuales se agrega la cucharada sopera de agua fría. Se da vueltas de prisa hasta que espese y se añade el perfume de naranja. En seguida se baña la tarta con esto y se deja enfriar.
Se puede adornar con unas guindas o unos montoncitos de nata hechos con la manga.

974.—PASTELILLOS HECHOS CON MUFFINS Y NARANJAS (6 personas)

6 muffins,
1 vaso (de los de agua) bien lleno de agua,
6 naranjas medianas,
5 cucharadas soperas de azúcar,

3 cucharadas soperas de Cointreau o Curaçao,
150 gr. de nata montada,
12 guindas en almíbar o confitadas.

Se quita una capa muy fina de corteza en las dos tapas de los muffins y se cortan en dos mitades cada muffin.

En una cacerola se hace el almíbar poniendo el agua y el azúcar a cocer durante 8 a 10 minutos. Mientras tanto se pelan un par de naranjas y se cortan 12 rajas finas. Una vez hecho el almíbar, se sumergen las rajas de naranja un par de minutos en él. Se sacan y se reservan en un plato, escurriéndolas muy bien en la cacerola del almíbar. A éste se le añade el zumo colado de las demás naranjas y se cuece otros 10 minutos. Se separa este almíbar del fuego y se le añade el Cointreau. Con el líquido aún caliente se emborrachan los medios muffins muy bien para que queden empapados. Si rezuman jugo, se vuelve a recoger y se echa por encima. Una vez bien empapados de almíbar, se coloca sobre cada medio muffin una rodaja de naranja (reservadas antes) y se les hace con una manga de pastelería una gran borla de nata, el centro de la cual se adorna con una guinda.

Se pone en sitio fresco durante una hora y se sirve.

975.—PAN DE NUECES

1 taza (de las de té) de nueces picadas no muy menudas,
½ taza de pasas de Corinto,
20 gr. de mantequilla,
1 huevo,
1 taza de azúcar,
1 taza de leche,

2 tazas de harina (o un poco más),
1 cucharada (de las de café) rasada de levadura Royal,
un poco de mantequilla y de harina para el molde.

Se ponen a remojo durante unos 20 minutos las pasas, en agua templada más bien caliente.

En una ensaladera se bate la mantequilla (que debe estar blanda, sacada de la nevera una hora antes por lo menos) con el huevo y el azúcar. Después se añade la mitad de la harina, alternando con la leche. Se agregan entonces las pasas bien escurridas y las nueces y, después, la otra taza de harina mezclada con la levadura. Se vuelca esta masa en un mármol enharinado y se amasa con la punta de los dedos. Se unta con bastante mantequilla un molde alargado y se espolvorea con harina. Se mete la masa dentro y se deja reposar ½ hora en sitio no fresco. Se mete entonces a horno templado por espacio de una hora, con el fuego sólo por abajo. Si de todas maneras se tostase demasiado el pan, se cubriría con un papel para que no se queme. Se pincha con un alambre para ver si está cocido.

Una vez hecho, se deja enfriar un poco y se vuelca poniéndolo

encima de una rejilla hasta su completo enfriamiento. Se guarda
24 horas en un paño limpio o envuelto en papel de plata antes
de comerlo, pues resulta mejor.

976.—MAGDALENAS (salen unas 60)

3 huevos,
250 gr. de azúcar,
300 a 350 gr. de harina fina,
¼ litro de aceite fino,
⅛ de litro de leche,
4 paquetes de polvos de «Ar-
misén» (2 blancos y 2 ama-
rillos),
la ralladura de un limón,
unos moldes de papel,
un pellizco de sal.

En una ensaladera se ponen las 3 claras y el pellizco de sal; se
baten a punto de nieve muy firme, se les añade las yemas, después el azúcar, el aceite, la leche, la ralladura del limón, el Ar-
misén (un papel de cada color, alternándoles) y, al final, la harina.
Todos estos ingredientes se echan poco a poco y unos detrás de
otros, removiendo bien con una cuchara de madera.
Con una cucharita de las de café se rellenan los moldes de
papel hasta menos de la mitad de la altura del mismo.
Se meten a horno mediano flojo y se sacan cuando están bien
doraditas.
Estas magdalenas se pueden guardar unos días en una caja de
metal.

977.—MAGDALENAS DE CLARA DE HUEVO (salen unas 28 piezas)

160 gr. de mantequilla,
30 gr. de mantequilla para untar los moldes,
250 gr. de azúcar,
120 gr. de harina,
6 claras de huevo sin batir.

En una ensaladera se pone el azúcar y la mantequilla un poco
blanda. Se mezclan bien, se añaden las claras de huevo y moviendo con unas varillas, después de dejarlo bien unido, se va
añadiendo poco a poco la harina.
Calentar el horno de antemano y untar unos moldes metálicos
con forma de magdalenas, con bastante mantequilla, con el dedo
o con un pincel. Poner la masa en cada molde, pero que no llegue
hasta arriba.
Meter al horno (previamente templado) unos 20 a 25 minutos hasta
que estén las magdalenas bien doraditas. Volcarlas del molde
cuando están aún calientes y dejarlas enfriar.
Se pueden conservar en una lata amplia unos 3 ó 4 días.

978.—PASTAS DE COCO (salen unas 50)

5 claras de huevo,
300 gr. de azúcar.
250 gr. de coco rallado,
un pellizco de vainilla en
polvo,
un poco de mantequilla para
untar la chapa.

En un cazo se echan las claras y el azúcar, se pone a fuego mediano suave y con unas varillas se bate sin parar. Cuando la mezcla está caliente, se añade el coco y la vainilla, se sigue batiendo para que todo quede bien mezclado y se retira de la lumbre.
Se unta de mantequilla una chapa de horno. Se pone con una cuchara de postre la masa en montoncitos. Se mete la chapa en el horno, se enciende éste con calor muy suave y se cuecen durante unos 30 minutos, hasta que las pastas estén ligeramente doradas. Se retiran de la chapa, cuando están casi frías, con un cuchillo de punta redonda y se dejan enfriar.

979.—ROCAS DE COCO

Se procede igual que para las pastas anteriores, variando únicamente la cantidad de coco. Se ponen 300 gr.
Se hacen unos montones de masa más altos y con un tenedor de postre mojado en agua fría se les da antes de meterlos en el horno una bonita forma.

980.—PASTAS SENCILLAS (salen unas 50)

3 huevos,
200 gr. de azúcar,
250 gr. de harina fina,

un poco de mantequilla para untar la chapa del horno,
un pellizco de vainilla.

Se baten bien los 3 huevos con el azúcar y se les añade, de dos en dos cucharadas, la harina y la vainilla.
Se unta con mantequilla la chapa del horno y con una cuchara de las de café se hacen montoncitos de masa bastante separados unos de otros, para que al ensancharse no se toquen.
Se ponen a fuego mediano, y cuando las pastas están doradas se retiran en seguida (en caliente) de la chapa con un cuchillo de punta redonda. Se dejan enfriar para servir o para guardar en una lata un par de días si se quiere.

981.—PASTAS CON NATA DE LA LECHE (salen unas 30)

Se procede exactamente igual que para la receta del bizcocho de nata (receta 962), pero poniendo sólo un huevo. Una vez hecha la masa, se unta una chapa de horno con un poco de mantequilla y se espolvorea con un poco de harina. Con una cuchara de las de café se ponen montoncitos alejados unos de otros (pues esta masa se extiende bastante) y se meten a horno mediano hasta que estén doraditas.
Se retiran con la punta de un cuchillo y se ponen extendidas hasta que se enfríen.

982.—SABLÉS DE ALMENDRAS (salen unos 35)

200 gr. de mantequilla,
150 gr. de azúcar,
1 huevo,
300 gr. de harina,

65 gr. de almendras picadas,
una churrera con dibujo plano por un lado y ondulado por arriba.

Se ablanda un poco la mantequilla y se mezcla con el azúcar con una cuchara de madera; se le añade el huevo y después la harina y las almendras. Se mezcla todo junto, procurando no revolver la masa más que lo indispensable.

Se mete esta masa en veces en la churrera y se extiende sobre un mármol, cortando los carriles así formados en trozos de 4 cm. Se colocan con cuidado, ayudándose con un cuchillo de punta redonda, sobre la chapa del horno.

Se meten a horno mediano, y cuando tienen un bonito color dorado se retiran y se dejan enfriar.

Se pueden guardar varios días en una caja de metal.

983.—LENGUAS DE GATO (salen unas 55 piezas)

4 claras de huevo (sin batir),
125 gr. de mantequilla,
125 gr. de harina,

125 gr. de azúcar,
un pellizco de vainilla en polvo.

En una ensaladera se pone la mantequilla, que no debe estar fría, sino blanda; se agrega el azúcar y las claras de huevo sin batir, una por una, y la vainilla, se dan vueltas con una cuchara de madera durante 8 a 10 minutos; después se va añadiendo, cucharada a cucharada, la harina. Una vez bien incorporada ésta, se enciende el horno para que esté caliente y con una cuchara se ponen unas tiritas de un dedo o menos de anchas y bien separadas unas de otras, pues al calentarse se extiende mucho la masa. Se meten a horno mediano durante más o menos 10 minutos, hasta que las lenguas de gato estén bien doradas todo alrededor, pero con el centro claro.

Se saca la chapa y, con un cuchillo de punta redonda, se desprenden primero todas las lenguas de gato y luego con cuidado se sacan y se colocan sobre un mármol bien planas hasta que estén frías.

Una vez frías y tiesas, se ponen en el plato donde se vayan a servir o se guardan (2 ó 3 días) en una caja de metal.

984.—PASTAS DE TE CON ALMENDRAS RALLADAS
(salen unas 30)

75 gr. de mantequilla,
100 gr. de almendras ralladas,
100 gr. de harina,
100 gr. de azúcar,
la ralladura de un limón,
1 huevo.

Adorno:
½ guinda o una almendra,
1 brocha plana.

En una ensaladera se mezcla la mantequilla (blanda) con las almendras y el azúcar. Se añade después la harina, la ralladura de limón y, por último, ½ huevo batido como para tortilla. Todo ello se debe trabajar lo menos posible, sólo lo necesario para que los ingredientes queden unidos.

Se coge masa con una cucharita de las de café, se forma una bola aplastada y se coloca en la chapa del horno. Con el pincel se embadurnan las pastas con el ½ huevo batido como para tortilla. Se coloca encima de cada pasta ½ guinda o una almendra y se meten a horno mediano. Cuando están doradas se retiran, levantándolas con un cuchillo de punta redonda.

Se dejan enfriar.

Se pueden guardar varios días en una caja de metal.

985.—PASTAS DE TE (salen unas 50)

100 gr. de mantequilla,
125 gr. de azúcar,
250 gr. de harina,
  1 cucharada sopera de levadura Royal (rasada),
  1 cucharada sopera de leche fría,

2 huevos,
unas almendras crudas, para adorno,
un poco de harina (para las manos).

En una ensaladera se pone la mantequilla blanda, el azúcar, un huevo y la yema del segundo. Se mezclan bien los ingredientes con una cuchara de madera. Se añade después, poco a poco, la harina, la levadura Royal y, al final, la leche.

Se espolvorean las manos con harina y con una cucharita de las de café se hace una bolita de masa, se pone en la chapa de horno, se aplasta en redondo dejándola de 1½ cm. de gruesa y se adorna cada pasta con una almendra.

En un plato sopero se bate un poco con un tenedor la clara que ha sobrado. Con una brocha se unta en cada pasta esta clara y se meten a horno mediano, más bien flojo (previamente encendido durante 6 minutos para la primera remesa), hasta que están doradas por arriba (15 a 20 minutos).

Se saca la chapa del horno y con un cuchillo de punta redonda se desprenden. Se ponen en una mesa de mármol, si es posible, hasta que estén frías. Se pueden conservar unos días en cajas de hojalata.

986.—ROSQUILLAS (salen unas 35)

1 huevo,
4 cucharadas soperas de aceite fino,
4 cucharadas soperas de leche fría,
2 cucharadas soperas de anís (licor),
6 cucharadas soperas de azúcar,

1 cucharadita (de las de moka) de levadura Royal o una (de las de café) de bicarbonato,
½ kg. de harina más o menos,
1 litro de aceite para freír las rosquillas,
azúcar glass para espolvorearlas.

En una ensaladera se pone el huevo y se bate un poco con un tenedor. Se añade el aceite, la leche y el anís. Se bate para que quede bien mezclado. Se agrega el azúcar y la levadura. Después se va añadiendo la harina, la que admita (½ kg. más o menos). Se forman unos rollitos de un dedo meñique fino de grueso y se hacen las rosquillas en redondo.

Se pone el aceite a calentar y se fríen las rosquillas por tandas, primero con el aceite poco caliente y después más caliente (cuando se hayan inflado), para que queden bien cocidas por dentro y doradas por fuera. Se sacan y se dejan escurrir. Cuando están aún calientes, para que se adhiera bien, se espolvorean con azúcar glass o con azúcar molida corriente.

987.—ROSQUILLAS DE LIMON (salen unas 35)

3 huevos,
150 gr. de manteca de cerdo derretida,
¼ litro de leche fría,
la corteza de un limón rallada,
1 cucharadita (de las de moka) de levadura Royal o de bicarbonato,

3 cucharadas soperas de anís dulce (licor),
1 kg. más o menos de harina,
350 gr. de azúcar,
1 litro de aceite,
azúcar glass para espolvorear.

En una ensaladera se pone todo junto, menos la harina. Se mueve todo durante 15 minutos. Entonces se le va agregando la harina, poco a poco, hasta que se desprenda de las paredes de la ensaladera.

Después se forman las rosquillas de un dedo meñique de grueso y se fríen en aceite poco caliente para que se cuezan primero por dentro y se hinchen bien. Una vez bien huecas, se da más fuego al aceite para que tomen un bonito color dorado.

Se escurren y después se espolvorean con azúcar glass.

988.—ROSQUILLAS ALARGADAS DE ALMENDRAS (salen unas 50)

3 huevos,
200 gr. de azúcar,
100 gr. de almendras picadas,
25 gr. de mantequilla,

300 gr. de harina (más o menos),
1 cucharada sopera de kirsch,
1 litro de aceite (sobrará).

En una ensaladera se ponen el azúcar, las almendras, los huevos y el licor. Se dan vueltas con una cuchara de madera durante un ¼ de hora. Aparte, en un cazo pequeño, se pone la mantequilla a derretir (sin que cueza), se añade a la masa y, por último, se va echando la harina, revolviendo lo menos posible. La masa tiene que quedar más bien blanda, de manera que se puedan formar unas croquetitas largas, de unos 3 a 4 cm. y anchas como un dedo meñique (pero habrá que untarse las manos con harina para poder formarlas, pues al ser blanda la masa se pega mucho).

Se pone el aceite a calentar en una sartén grande y honda; cuando está empezando a calentarse, se retira del fuego y se van echando las croquetas de forma que queden holgadas; se espera a que se hinchen y se vuelve entonces a poner la sartén a fuego vivo, hasta que las croquetas empiecen a dorarse. Se retiran con una espumadera y se dejan escurrir en un colador grande.

Estas croquetas suelen abrirse un poco, pero esto hace gracioso. Se pueden conservar una vez frías, unos días, en una caja metálica.

989.—POLVORONES DE ALMENDRA (MANTECADOS) (salen unos 50)

300 gr. de manteca de cerdo,
300 gr. de harina,
300 gr. de azúcar,
100 gr. de almendras tostadas molidas,

1 huevo,
un pellizco de sal,
canela en polvo,
azúcar glass para espolvorearlos.

En una sartén sin nada se pone la harina a calentar. Se le da vueltas con una cuchara de madera y antes de que tome color se retira (unos 7 minutos).

Se pone esta harina en una mesa de mármol en forma de círculo; en el centro se pone la manteca, el azúcar, las almendras, la canela, el pellizco de sal y el huevo. Se amasa muy bien con las manos hasta que esté todo muy fino. Se coge un poco de masa (el grosor de una nuez) y se forma una bola, que se aplasta para que quede un redondel grueso.

Se colocan los polvorones en una chapa de horno al lado unos de otros, sin poner nada en la chapa, y se meten a horno muy suave (más o menos 30 minutos).

Se sacan del horno y se dejan enfriar en la misma chapa. Se espolvorean con el azúcar glass.

Se conservan en una lata o bien envolviéndolos cada uno con papel de seda.

990.—LAZOS FRITOS (salen unos 25)

Muy a propósito para meriendas de niños.

250 gr. de harina fina,
harina para espolvorear la mesa,
2 huevos,
30 gr. de mantequilla,
2 cucharadas soperas de azúcar,

1 cucharada sopera de aguardiente,
un pellizco de sal,
azúcar glass para espolvorearlos,
1 litro de aceite fino (sobrará),

En una ensaladera se ponen todos los ingredientes juntos y con la mano se amasa muy bien. Una vez amasada en la ensaladera, se espolvorea con harina una mesa de mármol y se amasa otro poco. Se vuelve a espolvorear la mesa con harina y con un rollo pastelero se extiende la masa hasta que quede muy fina. Se cortan unas tiras de un dedo de ancho y de unos 25 cm. de largas. Se forman unos lazos.

En una sartén grande y honda se pone el aceite a calentar; cuando está en su punto (se prueba echando una rebanadita de pan), se echan los lazos de cuatro en cuatro para que no tropiecen y cuando están dorados se retiran. Se sirven en una fuente, espolvoreándolos abundantemente con azúcar glass.

991.—GALLETAS «MARIA» FRITAS

4 galletas «María» por persona, mermelada de frambuesa o grosella,

1 litro de aceite (sobrará), 1 plato con azúcar molida.

Se cogen la mitad del número de galletas que se vayan a preparar y se untan con la mermelada. Se les pegan las otras galletas apretando un poco, pero sin romperlas, para que se adhieran. Se pone a calentar en una sartén grande el aceite; cuando está caliente (pero no demasiado, pues estas galletas se arrebatan en seguida), se fríen rápidamente. Se sacan, se pasan por el azúcar y se colocan en la fuente donde se vayan a servir.
Están mejor recién hechas.

992.—BUÑUELOS DE VIENTO (salen unos 25 medianos)

4 huevos,
125 gr. de harina,
25 gr. de mantequilla,
2 cucharadas soperas de azúcar,
la corteza rallada de un limón,

1¼ vasos (de los de agua) de agua,
un pellizco de sal,
1 litro de aceite (sobrará),
azúcar glass.

En un cazo se pone el agua, la mantequilla, el azúcar, el limón rallado y el pellizco de sal. Todo esto junto se pone a cocer y cuando hierve se echa de una vez la harina y, sin retirar del fuego, se dan vueltas con una cuchara de madera hasta que la masa se desprende de las paredes del cazo. Se retira del fuego y se deja un rato que se vaya enfriando. Cuando la masa está templada, se le incorporan los 4 huevos, pero de uno en uno. Hasta que cada huevo no quede bien mezclado a la masa no se echa el siguiente. Se deja reposar esta masa durante 2 horas.
Se pone en una sartén honda el aceite a calentar; cuando aún no

está muy caliente, se separa del fuego y se echan unos montoncitos de masa cogiéndolos con una cucharita de las de café y empujándola hacia el aceite con el dedo para que los buñuelos adquieran bonita forma. Se les tiene un rato con la sartén apartada del fuego para que se inflen y suban a la superficie del aceite. Entonces se vuelve a poner la sartén al fuego hasta que los buñuelos estén doraditos. Se sacan con una espumadera y se dejan escurrir en un colador grande.

El secreto del éxito de estos buñuelos está en la manera de freírlos, para que se hinchen bien y no quede la masa cruda en el centro.

Se pueden servir así, templados o fríos, espolvoreados con azúcar glass, o rellenos de crema.

Nota.—Para hacer más cantidad de buñuelos, es mejor repetir la receta que añadir más cantidad de ingredientes.

Relleno:

½ litro de leche,
1 corteza de limón (se pone en la leche a cocer),
3 yemas de huevo,

1½ cucharadas soperas de maizena,
½ cucharada sopera de harina,
5 cucharadas soperas de azúcar.

Se procede como para la crema catalana (receta 1.033).

993.—PETITS-CHOUX

Con estas proporciones se hacen unos 30 petits-choux de tamaño grande como para postre y unos 70 de tamaño pequeño como para aperitivo (receta 32).

1 vaso (de los de agua) de leche,
50 gr. de mantequilla,
50 gr. de manteca de cerdo,
1 cucharada pequeña de azúcar (o un terrón),
1 vaso (de los de agua) de harina (el mismo que el de leche),
3 huevos enteros,
2 claras de huevo sin batir, sal.

Relleno de crema:
¾ de litro de leche,
150 gr. de azúcar,
1 corteza de limón,
3 yemas de huevo,
1 clara de huevo a punto de nieve,
2 cucharadas soperas de harina (más bien llenitas).

Caramelo:
3 cucharadas soperas de azúcar,
1 cucharada sopera de agua.

Masa de los petits-choux:

En un cazo se pone la leche, la mantequilla, la manteca, la sal y el azúcar. Se pone a fuego mediano y, cuando está todo derretido, se mueve con una cuchara de madera; cuando empieza a hervir, se echa de golpe la harina, se mueve rápidamente durante unos 3 minutos y se separa del fuego la masa.

Mientras tanto se hace la crema del relleno.

Se pone en un cazo la leche, el azúcar y la cáscara de limón a fuego mediano. En un tazón se baten las 3 yemas con la harina y un par de cucharadas de leche fría, que se habrá quitado de los ¾ de litro. Cuando la leche empieza a cocer, se coge con un cacillo un poco de leche caliente y se añade al tazón, moviendo bien para que no se cuajen las yemas. Se vierte en la leche cociendo y, sin dejar de mover, se cuece durante unos 3 a 5 minutos. Se aparta del fuego y se cuela por un colador de agujeros grandes (chino o pasapurés) para retirar las cáscaras de limón y algún grumito si lo hubiese. Se pone en sitio fresco (nevera) cuando esté templada.

La masa de los choux estará entonces templada y se le irán añadiendo, de uno en uno, los 3 huevos enteros, esperando cada vez a que estén bien incorporados en la masa y, por último, las 2 claras (sin montar).

Se engrasa una chapa de horno ligeramente con aceite fino, y con una cucharita de las de café se forman unos montoncitos bastante alejados unos de los otros. Se mete a horno muy suave hasta que estén bien dorados. Se sacan y se dejan en espera.

La crema del relleno estará fría. Se le añade una clara montada a punto de nieve que quede bien incorporada y no se note.

Se cortan los choux con unas tijeras, haciendo una raja de unos 3 cm. de larga de costado, y con cuidado se presionan un poco para abrir esta boca. Esta se hará hacia la mitad del choux (con el fin de que la crema no se salga al cerrar la raja) y con una cucharita de café se mete la crema.

Una vez todos los choux rellenos, se hace el caramelo para bañarlos por encima. Se pone al fuego el azúcar y el agua; cuando está el caramelo dorado se mete rápidamente la parte de arriba de cada choux en el caramelo y se saca en seguida.

(Hay que tener cuidado de agarrar muy bien el choux para no quemarse.)

994.—BRAZO DE GITANO (8 personas)

2 cucharadas soperas de fécula de patata,
4 cucharadas soperas de harina,
5 cucharadas soperas de azúcar,
3 huevos,
1 clara,
un pellizco de vainilla en polvo,

1 cucharada (de las de café) de levadura Royal,
un pellizco de sal,
1 paño limpio,
mantequilla para untar la chapa,
azúcar glass.

Se montan a punto de nieve muy firmes las cuatro claras, con un pellizquito de sal. Se les añaden las yemas, después el azúcar y por último, cucharada a cucharada, la mezcla de la harina, la fécula y la levadura (estos tres elementos se mezclarán en un plato sopero antes de usarlos).

Se unta muy bien con mantequilla una chapa de horno bastante grande (37 × 26 cm. más o menos) y poco alta; en el fondo se coloca un papel blanco también untado con mantequilla. Se mete a horno más bien suave unos 35 minutos. Tiene que estar la masa cocida (al pincharla con un alambre, éste tiene que salir limpio), pero no muy dorada.

Se moja el paño de cocina en agua templada y se retuerce muy bien para que esté húmedo pero sin agua. Se extiende en una mesa y en seguida se vuelca el bizcocho. Se quita el papel pegado, se extiende el relleno con mucha rapidez y se enrolla el brazo de gitano ayudándose con el paño. Una vez bien formado, se pone en una fuente cubierto con un papel, hasta que se enfríe, y al ir a servir se cortan las extremidades y se espolvorea con azúcar glass.

Rellenos:

1.°) Crema pastelera:

½ litro de leche,
3 yemas de huevo,
5 cucharadas soperas de azúcar,

1 ½ cucharadas soperas de maizena,
½ cucharada sopera de harina,
un pellizco de vainilla.

2.°) Mermelada de frambuesa o grosella y nata montada:

Una vez el bizcocho en el paño de cocina, se extiende una capa muy fina de mermelada con un cuchillo. Encima de ésta se extiende nata montada dulce y se enrolla rápidamente. Hará falta más o menos ½ kg. de nata.

995.—MASAS PARA TARTAS

Para moldes de unos 25 cm. de diámetro.

1.ª receta:

1 yema de huevo,
200 gr. de harina,
harina para espolvorear el mármol,
80 gr. de mantequilla,
1 cucharada sopera de aceite de cacahuete (o de oliva fino),

1 vaso (de los de vino) más o menos de agua fría,
sal (un pellizco),
1 cucharada (de las de café) de azúcar,
mantequilla para untar el molde.

Se pone la harina en una ensaladera, se espolvorea con el pellizco de sal y el azúcar y se añade la mantequilla (blanda) en trocitos como avellanas y la yema. Con la punta de los dedos se tritura esto lo menos posible, formando una especie de serrín grueso. Se va echando entonces poco a poco (en tres veces, por ejemplo) el agua. Se espolvorea la mesa o mármol y se echa la masa para amasarla un poco, y se forma una bola grande. Esta se pone en sitio fresco tapada con un tazón, o envuelta en papel de plata, y se deja reposar por lo menos 3 horas. Se puede preparar con más anticipación si se quiere.

Al ir a hacerla, se espolvorea harina en la mesa y se extiende con un rollo pastelero. Se traslada con cuidado al molde previamente untado con un poco de mantequilla. Se recortan los bordes que sobren y se pincha el fondo en varios sitios con un tenedor para que al cocer no se formen pompas.

Se puede poner a horno mediano unos 10 ó 15 minutos y rellenarla después a medio cocer.

Se pueden poner en el fondo un puñado de garbanzos o judías (sin remojar) para que no se deforme la masa al cocer sin relleno. Al poner el relleno, se quitan.

Se puede batir con un tenedor una clara de huevo (sólo como si fuese para tortilla) y con una brocha plana untar el fondo y los bordes para cuando se rellena la tarta con fruta que pueda soltar algo de jugo.

2.ª receta (masa quebrada sencilla):

125 gr. de harina fina,
60 gr. de mantequilla,
2 cucharadas soperas de agua,
2 cucharadas soperas rasadas de azúcar,

1 clara de huevo,
mantequilla para untar el molde,
harina para espolvorear la mesa.

Se tiene la mantequilla sacada de la nevera para que esté blanda, sin estar derretida. Se pone la harina en una mesa de mármol, se añade la mantequilla, el azúcar y el agua. Se trabaja muy poco con la punta de los dedos. Una vez mezclado todo, se forma una bola y se deja descansar unos 30 minutos.

Se espolvorea la mesa con harina y se estira la masa con un rollo de pastelería. Se coloca en el molde de tarta con cuidado (éste estará previamente untado de mantequilla) y se pincha el fondo con un tenedor para que no se hagan pompas.

En un plato sopero se pone una clara de huevo ligeramente batida con un tenedor (sólo para romper las hebras). Con una brocha se pasa por los bordes del molde y en el fondo. Se mete en el horno flojo unos 15 minutos. Se saca, se rellena con lo que se quiera y se vuelve a meter en el horno.

3.ª receta de masa francesa para tartas:

100 gr. de mantequilla,
250 gr. de harina,
2 yemas de huevo,
20 gr. de levadura de panadero,

3 cucharadas soperas de leche caliente (no hirviendo),
sal,
2 ó 3 cucharadas soperas de azúcar.

En un vaso se pone la leche templada y la levadura durante unos 10 minutos.

En una ensaladera se vierte este líquido y se añaden las yemas, la mantequilla (blanda) y, por último, la harina y la sal. Se amasa entonces con la mano. Se extiende con la mano o con un rollo de pastelería y se coloca sobre una chapa untada previamente con mantequilla. Se cubre con un paño limpio, dejando que la masa repose y suba durante ½ hora.

Se pincha todo el fondo con un tenedor, sin llegar a traspasar del todo la masa.

Se espolvorea entonces con el azúcar. Ya está preparada para el relleno que más se prefiera.

4.ª receta de masa sablé para tartas (para un molde de unos 20 cm. de diámetro):

250 gr. de harina,
125 gr. de mantequilla,
 20 gr. de mantequilla (para untar el molde),
  3 cucharadas soperas de azúcar,

1 huevo,
la corteza de ½ limón rallada,
harina para espolvorear la mesa,
un pellizco de sal.

Se tiene la mantequilla fuera de la nevera para que esté blanda.

En un tazón se pone el azúcar y la sal y se casca el huevo entero. Se bate todo junto hasta que el azúcar y la sal se queden bien incorporados y no se noten.

En un mármol se echa la harina, formando un montón. En el centro se hace un hoyo y se vierte dentro el huevo batido con la sal y el azúcar. Por encima de la harina se ponen trocitos de mantequilla blanda. Se trabaja con la punta de los dedos, rápidamente y sin amasar casi, para que la masa se quede bien sablé (es decir, quebradiza).

Se unta un molde con los 20 gr. de mantequilla, se estira la masa con un rollo de madera sobre el mármol espolvoreado con harina y se traslada al molde, dándole buena forma y cortando las sobras.

Se pincha el fondo de la masa con un tenedor en varios sitios y se mete a horno templado. Se puede dejar cocida en blanco o dorada, según el relleno que se vaya a poner.

5.ª receta de masa con almendras (para un molde de 24 a 26 cm. de diámetro):

200 gr. de harina fina,
105 gr. de mantequilla (blanda),
  1 huevo pequeño,
 50 gr. de almendra cruda molida,
  3 cucharadas soperas de azúcar,

2 cucharadas soperas de leche fría,
un pellizco grande de sal,
pan rallado fino,
 20 gr. de mantequilla para untar el molde,
un poco de harina para espolvorear la mesa y el rollo.

Se mezclan la harina y la sal y se agrega la mantequilla blanda dividida en trocitos. Se trabaja sólo un poco la masa con la punta de los dedos. Se añade casi en seguida el azúcar, el huevo batido como para tortilla, la leche y, al final, las almendras molidas finas. Se trabaja lo menos posible la masa, sólo lo necesario para que quede todo bien incorporado. Se forma con la masa una bola, que se cubre con un paño limpio por espacio de una hora. Se unta un molde redondo con los 20 gr. de mantequilla y se espolvorea con un poco de pan rallado, sacudiendo el molde para quitar lo sobrante.

Pasada la hora de reposo, se estira la masa sobre un mármol, espolvoreado ligeramente de harina, con un rollo pastelero. Se coloca en el molde, se pincha con un tenedor todo el fondo para que al cocer no se infle y se mete al horno, previamente calentado y mediano, unos 25 a 30 minutos más o menos.

Esta tarta se puede rellenar de nata y fresa, grosellas, frambuesas o también de cerezas, pero a éstas se les quitan los huesos y se cuecen ligeramente en un almíbar.

Si éste fuese el relleno, se debe batir ligeramente un poco de clara y untarla con una brocha plana por todo el fondo, con el fin de que quede impermeabilizado para la fruta, crema o nata.

996.—MANERA DE COCER LAS FRUTAS PARA EL RELLENO DE LAS TARTAS

Se hace un almíbar con $\frac{1}{8}$ de litro de agua (un vaso, de los de vino, lleno) y 4 cucharadas soperas de azúcar. Se pone a cocer, y cuando lleva unos 10 minutos se echa la fruta (manzanas peladas y cortadas en gajos, ciruelas partidas por el medio y quitado el hueso, cerezas o albaricoques, etc.) Se dejan cocer de manera que queden blandas pero sin deshacerse. Se escurren de este jugo, se colocan en la masa anteriormente preparada para ello y en el almíbar se deshacen 2 cucharaditas (de las de café) de fécula de patata con unas gotas de agua fría. Se cuece unos minutos y se vierte sobre la tarta ya preparada.

Fresones o fresas:

2 cucharadas soperas de mermelada,
3 cucharadas soperas de agua,
3 cucharadas soperas de azúcar,

½ hoja escasa de cola de pescado, deshecha en 3 cucharadas soperas de agua caliente.

Se colocan crudos encima de la tarta ya cocida y se bañan con un poco de mermelada de grosella o albaricoque, cocida con agua, azúcar y cola de pescado y colada por un colador por encima de la fruta.

997.—TARTA DE MANZANA

Masa: receta 995, 2.ª receta.

Relleno:

3 manzanas reinetas,
un puñado de pasas de Corinto,
2 cucharadas soperas de mermelada de albaricoque,

½ vaso (de los de agua) de agua,
1 cucharada sopera llena de azúcar.

Una vez hecha la masa, se rellena la tarta como sigue:
En un cazo se pone el agua, el azúcar y las pasas. Se calienta a
fuego mediano y se deja cocer despacio unos 10 minutos. Se separa
del fuego y se deja en espera.
Se cortan las manzanas en cuatro. Se pelan, se quitan los centros
duros y se cortan en gajos finos. Se colocan éstos primero todo
alrededor de la masa ligeramente montados unos encima de otros,
después otra fila hasta llegar al centro de la tarta. Se mete la
tarta a horno suave unos 20 minutos más o menos. Se saca, se
espolvorean las pasas escurridas. En el almíbar de las pasas se
añade la mermelada, se cuece unos 5 minutos a fuego vivo.
Se retira, se enfría un poco para que quede templado y se vierte
esta salsa, colándola por un colador (no muy fino), sobre la
tarta.
Se deja enfriar y se sirve así o con un poco de nata montada
recubriendo la tarta.

998.—TARTA DE FRUTAS (6 a 8 personas)

1 molde de unos 23 cm. de
diámetro,
¾ de kg. de fruta: naranjas
(3 grandes),
o albaricoques,
o peras,
o manzanas,
1½ vasos (de los de agua) de
leche fría,
8 cucharadas soperas de azúcar,

2 cucharadas soperas de maizena,
1 huevo,
1 clara,
5 cucharadas soperas de agua
(1 decilitro),
2 cucharadas soperas de mermelada de albaricoque,
masa de la tarta (receta 995,
1.ª receta).

La clara se bate como para tortilla y con una brocha se pasa
por el fondo y los bordes de la tarta antes de meterla en el
horno.
Se cuece durante unos 25 minutos la masa, y mientras tanto se
prepara el relleno.

Preparación del relleno:

En un cazo se ponen 5 cucharadas soperas de azúcar con el decilitro de agua a cocer. Se cuece unos 5 minutos y se le añade
la fruta pelada (si son naranjas, peras o manzanas; sin pelar y
partidas por medio y quitada la almendra, si son albaricoques). Se
dejan cocer en el almíbar unos 8 minutos (según sea la fruta).
Se sacan del almíbar. Aparte, en un tazón, se deslíe la maizena
con un poco de leche fría. Se pone el resto de la leche a cocer con 3 cucharadas de azúcar. Cuando rompe a hervir, se añade
la maizena y, sin dejar de mover con una cuchara de madera, se
deja unos 3 minutos cociendo. Mientras tanto la masa estará
ya cocida. Se bate como para tortilla el huevo y se añade poco a
poco a la maizena, moviendo muy bien. Se vierte esto en el fondo
de la tarta. Se coloca la fruta encima, formando un bonito dibujo, y se mete a gratinar en el horno unos 5 minutos.

Se saca y se deja enfriar. Se vuelca entonces la tarta en una tapadera y otra vez ésta en la fuente donde se vaya a servir, o se hace la tarta en una chapa con un aro amovible especial.

En el almíbar que ha quedado de cocer la fruta se añade la mermelada de albaricoque, se cuece unos 10 minutos y, cuando se vaya a servir la tarta, se cuela este jugo por un colador de agujeros no muy finos y se vierte por encima sin que haya mucho líquido, sólo una capa fina.

El relleno se pone sólo ½ hora antes de servir, pues más tiempo se remoja mucho la masa.

En este tipo de tarta se puede suprimir la crema de maizena. Habrá entonces que poner más cantidad de fruta, y antes de colocar ésta se espolvorea con un poco de azúcar el fondo. Por lo demás, se procede igual que se ha explicado anteriormente.

999.—TARTA DE LIMON (6 personas)

1 molde de unos 22 cm. de diámetro.

Masa quebrada:

200 gr. de harina,
80 gr. de mantequilla,
1 huevo,
1 cucharada sopera de aceite fino,
un pellizco de sal,
1 cucharada sopera de azúcar,
un poco de agua fría.

Relleno:
1 bote de leche condensada,
3 yemas de huevo.

la ralladura de un limón,
el zumo de 2 ó 3 limones (según tamaño).

Merengue:
3 claras de huevo,
2 cucharadas soperas de azúcar glass,
1 cucharada (de las de café) de harina fina,
un pellizquito de sal.

Se hace la masa quebrada según está explicado en la receta 995, 1.ª receta, y se deja hecha una bola en sitio fresco durante unas horas.

En el momento de ir a hacer la tarta, se espolvorea un mármol con harina y se estira la masa con el rollo pastelero. Se coloca en el molde. Se pincha todo el fondo con un tenedor (con el fin de que al cocerse no se formen pompas) y se colocan unas judías o unos garbanzos por encima del fondo. Se mete a horno medianamente caliente y se deja hasta que empieza a dorarse la masa (unos 30 minutos más o menos).

Se bate ligeramente en un tazón como ½ clara de huevo, pero sólo hasta que esté espumosa. Con una brocha se unta el fondo de la tarta (quitados los garbanzos o judías). Se vuelve a meter en el horno 5 minutos para que se seque la clara.

En una ensaladera se baten las 3 yemas con la ralladura del limón y se vierte poco a poco la leche condensada y luego el zumo de los limones. Se vierte esta crema en la tarta.

Se hace el merengue batiendo muy firmes las claras con un poquito de sal. Una vez batidas se les añade, moviendo entonces con una cuchara, el azúcar y la harina. Con este merengue se cubre la tarta y se vuelve a meter al horno para dorar. Cuando el merengue empieza a dorarse se saca, se deja enfriar y se sirve la tarta.

Nota.—Se puede también hacer el relleno de crema de limón (receta 1.057). Así resulta una tarta más al estilo inglés.

1.000.—PASTEL DE QUESO ALEMAN (6 personas)

: molde de 25 cm. de diámetro (que se desarme de costado, o con chapa y bordes separados).

Masa quebrada:

200 gr. de harina,
 80 gr. de mantequilla,
  1 cucharada sopera de aceite fino,
  1 yema de huevo,
  1 vaso (de los de vino más o menos) de agua fría,
  1 cucharada (de las de café) de azúcar,
    un pellizco de sal,
 20 gr. de mantequilla para untar el molde.

Relleno:
 ¼ kg. de queso de Burgos,
  1 decilitro de nata líquida (o leche en bote Nestlé),
  3 huevos,
 50 gr. de almendra rallada,
    un pellizco de vainilla en polvo,
100 gr. de azúcar,
    un puñado de pasas de Corinto (ya remojadas en agua templada).

Se hace la masa quebrada (receta 995, 1.ª receta). Se unta ligeramente el molde (mejor uno que se desarme) con mantequilla y se pone la masa. Se pincha todo el fondo con un tenedor para que no se infle al cocer. Se mete a horno suave 20 minutos.
Mientras tanto se prepara el relleno. En una ensaladera se pone el queso de Burgos, que tiene que ser muy fresco. Se deshace con el dorso de un tenedor. Se añade la nata, la vainilla, el azúcar, la almendra rallada y las 3 yemas, revolviendo bien. Se montan las claras a punto de nieve firme y se revuelve con lo demás. Al final se agregan las pasas de Corinto escurridas. Se vierte esta mezcla en el molde, se vuelve a meter la tarta en el horno a fuego mediano durante más o menos una hora.
Se saca del horno, se deja templar, se desmolda y se pasa la tarta a la fuente donde se vaya a servir.

1.001.—TARTA DE YEMA

Se hace la masa (receta 995, 3.ª receta).
Cuando ha reposado ½ hora, se espolvorea con el azúcar y se cubre con la siguiente crema:

  3 huevos,
    su mismo peso de azúcar,
 30 gr. de almendra rallada (2 cucharadas soperas) (facultativo),

mantequilla (40 gr. más o menos).

Se baten los huevos como para tortilla, se les añade el azúcar y la almendra rallada (si se quiere) y se vierte en seguida sobre la tarta. Se coloca la mantequilla en forma de unas 6 avellanitas esparcidas por encima de la tarta y se mete a horno mediano unos 20 minutos, con fuego sólo debajo, y después se dora, dando más fuerza al horno hasta que esté dorada la crema de yema.

Se saca del horno y cuando está templada se vuelca dos veces, para que la crema quede arriba si se ha hecho en molde fijo, o bien se quita el aro y se pasa la punta redonda de un cuchillo para correrla a la fuente donde se irá a servir.

1.002.—HOJALDRE (6 personas)

200 gr. de harina,
125 gr. de manteca de cerdo,
125 gr. de margarina (Tulipán, etcétera),
el zumo de un limón,

agua fría,
un pellizco de sal,
½ huevo (para pintar el hojaldre),
harina para la mesa.

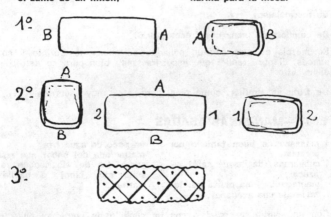

La manteca y la margarina deben estar fuera de la nevera para tener una consistencia mediana, ni dura ni blanda.

Se tiene que procurar hacer el hojaldre en sitio fresco (sobre todo en verano).

Se mezclan la harina y la sal. Se ponen en un montón en una mesa de mármol y se cubre con la manteca y la margarina en trocitos. Se mezcla primero ligeramente con un cuchillo. Se añade el zumo de limón y el agua (ésta depende de la clase de harina, pero siempre poca). Se enharina la mesa y se amasa un poco. Con un rodillo de pastelería se estira en forma alargada y se dobla en tres.

Se deja reposar 15 minutos. Se enharina otro poco la mesa y se vuelve a estirar poniendo la masa al contrario.

Se repite esta operación tres veces, esperando cada vez 15 minutos. Después se deja reposar la masa por lo menos 2 horas. Yo aconsejaría hacerla la víspera. Se envuelve en un papel de plata y se deja en sitio fresco (no muy frío).

Se vuelve a estirar con el rodillo y se rellena.

Se debe colocar el hojaldre en una chapa de horno ligeramente húmeda (con una esponja o Spontex bastará para humedecerla).

Se cuece a horno fuerte unos 30 minutos. Como el hojaldre se suele rellenar, además de hacer unos dibujos con la punta de un cuchillo, hay que pinchar la masa con un alambre en varios sitios para hacer chimeneas. Para que salga bonito y brillante el hojaldre, se pinta con un huevo batido utilizando una brocha.

Rellenos:

Se puede rellenar **de crema** (natillas con bastante harina o maizena, con el fin de que queden espesas). Receta 1.032. Crema pastelera, receta 1.036, suprimiendo el añadirle la clara de huevo a punto de nieve).

De mermelada.

De compota de manzanas (receta 1.006).

Se mezcla el puré con un puñadito de pasas de Corinto y con nueces. El puré tendrá que escurrirse muy bien para no estropear el hojaldre.

De fruta en almíbar, como piña, pera, etc., muy escurrida.

1.003.—MANZANAS ASADAS

1 manzana de buen tamaño por persona,
1 cucharada (de las de café) de azúcar,
mantequilla (una bolita del tamaño de una avellana).

un poco de agua fría,
mermelada del sabor que más guste (la de albaricoque resulta muy bien), o natillas claritas,

Con un aparato especial o con un cuchillo de punta se quita el corazón de cada manzana sin calar al fondo. Se limpian muy bien las manzanas con un paño. Se ponen en una fuente resistente al horno.

En el agujero de cada manzana se echa azúcar y por encima se coloca la mantequilla.

En el fondo de la fuente (para unas 6 manzanas) se ponen unas 3 cucharadas soperas de agua. Se meten a horno mediano (previamente calentado) y cuando están asadas (unos 30 minutos, pero depende de la clase de las manzanas) se pincha con un alambre un costado para saberlo; si el alambre entra bien, están en su punto. Se sirven frías o, mejor, templadas, rellenando el agujero con cualquier mermelada (la de albaricoque resulta muy bien) o cubiertas con natillas (receta 1.032).

1.004.—MANZANAS ASADAS CON NATA Y CARA-MELO

Se rellenan las manzanas, ya asadas y casi frías, con nata montada dulce y se rocían con una salsa de caramelo líquido (receta 102).

1.005.—MANZANAS ASADAS CON ALMENDRAS (6 personas)

6 manzanas reinetas grandecitas,
30 gr. de mantequilla,
5 cucharadas soperas de azúcar,
un puñado de pasas de Corinto (30 gr.),
2 cucharadas soperas de ron,
50 gr. de almendras tostadas y picadas,
2 yemas,
6 guindas,
unas cucharadas soperas de agua,
½ limón.

Se ponen las pasas en remojo con el ron ligeramente calentado (cuidando que no se prenda) y una cucharada sopera de agua.
Mientras se remojan, se vacían los centros de las manzanas con un aparato especial o con un cuchillo; se pelan y se frotan con el ½ limón para que se queden blancas.
En una ensaladera pequeña se baten las yemas con el azúcar, se les añade después la mantequilla blanda, las almendras y al final las pasas de Corinto escurridas de su jugo. Con esta crema se rellenan las manzanas. Se colocan en una fuente resistente al horno.
Se pone el resto del ron que ha quedado de las pasas con un par de cucharadas soperas de agua en el fondo de la fuente y se meten a horno mediano (previamente calentado) durante más o menos 30 minutos, según la clase y el tamaño de las manzanas. Se sacan cuando están en su punto y se sirven templadas o frías, poniendo sobre cada manzana una guinda.

1.006.—COMPOTA DE MANZANAS (6 personas)

2 kg. de manzanas reinetas,
1 ramita de canela,
6 cucharadas soperas de azúcar.

Se pelan las manzanas y se cortan en cuatro partes, se les quita el corazón duro con las pepitas y se cortan otra vez en trozos que no sean demasiado pequeños. Se ponen en un cazo y se espolvorean con el azúcar. Se echa la ramita de canela y se pone el cazo a fuego mediano. De vez en cuando, con una cuchara de madera se dan unas vueltas a las manzanas hasta que estén cocidas (tardarán unos 35 minutos).
Se retira la canela y se vierte esta compota tal cual en una ensaladera; se deja enfriar antes de servir.
Se puede entonces añadir una cucharada sopera de ron.
También hay quien prefiere la compota hecha puré. Una vez cocida y templada la manzana, se pasa por el pasapurés.

1.007.—COMPOTA DE MANZANAS PARA ACOMPAÑAR LA CARNE

Se prepara y se cuece como en la receta anterior, pero sin echarle a las manzanas ni la canela ni el azúcar.
Siempre se sirve en puré, es decir, muy machacada la manzana e incluso pasada por el pasapurés.

1.008.—PURE DE MANZANAS CON ZUMO DE NARANJA (6 personas)

2 kg. de manzanas reinetas,
3 cucharadas soperas de agua fría,
6 cucharadas soperas de azúcar,

6 cucharadas soperas de zumo de naranja,
1 trozo de corteza de naranja,
2 cucharadas soperas de ron (facultativo).

Se pelan las manzanas y se cortan en cuatro. Se les quita el corazón y se vuelven a cortar en trozos un poco más pequeños. Se ponen en un cazo con el agua y la corteza de la naranja. Tapando el cazo, se cuecen a fuego lento. Cuando están las manzanas bien blandas (30 minutos más o menos), se les añade el zumo de naranja. Se retira la corteza y se vuelve a poner a fuego mediano durante unos 10 minutos, hasta que el zumo esté embebido. Se retira del fuego y en caliente se añade el azúcar, revolviéndolo bien.
Se pone el puré en una ensaladera de cristal y una vez frío se le agrega el ron.
Se sirve con lenguas de gato o galletas.

1.009.—MOUSSE DE MANZANAS CON NATILLAS (6 personas)

8 manzanas reinetas medianas (1¼ kg.),
6 cucharadas soperas de azúcar,
2 cucharadas soperas de ron,
4 claras de huevo a punto de nieve (con un poco de sal),
para caramelo:
3 cucharadas soperas de azúcar,
2 cucharadas soperas de agua fría.

Natillas:
¾ de litro de leche,
6 cucharadas soperas de azúcar,
1 cucharada sopera rasada de maizena,
3 yemas de huevo,
vainilla.

En un cazo se ponen las manzanas peladas y cortadas en trozos. Se espolvorean con azúcar y se ponen a cocer a fuego lento hasta que se deshagan bien (unos 20 minutos). Cuando están cocidas, se escurren bien en un colador. Se ponen en un paño de cocina limpio, se unen las cuatro esquinas y se cuelga en vilo durante unos 10 minutos con el fin de que escurra el sobrante de líquido.

Se prepara una flanera con caramelo hecho con 3 cucharadas soperas de azúcar y 2 cucharadas soperas de agua. Cuando está tostado de un bonito color, se vuelca hacia los lados para que se cubra bien la flanera.

Aparte se hacen las natillas (receta 1.032), que se ponen a enfriar en la nevera.

Una vez escurrida la compota para hacer la mousse de manzanas, se añaden 2 cucharadas soperas de ron y después las claras montadas a punto de nieve muy firmes (con un pellizco de sal). Se revuelve todo con mucho cuidado para que no se bajen las claras. Se vierte en la flanera y se pone al baño maría (el agua estará hirviendo al meter la flanera) en el horno, por espacio de una hora, a fuego mediano.

Se saca del horno después de este tiempo y se deja enfriar en el mismo molde. Se vuelca la mousse en el momento de servirla y se rocía con algo de natillas. El resto de las natillas se sirve en salsera.

1.010.—BUÑUELOS DE MANZANA (6 personas)

4 manzanas reinetas medianas,
3 cucharadas soperas de azúcar,
4 cucharadas soperas de ron,
1½ cucharadas soperas de agua,
1 limón.

Masa de envolver:
300 gr. de harina,
    un pellizco de sal,
2 vasos (de los de vino), no llenos, de leche,

3 cucharadas soperas de aceite fino,
3 cucharadas soperas de vino blanco,
1 cucharada sopera de azúcar,
1 cucharadita (de las de moka) de levadura Royal,
1 litro de aceite para freír (sobrará),
1 plato con azúcar.

Se pelan las manzanas enteras y se vacían los centros con un aparato especial (un tubo de 1½ cm. de diámetro). Se cortan en redondeles de más o menos ½ cm. de grosor y se frotan con ½ limón para que queden blancos.

En una fuente o plato sopero grande se pone el azúcar, el agua y el ron, se mezclan bien y se sumergen las rodajas de manzana un buen rato (½ hora). Se revuelven de vez en cuando para que se empapen bien todas. Mientras tanto se prepara la masa de freír. En una ensaladera se pone la harina y la sal mezcladas, en el centro se pone el vino, el aceite y el azúcar, se revuelve todo junto con una cuchara de madera y se va agregando la leche fría.

Se deja reposar esta masa por lo menos ½ hora (sin ponerle la levadura).

Al ir a hacer los buñuelos, se pone el aceite a calentar en una sartén honda y amplia. Se tendrán las rodajas de manzana escurridas y puestas sobre un paño de cocina, que se dobla para secarlas por las dos caras, y sólo entonces se añadirá la levadura a la masa de freír.

Se meten las rodajas de manzana en la masa, una por una, y se fríen. Cuando están doradas se sacan, se escurren un rato en un colador grande y, calientes aún, se pasan ligeramente por el azúcar del plato.

Se colocan en una fuente y se tienen en espera a la boca del horno para que no se enfríen los buñuelos, que son mejores servidos templados.

1.011.—FRITOS DE PURE DE MANZANA, BARATOS Y RAPIDOS (6 personas)

6 manzanas reinetas grandecitas (1¼ kg.),
5 cucharadas soperas de harina fina,

6 cucharadas soperas de azúcar,
1 litro de aceite (sobrará),
1 plato con azúcar molida.

Se pelan y se rallan las manzanas; se mezclan con la harina y el azúcar. Esta masa se coge con una cuchara y se vierte en aceite bien caliente. Al sacar cada frito, se reboza en el plato del azúcar y se pone en la fuente de servir. Se tendrán al calor suave hasta el momento de servirlos.

1.012.—TORTILLA DE MANZANAS FLAMEADA (5 a 6 personas)

6 huevos,
3 manzanas reinetas,
3 cucharadas soperas de aceite fino,
30 gr. de mantequilla,
5 cucharadas soperas de azúcar,

5 cucharadas soperas de coñac o de ron,
un pellizco muy pequeño de sal,
aceite para la tortilla.

Se pelan y se quitan los centros de las manzanas, cortando éstas como si fueran patatas para una tortilla de patatas. En una sartén se pone a calentar las cucharadas de aceite y la mantequilla juntos y se fríen las manzanas hasta que se doren.
En otra sartén grande se pone aceite para que cubra el fondo y se caliente. Se baten muy fuerte los huevos con un pellizco de sal y se vierten en la sartén; cuando empiezan a cuajarse, se colocan las manzanas en medio círculo y se espolvorean con 2 cucharadas de azúcar. Se dobla la media tortilla que queda sin nada como si fuese una empanadilla grande.
Se pone en una fuente, se espolvorea con el resto del azúcar. En un cazo pequeño se calienta el ron o el coñac, se prende con una cerilla y se rocía con él la tortilla, que se pasa a la mesa en seguida mientras está ardiendo, cogiendo el jugo del coñac con una cuchara sopera y rociando la tortilla con el fin de que el alcohol quede bien quemado y no sea tan fuerte.

1.013.—TARTA DE MANZANAS BORRACHA (6 personas)

100 gr. de mantequilla,
5 cucharadas soperas de harina fina,
5 cucharadas soperas de azúcar,
1 cucharada (de las de café) de levadura Royal,
2 huevos,
½ kg. de manzanas,
un pellizco de sal,
azúcar glass para adornar la tarta,
mantequilla para untar el molde.
Baño:
125 gr. de azúcar,
1 vaso (de los de vino) de agua (un decilitro),
½ vaso (de los de vino) de ron (½ decilitro).

En un cazo que esté templado se pone la mantequilla (blanda), el azúcar y la sal, se mezclan bien con una cuchara de madera, se añaden después uno a uno los huevos, luego la harina y al final la levadura.

Por otro lado, se pelan las manzanas, se cortan en cuatro gajos, se les quita el corazón y las pepitas, y se parten en gajos no muy finos.

Se unta bien de mantequilla un molde redondo de unos 20 cm. de diámetro y de borde bastante alto, en el cual se vierte la masa. Sobre ésta se colocan las manzanas en redondo y se mete a horno suave unos 40 minutos.

Mientras se cuece la tarta, se hace el baño, poniendo en un cazo el agua y el azúcar a cocer durante 10 minutos; después se añade el ron y se cuece otros 5 minutos. Se guarda al calor.

Cuando la tarta está cocida (se pincha con un alambre para saberlo), se saca del horno y, estando aún caliente (que pasen unos 5 minutos), se pasa un cuchillo por los bordes y se desmolda primero en un plato y se vuelve en la fuente donde se vaya a servir, con el fin de que las manzanas queden a la vista. Se rocía poco a poco con el almíbar y, al ir a servir, una vez fría la tarta, se espolvorea con azúcar glass.

1.014.—FLAN-TARTA DE MANZANAS (O DE CEREZAS) (6 a 8 personas)

6 huevos,
¾ de kg. de manzanas reinetas,
3 suizos (del día anterior),
2 vasos (de los de agua) de leche,
2 cucharadas soperas de coñac,
6 cucharadas soperas de azúcar,
un pellizco de vainilla en polvo,
½ corteza de limón rallada,
2 cucharadas soperas de agua,
2 cucharadas soperas de azúcar, para cocer las manzanas
3 cucharadas soperas de azúcar,
2 cucharadas soperas de agua, para hacer el caramelo de bañar la flanera
¾ kg. de nata montada (facultativo),
unas frutas confitadas para adornar.

Se pelan y se cortan las manzanas, quitándoles el centro; se cuecen como para compota con las 2 cucharadas de agua y las 2 de azúcar, moviéndolas de vez en cuando con una cuchara de madera. Una vez cocidas, se escurren de todo el líquido que les pueda quedar. Para esto se pone la compota en un paño de cocina, se unen las cuatro esquinas y se pone en vilo un rato (10 minutos), o se escurren en un colador grande de tela metálica.

En una ensaladera se baten los huevos con el azúcar; después se le añade la leche, el coñac, la vainilla y el limón rallado. Se cortan los suizos en rodajas delgadas y se ponen en el fondo de una flanera previamente bañada de caramelo claro: una capa de suizos en el fondo, después otra capa de compota, alternando hasta que se agoten las dos cosas. Se echa por encima el batido de la ensaladera, teniendo en cuenta que no debe llegar al mismo borde, pues, aunque poco, algo sube la tarta. Se mete en el horno al baño maría (con el agua ya caliente) durante más o menos unos 35 minutos. Se saca, se deja enfriar antes de volcarlo en la fuente donde se vaya a servir.

Si se quiere, se puede cubrir con nata montada y adornar con fruta confitada, formando un bonito dibujo, pero esto es facultativo.

Nota.—Esta tarta queda también muy buena con cerezas (picotas). Se les quita el hueso y se cuecen igual que las manzanas, se procede lo mismo.

1.015.—POSTRE DE COMPOTA DE MANZANAS CON SOLETILLAS Y NATA (6 personas)

1½ kg. de manzanas reinetas,	¼ kg. de nata montada,
6 cucharadas soperas de azúcar,	unas 15 ó 16 soletillas (de las de papel, o sea, un poco firmes),
1 vaso (de los de vino) de agua,	agua fría.

Se cortan las puntas de las soletillas de un solo lado, para que queden rectas.

En un cazo pequeño se ponen 3 cucharadas soperas de azúcar con un poco de agua. Se hace caramelo. Cuando está dorado, se mojan las soletillas de una en una, sólo por la parte cortada y a una altura de 2 cm. más o menos. Se pegan rápidamente derechas en la fuente de porcelana o loza donde se va a servir el postre, formando como un molde redondo. Se mantienen de pie gracias al caramelo que se enfría.

Aparte se pelan, se cortan y se quitan los centros de las manzanas, y se ponen en un cazo con las otras 3 cucharadas soperas de azúcar y el vaso de agua. Se cuecen muy bien, a fin de que quede bien deshecha la compota y sin nada de caldo (si lo hubiese se escurre, poniendo la compota en un paño de cocina limpio, uniendo las cuatro esquinas, y dejándolo en vilo durante unos 10 minutos, o se escurre puesta la compota en un colador de tela metálica).

Se pone la compota a enfriar en la nevera.

En el momento de servir, se vierte la compota en el centro de las soletillas, se cubre con nata (si ésta no está bastante dulce, se le añade azúcar e incluso, si está espesa, una clara de huevo montada a punto de nieve, pero esto es facultativo) y se sirve.

No se puede poner la compota con anticipación, pues ésta ablanda las soletillas y se caerían.

Nota.—Se puede adornar la nata con un picadito de almendras garrapiñadas o con unos hilos hechos con caramelo batido con un tenedor cuando esté el caramelo empezando a dorarse.

1.016.—PERAS CON NATA Y CHOCOLATE (6 personas)

6 peras grandes (amarillas de Roma o de agua),
¼ kg. de nata montada,
6 cucharadas soperas de azúcar,
un poco de canela en rama,
6 onzas de chocolate,

4 cucharadas soperas de azúcar,
2 vasos (de los de vino) de agua,
1 trozo de mantequilla (25 gr.),
agua.

Se pelan las peras y se cortan en dos a lo largo. Con cuidado y con un cuchillo de punta se les quita el centro de las pepitas. Se ponen en una cacerola amplia para que no estén montadas unas encima de otras, se espolvorean con el azúcar y se echa la canela; se vierte agua para que las cubra muy poco y se ponen a fuego mediano. Se dejan hasta que estén bien cocidas (es decir, cuando se ponen como transparentes, o se pinchan con un alambre que las debe atravesar con suavidad). Una vez en su punto, se retiran de su jugo para que se enfríen y escurran bien. Se pueden presentar en unas copas de champán. Se reparte la nata en las 6 copas, se colocan 2 medias peras en cada copa con el centro (lo hueco) sobre la nata. Se dejan en sitio fresco (o en la nevera).

En un cazo se echa el agua, el azúcar y el chocolate cortado en trocitos, se pone al fuego y, cuando está derretido el chocolate, se deja espesar un poco, se añade al chocolate la mantequilla, se mueve bien hasta que esté bien incorporada, se deja templar la salsa y se vierte sobre las peras. Se sirve en seguida **para que no dé tiempo a que se derrita la nata.**

1.017.—POSTRE DE PURE DE CASTAÑAS (6 personas)

12 bizcochos soletillas,
1 lata de puré de castañas de 400 gr.,
250 gr. de nata montada,
2 claras de huevo a punto de nieve,
6 almendras garrapiñadas machacadas (más bien poco, en trocitos),
5 cucharadas soperas de azúcar,
3 cucharadas soperas de ron, agua fría.

Se preparan 6 copas de champán de cristal o unos cuencos para el helado. En un plato sopero se pone agua fría hasta llegar casi al borde de lo hondo del plato; se añaden 3 cucharadas soperas de azúcar y el ron, y se revuelve bien hasta que el azúcar esté derretida. Se pasan una a una las soletillas, rápidamente y por las dos caras, para que estén ligeramente mojadas pero no empapadas, pues se desmoronan. Se colocan en el fondo de cada copa, de dos en dos, en forma de cruz.

Aparte se baten las claras de huevo muy firmes; cuando están batidas, se añaden 2 cucharadas soperas de azúcar y se baten otro poco. Esto se incorpora al puré de castañas, revolviéndolo bien. Se coloca esta crema sobre las soletillas en la copa, que debe quedar con la crema a ras del borde. Con una manga se hace un adorno de nata todo alrededor de la copa, y en el centro se forma una motita. Esta se adorna espolvoreando las almendras garrapiñadas.

Se meten en la nevera unas horas antes de servir y se sirven, cuando llegue el momento, bien frías.

1.018.—TARTA DE PURE DE CASTAÑAS Y SOLETILLAS (6 a 8 personas)

Se hace la víspera o, por lo menos, varias horas antes.

Unos 35 bizcochos de soletillas (más bien firmes),
1 lata de puré de castañas (400 gr.),
50 gr. de mantequilla,
200 gr. de nata montada,
100 gr. de chocolate,
1 cucharada sopera de azúcar,
un pellizco de vainilla,
¼ litro de agua,
3 cucharadas soperas de ron,
3 cucharadas soperas de azúcar,
un poco de aceite fino.

En un plato sopero se pone el agua, el ron y las 3 cucharadas de azúcar. Se mezclan bien. Se unta una flanera con el aceite fino, escurriendo lo que sobra. Se mojan rápidamente las soletillas en el plato y se colocan en el fondo y por las paredes de la flanera. Esto debe ser rápido para que las soletillas no se ablanden. Se cortan con un cuchillo los trozos de soletilla que sobresalgan de la flanera.

Preparación del relleno:

En un cazo se pondrán a derretir los 100 gr. de chocolate con un poco de agua a fuego mediano. En una ensaladera se echa el

puré de castañas, se añade el chocolate ya templado, la mantequilla, la cucharada de azúcar, la vainilla y, por último, la nata.
Bien mezclado esto, se vierte la mitad en la flanera. Se pone una
capa de soletillas, mojadas como las anteriores, después la otra
mitad de la crema, y se cierra con una capa de soletillas ligeramente remojadas. Se pone un papel de plata y una tapadera un
poco más pequeña que la flanera y, encima, unos pesos ligeros.
Se mete en la nevera.
Al ir a servir, se pasa un cuchillo de punta redonda todo alrededor del molde y se vuelca en una fuente.
Se puede adornar con nata o cubrir con **natillas:**

½ **litro de leche,**
  3 cucharadas soperas de azú-
  car,
  2 yemas,

1 cucharada (de las de café)
  de maizena,
  un pellizco de vainilla.

Se procede según la receta 1.032. Se hacen con unas horas de
anticipación para que estén frías, metiéndolas para esto en la
nevera.

Tarta de puré de castañas sencilla (6 personas)

Unas 35 soletillas (más bien fir-
  mes),
1 lata de puré de castañas
  ½ kg.),
2 claras de huevo,
  un poco de aceite fino para
  untar el molde,

2 ó 3 cucharadas soperas de
  ron,
3 cucharadas soperas de azúcar,
  agua,
  un pellizco de sal.

Se unta una flanera (de 16 a 18 cm. de diámetro) con aceite fino
y se escurre muy bien. Se pone en un plato sopero la mitad
del ron y del azúcar y agua bastante. Se mueve bien y se mojan
muy ligeramente las soletillas en este caldo. Se colocan en el
fondo de la flanera y, cortándoles un lado de las puntas redondas,
se colocan todo alrededor de la flanera.
Se baten muy firmes las claras (con un pellizco de sal) y se
mezclan con el puré de castañas. Se vierte la mitad en el molde.
Se vuelven a mojar unas soletillas, que se colocan encima de la
crema. Se hace el resto de líquido, agua, azúcar y ron para las
soletillas restantes. Se pone la segunda mitad de la crema y se
termina con una capa de soletillas poco mojadas.
Se coloca un papel untado de aceite o un papel de plata y encima una tapadera ligeramente más pequeña que el molde, con el
fin de que entre un poco. Se pone algún peso ligero sobre la
tapadera para que apriete un poco y se mete en la nevera por lo
menos unas 6 a 8 horas antes de servir el postre. Si se puede,
mejor se prepara la víspera.
Para desmoldarlo, se quita el papel de plata, se pasa un cuchillo
de punta alrededor de la flanera y luego se vuelca.
Se sirve adornado con nata, que lo cubra, o con natillas.

Natillas:

½ litro de leche,
2 ó 3 yemas,
3 cucharadas soperas de azúcar,

1 cucharadita (de las de manilla) de maizena,

Procédase como está explicado en la receta 1.032.

1.019.—POSTRE DE SOLETILLAS, CREMA Y NARANJAS (6 a 8 personas)

Se prepara la víspera.

½ litro de leche,
1 cucharada sopera rasada de harina fina,
1 cucharada sopera colmada de maizena,
5 ó 6 naranjas Washington (según tamaño),
4 yemas de huevo,

150 gr. de azúcar molida,
1 vasito de licor de Cointreau o Curaçao,
300 gr. de soletillas,
2 cucharadas soperas de agua,
6 cerezas en almíbar o confitadas.

Se pelan las naranjas, guardando una de las cáscaras. En un plato se cortan en rodajas bastante finas, con el fin de guardar el zumo que cae. Se colocan en una flanera o una ensaladera de cristal, previamente refrescada con agua y escurrida, adornando el fondo y las paredes. En un plato sopero se echa el zumo recogido de las naranjas y el de las naranjas que no se hayan utilizado de adorno con ½ vasito de licor y 2 cucharadas soperas de agua. Se pasan rápidamente por ello las soletillas y se colocan por encima de las naranjas, también en el fondo y las paredes del molde en que se vayan a hacer.

Aparte se pone la leche a cocer con la cáscara de naranja y la mitad del azúcar. En un tazón se baten las yemas con el resto del azúcar, la harina, la maizena y el ½ vaso de licor. Cuando la leche hierve, se vierten unas cucharadas en el tazón de las yemas y luego se añade esto al cazo donde está la leche. Se deja cocer unos 4 minutos más o menos, moviendo constantemente para que no se formen grumos. Se deja templar la crema moviéndola, y se vierte en dos veces en el molde, alternando con una capa de soletillas sin remojar. Se termina de llenar el molde, cubriéndolo al final con una capa de soletillas sin remojar.

Se cubre con un papel de plata o un papel untado de aceite fino. Se pone una tapadera un poco más pequeña que el molde y se pone algo de peso encima. Se mete a la nevera por lo menos unas 6 horas antes de servir.

Al ir a servir, se quita la tapadera y, con cuidado, el papel. Se pasa un cuchillo de punta redonda todo alrededor del molde y se vuelca sobre una fuente. Se adorna con las guindas partidas por la mitad.

Nota.—Se pueden servir aparte unas natillas claras (receta 1.032). que se perfumarán al hacerlas con un poco de extracto de naranja. Estas natillas mejoran mucho el postre.

1.020.—SOLETILLAS RELLENAS DE CREMA (6 personas)

24 bizcochos de soletilla,
2 huevos,
1 litro de aceite (sobrará mucho),
Crema:
½ litro de leche,
3 cucharadas soperas de azúcar,

2 cucharadas soperas colmadas de maizena,
1 cucharada sopera de harina fina,
3 yemas de huevo,
1 corteza de limón,
azúcar en un plato.

Se empieza por hacer la crema del relleno.

Se pone a cocer casi toda la leche (reservando un poco) con 2 cucharadas de azúcar y la corteza del limón. En un tazón se ponen las yemas de huevo con el resto del azúcar, la maizena y la harina. Se mueve bien y se agrega el poquito de leche que se había reservado. Cuando la leche del cazo está hirviendo, se vierte un poco dentro del tazón y se bate bien, con cuidado de añadirla poco a poco para que no se corten las yemas. Una vez el tazón lleno, se vierte el contenido de éste en el cazo de la leche y se deja cocer muy despacio, sin dejar de dar vueltas con una cuchara de madera, unos 3 ó 4 minutos.

Se aparta del fuego y se deja que se enfríe un poco. Debe quedar la crema espesa.

Se cogen 12 soletillas y con la crema templada se cubre la parte plana de cada soletilla (debe haber bastante crema en cada una). Se cubre con las 12 soletillas restantes, sin apretar, para que no se salga la crema. Se baten los 2 huevos como para tortilla, se pasan las soletillas rellenas por el huevo batido y se fríen en una sartén con el aceite. Cuando tienen un bonito color dorado se sacan, y en caliente se rebozan con el azúcar del plato. Se colocan en una fuente y se sirven templadas (casi frías) o frías.

1.021.—TARTA DE MOKA CON SOLETILLAS (6 a 8 personas)

(Para hacer la víspera.)

Unas 35 soletillas (más bien firmes),
150 gr. de mantequilla blanda,
150 gr. de azúcar molida,
  2 yemas,
  3 cucharadas (de las de café) de Nescafé.

2 cucharadas soperas de ron,
3 cucharadas soperas de azúcar,
  agua,
100 gr. de almendras tostadas y picadas no muy finas,
  aceite para untar la flanera.

Se unta con aceite una flanera de unos 16 a 18 cm. de diámetro. Se escurre bien con el dedo lo sobrante. En un plato sopero se pone 1½ cucharadas de Nescafé, 1 ½ cucharadas de azúcar y agua fría, más una cucharada de ron, para remojar las soletillas. Se van pasando por el líquido rápidamente para que, cogiendo el gusto, no se remojen demasiado. Se colocan en el fondo y después se ponen de pie todo alrededor del molde, de manera que no quede ningún hueco sin cubrir de soletillas y con el lado abombado de las soletillas pegado al fondo y a la pared de la flanera.

Se hace la crema; se ponen en una ensaladera las yemas y el azúcar molida. Se trabaja muy bien con una cuchara de madera hasta que quede espumoso. Se añade entonces, poco a poco y en trocitos, la mantequilla, que tiene que estar blanda, pero sin estar derretida. Se trabaja bien para que la crema quede muy lisa. Se pone la mitad en la flanera, se cubre con soletillas remojadas como se explica antes. Se pone la otra mitad y se cierra con una capa de soletillas. Se coloca un papel de plata o un papel graso (de envolver los emparedados) y una tapadera un poco más pequeña que la flanera. Se pone algo de peso encima y se mete en la nevera por lo menos 6 horas.

Cuando se vaya a servir, se quita la tapadera y el papel. Se pasa un cuchillo de punta redonda todo alrededor del molde y se vuelca en una fuente. Se cubre con el tercio de crema que se había reservado en sitio no frío (para poder extenderla), extendiéndola con un cuchillo, y después se espolvorea con las almendras picadas y se mete otro rato en la nevera (una hora, por ejemplo, más si conviene).

1.022.—BUDIN DE SOLETILLAS Y FRESAS (6 a 8 personas)

(Se prepara la víspera.)

1 flanera de unos 17 a 18 cm. de diámetro,
½ vaso (de los de vino) de kirsch,
1 vaso (de los de vino) de agua fría,
2 cucharadas soperas de azúcar,
¾ de kg. de fresones muy rojos y maduros,
½ kg. de nata montada,
unas 36 soletillas (un poco firmes),
un poco de aceite fino para untar el molde.

Salsa:
3 cucharadas soperas de jalea de frambuesas, grosellas o cerezas,
2 cucharadas soperas de azúcar,
1 vaso (de los de agua) de agua fría (no lleno),
2 cucharadas (de las de café) rasadas de fécula de patata,
el zumo de ½ limón,
unas gotas de carmín.

Se unta el molde con aceite fino, escurriendo lo que sobra. En un plato sopero se pone el kirsch con el agua y las 2 cucharadas soperas de azúcar. Se mezcla bien y se pasan rápidamente las soletillas por este líquido, colocándolas primero todo alrededor de la flanera y después en el fondo, cuidando de que no quede ningún hueco sin soletilla. En el fondo se extiende la mitad de la nata. Se dejan unos 6 fresones para adorno y se cortan en dos los que fuesen muy grandes. Se ponen la mitad sobre la nata, se cubre con una capa de soletillas mojadas; se vuelve a poner nata y fresones, y se vuelve a cubrir con otra capa de soletillas ligeramente mojadas.

Se tapa el molde con un papel de plata. Se coloca una tapadera algo más pequeña que la flanera y se pone algún peso ligero encima, con el fin de que el postre asiente (sin apoyar mucho para no hundirlo). Se mete en la nevera por lo menos unas 8 horas.

Se prepara la salsa:
En un cazo se pone la jalea, el agua y el azúcar a cocer. Se deslíe la fécula de patata en un poquito de agua. Cuando la jalea ha cocido durante unos 5 minutos para que esté deshecha, se añade la fécula; dando vueltas se deja cocer unos 3 minutos más. Fuera del fuego se agrega el limón. Se cuela por un colador de tela metálica en un tazón grande. Se agregan 2 ó 3 gotas de carmín, moviendo todo bien, y se reserva.

Al ir a servir, se pasa un cuchillo todo alrededor de la flanera. Se vuelca en una fuente, se vierte la salsa por encima y se adorna con los fresones separados para ello. Se sirve bien frío.

Nota.—El relleno se puede hacer machacando los fresones con un tenedor y mezclándolos en la nata.
Se puede utilizar fresa si se quiere más fino el budín.

1.023.—TARTA DE BIZCOCHO COMPRADO, NATA Y FRESONES (6 a 8 personas)

1 tarta de bizcocho (Fridox, Bimbo, etc.),
300 gr. de nata montada,
1 clara de huevo a punto de nieve,
1 kg. de fresones muy rojos y maduros,
30 gr. de mantequilla (más o menos),
50 gr. de almendras tostadas y picadas,
un pellizco pequeño de sal.

Almíbar de grosella:
½ vaso (de los de vino) de agua,
4 cucharadas soperas de azúcar,
3 cucharadas soperas de mermelada de grosella, frambuesa o fresa.

Se compra un bizcocho, y si no se hace una genovesa (receta 964). Se tendrá la mantequilla fuera de la nevera para que no esté dura; con un cuchillo se unta todo el canto de la tarta y se pone, una vez untada, en la nevera o en un sitio fresco para que se endurezca la mantequilla, unos 15 minutos.

Mientras tanto se preparan los fresones. Se les quitan los rabos, se ponen en un colador grande y se lavan rápidamente al chorro para que no se enguachinen. Se escurren bien y se cortan por la mitad a lo largo. Se monta la clara de huevo con un pellizco de sal y se mezcla con la nata.

Con un cuchillo que corte bien se hace un corte muy poco profundo (un cm.) y a media altura todo alrededor de la tarta. Se pasa un hilo de coser sólido por la raja, se cruzan los rabos y se tira suavemente. Así quedará perfectamente cortada la tarta en dos mitades. Se vuelve a unir la tarta y se pasa el canto untado de mantequilla por la almendra picada. Una vez bien pegada la almendra, se separan los dos trozos de la tarta. Se unta con la nata (las ²/₃ partes) el trozo de base, se ponen los medios fresones menos bonitos y se coloca la tapa de la tarta. Se unta más ligeramente ésta con el resto de la nata, y se colocan los medios fresones restantes con bonita forma.

Se hace el almíbar:

En un cazo se pone el agua y el azúcar a cocer. Cuando rompe el

hervor, se deja 5 minutos, se añade entonces la mermelada y se deja otros 5 minutos, dando vueltas todo el tiempo. Se cuela por un colador. Se deja templar y, cuando está templado, con una brocha plana se unta toda la parte de arriba de la tarta.

Se mete ésta en la nevera de una a dos horas antes de ir a servirla.

Nota.—Los fresones de dentro se pueden machacar con un tenedor y mezclarlos con la nata.

1.024.—SOLETILLAS CON MERMELADA Y CHOCOLATE

Se unta con mermelada de albaricoque o frambuesa la parte plana de una soletilla y se coloca otra encima, pegándolas bien. Se pasan ligeramente por un poco de leche fría y por un plato donde haya chocolate rallado (éste que sea más bien grueso). Se coloca cada bizcocho así formado en un molde de papel.

1.025.—CHURROS (salen unos 25)

1 tazón de harina corriente,
1 tazón de agua,
un pellizco de sal,

1 ó 1½ litros de aceite (sobrará mucho).

En un cazo se pone el agua con la sal. Se pone al fuego y, cuando empieza a hervir, se echa de una vez la harina. Se mueve mucho con una cuchara de madera hasta que se desprende la masa de las paredes. Se retira del fuego y después de templada se mete en una churrera.

Se tiene el aceite abundante caliente y se forman los churros, empujando con la churrera la masa y cortándola, según se quieran de largos los churros, con un cuchillo o con el dedo mojado en agua.

Cuando los churros están bien dorados de cada lado se sacan, se escurren y se sirven en seguida espolvoreados con azúcar glass.

Nota.—Hay quien prefiere los churros poniendo el agua mezclada con leche (más de la mitad de agua y menos de leche). Salen mucho más ligeros.

1.026.—PESTIÑOS (salen unos 50)

300 gr. de harina,
un poco más de harina para
espolvorear la mesa,
25 gr. de manteca de cerdo,
25 gr. de mantequilla,
½ vaso (de los de vino) de
vino blanco,

1 vaso lleno (de los de vino)
de agua,
un pellizco de sal,
1 litro de aceite (sobrará),
miel líquida,
agua.

En un cazo se pone el agua, el vino, la mantequilla y la manteca. Se calienta y cuando están las mantecas derretidas y sin dejar que cueza el líquido, se echa de un golpe la harina, mezclada con una pizca de sal.

Fuera del fuego, se mueve primero con una cuchara de madera y después se pone en un mármol y se amasa a mano. Se deja descansar la masa una o dos horas, formando con ella una bola.

Cuando se van a hacer los pestiños, se espolvorea la mesa de mármol con un poco de harina y se estira con un rollo pastelero la masa, de manera que quede **muy fina.** Se cortan con un cuchillo unos rectángulos de más o menos 15 × 8 cm. Se enrollan por una esquina, formando un rollo ancho y aplastado. Se moja con el dedo metido en agua fría la esquina de fuera y se presiona para que al freír la masa no se desenrolle.

Se fríen en aceite bien caliente, por tandas, para que no se rompan. Una vez fritos, se dejan enfriar.

En un plato sopero se pone miel líquida (1½ vasos, de los de vino, más o menos). Si ésta no es lo suficientemente líquida, se rebaja, mezclándola con un poco de agua templada. Se mueve bien. Debe quedar como un jarabe espeso. Se coge cada pestiño y con una cuchara sopera se vierte la miel por encima. Se dejan en el mármol y después de un rato, que no escurran más, se colocan en la fuente de servir.

1.027.—TORRIJAS (8 personas)

1 pan de torrijas (mejor comprado la víspera),
de ¾ a 1 litro de leche hirviendo,
3 cucharadas soperas de azúcar,

1 corteza de limón,
2 ó 3 huevos,
1 litro de aceite (sobrará),
azúcar molida para espolvorearlas.

Se corta la barra de pan en rodajas de un dedo de gruesas (2 cm.) y se colocan en una fuente un poco honda. Se pone la leche a calentar con las 3 cucharadas de azúcar y cuando está a punto de cocer se vierte sobre el pan. Se deja como una hora para que se empapen.

En un plato sopero se baten 2 huevos como para tortilla. Al momento de freír las torrijas, se cogen de una en una con una espumadera, se rebozan en al huevo batido rápidamente y se colocan en el aceite caliente. Cuando están doradas por un lado, se les da la vuelta con cuidado para que no se rompan. Se sacan y se dejan escurrir un poco.

Se colocan en la fuente donde se vayan a servir, espolvoreándolas con azúcar. Se pueden servir templadas o frías.

Hay a quien le gustan las torrijas bañadas con almíbar. Para esto se empaparán sólo con ½ litro de leche y, una vez fritas, se colocan en la fuente y se rocían con el siguiente almíbar (naturalmente, ya no se espolvorean con el azúcar):

Baño:

½ litro de agua,
125 gr. de azúcar,

2 vasos (de los de vino) de buen vino blanco.

Se pone a cocer el agua con la corteza de limón y el azúcar unos 8 minutos, y después se le añade el vino y se deja cocer otros 5 minutos. Se aparta del fuego y, cuando está aún caliente (pero no hirviendo), con una cuchara sopera se vierte sobre cada torrija el almíbar.

1.028.—CRÊPES (salen unas 15 a 20)

250 gr. de harina,
2 huevos,
1 cucharada sopera de aceite fino,
1 cucharada sopera de ron o coñac,
un pellizco de sal,
1 cucharada (de las de café) de azúcar (colmada),
1 vaso (de los de agua) de mitad leche y mitad agua, aceite para la sartén.

En una ensaladera se pone la harina con la sal y el azúcar; en el centro se echan los huevos, el aceite y el coñac. Se mueve con una cuchara de madera para formar una masa sin grumos. Se añade poco a poco el vaso con la mezcla de agua y leche. A veces hay que añadir algo más de líquido (depende de la clase de harina). La masa de las crêpes tiene que quedar como unas natillas, de espesa. Se puede colar por un pasapurés o chino de agujeros gruesos para asegurarse de que la masa no tiene grumos.

Se cubre la ensaladera con un paño limpio y se deja reposar por lo menos una hora; si es más, mejor.

Cuando se vayan a hacer las crêpes, si hace falta porque la masa se haya espesado demasiado, se vuelve a aclarar con un poco de agua y leche mezcladas.

En dos sartenes pequeñas (unos 14 cm. de diámetro de fondo) se vierte un chorrito de aceite, se calienta mucho y se inclina para que todo el fondo quede bañado de aceite.

Se escurre en un tazón lo sobrante (que se volverá a utilizar en la próxima crêpe) y con un cazo se vierte un poco de masa, se inclina otra vez la sartén para que quede la crêpe bien repartida en el fondo. Se deja que se cueza, sin dejar de mover en cuanto la crema se vea cuajada, para que no se agarre, y se da la vuelta cogiendo la sartén por el mango, trayendo la crêpe al borde de la sartén, dando un movimiento brusco para que salte en el aire y se vuelva.

Se suele hacer en dos sartenes para más rapidez, pues mientras cuaja la cara de una, la otra se vuelve.

Se pone una cacerola con agua muy caliente a fuego bajo (sólo para que conserve el calor el agua). Se posa encima, a manera de tapadera, un plato llano. Encima de éste, una hoja grande de papel de plata y encima de éste se van poniendo las crêpes a medida que están hechas. Al final se dobla el papel y se encierran en él las crêpes. Así se conservarán calientes y tiernas bastante tiempo.

Salsa de crêpes Suzette:

Para 6 ó 7 crêpes.

Se ponen en una sartén 25 gr. de mantequilla; cuando está derretida, añadir 2 cucharadas soperas de Curaçao, 2 cucharadas soperas de azúcar y 10 cucharadas soperas de zumo de naranja. Se deja cocer un poco y se meten dentro de este jugo las 6 ó 7 crêpes dobladas en cuatro. Cuando están bien calientes, se añaden 2 cucharadas soperas de ron o coñac flameándolo antes. Se sirven en seguida las crêpes con la salsa bien caliente encima.

Crêpes rellenas de crema:

Se hace una crema con:

½ litro de leche,
3 yemas,
5 cucharadas soperas de azúcar,
½ cucharada sopera de harina fina,

1½ cucharadas soperas de maizena,
un pellizco de vainilla o la corteza de un limón.

Receta 1.032.

Una vez fría la crema (se prepara con anticipación), se rellena cada crêpe y enrolladas unas al lado de las otras se espolvorean con un poco de azúcar o se flamean con ron. (Véase seguidamente crêpes flameadas.)

Crêpes rellenas de nata:
Se rellenan con nata montada y se bañan con caramelo líquido (receta 102).

Crêpes rellenas de mermelada: de albaricoque, naranja, etc.
Están muy buenas, simplemente rellenas con mermelada de albaricoque.

Crêpes flameadas:
Se colocan las crêpes dobladas en cuatro en una fuente y se espolvorean con azúcar.
En un cazo pequeño se pone ron o coñac, se calienta y se prende con una cerilla, echándolo en seguida sobre las crêpes. Con una cuchara sopera se coge el coñac de la fuente rápidamente y se rocían las crêpes, consiguiendo así que no se apague el ron tan de prisa y no sepa tan fuerte a alcohol.

1.029.—TORTITAS AMERICANAS (salen unas 14)

200 gr. de harina,
½ cucharadita (de las de moka) de sal,
3 cucharaditas (de las de moka) de levadura Royal,
1 cucharada sopera de azúcar,

1 cucharada sopera de aceite fino,
2 huevos,
1 vaso (de los de agua) de leche fría.

Se mezcla en un plato la harina (pasándola antes por un tamiz o un colador de tela metálica para que se airee) con la sal y la levadura.
En una ensaladera se baten un poco los 2 huevos. Se les añade el aceite y la leche. En el líquido se agrega la mezcla de harina, levadura y sal. Se bate de prisa y poco tiempo (no importa que haya grumos; se disolverán solos al hacer las tortitas). Para mayor facilidad, se pone este líquido espeso en una jarra.
Se vierte el volumen de una cucharada sopera de líquido encima de una chapa caliente. Si no se tiene chapa, se pueden hacer

las tortitas en una sartén tipo Tefal (de las que no necesitan grasa). Cuando empiezan a salir burbujas (es decir, a los 2 ó 3 minutos), se vuelve con una espátula la tortita del otro lado. Deben estar doradas.

Hay que procurar servirlas en seguida. Si tuviesen que esperar un poco, se deben dejar en sitio caliente y en montones no superiores a cuatro tortitas.

Nota.—Estas tortitas se sirven con nata y salsa de caramelo, chocolate o mermelada. También se toman simplemente untadas con mantequilla y mermelada corriente.

1.030.—BARTOLILLOS (salen unos 20)

Masa:
- 300 gr. de harina fina, harina para espolvorear la mesa,
- 25 gr. de mantequilla,
- 25 gr. de manteca de cerdo,
- 1 vaso (de los de agua) no lleno, con mitad agua y mitad vino blanco seco, sal.

Crema del relleno:
- ½ litro de leche,
- 3 yemas de huevo,
- 5 cucharadas soperas de azúcar,
- 1 cucharada sopera rasada de harina fina,
- 1½ cucharadas soperas de maizena (o 1 ½ cucharadas soperas de harina fina),
- 1 corteza de limón,
- un pellizco de vainilla,
- 1½ litros de aceite (sobrará), azúcar glass.

Para hacer la masa se procede como para las empanadillas (receta 45, 1.ª receta).

Se hace también la crema pastelera como va explicado en la receta 1.034, sin ponerle la clara a punto de nieve. Una vez reposada la masa de las empanadillas y fría ya la crema, se espolvorea un mármol con harina y con el rodillo pastelero se extiende la masa, bastante fina. Con un redondel metálico o con una taza de desayuno se cortan redondeles bastante grandes. Se pone una cucharada sopera de crema (ésta debe estar durita) y se dobla el bartolillo, apretando muy fuerte los cantos con la rueda de metal de cortar las empanadillas, con el fin de que no se salga la crema al freírlos.

En una sartén amplia se fríen por tandas para que no se estropeen al chocar. Se sacan con una espumadera cuando tienen un bonito color dorado. Se posan sobre un papel de estraza para que absorba el aceite. En el momento de servir, se colocan en una fuente y se espolvorean con azúcar glass.

Se pueden comer templados o fríos.

1.031.—LECHE FRITA (6 personas)

- ¾ de litro de leche, la cáscara de un limón,
- 5 cucharadas soperas de azúcar,
- 25 gr. de mantequilla,
- 2 ó 3 huevos (para envolver),
- 2 yemas (facultativo), pan rallado en un plato,
- 1 litro de aceite fino,
- 5 cucharadas soperas (colmaditas) de maizena, azúcar para espolvorear.

En un tazón se disuelve la maizena con un poco de leche fría (tomada de los ¾ de litro).

Aparte, en el fuego, se pone en un cazo la leche, la cáscara de limón, el azúcar y la mantequilla. Cuando la leche con estos ingredientes está a punto de cocer, se le agrega lo del tazón y sin dejar de mover con una varillas se cuece (suavemente) unos 5 a 7 minutos. Luego se vierte esta masa en una besuguera para que quede del grueso deseado (más o menos un dedo de grueso) y se deja enfriar por lo menos durante un par de horas.

En una sartén se pone el aceite a calentar y, una vez en su punto (que se comprobará friendo una corteza de pan), se corta la masa en unos cuadrados de unos 4 cm. de costado. Se sacan con ayuda de un cuchillo de punta redonda o, mejor, con una pala de pastelería, se pasan por huevo batido (como para tortilla) y pan rallado y se fríen.

Se sacan del aceite con una espumadera cuando están bien dorados los trozos de leche frita y se colocan en una fuente. Esta se dejará hasta el momento de servirlos a la boca del horno para que, sin estar muy calientes, no se enfríen.

Se espolvorean con azúcar al ir a servirlos.

Nota.—Se pueden añadir 2 yemas cuando está la crema hecha y templada para que no se cuajen. Pone la crema finísima.

1.032.—NATILLAS (6 a 8 personas)

1½ litros de leche,
6 yemas de huevo,
6 cucharadas soperas de azúcar (colmadas),
la cáscara de un limón,
o 2 barras de vainilla,

1 cucharada sopera de maizena,
polvos de canela (facultativo).

Se pone la leche en un cazo con 4 cucharadas de azúcar y la cáscara de limón y se pone al fuego hasta que empiece a cocer.

Mientras tanto, en un tazón se baten las 6 yemas de huevo, 2 cucharadas de azúcar y la maizena. Cuando la leche hace burbujas todo alrededor del cazo, se coge un cucharón y se va echando muy poco a poco en el tazón, moviendo muy bien. Una vez bien unido, se vierte el contenido del tazón en el cazo y se baja un poco el fuego dando vueltas sin parar con una cuchara de madera, sin dejar que llegue a hervir la crema. Se forma una espuma en la superficie y hay que dar vueltas sin parar hasta que desaparezca esta espuma y la crema esté lisa. Las natillas están entonces en su punto: se cuelan por un colador de agujeros grandes (chino u otro) y se vierte en una fuente honda o en platos individuales. Se meten en la nevera hasta el momento de servir. Antes de pasarlas a la mesa se espolvorean con un poco de canela en polvo.

1.033.—CREMA CATALANA (6 personas)

1 litro de leche,
8 yemas de huevo,
10 cucharadas soperas de azúcar (6 para la crema, 4 para quemarla),

la cáscara de un limón,
1½ a 2 cucharadas soperas de harina de almidón (o de maizena).

En un cazo se pone la leche a hervir con 4 cucharadas de azúcar y la cáscara de limón.
Mientras tanto, en una ensaladera de cristal se baten las 8 yemas con 2 cucharadas de azúcar y la harina de almidón (o la maizena). Se bate bien, y cuando está todo bien mezclado y sin grumos la maizena, se coge un cucharón de leche del cazo cuando está empezando a cocer, es decir, que se forman burbujitas alrededor del cazo, y se vierte muy despacio en las yemas. Una vez bien desleído, se vierte esto en el cazo, se baja un poco el fuego y, sin dejar ni un momento de dar vueltas con una cuchara de madera, se deja unos 5 minutos que cueza muy suavemente. Se vierte en una fuente o en platos individuales, colándola por un colador de agujeros grandes (chino o pasapurés), y se deja enfriar. Se mete en la nevera al menos una hora antes de utilizarla.
Cuando se va a preparar para servir a la mesa, se espolvorea bien de azúcar y con una plancha de hierro o el gancho de una cocina de carbón se pone éste al rojo y se presiona con delicadeza las natillas para que al salir humo se forme caramelo.
Esto no se puede hacer con mucha anticipación, porque se derrite con la crema.
Nota.—Se venden en el comercio unas chapas redondas, con mango, especiales para quemar el azúcar.

1.034.—CREMA PASTELERA (para rellenos)

½ litro de leche,
3 cucharadas soperas de leche fría,
3 yemas de huevo,
5 cucharadas soperas de azúcar,
2 cucharadas soperas de maizena,

1 cucharada sopera rasada de harina fina,
1 corteza de limón o un pellizco de vainilla,
1 clara a punto de nieve (facultativo),

En un cazo se pone a cocer el ½ litro de leche con 3 cucharadas de azúcar y la corteza del limón.
En un tazón se mezclan las yemas de huevo, el resto del azúcar, la maizena, la harina y la leche fría, todo bien disuelto para que no haga grumos.
Cuando la leche empieza a cocer, se coge un poco y se vierte muy despacio en el tazón, con mucho cuidado para que las yemas no se cuajen y formen grumos. Después de disuelto con un poco de leche caliente, se vierte este contenido del tazón en el cazo de la leche y, sin dejar de mover con una cuchara de madera, se deja cocer muy suavemente (a fuego lento) unos 5 minutos.

Se aparta y se vierte en una fuente o una ensaladera, para dejarla enfriar antes de utilizarla.

Hay a quien le gusta añadir, una vez casi fría la crema, una clara montada a punto de nieve firme (con un pellizquito de sal).

Antes de utilizar la crema se quita la corteza de limón.

1.035.—NATILLAS CON ROCA FLOTANTE (6 personas)

Natillas:
- ¾ de litro de leche,
- 4 yemas,
- 6 cucharadas soperas de azúcar,
- 1 cucharada sopera rasada de maizena,
  un pellizco de vainilla,

Roca:
- 8 claras de huevo,
- 8 cucharadas soperas de azúcar.

Caramelo para bañar el molde:
- 1 cucharada sopera de agua,
- 2 cucharadas soperas de azúcar.

Con 2 cucharadas soperas de azúcar y una de agua se hace un caramelo bastante tostado en el mismo molde donde se hará la roca. Se reparte en caliente por todo el fondo y se deja enfriar.

Natillas:

Se pone a cocer la leche con 3 cucharadas de azúcar y la vainilla. Aparte, en un tazón, se mezclan las yemas con el azúcar y la maizena. Cuando la leche empieza a cocer, se vierte un poco con un cacillo en el tazón (con el fin de que no se cuajen las yemas), moviendo mucho con una cuchara de madera. Se vierte entonces lo del tazón en el cazo de la leche y, moviendo constantemente, se tiene en el fuego mediano un par de minutos, pero sin que cueza, pues se cortarían las natillas. Se cuelan por un pasapurés y se vierten en una ensaladera de cristal, reservándose en la nevera o en sitio fresco.

Si se puede, la roca se debe hacer con poca anticipación; pero si no se puede, también puede prepararse una hora antes de servir (baja un poco, pero está buena).

Se baten a punto de nieve muy fuerte las claras de huevo; una vez batidas, se les añade 4 cucharadas de azúcar. Se mezcla bien.

En un cazo pequeño se ponen las otras 4 cucharadas de azúcar con un poco de agua (1 ó 2 cucharadas soperas). Se pone al fuego y se hace caramelo bastante oscuro (sin que se queme, pues sabría amargo). Se vierte entonces poco a poco en las claras, moviendo muy rápidamente para que se mezcle bien el caramelo, sin que se forme ningún grumo de caramelo. Esto tiene que ser rápido. Se vierte en el molde preparado con caramelo, y se mete al horno, al baño maría, unos 25 minutos más o menos. El horno estará encendido unos 10 minutos antes, y el agua del baño maría, caliente. Se echan las natillas en una fuente un poco profunda y se vuelca la roca sobre ellas. Si sobran natillas, se pueden servir en salsera aparte.

1.036.—CREMA DE CHOCOLATE (6 personas)

1 litro de leche,
3 yemas,
1½ cucharadas soperas de maizena,
8 onzas de chocolate (Louit, etcétera) sin leche,
6 cucharadas soperas de azúcar,

3 ó 4 cucharadas soperas de agua caliente.
Adorno:
2 claras,
2 cucharadas soperas de azúcar,
10 almendras tostadas.

En un cazo pequeño se pone el agua y el chocolate a fuego muy lento para que se deshaga sin cocer. Se mueve de vez en cuando.
Se pone a cocer en un cazo grande la leche con 4 cucharadas soperas de azúcar; se mueve para que el azúcar no se quede en el fondo. Mientras empieza a cocer, se pone en un tazón las yemas, la maizena y 2 cucharadas de azúcar. Se mueve bien. Cuando la leche empieza a hacer burbujas todo alrededor del cazo, con un cucharón se coge un poco y se añade muy despacio a la mezcla del tazón, moviendo constantemente. Esto se vierte en el cazo de la leche, moviendo siempre. Se añade igualmente el chocolate derretido. Se mueve todo mezclado durante unos 3 minutos, más o menos, para que no dé gusto a harina la maizena, pero sin que cueza a borbotones.
Se separa del fuego, se deja templar y se cuela por un pasapurés o un chino. Se mete en la nevera o en sitio fresco hasta el momento de servir.
Nota.—Se puede adornar la crema con 2 claras montadas a punto de nieve bien firmes, y una vez montadas se mezclan con 2 cucharadas soperas de azúcar (esto se hace con una cuchara y no con el aparato de montar las claras). Se ponen montoncitos encima de la crema y se pican las almendras algo grandes, espolvoreando con ellas los montones de clara.

1.037.—FLAN-BUDIN CON SUIZOS (6 personas)

3 ó 4 suizos (de la víspera mejor),
2 cucharadas de azúcar.
leche fría en un plato sopero (1 vaso de los de agua, más o menos),
Para el flan:
¼ litro de leche (1 vaso de los de agua),
3 huevos,
3 cucharadas soperas de azúcar,
un puñado de pasas de Corinto (remojadas en ½ vaso [de los de vino] de agua caliente, con 3 cucharadas soperas de jerez).

Caramelo (para bañar el molde)
3 cucharadas soperas de azúcar,
2 cucharadas soperas de agua.
Salsa:
3 cucharadas soperas de mermelada de grosella o albaricoque, etc.,
2 cucharadas soperas de azúcar,
1½ vasos (de los de agua) de agua,
2 cucharadas (de las de café) de fécula de patata,
unas gotas de zumo de limón.

Se hace el caramelo con las 3 cucharadas de azúcar y el agua en el mismo molde, que puede ser alargado de los de cake, o de otra forma si se quiere. Una vez frío el caramelo, se cortan los suizos en rebanaditas de un cm. de grosor y se bañan por los dos lados en la leche con azúcar, estrujándolos al sacarlos. Se colocan en el molde alternando con unas pasas de Corinto, que se ponen a cocer un par de minutos con el agua y el jerez, dejándolas en el caldo hasta el momento de utilizarlas.

Después de colocados los suizos y las pasas, en una ensaladera se baten muy bien los huevos (como para tortilla), se les añade el azúcar y, al final, la leche. Se podrá utilizar la leche de bañar los suizos si sobrase, contando entonces con ella para no sobrepasar el ¼ litro de líquido. Se bate bien y se vierte en el molde, moviendo un poco el contenido para que todo quede bien empapado con la crema.

Se tendrá el horno encendido unos 5 minutos antes con una besuguera con agua hirviendo. Se mete el molde en el horno a baño maría durante unos 45 minutos. Se pincha con un alambre para saber si está cocido. El alambre debe salir seco y limpio. Se saca del horno y del agua y se deja enfriar.

En el momento de servir se pasa un cuchillo de punta redonda todo alrededor y se vuelca en una fuente alargada.

Se hace la salsa (receta 104) y se sirve en salsera aparte.

Nota.—1.ª Se puede cocer unos 3 minutos más la salsa de las pasas, después de sacadas éstas, y se puede echar por encima del budín al sacar éste del horno; resulta así más blando y hay quien lo prefiere.

2.ª También se puede servir el budín quemándolo con ron, calentado y prendido con una cerilla, en vez de ponerle salsa de mermelada.

1.038.—FLAN CON PERAS (6 personas)

4 **peras medianas (de agua o amarillas de Roma),**

2 **cucharadas soperas de azúcar,**

1 **vaso (de los de agua) de leche,**

4 **huevos enteros,**

¼ **litro de leche (fría o templada),**

3 **cucharadas soperas de azúcar.**

Caramelo:

3 **cucharadas soperas de azúcar,**

2 **cucharadas soperas de agua,**

Se baña con caramelo una tartera de unos 25 cm. de diámetro y de unos tres dedos de alta.

Aparte, en un cazo, se echan las peras peladas y cortadas en trocitos como unos dados, el agua y las 2 cucharadas de azúcar; se tapa el cazo con una tapadera y se pone a cocer a fuego mediano. Deben quedar blandos, pero enteros, por lo cual hay que vigilar cuándo están en su punto. Cuando las peras están cocidas y templadas, se escurren bien de su almíbar y se colocan en la tartera sobre el caramelo y bien repartidos por igual en todo el fondo.

Se encenderá entonces el horno y se pondrá agua a calentar para que hierva al ir a meter el flan en el horno.

En una ensaladera se baten muy bien con un tenedor los huevos, se les agrega el azúcar y después la leche. Se mueve muy bien y se vierte esta crema en la tartera por encima de los trocitos de pera. Se mete en el horno al baño maría durante 40 minutos, más o menos, y cuando el flan está cuajado (se pincha con un alambre para comprobarlo) se saca del horno con su agua.

Cuando está templada el agua, se saca la flanera y se puede entonces volcar sobre una fuente redonda, donde se servirá.

Este flan está mejor ligeramente templado y no se debe meter en la nevera. Se puede hacer lo mismo con manzanas, siempre que sean de una clase que no se deshagan (reinetas).

1.039.—FLAN CLASICO Y FLAN SORPRESA (6 personas)

Para el caramelo del molde:
3 cucharadas soperas de azúcar,
2 cucharadas soperas de agua.
Flan:
¾ de litro de leche,

200 gr. (u 8 cucharadas soperas) de azúcar,
2 huevos enteros,
6 yemas,
un pellizco de vainilla o una barra de vainilla en la leche.

Se encaramela la flanera con las 3 cucharadas de azúcar y las 2 de agua, haciendo el caramelo en la misma flanera, y cuando está de un bonito color dorado se cubren también un poco las paredes, volcando la flanera por todos lados.

Se pone la leche a hervir con la vainilla (en polvo o en barrita).

En una ensaladera se ponen los huevos enteros y las yemas; se baten con el azúcar. Una vez bien disuelto el azúcar, se vierte muy poco a poco la leche caliente para que no se cuajen las yemas, y sin dejar de mover con una cuchara de madera. Se vierte en la flanera, colando la crema por un pasapurés o chino.

Se calienta el horno unos 10 minutos antes de meter el flan. Se tiene agua hirviendo en una cacerola para el baño maría y se mete dentro la flanera con el agua que cubra más de la mitad de la altura. Se cubre la flanera con una tapadera y se colocan dos o tres cascarones de huevo en el agua para que al cocer no salpique el agua. Se comprueba (con un alambre que tiene que salir limpio) a los 50 minutos si el flan está cuajado.

Si estuviese, se saca la flanera y se deja enfriar antes de meterla a la nevera. Se sirve en fuente redonda, colocando la fuente de tapa y volcando la flanera rápidamente.

Nota.—Flan sorpresa.

Una vez desmoldado el flan, se cubre con ¼ kg. de nata montada mezclada con una clara de huevo a punto de nieve firme.

Una vez cubierto el flan, se rocía con una salsa de mermelada de grosella o albaricoque (receta 104) hecha de antemano.

1.040.—FLAN CON LECHE CONDENSADA

3 huevos enteros,
1 bote de leche condensada (370 gr.),
la medida de 2 botes de leche natural,
un pellizco de vainilla en polvo.

Para el caramelo de la flanera:
3 cucharadas soperas de azúcar,
2 cucharadas soperas de agua.

Con el azúcar y el agua se hace caramelo para la flanera. Se deja enfriar.
Aparte, en una ensaladera, se baten los 3 huevos enteros como para tortilla, se añade el contenido del bote de leche condensada, dando vueltas con una cuchara de madera; después se agregan la leche natural y la vainilla. Se vierte esto en la flanera.
Se encenderá el horno unos 5 minutos antes de meter el flan y se tendrá una cacerola amplia con agua hirviendo para meter dentro la flanera. El agua debe llegar más arriba de la mitad de la altura de la flanera. Se ponen en el agua del baño maría tres o cuatro cáscaras de huevo para que no salte el agua al cocer. Se deja el flan unos 45 minutos; de todas maneras, después de ½ hora se comprueba si está el flan en su punto con un alambre. Si sale limpio, es que está cuajado. Se saca del horno y del agua y se deja enfriar.
No se debe meter este flan en la nevera. Se sirve volcando la flanera en una fuente redonda, puesta a modo de tapadera.

1.041.—FLAN DE COCO (6 a 8 personas)

¾ de litro de leche,
2 cucharadas soperas de maizena,
1 cucharada sopera de harina fina,

8 cucharadas soperas de azúcar,
100 gr. de coco rallado,
5 huevos,
agua.

Con 2 cucharadas soperas de azúcar y 1½ cucharadas soperas de agua se hace caramelo y se baña una flanera o un molde en forma de corona.
Se ponen la maizena y la harina en un tazón y se deslíen con un poco de leche fría.
Aparte, en un cazo, se pone el resto de leche con 6 cucharadas de azúcar. Cuando está caliente, se le añade la mezcla de harina y maizena bien disueltas con la leche, y se cuece esta crema durante unos 3 minutos. Se retira del fuego y se añade el coco.
En una ensaladera se baten con un tenedor los huevos bien batidos y, poco a poco, se va añadiendo la papilla. Una vez mezclado todo, se vierte en la flanera y se mete al baño maría en el horno, previamente calentado durante unos 10 minutos. Se ponen alrededor de la flanera unos cascarones de huevo con el fin de que el agua no salpique el flan al cocer. Se tiene a fuego mediano de 35 a 45 minutos. Se pincha con un alambre y cuando sale limpio es que está el flan.

Se saca del horno y del baño maría y se deja enfriar, sin meterlo en la nevera; basta que esté frío. Al ir a servir el flan, se vuelca en una fuente.

1.042.—FLAN CON ZUMO DE NARANJA

½ litro de zumo de naranja,
2 cucharadas soperas de maizena,
6 huevos,
250 gr. de azúcar molida,
3 cucharadas soperas de azúcar molida,
6 terrones de azúcar,

Caramelo para molde:
1½ cucharadas soperas de agua,
3 cucharadas soperas de azúcar.

Con las 3 cucharadas soperas de azúcar y el agua se hace un caramelo y se encaramela bien la flanera. Se deja enfriar.
Se frotan con los terrones las cáscaras de naranja (esto es muy importante, pues es lo que da más sabor). Se ponen en un cazo, se vierte el zumo y se añade el azúcar molida. En un tazón se deslíe la maizena con un poco de zumo y se añade al cazo. Se pone al fuego, y con una cuchara de madera se revuelve hasta que empiece a cocer. Se deja cocer, sin dejar de dar vueltas, uno o dos minutos. Se separa del fuego y se deja enfriar un poco.
En una ensaladera se baten muy bien los huevos con un tenedor y, poco a poco, para que no se cuajen, se les va añadiendo la crema de naranja. Se revuelve bien y se vierte en la flanera.
Se pone ésta al baño maría, a horno mediano y previamente calentado, durante unos 40 minutos más o menos. Se saca del horno y del agua caliente y se deja enfriar.
Se vuelca en la fuente justo en el momento de ir a servir el flan.

1.043.—DULCE DE LECHE CONDENSADA ESTILO ARGENTINO (6 personas)

1 bote de leche condensada (370 gr.),
2 yemas de huevo,
2 claras,

100 gr. de huevo hilado o nata montada,
agua,
un pellizco de sal.

Se pone la lata de leche condensada cerrada en un cazo con agua que le llegue bastante arriba, es decir, al baño maría. Cuando rompe el hervor, se deja cocer lentamente por espacio de 3 horas, añadiéndole agua caliente al cazo cuando vaya haciendo falta.
Una vez pasado este tiempo, se retira el bote del agua, se abre y se deja enfriar. Se vierte en una ensaladera pequeña de cristal, o en una fuente pequeña y honda, se añaden las 2 yemas y después las claras montadas a punto de nieve con un pellizquito de sal.
Se mete en la nevera una hora y se sirve adornado con huevo hilado o nata, y acompañado de lenguas de gato, servidas aparte.

1.044.—FLAN CHINO (6 personas)

¼ litro de leche,
¼ kg. de azúcar,
5 yemas de huevo,
3 claras,
un pellizquito de sal.

Para el caramelo de la flanera:
3 cucharadas soperas de azúcar,
2 cucharadas soperas de agua,

Se prepara una flanera de unos 18 cm. de diámetro con azúcar y agua; se cuece, y cuando el caramelo tiene un bonito color dorado, se retira y, volcando un poco la flanera, se baña el fondo y un poco los costados. Se deja enfriar. También se pueden utilizar flaneras individuales.

Se pone en un cazo la leche y el azúcar y se mueve con una cuchara de madera. A fuego suave se cuece durante unos 15 minutos hasta que espese, moviendo de vez en cuando.

En un tazón se baten las yemas y con una cuchara se agrega, muy poco a poco, la leche caliente (para que no cuaje las yemas); después se vierte esto dentro del cazo de la leche, apartando ésta del fuego para que no se corte la crema. Se deja templar, dándole de vez en cuando vueltas con una cuchara de madera.

Aparte se baten las claras a punto de nieve muy firmes con un pellizquito de sal y se incorporan con mucho cuidado a la crema, de modo que queden muy bien mezcladas. Se vierte esta crema en la flanera preparada con caramelo y se mete a horno suave y al baño maría (el agua se tendrá ya cociendo de antemano y el horno encendido unos 5 minutos antes). Se cubre con tapadera durante 20 minutos, después se destapa y se cuece unos 15 minutos más (en total unos 35 minutos a horno mediano) y cuando está en su punto (se pincha con un alambre para saberlo: si sale limpio es que el flan está cocido) se saca. Se deja enfriar en el molde y éste en el baño maría. Se quita, una vez fría, la flanera del agua y se mete ½ hora en la nevera.

En el momento de servir, se pasa un cuchillo alrededor de la flanera y se vuelca en una fuente.

1.045.—TOCINOS DE CIELO (6 personas)

Para untar de caramelo la flanera:
2 cucharadas soperas de azúcar,
1 cucharada sopera de agua fría,
250 gr. de azúcar,

1½ **vasos (de los de agua) no muy lleno de agua fría,**
2 trozos de corteza de limón,
2 cucharadas soperas de agua fría,
7 yemas,
1 huevo entero.

Se hace el caramelo en una flanera de unos 14 cm. de diámetro (o una corona). Cuando esté el caramelo con un bonito color dorado, se mueve bien para que se bañe por igual el fondo de la flanera. Se deja enfriar.

En un cazo se hace un almíbar poniendo un vaso de agua (no muy lleno) con los 250 gr. de azúcar y las 2 cortezas de limón.

A fuego mediano se pone a hervir. Cuando rompe el hervor, se le echa el otro ½ vaso (escaso) y se hace el almíbar a punto de hebra fina (unos 20 minutos cociendo más o menos). Se retira del fuego y se deja enfriar un poco.

Aparte, en una ensaladera de cristal, se ponen las 7 yemas, el huevo entero y las 2 cucharadas de agua fría. Se mueve hasta que queden unidos todos los huevos en una crema, y cuando el almíbar ya no está caliente se va añadiendo muy poco a poco, dando vueltas con una cuchara de madera. Cuando está todo incorporado, se vierte en la flanera. Se pone un papel grueso (estraza) de tapadera y encima una tapadera que encaje bien y con algún peso encima para que no se levante. Se mete la flanera en una cacerola que contenga agua caliente a la mitad de la altura de la flanera, se ponen unos cascarones de huevo para que no salpique el agua y, cuando rompe el hervor, se deja 9 minutos encima de la lumbre.

Se tendrá el horno encendido previamente y se pasará en seguida dentro, con su baño maría, 10 minutos más. Se saca la flanera del horno tapada y metida en su cacerola de agua, y así se deja hasta que el agua se enfríe. Se saca entonces y, pasando un cuchillo todo alrededor del tocino para desprenderlo, se vuelca en una fuente de servir redonda.

Nota.—Se puede hacer esto mismo en flanecitos individuales. Convendrá dejarlos algo menos de tiempo en el horno.

1.046.—CAPUCHINA (8 personas)

10 yemas,
 1 clara,
 2 cucharadas soperas de harina de almidón (o maizena), un trocito de mantequilla para untar el molde.
Almíbar:
1½ decilitros de agua,
150 gr. de azúcar,
 1 cáscara de limón.

Baño de yema:
 3 yemas,
125 gr. de azúcar,
 1 decilitro (o sea, 1 vaso de los de vino) de agua más una cucharada (de las de café).
Adorno:
2 claras a punto de nieve,
3 cucharadas soperas de azúcar,
1 molde de 22 cm. de diámetro y 5 cm. de alto.

Se unta con bastante mantequilla el molde y se mete en la nevera para que se endurezca la mantequilla.

En un cacharro amplio (donde se pondrá el molde de la capuchina al baño maría) se pone agua para que vaya calentándose.

Se baten las yemas y la clara con batidora eléctrica (de montar las claras) o de mano durante unos 20 minutos. Se agrega entonces la harina de almidón tamizada con un colador o un cedazo (para que se airee). Se mezcla, pero sin mover más que lo justo necesario, y se vierte en el molde. Se pone éste en el cacharro con agua que estará hirviendo **muy despacio.** Se ponen unas cáscaras de huevo en el agua para que no salpique la capuchina, y se cuece encima del fuego unos 8 a 10 minutos más o menos, hasta que se formen unas burbujitas en la superficie de la masa. Se mete entonces en el horno (previamenta calentado durante 10 minutos) y con fuego **muy flojo.** Se tiene unos 25 a 30 minutos (en horno eléctrico; en horno de gas, algo menos). Se pincha con un alambre y si sale la aguja limpia, se saca.

Mientras está en el horno se va haciendo primero el almíbar de emborrachar. Se cuece el agua, el azúcar y la cáscara de limón durante 7 minutos.

Segundo, se hace el baño de yema.

Con el agua y el azúcar se hace otro almíbar algo más espeso (para ello se deja 10 minutos cociendo). En un cacharro resistente al fuego se ponen las yemas con una cucharadita (de las de café) de agua fría, y se añade poco a poco el almíbar sin dejar de remover. Se arrima al fuego y se deja hervir unos 3 minutos, moviendo continuamente con unas varillas en forma de 8 hasta que espese. Se deja templar.

Una vez fuera del horno la capuchina, se pincha con un alambre fino, sin llegar al fondo del molde, y por los agujeritos se vierte el almíbar.

Después de bien embebido, se pasa un cuchillo todo alrededor del molde y se vuelca en la fuente donde se vaya a servir.

Se vierte entonces despacio el baño de yema, y con un cuchillo ancho se lleva hasta los bordes para que quede todo cubierto. Se mete en la nevera en sitio menos frío. Pasadas unas horas (6 por lo menos, pudiendo hacerse la capuchina la víspera), y al ir a servirla, se baten las claras a punto de nieve muy firme; se mezclan con el azúcar y se hace con la manga un bonito adorno; se sirve.

1.047.—SOUFFLE DULCE (6 a 8 personas)

4 cucharadas soperas de harina fina,
4 cucharadas (de las de café) de fécula de patata (rasadas),
100 gr. de mantequilla,
1 cucharada sopera de aceite fino,
½ litro de leche (o más si hace falta),
vainilla en polvo,
5 huevos enteros,
5 claras de huevo,
8 a 10 cucharadas soperas de azúcar,
sal.

Se hace una bechamel poniendo a derretir 75 gr. de mantequilla con una cucharada de aceite; cuando está caliente, se le añade la harina y la fécula. Con unas varillas se da vueltas, añadiendo despacio la leche fría. Cuando la bechamel ha cocido unos 5 minutos, se retira del fuego y se le agrega el azúcar, moviendo muy bien. Se deja enfriar y, cuando está templada solamente, se incorporan las 5 yemas.

Se unta con el resto de la mantequilla una fuente de cristal o porcelana honda resistente al horno. Se enciende éste a fuego mediano unos 10 minutos antes de poner la crema del soufflé. Se baten las claras de tres en tres con un pellizco de sal para que monten mejor; una vez bien firmes, se mezcla la primera tanda, moviendo poco con una cuchara de madera y las demás moviéndolas también lo menos posible.

Se vierte todo en la fuente y se mete en el horno mediano flojo;

después de pasados 15 minutos se sube el calor del horno y se vuelve a subir otros 10 minutos al final. Suele estar en 35 minutos. Cuando el soufflé está bien subido y dorado se sirve en seguida en su misma fuente.

Variaciones:

Se pueden dar varios sabores al soufflé, agregándole licor de Gran Marnier, 3 cucharadas soperas (que se quitan de leche) o de limón (cociendo la cáscara en la leche y poniendo otra cáscara rallada en la crema), o de café (se añade a la bechamel Nescafé); o de chocolate (se agregan 3 cucharadas soperas de cacao), etc., y se procede como en la receta anterior.

1.048.—ARROZ CON LECHE (6 personas)

6 cucharadas soperas de arroz,
1 cáscara entera de limón,
¾ de litro de leche,

8 cucharadas soperas de azúcar,
agua,
canela en polvo.

En un cazo se pone agua abundante a hervir; cuando cuece a borbotones se echa el arroz, y se cuece unos 10 minutos más o menos. Mientras tanto se pone en otro cazo la leche a cocer con la cáscara del limón. Cuando han pasado los minutos de cocer a medias el arroz, se escurre éste en un colador grande y se echa en seguida de escurrido en la leche cociendo. Se vuelve a dejar otros 12 minutos (se prueba si está blando, pero sueltos los granos). Se retira del fuego, se añade el azúcar y se revuelve. Se dan unas vueltas en el fuego, se le quita la cáscara de limón y se vierte en la fuente donde se vaya a servir. Tiene que quedar caldoso, pues al enfriarse se embebe leche y si no quedaría muy espeso.

Se adorna con canela en polvo. Se puede también quemar, formando caramelo por encima, pero esto es menos clásico. (Se pone azúcar molida en un embudo y se forman unas rayas que se queman con un hierro al rojo.)

En verano se puede meter el arroz con leche, una vez frío, en la nevera antes de servirlo.

1.049.—ARROZ CON LECHE, CON NATA Y ALMENDRAS (6 a 8 personas)

1 taza (de las de té) de arroz (175 gr.),
50 gr. de almendras tostadas y picadas no muy finas,
1 clara de huevo a punto de nieve firme,
¼ kg. de nata montada,

6 cucharadas soperas de azúcar,
2½ vasos (de los de agua) de leche (algo menos de ½ litro),
agua,
un pellizquito de sal,
algunas guindas.

En un cazo se pone agua abundante a cocer y cuando hierve a borbotones se echa el arroz. Se deja cocer unos 8 minutos y, pasado este tiempo, se escurre en un colador y se vierte en otro cazo, donde estará la leche muy caliente. Se deja hervir a fuego moderado unos 20 minutos más o menos (depende este tiempo de la clase de arroz); para más seguridad, se prueba. Una vez en su punto el arroz, se le echa el azúcar y se da unas vueltas, retirándolo del fuego. Una vez templado, se le añaden las almendras y por último, cuando está casi frío, se monta la clara de huevo a punto de nieve muy firme con un pellizquito de sal, se mezcla con la nata y se incorpora al arroz con las almendras. Se pone en sitio fresco y se adorna con unas guindas en almíbar.

1.050.—BUDIN DE ARROZ (unas 8 a 10 personas)

1¼ litros de leche,
. agua,
200 gr. de arroz,
2½ paquetes de flan chino El Mandarín,

1 lata de melocotones en almíbar de ½ kg.,
¼ kg. de nata montada,
10 cucharadas soperas de azúcar,
unas guindas para adorno.

En un cazo con agua hirviendo se echa el arroz, y cuando ha cocido unos 5 minutos se vierte en un colador para escurrirle el agua. Se vuelve a echar en otro cazo que tenga un litro de leche hirviendo y, a fuego mediano, se le deja cocer otros 20 minutos (más o menos), según la clase de arroz.
En un tazón grande se disuelven los polvos de flan chino, mezclados previamente con el azúcar para que no formen grumos, con el ¼ litro de leche fría. Una vez bien disueltos, se agrega al arroz con leche, se pone a fuego mediano y se mueve bien con una cuchara de madera (como va indicado en el paquete del flan). Se retira del fuego y se añaden los melocotones en almíbar, bien escurridos y cortados en trozos. Se mezcla bien todo y se vierte en un molde de cristal o porcelana. Se mete en la nevera unas 3 ó 4 horas.
Al ir a servir el budín, se pasa un cuchillo alrededor del molde y se vuelca. Se adorna con la nata y las guindas y se sirve.

1.051.—FLAN-BUDIN DE SEMOLA (6 personas)

Caramelo para bañar el molde:
3 cucharadas soperas de azúcar,
2 cucharadas soperas de agua.

Budín:
½ litro de leche,
100 gr. de sémola de trigo,
3 yemas,
4 claras,

150 gr. de azúcar,
un pellizco de vainilla,
un pellizco de sal.
Salsa caramelo líquido:
6 cucharadas soperas de azúcar,
2 cucharadas soperas de agua,
¹/₁₀ litro más de agua (un vaso de los de vino).

Se baña un molde alargado de cake (u otra forma si se quiere) con el caramelo hecho con las 3 cucharadas de azúcar y las 2 de agua. Se vuelca bien el molde para que bañe bien el fondo y los costados del molde. Se deja enfriar.

En un cazo se pone la leche a cocer con la vainilla; cuando empieza a hervir, se echa la sémola desde un poco alto para que caiga en forma de lluvia en la leche. Con una cuchara de madera se mueve sin parar durante 10 minutos, para que no se formen grumos y no deje de cocer suavemente.

En una ensaladera amplia se mezclan las 3 yemas y el azúcar; una vez bien movidos, se incorpora poco a poco la papilla de sémola y aparte se baten las claras con un pellizco de sal muy firmes, y se incorporan también a la crema. Se vierte en el molde y se mete a horno suave (previamente encendido durante 5 minutos) y al baño maría con el agua hirviendo durante 45 minutos a una hora.

Se comprueba que está el flan ya cocido pinchándolo con un alambre: si sale limpio, el flan está en su punto.

Se saca del horno y se deja enfriar en el molde.

Al ir a servir el budín, se pasa un cuchillo de punta redonda todo alrededor del molde y se vuelca en una fuente. Se sirve con caramelo líquido en una jarrita aparte (receta 102).

1.052.—FLAN DE FRUTAS CALIENTE (6 personas)

2 peras,
2 manzanas,
2 plátanos,
2 mandarinas (o una naranja),
1 racimo de uvas (¼ kg.),
    unas 6 ciruelas pasas o un puñado de pasas (facultativo),

8 cucharadas soperas de azúcar,
4 cucharadas soperas de harina fina,
2 huevos,
2 vasos (de los de agua) de leche fría,
30 gr. de mantequilla,
    un poco de vainilla en polvo.

En una ensaladera de cristal se cortan todas las frutas peladas y en trocitos como para una ensalada de fruta.

Se unta con la mitad de la mantequilla un cacharro profundo de cristal o porcelana resistente al fuego.

Se vierte la mitad de la fruta y se espolvorea con 2 cucharadas soperas de azúcar. Se echa el resto de la fruta.

Aparte se pone la harina, 4 cucharadas soperas de azúcar, los 2 huevos y la vainilla en un cacharro de cristal o loza, y se baten bien; se añade poco a poco la leche para que no se hagan grumos. Se vierte esta crema sobre la fruta, sacudiendo bien el cacharro para que fruta y crema queden bien mezclados. Se espolvorea con 2 cucharadas soperas de azúcar y se pone el resto de la mantequilla en tres o cuatro trocitos por encima. Se mete en el horno (que se habrá calentado previamente) a fuego mediano durante una hora. Se saca y se sirve en el mismo cacharro de porcelana, cuando está aún caliente o templado.

1.053.—MOUSSE DE CHOCOLATE (6 personas)

125 gr. de chocolate,
3 cucharadas soperas de leche fría.
3 yemas de huevo,

3 cucharadas soperas de azúcar molida,
4 claras de huevo,
75 gr. de mantequilla,
    un pellizquito de sal.

En un cazo se pone el chocolate partido en trozos con la leche. Se pone a fuego suave hasta que el chocolate esté derretido. Se separa del fuego y se incorpora en trozos la mantequilla.

En un tazón se mezclan las yemas con el azúcar, moviendo bien, hasta que esté espumoso. Se añade el chocolate. Se revuelve bien para mezclar todo y para ir enfriando la crema.

Se baten las claras a punto de nieve muy firme con un pellizquito de sal.

Enfriada la crema de chocolate, se incorporan las claras muy suavemente, pero cuidando que adquiera un tono uniforme. Se pone la «mousse» en una ensaladera de cristal o en varios cacharritos (o copas bajas de champán) y se mete en la nevera por lo menos una hora antes de servir.

Se puede adornar con un poco de nata o con guindas. Se sirve, si se quiere, con lenguas de gato aparte en un platito.

Nota.—Se puede mezclar a la mousse nata montada, poniendo entonces sólo 3 claras a punto de nieve.

1.054.—MOUSSE DE CHOCOLATE CON SOLETILLAS
(6 a 8 personas)

Unas 35 soletillas (no muy blandas),
3 ó 4 cucharadas soperas de ron,
2 cucharadas soperas de azúcar,
agua,
100 gr. de chocolate,
3 cucharadas soperas de leche fría,
3 yemas de huevo,
4 cucharadas soperas de azúcar molida,
4 claras de huevo,
200 gr. de mantequilla (que no esté fría),
un pellizquito de sal.

Coger un poco de los 200 gr. de mantequilla y untar una flanera (de unos 19 cm. de diámetro).

En un plato sopero se pone agua, llenando la parte honda, con 1½ cucharadas soperas de ron y una cucharada sopera de azúcar. Cuando se termina el primer líquido, se vuelve a hacer más con lo que queda. Pasar unas soletillas rápidamente por este líquido. Colocarlas primero en el fondo y después cortándoles un poco uno de los finales redondos todo alrededor de la flanera.

Hacer la mousse como está indicado en la receta anterior (se pone más mantequilla para que al desmoldar se tenga bien en pie). Se pone la mitad de la mousse y se recubre con unas soletillas mojadas muy ligeramente. Se vierte el resto de la mousse y se vuelve a poner para cerrar el molde otra capa de soletillas ligeramente mojadas. Se cubre la flanera con una tapadera algo más pequeña que la flanera, o con un plato untado con un poco de mantequilla. Se pone algún peso sobre la tapadera y se mete en la nevera por lo menos 5 horas antes de servir la mousse. Se puede hacer la víspera si se quiere.

Al ir a servir, se pasa un cuchillo todo alrededor del molde y se vuelca en una fuente redonda.

Se adorna con nata o con natillas vertidas por encima de la mousse.

Natillas:

¾ litro de leche,
3 yemas de huevo,
5 cucharadas soperas de azúcar,

1 cucharada sopera rasada de maizena.

Receta 1.032

1.055.—CORONA DE CHOCOLATE LIGERA CON NATILLAS (6 personas)

140 gr. de chocolate,
½ vaso (de los de vino) de agua,
2 yemas de huevo,
el peso de un huevo de mantequilla (50 gr.),
150 gr. de azúcar,
50 gr. de almendras ralladas,
4 claras de huevo,
mantequilla para untar el molde.

Natillas:
½ litro de leche,
2 yemas,
5 cucharadas soperas de azúcar,
1 cucharada sopera rasada de maizena,
un pellizco de vainilla.

En un cazo se pone el agua y el chocolate a fuego lento, para que se derrita éste, sin cocer. Una vez derretido y templado, se añade la mantequilla, el azúcar, las yemas y las almendras ralladas. Se revuelve muy bien todo junto y se agregan las 4 claras de huevo a punto de nieve muy firme (con un pellizquito de sal). Se incorporan a la crema suavemente.
Se unta muy abundantemente con mantequilla un molde en forma de corona, se vierte la masa en él y se mete a horno suave al baño maría. (El agua del baño maría se tendrá ya caliente.) Se deja de 45 minutos a 1 hora. Una vez cocido (para saberlo se pincha con un alambre), se retira del horno y se deja en sitio que no sea muy frío. Se desmolda en el momento de ir a servirlo y se sirve con unas natillas (receta 1.032) aparte en salsera. También se puede servir con nata montada en el centro y resulta muy bien también.

1.056.—CREMA CUAJADA DE LIMON (5 a 6 personas)

4 huevos enteros,
la ralladura de 2 limones,
zumo de 3 limones,
200 gr. de azúcar,

1 cucharada sopera rasada de maizena,
1 vaso (de los de agua) de agua.

En un vaso se pone la maizena y se añade poco a poco el agua fría para que no forme grumos.
En una fuente de cristal o porcelana resistente al fuego, no muy

grande, se baten los huevos como para tortilla, se agrega después la ralladura de limón, el azúcar, el zumo y, finalmente, el vaso de agua con la maizena disuelta en él. Se mueve bien y se pone sobre la lumbre (cuidando de interponer entre la fuente de cristal o porcelana una plancha especial para que no salte el cristal y se rompa). Se sigue moviendo hasta que empieza a hervir; se deja unos 3 minutos cociendo sin dejar de mover, y se retira del fuego.

Se deja enfriar, se mete, si se quiere, en la nevera y se sirve acompañada de lenguas de gato.

1.057.—CREMA DE LIMON (4 a 6 personas)

(Para tomar como mermelada o hacer el relleno de la tarta.)

45 gr. de mantequilla,
el zumo de 3 limones,
ralladura de un limón,

250 gr. de azúcar,
3 huevos.

En un cazo se derrite la mantequilla (con cuidado de que no cueza); se añade el zumo y la ralladura de los limones; después, el azúcar y, al final, los huevos batidos previamente como para tortilla.

Se pondrá el cazo en agua caliente para terminar de hacer la crema al baño maría. Se dan vueltas constantemente durante 15 minutos para que la crema se espese. Se saca del fuego y se vierte la crema en un cacharro de cristal o porcelana y se guarda en sitio fresco (pero no en la nevera). Una vez fría, se puede utilizar para rellenar una tarta (cubriendo ésta después con merengue).

1.058.—MOUSSE DE LIMON (5 a 6 personas)

150 gr. de azúcar molida,
4 yemas de huevo,
el zumo de un limón,
la ralladura de ½ limón,

4 claras,
un pellizco de sal,
6 guindas de confitería.

En un cazo se revuelve muy bien con una cuchara de madera las yemas con el azúcar y el zumo de limón. Se pone al baño maría, sobre la lumbre (el agua estará caliente con anticipación), y dando vueltas sin parar se tiene unos 15 a 20 minutos, hasta que el volumen de la crema casi sea el doble. Se retira del fuego y del baño maría, para que se vaya enfriando, y se le añade el ½ limón rallado. Mientras tanto se baten muy firmes, con la pizca de sal, las claras; cuando están bien firmes, se incorporan suavemente a la crema. Se vierte ésta en cuenquitos o copas de champán de pie bajo y se meten unas 2 horas en la nevera.

Se sirven en las copas con unas lenguas de gato aparte y unas guindas en el centro de adorno. Estas guindas se colocarán en el momento de llevar el postre a la mesa para que no se hundan en la mousse.

1.059.—MOUSSE DE NARANJA (6 personas)

El zumo de 3 naranjas grandes (1½ vasos de los de agua),
1 naranja mediana (para el adorno),
100 a 150 gr. de azúcar (según sean de dulces las naranjas),

2 cucharadas soperas colmaditas de maizena,
2 yemas de huevo,
3 claras,
un pellizco de sal,
3 cucharadas soperas de licor de Cointreau o Curaçao,
un poco de agua fría.

En un cazo bastante grande se pone el zumo de naranja con el azúcar. En un tazón se pone la maizena y se disuelve con agua fría (4 ó 5 cucharadas soperas). Se pone el zumo a calentar y, cuando empieza a tener burbujas alrededor del cazo, se añade lo del tazón, y sin dejar de dar vueltas con una cuchara de madera se cuece durante unos 3 minutos. Se retira del fuego y en sitio fresco se deja enfriar, dando vueltas para que no se forme piel. Se agrega entonces el licor y, una vez incorporado, las yemas.
Se baten las claras muy firmes con un pellizquito de sal. Se incorporan a la crema con cuidado, es decir, moviendo despacio y justo lo necesario para que quede bien mezclada la mousse. Se reparte en unos cacharritos de porcelana o cristal (o copas de champán) y se meten en la nevera durante unas 3 horas.
Se pela la naranja y se cortan unas rodajas. En el momento de servir, se plantan dentro de la mousse las rodajas y se sirve con lenguas de gato aparte.

1.060.—GELATINA DE NARANJA (6 personas)

1 litro de zumo de naranja,
4 ó 5 cucharadas soperas de azúcar,
5 hojas finas de cola de pescado,

un poco de agua fría,
unos gajos de naranja,
¼ kg. de nata montada.

Se disuelven en un cazo pequeño la cola de pescado (o gelatina) con un poco de agua. Se pone a fuego suave **sin que llegue a hervir** (pues saben mal). Cuando está caliente se añade el zumo de naranja y éste se calentará suavemente, agregándole el azúcar. Una vez bien mezclados los ingredientes, se coge un molde y se aclara con agua fría sin secarlo. Se vierte el líquido en él y se mete en la nevera hasta que esté cuajado. Para servir se desmolda, pasando un cuchillo todo alrededor del molde, y se vuelca. A veces hay que levantar un lado del molde y con el cuchillo hacer un poco de palanca para que entre aire, pues este tipo de postres hace ventosa y no bajan solos. Se adorna con la nata puesta con una manga y unos gajos de naranja.

1.061.—MOUSSE DE CAFE (6 personas)

½ litro de leche,
100 gr. de azúcar,
2 yemas,
3 claras,
1½ cucharadas soperas de maizena,

1 cucharada sopera de Nescafé,
50 gr. de almendras tostadas y picadas o, mejor, almendras garrapiñadas (facultativo), sal.

En un cazo se pone a hervir casi toda la leche con más de la mitad del azúcar. Aparte, en un tazón, se ponen las yemas, el azúcar que ha quedado y el Nescafé. En otro tazón se pone la maizena y se disuelve con la leche fría que se ha separado. Una vez mezclada y disuelta la maizena, se vierte en el tazón de las yemas. Se mezcla todo muy bien. Cuando la leche empieza casi a hervir (hace pompitas en el borde del cazo) se coge un poco de leche con un cazo y se vierte muy poco a poco en el tazón, sin dejar de mover con una cuchara de madera. Después de bien disuelto, se incorpora esto a la leche del cazo. Se deja cocer unos 3 ó 4 minutos sin dejar de dar vueltas. Se aparta y se pone en sitio fresco para que se enfríe la crema. Una vez casi fría, se baten las claras a punto de nieve muy firme con un pellizquito de sal y se incorporan a la crema. Se reparte ésta en 6 cuenquitos (copas bajas de champán, etc.) o en un bol de cristal, y se mete en la nevera durante 2 ó 3 horas (no más, pues se vuelve algo líquido pasado este tiempo).
Al ir a servir, se espolvorea la mousse con un poco de almendras garrapiñadas machacadas.

1.062.—BAVAROISES PEQUEÑAS DE FRESAS O FRAM- (6 a 8 personas)

¾ de litro de leche escasos (3 vasos de los de agua),
6 cucharadas soperas de maizena,
3 hojas finas de cola de pescado,
un poco de agua,
300 gr. de fresas frescas, o ¼ kg. de frambuesas, o

4 cucharadas soperas colmadas de jalea de grosella,
8 cucharadas soperas de azúcar (si son frutas; 4 si es jalea),
2 claras de huevo,
un pellizquito de sal,
125 gr. de nata montada, o unas fresas o unas guindas de confitería.

En un cazo se pone casi toda la leche a calentar con el azúcar. En un tazón se pone la maizena y se disuelve con el resto de la leche fría. Cuando la leche está a punto de hervir, se vierte la maizena del tazón y se cuece unos 3 minutos sin dejar de dar vueltas con una cuchara de madera. Se separa del fuego y se incorporan las fresas o las frambuesas pasadas por batidora, o la jalea de grosella tal cual.
En un cazo aparte se cortan las hojas de cola y se deslíen con un poco de agua, poniéndolas a fuego suave para que no cueza, pues adquiere mal sabor.

Una vez bien desleídas, se incorporan poco a poco a la crema. Se baten las claras de huevo bien firmes con la pizca de sal y se incorporan suavemente a la crema. Se vierte en unos moldecitos individuales de cristal o Duralex pasados por agua fresca y escurridos y se meten en la nevera un par de horas.

Se pasa alrededor de los moldes un cuchillo de punta redonda y se vuelcan en la fuente donde se vayan a servir. Si no salen bien, con la punta del cuchillo se separa un poco para que entre aire, pues a veces este tipo de postre forma ventosa.

Se adornan o bien con una guinda encima o con un montoncito de nata puesto con la manga.

1.063.—BAVAROISE DE PRALINE (6 personas)

½ litro de leche,
1 cucharada sopera rasada de maizena,
5 yemas de huevo,
6 cucharadas soperas de azúcar,
vainilla (en polvo, en gotas o en barra),
250 gr. de nata montada,
4 hojas de cola de pescado finas (ó 3 corrientes),

7 a 8 cucharadas soperas de agua,
150 gr. de almendras garrapiñadas, ó 100 gr. de pastas de almendras (macarrones) muy secas y picadas (no muy finas),
2 claras de huevo a punto de nieve,
un pellizquito de sal.

En un cazo pequeño se ponen las 9 cucharadas de agua y las 4 hojas de cola de pescado cortadas en trocitos. Se calienta un poco el agua (sin que cueza nunca) y se dan vueltas con una cuchara para que se deshagan bien.

En otro cazo mediano se echa la leche con 3 cucharadas soperas de azúcar y la vainilla. Se pone a fuego mediano.

Aparte, en un tazón, se ponen las 5 yemas con la cucharada de maizena y las 3 cucharadas de azúcar. Se bate bien y, cuando la leche está a punto de cocer, se va añadiendo en el tazón muy poco a poco (para que no se corten las yemas) y después, cuando está lleno el tazón, se vierte esto en el cazo de la leche. Se mueve con una cuchara de madera sin parar hasta que espese bien, pero sin que cueza apenas. Se retira y, después de un ratito (5 minutos), se va añadiendo la cola de pescado, que estará ya derretida y no demasiado caliente. Se bate bien. Se añaden entonces las almendras garrapiñadas, previamente molidas (entre dos hojas de papel limpio, o un trapo, se aplastan con un martillo para dejarlas más bien gruesas).

Se mete el cazo con todo esto en agua fría y se dan vueltas hasta que las natillas estén frías. Se baten las claras con un pellizquito de sal, a punto de nieve fuerte, y se mezclan con la nata. Se añade entonces la mezcla y se bate a mano con un aparato de batir claras o unas varillas (que no sea eléctrico, porque bate demasiado de prisa).

Se pone el bavaroise en un molde previamente enjuagado con agua fresca y bien escurrido y se mete en la nevera por lo menos 4 horas antes de servir, para que esté bien cuajado. Se desmolda en una fuente, para servir.

1.064.—BAVAROISE DE MELOCOTONES (EN LATA)
(6 personas)

½ litro de leche,
150 gr. de azúcar,
4 yemas de huevo,
1 cucharadita (de las de manzanilla) rasada de maizena,
4 claras,

un pellizco de sal,
1 lata de melocotones en almíbar de ½ kg.,
5 hojas finas (ó 3½ un poco más gruesas) de cola de pescado.

Se pone la leche a cocer con la mitad del azúcar. En un tazón se ponen las yemas, el resto del azúcar y la maizena. Se bate bien; cuando la leche empieza a hervir, se coge un poco con un cucharón y se vierte muy poco a poco en el tazón, moviendo bien para que no se cuajen las yemas. Después se vierte lo del tazón en el cazo de la leche, dando vueltas continuamente con una cuchara de madera. Se pone a fuego suave y se deja espesar un poco (sin que cueza, pues se cortarían las natillas). Después se separa y se dejan en sitio fresco, moviendo de vez en cuando para que no se forme nata.

Se abre la lata de melocotones, se escurre muy bien el almíbar en un cazo y se reserva éste, así como un pedazo de melocotón para el adorno. Lo demás se pasa por un pasapurés más bien gordito, para que el melocotón no quede demasiado fino. Se mezcla este puré con las natillas.

En el cazo del almíbar se pone la cola cortada en trozos pequeños. Se pone a calentar a fuego suave (sin que cueza, pues adquiere mal gusto) hasta que esté bien deshecha. Se vierte poco a poco en las natillas; se dan vueltas hasta que esté casi frío.

Se baten las claras a punto de nieve muy firme con un pellizco de sal.

Se mezclan las claras suavemente con las natillas y se vierte todo en un molde o flanera, previamente untado con aceite fino y bien escurrido lo sobrante.

Se mete en la nevera por lo menos 3 horas antes de servir el bavaroise. Se puede hacer la víspera si se quiere.

Se desmolda pasando un cuchillo de punta redonda todo alrededor y si no sale, con la punta del cuchillo se separa un poco, con el fin de que entre aire y no haga ventosa. Se adorna con el melocotón reservado cortado en gajitos.

1.065.—BAVAROISE DE PIÑA (DE LATA) (6 a 8 personas)

½ litro de leche,
¼ litro de nata montada,
200 gr. de azúcar,
1 clara de huevo,
4 yemas,
1 lata de piña de 500 gr.,
4 hojas de cola de pescado finas, ó 3 más gruesas,

1 cucharada (de las de café) colmada de maizena,
un poco de agua,
un pellizquito de sal,
un poco de aceite fino para untar el molde.

Se pone la leche a cocer con la mitad del azúcar.

Mientras tanto se baten las yemas con el resto del azúcar y la maizena. Cuando la leche está a punto de cocer, se vierte un poco en el tazón y se mezcla luego todo junto con el cazo. Se vuelve a poner a fuego mediano y, sin dejar de dar vueltas con una cuchara de madera, se deja espesar un poco (sin que cueza), pero con cuidado de que no se corte.

En un cazo aparte se vierte el almíbar de la lata de piña, se cortan las hojas de cola de pescado en trocitos, se pone a fuego muy suave y se deja derretir (sin que cueza, pues adquiere mal gusto), y dando vueltas con una cuchara. Esto se mezcla poco a poco con las natillas. Se pone el fondo del cazo en agua fría y, dando vueltas sin parar, se deja templar y casi enfriar.

La mitad de las rodajas de piña se cortan por la mitad y se reservan, y la otra mitad se cortan en trocitos que se incorporan a las natillas.

Aparte se monta una clara a punto de nieve firme con una pizca de sal. Se mezcla con la nata y ésta se incorpora suavemente, casi toda (dejando un poco para adornar la bavaroise), a la crema.

Se unta un molde de bavaroise grande o una flanera de 1½ litros, con aceite. Se escurre bien éste y se vierte todo en el molde, que se mete en la nevera unas 10 horas (pero no en el congelador) o la víspera si se quiere.

Para servir, se mete **unos segundos** el molde en agua caliente y se vuelca en una fuente. Quizá haya que ayudar de un lado al bavaroise a bajar con la punta de un cuchillo redondo. Se adorna con la nata reservada y las medias rodajas de piña puestas alrededor.

1.066.—BAVAROISE DE NARANJA (6 a 8 personas)

3 huevos y una clara más,
200 gr. de azúcar,
3 hojas de cola de pescado,
1 vasito de licor de Cointreau,
zumo de naranja hasta completar con el licor el ¼ litro,
4 cucharadas soperas de agua,
2 cucharadas soperas de aceite fino.

En un bol de cristal se separan las yemas y se añade el azúcar, se revuelve con una cuchara de madera durante unos 5 minutos hasta que esté cremoso. En un cazo pequeño se pone la cola de pescado cortada en trozos pequeños (con unas tijeras) y se ponen en remojo con las 4 cucharadas de agua; si no se deshace bien, se puede calentar un poco para que se derrita, pero **sin cocer.** En el bol que tiene las yemas y el azúcar se va añadiendo el ¼ litro de líquido entre Cointreau y zumo de naranja (colado) y se agrega la cola de pescado poco a poco sin dejar de mover.

Aparte se montan las claras muy firmes y se van añadiendo poco a poco a la crema. Se mezcla muy bien, para que no quede ningún grumo de clara sin incorporar.

Se unta una flanera con el aceite fino (escurriendo lo sobrante si hiciese falta). Se vierte la crema y se mete en la nevera bien fría hasta que cuaje. Se prepara por lo menos con 6 horas de anticipación o la víspera, si se quiere.

Se puede adornar con un poco de nata montada o unas rajas finas de naranja.

1.067.—BAVAROISE DE CHOCOLATE (6 a 8 personas)

150 gr. de chocolate sin leche,
1 vaso (de los de agua) bien lleno de leche fría,
10 cucharadas soperas bien llenas de azúcar,
3 hojas de cola de pescado (finas),
un poco de agua fría (4 a 5 cucharadas soperas),
4 yemas de huevo,
6 claras,
un pellizco de sal.

Se pone a disolver el chocolate en trozos con la leche a fuego mediano para que dé un hervor. Se retira y se pone a enfriar en sitio fresco (no en la nevera).

Se corta la cola de pescado en trozos y se pone en remojo con el agua. Se acerca al fuego y, muy despacio, se deja disolver moviendo bien y sin que cueza (si no sabría a pescado). Se añade al chocolate en sitio fresco, sin parar de dar vueltas y, poco a poco, la cola de pescado disuelta.

Cuando esta crema esté casi fría, se le incorporan las yemas batidas con el azúcar y después las claras montadas a punto de nieve (con el pellizco de sal) muy firme.

Se vierte esta crema esponjosa en un molde alargado, o flanera, o varios moldecitos individuales, según se prefiera, y se mete en la nevera por lo menos unas 5 horas antes de servir. El tiempo puede ser más.

Se pasa un cuchillo todo alrededor del molde y se vuelca en una fuente, procurando que por un lado del molde ya volcado y con el cuchillo entre un poco de aire para que la bavaroise no haga ventosa.

Se puede adornar con un poco de nata o guindas. Se sirve bien frío.

1.068.—BAVAROISE DE FRESAS (6 a 8 personas)

3 huevos enteros,
200 gr. de azúcar (8 cucharadas soperas),
3 hojas de cola de pescado finas (2½ si son más gruesas),
2 cucharadas soperas de Kirsch,
500 gr. de fresas o fresones,
4 cucharadas soperas de agua,
3 gotas de carmín (si se pone fresón),
250 gr. de nata montada,
una pizca de sal.

Se baten en la batidora las fresas o fresones, dejando algunos para adorno. Después de batirlas bien se debe conseguir un vaso grande de puré, más bien líquido, al que se agrega el kirsch.

Aparte, en una ensaladera, se mezclan muy bien las 3 yemas de huevo con el azúcar. Se mueven con una cuchara de madera durante 8 a 10 minutos, hasta que quede una crema espumosa. En un cazo pequeño y aparte se cortan las hojas de cola de pescado

y se ponen en remojo con una cucharada sopera de agua fría.
Mientras están en remojo se añade a la crema de los huevos y
azúcar el vaso de fresas batidas; se mueve bien.

Aparte se baten muy firmes las 3 claras de huevo con una pizca
de sal para que queden más firmes. Se calienta un poco el cazo
con el agua y la cola, teniendo mucho cuidado de que no hierva
(pues adquiere mal sabor). Se mezcla bien para que se derrita
toda y, poco a poco y sin dejar de mover, se incorpora a la
crema. Una vez bien mezclada, se agregan las gotas de carmín
(es sólo para que quede más bonito; si no se tiene no importa).
Después, poco a poco, se van mezclando la mitad de la nata y
después las claras, que han de estar muy firmes. Se mezcla bien
para que no queden grumos sin incorporar y se mete en una flanera previamente untada con aceite. Esta se escurre para que
no haya sobrante de aceite. Se mete en la nevera por lo menos 4 horas antes de servirla.

Se desmolda al ir a servir, pasando un cuchillo de punta redonda
alrededor del molde y una vez volcado sobre la fuente, con precaución, se levanta un poco un lado y se mete la punta del
cuchillo, sólo para que entre un poquito de aire y caiga la bavaroise, que suele hacer ventosa. Se adorna con la nata (con una
manga) y se ponen las fresas unas pocas arriba y otras alrededor
de la bavaroise. Se sirve bien frío.

Bavaroise barata de fresa (6 a 8 personas)

¾ de litro de leche,
70 gr. de maizena (6 cucharadas soperas),
½ kg. de fresas (pasadas por la batidora),
3 hojas finas de cola de pescado,

8 cucharadas soperas de azúcar,
3 ó 4 cucharadas soperas de agua.

Adorno:
200 gr. de fresones,
200 gr. de nata.

En un tazón se disuelve la maizena con un poco de leche fría.
Aparte, en un cazo, se pone la leche y el azúcar a cocer. Cuando
rompe el hervor se le añade la maizena disuelta y, sin dejar de
mover con una cuchara de madera, se deja cocer a fuego mediano
unos 2 a 3 minutos. Se retira del fuego y se deja templar un
poco. Mientras tanto se corta la cola en trocitos con unas tijeras
y se ponen a remojo en un cazo pequeño con las 3 ó 4 cucharadas
soperas de agua fría. Se calienta a fuego muy lento sin que hierva
(si no da gusto la cola).

Una vez templada la maizena, se le añade el puré de fresas y
luego, poco a poco y colándola, la cola disuelta.

Se vierte en una flanera de metal o de cristal o en moldes pequeños individuales. Se mete en la nevera por lo menos unas 3 horas antes de servir (se puede hacer la víspera si se quiere).

Al ir a servir se pasa un cuchillo de punta redonda todo alrededor y se vuelca (hay que levantar un costado e introducir la
punta del cuchillo para que entre aire y no haga ventosa).

Se adorna con la nata y los fresones y se sirve bien frío.

1.069.—BISCUIT GLACE (6 a 8 personas)

6 huevos,
12 cucharadas soperas de azúcar (no más, porque si no no hiela bien),
2 decilitros de leche (2 vasos de los de vino),

1 cucharada sopera de maizena,
un pellizco de vainilla,
unas gotas de color amarillo,
un poco de mantequilla (para untar el molde),
un pellizco de sal (pequeño).

Se unta el molde de metal donde se vaya a poner el biscuit glacé con mantequilla y se mete en el congelador de la nevera para que quede dura y no se mezcle con la crema.
En un tazón se disuelve la maizena con un poco de leche fría. El resto de la leche se habrá puesto a hervir con 5 cucharadas de azúcar. Se añade la maizena y se hace una papilla, moviendo bien y cociéndola unos 3 minutos. Se retira de la lumbre para que se enfríe un poco. En un tazón se ponen las yemas y se revuelve muy bien con otras 5 cucharadas de azúcar; cuando está bien disuelto, se añade poco a poco la papilla de maizena.
Aparte se baten las claras muy firmes con un pellizquito de sal y se les agregan las 2 últimas cucharadas de azúcar; todo esto se revuelve con la crema con mucho cuidado. Se vierte en el molde y se mete en el congelador de la nevera unas 3 horas.
Se saca unos 5 minutos antes de servir; se pasa un cuchillo de punta redonda todo alrededor y se vuelca sobre la fuente donde se vaya a presentar, o se saca en el momento y se mete el molde unos segundos en agua caliente, pero con cuidado de que sea muy rápido.
También se puede repartir el helado en moldes de cristal o de papel de plata (hay en el comercio) individuales y se sirven en su molde.

1.070.—MERMELADA DE ALBARICOQUE

Doy esta receta como ejemplo, pues para otras frutas la manera de proceder es la misma.

Por 1 kg. de fruta deshuesada:

¾ de kg. de azúcar.

Se cortan los albaricoques en cuatro, quitándoles el hueso. Se debe tener cuidado de que la fruta esté toda igualmente madura, pues de haber algún albaricoque más verde, quedaría entero y no cocería lo suficiente, haciendo que la mermelada se agriara.
Una vez los albaricoques preparados, se colocan en un barreño de loza (nunca de metal). Se espolvorean por capas con el azúcar, dejando una capa más gruesa de azúcar encima. Se dejan así en sitio fresco durante 12 horas. Pasado este tiempo, se vierte lo del barreño en una olla y se pone a fuego vivo, moviendo a menudo la mermelada con una cuchara de madera larga y raspando bien el fondo para que no se pegue. También con una espumadera

se retirará la espuma que se forma arriba (si se dejara, ésta haría también agriar la mermelada).

Se deja cocer unos 45 minutos. Este tiempo depende también de la cantidad de fruta que se vaya a hacer.

Para comprobar si el punto está bien, se coge un poco de mermelada en una cuchara y con la yema de los dedos se ve si está bien pegájosa al tocarla. Si se pegan los dos dedos, la mermelada está ya en su punto.

Se retira del fuego, se deja enfriar y se vierte en los vasos de cristal donde se vaya a conservar. Se dejan destapados 2 ó 3 días. Pasado este tiempo, se cortan unos redondeles de papel blanco del tamaño exacto de los tarros y otros francamentes mayores de papel celofán. Los primeros se mojan en alcohol de 90° y se colocan tocando la mermelada. Los segundos se colocan encima de la embocadura. Se moja la cuerda fina con que se van a atar los papeles para que al secar se encoja y queden muy bien cerrados los frascos, que se guardan en sitio más bien fresco y oscuro.

1.071.—MERMELADA DE TOMATES

Doy esta receta, poco frecuente, para las personas que tienen huerta. No parece tomate una vez hecha la mermelada.

| 1 kg. de tomates muy carnosos | ½ kg. de azúcar, |
| y bien maduros, | el zumo de un limón. |

Se cortan los tomates en trozos y se les quita la simiente. Se ponen en una sartén sin nada durante 15 minutos a fuego mediano. Se machacan con el canto de una espumadera.

Pasado este tiempo, se pasan por el pasapurés. Se vierte este tomate en un cazo; se le añade el azúcar y el zumo de limón y se cuece a fuego lento más o menos 30 minutos, según guste de espesa la mermelada. Hay que tener en cuenta que al enfriar también se espesa algo.

1.072.—MEMBRILLO

| 1½ kg. de membrillos maduros, | agua fría. |
| 1¼ kg. de azúcar, | |

Se frotan con un paño limpio los membrillos para limpiarlos, pero sin pelarlos. Se cortan en trocitos, quitándoles al partirlos el centro duro y las pepitas. Se ponen en un cazo y se cubren con agua fría (justo para cubrirlos). Se cuecen a fuego mediano más o menos una hora, hasta que los trozos estén bien blandos. Se pasa en seguida por el pasapurés y se les agrega entonces el azúcar. Se deja cocer de nuevo ½ hora, revolviendo de vez en cuando con una cuchara de madera. Se vierte la compota en un paño de cocina limpio, se unen las cuatro puntas del paño y se cuelga el atillo así hecho en un sitio donde esté en vilo con el fin de que escurra el líquido sobrante. Antes de que se enfríe

del todo (unos 20 minutos) se vierte la crema de membrillo en tarros de cristal (lavafrutas, etc.) y se deja enfriar.
Una vez frío, se puede desmoldar pasando un cuchillo alrededor.

1.073.—MEMBRILLOS CON JALEA DE GROSELLA Y FLAMEADOS (6 personas)

4 membrillos medianos,
azúcar,
3 cucharadas soperas de jalea de grosella,

agua,
½ vaso (de los de agua) de ron o coñac.

Se cortan los membrillos en rodajas gruesas y se pelan. Se van poniendo en una cacerola con agua fría; se cubre con una tapadera y se cuecen a fuego mediano hasta que esté la carne blanda, más o menos 35 minutos (para saber si están bien se pincha una rodaja con un alambre). Una vez cocidos, se retira un poco de agua y se espolvorean los membrillos con 3 cucharadas soperas de azúcar. Se vuelven a cocer durante 10 a 15 minutos. Pasado este tiempo, se sacan del almíbar así formado y se reservan. Cuando se van a servir, se ponen en una fuente y se pone la mermelada en el centro de la rodaja de membrillo.
Se echa el ron o coñac en un cazo, se calienta, pero sin dejarlo hervir, se prende con una cerilla y se vierte por encima de los membrillos con una cuchara, se rocía varias veces para que se consuma el alcohol y esté menos fuerte. Se sirve en seguida; si puede ser, cuando está aún con llama el ron.

1.074.—BATATAS EN DULCE (6 personas)

1 kg. de batatas buenas,
16 cucharadas soperas de azúcar (350 gr.),
1 rama de canela,
agua fría,

un papel de estraza,
¼ litro de crema líquida (facultativo),

Se pelan las batatas; si son gruesas, se cortan por la mitad a lo largo y se ponen en un cazo con el agua justa para cubrirlas, el azúcar y la ramita de canela. Se tapa el cazo con papel de estraza y una tapadera y se pone al fuego para que rompa el hervor. Cuando hierva, se baja el fuego y se dejan cocer hasta que se forme almíbar y quede poco caldo.
Se ponen entonces en una ensaladera de cristal. Cuando están completamente frías, se pueden comer o guardar hasta 3 ó 4 días.
Se pueden servir acompañadas de nata líquida servida aparte en una salsera.

1.075.—MANERA DE PREPARAR LA PIÑA FRESCA

Se pela muy bien la piña para que en la carne no queden los puntos marrones de la corteza. Se vacía el centro de la piña, que es muy duro, con un aparato en forma de tubo (para vaciar manzanas) o con un cuchillo. Se corta la piña en rodajas y se coloca donde se vaya a servir.

1.ª manera:

Se espolvorea con azúcar molida y se deja macerar durante 24 horas. Pasado este tiempo, se rocía con Kirsch y se mete en la nevera a refrescar durante 2 ó 3 horas. Para una piña pequeña basta ½ vaso de Kirsch (de los de vino); pero esto depende del gusto de cada cual.

2.ª manera:

Las cáscaras se ponen en un cazo con un vaso (de los de agua) de agua y unas 3 cucharadas soperas de azúcar. Se deja cocer esto a fuego lento durante unos 30 minutos. Se cuela y se deja enfriar, después de lo cual se vierte sobre las rodajas de piña y se mete en la nevera durante unas 3 horas.

1.076.—CIRUELAS PASAS CON VINO TINTO (6 personas)

½ kg. de ciruelas pasas,
¼ litro de vino tinto,
¼ litro de agua,
1 ramita de canela,

125 gr. de azúcar,
agua templada para remojarlas.

Se ponen las ciruelas en remojo en agua templada de 3 a 6 horas. Se pone en un cazo el agua, el vino, el azúcar y la canela, y finalmente las ciruelas escurridas de su agua de remojo. El líquido debe cubrirlas; si fuese necesario, se puede añadir algo más de vino, o agua y vino.
Se ponen a fuego mediano, destapado el cazo, durante unos 30 minutos para que cuezan lentamente. Se retiran del fuego, se les quita la canela y se ponen en una ensaladera de cristal. Se sirven cuando están frías, pero no se meten en la nevera, pues las endurece.

1.077.—PERAS EN COMPOTA CON VINO TINTO (6 personas)

9 peras de Roma grandes (amarillas, de clase dura),
4 cucharadas soperas de azúcar,
2 ramitas de canela,

vino tinto,
¼ litro de nata líquida con una cucharada sopera de azúcar (facultativo).

Se pelan las peras enteras y después se cortan en cuatro trozos. Se les quita el centro duro con las pepitas y se van echando en una cacerola. Una vez preparadas todas las peras, se espolvorean con el azúcar, se añade la canela y se vierte vino tinto por encima, de forma que las cubra. Se tapa la cacerola y se cuecen a fuego mediano hasta que estén tiernas (para saberlo se pinchan con un alambre), más o menos 20 minutos.
Después de cocidas se vierten en una ensaladera de cristal y se

dejan enfriar. Se sirven, si se quiere, con la nata líquida endulzada con un poco de azúcar, servida en salsera aparte.

Nota.—Si las peras no son grandes se pueden dejar enteras, peladas pero con su rabo. Habrá que calcular entonces dos por persona. Se puede sustituir la crema líquida de acompañarlas por unas natillas (receta 1.032).

1.078.—MELOCOTONES FLAMEADOS (6 personas)

2 muffins (bollos cilíndricos),
6 melocotones en almíbar (que sean bien hermosos),
6 cucharadas (de las de café) de jalea de grosella o frambuesa,
1 vaso (de los de vino) de ron,
un poco de azúcar glass.

Se escurren bien los melocotones. Se cortan los muffins en tres partes y sobre cada una se pone un medio melocotón con el hueco para arriba. Se aprieta ligeramente el melocotón, con el fin de que quede bien asentado en el bollo. Se rellena el hueco del melocotón con jalea o mermelada de grosella o de frambuesa. Se pone esto en una fuente resistente al horno. Se espolvorea con un poco de azúcar glass y se mete al horno fuerte para que gratine ligeramente.

Mientras tanto se pondrá a calentar el ron (un poco). Se saca la fuente del horno, se prende el ron con una cerilla, se vierte sobre las frutas y se flamea con una cuchara, con el fin de que el ron rocíe todos los melocotones y además pierda fuerza el alcohol.

Se sirve, si puede ser, mientras está el ron aún prendido, pues resulta más bonito.

1.079.—MELOCOTONES FLAMEADOS CON HELADO DE VAINILLA (6 personas)

3 muffins (bollos cilíndricos),
6 melocotones en almíbar (bien hermosos),
½ litro de helado de vainilla,
2 vasos (de los de vino) de ron.

En una sartén se ponen los melocotones escurridos de su almíbar (como salen del bote, sin más). Se rocían con el ron previamente calentado en un cazo pequeño y prendido con una cerilla. Se procura que el ron se queme muy bien para que no esté fuerte, rociando bien los melocotones con una cuchara sopera.

Se les quita a los muffins con un cuchillo bien afilado las dos cortezas. Se cortan en dos y en el centro se les quita un poco de miga para hacer un hoyo.

Se pone en cada medio muffin un melocotón, una vez bien flameados éstos, con el hueco del hoyo hacia arriba. Se apoya ligeramente para que el melocotón se quede un poco incrustado en el muffin. Se rellena con bastante helado de vainilla y se vierte por encima una cucharada sopera ó 2 del caldo de la sartén. Se sirve en seguida.

1.080.—PLATANOS FLAMEADOS CON HELADO DE VAINILLA (6 personas)

1 barra de helado de vainilla,
6 plátanos hermosos,
el zumo de un limón,
½ litro de aceite fino (sobrará),

1 vaso bien lleno (de los de vino) de ron Negrita,
azúcar glass.

Se pelan y se cortan los plátanos en dos a lo largo. Se rocían con un poco de zumo de limón.

En una sartén se pone el aceite a calentar y cuando está en su punto (se prueba con una rebanadita de pan), se fríen los medios plátanos hasta que estén dorados. Se reservan en una fuente.

Al ir a servirlos se pone el ron a calentar (sin que llegue a cocer), se prende con una cerilla y se vierte por encima de los plátanos. Se flamean bien con una cuchara. Una vez apagado el ron, se pone rápidamente, para que no se enfríe ni el ron ni los plátanos, un pedazo de helado en cada plato, se ponen los dos medios plátanos encima cruzados y se rocían con el ron del flameado. Se espolvorea con un poco de azúcar glass y se sirve rápidamente. (El azúcar, para que quede bien repartida, se pondrá en un colador de tela metálica y con una cuchara pequeña se le hace caer.)

Epílogo

por Jacinto Sanfeliu

La abundante bibliografía gastronómica se ha enriquecido con un nuevo título: MIL OCHENTA RECETAS DE COCINA, guía utilísima para quien desee ampliar sus conocimientos en este «arte nobilísimo», según palabras del Dr. Marañón.

Todas las recetas han sido probadas y aprobadas con autoridad y fina sensibilidad por la ilustre autora de este libro, quien podría haber confiado el epílogo a alguno de los relevantes escritores amigos suyos. ¿Por qué ha pedido la colaboración de un profesional? Sin duda para reforzar el objetivo de simplificar y dar sentido práctico a su obra. No ha caído en la tentación de presentarlo con alardes tipográficos, y nos ofrece un gran libro en edición de bolsillo, asequible, manejable, ameno.

Pocos temas suscitan más polémica que este del vino. Todos tenemos ideas muy concretas sobre la edad, temperatura, aroma, color y grado que debe tener cada uno de ellos. Las mías se iniciaron ya en mi infancia, cuando pude familiarizarme con los secretos de la crianza del vino, pues nací en una casa rodeada de viñedos, donde su elaboración constituye un auténtico rito. Creo conocer lo mejor que se ha escrito en Francia y en España sobre el tema, y he sostenido largas conversaciones con eminentes gourmets, constraste de pareceres muy útil para mí.

Así, pues, aconsejaremos los vinos adecuados a cada plato y cómo hay que servirlos. Conviene aclarar que la vejez del vino tiene un límite: se trata de una materia viva; nace, crece —en calidad, se entiende—, alcanza su plenitud, declina y muere. Recomendaremos a los arquitectos la previsión en sus proyectos de un armario-bodega en cada piso. Diremos a los encargados de establecimientos expendedores que no pongan las botellas en escaparates expuestos a bajas temperaturas en invierno o al sol del verano. Daremos también una lista de las marcas más importantes y de las que más piden en «El Bodegón», un restaurante madrileño de cinco tenedores. En este sentido, pienso actuar como un notario que da fe de lo que se bebe en nuestros días, año 1972. La mención de las marcas es únicamente informativa. Lamento no poder citar todas las que por su clase seguramente lo merecen.

De los vinos extranjeros citaremos solamente algunas marcas de champán en homenaje a su fabulosa popularidad. Todos los países lo imitan, pero únicamente se verá la denominación de origen, «CHAMPAGNE», en las etiquetas francesas. Así en España, donde se consiguen reservas de primerísima calidad, no puede figurar en sus botellas la palabra Champán o Champaña. Que nos disculpen nuestros amigos de Burdeos o de la Borgoña: hablar de sus magníficos caldos nos llevaría a mencionar a los italianos, alemanes, portugueses y otros europeos, además de los americanos y africanos, y no es ésta una obra sobre el vino, sino un extraordinario libro de cocina.

Cuáles son los vinos adecuados que hay que servir

APERITIVOS

Mientras van llegando los invitados se suelen ofrecer, con la copa preferida de cada uno, algunas tapas que pueden variar hasta el infinito, según el gusto de los anfitriones.

Este es el gran momento para el vino de Jerez. Un poco de jamón serrano y una copa de nuestro vino más universal es una pura delicia. Debe servirse algo fresco.

Junto al Jerez, que no debe faltar nunca, la Manzanilla, los Moriles y Montilla, el Whisky, la Ginebra y demás aperitivos. No es de extrañar que alguien pida una copa del vino que se servirá en la comida.

SOPAS

Blancos secos, Claretes, Rosados.

ENTREMESES

Este grupo no es nada fácil de definir, ya que se pueden ofrecer desde mariscos hasta embutidos, fritos de pescado, de carne, ahumados, etc...

Blancos secos, Rosados, Claretes, Tintos.

MARISCOS

Blancos secos, semi-secos, Jerez fino, Champán.

CAVIAR

Vodka, Blancos secos, Champán.

FOIE-GRAS

Grandes vinos blancos, dulces y semi-dulces. Grandes vinos tintos.

HUEVOS

Claretes-Tintos.

PAELLA

Blancos, Rosados, Claretes.

PASTAS ITALIANAS
(Spaghetti, canalones, lasagne)

Claretes, Tintos ligeros (tercer o cuarto año).

PESCADOS

Blancos secos.
A las angulas, chipirones, cocochas, bacalao, es decir, platos fuertes, los acompaña igualmente muy bien un tinto.

ASADOS
(Carnes blancas, ternera, cordero...)

Vinos tintos, hasta quinto año.

ASADOS
(Carnes rojas)

Grandes vinos tintos. Las mejores reservas.

ASADOS
(Pollos, capones, poulardas, faisanes, pintadas, patos)

Todos los vinos tintos, Champán.

CAZA MAYOR
(Venado, jabalí)

Grandes vinos tintos de mucho cuerpo.

CAZA MENOR
(Perdices, becadas, patos, liebres)

Todos los vinos tintos.

QUESOS

Grandes vinos tintos.

QUESOS
(Suaves, de pasta blanda)

Vinos blancos y tintos.

POSTRES DULCES

Todos los vinos blancos, tintos, champán y sobre todo los de Málaga, los Moscateles, los Jerez abocados —semi-dulces y dulces—,
la Malvasía y los viejos rancios que cada bodeguero, grande o pequeño, guarda en las botas más queridas.

FRUTA

Valen todos los indicados para los postres dulces.

ALMUERZO O CENA EN EL RESTAURANTE

Si se reúnen dos o tres amigos, lo más probable es que acuerden
tomar un solo vino para toda la comida. Es lo más corriente.
Para más de ocho comensales la mesa estará ya reservada, y el
menú, vinos incluidos, igualmente encargado.

Como se está generalizando la costumbre de tomar solamente dos platos —lo más frecuente un pescado y una carne o ave—, casi es de rigor servir un blanco y un tinto. Buena ocasión para saborear un gran vino de añada.

INVITACIONES EN CASA

Un almuerzo o cena en casa nos obligará a sacar, con el mejor mantel, lo mejor de nuestra bodega, de acuerdo con los platos que se hayan preparado. Los anfitriones darán la medida de sus conocimientos gastronómicos.

BANQUETES

Los banquetes más o menos oficiales o de homenajes son casi siempre sencillos, sin complicaciones, para salir del paso. Aquí lo más importante serán los discursos.
En cambio, en las fiestas familiares, junto al blanco y al tinto no puede faltar el champán.

* * *

Así es, en líneas generales, cómo deben acompañar los vinos a cada plato, teniendo siempre en cuenta que en el beber como en el comer hay que respetar los gustos particulares de cada uno.

Somos sin duda alguna el país que mejor y más vino corriente tiene: de pasto, del año. Nos deleitan a todos y maravillan a los millones de turistas que nos visitan.

Cada región elabora los suyos con cuidado y esmero. Los pequeños viticultores, en sus viejas prensas, exprimen algo más que los racimos. Exprimen también todo su saber heredado de padres a hijos para lograr que, en un mal año, de una cosecha mediocre, salga un buen vino.

Galicia, Navarra, Cataluña, Andalucía, las dos Castillas, Aragón... España entera es una inmensa bodega, en la que siempre encontraremos nuestro vino preferido, desde los finos Valdepeñas hasta los grandes riojanos.

VINOS BLANCOS
(Secos)

«MONOPOLE», de Cía. Vinícola del Norte de España; «RINSOL», de Paternina; «VIÑA SOLE», de Franco-Españolas; «VIÑA PACETA», de Bodegas Bilbaínas; «METROPOL», de la Rioja Alta; «VIÑA TONDONIA», de López Heredia; «SEMILLON», de Bodegas Palacios; «YAGO», de Rioja Santiago; «MURRIETA», de Marqués de Murrieta; «RESERVA MONTECILLO», de Bodegas Montecillo; «MEDIEVAL», de Bodegas Riojanas; «PESCADOR», de Perelada; «MARFIL», de Alella Vinícola; «KRALINER», de René Barbier; «RIOJA BLANCO

SELECTO», de Martínez Lacuesta; «CASTILLO DE MONTIEL»; «LE-
PINTA», de L. Pintado; «CLAVILEÑO», de Daimiel; «EXTRA-SECO,
1963», Conde de Caralt.

VINOS BLANCOS
(Semi-dulces)

«DIAMANTE», de Franco-Españolas; «YAGO», de Rioja Santiago;
«BRILLANTE», de Bodegas Bilbaínas; «VIÑA ALBINA», de Bodegas
Riojanas; «CASTELL DEL BOSCH»; «CORONA», de C. V. N. E.; «RIO-
JA ANAMELY», de Gómez Cruzado; «MARFIL», de Alella Vinícola;
«VIÑA ROMANIA», de López Heredia; «MONTE HARO», de Pater-
nina; «VIÑA AUGUSTA», de René Barbier; «RADIANTE», de la Rioja
Alta; «VIÑA DELYS», de Martínez Lacuesta.

VINOS ROSADOS

«ROSADO ESPECIAL», de René Barbier; «BANDA ROSA», de Paternina; «ROSADO», de Franco-Españolas; «ROSADO», de Bodegas
Torres; «BORISA», de Bodegas Riojanas; «ROSADO», de Marqués
del Riscal; «ROSADO», de Señorío de Sarría; «ROSADO», de Perelada; «ROSADO», de Yago.

TINTOS

«RIOJA BORDON», de Bodegas Franco-Españolas; «TINTO, 1963»,
de Conde de Caralt; «VIÑA TONDONIA», de López Heredia; «VIÑA
ARDANZA», de la Rioja Alta; «VIÑA VIAL», de Paternina; «RISCAL,
1968», de Marqués del Riscal; «VIÑA ZACO», de Bodegas Bilbaínas; «YAGO, 1966», de Rioja Santiago; «SUPERIOR CAMPEADOR»,
de Martínez Lacuesta; «VIÑA REAL PLATA», de C. V. N. E.;
«ALAMBRADO QUINTO AÑO», de Montecillo; «RIOJA ALAVESA»,
de Palacios; «SANGRE DE TORO», de Torres; «SIGLO», de Azpili-
cueta, G. L. Entrena; «ETIQUETA BLANCA», de Marqués de Murrieta; «VIÑA DEL PERDON», de Señorío de Sarría; «CASTILLO DE
TIEBAS», de Vinícolas Navarras; «MARFIL TINTO», de Alella Vinícola; «RESERVA», de Castell del Remey; «PRIORATO», de Castell
Ribas; «CLARETE VIÑA SOLIMAR», de Muller; «CLARETE PINOT»,
de Bosch Güell.

TINTOS
(Reservas)

«POMAL RESERVA», de Bodegas Bilbaínas; «RESERVA, 1959», de
Marqués del Riscal; «ROYAL» (téte de cuvée), reserva 1959, de Bodegas Franco-Españolas; «BODAS DE ORO», de Palacios; «IMPE-

RIAL GRAN RESERVA», de C. V. N. E.; «VIÑA TONDONIA», de López Heredia; «GRAN RESERVA 1956», de Federico Paternina; «GRAN RESERVA», de la Rioja Alta; «ESPECIAL», de Martínez Lacuesta; «ENOLOGICA», de Rioja Santiago; «GRAN RESERVA CORONAS», de Torres; «PRIORATO EL FRAILE», de René Barbier; «MONTE REAL», de Bodegas Riojanas (Cosecha 1960); «VIÑA MONTY», de Montecillo; «RESERVA CASTILLO YGAY», de Marqués de Murrieta; «GRAN VINO», de Señorío de Sarría (Cosecha 1961); «VEGA SICILIA», de Bodegas Sicilia; «VIÑA DORANA», de Gómez Cruzado; «RESERVA ESPECIAL 1958», de Carlos Serrés; «RESERVA PERELADA», de Bodegas Perelada; «CAMPO VIEJO» (1963) de Campo Viejo; «MONISTROL RESERVA ESPECIAL», del Marqués de Monistrol.

VINOS DE JEREZ

No se puede hablar de los vinos de Jerez sin recordar al autor del mejor libro que se ha escrito sobre estos caldos: «JEREZ-XERES-SHERRY», de Manuel M.ª González Gordon, Marqués de Bonanza, obra que deberá consultar quien quiera conocer a fondo las peculiaridades de nuestro gran vino.
Los vinos de Jerez tienen una variedad de tipos muy grande. Para mí, los más importantes son cuatro, que dejaremos en tres para simplificar, juntando los Finos con los Amontillados.

FINOS Y AMONTILLADOS
(Antes de las comidas, en el bar, en el aperitivo)

Fino.—Color pálido, pajizo, olor punzante y de sabor muy seco, con graduación entre 15 y 17º. Los «finos» pueden seguir dos direcciones: la de un «fino» propiamente tal, pálido, ligero y algo parecido (dentro de una calidad diferente) a la manzanilla, o:
Amontillado.—Vino de más cuerpo, más lleno, de color avellanado y de estilo más difícil de lograr, algo más oscuro que los «finos», seco como éstos y de una graduación de 18 a 20º:
«LA INA», de Pedro Domecq; «TIO PEPE», de González Byass; «VICTORIA», de Bobadilla; «CARTA BLANCA», de Agustín Blázquez; «CANDIDO», de Marqués del Mérito; «SAN PATRICIO», de Garvey; «DON ZOILO», de Zoilo Ruiz; «PANDO», de Williams & Humbert; «FINO QUINTA», de Osborne; «TRES PALMAS», de Bodegas La Riva; «APITIV», de Sandeman; «BETIS», de Bustamante; «FINO LA LIEBRE», de Baron de Algar; «PALE DRY», de Delage; «PALMA», de Díez Hermanos; «CLARITA», de García Delgado; «FINO ARIÑO», del Marqués de Ariño; «CAMBORIO», de Terry; «FINO VILLAFUENTE», del Conde de Villafuente Bermeja; «FINO JARANA», de Emilio Lustau; «EL CATADOR», de Mackenzie; «FINO CHIQUILLA», del Marqués de Misa; «TIO MATEO», de Palomino & Ver-

gara; «AMONTILLADO EL GALLO», de Rivero; «MARISMEÑO», de Sánchez Romate; «INOCENTE», de Valdespino; «FINO CAMPERO», de José de Soto; «FINO OLIVAR», de Wisdom & Warter; «FINO PAVON», de Caballero; «MONTERREY», de Bodegas Sancho; «AMON-TILLADO TERRY», de Bodegas Terry; «ATAULFO», de Infantes Orleans-Borbón.

OLOROSOS
(Aperitivos-Repostería, etc.)

Vino también llamado «hecho», de color ambarino rojizo, de igual graduación que los anteriores. A pesar de ser seco tiene la particularidad de hacer notar cierto gusto dulce al paladar: «RIO VIEJO», de Pedro Domecq; «NECTAR CREAM», de González Byass; «OLOROSO CAPITAN», de Bobadilla; «SAN HILARIO», del Marqués del Mérito; «OLOROSO 10 R. F.», de Osborne; «TIO GUI-LLERMO», de Garvey; «TOM BOWLING», de Bertola; «MAJESTAD», de Bodegas Sancho; «LA ESPUELA», de José de Soto; «VIÑA ISA-BEL», de La Riva; «WILD GEESE», de Rafael O'Neale; «DON NUÑO», de Emilio Lustau; «BRISTOL CREAM», de Harveys.

ABOCADOS
(Postres dulces, pastas secas, en la merienda)

De color más oscuro que el anterior, es más o menos dulce, según el tipo de cada marca. Tiene las mismas aplicaciones que el Oporto.
«SOLERA 1847», de González Byass; «LA RAZA», de Pedro Do-mecq; «SOLERA LA MERCED», de Bobadilla; «LONG LIFE», de Garvey; «LA NOVIA», del Marqués de Misa; «DRY SACK», de Williams & Humbert; «CREAM», de Zoilo Ruiz; «ARMADA CREAM», de Sandeman; «PEDRO XIMENES MATUSALEN», de Bodegas San-cho; «MOSCATEL EL PINO», de Alejandro Gordon; «AMOROSO», del Marqués del Mérito; «GLORIA», de Pemartín; «OLOROSO TRA-FALGAR», de Rivero; «CREAM SHERRY», de Duff Gordon; «SOLERA ROMATE», de Sánchez Romate; «PICO-PLATA», de Florido Herma-nos; «JEREZ QUINA», del Marqués del Mérito.

MANZANILLA
(Aperitivos)

Merece párrafo aparte la sin par manzanilla que, aun elaborán-dose tan cerca de la comarca jerezana, tiene una personalidad tan propia.
La diferencia más esencial entre el jerez y la manzanilla es que ésta tiene un solo e inconfundible estilo. Es un vino muy oloroso,

seco, pálido y algo más ligero que los vinos finos de Jerez; su graduación no llega a los 16º.

Se produce y cría en Sanlúcar de Barrameda; el ambiente ejerce una influencia decisiva en su producción, pues se da el caso de que si los mostos jerezanos se llevan a criar a Sanlúcar se hacen manzanilla, mientras que mostos sanluqueños llevados a Jerez se convierten en vino fino jerezano:

«MACARENA», de Caballero; «SEÑORITA», de Argüeso; «LA POCHOLA», de Pedro Domecq; «REGINA», de Barbadillo; «LA PINTA», de Bozzano; «LA GOYA», de Delgado y Zuleta; «GARBOSA», de Orleáns-Borbón; «LA GITANA», de Hidalgo; «MILAGRITOS», de Bodegas Sancho; «PASTORA», de Rodríguez e Hijo; «LA GUITA», de Pérez Martín.

MONTILLA-MORILES
(Aperitivos)

El más conocido de estos excelentes vinos cordobeses es el tipo «fino» que, por su característica suavidad y perfume inconfundible, tiene muchos adeptos.

La elaboración de los caldos de Montilla y Moriles es igual a la del Jerez, y, como éste, tiene una variedad extraordinaria de tipos que el público apenas conoce:

«PUENTE VIEJO», de Campos; «MORILES FINO», de Carbonell; «DIEGUEZ», de Bodegas Dieguez; «PACORRITO», de Aragón; «FINO FESTIVAL», de Alvear; «MARIA DEL VALLE», de Baena; «LOS MANUELES», de Cobos; «CALERITO», de Márquez; «FINO ANDALUZ», de Navarro; «LOS INCAS», de Velasco Chacón.

MALAGA
(Postres y meriendas)

Los alrededores de la bella ciudad de Málaga están llenos de viñedos, donde se cría como en ninguna otra parte el moscatel, la más importante de las clases de uva necesarias para elaborar los famosos vinos de Málaga, vinos nobles que compiten con ventaja con los mejores vinos dulces del mundo.

Cuando llega la vendimia se dejan solear las uvas durante siete días, hasta quedar reducidas casi a pasas, lo que explica el espesor y dulzura de tan incomparable néctar.

El Lácrima Christi es el prototipo de lo que el gran público conoce por vino de Málaga, dulce, muy dulce, pero con una finura de paladar que le libra de esa empalagosidad de ciertos vinos cercanos a la mistela; con el «Moscatel» y «Pedro Ximénez» forman los tres tipos más apreciados:

MOSCATEL MOCTEZUMA», de Compañía Mata; «MALAGA SUPERIOR», de Souviron Hermanos; «LOS MOSQUETEROS», de Bar-

celó; «MOSCATEL DALILA», de Luis Barceló; «GOLDEN MUSCA-
TEL», de Manuel Egea; «LACRIMA CHRISTI», de Egea Hermanos;
«PAJARETE», de Garijo Ruiz; «ANTEPASADO», de Krauel; «MOSCA-
TEL LARIOS», de Larios; «BABILONIA», de Vinícola Ari; «BISABUE-
LO», de Scholtz Hermanos; «CRISTOBAL COLON», de López Her-
manos.

MALVASIA
(Señorial y generoso vino de postre)

La malvasía, mundialmente famosa, aunque dentro de España no
tan conocida como merece, a causa de la gran demanda extran-
jera, fue traída por los navegantes catalanes y aragoneses desde
Grecia. Después de muchas pruebas encontraron un lugar ideal
para su cultivo en la comarca de Sitges, bien resguardada de los
fríos por la cadena de cerros que la protege:
«MALVASIA», de Robert; «REGALIA», de Bosch Güell; «MALVASIA»,
de Pamies; «MOSCATEL DORADO», de Dalmau Hermanos; «MOSCA-
TEL», de Torres; «WINE VERY OLD», de Sogas Muntaner.

Champaña

Dijimos antes que haríamos una excepción con el «Champagne», citando algunas de las marcas más importantes del famoso vino de esta región. Las que vienen a continuación son las que prestigian a Francia en el mundo entero:

«COMTES DE CHAMPAGNE», de Taittinger; «RENE LALOU», de Mumm; «DOM PERIGNON», de Moët et Chandon; «KRUG»; «CUVEE DU CENTENAIRE», de George Goulet; «BOLLINGER R. D.»; «CUVEE DIAMANT BLEU», de Heidsieck; «CUVEE MARIE-ANTOINETTE», de Irroy; «FLORENS-LOUIS», de Piper-Heidsieck; «BLANC DES BLANCS», de Dom Ruinart; «RED LABEL», de Lanson; «CUVEE GRANDISSIME», de Victor Clicquot; «RESERVE DE L'EMPEREUR», de Mercier; «ROEDERER»; «BLASON DE FRANCE», de Perrier-Jouet; «BLANC DE CHARDONNAY», de Pol Roger; «POMMERY»; «CUVEE GRAND SIECLE», de Laurent Perrier; «GEORGE GOULET»; «CHARLES VII», de Canard Duchéne; «SALON»; «CUVEE ELYSEE», de Jeanmaire; «BOLLINGER»; «ABEL LEPITRE»; «PRINCE A. DE BOURBON-PARME»; «GRAND-DAME», de Veuve Clicquot-Ponsardin.

En España, y con un proceso de elaboración idéntico al francés, se crían vinos de extraordinaria calidad.

San Sadurní de Noya es el centro de la producción de nuestros espumosos, con un sólido mercado cada vez más extendido. Quien haya visitado la región levantina del Panadés, creerá soñar ante los caminos interminables bajo tierra de bodegas que contienen millones y millones de botellas, manipuladas con precisión relojera para ir creando la espuma finísima y suave.

Casi todas las bodegas tienen varios tipos: brut, seco, semiseco, dulce y algunas hasta rosado. Citaremos solamente el más representativo de cada casa:

«GRAN RESERVA NON PLUS ULTRA», de Codorniu; «BRUT ZERO», de Castellblanch; «GRAN CLAUSTRO», de Perelada; «VISOL RESERVA», de Mestres; «CONDE CARALT RESERVA», del Conde de Caralt; «NADAL EXTRA SECO», de Bodegas Nadal; «ROYAL CARLTON», de Bodegas Bilbaínas; «SECO BARBIER», de René Barbier; «BRUT NATURE», de Fortuny; «BRUT ESPECIAL GOMA», de Gomá; «INVICTA GRAN CORDON», de Pares Balta; «BRUT NATURE», de Freixenet; «ASPRI LUVAL», de Luval; «LACRIMA BACCUS», de Lavernoya.

Selección de selección de vinos es el champán, y por eso vamos a familiarizarles con su preparación.

La primera preocupación del buen elaborador es saber elegir las variedades de uva más adecuadas para la obtención del champaña. En general, en la composición de este vino entran dos variedades blancas y una negra, pero de carne blanca, que se compenetran y complementan entre sí para dar esta armonía de sabor y color que distingue el champaña de alta calidad. Las uvas se seleccionan racimo por racimo, desechando las podridas, las verdes y las secas. Son llevadas a la prensa sin estrujar, debiendo efectuar la operación de prensar con rapidez, a fin de que el mosto salga con poco color, pues el buen catador de champaña no tolera ni el amarillo fuerte de la uva blanca corriente, ni nada que recuerde el tono rosado que podría comunicarle la uva negra si no se tuviese la precaución de prensarla con gran rapidez.

El primer mosto que fluye de la prensa, que lo constituye la flor de la uva, o sea lo mejor que ella contiene, se guarda aparte para transformarlo en champaña. El resto se destina a vino corriente o a champaña barato.

Los mostos son clarificados por decantación natural y llevados luego a las barricas (envases de dos hectólitros de cabida), donde se vigila cuidadosamente la marcha de la fermentación.

Terminada la primera fermentación, se trasiega el vino varias veces, y después de una serie de degustaciones, análisis y ensayos, se hacen las mezclas para obtener los tipos apropiados. Para estos «coupages» se utilizan también los vinos de las viejas reservas que toda casa de prestigio debe tener siempre en sus bodegas.

Los vinos resultantes de las mezclas («cuvées») se trasiegan de nuevo, se embotellan y se someten a la segunda fermentación, utilizando fermentos seleccionados, que transforman en burbujeante espuma el azúcar que previamente se les agregó.

A los quince días de haberse embotellado el vino comienzan a estallar algunas botellas, lo cual señala la marcha de la fermentación; luego se llevan las botellas a las bodegas, profundas y frías (cavas), y allí, con el enfriamiento, la rotura cesa y empieza el proceso de maduración, que dura varios años.

En invierno, las botellas se suben de nuevo a las bodegas de la superficie, para que sufran el efecto de las heladas, las cuales precipitan todas aquellas sustancias que pudieran enturbiar el vino. La operación de subir y bajar las botellas de las cavas a la bodega se verifica cada invierno durante dos años. Después, las botellas quedan ya definitivamente en las cavas, siempre a la misma temperatura.

A consecuencia de la fermentación, se ha formado en cada botella cierta cantidad de poso, que enturbia el vino y se sedimenta con el reposo. Es necesario separar este sedimento. Para ello, se ponen las botellas invertidas en unos pupitres provistos de agujeros y, con gran cuidado, se mueven cada día durante unos cuatro meses, hasta conseguir que el sedimento quede por completo encima del tapón. Cuando se ha logrado esto, hay que hacer la operación llamada degüello de la botella. Con habilidad y presteza, que sólo la práctica enseña, el operario encargado de esta operación quita tapón y poso, sin perder casi nada de vino, quedando éste completamente límpido.

El vino espumoso resultante del proceso descrito es un vino muy seco que en la tecnología champañesa se designa con el nombre de «brut», pero se preparan también los tipos «Dry» (seco), «Semi-seco» y hasta «Dulce», los cuales se obtienen adicionando al champaña vinos añejos muy superiores más o menos dulces.

La botella es tapada de nuevo con tapones llamados «trefinos», del mejor corcho, y después se sujetan éstos con un bozal metálico. Desde el degüello de la botella hasta la aplicación del tapón definitivo debe operarse con bastante rapidez para que la botella conserve su espuma.

Ya sólo falta revisarlas una a una por última vez, para desechar las que presenten la más leve mota turbia, y luego ponerles las etiquetas correspondientes.

El proceso de elaboración del champaña, someramente descrito, tiene una duración de cinco a diez años, según tipos y calidades, y requiere que cada botella pase por las manos de innumerables operarios muy expertos.

Al descorchar una botella no nos imaginamos que su elaboración haya costado tantos cuidados y tanto tiempo.

La temperatura de los vinos

Un vino de Jerez fino o amontillado estará ligeramente fresco. Tomado en la bodega, directamente de la bota, escanciado con la venencia, está en el mejor punto.

Los blancos y los rosados se servirán entre los 4-7 grados.

Los valdepeñas blancos o tintos, así como la mayoría de los vinos regionales de dos a tres años, deben servirse alrededor de los 6 grados.

Los champañas y espumosos tienen que estar fríos, no helados (4-6 grados).

Los vinos tintos se servirán a la temperatura del comedor. La alcanzarán suavemente dejándolos allí, o en una habitación con la misma temperatura, durante cuatro o cinco horas antes del almuerzo o cena.

Los vinos de Málaga, los de Jerez olorosos, olorosos abocados, Pedro Ximénez, Moscatel, Malvasía y todos los más o menos dulces en general —vinos para acompañar a la pastelería, bizcochos, galletas— conviene servirlos a la temperatura de la habitación.

De la edad del vino

He aquí una cuestión sobre la que los mismos gastrónomos se ponen raramente de acuerdo. Quien acaba de afirmar que posee un vino estupendo de, por ejemplo, treinta años, difícilmente admitirá que pueda estar pasado, cuando lo más probable es que lo esté realmente.

No se lee nada sobre este punto en las mejores obras sobre el vino, entre ellas: «Guía vinícola de España», de Luis Antonio de Vega; «Los vinos de España», de José del Castillo; «Vignes et Vins de France», de Louis Jacquelin y René Poulain; «Le Grand Livre du Vin», redactado bajo la dirección de Joseph Jobe; «Encyclopédie des Vins et des Alcools», de Alexis Lichine; «Cuisine et Vins de France», del gran Curnonsky; «La casa de Lúculo», de nuestro Julio Camba, pequeño gran libro donde el espíritu crítico del autor podría haber abordado la faceta que nos ocupa. Ninguno de ellos hace alusión a los años que un vino necesita para hacerse, mantenerse en toda su plenitud, conservar su aroma y finura, para terminar declinando y muriendo.

El conde de los Andes, «SAVARIN», ha sido de los pocos que se han pronunciado escribiendo sobre este punto. En una crónica titulada «Las fiestas del vino de Burdeos», publicada recientemente en «A B C», dice que «tratándose de burdeos, pueden conservarse excelentes hasta veinticinco años, cambiando los corchos, naturalmente. Algunas veces, hasta cuarenta y cincuenta años. Pero no es lo habitual». El autor de «Críticas gastronómicas» es muy generoso al concederles tan larga vida.

Como contraste, Nicolás Castejón y Paz-Pardo, secretario general de la Federación de Importadores de Bebidas Extranjeras, catador excepcional, considera que un vino a los siete años está en la cumbre de su fuerza, calidad, bouquet y color, que se mantendrá cuatro, cinco y seis años en algunos casos y que, desde este momento, irá perdiendo, dando lugar a una situación de «muerto» Es de entender que este punto de plenitud es diferente para los blancos que para los tintos, y que cada región puede causar una reacción distinta. Este **gourmet,** tan espléndido habitualmente, ha sido bastante tacaño en esta ocasión dejándoles vivir tan poco tiempo.

Para centrar estas ideas, pedimos la opinión de un bodeguero riojano de máximo prestigio, el marqués de Vargas. Nos dice que el vino, como las personas, tiene una vida más o menos larga según la salud con que viene al mundo y los cuidados que recibe. Personalmente ha tenido cosechas de larga duración y otras que estaban destinadas a declinar a una edad en que las primeras se encuentran en el mejor momento, unos siete años más o menos. Asegura que el rioja madura más rápidamente que el burdeos, debido a su mayor graduación, pero que, sin embargo, tiene menos vida. Según su propia experiencia, a un vino le conviene permanecer unos ocho meses en una barrica nueva de roble. Luego se trasiega a otra vieja, en la que se guardará alrededor de un par de años, y ya se tendrá el vino listo para su embotellado. En tres o cuatro años más se habrá conseguido un excelente vino de mesa, que puede ir mejorando hasta los quince y mantenerse hasta los veinticinco o más, según las peculiaridades de cada uno.

Los razonamientos del marqués de Vargas son convincentes, y los compartimos en todos sus extremos. Para mejor valorarlos hay que tener en cuenta que —además de sus muchas actividades— se ocupa directamente de sus bodegas de Logroño, donde ha logrado un vino excepcional, el «Royal» («tête de cuvée»), que compite en «bouquet» y calidad con los bordeleses. Lástima que la producción sea limitada, y cada nueva añada que ofrece al mercado, actualmente la de 1959, se agota rápidamente.

Lo mismo ocurre en la mayoría de las grandes bodegas. Pedro Gandarias se ve a menudo asediado por sus amigos, pidiéndole las viejas reservas de Riscal, y al marqués de Murrieta le sucede otro tanto con las suyas.

En una casa en el campo es fácil instalar una bodega, puesto que se dispone de muchos rincones adecuados. Debe estar resguardada del frío, del calor y de los ruidos. Es igualmente importante que no tenga humedad y, aunque sin exceso, aireada.

UN RUEGO A LOS DOCTORES ARQUITECTOS
(Para una pequeña bodega en cada piso)

Nadie conoce mejor los rincones de una casa que quien la construye. Una casa en el campo no ofrece problemas a la instalación de una bodega. Mi sugerencia va destinada al piso en la ciudad, y sin duda alguna supone una invitación a rellenar el espacio reservado, de igual modo que se cubren de libros las estanterías de una biblioteca.

El rincón más alejado de la calefacción y del ruido, y que no se caliente demasiado en verano, es el más apropiado para guardar las botellas de vino en sus correspondientes casilleros.

Los licores, coñacs, ginebras, whiskies pueden dejarse de pie. Los vinos, y sobre todo los espumosos, deben permanecer tumbados.

A continuación doy unas medidas para la instalación de casilleros de seis botellas cada uno:

Botellas tipo Burdeos: 0,16 m. de ancho; 0,26 de alto; 0,27 de profundidad.

Botellas tipo Borgoña: 0,18 m. de ncho; 0,26 de alto; 0,27 de profundidad.

Botellas tipo Rhin: son más estrechas, pero tienen 7 cm. más de altura, que hay que calcular de profundidad.

Botellas de Champán (teniendo en cuenta el tamaño de las reservas, que suelen ser más anchas): 0,22 m. de ancho; 0,34 m. de alto; 0,27 m. de profundidad.

Conviene colocar un listón de unos 4 cm. de altura en el borde de los casilleros para que el cuello quede algo levantado. Así, al retirar una botella no resbalarán las demás.

A LAS MANTEQUERIAS, SUPERMERCADOS, ETC.

Suelen estar bien presentados y bien surtidos los escaparates de estos establecimientos, pero hay algo que en general no se tiene en cuenta, y es el cambio de temperatura que sufren los vinos que se exponen.

Lo que no es demasiado importante para un coñac, un whisky, una ginebra o licores en general, para los vinos es vital.

¿Qué remedios sugerimos? Lo dejamos al buen criterio de cada uno. Los bodegueros sí podrían ofrecer recomendaciones. Quizá un folleto con instrucciones. Es deplorable que el producto tan cuidadosamente elaborado y cuidado quede poco menos que a la intemperie.

Brindis

Hay en el Museo del Prado tres cuadros en los que el vino es protagonista: «La Bacanal», de Tiziano; «La Bacanal», de Poussin, y «Los Borrachos», de Velázquez. Estas pinturas inspiraron a nuestro insigne Ortega y Gasset el mejor ensayo dedicado al vino. Con un capítulo de este bellísimo ensayo, quería complacer a la autora de este libro —nuera de nuestro gran pensador— en su deseo de cerrar con broche de oro su estupendo trabajo, pero me ha puesto el veto. En verdad que lo siento por los lectores que no conozcan «TRES CUADROS DEL VINO».

1.—CHAMPIÑONES RELLENOS (4 personas)

Este plato puede servirse en una cena de pie, en un aperitivo historiado, o como primer plato ligero.

16 champiñones de tamaño grande,
200 gr. de jamón de York picado,
40 gr. de buen foie-gras,
1 cucharada sopera de perejil picado,
1 limón,
un poco de aceite,
20 gr. de mantequilla,
sal.

Se separan los pedúnculos de las cabezas de los champiñones. Estas se frotan con medio limón, por fuera, y se van echando en agua fría, a la cual se añade un chorrito de zumo de limón.
Una vez lavados todos los champiñones se colocan, bien escurridos, en una sartén amplia, para que no estén montados unos encima de otros, en cuyo fondo se habrá puesto una capa muy fina de aceite; se salan ligeramente, se tapan con una tapadera y se ponen a fuego lento durante unos 8 minutos.
Mientras tanto, se lavan los rabos separados de los champiñones y se pican muy menudos. Se ponen en un cazo con la mantequilla, sal y un poco de zumo de limón. Se dejan cocer durante unos 10 minutos.
Una vez pasados los 8 minutos de los champiñones de la sartén, se sacan de uno en uno y se colocan en una besuguera de metal o en una parrilla.
Se mezcla entonces el jamón picado, los pedúnculos picados (con el jugo que haga falta para aglutinar la mezcla), el foie-gras y el

669

perejil. Se rellena con este picado cada champiñón y se meten a horno mediano durante unos 10 minutos más. Se sacan y se sirven bien calientes.

2.—SOPA RUSA DE REMOLACHA (6 personas)

½ kg. de remolachas cocidas,
1 litro de caldo (o agua con pastilla),
25 gr. de margarina,

1 cucharada sopera de vinagre,
6 cucharadas soperas de nata líquida,
sal y pimienta.

Poner a derretir la margarina, añadirle las remolachas peladas y cortadas en rodajas. Rehogar durante unos 10 minutos. Añadirles después el caldo caliente, el vinagre, la sal y la pimienta. Dejar cocer todo junto a fuego lento durante 15 minutos. Retirar del fuego y cuando esté sólo templado, pasar por la batidora.

Para tomar esta sopa fría, se mete, una vez pasada por la batidora, en la nevera por lo menos durante 3 horas. Se sirve en cuencos individuales, echando en cada uno, en el momento de servir, una cucharada sopera de crema líquida.

Para tomar caliente se sirve en sopera, añadiendo en la sopera, después de echada la sopa, la crema líquida. Se mueve muy poco para que quede amarmolada y se añade un poco de lombarda picada en tiras muy finas y previamente aliñada con un poco de vinagreta, la cual se escurrirá al ir a echarla en la sopera.

3.—PATATAS ASADAS CON ROQUEFORT (6 personas)

9 patatas grandes (100 gr. cada una),
1½ vaso (de los de agua) de leche,

30 gr. de mantequilla,
50 gr. de queso Roquefort,
1 huevo,
nuez moscada,
sal.

Asar las patatas enteras en el horno (mediano) durante 1 hora. Sacarlas del horno, cortarlas en dos a lo largo y con una cuchara vaciar la pulpa, reservando los cuencos de piel vacíos.

Hacer un puré con el pasapurés, añadirle la mantequilla, el queso, el huevo batido como para tortilla, la nuez (rallada y sólo un poco), la sal y al final la leche caliente (solamente la que necesita el puré para dejarlo espeso).

Se mezcla todo bien y se rellenan con esto las medias patatas vacías.

Se meten en el horno a gratinar durante unos 15 minutos, más o menos, hasta que estén doradas, y se sirven.

Nota.—Se puede poner en el puré sólo la yema y añadir 2 claras a punto de nieve firme.

4.—PATATAS EN SALSA VERDE CON CHIRLAS (6 personas)

1½ kg. de patatas,
  6 cucharadas s o p e r a s de aceite,
  1 diente de ajo picado,
  1 cebolla grande (200 gr.) picada,
  1 cucharada sopera de harina,

¼ de kg. de chirlas,
  3 ramitas de perejil,
  1 cucharada sopera de perejil picado,
  agua,
  sal.

Se pelan las patatas, se cortan en rodajas gruesas y se echan en agua para lavarlas.

En una cacerola se pone el aceite a calentar; cuando está caliente se echa la cebolla y el diente de ajo, todo muy picado. Se revuelve hasta que la cebolla se pone transparente (unos 5 minutos), se agregan entonces las patatas escurridas. Se espolvorean con la harina y se les añade el perejil machacado en el mortero. Se dan unas vueltas y se cubren con agua fría. Se salan y se dejan cocer unos 30 minutos, más o menos (esto depende de la clase de patatas).

Mientras se van haciendo las patatas, se preparan las chirlas. Se lavan muy bien en agua y sal y se meten en un cazo con un poco de agua en el fondo. Se tapan y se dejan cocer hasta que se abren las conchas. Se separan del fuego y se van quitando las medias conchas vacías.

Se van añadiendo las medias conchas con el bicho a las patatas, así como el caldo que han soltado. Se cuece todo junto durante 5 minutos y se sirve en sopera o en fuente honda.

5.—ARROZ CON PIMIENTOS VERDES Y QUESO RALLADO (6 personas)

½ kg. de arroz,
  6 pimientos verdes pequeños,
  1 vaso (de los de agua) de aceite,

50 gr. de margarina (Tulipán, Natacha, etc.),
50 gr. de queso rallado,
  sal.

Se pone agua abundante a cocer en una cacerola; cuando rompe el hervor se echa el arroz, moviéndolo con una cuchara para que no se apelotone. Se deja cocer durante unos 13 a 15 minutos (según la clase de arroz) y se echa entonces en un colador amplio. Se pone al chorro del agua fría y se lava bien. Se reserva.

En una sartén se pone el aceite a calentar suavemente y se echan los pimientos, quitándoles previamente el rabo y las simientes y salándolos por dentro. Se tapa la sartén con una tapadera y a fuego lento se dejan durante unos 20 minutos. Se sacan y se reservan en un plato.

Se pone el arroz en una cacerola con un poco más de la mitad de la margarina y un buen chorro del aceite de freír los pimientos. Se sala y se rehoga muy bien dándole vueltas con una cuchara de madera. Se vierte en una fuente redonda de barro. Se colocan los pimientos por encima con las puntas hacia el centro y ahondándolos un poco en el arroz. Se espolvorea el queso rallado, se pone en trocitos el resto de la margarina, se mete un ratito en el horno para que se derrita el queso y se dore ligeramente. Se sirve en su misma fuente.

6.—LENGUADOS CON ZUMO DE NARANJA (3 personas)

3 lenguados de ración,
2 naranjas medianas,
6 almendras,
50 gr. de mantequilla,

1 plato con harina,
¾ litro de aceite (sobrará),
sal.

En la pescadería se manda vaciar las tripas de los lenguados y quitarles la piel oscura.
Se lavan y se secan bien con un trapo limpio. Se salan y se pasan por harina, sacudiendo cada pescado para que no quede más que la harina precisa. Se pone el aceite a calentar en una sartén y se fríen los lenguados de uno en uno para que no se estropeen. El aceite no debe de estar demasiado caliente, para que se hagan por dentro, sin arrebatarse por fuera. Una vez fritos se colocan en una fuente resistente al horno, en la cual se servirán. Se reservan al calor.
Se pica muy picadito la corteza, cortada muy fina (para que no lleve blanco) de media naranja, así como las almendras (crudas o tostadas, da igual). Se exprime el zumo de las dos naranjas y se pone en un cazo, con la mantequilla (blanda) y el picadito de almendras y corteza de naranja. Cuando está la salsa caliente (sin cocer) se rocían los lenguados con una cucharada sopera, con el fin de repartir por encima de cada uno de ellos el picadito y la salsa. Se mete la fuente a horno previamente calentado durante unos 10 minutos, y se ponen a gratinar. Cuando los lenguados están dorados se sirven en seguida.

7.—TRUCHAS CON ALMENDRAS (6 personas)

6 truchas de ración,
1 plato con harina,
¾ litro de aceite (sobrará),

50 gr. de almendras crudas, peladas y picadas,
sal.

Después de vaciadas las truchas (que si son asalmonadas resultan mejores) se lavan, se secan con un paño limpio y se enharinan ligeramente. Se fríen de dos en dos en el aceite bien caliente y cuando están doradas se baja el fuego y se refríen lentamente unos 10 minutos más. Se colocan en fuente donde se irán a servir y se reservan al calor.
Se vacía casi todo el aceite donde se ha frito el pescado, dejando el fondo con la harina. Se añaden las almendras picadas, dándoles vueltas. Cuando están bien doradas se vierte todo por encima de las truchas y se sirven.

8.—HUEVOS DUROS RELLENOS (6 personas)

9 huevos duros,
1 huevo crudo,
150 gr. de jamón serrano (muy picado),
1 lata pequeña de guisantes (100 gr.),
1 plato con harina,
½ litro de aceite (sobrará),
1 cebolla pequeña (50 gr.),
1 cucharada sopera de harina,
unas hebras de azafrán,
2 vasos (de los de agua) de agua,
1 vaso (de los de vino) de vino blanco,
sal.

Cortar en dos los huevos duros por la parte ancha. Vaciar las yemas, reservando 3 para la salsa. Mezclar el jamón muy picado con las yemas y volver a rellenar, con esta mezcla, los medios huevos. Pasarlos por harina ligeramente y después por el huevo batido, como para tortilla, insistiendo en mojar bien la parte del relleno con el fin de que no se salga. Freír un poco los medios huevos y cuando estén dorados colocarlos en una fuente de barro resistente al fuego.
Hacer la salsa: en una sartén poner unas 3 ó 4 cucharadas soperas de aceite, del de freír los huevos. Picar mucho la cebolla y echarla en el aceite hasta que se dore (unos 8 minutos), añadir la harina, darle unas vueltas con una cuchara de madera, para que se dore también un poco.
En el mortero machacar las hebras de azafrán y disolverlas con parte del vino. Añadir en la sartén el agua, el resto del vino y lo del mortero. Dejar cocer durante unos 10 minutos y pasar por el pasapurés. Echarlo en la fuente donde están los huevos. Dejar cocer todo durante otros 10 minutos, sacudiendo con cuidado la fuente. Ver entonces si le hace falta sal a la salsa, pues normalmente con la sal del jamón serrano del relleno suele bastar, si no rectificar.
Al ir a servir echar por encima los guisantes y yemas duras reservadas y picadas. Pasar a la mesa.

9.—BABILLA DE TERNERA MACERADA EN VINO BLANCO (8 a 10 personas) (Para preparar la víspera)

1 babilla de 2½ kg.,
1 litro de vino blanco seco,
1 vaso (de los de agua) de Oporto,
3 zanahorias medianas (150 gr.),
1 cebolla mediana (125 gr.),
3 dientes de ajo, sin pelar,
1 ramita grande perejil atada con 1 hoja de laurel,
10 gr. de pimienta,
½ vaso (de los de vino) de coñac,
1 vaso bien lleno (de los de vino) de aceite,
½ kg. de champiñones frescos,
25 gr. de mantequilla,
el zumo de 1 limón,
¼ litro de crema líquida,
sal.

Se ata la babilla para darle bonita forma, se sala y se pone en una cacerola (o mejor una cocotte de hierro fundido). Se vierte el vino blanco y el Oporto por encima. Se pelan y cortan en rodajas las zanahorias y se añaden, así como los ajos sin pelar, pero dando un golpe para aplastarlos un poco, la cebolla pelada y partida en dos, el ramillete de perejil y laurel y los granos de pimienta. Se deja así en sitio fresco (pero no en nevera) durante 24 horas, dando de vez en cuando la vuelta a la carne.

Cuando se vaya a hacer la carne, se vacía la cocotte del todo, guardando el vino con sus ingredientes. Se pone en la cacerola el aceite a calentar, y se dora la carne por todos los lados. Se añade el vino con todos sus componentes y se pone a cocer. Cuando rompe el hervor se baja el fuego para que cueza lentamente durante más o menos una hora u hora y media (según sea de tierna la ternera). La salsa debe de quedar reducida como a la mitad. Mientras tanto se limpian los champiñones, se cortan en trozos grandecitos y se lavan en agua con el zumo de medio limón. Una vez preparados todos, se ponen en un cazo con la mantequilla, el zumo del medio limón que queda y sal. Se cuecen durante unos 10 minutos. Cuando la carne está tierna, se saca y en un plato se flamea con el coñac (un poco calentado, para que prenda más fácilmente). Se pasa toda la salsa por el pasapurés y se vuelve a poner en la cocotte todo —así como los champiñones y su jugo—. Se reserva al calor hasta el momento de trinchar la carne para servirla. En la salsa se añade la crema líquida cuidando de calentar la salsa sin que cueza más. Se rectifica de sal si hiciese falta.

Se sirve con algo de salsa por encima y el resto en sopera.

Se podrá adornar con bolas de puré de patatas o unos triángulos de pan frito.

10.—PECHUGAS ESCABECHADAS (6 personas)

6 pechugas deshuesadas,
1 vaso (de los de vino) no muy lleno de aceite,
1 vaso (de los de vino) no muy lleno de vinagre blanco,
1 cebolla grande (125 gr.),

1 hoja de laurel,
1 ramita de tomillo,
1 ramillete de perejil,
1 pastilla de caldo de pollo de Gallina Blanca u otra marca,
sal.

En una cacerola esmaltada, o en un Duralex resistente al fuego, se ponen las pechugas dobladas en dos y sujetas con un palillo para que guarden buena forma. Se les vierte por encima el aceite y el vinagre, se añade la cebolla pelada y cortada en redondeles finos, el laurel, el tomillo, el perejil y un poco de sal. Se deja marcerar por lo menos durante una hora, sacudiendo de vez en cuando la cacerola, o revolviendo con una cuchara de madera.

Pasado el tiempo de la maceración se pone a fuego mediano, añadiendo la pastilla de caldo de pollo, espolvoreándola. Se deja cocer durante unos 20 minutos y se retira del fuego. Se dejan enfriar las pechugas en su salsa y se guardan así durante 24 horas en sitio fresco.

Se sirven frías con un poco de salsa y acompañadas de una buena ensalada.

11.—FAISAN AL CHAMPAN (4 ó 5 personas)

1 hermoso faisán,
1 cebolla mediana (60 gr.),
2 clavos (especia),
100 gr. de manteca de cerdo,
1 lata de sopa de rabo de buey (Campbell),

1 botella de buen champán seco,
½ vaso (de los de vino) de coñac,
5 cucharadas soperas de crema líquida,
sal.

A ser posible guisar el faisán en una cocotte (cacerola de hierro fundido).

Se pinchan en la cebolla los dos clavos. Se sala el faisán y se le introduce la cebolla. En la cocotte se pone la manteca a derretir y se dora muy bien el faisán por todos los lados. Una vez dorado se rocía con el caldo de rabo de buey, previamente calentado. Se cuece lentamente y cuando la salsa está consumida como a la mitad se va añadiendo en veces el champán. Se sigue cociendo hasta que el faisán esté tierno. Esto tardará de 2 a 3 horas, según sea de duro el faisán.

En un cazo se calienta (sin que cueza) el coñac. Se saca el faisán en un plato hondo. Se prende el coñac y se flamea muy bien el faisán. Mientras tanto la salsa seguirá cociendo para concentrarse algo.

Al momento de ir a servir se trincha el faisán, se pone en la fuente de servir y se añade a la salsa la crema, calentando bien la salsa sin que cueza ya. Se prueba si está bien de sal, se rectifica si hiciese falta, se vierte por encima del faisán y se sirve.

Se puede adornar la fuente con triángulos de pan de molde fritos o bolas de puré de patata.

12.—PLATANOS FLAMEADOS (4 personas)

4 plátanos bien maduros y grandes,
75 gr. de mantequilla,
4 cucharadas soperas de azúcar,
el zumo de una naranja grande (o 2 pequeñas),
el zumo de medio limón,

2 cucharadas soperas de Curaçao o Cointreau,
½ vaso (de los de vino) de ron o coñac,
1 cucharada sopera de almendras tostadas y picadas,
helado de vainilla (facultativo).

Pelar los plátanos y cortarlos en dos a lo largo.

En una sartén amplia se pone la mantequilla a calentar. Cuando está caliente se ponen los medios plátanos y se refríen despacio durante unos 8 minutos. Se les espolvorea el azúcar, se dejan un poco más y entonces se les añade el zumo de naranja, el de limón y el Curaçao o Cointreau. Se deja espesar la salsa como si fuese un almíbar.

En un cazo pequeño se templa el ron o coñac (sin que cueza).

En una fuente se ponen bolas o trozos de helado de vainilla y por encima los plátanos con su salsa. Se espolvorea la almendra picada. Se prende el ron o coñac del cazo y se vierte por encima prendido, pasando a servir rápidamente para que no se derrita demasiado el helado.

Acederas a la francesa, 263
— rehogadas, 264
Acelgas en escabeche, 265
— rehogadas, 266
— rehogadas con cuscurros de pan, jugo de carne y vinagre, 267
— tallos de, al horno con ajo y perejil, 271
— tallos de, al horno con salsa española, 270
— tallos de, rebozados, 269
— con tomate, 268
Adobo para la caza, 101
Adornos del consomé, 141
Albóndigas, 724
— de pescado, 702
Ajo blanco con uvas, 162
Alcachofas, fondos de, con foie-gras y bechamel, 278
— al horno, 275
— al horno, con jamón y becha-mel, 277
— rebozadas, 280
— rebozadas en salsa, 274
— rehogadas, 279
— rellenas de jamón serrano, 276
— en salsa, 273
— con vinagreta, 272

Alioli, 98
Almejas, bechamel de, 651
— a la marinera, 650
Anguila ahumada, canapés de, 14
Anguila frita, 506
— , manera de preparar la, 505
— a la marinera, 507
Angulas en cazuelitas, 652
Apio con bechamel, 281
— crudo, preparación del, para mezclar con escarola en en-salada, 284
— en su jugo, 282
— con mantequilla y queso ra-llado, 283
— con Roquefort, 35
Arenques ahumados para entre-meses, 508
— asados con anchoas, 510
— asados y servidos con salsa de mostaza, 509
Arroz de adorno, amarillo y con guisantes, 178
— amarillo con huevos revuel-tos, 179
— blanco, 165
— blanco a la cubana, 171
— blanco con champiñones, 166

Arroz blanco, ensalada fría de, 174
— blanco, frío con mayonesa y atún, 169
— blanco, frío, con verduras y vinagreta, 173
— blanco con gallina, 175
— blanco con gambas, rape y mejillones, 167
— blanco con huevos fritos, 170
— blanco con pechuga de gallina, champiñones y trufas, 168
— blanco con riñones, 177
— blanco con salsa de tomate, pimientos verdes y tortilla, 172
— blanco, soufflé de, 187
— blanco con ternera, 176
Arroz, budín de, 1050
— al curry, 181
— con leche, 1048
— con leche, con nata y almendras, 1049
— milanesa, 180
— con tomate, salchichas, guisantes y pimientos, 182
Asadura de cordero, 961
Aspic de bonito con mayonesa, 540
— de mousse de foie-gras, 43
Atún, 511
— canapés de, 11
— de lata, gratinado de, 512
Aves, manera de desplumar las, 818
— manera de flamear las, 820
— manera de pelar las patas, 821
— manera de vaciar las, 819

Bacalao al ajo arriero, 514
— buñuelos portugueses, 59
— buñuelos con salsa de tomate, 516
— con espinacas y bechamel, 518
— fritos de, 515
— manera de desalar el, 513
— con patatas y mayonesa, 521
— con patatas, paja y huevos revueltos, 523
— con pimientos y salsa de tomate, 520

Bacalao con puré de patatas y mayonesa al horno, 522
— en salsa verde, 519
Barquitas de gambas, 10
Bartolillos, 1030
Batatas en dulce, 1074
Bavaroise barata de fresa, 1068
— de chocolate, 1067
— de fresas, 1068
— de melocotones de lata, 1064
— de naranja, 1066
— de piña de lata, 1065
— de praliné, 1063
Bavaroises pequeñas de fresas o frambuesas, 1062
Becadas asadas, 886
— en cacerola, 887
— con coñac, 888
— , manera de preparar las, 885
Bechamel con alcaparras, salsa de, 70
— de almejas, 651
— con caldo, salsa de, 71
— corriente, salsa de, 67
— de mejillones en sus conchas, 692
— con tomate, salsa de, 68
— con yemas, salsa de, 69
Berenjenas al ajo, 285
— cocidas con tomate, 292
— estilo setas, 294
— fritas de adorno, 295
— gratinadas con tomate, 293
— con jamón y bechamel, 288
— rellenas de arroz, 289
— rellenas de carne, 290
— rellenas de champiñones y bechamel, 287
— en salsa al gratén, 286
Berenjenas, tortillitas de, 291
Berros para adorno, 298
— en ensalada, 296
Besugo al horno con ajo, perejil y vinagre, 526
— al horno con tomates, cebolla y champiñón, 528
— al horno con vino blanco y pan rallado, 527
— al horno con zumo de limón, perejil y mantequilla, 525
— a la parrilla, con salsa de mayonesa, 529
Biscuit glacé, 1069
Bizcocho amarmolado, 968
— borracho, 970

Bizcocho borracho hecho con pan rallado, 971
— de claras de huevo, 967
— comprado, con nata y fresón, tarta de, 1023
— cuatro cuartos, 965
— de chocolate, 969
— genovesa, 964
— con leche y aceite, 963
— con mandarinas y nueces, 972
— con nata de la leche, 962
— con tarta de naranja, 973
Bizcochos tostados, 966
Blanqueta de ternera, 767
Bogavante, 653
Bolas de clara de huevo y queso rallado, 22
Bonito asado con bacon, 534
— asado con mayonesa verde, 535
— , budín frío de, 539
— con cebolla y tomate, 532
— con cebolla y vino blanco, 533
— empanado con mayonesa verde, 536
— , pastel frío de, 538
— en marmitako, 537
— con mayonesa, aspic de, 540
Boquerones o anchoas fritos, 531
— o anchoas en vinagre, 530
Bouillabaisse, 703
— de patata y bacalao, 517
— de rape y patatas, 619
Brandada de bacalao con puré de patatas, 524
Brazo de gitano, 994
Budín de arroz, 1050
— de bonito frío, 539
— de coliflor, 338
— de espinacas, 359
— fino de merluza, 697
— flan de sémola, 1051
— flan de sémola con suizos, 1037
— de pescado con patata y tomate, frío o caliente, 698
— de repollo con salsa de tomate, 404
— de soletillas y fresas, 1022
— de verduras, 421
Buñuelos de bacalao portugueses, 59

Buñuelos de manos de cerdo, 959
— de manos de cordero, 953
— de manzanas, 1010
Buñuelos, masa para, 53
— de puré de patatas, 212
— de puré de patatas, empanados, con queso rallado o nuez moscada, 213
— de queso con salsa de tomate, 55
— de viento, 992

Caballa en filetes con salsa de mostaza, 542
Caballas con salsa de ajo y zumo de limón, 541
Calabacín con arroz, pisto de, 305
— con atún, pisto de, 307
— con patatas, pisto de, 304
Calabacines con bechamel, 309
— en ensalada, 311
— fritos, 299
— fritos y bacon, 301
— gratinados con queso, 310
— al horno, 302
— rebozados y fritos, 300
— con salsa de tomate al gratén, 308
Calabaza, puré gratinado de, 313
— rehogada, 312
Calamares fritos envueltos, 544
— fritos sencillos, 545
— , manera de limpiar los, 543
— pequeños en su tinta o chipirones, 547
— rellenos, 548
— en su tinta con arroz blanco, 546
Caldo de cocido con arroz, huevo duro y perejil picado, 137
— corto especial, 503
— corto con leche, 504
— corto con vino blanco, 501
— corto con vino tinto o vinagre, 502
— gallego, 110
— al minuto, 138
— de rabo de buey, 139
Callos a la madrileña, 947
— en salsa pollita (a la francesa), 946

Canelones de atún, huevos duros y champiñones, 260
— de carne, 258
— de espinacas y huevos duros, 261
— fritos, 259
— con un resto de ragout, 262
— con un resto de ragout con cebollitas, zanahorias y guisantes, 262
Canapés de atún, 11
— de caviar, 12
— de foie-gras, 8
— fritos, 23
— de jamón y piña, 7
— de mayonesa y queso calientes, 24
— de queso Gervais y pimentón, 26
— de queso, tomate y bacon, 25
— de salmón ahumado, 13
— de trucha o anguila ahumada, 14
Cangrejos con arroz blanco y salsa americana, 658
— , colas de, con salsa bechamel y coñac, 659
— grandes de mar, 655
— de mar pequeños, 654
— de río, al estilo de Burdeos, 660
— de río, manera de cocer los, 657
— de río, manera de limpiar los, 656
— de río, tortilla de colas de, 661
Canutillos de jamón de York y ensalada rusa y gelatina, 41
Capón, 853
Capuchina, 1046
Carabineros, 662
Caramelo líquido, 102
Cardillos, 320
Cardo en salsa con ajo y vinagre, 318
— en salsa blanca, 316
Cardo con salsa de pimentón, 315
— en vinagreta, 319
Cardos al gratén con queso y mantequilla, 317
— , manera de cocer los, 314
Carne a la plancha o frita, 704
Castañas, puré de (postre), 1017

— , tarta de puré con soletillas, 1018
Castañola en filetes con cebolla y tomate, 550
— en filetes al horno, 549
Caviar, canapés de, 12
Cebollas en puré, 322
— rebozadas y fritas para adorno, 321
— rellenas de carne, 323
Cebollitas francesas con bechamel, 326
— francesas, manera de cocerlas, 324
— francesas, manera de glasearlas, 325
Celeri-rave, 327
Centollo frío a la pescadora, 663
Centollos al horno, 664
Cerdo asado con piña, 780
— , cinta de, adobada y guisada, 782
— , cinta de, asada con costra de sal, 778
— , cinta o lomo asado con mostaza, 776
— , cinta o lomo con leche, 777
— , cinta o lomo con manzanas, 781
— , chuletas con almendras y vino de Málaga, 752
— , chuletas con cebollas en salsa, 788
— , chuletas con ciruelas pasas, 789
— , chuletas glaseadas, 755
— , chuletas que se hacen igual que las de ternera, 791
— , chuletas con naranja, 791
— , chuletas en papillote, 753
Cerdo, chuletas en papillote con higaditos de pollo, 754
— , chuletas con revuelto de tomate y pimientos verdes, 751
— , chuletas con salsa de tomate, 790
— , filetes con salsa de mostaza y crema líquida, 786
— , filetes de cinta con almendras y vino de Málaga, 787
— , filetes de cinta con mostaza, salsa de vino y zumo de naranja, 785

— guisado con ajo, cebolla y tomates, 784
— , lomo asado, 775
— , lomo braseado con repollo,
779
— , lomo o cinta en adobo
(para conservar), 783
— , manos en buñuelos, 959
— , pastel de cabeza, 906
Cerezas, flan-tarta de, 1014
Ciervo o corzo en cazuela, 898
Cigalas, 665
— con mayonesa y cigalas con
vinagreta, 666
Cintas con riñones, 251
Ciruelas pasas con vino tinto,
1076
Civet, 868
Cocido, 106
— , restos de, en forma de budín, 189
Cochinillo asado, 792
Codillos de jamón serrano con
salchichas, repollo y patatas,
793
Coditos con bacon y guisantes,
250
Codornices asadas, 890
— en cacerola, 892
— guisadas, 895
— , manera de preparar las, 889
— en nido de patatas fritas
paja, 891
— en pimientos, 893
Codornices en salsa, 894
Coles de Bruselas con bechamel, 330
— de Bruselas, gratinadas, 331
— de Bruselas, manera de cocer las, 328
— de Bruselas, rehogadas, 329
— de Bruselas, en vol-au-vent,
332
Coliflor con bechamel, 339
— con bechamel y almendras,
340
— budín de, 338
— buñuelos de, 335
— cocida, con salsa de mantequilla tostada y pan rallado,
342
— fría con mayonesa, 337
— al horno con mantequilla, limón, perejil y huevo duro,
341

— , manera de cocer la, 333
— rebozada, 334
— con salsa vinagreta, 336
Compota de manzanas, 1006
— de manzanas para acompañar
la carne, 1007
Conchas de pescado, 700
Conejo escabechado, 867
— guisado con cebolletas, tomates y zanahorias, 862
Conejo guisado con vino blanco,
863
— , guiso con aceitunas y almendras, 864
— , guiso con cebollitas y champiñones, 860
— , guiso con salsa de sangre
(civet), 866
— con naranja, 859
— con salsa de higaditos, piñones y pimientos, 861
— , trasero asado con mostaza,
865
Congrio, 551
Consomé, 140
— , adornos del, 141
Copas de pescado con salsa de
hortalizas, 701
Corazón de ternera empanado,
950
— de ternera en salsa, 949
Cordero al ajillo y tomate, 815
— asado a la sepulvedana, 804
— asado servido con salsa de
yemas y puré de tomate, 805
— , chuletitas con bechamel,
816
— estofado, 812
— , guiso con guisantes, alcachofas y patatas, 813
— , guiso con zanahorias y nabos, 814
— lechal asado, 802
— , manera de acomodar unos
restos, 817
— , manos en buñuelos, 953
— , paletilla deshuesada, 809
— , paletilla deshuesada brasea-
da, 811
— , paletilla con patatas y cebolla (panadera), 810
— pascual, pierna asada, 803
— pascual, pierna rellena, 806
— , pierna cocida a la inglesa,
807

— , silla asada, 808
Corzo o ciervo en cazuela, 898
— , pierna con salsa de grosella, 897
Crema de apio, 133
— de berros, 132
— de carabineros, gambas o cangrejos, 153
— catalana, 1033
— cuajada de limón, 1056
Crema de champiñones, 135
— de chocolate, 1036
— de espárragos, 129
— de espinacas, 131
— de gallina, 145
— de gambas, 154
— de limón, 1057
— , naranjas y soletillas, postre de, 1019
— pastelera, 1034
— de pescado con nata y curry, 155
Crêpes, 1028
Criadillas empanadas con arroz blanco, 948
— de tierra, 433
Croquetas, 56
— de huevo duro, 437
— de jamón, 56
— de mollejas, 945
— de patata y bacalao, 58
— de pescado, 15
— de puré de patatas con bacalao, 210
— de queso rallado y huevo, 57

Champiñones al ajillo, 425
— con arroz blanco en salsa, 427
— con bechamel, 426
— crudos en ensalada, 429
— para entremeses, 428
— frescos, preparación para salsas, 424
— rellenos de un picadito con chalota, 39
— rellenos de queso rallado, 38
Champiñones, tarta de, 60
Chanquetes fritos, 667
Chocolate, bavaroise de, 1067
— , corona ligera con natillas, 1055
— , crema de, 1036
— , mousse de, 1053
— , salsa de, 103
Churros, 1025

Dentón en salsa, 552
Dulce de leche condensada estilo Argentina, 1043

Eclairs de espárragos, 37
Empanadas de hojaldre, 48
Empanadillas de jamón, 6
Empanadillas, masa de, 45
— , masa de, 46
— , rellenos para las, 47
Emparedados de queso blanco, 27
Endivias con bechamel, 344
— en ensalada, 347
— al gratén, 343
— con jamón de York y bechamel, 345
— al jugo, 346
Ensalada de champiñones crudos, 429
— de espárragos, jamón d e York, etc... y mayonesa, 40
— fantasía, 297
— fría de arroz, 174
Ensaladilla de berros, 21
Ensaladilla rusa, 20
Escarola, ensalada de, 348
Espárragos, manera de preparar y cocer los, 349
— con jamón, 350
— , puntas con guisantes, 351
— , puntas revueltas con patatas y huevos, 352
— trigueros para tortilla, 355
— verdes y bechamel, tarta de, 61
— verdes rehogados con ajo, vinagre y pimentón, 354
— verdes en salsa, 353
Espinacas de adorno, 362
— con bechamel (crema de espinacas), 357
— budín de, 359
— con gambas y huevos, revuelto de, 358
— , manera de preparar y cocer las, 356
— y patatas guisadas, 361

Fabada, 199
Faisanes o poulardas, 896
Filetes de cinta de cerdo con almendras y vino de Málaga, 752

Flan-budín de sémola, 1051
— budín con suizos, 1037
— clásico y flan sorpresa, 1039
— de coco, 1041
— chino, 1044
— de frutas caliente, 1052
— de huevos con salsa de tomate, 495
— con leche condensada, 1040
— con peras, 1038
— salado, 496
Flan-tarta de manzanas (o de cerezas), 1014
Flan con zumo de naranja, 1042
Flanecitos con salsa de tomate,
498
Foie-gras, 907
Fritos de bacalao, 515
— de puré de manzana, 1011
— de puré de manzana, baratos
y rápidos, 1011
— de queso Gruyère, 30
— de queso Gruyère y bacon, 31

Galletas «María» fritas, 991
Gallina, blanqueta de, 848
— , pechuga rellena, 849
— en pepitoria, 847
Gallos, 553
Gambas al ajillo, 671
— , barquitas de, 10
— , cocktail de, 669
— con gabardina, 16
— con gabardina, 672
— , manera de cocer las, 668
— , mousse fría de, 44
— revueltas con espinacas y
huevos, 358
— en vinagreta, 670
Garbanzos aliñados, 190
— refritos, 191
Gazpacho, 159
— en trozos, 160
Gazpachuelo caliente de pescado, 163
— frío, 161
Gelatina de naranja, 1060
Guisantes con puntas de espárragos, 351
— sencillos, 363
— y zanahorias, 364
Guiso de pescado a la marine-
nera, 699

— de ternera en salsa de whisky con arroz blanco, 764
— de ternera con zumo de limón, 765

Habas fritas de adorno, 371
— guisadas, 370
— con huevos, 365
— con jamón, 367
— con leche y yemas, 368
— en salsa, 369
Habas salteadas con jamón, 366
Higaditos de pollo, 918
Hígado de cerdo, pastel-terrina
de, 901
— con mostaza y bacon, 911
— de ternera, escalopines con
cebolla y vino blanco, 913
— de ternera, filetes con cebolla, tomate y crema, 915
— de ternera, filetes con champiñones, 916
— de ternera, filetes empanados, 910
— de ternera, filetes macerados
con vino de Málaga, 909
— de ternera, filetes con vino
blanco, 912
— de ternera, frito (sencillo),
908
— de ternera, pinchos con bacon, 917
— de ternera (en un trozo) guisado, 914
Hojaldre, 1002
Huevos en cazuelitas con champiñones, 458
— en cazuelitas con jamón, crema y queso rallado, 459
— en cazuelitas, manera de hacer los, 455
— en cazuelitas con queso en
porciones y jamón, 457
— en cazuelitas, con riñones al
jerez, 456
— en cazuelitas, con salsa de
tomate y bacon, 460
— duros con anchoas, 443
— duros con bechamel y mejillones, 436
— duros, buñuelos de, 439
— duros, croquetas de, 437
— duros con ensaladilla rusa,
441

— duros con gambas, 440
— duros gratinados, 442
— duros, manera de hacer los, 435
— duros mimosa, 438
— duros, con salsa cazadora, 444
— escalfados con cebollas, 453
— escalfados con champiñones, 452
— escalfados con espárragos, 451
Huevos escalfados en gelatina, 454
— escalfados, manera de hacer los, 450
— fritos encapotados, 473
— fritos, manera de hacer los, 469
— fritos en muffins, 471
— fritos con arroz, 472
— fritos con patatas paja y bacon, 470
— mollets con champiñones, tartaletas de, 449
— mollets con espinacas, tartaletas de, 448
— mollets en gelatina, 446
— mollets, manera de hacer los, 445
— mollets con salsa de vino, 447
— pasados por agua, 434
— al plato con espárragos verdes, 466
— al plato a la flamenca, 463
— al plato con guisantes, 465
— al plato con higaditos de pollo, 462
— al plato, manera de hacer los, 461
— al plato con puré de patatas, 467
— al plato con salchichas, 464
— al plato estilo soufflé, con queso rrallado y jamón, 468
— revueltos con arroz y gambas, 476
— revueltos con champiñones, o espárragos o jamón, 475
— revueltos con espinacas y gambas, 358
— revueltos, manera de hacer los, 474

— revueltos con patatas y guisantes o espárragos, 480
— revueltos con patatas, paja y bacalao (a la portuguesa), 481
— revueltos con puntas de espárragos y patatas, 352
— revueltos con queso rallado, 483
— revueltos con tomate, 482
— revueltos en tostadas con salchichas, 478
— revueltos en tostadas con trufas, 477

Jamón californiano con piña, 800
— con espárragos, 350
— y pollo, pastel-terrina de, 905
— , pollo y ternera, pastel de, 904
— y queso blanco, rollitos de, 9
— de York con bechamel y champiñones, 799
— de York, emparedados de, 801
— de York, ensalada rusa y gelatina, canutillos de, 41
— de York, con espárragos y mayonesa, rollos de, 42
— de York, con espinacas y salsa de Madeira, 798
— de York, con filetes con bechamel y empanados, 801
Jamón de York, rollos con espárragos y mayonesa, 42
Judías blancas de adorno, 198
— blancas con costra, 196
— blancas en ensalada, 195
— blancas guisadas, 194
— blancas con salchichas y tocino, 197
— encarnadas, 200
— pintas con arroz, 201
— verdes con mayonesa, 378
— verdes rehogadas sólo con aceite y ajos, 373
— verdes rehogadas con tocino, 374
— verdes con salsa de tomate, 375
— verdes rehogadas con vinagre y yemas, 376

— verdes salteadas con mantequilla, perejil y limón, 372
— verdes con vinagreta, 377

Langosta a la americana, 678
— asada, 679
— con bechamel al horno, 680
— cocida servida con salsa mayonesa, 676
— , manera de preparar y cocer la, 675
— en vinagreta, 677
Langostinos empanados y fritos, 683
— con gelatina, corona de, 682
Langostinos, manera de cocer los, 681
— con salsa americana y arroz blanco, 684
Lazos fritos, 990
Leche frita, 1031
Lechugas guisadas, 381
— al jugo, 379
Lechugas al jugo simples, 380
Lengua con bechamel y alcaparras, 934
— estofada, 936
— rebozada, 937
— con salsa de cebolla, tomate y vino blanco, 935
— con salsa vinagreta historiada, 933
— de vaca o ternera, manera de cocer la, 932
Lenguado en filetes, 554
— en filetes con arroz, 563
— en filetes con bechamel gratinada, 557
— en filetes con berenjenas y bechamel, 558
— en filetes con champiñón y bechamel en cazoletas, 561
— en filetes empanados con arroz blanco y salsa de tomate, 565
— en filetes con espinacas, bechamel y langostinos, 555
— en filetes fritos en buñuelos, 564
— en filetes al horno con salsa de tomate, champiñones, mejillones y queso rallado, 560
— en filetes al horno con vino blanco y picadito de cebolla, 559
— en filetes rebozados y fritos servidos con mayonesa con coñac y tomate, 566
— en filetes al whisky, 556
— grande entero con vino blanco, al horno, 568
— , rollitos rellenos con jamón y con salsa, 562
Lenguados molinera con mantequilla, 567
Lenguas de gato, 983
Lentejas en ensalada, 204
— guisadas, 202
— simples con tocino y salchichas, 203
Liebre adobada, guiso de, 869
— , guiso con salsa de sangre (civet), 868
Liebre, pastel-terrina de, 900
— , trasero asado con mostaza, 870
Lombarda con cebolla y vino tinto, 382
— ensalada de, 383
Lubina cocida, 569
— al horno, 571
— cocida en caldo especial, 570
— rellena al horno, 572
Lubinas de ración, fritas, 573

Macarrones a la americana, 244
— con atún de lata, 249
— con bechamel, 243
— con chorizo y tomate, 242
— con espinacas, 247
— con mayonesa, 246
— con mejillones al curry, 248
Magdalenas, 976
— de clara de huevo, 977
Manos de cerdo, buñuelos, 959
— de cerdo empanadas, 957
— de cerdo, manera de cocer las, 956
— de cerdo, son salsa española, 960
— de cerdo con tomate, 958
— de cordero, buñuelos, 953
— de cordero, manera de cocer las, 951
— de cordero, rellenas con salchichas, empanadas y fritas, 952

— de cordero con salsa de limón, 955
— de cordero con tomate, 954
Mantecados, 989
Manzanas asadas, 1003
— asadas con almendras, 1005
Manzanas asadas con nata y caramelo, 1004
— , buñuelos de, 1010
— , compota de, 1006
— , compota para acompañar la
carne, 1007
— , compota con soletillas y
nata, 1015
— , flan-tarta de, 1014
— , fritos de puré de, 1011
— con natillas, mousse de, 1009
— , tarta borracha de, 1013
— tortilla flameada de, 1012
Manzanas con zumo de naranja,
puré de, 1008
Masa de empanadillas, 45 y 46
Masa para buñuelos, 53
— francesa para tartaletas, 2
— quebrada, 1
Masas para tartas, 995
Mayonesa clásica, salsa de, 94
Medias noches rellenas, 54
Mejillones, bacon y champiñones, pinchos de, 694
— al curry, conchas de, 691
— fritos, 17
— , manera de limpiar y cocerlos, 686
— con mantequilla, ajo y perejil
(al estilo caracoles), 693
— a la marinera, 689
— rebozados y fritos, 688
— en salsa bechamel clarita
(poulette), 690
— en salsa vinagreta, 687
Melocotones flameados, 1078
— flameados con helado de vainilla, 1079
Membrillo, 1072
Membrillos con jalea de grosella
y flameados, 1073
Menestra de verduras corriente, 420
— de verduras verdes, 419
Merluza, budín fino de, 697
— a la catalana, 581
— cocida, servida con salsa ma-

yonesa, vinagreta, holandesa,
574
— , cola de, al horno con bechamel y champiñones, 582
— , cola de, al horno con salsa
de almendras, ajos y vino
blanco, 596
— , cola de, al horno con tomates y queso rallado, 575
— , cola de, rellena, 583
— congelada en filetes, al horno con coñac y salsa de tomate, 597
— congelada en rodajas con cebolla, 595
— congelada en rodajas fritas,
587
— en filetes, empanados, servidos con salsa mayonesa
verde, 577
— en filetes, envueltos en jamón de York, 579
Merluza en filetes con joroba,
580
— en filetes rebozados y fritos,
578
— con mayonesa, al horno, 584
— rápida, 594
— en rodajas, fritas y adornadas con cuscurros de pan
frito y alcaparras, 588
— en rodajas fritas sólo con
harina, 585
— en rodajas fritas rebozadas,
586
— en rodajas guisadas con chirlas, 589
— en rodajas al horno con salsa de crema de champiñones,
593
— en rodajas al horno con salsa de vino y crema, 592
— en rodajas en salsa verde,
590
— en rodajas con tomate y queso rallado, 576
— en rodajas a la vasca, 591
Mermelada de albaricoque, 1070
— , salsa de, 104
— de tomates, 1071
Mero asado, 598
— en filetes, al horno con vino
blanco y picadito de cebolla,
602

— al horno con salsa de crema y champiñones, 601
— en salsa verde, 599
— a la vasca, 600
— con vino blanco al horno, 603
Mollejas, croquetas de, 945
— empanadas con salsa de tomate, 943
— con espinacas, 942
— flameadas con coñac y servidas con guisantes, 941
— guisadas con champiñones y cebollitas, 939
— guisadas al jerez, 940
— , manera de preparar y cocer las, 938
Montoncitos de mantequilla, 93
Mousse-aspic de foie-gras, 43
Mousse de café, 1061
— de chocolate, 1053
— de chocolate con soletillas, 1054
— de limón, 1058
Mousse de manzanas con natillas, 1009
— de naranja, 1059
— fría de gambas, 44
Muffins con foie-gras y gelatina, 5
— con jamón picado, 4

Nabos con bechamel y queso rallado, gratinados, 387
— con bechamel y yemas, 386
— , preparación de los, 384
Nabos salteados con mantequilla (para adorno), 385
— con zanahorias, 388
Natillas, 1032
— con roca flotante, 1035
Níscalos, 430

Ñoquis finos, 256
— sencillos, 257

Osso bucco en salsa, 763
— bucco en salsa con champiñones, 762

Paella de pollo, 184
— sencilla, 183

— con tropezones de cocido, 185
Paellita de bacalao, 186
Palitos de queso fritos, 28
— de queso al horno, 29
Palometa, 604
Pan de molde con champiñones, bechamel y queso rallado, 50
— de molde con gambas y bechamel, 49
— de molde con queso rallado, 51
Pan de nueces, 975
Pasta de spaghettis o cintas, manera de hacer la, 241
Pastas de coco, 978
— , manera de cocer las, 240
— con nata de la leche, 981
Pastas sencillas, 980
— de té, 985
— de té con almendras ralladas, 984
Pastel de cabeza de cerdo, 906
Pastel de perdiz, 902
— de pollo, jamón y ternera, 904
— de queso alemán, 1000
— de ternera, 903
— -terrina de carnes variadas e higaditos de pollo, 899
— -terrina de hígado de cerdo, 901
— -terrina de liebre, 900
— -terrina de pollo y jamón, 905
Pastelillos hechos con muffins y naranjas, 974
Patatas asadas a la americana, 236
— , bolas de puré de, 208
— , brazo de gitano de puré, con atún y mayonesa, 215
— , brazo de gitano de puré, con pescado y salsa de tomate, 216
— , buñuelos de puré de, 212
— , buñuelos de puré con queso rallado o nuez moscada, 213
— cocidas y rehogadas, 233
— en cuadraditos, revueltas con huevo y guisantes, 220
— con chorizo y bacon, 234
— en ensaladilla con atún y huevo duro, 238

— fritas, 218
— guisadas con chirlas o con pimientos verdes, 221
— guisadas viudas, 222
— al horno con bechamel, 228
— al horno con salsa de tomate, 230
— con leche y huevos, 227
— , manera de cocer las, 206
Patatas con mayonesa, tomates, anchoas, aceitunas, etc., 239
— paja, revueltas con huevo y bacalao, 219
— con pimientos, 232
— , puré de, 207
— , puré de, con chorizo, tocino y pimentón (revolconas), 209
— , puré al gratén, 214
— , puré con huevos, 217
— rebozadas y guisadas, 226
— redondas guisadas con vino blanco, 224
— refritas y guisadas, 225
Patatas rellenas con jamón, 231
— revueltas con puntas de espárragos y huevos, 352
— con salchichas, 235
— en salsa con huevos duros, 223
— con tomates, cebollas y hierbas aromáticas, al horno, 229
Pato, 854
— braseado con aceitunas, 856
— a la naranja, 855
Pavo asado, 851
— , manera de quitar los tendones a los muslos, 850
— relleno, 852
Pepinos para ensalada, 389
— con ensaladilla, barcas de, 390
Pequeña marmita, 136
Peras con nata y chocolate, 1016
Percebes, manera de cocer los 695
Perdices con chocolate, 873
— escabechadas, 884
— estofadas, 879
— estofadas y envueltas en repollo, 880
— guisadas con vinagre en caliente, 883

Perdices, manera de conocer y preparar las, 871
— con melón, 878
— rellenas de pasas y guisadas con leche, 875
— con repollo, 882
— con salchichas y zanahorias, 874
— en salsa con cáscara de naranja amarga, 881
— con setas, 872
— con uvas, 877
Perdiz, pastel de, 902
— con salsa de crema, 876
Pescadilla grande, 610
— grande, con cola rellena, 609
— al horno, 608
Pescadillas abiertas, rebozadas y fritas, 606
— fritas que se muerden la cola, 605
— al horno con vino y pasas, 607
Pestiños, 1026
Petits-choux, 993
— al Roquefort o al foie-gras, 32
— rellenos de foie-gras, 9
Pez espada con cebolla y vino blanco, 611
— espada empanado, 613
— espada en filetes con salsa de gambas y almejas, 614
— espada a la parrilla, 612
Pichones guisados con aceitunas, 858
— rellenos y servidos con compota de manzanas, 857
Pimientos rellenos de carne picada y arroz crudo, 395
— rojos con huevos duros, 392
— rojos, manera de preparar los, 391
— verdes fritos, para adornar la carne, 393
— verdes rellenos de carne, 394
Pinchos de dátiles y bacon fritos, 34
Pinchos de hígado de ternera con bacon, 917
— de mejillones, bacon y champiñones, 694
— de riñones de cerdo o corde-

ro, con tocino y champiñones, 923
— simples de riñones de cerdo
o de cordero, 924
Piña fresca, manera de preparar
la, 1075
Pisto de calabacín, 303
— de calabacín con arroz, 305
— de calabacín con atún, 307
— de calabacín con patatas, 304
— estilo francés, 306
Plátanos flameados con helado
de vainilla, 1080
Polvorones, 989
Polvorones de almendra, 989
Pollitos fritos, 828
Pollo al ajillo, 831
— aliñado al horno y después
frito, 830
— asado, 823
— asado en cocotte (o cacerola), 824
— asado con limón, 825
— asado con pomelos o naranjas, 826
— asado con salsa de naranjas,
839
Pollo frito, 827
— guisado con cebollitas y tomate, 840
— guisado con cerveza y cebollas, 842
— guisado con vino moscatel y
pasas de Corinto, 832
— , guiso con champiñones a la
francesa, 834
— , guiso con piñones, pimientos verdes y tomates, 836
— y jamón, pastel-terrina de,
905
— , jamón y ternera, pastel de,
904
— , manera de trinchar el, 822
, pechugas asadas con higaditos y bacon, 844
— , pechugas rellenas, 843
— en salsa, 837
— con salsa al curry, 841
— con salsa de champiñones,
833
— en salsa al horno, 838
— en salsa con setas, cebollitas, crema y yemas, 835

— , sopa a la belga, 846
— , suprema de, 845
— en trozos empanado, 829
Porrusalda, 124
Postre de soletillas, crema y naranjas, 1019
Potaje con acelgas, 108
— con arroz y patatas, 193
— con espinacas, 192
— de garbanzos, 107
— sencillo, 109
Pote gallego, 111
Puerros con bechamel, 398
— al curry, 399
— gratinados, 397
— con vinagreta o con mayonesa, 396
Puré de garbanzos, 112
— de guisantes secos, 115
— de guisantes secos, 205
— de guisantes secos con leche, 116
— de judías blancas, 113
— de lentejas, 114
— de manzanas con zumo de
naranja, 1008
— de patata al gratén, 214
— de zanahorias, 122

Queso, buñuelos con salsa de
tomate, 55
— , roscón de, 62
Quiche, 52
Quisquillas, manera de cocer las,
685

Rabo de buey guisado, 741
Rape a la americana con tomate,
coñac y vino blanco, 617
— estilo langosta, 615
— con leche, 616
— y patatas, bouillabaisse de,
619
— en salsa con tomate y guisantes, 618
Raviolis, 255
Raya cocida con salsa de mantequilla negra y alcaparras,
620
— en gelatina con mayonesa Je
alcaparras, 621

Relleno de las tartas, manera de cocer las frutas para el, 996
Rellenos para las empanadillas, 47
— de verduras variadas, 422
Remolachas, manera de cocer las, 400
Repollo, budín de, con salsa de tomate, 404
—, hojas fritas (para adorno de la carne), 405
—, hojas rellenas de jamón con bechamel, 406
— al jugo, 403
—, manera de preparar el, 401
— con mayonesa, 402
Restos de cocido en forma de budín, 189
Revuelto de berenjenas, calabacines, tomates y pimientos, 423
Riñones con salsa de tomate, presentados en alcachofas de pan, 922
— con vino blanco y arroz, 920
— de cerdo o de cordero, pinchos simples de, 924
— de cerdo o cordero, pinchos de, con tocino y champiñones, 923
Riñones de ternera, manera de limpiar y preparar los, para condimentarlos después, 919
— de ternera con salsa de jerez y arroz blanco, 921
Rocas de coco, 979
Rodaballo cocido, 623
— al horno, en filetes, 624
— al horno con mejillones, 625
—, manera de cocer el, 622
Rollos de jamón de york con espárragos y mayonesa, 42
Roscón de queso, 62
Rosquillas, 986
— alargadas de almendras, 988
— de limón, 987

Sablés de almendras, 982
Salchichas encapotadas, 796
— de Frankfurt con salsa de mostaza, 797
—, manera de cocer las, 795
—, manera de freir las, 794

Salmón ahumado, canapés de, 13
— ahumado, maneras de aderezar el, 630
— asado, 627
— cocido, 626
— al horno en rodajas con mantequilla, 628
— en medallones empanados, 629
— a la pescadora (al horno, con gambas y mejillones), 631
Salmonetes empanados a la parrilla, con salsa mayonesa, 636
— fritos, 635
— al horno, 632
Salmonetes al horno envueltos en papel (papillotes), 633
— al horno con pan rallado y vino rancio, 634
Salsa bearnesa, 73
— bechamel con alcaparras, 70
— bechamel con caldo, 71
— bechamel corriente, 67
— bechamel con tomate, 68
— bechamel con yemas, 69
— de caramelo líquido, 102
— de crema líquida y extracto de carne, 85
— de chalotas para la carne, 84
— de chocolate, 103
— española, 72
Salsa de grosella para venado, corzo o ciervo, 88
— holandesa, 76
— de hortalizas (pipirrana), 100
— con jerez y aceitunas, 82
— de jerez y champiñones, 81
— de mantequilla y anchoas, 86
— de mantequilla negra y alcaparras, 87
— mayonesa, 94
— mayonesa, otro tipo, pero sin huevo, 97
— mayonesa con tomate y coñac, 96
— mayonesa verde, 95
— de mermelada, 104
— de mostaza, 77
— mouselina para pescado, 75
— romesco, 99
— Roquefort, 92
— de tomate con cebolla y vino, 66

— de tomate clásica, 63
— de tomate concentrado, 65
— de tomate en conserva, 64
— vinagreta, 89
— vinagreta con ajo, 91
— vinagreta historiada, 90
— de vino blanco, 83
— de vino de Madeira, 79
— de vino tinto, 78
— con zumo de limón, 74
— de zumo de naranja, 80
— de zumo de naranja, 105
Sardinas en escabeche, 641
— fritas, 637
— al horno rellenas de espinacas, 640
— al horno con vino blanco y
pan rallado, 639
— rebozadas con huevo y fritas,
638
Sesos empanados, 927
— al gratén, con bechamel y
champiñones, 930
— huecos (o en buñuelos), 926
— , manera de limpiar y cocer
los, 925
— con mantequilla negra, 928
— en salsa bechamel clarita,
929
— con salsa de tomate gratinados, 931
Setas gratinadas, 432
— salteadas, 431
Soletillas, crema y naranjas, postre de, 1019
— y fresas, budín de, 1022
— con mermelada y chocolate,
1024
— rellenas de crema, 1020
— , tarta de moka, 1021
Sopa de ajo con almejas, 120
— de ajos con huevos, 121
— de ajo sencilla, 119
— de apio y patatas, 134
— de calabaza, 123
— de cebolla clara, 118
— de crema de espárragos, 130
— de fideos simple, 142
— fina de tapioca, 144
— gratinada de cebolla, 117
— de harina tostada, 143
— de higaditos, 147
— huertana, 148
— de jugo de tomate, 128
— marinera, 152

— de mejillones, 157
— de mero, 151
— de pescado barata con fideos
gordos, 158
— de pescado desmenuzada, 156
— de pollo a la belga, 846
— de puerros con leche, 126
— de puerros y patatas, 125
— de repollo, 150
— de tomate y judías verdes,
127
— de verduras, 149
Soufflé con arroz blanco, 500
— dulce, 1047
— de patatas, 499
— de queso, 497
Spaghettis con guisantes y almejas, 253
— con guisantes y setas, 254
— a la italiana, 252

Tarta de bacon y queso, 52
— de bechamel y espárragos
verdes, 61
— de bizcocho comprado, nata
y fresones, 1023
— de champiñones, 60
— de frutas, 998
— de limón, 999
— de manzana, 997
— de manzana borracha, 1013
— de moka con soletillas, 1021
Tarta de puré de castañas y soletillas, 1018
— yema, 1001
Tartaletas de bechamel, 33
— de champiñón, 36
— de champiñón y huevos mollets, 449
— de espinacas y huevos mollets, 448
Ternera, aleta rellena clásica,
768
— aleta rellena con espinacas y
tortillas, 769
— al ajillo con tomate, 774
— , asado hecho en cacerola,
760
— , asado al horno, 757
— , asado presentado con mayonesa y huevo duro, 758
— , asado con salsa de yemas
y puré de tomates, 759
— , blanqueta de, 767

— a la cazuela con setas, 773
— con cebolla y vino de Jerez, 771
— , contra asada con naranja, 761
— , chuletas con almendras y vino de Málaga, 752
— , chuletas empanadas, 756
— , chuletas en papillote, 753
— chuletas en papillote con hihigaditos de pollo, 754
— , chuletas con revuelto de tomate y pimientos verdes, 751
— , chuletas en salsa, 755
— , escalopines rebozados y con picadito de champiñones, 748
— , espaldilla guisada, 770
— estofada, 772
— , filetes empanados, 744
— , filetes de falda guisados, 766
— , filetes fritos, 742
— , filetes fritos con limón y mantequilla, 743
— , filetes mignon con champiñones y bechamel, 747
— , filetes rellenos con bacon y Gruyère, 745
— , filetes con salsa de Oporto, mostaza y perejil, 746
— , guiso en salsa de whisky con arroz blanco, 764
Ternera, guiso con zumo de limón, 765
— (osso bucco) en salsa, 763
— (osso bucco) en salsa con champiñones, 762
— , pastel de, 903
— , pollo y jamón, pastel de, 904
— , rollitos con bacon y anchoas, 749
— , rollitos con tocino y carne picada, 750
Timbal milanesa, 245
Tirabeques, 407
Tocinos de cielo, 1045
Tomate, rodajas empanadas y fritas, 414
Tomates al horno con perejil y ajo picado, 411
— , manera de pelar los, 408
— rellenos de bechamel y queso rallado, 410

— rellenos de carne, 409
— rellenos de ensaladilla rusa, 412
— rellenos de sardinas en aceite, pimiento verde y aceitunas, 413
Torrijas, 1027
Torta de patatas para acompañar fiambres, carnes, etc., 237
Tortilla de atún escabechado, 490
— de colas de cangrejos de río, 661
— de champiñones o espárragos, o espinacas, o trufas, o gambas, 489
— a la francesa, 485
— de jamón, 488
— de manzanas flameada, 1012
— de patata a la española, 492
— de patatas guisada, 493
— con queso rallado, jamón y cuscurros de pan frito, 487
— soufflé con perejil o queso rallado, 486
— de tres pisos, con salsa de tomate, 494
Tortillas, manera de hacer las, 484
Tortillitas de berenjenas, 291
— rellenas de berenjenas, 491
Tortitas americanas, 1029
Trucha asalmonada en caldo corto especial, 645
— , canapés de, 14
Truchas azuladas, 648
— estilo Sarobe, variante de las truchas a la molinera, 644
— frías en gelatina, 649
— fritas, 642
— con jamón, almendras y ajo, 646
— con jamón (a la navarra), 647
— a la molinera, 643

Vaca adobada y guisada en vino tinto, 732
— albóndigas de, 724
— , asado en cacerola, 730
— , asado al horno, 729
— , carne fiambre, 740
— , carne picada con puré de patatas y huevos duros al horno, 727

— , carne en ropa vieja, 735
— (cebón), filetes guisados con cerveza y cebolla, 717
— (cebón), filetes rellenos de jamón, aceitunas y huevo duro, 715
— , contra guisada, 739
— , filetes con aceitunas y vino blanco, 712
— , filetes a caballo (con huevos), 714
— , filetes empanados, 713
— , filetes fritos, 706
— , filetes picados o hamburguesas, 720
— , filetes picados rebozados, 721
— , filetes picados en salsa con cebolla, 722
— , filetes a la plancha, 705
— , filetes a la plancha o fritos, 704
— , filetes rellenos de jamón de York y aceitunas, 716
— , filetes de solomillo con champiñones, trufa y crema, 711
— , filetes de solomillo o lomo con un picadito de champiñón, cebolla y jamón, 708
— , filetes de solomillo con mantequilla y anchoas, 709
— , filetes de solomillo a la pimienta y flameados con coñac, 710
Vaca, filetes de solomillo con salsa de Oporto y mostaza, 707
— , gratinado de carne picada con arroz y bechamel, 728

— , guisada con tomates y aceitunas, 738
— , guisada con vino tinto (Bourgignon estilo francés), 733
— , hamburguesas con queso, 723
— , lomo con perejil, mantequilla y limón, 718
— , lomo con salsa de vino tinto, 719
— , maneras de utilizar el resto del redondo, 737
— , rabillo de cadera o tapilla guisada con zanahorias y cebollitas, 734
— , ragout con zanahorias, cebollitas francesas y guisantes, 731
— , redondo guisado, 736
— , rollo de carne picada asada, 725
— rollo de carne picada en salsa, 726
Vichyssoise fría, 164
Vieiras o conchas peregrinas, 696
Vol-au-vent de espinacas a la crema y puntas de espárragos, 360
— de mollejas, champiñones y trufas, 944

Zanahorias en ensalada para entremeses, 416
— glaseadas, 417
  con nabos, 418
— en salsa, 415
Zumo de naranja, salsa de, 105

Indice

Nota introductoria 7

Información general 9

Calendario de productos alimenticios 9
Tabla de calorías de los principales alimentos 22
Cantidades corrientes para los alimentos más usuales ... 26
Tiempo de cocción de las carnes 26
Menús semanales 28
Sugerencias de menús para invitaciones 52
Algunos consejos y trucos de cocina 53

Aperitivos 57

Sugerencias de platos fríos 68

Fritos, tartas saladas, empanadillas y tostadas 74

Salsas 85

Potajes y sopas 104

Arroz, legumbres, patatas y pastas 136

Verduras, champiñones, setas, criadillas de tierra 197

Huevos, flanes, souflés 275

Pescados y mariscos 309

Carnes y Aves 415

Caza 515

Casquería 545

Repostería 572

Epílogo por Jacinto Sanfeliu 649

Indice alfabético 677

695

Simone Ortega
Nuevas recetas de cocina

El formidable éxito alcanzado por «1080 recetas de cocina» ha animado a SIMONE ORTEGA a publicar estas NUEVAS RECETAS DE COCINA. Dividida en doce apartados (ilustrados con viñetas de Ana Torán) y un apéndice, la obra sigue los mismos criterios de claridad y concisión del libro anterior, de forma tal que las instrucciones pueden ser llevadas a la práctica sin necesidad de que los lectores posean especiales maestrías culinarias. Particular atención reciben las recetas económicas, no por ello menos sabrosas, y la adecuación de los platos tradicionales para permitir en su preparación el empleo de los modernos utensilios de batir, triturar y picar.

Carlos Delgado
(selección)
Cien recetas magistrales

El gran resurgimiento de la cocina española durante los últimos años ha permitido recuperar viejos platos tradicionales, preocuparse al máximo por la calidad de los productos y ensayar originales recetas de alta cocina. La decisión de seleccionar únicamente CIEN RECETAS MAGISTRALES ha obligado a restringir a DIEZ GRANDES CHEFS DE LA COCINA ESPAÑOLA —Juan Mari Arzak, Clodoaldo Cortés, Ramón Cabau, Raimundo Frutos, Gustavo Horcher, Antonio Juliá, Jean-Louis Neichel, Jesús María Oyarbide, Genaro Pildain y Paul Schiff— una lista que hubiera podido ser más extensa.

María Luisa Merino de Korican
Alta gastronomía para diabéticos y regímenes de adelgazamiento

Los 30 MENUS COMPLETOS reunidos por
MARIA LUISA MERINO DE KORICAN
ofrecen una completa guía de ALTA
GASTRONOMIA PARA DIABETICOS Y
REGIMENES DE ADELGAZAMIENTO
que permitirá a los enfermos y los
hipocalóricos una alimentación rica, variada y
agradable. Las recetas —de fácil preparación
y confeccionadas con el mínimo posible de
calorías, grasas e hidrocarbonos— reducen al
máximo los huevos en provecho de las
personas afectadas de colesterol y suprimen
las mantequillas, el aceite de oliva, las carnes
de cerdo y de cordero y los pescados grasos.

Lourdes March
El libro de la paella y de los arroces

LOURDES MARCH explica paso a paso —desde las proporciones y los tiempos de cocción hasta el utensilio apropiado— las recetas que utilizan el arroz como materia prima básica. EL LIBRO DE LA PAELLA Y DE LOS ARROCES se estructura en diversos apartados: la historia del arroz, las formas de cocinarlo (las técnicas y los trucos de la paella, el horno y el puchero), la paella valenciana (ingredientes y elaboración), los arroces regionales (con carnes de ave, de cerdo o de caza, con pescados, con verduras y legumbres), los arroces blancos (acompañados de carnes, pescados, jamón, queso, frutas y verduras), los arroces en otros países (a la cubana, hindú, árabe, tres delicias, risotto, etc.), el arroz integral, el arroz silvestre, los postres de arroz y las bebidas de arroz.

Inés Ortega
Sandwiches, canapés y tapas

Desde que el conde de Sandwich —jugador empedernido que se hacía llevar el almuerzo a la mesa de cartas— prestara su aristocrático nombre a los bocadillos, los imaginativos esfuerzos para mejorar la calidad y aumentar la variedad de esa forma expeditiva de cocina han enriquecido notablemente el inventario disponible. INES ORTEGA ofrece en este libro no sólo un amplísimo repertorio de recetas de SANDWICHS, CANAPES y TAPAS, sino también instrucciones para la preparación de su materia prima (tipos de pan, masas, pastas, salsas, etc.) y para su adecuada presentación.

Carlos Delgado
365 + 1 cócteles

Este recetario de cócteles, que ofrece una combinación para cada día del año y tiene la deferencia de prever también los años bisiestos, no se limita a detallar la fórmula de las mezclas, sino que contiene además un ARS COMBINATORIA sobre la materia. Un apartado de «técnica combinatoria» proporciona informaciones y recomendaciones sobre el instrumental imprescindible, la cristalería adecuada, los ingredientes básicos, complementarios y matizadores de las mezclas, las normas elementales para preparar un cóctel, la forma de agitar la coctelera, el uso correcto del hielo, las medidas, proporciones y equivalencias, etc.

Manuel Toharia
El libro de las setas

Entre las 4.000 especies de hongos de gran
tamaño contabilizados por la micología,
MANUEL TOHARIA ha seleccionado
aquellas que tienen un claro interés
gastronómico o que, por el contrario, ofrecen
graves riesgos para el consumo humano por
su toxicidad. Una selección de recetas
permite sacar todo su partido al valor
culinario de las setas. El capítulo sobre el
año micológico en España informa sobre el
calendario y los terrenos oportunos para su
busca. Los dibujos, las fotografías y los
completos cuadros sinópticos de las diversas
especies refuerzan la utilidad de este libro de
consulta.

Carlos Delgado
Diccionario de gastronomía

Aunque el hilo conductor de este
DICCIONARIO DE GASTRONOMIA
—compuesto por cerca de 7.000 términos—
sea el idioma castellano, CARLOS
DELGADO incluye también en sus entradas
las designaciones utilizadas por las demás
lenguas españolas, a fin de recoger «lo más
completamente posible las distintas formas
con que se conocen en nuestros días algunos
productos y materias primas como verduras y
pescados, reflejando naturalmente las
acepciones en euskera, catalán y gallego».
También encuentran espacio los productos y
preparaciones grastronómicas de valor
universal, aunque sean foráneas.